天使辞典

A Dictionary of Angels
including the fallen angels

●

グスタフ・デイヴィッドスン
Gustav Davidson
吉永進一 監訳

創元社

目　次

凡例　iii

序論　3
謝辞　20
本書の読者のために　22

天使辞典　25

付録　295

　　天使のアルファベット　296
　　天上の位階の階級　297
　　7人の大天使　299
　　天上の9階級の支配君主たち　300
　　7つの天を支配する天使　300
　　座天使たち　301
　　7つの天の館あるいは天の64の管理天使たち　301
　　1年の12カ月を支配する天使たち　302
　　7つの惑星の霊，使者，叡智体　302
　　黄道十二宮を支配する天使　303
　　1週間の7日を支配する大天使と天使　303
　　7つの惑星の支配天使たち　304
　　4つの季節を支配する天使　304
　　昼と夜の時間の天使たち　304
　　シェムハムフォラエ神の神秘的な名前をもつ72の天使　305
　　出産の際に招喚される70の魔除けの天使　306
　　メタトロンの名前　307
　　偉大なるアルコン　308
　　高みの天使君主長　308
　　月の二十八宿を支配する28の天使　308

聖なるセフィロトに対応する大天使　309
　　邪悪なセフィロト──神の左側からの流出　309
　　見張り（の天使）──別名，グリゴリ　309
　　サリム──天の主な支配天使王　310
　　懲罰の天使（マラケ・ハバラ）　311
　　懲罰の大天使　311
　　リリトの名前　311
　　堕天使　311
　　ヤズィード派の大天使──ヤズィード派の悪魔崇拝で祈禱される　314
　　７天使の印章　314
　　魔術の円　315
　　10人の天使の支配者とその位　316
　　霊符，図表，契約──招霊，招喚，魔法，呪い，悪魔祓い　316
　　　　能天使の印章による第６の秘儀の招喚　317
　　　　善き霊の招喚　317
　　　　死の呪文　317
　　　　剣の招霊　318
　　　　第３の印章の密儀における招霊　318
　　　　望む人間の心に愛を呼び起こすための招霊法　318
　　　　魔法の絨毯の製作と使用のための魔法　318
　　　　愛する人を確実に手に入れる魔法　319
　　　　神から与えられた力を備えた霊の招喚　320
　　　　蛇の招霊　320
　　　　「堕天した」天使たちを拘束し支配するための祈禱　320
　　　　悪魔祓い　321

参考文献　322

あとがき　372

著者，監訳者，翻訳協力者 略歴　376

凡　例

1. 本書は Davidson, Gustav, *A Dictionary of Angels including the Fallen Angels* の全訳である。本文中の〔　〕は，日本語版における訳者および監修者の補注である。
2. 項目の配列は50音順により，濁音，半濁音は考慮せず，長音は無視し，促音，拗音は1字とみなした。
3. 項目全体，あるいは説明文中の事柄や語に関連する参照項目を→で示した。
　また，同義の別の見出し語のもとに説明文を収載した場合も，→で示した。
4. 外国語のカタカナ表記において，慣用表現やわかりやすさを勘案した場合以外は，長音の音引きを省略した。
5. 旧約聖書，新約聖書は『　』で括らず，聖書中の各書は「　」で括った。章と節は5：12というように表わした。聖書からの引用は『聖書　新共同訳』（日本聖書協会版）に拠った。引用と，項目の説明文における固有名詞の表記は異なる場合がある。
6. 文献や文学作品の書・誌名は原則的に『　』，一編の作品や論文は「　」で括った。原語表記の書・誌名はイタリック体とした。
　また，Ⅳ，50のような表記は，巻とページ，あるいは巻と行などを示す。
7. 項目の説明文に出典として記された書名・文献名はほとんどの場合訳出してある。日本語版が刊行されている場合の書名（あるいは固有名詞）と原題（あるいは説明文中の固有名詞）とは必ずしも一致しない。
　巻末の参考文献には，原書と，日本語版に関するデータを併記した。

天使辞典

A DICTIONARY OF ANGELS
© 1967 by Gustav Davidson
Japanese translation published by
arrangement with the original publisher,
The Free Press, A Division of Simon & Schuster, Inc.
through Japan UNI Agency, Inc., Tokyo

本書の日本翻訳権は株式会社創元社が保有する。本書の全部ないし一部分をいかなる形においても複製，転載することを禁ずる。

序　論

　数年前，執筆作業の気晴らしにと天使を「収集」しはじめた時点では，まさかこの私が天使の収集家，そして伝記作家，やがては天使辞典編纂者になろうなどとは夢にも思わなかった。そのような意図は少しもなかったし，ほんとうに，気がついたら1冊の辞典と呼べるものを作成するに足る数の天使を収集していたのである。

　当初は，名前をもつ天使は聖書の中にだけ見つかるものと考えていた。しかしながら，まもなく，事態は正反対で，聖書ほど天使の名前が見つからない書物はないとわかった。たしかに旧約聖書にも新約聖書にも天使への言及は頻繁にあるのだが，名前をもつ天使となると2，3の例があるだけなのだ。実際，この辞典の中の天使の名前のほとんどが聖書聖典以外の出典によっているのである。

　私は長いあいだ共観福音書〔「マタイによる福音書」「マルコによる福音書」「ルカによる福音書」「ヨハネによる福音書」〕と『パウロの手紙』を愛読してきたが，新約聖書の中ではとりわけ「ヨハネの黙示録」に魅力を感じている。その大きな理由は，黙示的な比喩が用いられていることと，天使との関わりにあると思う。ある日「ヨハネの黙示録」のページをぱらぱらと繰っていて，第8章第2節に目を引かれた。

　　そして，わたしは七人の天使が神の御前に立っているのを見た。彼らには七つのラッパが与えられた。

　私は聖書を脇に置いて自問した。神の御前に立つ7人の天使とは誰だろう。それを確認した聖書学者はいるのだろうか。その天使たちは，熾天使（セラフイム），智天使（ケルビム），権天使（プリンシパリティーズ），能天使（パワーズ），どの階級に属するのだろうか。神の玉座に最も近づくという特権と地位を与えられる天使は，常に7人なのであろうか。なぜ7人なのか。7つの惑星がその原型なのであろうか。それとも，「エゼキエル書」9：2-11のあの恐ろしい描写，神が「憐れみをかけず」「滅ぼし尽くす」ためにエルサレムに呼んだ6人の「男」と「亜麻布をまとう」7番目の者に由来するのだろうか。興味深い，半ば強迫観念的なこれらの問いをそのまま放っておいてはならないと私は直感した。やがて，その答えを探し求め，私は天の河を幾つも渡ることとなった。そして数年後，天にも地上にも存在するとは考えもしなかった黄金の国の扉を開ける鍵を手に入れたのだった。

　黙示録に現われる7人の天使のうち，3人の名前はすぐに明らかになった。旧約聖書「ダニエル書」のミカエルとガブリエル，旧約聖書続編「トビト記」のラファエルである。ラファエルに関しては，都合のいいことに自ら名前を名のっているのであった。神から若いトビアのところに遣わされたラファエルは，「わたしは，栄光に輝く主の御前に仕えている七人の天使の一人，ラファエルである」（12：15）と打ち明けている。これほど説得力のある，決定的な言明はないだろう。7人の天使のうち3人までが明らかになったところで，問題は残りの4人ということになった。

　私には，ウリエルという名の天使がいて，太陽の統治者である，というのをどこかで読んだ記憶があった。彼は有力な候補に思えたのだが，このおぼろげな印象は，ミルトンの『失楽園』（Ⅲ，648以下）でウリエルという名に出会ったとき，確信に変わった。ほかでもない敵であるサタンがそれを確証しているのだ。「サタンは次のように語りかけた。／ああ，ウリエルよ！　汝こそ／神のいと高き玉座の前にあって栄光に輝く／7人の天使の1人」など。「その心がそのままにリュートとなる」というボウのイスラフェルは，イスラムの天使であった。7人の天使に入ることはないだろうと私は考えた。それからロングフェローのサンダルフォンがいた。同名の詩で，ロングフェローはサンダルフォンを「栄光の天使，祈りの天使」として描いた。たしかに偉大な天使であろうが，「主の栄光の御前に入る」という資格が与えられるほ

ど階級の高い天使なのか。それが問題であった。フォンデルの『ルキフェル』，ヘイウッドの『天使の階級』，ミルトンの『失楽園』，ドライデンの『無垢の時』，クロップシュトックの『メシア』などの作品には，アブディエル，イトゥリエル，ウジエル，ゼフォンなど最上級に属する者を含め，相当数の天の御使いが登場するが，はたしてその中に主の栄光の御前に入る天使がいるのか，皆目見当がつかなかった。その時の私は，その答えが見つかる文献がきっとあるにちがいないと思い，あまり悩まないことにしたのだった。実際，そのような文献は数多くあったのだ。蔵書の幾冊かを調べればすむことだったが，神学に全く無知だったために，見当はずれのことをしてしまったのである。

当時の私は天使伝承に精通した人を知らなかったので，手助けをしてくれそうな学者や神学者に連絡をとることにした。地元の大学や神学校，タルムード学院の教員名簿から無作為に5，6人の名前を抜き出し，ぶしつけに質問の手紙を送ったのだった。返事はぽつぽつと来たが，どれも満足のいくものではなかった。聖書解釈学者の1人は「私の手には余る」と言ってきたし，西ドイツのスウェーデンボルグ教会に問い合わせるようにと言う学者もいた。何の返事もよこさない者もいた。しかし，あるかなり有名なユダヤ文学者は寛大にも7人の天使のリストを2組送ってきてくれた。どちらのリストも，例の3人の天使（ミカエル，ガブリエル，ラファエル）から始まっていた。

☆リスト1　　　　　　　　　☆リスト2
　ミカエル　　　　　　　　　ミカエル
　ガブリエル　　　　　　　　ガブリエル
　ラファエル　　　　　　　　ラファエル

　ウリエル　　　　　　　　　アナエル（ハニエル）
　ラグエル　　　　　　　　　ザドキエル
　サラクァエル　　　　　　　オリフィエル
　レミエル（あるいはカマエル）ウジエル（あるいはシドリエル）

この時点で，私には，探していた7人の天使だけでなく，7人の「選択権」まで与えられたのだった。それに，聞いたこともない天使の名前がその中には含まれていた。さらに連絡を取り合ううちに，聖書正典外の書物，偽典についての情報が与えられた。特に3冊のエノク書は文字どおり宝の発見であった。『エノク書Ｉ』あるいは単に『エノク書』（『エティオピア語エノク書』とも呼ばれるが，それは最も初期の訳あるいは校訂本がアビシニアで発見されたことによる）は，すぐに参照することができ，たいへん有用な文献であった。その中には名前をもつ天使が実にたくさん登場していた。すぐにわかったことだが，その中の多くは他の名前のアルファベットの組み替えや転訛であった。

エノク書の天使はどこに由来するのだろうか。イスラエル民族の族長（あるいは誰であれエノク書を記したとされる作者）は，自らの想像力に頼ったのであろうか。（たしかに12枚の翼を持つカルキュドリやフェニクスは，架空の存在である。）それとも，精霊界の4つの出入り口から天使たちが招喚されたのであろうか。あるいはそのとき，天使たちは，昔も今も秘儀に通じた者たちに出現するごとく，特別な神秘的精神集中ののちに，恩寵やカリスマとしてエノクのもとに現われたのであろうか。しばらくの間，私はこの質問には答えないでおいた。

エノク書はそれに関連する宗教的伝承や文献へと私を導いてくれた。黙示文学，カバラ，タルムード，グノーシス主義，教父学の書物，メルカバ（ユダヤ神秘主義），さらには魔術書，黒魔術書，禁書となってほとんど忘れられた奇怪な書物など。その中には，招霊，霊への命令，悪魔祓いの呪文などが，時には異様なほど詳細に説明されていたり，奇怪な名前を持つ霊に向けられていたのである。これらの儀式に対して聖職者たちが何らかの批判の言葉を浴びせない

わけではなかったのだが，最も悪魔的な書物の1つはなんと教皇ホノリウス3世（在位1226—1227）が著者だとされていた（根拠は全くない）。書名は『ホノリウスの魔術書』で，著者と称される人物の死後400年以上も経過した1629年に出版されたのである。『儀礼魔術の書』の著者アーサー・エドワード・ウェイトは，その魔術書は「悪意のこもった，狡猾な詐欺であり，魔術に魅せられた無知な人々，特に無知な聖職者を欺くためのものであったのは否定できない。なぜなら，地獄の魔術や降霊術の使用を，法王がはっきり認可したかのように見せかけているからである」と述べている。

魔術に関するこれらの文献には，天使（またはデーモン）が際限なく登場するので，すぐに対処に困ってしまった。この仕事を手頃な大きさにするために，あまり重要ではないと思われる名前や，データがほとんどないものに関しては，除外することにした（神よ，お許しください）。

天使研究のこの段階で，私は文字どおり天使たちにとり憑かれてしまった。天使たちは昼夜おかまいなしに私の周りをうろつき取り囲んでいたのだ。おかげで，悪と善，デーモンとデヴァ，サタンとセラフィムの区別ができなくなってしまった。また，（当時の詩を引用すれば）「存在を証明できない世界／天の獣たちでいっぱいのその世界が／私が歩いている世界よりも現実味がないとすれば」などとも言えなくなってしまった。私は，様々な霊が行き交う薄暗い領域，堕落した神々，アイオンとアルコン，妖精と聖霊，エロヒムと化身などが放つ不吉な光に照らされた魔法の森の中を歩き回っていたのだ。『神曲』の第1編で，ダンテは人生の半ばに自分が薄暗い森の中をさまよっていることに気づくが，まさしくそのような心境であった。あるいは，古えの騎士が現実の敵であれ空想の敵であれ，決着をつけようとしている時のような心境でもあった。その当時，忘れもしない出来事が起きた。ある冬の夕暮れどき，近くの農場から帰宅の途中，見なれない野原に出た。すると突然，悪夢に登場するような姿形がぼんやりと現われ，私の前に立ちはだかった。しばし身体が麻痺してしまったが，なんとかこの幻影を振り切って進むことができた。翌朝，私が出会ったのは幽霊だったのか，それとも天使，悪魔，あるいは神であったのか，全く確信がもてなかった（ヤコブもペヌエルで何者かと格闘したときはそうであった）。そのような時，そのような出会いを幾度か経験し，恐怖は恍惚へ，想像すらできなかった領域の暗示は，確信に近いものへと変わった。パウロが「テモテへの手紙一」4章で用いた表現を借りれば「俗悪で愚にもつかない作り話」が，我々の感覚の及ばないところ，神聖なものであれ俗なものであれあらゆる我々の経験の限界を越えたところに，存在するのではないかと私は感じたのだった。

合理的に思考することが，現実に足をつけているための唯一の安全策と思った。しかし，ウォルター・ニッグが指摘したように「天使は人間存在の合理性を超越する力」であるならば，天使を受け入れるためには合理的な思考を停止しなければならないのだろうか。

天使のためとあらば，コウルリッジが言ったように「不信感を意図的に停止する」用意はできていた。それに「楽園の乳」を飲む覚悟もあった。そうは言っても，やはり困惑していた。「救済の光の啓示」などに裏打ちされた権威を全く重んじなかった私であったが，いつも繰り返し自分に問うていたことがあった。私は，自分の個人的で限界をもたざるを得ない経験，合理的思考，信念（あるいは不信）を，歴史上最も強く深遠な精神のそれらに対抗させているだけではないか。それらの精神は，世界の思想を形成し，時には全くの迷信や誤りから世界を（ある程度）解放してきたのだ。それでもなお，どのような時代や伝統に裏打ちされたものであれ，誰が主張したものであれ，明らかに常識に反する意見や信条に関わるのを潔しとしなかった。公然と天使の存在を信じることは，必然的に超自然的なものを信じるということにつながり，それこそ私が関わりたくなかった罠そのものであったのだ。私は，宗教的になることなく，人間が住む次元や世界以外の存在，我々の現在の理解を越えたところの力や知的存在の可能性を考えることができた。この意味において，「我々は我々が信じるものを創造する」ということを思い起こせば，天使は現実の一部なのであって，締め出されるべきものではない。実

際，十分な数の人間が天使の存在を信じるならば，天使は存在するのだと，はばからずに言うことができる。

多くの教父文献を読みあさっている途中で，聖アウグスティヌス『八十三問題集』の中の言葉につきあたった。それを紙に記し，長い間持ち歩いていたのだが，その言葉に共鳴したというのでなく，一つの難題と見なしていたのだ。「天使たちはこの世の可視のものすべてを司る」とアウグスティヌスは言っている。『ゲネシス・ラバ』10章でも，表現を変えて「天の守護天使を持たない地上の茎はない」と述べられている。

聖パウロは彼の命題や目的に沿ったところであればどこでも，例えば「エフェソの信徒への手紙」6章のように，天使を邪悪なものと見なした。「コロサイの信徒への手紙」2：18では，パウロは天使礼拝の誘惑に駆られないように警告している。さらに神自身も「その僕たちをも信頼せず／御使いたちをさえ賞賛されない」ようだ（「ヨブ記」4：18）。「ヘブライ人への手紙」13章にも「いろいろ異なった教えに迷わされてはなりません」とある。なんとももっともな忠告であろうか。アグリッパ王がパウロに言ったように（「使徒言行録」26：28），「わたしを説き伏せて，キリスト信者にしてしまうつもりか」と言いたくなるところだ。しかしパウロの頭の中にはいったい誰の教義があったのだろうか。モーセか，それともイザヤ，コヘレト，聖ペトロ，あるいはヤコブか。「ヘブライ人への手紙」で勧めを説いているのがパウロであるならば（かつてはパウロの著作とされていた），パウロは信頼するに足る指導者なのであろうか。「みんなに気に入られる」ように，天使を賞賛すると同時に否認したのであろうか。すぐにわかったことが1つある。不可知，不可視の領域の事柄に関しては，問題を信仰に還元してしまうと，なんの確信も得られないし，なにも証明できないし，誰をも説得できないのだ。この点に関しては後に述べよう。

研究の初期の段階でつきあたった問題の一つは，天使の名称や綴りのめくるめく変化にいかに対処しようかということであった。ある言語から他の言語に翻訳される際に，また写字生が書写するうちに，あるいは字位・音位転換が繰り返し起こるという言語の性質によって，天使の名称や綴りは変化した。例えば「タルタルスの支配者」で「太陽の統治者」であるウリエルは，サリエル，ヌリエル，ウリアン，イェホエル，オウレル，オロイアエル，ファヌエル，エレミエル，ラミエル，イェレミエル，ヤコブ＝イスラエルなど様々な名称で現われる。権天使の長で「天で最も背が高い」ハニエルの派生語や（あるいは）別称は，数学的にハニエル＝アナエル＝アンフィエル＝アニイエル＝オノエル＝アリエル＝シミエルと表されるであろう。天の宝の守護者gabbaiであるヴレティルは，ガブリエル，ラドゥエリエル，プラヴイル，セフェリエル，ヴレヴォイルと同一，あるいは頭韻消失したものである。アラビア伝承では，ガブリエルはジブリル，ジャブリエル，アブラエル，アブル＝エルなどとなる。古代ペルシアの伝承でガブリエルに相当するものは，ソルシュ，レヴァン＝バクシュ，そして，最強の天使である「王冠を戴いたバフマン」である。エティオピア人にとっては，ガドレエルがガブリエルに相当する。

ミカエルはサバティエルという秘儀名をもっていた。またシェキナ，光の王子，ロゴス，メタトロン，主の天使，聖ペトロ（ミカエルがこの使徒の代表と同じく，天の王国の鍵を持つ，あるいは持っていたことによる）とも見なされた。さらに初期の記録では，ミカエルは竜を退治した者とされ，聖ジョージの原型と考えることができるかもしれない。古代ペルシア人には，ミカエルは人類の支援者ベシュテルとして知られていた。

ラファエルは，神に創造されたときにラビエルという「洗礼名を得た」が，アファロフ，ラグエル，ラミエル，アズラエル，ラファレルなどと交換可能である。さらに事態を複雑にしているのは，この癒しの天使が「トビト記」においてアザリアという偽名で活動していることである。『ゾハル』ではラファエルは地獄の王バエルと同等視されている。

「究極の神秘の長」で，有名な『天使ラジエルの書』の「著者」大天使（アークエンジェル）ラジエルは，アク

ラジエル，サラクァエル，スリエル，ガリスル，ンズリエル，ウリエルと同一視される。熾天使セムヤザは，ラジエルの別称であるサミアザ，シェムハザイ，アメジャラク，アザエル，アザジエル，ウザなどの名称のいずれかを唱えることで呼び出されるとされた。

「小さきYHWH」(小さき神)で，サンダルフォンの双子の兄弟メタトロンも，ビズブルという神秘的名称をもっていた。しかしメタトロンは100以上の別称を持っており（巻末の付録を参照），魔術儀式においてはいずれの名前でも招喚される。

豹の身体を持つカマエル（別称はシェムエル，シミエル，ケムエルなど）は，地獄では最高司令官，邪悪な惑星・火星の支配者であったが，同時に天では神の御前の大天使として仕えていた。聖なる法を伝えるために，1万2000の霊の軍勢と共に神に従ったのは，カマエル（ケムエル）である。この出来事は伝説に裏付けられている。他の伝説によれば，モーセが神の手から律法を受け取る邪魔をしようとし，カマエルはモーセにより滅ぼされたとされる。

サタンは，当惑するほど様々な姿，形で表わされる。「空中に勢力を持つ者」とパウロはサタンを独創的な表現で称したが，これはすばやくその姿や称号を変化させるサタンの特性を最もよく表わすものである。ゾロアスター教神智論では，サタンは人間と神の敵であるアフリマンである。アフリマンは，ユダヤ＝キリスト教の悪の統治者としてのサタンのイメージより1000年前に遡るので，サタンの原型とも考えられる。「レビ記」では，「贖罪の山羊」アザゼルがサタンに相当する。「イザヤ書」ではルキフェルである（あるいは誤ってルキフェルと同一視される）。「マタイによる福音書」「マルコによる福音書」「ルカによる福音書」では，「蠅の王」ベエルゼブブ。「ヨハネの黙示録」では，「竜，年を経た蛇，悪魔」である。『ヨベル書』『アダムとエヴァの生涯』ではマステマ，（同時に，あるいは）ベリアルとされる。『バルク書』『ヨナタンのパラフレーズ』『イザヤの殉教と昇天』ではサマエル。『エノク書』ではサタナイルとサラミエル。『アブラハムの黙示録』『ゾハル』ではドゥマとアザゼル。ファラシャ人の伝承では，死の天使であるスリエル。『十二族長の誓約』『サドカイ派文書諸断片』『シビュラの託宣』ではベリアル，あるいはベリエルとされる（『サドカイ派文書諸断片』ではマステマもベリアルと交代で登場する）。コーランでは，イブリス，エブリス，あるいはハリス。ユダヤの伝承では，人間の悪癖の擬人化であるイェツェルハラ。シェイクスピアは『ヘンリー4世』で「北方の君主」としている。ミルトンは『復楽園』で「楽園の盗人」，バニヤンは『聖なる戦い』でディアボルスとしている。どのような形で現われようと，かつて天を闊歩していたこの者は，神の赦しを得てかつての地位や栄光を取り戻さない限り，もはや天の客でも住人でもなく，その黒い足が天の地を踏むことはないであろう。救世主その人が，サタンと追随する天使たちを「永遠の火に入れ」（「マタイによる福音書」25：41）と呪っている以上，教会はサタン信仰を厳しく禁じているのである。

『エノク書Ⅱ』『レヴィの誓約』他の外典や偽典によれば，地獄そのものは，我々がふつう想像するような場所，つまり地下の世界には位置していない。それは「第3天の北の地域」にあり，悪魔Evilは様々な形態をとりつつ第2，第3，第5天に宿っている。『バルク黙示録』によれば，初めの3つの天は「邪悪な姿の怪物」でいっぱいだという。第2天では，人間の娘らと交わった好色な堕天使たちが捕らえられ，日々鞭で打たれている。第5天には恐ろしい「見張り」（グリゴリ）が住んでいるのだが，これら永遠に沈黙したグリゴリは「支配者サラミエルと共に，神を拒否した」とされる。パウロは第3天に引き上げられたとき，「野蛮な武器を持つ恐ろしく無慈悲な悪の天使たち」に出会う。少なくとも3つの天，あるいは少なくとも3つの天の幾つかの地域は，永遠に断罪された者たちの住まいであった。

天国の中に地獄があることは，筆者もそうだが，ギリシア神話を少しでも知る者なら驚きはしなかったであろう。というのも，「祝福された者たちの住まい」であるエリュシオンの野は，ハデスのすぐ近くに位置していたからだ。ラビの注釈（『ミドラシュ・タナイム』）は，地獄と楽園が「隣り合わせ」になっていると請け合っている。これは「詩編」90章の注釈（『ミドラシュ・テヒリム』）に近い。そこでは世界の創造に先立つ7つのものがあって，その中には楽

園と地獄が含まれ,「楽園は神の右側に,地獄は神の左側にある」とされた。「シラ書」の注解（『ヤルクト・コヘレト』）では,2つの領域はまさに「手の幅ほどの距離しか離れていない」とされる。この細かい測定は,3世紀後半のヘブライの賢人ラブ・カニナ（カハナ）によるとされている。

どんなに不可解で,全く異常なことであろうとも,天国の中に地獄を置くというのは,結局は造物主の意志だったにちがいない。というのも,ある日なんの前触れもなく,悪の組織の全体（懲罰が集中して行なわれる場所,禍いをもたらす者たち,背教した天使たち,角が生え後光を備えた怒り・破壊・混乱・復讐の霊たち）は,上位の世界から下位の世界に移されたのだ。その場所では,（少し無遠慮な言い方かもしれないが）そのような設備と人員の配置がまず初めに行なわれたにちがいない。

著名な学者R.H.チャールズは,モーフィル訳『エノク書Ⅱ』の序論で,「天国における悪という古来の思想は,その後のキリスト教とユダヤ教の思想からは除外された」と脚注をつけている。それは事実なのだが,すぐのことではなかった。そうなるまでは,天国にたどり着いた義なる者たちは,地獄の領域の1つに逗留させられないと教えられて,さぞやほっとしたであろう。

聖書聖典だけでなく,聖典外の伝承においても,この混乱を示す最良あるいは最悪の例はサタンの場合である。旧約聖書は敵対する者ハ＝サタンに言及している。これは1つの職務を示す名称であり,天使の名前ではなかった。聖書時代のユダヤ人たちにとって,「敵対する者」は悪でも堕天使でもなく（旧約聖書は堕天使について全く触れていない）,高位にある神の僕であり,おそらく最も偉大な天使であった。ヨブは,他の「神の子ら」と共にいる王の御前に立った。彼が悪であるか背教者であるかは問題ではない。ハ＝サタンが定冠詞なしのサタンとして記された1例は（「歴代誌上」21章）,現在では一般に筆写上の見落しだと考えられている。要するに,旧約聖書においては,バビロン捕囚後に書かれた後期の文献「ダニエル書」以外には,天使の名前は現われないのである。名前が与えられているのは,ミカエルとガブリエルの2人だけである（しかしその名前の起源はバビロニア＝カルデアにある）。新約聖書では事態は正反対で,サタンは疑いなく1人の人格として現われ,その名が与えられている。ここでは彼はもはや「最も壮麗」で忠実な神の僕ではなく,追放された神の敵,魔王,悪魔の権化なのである。

旧約聖書のハ＝サタンが新約聖書のサタンに変容し,その結果生じた矛盾を,バンバーガーは『堕天使』で指摘している。「伝統的なユダヤ人の信仰では,暗示的にも明示的にも,神の敵である反逆天使と悪魔の存在を認めてこなかった（略）ヘブライ語聖書そのものは,正確に解釈すれば,神の善性に反抗する無数の悪の力の存在を認める余地はないのである。これに対して,史実に基づくキリスト教は,一貫して神とサタンの絶えざる闘争の観念を主張してきた。」この神とサタンの絶えざる闘争は,キリスト教が（聖書時代以降のユダヤ教の分派がそうしたように）ゾロアスター教から継承した二元論体系に修正を加え,再燃させたものにすぎないとも言えよう。

同じく扱いにくい問題は,天の階級に属する他の霊たちは,善なのか,悪なのか,堕ちたのか,そうでないのか,天国に住むのか,地獄に住むのかということである。またその数はどれくらいだったのか。ことさら不可解なこれらの問題のおかげで,私は未知の雲の中を果てしなくさまよった。例を挙げてみよう。『エノク書Ⅰ』6章でレミエルは「反逆天使の長の1人」とされているのだが,同じ文献の18章では「神が復活した者たちを司どらせた7人の聖なる者の1人」とされている。「ヨハネの黙示録」9章では,アバドン〔ヘブライ語〕／アポリオン〔ギリシア語〕は「底なしの淵の天使」であり,破壊者という意味での悪の霊を示しているが,20章では明らかに善であり,聖なる者である。というのも,ここではアバドン／アポリオンは「悪魔でもサタンでもある,年を経たあの蛇,つまり竜を取り押さえ,千年の間縛っておく」からである（『ソロモンの大きな鍵』では,アバドンは「モーセがエジプトに雷雨を降らせる

8

ために唱えた神を示す名前」である)。オランダのシェイクスピアと呼ばれるフォンデル (1587―1678) は,『ルシフェル』において,アポリオンはサタンの軍勢に加わる以前,天上では「雪のように白い翼」をもつ高位の者であったと言っている。『天路歴程』のバニヤンにとっては,世俗文学一般におけると同様に,アポリオンは完全なる悪であり,悪魔そのものである。別の例を少し挙げてみよう。「地上の偉大な王」でありラファエルを補佐して病を癒すアリエルは,地下の世界で懲罰を司る反逆天使でもある。多くの星座を支配する高位の聖なる王カカベルは,『エノク書』では背教者の1人である。天上の戦いにおいてガブリエルの補佐役である天使ウシエルは,人間の娘らと交わった欲情の天使の1人であり,またゾハル・カバラでは「万事を乱す者」ゴグ・シェクラの元素的外皮(対立するデーモン)である。9万人の破壊の天使に関しては,ラビたちの間で意見が分かれている。彼らは神に仕えるのか,それとも悪魔に仕えるのであろうか。『ピルケ・デ・ラビ・エリエゼル』は後者に仕えるという見方を取っている。そこでは,破壊の天使たちは「サタンの天使たち」と呼ばれているのである。

　神からの恩寵がどうであれ,実際キリスト論的にいかに堕落,敵対していようとも,すべての天使は神の下にあるということは覚えておいていただきたい。どこから見ても悪魔から直接の命令を遂行している場合でさえもそうなのだ。悪そのものは,創造主の方策の1つであり,創造主はその神聖な目的のために(たとえそれが測り知れないものであっても)悪を用いているのである。少なくとも「イザヤ書」45：7 からはそのように推測できよう。教会の教義にもなっていることは,天使は人間と同じく創造された時点では自由意志を持っていたのだが,その形成のときに自由意志を放棄したというものだ。そのとき天使たちは,神へと向かうか,神から離れるかの選択肢が与えられた(そして選択しなければならなかった)とされる。それは最終的な選択であった。神へと向かった天使たちは至福直観を得,永遠に善の状態に置かれた。神から離れたのは,永遠の悪の状態に置かれたデーモンたちであり,堕天使ではない(堕天使たちは後のサタンの背信の際に現われる全く異なる種類の拒否者である)。しかし人間は自由意志をもちつづけている。人間は善と悪を今なお選択することができる。これは人間の利点かもしれないし,そうでないかもしれない。しばしばそれは人間を堕落させた。人間が望みうる最良のことは,明らかに(最終決算の天使によって)魂が測られるときに,目方が足りないとされないことである。

　天使たちは,多様な義務や仕事を遂行している。なによりもまず,神に仕える。天使たちは聖なる玉座を取り囲み,休みなく神の栄光を称え詠唱する。また神の使いとして人間のもとにやってくる。しかし,守護者,助言者,教導者,審判者,解釈者,料理人,慰安者,通訳,仲介者,墓掘り人として,直接人間に仕える天使も多い。呪文が適切に唱えられ,条件が整えば,天使たちはその呪文に反応する。オカルトの教義では,招喚者が信仰を強めたり,苦悩を取り除いたり,失せ物を見つけたり,財産を増やしたり,子供をもうけるためだけでなく,敵を欺いたり滅ぼすために,天使たちが招喚される。1人の天使あるいは天使の一団が,戦いの形勢を逆転させたり,嵐を静めたり,聖人を天に運んだり,疫病をもたらしたり,隠者を養ったり,農夫の手助けをしたり,異教徒を改宗させたりした数々の例がある。ある天使は,ハガルの子孫を増やし,ロトを守護し,ソドムを滅ぼし,ファラオの心をかたくなにし,ダニエルを獅子の洞窟から,ペトロを牢獄から救出した。近代の例では,スピノザがアムステルダムのコミュニティーから「非難され罵られ追放された」のは,その「異端的な見解」の中でも特に「天使は幻覚にすぎない」と主張したからであった。スピノザに対する破門宣告は,「天使たちの裁き」に従ったラビたちによってなされたのである。

　タルグムやタルムードに記された天使たちの力は,異教の神々や英雄たちの力とほぼ同等である。ミカエルは山を転覆させた。ガブリエルはアブラハムを背中に乗せ,バビロンへと運んだ。もっとのちには,名前不明のある天使が,ダニエルに食物を与えるために預言者ハバククを(その髪の毛をつかんで)ユデアからバビロンへと運んだ。ユダヤの伝説によれば,ネブカ

ドネツァル王の聖地攻撃の際に、「世界の支配者」（メタトロンか、ミカエルか、あるいはサタンか）はエルサレムを「空高く持ち上げた」が、神が再び地に降ろされたとされる。「ヨハネの黙示録」によると、神の怒りの7人の天使は「星の3分の1」を損なった。強大なラブドスは惑星の運行を止めることができる。タルムードの天使ベン・ネズは、その翼で南風を押しとどめて、地上を荒廃から防ぐ。モラエルは世界のすべての物質を不可視にする力をもつ。アトランティスのスプレンディテネスは、その背中で地球を支える。メルカバ伝承における高位のアタフィエル（バラティエル）は、3本の指でバランスをとることにより、天が転げ落ちるのを防いでいる。「ヨハネの黙示録」で言及されている火の柱のような足をもつ天使は、右の手のひらで空を支える。神の天使=獣であるカイイエルは、そのつもりになれば全世界を一気に飲み込んでしまうことができる。ハドラニエルが神の意志を布告するときは「その声は20万の蒼穹を貫く」。立法者モーセは第2天でハドラニエルを目にし、「畏怖のあまり口がきけなくなった」。17世紀になってドイツの天文学者ケプラーは、惑星が「天使たちによって動かされている」とし、なんとか自分の有名な天体の法則に当てはめようとした。

世界中に散らばる天使の数について触れてみよう。教会教義によればその数は創造の際に決められたので、一定のはずである。14世紀のカバラ主義者たちは3億165万5722という精密な数字をはじき出したが、これは「言葉から数を算定し、数から言葉を算定する」という作業から得られた数字らしい。この数字は（黙示文学、「ヨハネの黙示録」、アレクサンドリアのクレメンス著『ストロマータ』のように）、星を天使とみなして合計に加えるならば、非常に控えめなものであろう。トマス・ヘイウッドは『聖なる天使の階級』で次のように比喩的に注意を促している。「天使の数を語ろうとすると、無知から誤りが生まれるであろう。しかし我々は推測するほかはないのである。」アルベルトゥス・マグヌスの推測は、「1つの階級は6666の軍団から成り、1つの軍団は6666の天使から成る」というものだ。だがデーモンたちは別種の有翼の存在である。天使たちとは異なり、デーモンたちは種を繁殖することができる。オリゲネスが警告しているように「彼らは蠅のように増殖する」のである。それならば、現在ではまさに驚異的な数のデーモンが存在していることになる。このデーモンたちの人口爆発は明らかに憂慮すべき問題である。

天使たちが用いる言語に関しては、ヘブライ語だというのが大方の意見である。『ヨベル書』や『タルグム・イェルシャルミ』から、天地創造の際に、あるいはエデンの園で、神が用いた言語はヘブライ語だとわかる。ミドラシュ『レカ・ゲネシス』31：1によれば、蛇もヘブライ語を話したとされる。これらから推測すると、天使もヘブライ語を話したし、いまも話していることになる。『パウロの黙示録』では、「神と天使の話し言葉ヘブライ語」とはっきり述べられている。さらにラビ伝承、あるいは多くの世俗文献によれば、「言語の混乱」の時代までヘブライ語はすべての人間の言葉であったとされる。（17世紀アイルランドの著名な神学者、大司教アッシャーが計算したところでは）紀元前2247年の、バベルの塔の建設の際に言語の混乱は起こった。

律法はもともとヘブライ語で伝えられたとするのがユダヤ人の間では前提となっているが、これはフィロン（カルデア人の用いたアラム語とした）やイスラム教徒一般（アラビア語とする）によって反駁された。聖バシリウスは、律法の言語はシリア語であったと主張した。おおよそのところ、天使（実際はすべての霊）の共通語はヘブライ語であると言える。聖書釈義学者の中には（特に『ゾハル』I、92で述べられているように）、天使は1言語のみ、つまり聖なる言語であるヘブライ語のみを話し、非常に近い関係にあるアラム語さえ理解しないと主張する者もいた。しかし異なる主張をする学者もおり、彼らはガブリエル、メタトロン、ザグザゲルはそれぞれ70もの言語に精通しているとした。最近では、作家アイザック・バシェヴィス・シンガーは、サンダルフォンがイディッシュ語で話すのを立ち聞きしたと言っている。さらに、スウェーデンの神秘主義者スウェーデンボルグは、天使たちはヘブライ語を話すだけでなく、書いたと言う。その著書『天界と地獄』で、彼は「天から私のところに小さな紙切れが送られ

てきたのだが，そこにはヘブライ語で数語記されていた」と断言している。私の知るかぎり，この注目すべき文書は一般に公開されていないし，スウェーデンボルグの遺物の中からも見つかっていない。

　天使は不死なのであろうか。たいていの学者の意見では，天使は不死である。しかし，天使は永遠なのであろうか。永遠ではない。神のみが永遠なのである。天使の存命期間はかなり長く，「神の思し召しにより存在する」ようになってから，最後の審判の日まで続く。しかしその間に多くの天使が滅ぼされてしまった。例えば，上方の水と下方の水を分けよという命令を拒絶したラハブを神は滅した。神はまた，平和と真実の天使たちをその下に仕える軍勢と共に焼いてしまったが，それは行政管理役の天使（ヤルクト・シモニ）の一群の場合と同様，人間を創造することに反対したためであった。人間を創造するという計画は神の御心により定められ達成されたのであるが，「創世記」6：6からわかるように，後に神はそれを後悔された。神はまた，天の聖歌隊である「天使の天体」全体を，定められた時間に三聖誦を歌わなかったかどで全滅させてしまった。死すべき者（人間）が，不死の者（天使）を殺した例もある。モーセは事実，ケムエル（前出）とヘマを殺した。このヘマという天使は，「黒と赤の火の連鎖から造り出された」怒りの天使である。伝説によると，ヘマはモーセをくるぶしまで飲み込んだ後，神の介入により吐き出さねばならなかった。それからモーセは攻勢に転じてこの下劣な敵を始末したのである。

　星の3分の1の堕天（「ヨハネの黙示録」12章）のように，天使がデーモンへと変化した例は数多くみられるのに対し，人間が天使（名前のある天使）へと変化した例はまれである。4つの例が明らかであるが，そのうちの3つは「創世記」「列王記下」の節に由来している。第1の例は，族長エノクが天使メタトロンへ神格化されたというものである。第2の例は族長ヤコブに関するものである。ヤコブはまずウリエルとなり，それから「主の力の大天使」イスラエル，神の息子たちの中の司令官となった。第3の例は預言者エリヤに関連する。エリヤは火の戦車に乗って天国に昇ったが，到着すると天使サンダルフォンに変容された。第4の例は『ダウス・アポカリプス』からわかるように，聖フランチェスコが天使ラミエルに進化したというものである。その他の例としては，聖母マリアの母アンナが天使アナスに変容したというものがある。3人の聖書詩編作者，アサフ，ヘマン，イェドゥトゥンに関する言及もみられるが，彼らは名前，職務は生前と変わらず，天上の賛美歌作者である。

　天使の性に関しては，学者の支援をもってしても，結論に至るのに四苦八苦した。たしかに天使は，純粋な霊であり，肉体を持たず，したがって性を持たないと仮定すべきであろう。しかし，聖典の著者たちは理論家や科学者ではなかった。概して彼らは預言者，立法者，年代記作者であったため，不可視の霊を表わす際に，目に見え手で触れることのできる肉体をもつ者として表わすほかなかったのである。そのため，彼らは自身の姿（人間の姿）に倣って天使を描き，天使は人間がするように行動し話し（神から与えられた）職務を遂行するように描かれた。この結果，聖書に登場する天使たちはみな男性と考えられたのである。しかしながら，すぐに女性の天使も登場した。初期ラビ伝承やオカルト教義では，多くの女性の天使が登場する。シェキナもその1人である。シェキナは「神の花嫁」，人間の「内なる神」であり，合法的に結婚した夫婦と共に住み，夫婦の結合を祝福する。ピスティス・ソフィア（「信仰」「知恵」）は，上位のグノーシス的アイオンであり，「高位の天使たちの生みの親」であった。バルベロは，「宇宙の創造主 Cosmocrator」の配偶者，偉大なアルコンであり，「栄光につつまれて完全であり，万物の父に継ぐ位にある」とされる。バト・クォルは，ユダヤの伝統における「天の声」あるいは「声の娘」であり，鳩で象徴される女性の預言者であり，預言書の時代が終焉する際に警告と忠告を与える。さらに思い起こされる女性の能天使は，グノーシスの「滴り（ドロップ）」あるいはデルデケアである。『ベルリン写本』によれば，「滴り」は，地上が危機的状況に陥った際に「人間を救済するために」地上に降りた。さらに神の左側から流出した6人の者がいるが，これらは神の右側から流出した10人の男性と釣り合いを取るために創造さ

れたのであった。最後に，売色の天使でサマエルの伴侶で性悪のエイシェト・ゼヌニムがいた。エイシェト・ゼヌニムはヘブライ語で「売春の女」を意味し，この形容辞はサマエルの他の3人の妻，リリト，ナアマ，アグラト・バト・マラにも用いられる。この性的に奔放な4人組は，ユダヤの伝承においてシドン人のアスタルテに相当する。

　ゾロアスター教は女性の神格をきらわずにその万神殿に入れていたが，その中に「不死の者，土地を肥沃にする水の守護霊」とされる美しき光の天使アナヒタがいる。彼女に対置されるのは，悪であり，死の先触れをする者マーヤで，男性にも女性にも表わされる。彼女（あるいは彼）は，地上の王国を与えようとゾロアスターを誘惑するが，それはちょうど「マタイによる福音書」4章で，サタンがイエスを誘惑するのと同じである。性が不確定のもう1人の天使はアプスである。バビロニア＝カルデアの神話ではアプスは「女性の深淵の天使」であったが，女性とはいっても彼女はバビロニアの神々の父であり，同時にタマトの夫あるいは妻であった。彼女（あるいは彼）は最後はその息子エアによって殺された。まさしくトゥムトゥム tumtum である！『ゲネシス・ラバ』によれば，またミルトンの『失楽園』（Ⅰ，423-424）に明言されているように，天使たちは，あるいは少なくとも天使たちの幾人かは，望むままに性を変えることができた。『ゾハル』（Vayahi 232b）には，「神の使いである天使たちは，ある時には女性，またある時には男性というふうに，異なる姿に変身する」とある。

　天使は聖書に関係なく，あるいは預言者，寓話作家，釈義学者，脱魂者の信仰や証言なしに存在するのか，という問題に立ち返ってみよう。そのような問題は，現実主義的なサドカイ派が天使の存在を否定し，黙示主義的なパリサイ人がそれを信奉する以前，そもそもの初めから，大いに議論の余地があったのである。アリストテレスとプラトンは天使の存在を信じていた（アリストテレスは叡智体 インテリジェンス と呼んだ）。ソクラテスは，論理や経験によって証明されない，あるいは論理や経験に反するものはなにも信じていなかったが，彼には人間に付き添う霊であるダイモンがおり，ダイモンの声はソクラテスが間違った判断を下さないように警告を与えてくれた。天使，天のヒエラルキー，あるいはヒエラルキーの中の天使の階級の創作に関して言えば，幾らかの想像力を必要とするかもしれないが，それほどの工夫は必要としない。ただ以下のようにすれば十分なのである。(1)ヘブライ語のアルファベットを適当な具合に組み合わせる。(2)その文字の綴り換え，頭字語化，暗号化を行なう。(3)場所，特性，機能，属性，性質を表わす言葉に，神の名を示すエル el やイリオン irion を付加する。したがって，ホド Hod（ゾハルと同じく「光輝」の意）は天使ホディエル Hodiel に変形される。ゲヴラ Gevurah（「力」の意）は，天使ゲヴラエルあるいはゲヴィリオンとなった。ティフェレト Tiphereth（「美」の意）は，セフィラのティフェレティエルの源である。様々な天のヒエラルキーの階級の長たちも同じ方法で生まれた。ケルビエルは，その名祖であるケルビム（智天使）の階級の長となった。同じようにサラフィエルはセラフィム（熾天使）の階級の長，ハシュマルはハシュマリムの階級の長となった。多くの場合発音不可能で，まともなリストには挙げられない無数の「紙面だけに現われる天使」あるいは「接尾辞を付加された天使」も，同じ方法で創作された。それらは事実上なんの疑いももたれることなく，宗教的・世俗的文献の中に入り込み，時間が経つと根拠のあるものとして認められたのである。その中には聖書正典や外典で一定の地位が与えられたものもある。自分流の天使を無より無限に作り上げ，それを一般に通用させる者は後を絶たなかった。天使を次々に作り上げた初期カバリストたちは，やがて異教の神々に目を向け，ペルシアやバビロニア，ローマの神々をユダヤの体系の中に取り込んでいった。寺院や宮殿の前に置かれた巨大で不気味な石像，古代アッシリアのケルビム kerubim は，「創世記」3章では肉体化したケルビム，エデンの園の東で炎の剣を持つ者として現われ，後になると上なる楽園で神の戦車の御者として現われた（エゼキエルがケバル川で出会った後）。アッカドの地獄の王，獅子の頭をもつネルガルは，偉大で神聖なるナサルギエルとなり，モーセが地下の世界を訪れた際にそのままの姿で地獄を案内した。ギリシア神話で竪琴の発明者で歌の名人

である善きダイモン，ヘルメスは，ユダヤの伝承では天使ヘルメシエルとなり，ダヴィデの「イスラエルの甘き歌い手」と同一視される。ラビ伝承のアシュメダイは，ゼンド・アエシュマ・デーヴァに由来する。この種の例は枚挙にいとまがないのである。

　教会の名誉のために述べておけば，教会はこのような趨勢に終止符を打とうと努力した。もっとも，教会自体も一時期は暦にないかなりの数の天使の存在を認め，さらには天使崇拝を承認したのである。すでに見たように，聖書の中に現われる天使の名前は2つか3つにすぎない。聖書の中に7人の天使の名前があるだろうとは，この辞典の編纂者のある論文の主題でもある。そして実のところ，この問題に関しては神学者の間で意見が一致することはないのである。

　6世紀に偽ディオニュシオス（ディオニュシオス・アレオパギテース）が作成した「正統的な」統計では，天のヒエラルキーには9つの階級があるとされる。しかし，いろいろなプロテスタント著述家が残した権威あるリストでは，7，9，あるいは12の階級が挙げられ，その中にはなじみのない炎 flames，戦士 warriors，実在 entities，玉座 seats，軍勢 hosts，君主 lordships といった階級も含まれている。熾天使を最高位に置き，天使（エンジェルズ）を最下位に置くディオニュシオスの階級制度（聖書にはその裏付けはなく，カルヴァンは「暇な人間のたわごと」と一笑した）は，様々に組み替えられもした。熾天使を最高位ではなく最下位に，大天使を8番目ではなく2番目に，力天使（ヴァーチュユーズ）を4番目あるいは6番目ではなく7番目に置く文献もある。

　奇跡，魔術，祝福，守護などは，場合により異なる天使に帰せられる。アブラハムがそれと知らずにもてなした3人の「男」は，神，ミカエル，ガブリエルだとされたが，フィロンはロゴス，メシア，神とした。「マタイによる福音書」では，マリアが聖霊によって身ごもったという知らせを夫ヨセフに伝えたのは「主の天使」である。「ルカ書」では告知を行なったのはガブリエルであり，ヨセフにではなく，直接マリアに伝えたのだが，その際マリアはガブリエルが何のことを言っているのかわからなかった。「列王記下」では，センナケリブの軍隊18万5000人を夜中に撃ったのは「主の天使」であるが，これはミカエル，ガブリエル，ウリエル，あるいはレミエルの武勇によるとされる。「地と天の間に立ち，剣を抜いて手に持ち，エルサレムに向けている」のをダビデが見た「主の天使」は，私の知るところでは，特定されていない。ミカエルと推測するのが一番もっともらしい。というのも，神の戦斧であるミカエルは，天でゼハンプリュあるいはドキエルが行なう魂の計量の手助けをしているとき以外は，地上で不義なるものの首をはねるのに忙しいとされるからである。

　エジプトの地から急いで脱出する際に，また紅海（葦の海）でファラオの騎兵隊と出会った際に，ヘブライ人は「火と雲の柱の中で（略）彼らに先だって進み（略）彼らの後ろを行く神の天使」に助けられた（「出エジプト記」14章）。この神の天使が誰なのかは問題ではない。それはイスラエルの守護天使であるミカエルあるいはメタトロンである。しかしながら，ミカエルあるいはメタトロンがたった1人で戦ったというわけではない。彼は「（エジプト人の追撃あるいは退却の際に）矢，雹（ひょう），火，硫黄を投げつける救いの天使」の大軍の援護を受けたのである。さらに「主の賛歌を歌う天使や熾天使」の軍もそこに居合わせたとされ，これは戦況をかなり良い方向に変えたにちがいない。ヘブライ人を追う敵側にもエジプトの守護天使がついていた。このエジプトの守護天使はかつては聖なる者であったが，いまは堕落してしまっている。エジプトには守護天使が1人だけでなく，実際のところ4人いて，みな一分の隙もなく武装していたようである。多くの文献によれば，この4人はウザ，ラハブ，マステマ，ドゥマとされる。ラハブの最期は，我々が知っているように，エジプト人の騎兵隊と共に溺れ死んだというものである。マステマとドゥマは地獄に戻り，終わっていない職務に就いた。ウザに関しては，オグの祖父であり堕天使の首長であるセムヤザと同一視する著述家もいる。また，紅海の出来事以来，処女イシュタハル（バイロンの詩では永遠性を与えられている）との不幸な関係以後，ウザはオリオン座近くの天と地の間に逆さ吊りにされているとする者もいる。実際，グレイヴスとパタイは『ヘブライ神話』のなかで，セムヤザは単にギリシア語のオリオンに相

当するヘブライ語だとしている。

ペヌエルでヤコブが格闘した相手は神であったと，夜が明けてからヤコブ自身理解した（「創世記」32：30）。しかし博識なラビたちは，文献をじっくり研究した後，ヤコブの格闘の相手は神ではなく，神の天使であり，それはウリエル，ミカエル，メタトロン，死の支配者サマエルのいずれかであったと結論づけた。

エノクが天に運ばれた際に天の案内をした天使は，エノク自身の証言によるとウリエルであった。しかし，同じ文献（『エノク書Ⅰ』）の後の部分では，ウリエルはラファエルとなり，次にラグエル，さらにミカエル，そしてもう一度ウリエルに戻っているのである。エノクが「私と共にいた天使」と述べているところから察すると，これらの天使は同一の天使のように思われる。しかし，エノクに矛盾がないと考えるのは期待しすぎであろう。すでにわかっているように，彼の著作の内容を安易に信用すべきでないのは周知のところである。実際，我々は彼の著作のオリジナル，あるいは初期の写本さえ入手できていない。また，彼のものとされる文献も甚だしく損なわれ，その大半は明らかに関係者たちの見解に合致するように修正が施されている。さらに言えば，エノクは叙述した出来事を自分の目で見たと主張しているが，我々は彼の思考が明晰で報告が正確だとはとても信じることはできないのだ。

天使たちの住まいに関する問題にも非常に困惑させられる。アクイナスの考えは，天使は同時に2つの場所にいることはできないというものである（理論的には，彼らは純粋な霊であるので，それは不可能ではなかろう）。一方，天使たちはどんなに遠く離れた場所へも一瞬のうちに移動することができるという説もある。天使学では，同時に2つあるいは3つの天に住み，また複数の天を同時に支配する天使の例が数多くある。『ハギガ』12bでは，ミカエルは第4天の統率者であり，「毎日犠牲をささげる」とされる。だがミカエルは第7天と第10天の支配者でもある。メタトロンに関しては，「栄光の玉座の隣の座」を占めているとされ，これは神の住む第7天にその座を有していることになる。しかしながら，メタトロンはミカエル同様，第10天 primum mobile に住むとされることもある。第10天は神が第7天にいないときの住まいでもある。

第1天の長であるガブリエルは「神の左側に」座すとされる（そうするとメタトロンの座は神の右側ということになる）。これは，ガブリエルの本来の職務が第1天にあるのではなく，第7天あるいは第10天にあることを示すものである。しかし，ミルトンの『失楽園』（Ⅳ，549）では，ガブリエルは楽園に配置された守護天使の統率者であり，楽園は第3天にあることから，この受胎告知者はそこで野営していたということになろう。

論理的にみれば，楽園の支配者シャムシエルは，ゼブルあるいはサグン（第3天）に住むということになる。（同時にそこには死の天使アズラエルが生命の樹の隣にある。）しかし，シャムシエルを第4天（ここもまたゼブルと呼ばれる）の監督者とする文献もある。一方，『ヨベル書』によると，シャムシエルは「見張る者」の長であり，よって「永遠の絶望の中にうずくまる」見張る者たちが住む第2天あるいは第5天を監督しているということになろう。さらにシェムイエル（天の窓際に立ち，「下方のシナゴーグや学院から昇ってくる賛歌に耳を傾ける」監督者）に姿を変え，第1天の入口に配置されているということもある。シャムシエルの住まいはいったいどこなのであろうか。明らかなのは，いったん事があったとき，シャムシエルの居所をつきとめるのは容易ではないということである。

最後の例として，律法の支配者であり，「栄光の角を持つ天使」ザグザゲルあるいはザグザガエルを挙げてみよう。彼は第4天の守護天使である（すでに見たように，シャムシエルもここの監督者である）。しかし同時に第7天の執事であり，第4天における執事的役割を考え合わせると，問題は複雑になる。まさに終りのない混乱である。ゲーテが死に瀕して叫んだように，「もっと光を！」と叫びたくなるところだ。

偉大なるヒレル（初めて律法解釈の方法を確立した前1世紀後半から後1世紀初のラビ）の同時代人ベン・ハイ・ハイ（当時のもう1人の著名なラビであるベン・バグ・バグと同一視さ

れる）は，「報酬は労働量に比例する」と述べた。ゲーテは『ファウスト』で，これと同様の格言で読者に慰めを与えた。「大胆な仕事はすばらしい報酬につながる "Kühn das Mühen, herrlich der Lohn"。」

　この辞書を編纂したことで何らかの報賞があるとすれば，余計なものを入れたり省いたりする罪を最小限にとどめるべくあらゆる努力を払ったという自負であろう（このような仕事の過程でいかに多くの罪がなされうるかは，著者が最も知るところである）。解決されていない問題は無数にある。それは，現存するこの分野に関する資料の多くは入手困難で，あるいは解読不可能ということによるだけでなく，問題解決のためには私の機知や知恵が足りなかったことにも原因があるのかもしれない。将来，様々な障害が一掃され，もっと才能ある研究者が問題を解決してくれるかもしれないし，新たに見つかった天使の名前を付け加えてくれるかもしれない。だが，私はあえてラビ・ナタンの有名な格言「1つの生命を守る者は世界を守る」を言い換えて，次のように言いたい。1人の天使（接尾辞の天使でなく）を保護することは，天使のヒエラルキー全体をも保護することになる。その作業はたしかに容易なものではない。しかし，前方にどのような困難な作業が待ち受けているか全く考えもせず，天使の探索を始めてしまったこの無思慮な航海者が直面した仕事よりは，容易であろう。

　この弁明を締めくくるにあたり，最近出版された天使に関する論文の一部を引用するのがよいであろう。それには以下のように述べられていた。「超自然的なものが絶えず人間の頭から離れず，天使（とデーモン）の存在への信仰は，2つの世界宗教の信仰箇条となっており，少なくとも4つの宗教（ゾロアスター教，ユダヤ教，キリスト教，イスラム教）では伝統の一部となっているという事実から考えると，これから長きにわたってこの有翼の被造物は人間と共にあるだろう。」たしかに我々は「健全な霊，あるいは呪われた悪鬼」の前にいるのか，「天からの風，あるいは地獄からの突風」に煽られているのか，必ずしもわからないが，常に警戒していることが賢明であろう。パウロが警告したように，サタンでさえも光の天使に姿を変えることができるのだから。

【注】
1．コーランでは7人の天使に名前が与えられている。ガブリエル。ミカエル。ユダヤ＝キリスト教のサタンにあたる，アラビア神話のジンの長イブリス（エブリス）。地獄の筆頭天使であるマレク（マリク）。2人の堕天使，ハルトとマルト。死の天使マラク・ル＝マウト（アズラエル）。一般に信じられるところに反し，コーランには，最後の審判のラッパを司るイスラフェルの名前はない。
2．ポウの思い違いであろうか，イスラフェルはコーランの天使ではない。コーランにはイスラフェルへの言及はなく，ポウの引用はムハンマドとその教友の言行録であるハディース，あるいはジョージ・セイルがコーランの翻訳に付した序説によるものと思われる。また，フランスの詩人ド・ベランジェ Pierre Jean de Béranger（1780–1857。ポウは彼を引用している）やアイルランドの詩人ムーア（Thomas Moore, 1779–1852）の作品でイスラフェルがアラビア伝承における音楽の天使として言及されていることを，ポウは知っていたと指摘する学者もいる。
3．その後，他の文献（『エノク書Ⅰ』『エズラ記Ⅱ』など）のリストで，ヨフィエル，イェレミエル，ブラヴィル，サラティエル，サリエル，ザカリエル，ザフィエルという名前を見つけた。
4．ウォルター・ニッグの記事「天使よ，我と共にあれ」("Stay you Angels, Stay with Me" *Harper's Bazaar*, December 1962)。この句はヨハン・セバスティアン・バッハの「聖ミカエル祭のカンタータ」から取られた。
5．出典：モーゼス・シュワーブ『天使学用語辞典』。ラビ・アブディミによると，この歴史的出来事の際，2万2000以上の奉仕の天使がシナイ山に降り立ったとされる。
6．ルイス・ギンズバーグ『ユダヤ人の伝説』Ⅲ，110。
7．ジャン・レルミットは『真実と虚偽の憑依』で，「闇の王はもはや個としては現われず（略）生

命体あるいは組織という見かけを意図的にとる」と言っている。
8. アメリカの詩人C. E. S. ウッドは『天の話』で、1927年時点でのサタンの住所をワシントンD. C. としている。魔王はその後どこかに移り住んだのかもしれない。
9. アレクサンドリアのクレメンスによると、これは「第5天の北」とされる。「というのも、聖霊がゼファニヤを第5天へと運んだとき、そこでこの旧約の預言者は『頭に冠を戴き、太陽より7倍も光り輝く座にすわる、君主と呼ばれる天使たちに出会った』」とされる。クレメンスは失われた『ゼファニヤの黙示録』からこれを引用した。
10. パウロの時代、天には残忍な武器を持つ悪の天使がまだ存在していたという事実を考えると、天上の戦いはサタンの敗走によって終焉したわけではなく、ミカエルとその軍勢の勝利は多大の犠牲を払ってのもの、あるいは休戦にもち込んだだけではないかと想像してしまう。
11. これに関連して、「死して幸福なる者の休息」を示すものと解釈できる「アブラハムの懐」(『ルカ書』16章) という表現が引証されよう。使徒信条は、イエスは十字架につけられた後、「鎖につながれた聖人たち」(アブラハムなど洗礼を受けていない族長たち) を解放し、楽園に運ぶために地獄に降りたとしている。ルカ書の物語はアブラハムがすでに楽園にいるものとしているのだが、ハデス (ディヴェス) にいる金持ちの男が「大きな淵」を挟んでアブラハムと会話ができるということは、その淵がそれほど広いものではなく、天国と地獄が少なくとも話ができるくらい近い距離にあることを示唆している。ここで、煉獄に関して言及されていないことに注意すべきであろう。これに対する説明は簡単である。煉獄は紀元604年までは存在しなかったのである。その年、グレゴリウス1世が煉獄を創作したのである。創作という言葉は少し強すぎるかもしれない。グレゴリウスは、古代ユダヤ人から「上部ゲヘナ」、あるいはギリシアのストア哲学者の「浄化 empyrosis」、あるいはゾロアスター教の浄化の12周期を借用した可能性が強い。そして1234年のリヨン公会議、1439年のフィレンツェ公会議、1540年のトレント公会議で煉獄は公式に認められ、いわば「合法的に存在」するようになった。現在では、ほとんどのキリスト教徒の宗教的信条の一部となっている。ただ英国国教会は1562年、煉獄を「なんの意味もなく創作され、聖書にも根拠のない戯言で、神の言葉に矛盾する」として、これを非難した。我々は、そこに住む、あるいは出入りする、美しい天使も醜い天使も知らない。オリゲネスによれば、「汚れのない状態で天の王国に入るために」罪の「軽い物質」を取り除こうと待機している魂のためのものとしている。魂の煉獄にいる期間がどれくらいかは確定できないが、免償、祈り、ミサなどにより短縮できるのかもしれない。ユダヤ教では死者のための追悼の祈りイズコルがあり、贖いの日、仮庵祭、過越祭、五旬祭に暗誦される。ユダヤ人の死者たちがどこで休んでいるかは不明である。イスラム教では「幼児や狂人、白痴者など善でも悪でもない (とされた) 者たち」のための領域アル・アアラアフがある (『リーダーズ百科事典』「Araf」の項)。
12. ハシディームのラビ、プツィシャのヤアコヴ・イツハク (聖イェフディ) は、この点に関して「天使の徳は堕落できないことにある」と明確に述べている。マルティン・ブーバー『ハシディームの物語、*Later Masters*』p231を参照。神に挑戦し、問いを投げかけたことそれ自体で、悪あるいは神の敵とされるのではない。それはちょうど、アブラハムとヨブが「神に質問した」からといって、そのことで邪悪な人間あるいは無遠慮な人間とされなかったのと同じである。ハリー・M・オーリンスキー『古代イスラエル』p30を参照。
13. ユダヤの伝承では、アバドン abaddon は場所、つまり冥土、淵、墓場などを示し、天使あるいはデーモンの名前とは見なされない。この語は「ヨハネの黙示録」で初めて擬人化され、大文字のAであるアバドン Abaddon と表わされた。聖ヨハネはアバドンとアポリオンを同義語と見なし、アポリオン〔アポリュオン〕は同じ天使のギリシア語の名称とした。新約聖書の協会訳 (The Confraternity edition) では、この箇所 (「黙示録」9：11) に「ラテン語の名はエクステルミナンス」という一文を加えている。一方、多くの悪魔のカラー図版を掲載している『魔術師』では、アバドンとアポリオンを別々の「邪悪な輩」として区別している。アバドンは黄褐色の髪、高い鼻梁、アポリオンは小豆色の顎ひげに鉤鼻という容貌で描かれている。
14. 『カトリック教会の教え』(1964) でアンスカー・ヴォニーア僧院長が記したところによれば、天使はまだ自由意志を持っているとされる。これは、この主題に関するカトリック教義とは別の、あるいは新たな解釈である。
15. ダニエル書補遺「ベルと竜」の物語を参照。
16. 紀元1291-1294年に天使たちは、聖母マリアの家をナザレからダルマティアに移した。それ以来マリアの家はイタリア各地に移され、最終的にはロレットの村に置かれた。この奇跡的運搬は、15

―16世紀の画家サトゥルネ・ディ・ガッティの油絵の主題となった（現在，ニューヨークのモーガン・ライブラリー蔵）。
17. ラビ・ヨカナン（タルムード『ハギガ』14a）によると，天使の形成は創造の時に終わったのではなく，「聖なる絶対者 the Holy One（ほめたたえられてあれ）の口から言葉が発せられるたびに，天使は生まれる」のである。創造が引き続き行なわれているというユダヤの概念（すべてが同時に創造されたる〈tota simul〉という初期キリスト教会の教義とは異なる）は，タルムードの伝統である。これは『大いなるヘハロト』4：2に見られる賛歌より明らかであるが，そこでは「その聖なる長衣から放出する新たな星，星座，黄道十二宮」を絶えることなく創造している神が賛美されている。
18. ルターの弟子たちは『悪魔の劇場 Theatrum Diabolorum』という文献において，当時一般に広まっていたデーモンの数に関する推計に満足せず，250億，のちには10兆という数を挙げた。これは「デーモンたちは人間と同じく子供を生み，増殖するが，人間と同じく死ぬ」という『ハギガ』16a によって裏付けられている。
19. 出エジプトと荒れ野において，神はハム語も話したとされる。これは，エジプトのモーセと，大部分がハム語を話すその随行者たちが神を理解するためであるとされる。
20. 『アダムとエヴァの書』p245参照。
21. タルムード『ソタ』fol. 36には，ガブリエルがヨセフに夜通し70の言語を教える様が叙述されている。キルタプスは『ヌクテメロン』において「言語の守護霊」と述べられている。
22. ダマスコのヨアンネスは『正統信仰論』でこれに関して，「神のみが永遠である。あるいは神は永遠を超越している。というのも，神は時間の創造者であり，時間の支配下にあるのではなく，時間を支配しているからである」と述べている。
23. 著名な12世紀のユダヤの詩人，神学者ユダ・ハ=レヴィは『クザリの書』という著作の中で，天使は2種類あると説いている。彼は「天使に関して言えば，空気や火といった微細な物質成分から造られた一時的の天使もいる。また永続的な天使は，これらの天使はおそらく哲学者たちが言うところの霊知的存在であろう」と記している。さらに彼は「イザヤ，エゼキエル，ダニエルが見た天使たちが，一時的に造られた天使であったのか，それとも霊的本質を有する永続的な天使だったのか，わからない」と言っている。それでは，その天使たちは何だったのか。サアディア・B.ヨセフは，それは外的現実というよりも，預言の恍惚の間に見られた幻影であったという意見を述べている。ダマスコのヨアンネス（700?－754?）の『正統信仰論』における見解では，天使は「本質においてではなく，神の恩寵によってのみ」不死なのである。
24. この「横柄で傲慢の天使」は2度の生を生きた。初めの生は上記の理由で奪われた。2000年後蘇生したが，改悛することなく，出エジプトの時代に再び現われた。その時はエジプトの守護天使という栄誉に与っていたのだが，エジプト人たちの大義を支持したために，神により溺死させられた。
25. オリゲネスが信じた「最終的な復帰」では，神が罪を犯したすべての被造物を赦されるとき，最も呪われた者サタンもかつて天で位置していた大天使の位に復帰する道が開かれるとする。この異教的な信条のために，オリゲネスは聖人の称号が与えられないと言われる。
26. 『ヨセフの祈り』。
27. エリヤ=サンダルフォンは霊魂を冥界に導く者となった。『ピルケ・デ・ラビ・エリエゼル』によると「その使命は，楽園の辻に立ち，義人たちを定められた場所に導く」ことである。
28. ユダヤの伝統によると，すべての族長たちは，際立って有徳な生を送った者たちと共に，天では天使の位が与えられるとされる。しかし，これに対しては「義人の魂は死後天使になるという信仰は，ユダヤの思想にはなかった」（『世界ユダヤ百科辞典』I, 314）という異論がある。これが教父たちの考えであったことは，「人間から天使に変容した者たちは，理想の域に達したのち，天使たちから教えを受け，大天使のような権威が与えられる」とするテオドトゥス（『抜粋』）より導き出すことができる。
29. 神学では霊は3つに分類される。(1)神，つまり神聖な霊。(2)純粋な霊である天使とデーモン。(3)不純な霊である人間。
30. 『ゾハル』(Vayera 101a) には，「アブラハムが割礼の結果に苦しんでいるときに，神は彼が幸福な状態にあるかどうかを調べるために3人の天使を送った」とある。さらに続けて次のようにある。「『さまざまな風を伝令とし』（『詩編』104：4）と書かれていることから，天使はなぜ目に見えるのかという疑問があるかもしれない。しかし，たしかにアブラハムは天使の姿を見たのであり，天使は地上に降りたとき人間の姿をしていたのである。実際，天の霊が地上に降りる際には肉体的

成分をまとっているのであり，人間には人間の姿に見えるのである」。しかし，上記の言説と，『ヨベル書』15：27の「すべての神の御前の天使ときよめの天使」は創造の際にすでに割礼を受けていたという言説との，つじつまを合わせるのは難しい。天使の物質性の問題に関しては，権威筋の意見も分かれている。ヘイルズのアレクサンデル，クレルヴォーのベルナルドゥス，聖ボナヴェントゥラ，オリゲネスなどは，天使は資料と形相から成っているとする。これに対し，ディオニュシオス・アレオパギテス，ラ・ロシェルのヨアンネス，マイモニデス，証聖者マクシモスらは，天使は非物質だとする。

31. コーラン53：27。「来世というものを信じない人々は，天使に女の名前を付けたりする。」
32. ブルゴスのモーセやイサク・ベン・ヤコブ・ハ＝コーヘンといった初期注釈者の文献でも，『ゾハル』補遺と同じように，10の悪の流出（男性）があり，そのうちの「7つだけが存続を許された」とされる。付録を参照。
33. トゥムトゥム Tumtum は，性が簡単には決められない霊を表わす，タルムードの用語である。M. ジャストロウ『タルグム，タルムード，ミドラシュ文献辞典』参照。
34. 中世においては，卓越した学者や聖職者たちは，この問題では対立した意見を述べた。おそらく今日でも同じことが言えるであろう。天使の存在は，4大宗教のうちの3つの信仰，すなわちキリスト教（主にカトリック），ユダヤ教（主に正統派），イスラム教の一部となっている。。
35. ナマニデスの弟子イサク・デ・アッコ（13－14世紀）は，「あたかも天使から教えを受けた体系だと見せかけ，ヘブライ文字を並べ換えることによって奇跡を行なうと主張した」。A.E. ウェイト『聖なるカバラ』p53を参照。
36. エウセビオス（263頃－339頃）やテオドレトス（393頃－458頃）のような神学者たちは天使崇拝に反対した。ラオディケアの教会会議（343－381）は，「天使崇拝の名を借り，隠れた偶像崇拝に邁進する」キリスト教徒を非難した。しかしながら，聖アンブロシウス（339？－397）は『童貞者について』の中で「我々に守護者として与えられた天使を称えよ」と天使崇拝を奨励している。8世紀の第2ニカイア会議（787）では，天使崇拝が公式に認められるという信仰上の変化が起こった。しかしこの実践はなされなかったようである。今日，教会組織の中には天使崇拝を復活させようとする動きもある。『天使とは何か』の著者でドミニコ会司祭ピオ＝レイモン・レガメイは，天使崇拝を悪しきこととはしていないが，「天使への献身が浅薄なものになる危険」に対して警告している。
37. ディオニュシオスが生き，著述を行なった時代は，十分には立証されていない。もともと彼の著作は，パウロが改宗させた（『使徒言行録』17：34）同名のギリシア人判事によるとされていたが，のちの学者たちはこれを誤りとし，6世紀に書かれたものだとした。しかしながら，A.B. ジェイムスンが『聖母の伝説』に引用したフランスの伝説によれば，「ディオニュシオスは処女マリアの臨終に立ち合った」とあり，1世紀にいたことになる。「ディオニュシオスは12人の使徒，2人の死の天使（ミカエルとガブリエル），嘆き悲しむ下位の天使の一団と共に，棺台を取り囲んでいた」という。
38. 天使の9階級は様々に組み替えられた。アウグスティヌス（『神の国』），グレゴリウス1世（『訓釈と説教』），セビリャのイシドルス（『語源考』），クレルヴォーのベルナルドゥス（『思惟について』），エドマンド・スペンサー『美の賛歌』，ホーソーンデンのドラモンド『シオンの花』などにその組み替えが見られる。
39. しるしや不思議な業を信仰の基盤にしないようにというイエスの警告（「ヨハネによる福音書」4：48）にもかかわらず，教会が常に奇跡や魔術に反対したというわけではない。ピコ・デラ・ミランドラ（1463－94）が「魔術やカバラほど，天使，煉獄，地獄の業火，キリストの神性を明らかにする科学はない」と言明したとき，教皇シクストゥス4世は「喜んで神学者が使用するようカバラをラテン語に翻訳させた」（アルバート・C. サンドバーグ・ジュニア「初期キリスト教会の旧約聖書」，『ハーバード神学研究』1964年）。しかし，次の教皇インノケンティウス8世が委任した審問会は，ピコの論文のうち少なくとも10点を「無分別で不正，異端である」と見なした。以来これは教会のとる姿勢となり，カバラは黒魔術というユダヤ教の体系，「サタンの悪だくみ」として禁止された。
40. Tractate Beshallah, *Mekilta de Rabbi Ishmael*, vol. 1, p245.
41. マルティン・ブーバー『ハシディームの物語』（サラトガのラビ・ヤアコブに関する章）。神は当然のことながら選ばれた民の勝利を喜んだが，天使たちが歓喜の声をあげるのをよしとしなかった。タルムード編纂者たちが叙述しているところでは，エジプト人の軍勢が大難に遭っているときに，

神は天使の合唱隊がハレルヤを歌うのを黙らせ，こう叫んだ。「なぜお前たちは私の創りし者たち（エジプト人）が海で死滅しようとしているときに，歓喜の歌をうたうのだ！」［出典：ベン・シオン・ボクセル『タルムードの知恵』p117］
42. 死の天使あるいは支配者として幾名もの名前を挙げることができる。サマエルの他には，カフジエル，ケゼフ，サタン，スリエル，イェフディアム，ミカエル，ガブリエル，メタトロン，アズラエル，アバドン／アポリオン。これらの天使はみな神の支配下にある。モーセが死ぬことを拒否した場合のように，彼らがその使命を達成できなかった場合は，神自らが死の天使の務めを果たす。伝説によれば（ギンズバーグ『ユダヤ人の伝説』Ⅲ，473），神はこの老いた立法者が生きているより死んだ方が幸福になるだろうと強く説得したが，彼は頑なに拒んだ。そこで神はミカエル，ガブリエル，ザグザゲルを従えて天より降り，「モーセの魂をくちづけで奪った」。さらに神はモーセの遺体を「モーセ自身にさえも未知の場所」に埋めたとされる。
43. 使徒信条では，「万能の父である神の右側に」イエスが座すとされる。
44. 楽園の支配者はこの他に，ヨヒエル，ゼフォン，ゾティエル，ミカエル，ガブリエルなどがいる。
45. デ・アパノの『ヘプタメロン』では，ゼブルは第6天をも表わす。
46. 『ピルケ・アボト』5章，ミシュナ26。

謝　辞

　この辞典を編纂する過程で，多くの友人からの御教示，情報，援助をいただいた。原稿に目を通してくださった方々，寛大にも文献を貸してくださった方々，そうでなければ知ることのなかった様々な情報源に私を導いてくださった方々に対し，心から感謝したい。恩恵をうけた人々の完全なリストをつくることはまず不可能なので，ここで私が名前を省略してしまった人々には御容赦いただきたい。それは私が故意にしたことではなく，記憶の誤り，つまり多くの人間が罹っていると思うがあの疾患が原因なのである。

　調査の初期の段階から2人の学者の支援を頂き，聖書釈義の落し穴から救っていただいたことが幾度もあった。ニューヨークにあるヘブライ・ユニオン・カレッジのユダヤ宗教研究所の聖書学教授ハリー・M.オーリンスキー博士，ニューヨーク公立図書館のユダヤ部門長アブラハム・バーガー博士である。この2人の卓越した同僚・友人には多大な御支援を頂いたのだが，同時にすべての誤り，見落し，神学的な罪，弁解不可能な仮定や結論に関するすべての責任は私にあることを認めなければならない。このような種類，このような範疇の仕事をするにあたって，どんなに努めても必ず起こってしまう誤謬は，ひとえに私の責任である。私はすすんでその責任を負う覚悟がある。また，ハムレットの言うところの，私を守護する「恩寵の天使・使い」にもその責任を負ってもらうのもいいかもしれない。

　私が足繁く通った，また今も通いつづけているニューヨーク公立図書館の東洋部門では，フランシス・パールとジア・U.ミサギ両氏の温かい関心と広範な知識に非常に助けられた。貴重な時間と支援を頂いたのである。また，同図書館の稀覯書室，およびバーグ・コレクションにおいても，室長はじめスタッフの方々からすばらしい知識，親切な応対，有益な御教示を頂いた。

　エルサレムのヘブライ大学のゲルショム・ショーレム氏は，神の左右の流出（セフィラ）に関する問い合わせに対し，寛大にもそれらの名前や参照すべき文献（16世紀のソリアのヤコブとイサク・ハ=コヘンの文献）を御教示くださった。ショーレム博士に対する感謝は筆舌に尽くし難い。フィラデルフィアのドロプシー・カレッジのソロモン・ジートリン博士には，「主の栄光の御前に立つ」（『トビト記』）7人の大天使を「立証」しようと努力していただいたことに感謝する。コロンビア大学のセオドア・H.ガスター教授からは，天使ウリエルに関する興味深い洞察を頂いた。プリンストン大学のブルース・M.メッツガー教授には，イェレミエルとウリエルは名前は異なるが同一の天使であるという明快な見方を提示していただいた。ニューヨークのイェシヴァ大学のメア・ハヴァゼレット博士は，名前をあまり聞かないミドラシュから天使を摘み集めてくださったり，夜中にわざわざ電話でヘハロト伝承やメルカバ伝承の中で思いがけず見つけた天使の名前の綴りを教えてくださったり，私の見落しを心配していただいた。

　有名なアメリカの詩人で海外生活が長かった故ヒルダ・ドゥーリトル女史（筆名H.D.）に頂いた支援について言及しなければ，私の怠慢も甚だしいということになろう。彼女は密儀に関する文献を熱心に読んでいた。また天使の存在を熱烈に信じており，自分の詩の中で天使に加護を求めたり，名前を呼び掛けたりしていた。この世を去る前の長い年月を過ごしたチューリヒから，貴重な実践カバラに関する文献を「お互いの利益のために」送ってくれた。我々の友情は，出会うのが遅かったために短いものではあったが，私にとっては最も大事な思い出のひとつである。

　ここで，編集者，作家，出版者，図書館や博物館の館長，美術作品の所有者に対し，一般的な謝辞を述べるべきであろう。図版の版権を保持する方々には，本書における複写を許可していただいたことに感謝したい。それぞれへの謝辞は，掲載図版のキャプションをその代りとさせていただく。また，フリー・プレス，マクミラン社の編集・制作スタッフには，好意的な協

力・援助を頂き，辛抱強く見守ってくださったことに，心からの御礼を申し上げる。

また，妻のモリーが私の仕事に対して確固たる興味をもち，献身し，信頼してくれたことを，この場を借りて申し上げたい。彼女は常に最もきびしく批評してくれた（それゆえ我が最良の友であった）。彼女に対する感謝の気持ちを言い尽くせないことは私自身よくわかっている。

続いて，長い年月のあいだ，多かれ少なかれ，おそらく気づかずに私の仕事に貢献してくれた人々の名前を記したい。それは，ちょっとした意見だったり，適切な引用，日付や書名の照合であったりした。以下，アルファベット順に列挙する。

ジョン・ウィリアムズ・アンドリュース，チャールズ・アンゴフ教授，オスカー・バーガー，ラビ・ベン・シオン・ボクサー，ジョセフィン・アダムズ・ボストウィック，エドマンド・R.ブラウン，エリック・バーガー，ヴェラ＆エドゥアルド・カッシアトーレ夫妻，ハーバート・カフーン，レオ・チャーン，トマス・カルデコット・チャップ，フランク・E.コンパラート，ミリアム・アレン・デ・フォード，ユージーン・デラフィールド，アルト・デミルジアン・ジュニア，アルフレッド・ドーン教授，アレクシス・ドルーツコイ，ダン・ダフィン，リチャード・エリス，モートン・S.エンスリン，ジョン・ファラー，エマヌエル・ゲルトマン，ジブコ・ゲレブ，ルイス・ギンズバーグ，ロイド・ヘイバリー副監督，故モーゼス・ハダス教授，ジェフリー・ハンドリー＝タイラー，ヘクター・ホートン，エイブラハム・ジョシュア・ヘスケル教授，リチャード・ヒルデブランド，カルヴィン・ホフマン，アーサー・A.ホートン・ジュニア，ジェイムズ・ヒューストン，W.カーター・ハンター，スラミス・イシュ＝キショル，ジェレマイア・カプラン，エイブラハム・イーライ・ケスラー，ジョン・ヴァン・E.コーン，スリヤ・クマリ，マイラ・レディン・レイラー，イゾベル・リー，エリアス・リーバーマン博士，ゲルハルト・R.ローマー博士，ユージェニア・S.マークス，アルフェオ・マルツィ博士，サムエル・マッツァ，エドワード・G.マクルロイ，ジェラード・プレヴィン・マイヤー，マーサ・ムード，ハリー・モリス教授，ケイ・ネヴィン，ラビ・ルイス・I.ニューマン，ルイズ・タウンゼンド・ニコル，ヒュー・ロバート・オー，ジェイン・ブラファー・オーウェン，ロリ・P.ポデスタ夫人，ジェイン・パーフィールド，ジョゼフ・ライダー教授，R.S.レイノルズ夫人，ロッセル・ホープ・ロビンズ，レイトン・ロリンズ，リボリア・ロマーノ，シルヴィア・サックス，ハワード・サージェント，ロバート・サージェント・シャリヴァー・ジュニア，アイザック・バシェヴィス・シンガー，チャード・パワーズ・スミス，故ホーマー・W.スミス教授，シドニー・ソロモン，ウォルター・スターキー教授，ラビ・ヨシュア・トラクテンバーグ，ジョゼフ・トゥシアニ教授，ヴァレリー・ウェップ，チャールズ・A.ワグナー，ヴィヴィアン・ソール・ウェクター，ロバート・H.ウェスト，ジョン・ホール・フィーロック，エステル・フェラン，ベイジル・ウィルビー，クレア・ヴィリアムズ，ハリー・A.ウルフソン教授，アマド・M.ユゾン博士。

本書の読者のために

　本書の内容は，キリスト教にとどまらず，古代からインド神話や現代の戯曲に至るまでを網羅している。ただし，主な出典は，ゾロアスター教，旧約聖書，新約聖書（それぞれの外典・偽典を含む），キリスト教，グノーシス主義（その末裔であるマンダ教），ユダヤ教，イスラム教，カバラ，魔術ということになろう。ペルシアのゾロアスター教で天使が発生し，それがユダヤ教に大きな影響を及ぼし，その後の一神教の世界でさまざまな姿をとったというのが，天使の系譜の通説であり，本書も基本的にはこの説を踏襲している。いくつかの説明を要する単語については，既に本文中に割注として入れてあるが，ここではあまりなじみがないと思われるいくつかの分野について簡単な説明をつけておきたい。〔吉永〕

1．ゾロアスター教

　ゾロアスター教は宇宙を，天国，地球，地獄の三つの領域に分割している。天は，神および天使たちが住む天上の領域であり，地球は，時間・空間・因果に制限される人間の地上の世界である。そして地獄は，カオス・闇・死による地下世界であり，悪魔とそのしもべたちの住処である。この3世界において，地球は不完全な中間的な家である。そこに住む人間は，葛藤した衝動をもつ存在であり，自らの起源や本性，運命を知らない。天使の第1の機能は，神と人間を分かつ隔たりの橋渡しをすることである。ゾロアスター教において，この隔たりは神々の間の原初的な戦いの結果であり，それが人間を疎外された世界に留めおくのである。天使は人間の姿をとり，天国と地球の間の溝を橋渡しすることができ，そうして神の考え・意思・法を人間に開示することができる。ゾロアスター教はユダヤ教の天使論や終末論に影響を与え，そこからキリスト教，イスラム教へと広がった。

2．ユダヤ教

　ユダヤ教は古代から現代まで不変というわけではなく，まず旧約聖書の時代があり，次に西暦200年頃のミシュナー（口伝律法）の成立からタルムード編纂（西暦6世紀初め頃）を経て成立したラビのユダヤ教がある。さらに紀元7世紀から11世紀まではバビロニア・タルムードの最終編纂期に続く時期でゲオニムと名づけられている。ゲオニムとはバビロニアの学院の学長に与えられた称号で，この時期その権威は離散したユダヤ人全体に拡がっていた。本書で「ラビの教義」「ゲオニムの教義」とあるのは，こうした時期のユダヤ教を指す。

　また，本書で何度も出てくる「メルカバ」とメルカバ神秘主義とは，ユダヤ教神秘主義の一派で，神の玉座すなわち天上の戦車（メルカバ）を主題とする幻視の記録を指し，紀元前2世紀頃から出現している。一般にメルカバは，天上の存在が居住する七つの天の館（ヘハロト）を通過する旅の終りに出てくる。その間に有名な天使メタトロンとの出会いがある。ヘハロト文献の典型である『ヘブライ語エノク書（第3エノク書）』は，紀元3世紀後半以降に著された。

　カバラは12世紀に登場したユダヤ神秘主義の一種で，その基本文献が『ゾハール』つまり「光輝の書」である。これは13世紀スペインのモーセス・ド・レオンの作とされる。その一部はクノール・フォン・ローゼンロートによってラテン語訳されて17世紀に出版されている。それをさらに英訳したものがS.L.M.メイザーズの『ヴェールを脱いだカバラ』である。『ゾハール』と並ぶ有名な書が『セフェル・イェツィラ』で，こちらはさらに古く，6世紀までに編集されたと言われる。19世紀末イギリスのオカルティストで，メイザーズと共に黄金の曙教団の指導者であったW.W.ウェストコットが，これをラテン語から英訳して流布した。

　ハシディズムは18世紀にポーランド南東部に起こったユダヤ教の敬虔主義で，ハシディームとはヘブライ語で敬虔な人を意味する。素朴敬虔な信仰と祈りにおける注視を通じて，この世

22

のすべて，悪しき人の心にも偏在する神との神秘的合一による救済を説き，低い階層にも浸透していった。なお，実際には敬虔主義だけでなく魔術的な要素も含む運動であったが，20世紀になって宗教哲学者マルティン・ブーバーによって再評価された際に後者の部分は軽視された。

3．グノーシス主義

物質は悪であり，世界を創造した神（デミウルゴス＝旧約聖書の神と同一視される）は悪で，隠れている真の神があり，知識（グノーシス）によってそこに至り救済されるという宗教的思想。紀元1世紀以降，キリスト教の一部となっていた思想で，以下のようないくつかのセクトがあった。

オフィス派は，エデンの園の蛇を崇拝した，2世紀のグノーシス主義の一派。彼らは蛇を，この世界の造物主であるが真の神ではないデミウルゴスへの最初の反抗者として讃えた。オフィスは教説によれば，『創世記』第3章に登場する蛇は人類の救済者であるという。

ウァレンティヌスは紀元2世紀のエジプトのグノーシス主義者。彼の創造論によると，最初の存在が30のアイオンを順々に流出していき，それらはプレローマ界（神の充満）を構成した。アイオンの最も下層のものであるソフィアが過ちから物質を創造したが，ソフィアによって人間には霊の断片が入れられており，それによって救済の可能性があるとされる。

バシレイデスは，2世紀中頃エジプトのアレクサンドリアで教えたグノーシス主義者。その宇宙創造説によると，生まれざる父からヌースが，ヌースからロゴスが，ロゴスからフロネーシスが，フロネーシスからソフィアとデュナミスが，それぞれ順次流出してプレローマ界を形成，次に最後の2者から順次に由来する365の天使群によって同数の層から成る天界が造られ，最後の天使群がユダヤ人の神に導かれてこの世と諸国民を創造したという。

マンダ教は，現在も残る古代グノーシス主義の末裔である。マンダとは「知識」を意味し，マンダ教徒は現在も南イラクやイランの川沿いや湾岸部で生活している。彼らは近隣の人々には「洗礼者」として知られている。マンダ教の神話は，二つの本質が対立しながらもある程度は他方の要求を承認するという二元論的な基本的枠組みを示している。善と悪，光と闇，魂と物質が対立し，魂は光の世界（より高次の「天国的」領域）へ戻ることを願うとされる。

4．ヤズィード派

北イラク，シリア，トルコ，イランのクルド人たちの間で行われている宗教集団で，宗教学的には分類が難しいとされて，キリスト教，ユダヤ教，イスラム教，スーフィーなどの要素を含む。ヤズィードは天使の意味である。その主な崇拝対象のメレク＝タウス（本書ではタウス＝メレク）は孔雀の天使で，ルシファーとも同一視される。彼らの教義ではルシファーは悪ではなく，ヤズィード教徒は誤って悪魔主義者とされるが，実際にはそうではない。

5．魔術

ヨーロッパではさまざまな魔術書が流布しているが，本書でも言及されているものについて，簡単に説明しておきたい。

魔術書の中でも最も有名なものの一つが『レメゲトン，別名ソロモン王の小さな鍵』で，これは17世紀以降流布してきている。これは全部で4部（あるいは5部）構成になっていて，第1部「ゴエティア」（巫術あるいは妖術）では，72のデーモンの召喚法が論じられている。この部分が最も有名で，現在「ゴエティア」というと召喚魔術の意味で用いられている。第2部「ゴエティア・テウルギア」は方位霊を扱った内容。第3部「パウロの術」では時間の守護天使と十二宮に配された天使について，第4部の「アルマデル」がその他の霊について，第5部「ノトリア」はソロモンの魔方陣を使った魔術である。『ソロモン王の鍵』は19世紀後半になって，有名なオカルティストのS.M.L.メイザーズが発掘してきたものである。

「グリモワール」という語もよく用いられるが，これは黒魔術書の類で，悪魔の種類や召喚

法などが記されている。20世紀の代表的オカルト研究家アーサー・ウェイトは，グリモワールの代表格として『真の魔術書』『真の魔術』『大魔術書』『法王ホノリウスの教憲』の4書を挙げている。出版年は17世紀から18世紀頃と推測され，『真の魔術書』の内容には『レメゲトン』の影響が大きいという。これもグリモワールの一つとされる『モーセの第6，第7の書』は，カバラを真似た呪符や呪文を多く収録している魔術書で，アメリカでも一般に流布し，ヴードゥー（アメリカの黒人魔術）にも影響を及ぼした。これらはソロモンやモーセとは名ばかりの魔術書だが，それでもユダヤ教的色合いが濃い。対して逆にキリスト教的傾向の強い魔術書が『アルバテル』で，これは16世紀半ばにバーゼルで出版されたものである。パラケルススの影響があると言われ，天空に住まう196のオリュンポスの霊が論じられている。

　こうした魔術書のほとんどは匿名で出版されて流布した民間魔術の類であるが，その一方で，歴史に名を残したオカルティストもいる。トリテミウス（1462—1516）はベネディクト派の修道院長で魔術にも造詣が深く，7人の天使が七つの時代を支配するという時間論を唱えた。トリテミウスの弟子がコルネリウス・アグリッパ（1486—1535）で，彼の『隠秘哲学』はその後のオカルティズムに大きな影響を与えている。ただし，アグリッパは懐疑主義者と言われ，彼自身が魔物の力を信じていたかどうかは別物である。さらに，アグリッパに教えを受けた医師がヨハン・ヴィエルスで，その『偽君主論』は『レメゲトン』の「ゴエティア」と内容がかなり重なっている。

　19世紀に入ると，フランシス・バレット『魔術師』によって儀礼魔術は〈復活〉する。19世紀半ばフランスのエリファス・レヴィが著した『高等魔術の教理と儀礼』以降，魔術書は多数出版復刻されている。

　なお世界宗教の全般的な知識については『エリアーデ世界宗教辞典』（せりか書房，1994），カバラについてはG.ショーレムの諸著作，もしくはクセジュ文庫の『カバラ』（白水社，1999）が参考になる。魔術に関してはカート・セリグマン『魔法』（人文書院，1991），近代魔術に関してはフランシス・キング『英国魔術結社の興亡』（『黄金の夜明け魔法体系』5，国書刊行会，1994），天使論全般に関してはマルコム・ゴドウィン『天使の世界』（青土社，1994）を本書と併せて読まれると参考になるかと思う。キリスト教天使論の原点であるディオニュシオスのものは『キリスト教神秘主義著作集』第1巻（教文館，1992）で読むことができる。

アアリエル Aariel (「神の獅子」の意) オフィス派(グノーシス主義)の魔除けに、ヤルダバオト神の名と並んで、この天使の名前が記されている。[出典：C.ボナー『魔除けの研究』]

アアルビエル A'albiel 大天使ミカエルに仕える天使。[出典：M.ガスター『カルデア人の知恵』]

アイアヴェル Aiavel 黄道十二宮を支配する72人の天使の1人。72人の名前に関しては付録を参照。

アイイル Ayil 人馬宮の天使。儀礼魔術ではシザヤセル。[出典：トラクテンバーグ『ユダヤ魔術と迷信』p251]

アイエル Aiel 風の天使、主の日(日曜日)の統率者。黄道十二宮の1つ(白羊宮)の支配者。第4天に住み、北の方角から召喚される。「火の三霊体(トリプリシティー)」の1人。[出典：デ・アパノ『ヘプタメロン』；ウェイト訳『レメゲトン』]

アイオン Aeon グノーシス主義では、アイオンは高位の神的な力。アブラクシスを筆頭とする最初の被造物あるいは被造物たちを指す言葉で、また、セフィラに照応する神の流出としての被造物をも指す。バシリデスによれば、この世界の創造以来365(8、12、24、30とする説もある)のアイオンが存在し、アブラクシスの他に主なるものとしては、知恵の女性擬人化(ピスティス・ソフィア)と力の男性擬人化(デュナミス)がある。6世紀以前、ディオニュシオスのヒエラルキーが現われる前は、アイオンは10の天使の階級の1つとして数えられた。3世紀、ヒッポリュトスにより以下のように擬人化された。ビュティオス Bythios、ミクシス Mixis、アゲラトス Ageratos、ヘノシス Henosis、アウトフィエス Autophyes、ヘドネ Hedone、アキネトス Akinetos、ノノゲネス Nonogenes、マカリア Macaria。それ以前の1-2世紀、アンティオケイアのイグナティオス『トラレスの信者への手紙』の中に、「アイオンの強力さ、座天使(スロウン)とオーソリティー間の多様性、熾天使(セラフ)の卓越性」という言及がある。W.R.ニューボールドは「ソロモンの頌歌におけるキリストの降下」("Descent of Christ in the Odes of Solomon" *Journal of Biblical Literature*, 1912年12月)の中で、「アイオンは神の思想の実体化で」、男性と女性の1組ずつで流出し、「プレロマあるいは神の充満を形成する」と述べている。混沌に自らの姿を映し、この世界の支配者となった、傲慢なアイオン(おそらくはアブラクシス)の神話もある。アイルランドの詩人、神秘主義者のジョージ・ウィリアム・ラッセルは当初、著作の署名に"Aeon"と記していた。その意味を知らなかった校正者が「"AE"とは何か」と尋ねて以来、ラッセルは"AE"というペンネームを使用するようになった。[出典：キング『グノーシス主義とその遺産』；ミード『忘れられた信仰の諸断片』；G.W.ラッセル(AE)『幻視の蠟燭』]

アイシム Aishim (「炎」の意) 『ゾハル』に

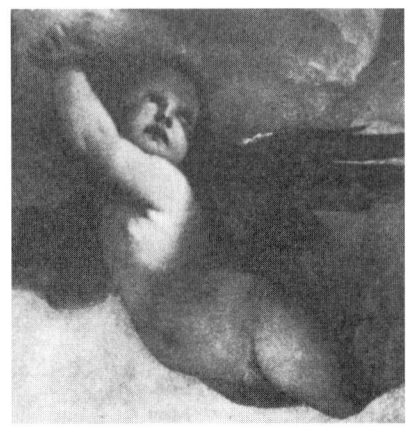

「幼児の天使」 ティツィアーノ作。
レガメイ『天使』より転載。

よれば，アイシムは天使（エンジェル）の位を構成する。この語は，詩編104:4「さまざまな風を伝令とし，燃える火を御もとに仕えさせられる」に由来する。→イシム

アイスケル Ayscher 『モーセの第6，第7の書』において，カバリストの魔術操作で招喚され，仕える天使。

アイステシス Aisthesis（テレシス Thelesis，「自由意志」の意）グノーシス主義において，神の意志から流出される偉大な天体天使（ルミナリー）。

愛の天使 Angel of Love テリエル，ラミエル，ラファエル，ドンクエル，など。カバラでは，ローマの女神ウェヌス〔ヴィーナス〕。ラビ伝承では，神が人間を創造しようと高位の者たちに提案した際に，愛の天使（名前は与えられていない）はそれに賛同した（賛同しなかった者は罰せられた）。[出典：ギンズバーグ『ユダヤ人の伝説』] タルムード，ゾハル，マンダ教文献では，リウェトとアナエル（愛の星の天使）が愛の天使として加わっている。古代ペルシアの伝承では，ミフルが愛と友情を見張る天使。

愛の星の天使 Angel of the Star of Love →アナエル Anael

アイブ Ayib 金星の霊で，金星の第4の五芒星（ペンタクル）にこの名前が記される。[出典：メイザーズ『ソロモンの大きな鍵』p73]

アイロアイオス Ailoaios グノーシス派の伝承では，「アルコンらのアイオンへと至る」第2の門の支配者。[レッジ『キリスト教に先行するものと対抗するもの』II，73で引用されている，オリゲネスの著作におけるアイロアイオスへの言及を参照。]

アヴァグバグ Avagbag ヘハロトの伝承（『マアセ・メルカバ』）で，第6天の館に置かれた護衛の天使。

アヴァタル（化身） Avatar ヴェーダの教義で，人間あるいは動物の姿をとった神格。これらの天使的存在は10あるが，主に第1のアヴァタルであるヴィシュヌを指す。他の9つの神格として普通挙げられるのは，クルムアヴァタル（亀のアヴァタル），バラ（熊のアヴァタル），ナルシンハ（人間＝獅子のアヴァタルで，英雄の統率者），ヴァマナ（こびとのアヴァタルで，理性の統率者），パラス・ウ・ラマ（パラスラマ）あるいは不死のキランギヴァ，クリシン・アヴァタル（クリシュナ），ブド・アヴァタル（ブッダ），カルキ・アヴァタルである。第10のアヴァタルであるカルキ・アヴァタル以外はすでに存在しない。カルキ・アヴァタルは翼の生えた白馬の姿で，4時代の終りに地上を破壊するために現われる。[出典：『ダビスタン』p180-183]

アヴァヘル Avahel 第3天に住む天使の支配者。[出典：『モーセの第6，第7の書』]

アヴァルティエル Avartiel 悪魔祓いのための東洋の護符（カメア）に記される天使の名前。[出典：『ヘブライの魔除け』]

アヴィアル Avial 7つの天の館（宮殿）いずれかの前に配置された護衛の天使。アヴィアルという名は『ピルケ・ヘハロト』に見られる。

アヴィトゥエ Avitue ラビの教義において，リリトの18の名前の1つ。[出典：ハナウアー『聖地の民間伝承』p325]

アヴィルザヘエ Avirzahe'e 学者ナクンヤ・ベン・ハ＝カネによれば，第6天へと続く門に配置された，愛すべきだが恐ろしい護衛の天使の支配者。[出典：マーゴリアト『天上の天使』]

アウェル Awel（アウィテル Awitel，アウォト Awoth）カバラの招喚の儀式で唱えられる天使。[出典：『モーセの第6，第7の書』]

アウエル Auel（あるいはアメト Amet）カバラの招喚の儀式で唱えられる太陽の天使。[出典：『モーセの第6，第7の書』]

アウグスブルクの天使 Angel of Augusburg, The アグネス・ベルナウアーに与えられた名前。アグネスは下層階級出身の愛らしい女で，ヴュルテンベルクのアルプレヒト公と結婚したが，1453年，アルプレヒトの父バヴァリアのエルネスト公の煽動により，魔女として捕らえられ溺死させられた。この溺死刑は木版画の主題となり，ポール・ケイラス『悪魔の歴史』に収められている。

アウザ Auza（アザ Azza，オザ Oza）エロヒムの息子（神の息子）。人間の娘たちと性交した堕天使。これに関しては「創世記」6章で言及されている。[出典：メイザーズ『ヴェールを脱いだカバラ』p249]

アウザエル Auzael →アザゼル Azazel，→アウザ Auza

アウザヤ Auzhaya（アヴジア Avzhia）神

「天使」 デューラー作。『聖グレゴリウスのミサ』からの細部。
ジャン・ダニエルー『天使とその使命』扉の木版画より転載。

の御前の支配者。天使メタトロンがもつ数多い名前の1つ。[出典：ショーレム『ユダヤのグノーシス主義，メルカバ神秘主義，タルムードの伝統』p53 で言及されるヘカロト文献（オックスフォード写本）]

アヴジア Avzhia →アウザヤ Auzhaya

アウシウル Ausiul（アウシエル Ausiel）宝瓶宮（水瓶座）を支配する天使。儀礼魔術の儀式で招喚される。

アヴツァンゴシュ Avtsangosh 天使メタトロンがもつ多くの名前の1つ。

アウトパトル Autopator 下位世界の聖母（ピスティス・ソフィア？）により確立された3つの力の1つで，完全なる者のために保存された秘匿物の管理を任されている。[出典：『エジプト・グノーシス主義の秘密の書』]

アヴニエル Avniel 神により剣（神の言葉）の管理を命じられた主な天使王の1人。[出典：M.ガスター『モーセの剣』XI]

アウピエル Aupiel（アナフィエル Anafiel）エノクがまだ人間であった時に，この大洪水以前の族長を天へと運んだアナフィエルの別綴。こちらの方が正確なものと考えられる。アウピエルは天で最も背が高く，メタトロン（2番目に高い）より数千パラサング（1パラサングは約5632キロ）も大きい。ギンズバーグは『ユダヤ人の伝説』I，138で，エノクがアウピエルにより天へ運ばれた出来事を詳述しており，「天使アンピエル」と呼んでいる。

アウブ Aub 月の第3の五芒星に記される天使の名前。[出典：メイザーズ『ソロモンの大きな鍵』p81] 招喚の際には，「わたしの神よ，速やかに来てください」という『詩編』40章からの引用句を唱えなければいけない。

アウファニム Auphanim →オファニム Ofanim

アウフィエル Aufiel（Auphiel）鳥たちを支配する天使。[出典：シュワーブ『天使学用語辞典』]

アウフニエル Aufniel →オフニエル Ofniel

アウリエル Auriel（オリエル Oriel。ウリエルを表わすヘブライ語で，「神の光」の意）黄道十二宮の5度ずつを支配する72人の天使の1人。剣の魔術で招喚される。[出典：ルーンズ『カバラの知恵』]

アヴリエル Avriel ヘカロトの伝承（『マアセ・メルカバ』）で，第7天の館に配置された護衛の天使。

アウルキ・ベ=ラム・エル Aurkhi Be-Ram El シュワーブの『天使学用語辞典』の物語によれば，大洪水以前に人間の女たちと性的関係をもった天使。エノク伝承における堕天使ラミエルと同じであろう。

アエグルン Aeglun 雷光の守護霊であり，11時の魔神の1人。[出典：テュアナのアポロニウス『ヌクテメロン』]

アエシュマ Aeshama アスモデウスの原型。ペルシア神話において，7人の大天使（アムシャ・スプンタ）の1人。この名前は，ゼンド・アエシュマ・デーヴァ（デーモンのアエシュマ）に由来する。

アエハイア Aehaiah シェムハムフォラエ神の神秘的な名前をもつ72人の天使の1人。[出典：『魔術師』II]

アエベル Aebel 神によりアダムに仕えるよう指示を受けた3人の天使の1人（もう2人はシェテルとアヌシュ）。『ヤルクト・レウベニ』と『アダムとエヴァの書』によれば，3人の天使はアダムのために「肉を焼き」「ブドウ酒を調合した」とされる。

アカイア Achaiah（「災難」の意） カバラでは，8人の熾天使の1人。忍耐の天使，自然の秘密の発見者である。照応する天使はコウス。アカイアの霊符（シジル）に関しては，アンブランの『実践カバラ』p260を参照。新約聖書では，アカイアはパウロが訪れたローマの州名である（『使徒言行録』18：12, 27）。

アカエ　Akae　(「誓い」の意)『ロゴス・エブライコスとエノク書』によれば，アカエという言葉は「神の隠された名。その名を知れば，人間は崇高な存在のように行動することができる」とされる。「誓いの長」であるカスベエルを参照。『エノク書Ⅰ』69：14には，天使カスベエルは「その誓いアカエをミカエルの手に置いた」とある。この誓いの力と秘密によって「海が創られ，地の土台が水の上に据えられた」とされる。

アカズリエル　Achazriel　天の法廷で廷吏として仕える天使。[出典：『申命記ラバ』]

アガソン　Agason　「その最も聖なる御名アガソン」というふうに，ソロモンの招喚でその名を唱えられる霊。[出典：『真の魔術書』]

アガド　Agad　アンブランの『実践カバラ』では，能天使(パワー)の位の天使。詩人H.D.(ヒルダ・ドゥーリトル)は「知恵」という詩の中でアガドに言及している。

アガトダエモン　Agathodaemon　グノーシス主義で「7母音の蛇[セラフ]，キリスト」のこと。由来は，エジプトの悪霊カカダイモンと対立する善霊，蛇のアガトダイモン。アガトダエモンは守護天使あるいは守護霊の役割を与えられ，「テュケの傍らに立つ天使，善を運ぶ者」ヘルメスと同一視される。[出典：ハリソン『ギリシア宗教論考』p296；ド・プランシー『地獄の辞典』；スペンス『オカルティズムの辞典』；ブラヴァツキー『秘密の教義』]

アカトリエル・ヤ・イェホド・セバオト　Akat(h)riel Yah Yehod Sebaoth (アクタリエル Achtariel，アクトリエル Aktriel，ケテリエル Ketheriel，イェハドリエル Yehadriel)　全天使の上位に置かれる偉大な審判の王の1人。旧約聖書で主自身を指す語としてたびたび使用される「主の天使」と同一視される。4賢人の1人エリシャ・ベン・アブヤは生前，天を訪れた際の出来事を次のように報告している。「楽園へと上昇し，そこに入ってみると，入口に万軍の主アカトリエルJHWHがおり，120万もの奉仕天使がその周りをとり囲んでいた。」カバラ主義では，栄光の座に現われる神格の名称。8世紀に書かれた終末論的文書では，メタトロンがアカトリエルの代りに用いられている箇所も見られる。[出典：タルムード『ベラコト』7a；コルドヴェロ『ザクロの園』；ショーレム『ユダヤのグノーシス主義，メルカバ神秘主義，タルムードの伝統』]

アガフ　Agaf　安息日の終りに儀礼魔術で招喚される破壊の天使。[出典：トラクテンバーグ『ユダヤ魔術と迷信』]

アカモト　Achamoth　アイオンの1人で，ピスティス・ソフィアの娘。オフィス派グノーシス主義では，悪の神ヤルダバオトの母である。[出典：キング『グノーシス主義とその遺産』]

アカルティエルとアカトリエル　Achartiel and Achathriel　悪魔祓いのために，東洋の護符に記される天使の名前。[出典：シュライアー『ヘブライの魔除け』]

アガルマトゥロド　Agalmaturod　メイザーズ『ソロモンの大きな鍵』において，魔術を行なって招喚される「最も聖なる神の天使」。

アガレス　Agares　(アグレアス Agreas)　かつては力天使(ヴァーチュー)の位にあったが，現在では地獄の公爵で，31の悪の軍団を引率する。クロコダイルにまたがり，オオタカを持った老人の姿で現われる。言語を教え，地震を起こす力をもつとされる。アガレスの霊符は，ウェイトの『黒魔術と契約の書』p166に示されている。伝説では，アガレスはソロモンの霊72人の1人である。ソロモンはこれらの霊を真鍮の容器に入れ，湖の底深く投げ込んだ（あるいはエジプトの彼方へ追い払った）と言われている。

アキエル　Aciel　コルネリウス・アグリッパが選帝侯と呼んだ，地下界にいる7惑星の霊の1人。天使ラファエルの支配下にある。[出典：コニベア『ソロモンの誓約』]

アギエル　Agiel　水星の第1の五芒星に記される天使の名前。パラケルススの護符に関する教義によれば，霊ザゼルと協力して働く土星の叡智体(インテリジェンス)（すなわち霊，天使）。[出典：クリスチャン『魔術の実践と歴史』Ⅰ，318]

秋の天使　Angel of Autumn　グアバレル，タルクアム。8月の宮の首長はトルクアレト。[出典：ド・プランシー『地獄の辞典』]

秋の天使　Angel of Fall (autumn)　トルクアレト。[出典：シャー『オカルティズム，その理論と実践』p43]

アキデス　Achides　金星の第3の五芒星に記される天使の名前。[出典：シャー『魔術の秘伝』；メイザーズ『ソロモンの大きな鍵』]

アクアカイ　Aquachai　(あるいはアクア

Aqua） ソロモンの魔法で使われる神聖なる名。「謎の名前」の1つ。［出典：『ソロモンの大きな鍵』］

アークエンジェル Archangel →大天使

アグカグディエル Agkagdiel ヘヨロトの伝承（『マアセ・メルカバ』）で，第7天の館に配置された護衛の天使。

悪業の天使 Angel of Evil Deeds 神に仕える聖なる天使。ロングフェロウの『黄金伝説』では，名前は与えられていないが，人の行いを記録する天使として描かれている。

悪の天使 Angel of Evil サタン，マラク・ラ，マステマ，ベルナエル，ベリアル（ベリエル），（ペルシアの）アフリマン，など。

悪の天使の疫病 Plague of Evil Angels ラビ・エリエゼルによれば，古代エジプト人を襲った疫病の1つが「悪の天使の疫病」である。ラビ・アキバもこの疫病について述べ，これを「第5番の疫病」と呼んだ。［出典：『過越祭の最初の2日間の勤めの型』ヘブライ出版社，ニューヨーク，1921］

アクサ Achsah ソロモンの魔法で魔道士により招喚される慈善の霊。［出典：メイザーズ『ソロモンの大きな鍵』］

アクサトン Achusaton 『モーセの第6，第7の書』のリストに挙げられている，15人の玉座の天使の1人。15人すべての名前に関しては付録を参照。

アクザリエル Akzariel 悪魔祓いのために東洋の護符に記された天使の名前。［出典：シュライアー『ヘブライの魔除け』］

アクシネトン Axineton 天使的存在。この名前を発声することで，神は世界を創造したとされる。［出典：メイザーズ『ソロモンの大きな鍵』p33］

アクタリエル Achtariel →アカトリエル Akatriel

アクテリエル Akteriel（アカトリエル Akathriel） カバリスト，イサーク・ルーリアの非ユダヤ的伝承によれば［出典：バンバーガー『堕天使』］，悪の君主サマエルとその軍勢を鎮圧する方法を明かすために，サンダルフォンに呼び出される偉大な天使。しかし，メタトロン（サンダルフォンの双子の兄弟）がアクテリエルに随行して助言を与えても，鎮圧できなかった。悪魔，あるいは悪の君主を鎮圧することは，

最も偉大な天使にさえも成し遂げられないことであった。

アグニエル Agniel 『ゾハル』（Tikkun suppl.）では，10の邪悪なセフィロトの4番目。

アグバス Agbas ヘヨロトの伝承（『マアセ・メルカバ』）で，第4天の館に配置された護衛の天使。

アグマティア Agmatia ショーレムの『ユダヤのグノーシス主義，メルカバ神秘主義，タルムートの伝統』で言及される。起源不明の天使。

悪魔／デヴィル Devil, The →サタン Satan

アグラ Agla カバラでは，葦の聖別儀式〔悪魔との契約書を書き記す羊皮紙を作る際に行なわれる〕で招喚される印章の天使。また，ルキフェルに呼びかける月曜日の招喚でこの名を唱える。悪魔祓いの儀式では，くじでこれに当たるとこの名を言う。デーモンを祓う，強力な魔法の言葉である。さらにヨセフが兄弟たちから解放されたときに唱えた神の名前でもある。アグラは，「あなたは永遠で，強大な方，主よ」を意味するヘブライ語の4つの語（atha gadol leolam Adonai）の頭文字を組み合わせたものである。［出典：メイザーズ『ソロモンの大きな鍵』；ウェイト『黒魔術と契約の書』；ド・プランシー『地獄の辞典』］

アクラジエル Ak(h)raziel（「神の伝令」の意） おそらくラジエルあるいはガリズルの別の形。アクラジエルは宣告の天使。天国の最後の門の護衛の天使。アダムに神秘を明かしたのもアクラジエルである。立法者モーセの死が神に認証され，モーセが更なる生命を嘆願したとき，神はアクラジエルを遣わし，モーセの祈りは天に届かなかったと宣告させた。［出典：『ユダヤ人の伝説』Ⅲ，419］

アグラト・バト・マラト Agrat bat Mahlat 売春の天使で，サマエルの3人の妻の1人。他の2人はリリトとナアマ。

アクラハイェ Aclahaye 賭博の守護神で，4時の魔神の1人。［出典：テュアナのアポロニウス『ヌクテメロン』］

アクラビエル Acrabiel 黄道十二宮の1つを支配する天使。［出典：コルネリウス・アグリッパ『オカルト哲学』Ⅲ］

アクラブ Aqrab アラブの神話で，魔法に使用される天使。［出典：シャー『オカルティ

ズム――その理論と実践』]

アクラマカマレイ Akram(m)achamarei
コプト語『ピスティス・ソフィア』で、「グノーシスの神格のヒエラルキーの上位にあり、天空を支配する」3者のうちの第1の霊。ボナーの『魔術護符の研究』に収録されている「呪い」の銘板にあるように、魔術儀式で招霊される。ショーレムは『ユダヤのグノーシス主義、メルカバ神秘主義、タルムードの伝統』p95で、アクラマカマレイは太陽神として描かれているので、「天使アリエルを表わすものと解釈できる」としている。

アクリエル Akriel　不妊の天使。愚行を犯したときに妊娠しないようこの天使に祈願する。また、申命記の句を暗誦する時も同様。[出典：『天上の天使』；トラクテンバーグ『ユダヤ魔術と迷信』]

アグレアス Agreas　→アガレス Agares

アグロミエル Agromiel　第6天を護衛する天使。[出典：『オザル・ミドラシム』I, 116]

アーケインジェル Archangel　→大天使

アケリア Acheliah　金星の第1の五芒星に記される天使の名前。[出典：『ソロモンの大きな鍵』]

アケル Aker　『エズラの黙示録』によれば、「世界の終り」に統治し、裁きを行なう9人の天使の1人。[出典：『ニケア以前の教父たち』vol. 8, p573。他の8人の名前に関しては「世界の終りの天使」の項目を参照。]

アザ Aza　→アザ Azza

アザ Azza（シェム＝ヤザ Shem-yaza、「強き者」の意）　ラビ文献の伝統によれば、人間の女と交わった罰として、（アザエルと共に）天と地の間に置かれた堕天使。アザ（シェムヤザは「アザという名前」の意）は絶えず堕ちつづけていて、片目は撃たれ、もう一方の目は自分の苦境を見ることでさらに苦しむように開かれているとされる。アザが天国から追放された事情に関しては諸説がある。エノクに与えられた高位の位、つまりエノクが人間から天使メタトロン（→エブリス）へと変容することに対し、異を唱えたのが原因とされる。ソロモンの伝承においては、アザは天のアルカナ（神秘）を明かすことにより、ソロモン王を地上で最も賢い者にしたとされる。タルムードでは、セディム（アッシリアの守護霊）は「大洪水以前に、アザとアザゼルにより、ラメクの娘、悪のナアマの身体に宿された」とされる。[出典：トンプソン『セム族の魔術』p44-45]『第3エノク書』の序論でオデバーグは、メタトロンの配下にある天使の2軍勢のうち1つの軍（正義の天使たち）をアザが指揮していたと述べている。その時点ではアザが堕天していなかったのは明白である。

アサエル Asael（「神が創った者」の意）　セムヤザに仕える天使で、人間の娘たちと共に住んだ。つまり堕天使である。→アザゼル

アザエル Azael（アシエル Asiel、「神が力を与える者」の意）　レメクの娘ナアマと共に住んだ2人の堕天使の1人で（もう1人はアザ）、アッシリアの守護霊セディムを生ましめたという。[出典：『ゾハル』]アザエルは、最後の審判の日まで、砂漠に鎖でつながれているとされる。[出典：ド・プランシー『地獄の辞典』『ミドラシュ・ペティラト・モシェ』]では、天から降りてきて堕落した2人の天使の1人（もう1人はオウザ）。コルネリウス・アグリッパは『オカルト哲学』で、四大を支配する4人の聖なる支配者の対極として、4人の悪の天使を挙げているが、その中にアザエルが含まれている。シュワーブは『天使学用語辞典』の中で、隠された宝の護衛シャムハザイ（セムヤザ）とアザエル（アジエル）を同一視している。

アザエル Azzael　アザとアザエルを異なる2人の天使とみる文献もあるが、他の文献では同一視される。アシエル（Assiel）、アザゼル（Azazel, Azzzael）とさまざまに綴られる。『第3エノク書』の前半では、ウザとアザとともに3人の奉仕天使の1人で第7天に住むとされるが、後半部では堕天使とされ、アザとともにマスキムの1人とみられる。人の娘らと共に住んだせいで、ウザとともに罰せられ、鼻に穴を開けられた。太陽、月、星をより身近に崇拝できるように空の低い場所に降ろす妖術を人間に教え、一度は実現した。[出典：『ラビ・アキバのアルファベット』；バンバーガー『堕天使』p127；『ミドラシュ・ペティラト・モシェ』]→アザ

アサク Asac(h)　魔術の祈りで召喚される天使。[出典：『真の魔術書』]

アサクロ Asacro（アサルカ Asarca）　黒魔術で、祈りと魔術儀式により招霊される天使。

アサシア Asasiah　メタトロンの数多い名前の1つ。

アサシエル Asasiel　木曜日の天使で，サキエル，カシエルらと共同統治を行なう。また，木星の支配霊の1人。［出典：デ・アバノ『ヘプタメロン』；『魔術師』Ⅱ；『トゥリエルの秘密の魔術書』］

アザジエル Azaziel　セラフ・セムヤザの別称。バイロンの詩「天と地，その神秘」では，カインの孫でアナという敬虔な少女が，アザジエルを誘惑して神の名（Explicit Name）を明らかにさせるという伝説が述べられている。その詩では，洪水の際に，アザジエルはアナを地球以外の惑星へと送る。

アザゼル Azazel（アザエル Azael，ハザゼル Hazazel，「神は強くする」の意）『エノク書Ⅰ』によれば，200人の堕天使の首長の1人（「ヨハネの黙示録」では，天の星の3分の1が地に堕ちたとされる）。「男たちに剣や盾の造り方を教え」，女たちには「華やかな衣装やまぶたの化粧の仕方」を教えた。ラビ文学，タルグム，および「レビ記」16：8では，贖罪の山羊（「レビ記」では名前は与えられていない）。『ゾハル』（Vayeze 153a）では，「悪しきアザゼル」が蛇に乗るものの象徴として示されるが，ここではベネ・エリムの階級（あるいはさらに下位のイシム）の筆頭である。エイレナイオスはアザゼルを「堕ちはしたが，有力な天使」と呼んだ。『アブラハムの黙示録』によれば，「地獄の統率者，人間を誘惑するもの」であり，その真の容貌は7つの蛇の頭，14の顔，12の翼をもつデーモンである。ユダヤの伝説では，最初の人間であるアダムが天国の神と高位の者たちの前に召されたとき，アザゼル（コーランではエブリスあるいはイブリス）はアダムにおじぎするのを拒んだため，以来「呪われたサタン」と呼ばれるようになった。［出典：バンバーガー『堕天使』p278］イスラムの教義では，天使たちにアダムを崇拝するよう神が命じたとき，「なぜ炎の子が塵の子に対し膝を屈しなければならないのか」と主張し，それを拒んだ。そのため，神はアザエルを天国から追放し，エブリスと改名した。ミルトンの『失楽園』Ⅰ，534では「堂々たる智天使」と言われるが，堕天使の1人であり，万魔殿の旗手である。M.ブワソンの『魔術：その歴史と主な儀式』によれば，元来古代セム族の羊の群れの神であり，後にデーモンの位にまで堕落した。［参照：T.リング『新約聖書悪魔学におけるサタンの意義』］バンバーガーは『堕天使』で，最初に堕ちた星がアザゼルだという考えに注目している（ここで星は天使を指す）。

アサト Asath（アサク Asach）ソロモンの魔術儀式で唱えられる天使。［出典：『真の魔術書』］

アサド Assad　アラビアの伝承で，儀式に召喚される天使。［出典：シャー『オカルティズム』p152］

アサフ Asaph（Asaf）　夜に神への賛歌をうたう天使軍の指揮官。同様にヘマンが朝の賛歌の軍勢を，イェドゥトゥンが夕べの賛歌の軍勢を指揮する［出典：『ゾハル』（Kedoshim）］。「詩編」50章および73-83章はアサフによるとされる。ユダヤの伝説ではアサフは医学の父。ナフマニデスは Torat ha-Adam の中で，「ユダヤ人アサフ」と癒しに関する彼の著書に言及している。

アザフ Azaf →アサフ Asaph

アサフシシエル Assafsisiel　ヘハロトの伝承（『マアセ・メルカバ』）で，第7天の館に配置された護衛の天使。

アサムキス Asamkis　ヘハロトの伝承（『マアセ・メルカバ』）で，第7天の館に配置された護衛の天使。

アザラデル Azaradel　『エノク書Ⅰ』の堕天使の1人で，人間に月の運行について教える。

アサリア Asaliah　カバラでは，ラファエルの統治下にある力天使の位に属する天使。正義を司る。『魔術師』では，シェムハムフォラエ神の神秘的名前を持つ72人の天使の1人。アサリアの霊符は『実践カバラ』p281に描かれている。

アザリア Azariah or Azarias（「神が助ける者」の意）『トビト記』におけるラファエルの仮の名前。物語の後半で，ラファエルは自分が「栄光に輝く主の御前に仕える7人の天使の1人」であることを明かす。

アサリエル Asariel（「神が縛った者」つまり誓約によって）　月の二十八宿を支配する28人の天使の1人。

アザリエル Azariel　タルムードでは，地上の水を支配する天使。オカルティズムで，月の

■ アザ-アシ

「トビ」(『トビト記』より)と3人の大天使、おそらくラファエル(中央)とミカエル、ガブリエル。画家ジョヴァンニ・ボッティチーニ(1446-1497年)は、ラファエル以外のどの天使にも言及していないなど、明らかに外典の細かい話を知らない。
レガメイ『天使』より転載。

二十八宿を支配する28人の天使の1人。[出典：バレット『魔術師』；ド・プランシー『地獄の辞典』]

アザル Azar (アズル Azur) 古代ペルシアの神統系譜学では、11月の天使。アザルはその月の9日目を支配する。[出典：ハイド『古代ペルシア宗教史』]

アザルカ Asarca →アサクロ Asacro

アザルグシュタスプ／アザルクルダド Azargushtasp/Azarkhurdad 古代ペルシアの宗教伝承で、「善なる神に最も近い」とされるアムシャ・スプンタ(ゾロアスター教の大天使)のうちの2人。[出典：『ダビスタン』p136]

アサレル Assarel ヘハロトの伝承(『マアセ・メルカバ』)で、第4天の館に配置された護衛の天使。

アザレル Azarel 月の第5の五芒星に記される天使の名前。[出典：メイザーズ『ソロモンの大きな鍵』]

アシア Assiah (アシヤ Asiyah) カバラの宇宙論では、4つの世界のうちの最低の世界の1つで、「造営の世界」あるいは活動化の世界、オリフォトの世界、すなわち物質的存在あるいはデーモンの世界。闇の王であるサマエルの住処である。[出典：フラー『カバラの秘密の知恵』]

アシ・アシシ Assi Asisih　人間に送られた主の剣（神の言葉）の使者。［出典：『モーセの剣』p30］

アシエル Asiel（「神から創られた」の意）　旧約聖書外典の『エズラ書Ⅱ』では，エズラが口述した204の書物を書き写すよう，神に命じられた5人の「人」（天使を指す）の1人。他の4人はダブリア（エカヌス），セレミア，セレクキア，サレア（サルガ）である。204書のうち，70は賢者にのみ伝えられた，あるいは利用された。残りが一般に使用されるものとなった。『ソロモンの誓約』では，アシエルは盗みを見つける魔神であり，隠された宝を明かすことができる。グリヨの『妖術師・秘術師・錬金術師の博物館』p342の図版の，突然死に対する護符に描かれている。

アシエル Assiel　『天使ラジエルの書』とシュワーブ『天使学用語辞典』で言及されるように，癒しの天使。→ラファエル

アジエル Aziel →アザエル Azael

アジジエル Aziziel　シリアの魔術儀式における天使。『守護の書』では，ミカエル，ハルシエル，ブルキエル，その他の「魔法をかける天使たち」とひとまとめにされている。

足台の天使 Angel of the Footstool　アラビアの伝承で，足台（クルシ）の天使は，第1天に到着して神の審問の前に立つ者を支える光の柱を設える。［出典：『第3エノク書』181；ニコルソン「ミーラージュの初期アラビア語版」など］

アジベエル Azibeel　『エノク書Ⅰ』によれば，人の娘らと交わるために天より降りた200人の天使の1人。これに関しては「創世記」6章に言及がある。このためアジベエルは堕天使となった。

アシモネム Assimonem　メイザーズ『ソロモンの大きな鍵』p45で，招喚者の姿を見えなくするようデーモンに命令を下す天使。ソロモンの魔術で呼び出される。

アシモル Asimor　ヘハロトの伝承で，力を司る7人の天使の支配者の1人。他の6人はカルミヤ，ボエル，プサカル，ガブリエル，サンダルフォン，ウジエル。［出典：マーゴリアト『天上の天使』p17］

アシモン Asimon（アティモン Atimon）　『ゾハル』への言及がある『天上の天使』で挙げられている天使。

アシヤ Asiyah →アシア Assiah

アシャエル・X Ashael X　『モーセの剣』で言及される招喚の天使。

アシャムドン Ashamdon　シャムダンの別称。［出典：バンバーガー『堕天使』p171］

アシャ・ワヒシュタ Asha Vahishta　ゾロアスター教の伝承で，6人のアムシャ・スプンタの1人。善の大天使。［出典：『イラン史』Ⅲ］

アシュ Ashu →シルシ Sirushi

アシュカニズカエル Ashkanizkael　ヘハロトの伝承（『マアセ・メルカバ』）で，第7天の館に配置された護衛の天使。

アシュメダイ Ashmedai（アシュモダイ Ashmodai，アスモデ Asmodee，アスマダイ Asmadai，カマダイ Chammaday，シュドナイ Sydoney，など）　ラビ伝承では，神の使いである天使。しかし，66の霊の軍団を従える，ソロモンの敵対者，南の支配者であることから，たいていは悪の霊とみられる。オカルト文献では，エデンの園でエヴァを誘惑した蛇と同一視されることもある。［出典：メイザーズ『ソロモンの大きな鍵』］善か悪か，天使か悪魔か，特定はできないが，人間に害を及ぼすとは考えられていない。アシュメダイは智天使，「シェディムの王」「偉大な哲学者」とみなされてきた。［出典：ユング『ユダヤ教，キリスト教，イスラム教文学における堕天使』；ミュラー『ユダヤ神秘主義の歴史』］

アシュモディエル Ashmodiel　オカルティズムで，金牛宮を司る天使。［出典：ジョウブズ『神話・民間伝承・象徴辞典』］

アシュラウド Ashraud　『ソロモンの大きな鍵』によれば，「すべての天使と専政君主たちの支配者」とされる。

アシュリエル Ashriel（アズラエル Azrael，アズリエル Azriel，アザリエル Azariel，「神の誓約」の意）　地を支配する7人の天使の1人。人間が死ぬ際に，魂と肉体を分離する。カバラでは愚かさを治すために招喚される。モーゼス・ボタレルの著作を参照。

アシュルリュ Ashrulyu（アシュルリアイ Ashrulyai，アスルリュ Asrulyu，「住まわせる者」の意）　偉大な天使の君主，20の神格の名前の1つで，第1天を住処とする。学院の長で

あり，律法のサリム（王）の1人である。イェフェフィアを参照。[出典：『第3エノク書』]

アズカリエル Azkariel　アクラジエル（Ak-〈h〉raziel）の転訛。[出典：『ミドラシュ・ペティラト・モシェ』p376-377；ギンズバーグ『ユダヤ人の伝説』VI, 147]

アズケエル Azkeel　エノクのリストに挙げられている，天から降りて人の娘らと交わった200人の天使の1人。この出来事は「創世記」第6章で言及されている。

アスコバイ Ascobai　ソロモンの魔術操作で，蜜蠟の清めで唱えられる天使。[出典：メイザーズ『ソロモンの大きな鍵』]

アズダイ Azdai　マンダ教における天使。[出典：ポニョン『マンダ教碑文』]

アスタグナ Astagna（アストルグナ Astrgna）　バレットの『魔術師』で挙げられているように，第5天に住む天使。火曜日を司る。この天使を招喚するときは，招喚者は西に向いていなければならない。

アスタコト Astachoth（アストラキオス Astrachios，アストロスキオ Astroschio）　水の清めで招喚される天使。[出典：『真の魔術書』；シャー『魔術の秘伝』]

アスタド Astad　古代ペルシアの伝承で，毎月の24日目を司る天使。楽園の（100あるうちの）64番目の門にいた。[出典：『ダビスタン』p166]

アスタニエル Astaniel　神により剣（神の言葉）の管理を命じられた天使。

アスタリボ Astaribo　中世魔術におけるリリトの名前。

アスタルテ Astarte（アシュテロト Ashteroth，アシュトレト Ashtoreth，イシュタル=ヴェヌス Ishtar-Venus，など）　古代フェニキア，シリア，カルタゴで崇拝された女性の主神。アスタルテはシリアでは豊饒に関係する月の女神。アシュテロトとして，パレスティナで偶像崇拝が流行していた時代に，ユダヤ人により崇拝された女神である。「列王記下」23：13には「シドン人の憎むべき神アシュトレト」とある。シドン人とはフェニキア人のことである。エレミヤはアシュトレトを「天の女王」と呼んだ。ギリシア人はアフロディテをアスタルテから借用した。オカルトの教義では，アスタルテは4月の月のデーモンとして現われる。『失楽園』(I, 438)ではアスタルテは堕天使であり，アストレトと同等視される。[出典：レッドフィールド『世界の神々の辞典』「Gods」の項；ド・プランシー『地獄の辞典』IV, 138；近東諸国の神話など]

アスタロト Astaroth（アステロト Asteroth）　かつては熾天使であったが，現在はウェイト訳『レメゲトン』によれば地獄の主なる統轄者。そこで彼は「天使たちの墜落に関して快く語ってくれるが，彼自身は天使たちの背教に関与していないとうそぶく」（ヴァイエルの『偽君主論』を参照）。バレットは『魔術師』Iで「ギリシア語ではアスタロトはディアボルスと呼ばれていた」と述べている。招喚されると「竜にまたがり，右手に毒蛇をつかんだ美しい天使」の姿で現われるとされる。アスタロトの霊符はウェイトの『黒魔術と契約の書』に示されている。『悔悛した女の驚嘆すべき憑依と改宗の物語』によれば，堕天する以前，アスタロトは座天使の位の支配者であったという。これとは異なり，スペンスの『オカルティズムの辞典』においては，熾天使の位に属していたとされる。ヴォルテールはアスタロトが古代シリアの神であったことを発見した。『真の魔術書』によれば，アスタロトはアメリカに住処を設けたとされる。ド・プランシーによれば，「英国の伝統では，アスタロトはファウストを訪れた地獄の7人の支配者の1人」。

アスタンファエウス Astanphaeus（アスタファエウス Astaphaeus，アスタファイ Astaphai，アスタファイオス Astaphaios）　グノーシス主義の教義では，神の御前の7人のエロヒム（天使）の1人。オフィス派の体系では，ヤルダバオト神により「その似像として」生み出された7人の君主あるいはアルコンの1つ。オリゲネスの『ケルソス反駁』によれば，「アルコンのアイオンへと至る」第3の門の統率者（オリゲネスはこの名前は魔術からのものとしている）。アスタンファエウスはまた，シディク（メルキゼデク）の7人の息子の1人といわれる。一方この名前をサタンの別称とする説もある。フェニキア神話の系譜では始原の力。C. W. キング『グノーシス主義とその遺産』p214-15では，「水星を司るユダヤの天使」で，マギ教にその起源があるとされる。キングは，アスタンファエウスの名前が彫られたグノーシス派

の宝石の図版を掲載している。[出典：『カトリック大辞典』「Gnosticism」の項；グラント『グノーシス主義と初期キリスト教』]

アスティロ Astiro　メヒエルと対になる天使。

アステラオト Asteraoth　惑星の7人の偉大な支配者の1人。「力」と呼ばれる女性のデーモン（伝説によれば，ソロモン王によって呼び出される7人の女性デーモンの1人）を打ち倒すことができる天使。[出典：『第3エノク書』；コニベア『ソロモンの誓約』]

アステル Astel　土星に影響する霊。[出典：『トゥリエルの秘密の魔術書』]

アスデレル Asderel（アスレデル Asredel, アスラデル Asradel, シャリエル Shariel）この名称はサハリエルの転訛。月の運行を教えた悪の大天使である。[出典：チャールズ『旧約聖書外典・偽典』]

アストム Astm（添え名はクンヤ・X Kunya X）M. ガスター『モーセの剣』で言及される14人の招喚天使の1人。また，神の言い表わすことのできない名前の1つ。

アストラエル・イアオ・サバオ Astrael Iao Sabao　単にイストラエル，アストラエルとしても知られる。この名前は魔除けに記される。[出典：ショーレム『ユダヤのグノーシス主義，メルカバ神秘主義，タルムードの伝統』；コニベア『ソロモンの誓約』]

アストラキオス Astrachios　メイザーズ『ソロモンの大きな鍵』ではヘラキオと呼ばれる。水の清めで唱えられる天使。[出典：『真の魔術書』]

アストルグナ Astrgna →アスタグナ Astagna

アストレト Astoreth　『失楽園』I, 438で言及される堕天使。アスタルテと同等視される。

アストロコン Astrocon　ナルコリエルに仕える，夜8時の天使。[出典：ウェイト訳『レメゲトン』]

アストロニエル Astroniel　ヴァドリエルに仕える，午前9時の天使。[出典：ウェイト訳『レメゲトン』]

アストロムプスコス Astrompsuchos（エトレムプスコス Etrempsuchos, ストレムプスコス Strempsuchos）オクスフォード大学ボドレー図書館の『ブルース・パピルス』では，7つの天のいずれかの護衛者。ヒッポリュトスは，彼がペレアの人々により崇拝された力の1つとしている。[出典：レッジ『キリスト教に先行するものと対抗するもの』I, 107 fn.]

アスファエル Asfa'el　『エノク書I』と『エノク書II』では，12月のうちのいずれかの光輝天使であり，「千人隊の指揮者」である。『エノク書』では，「4人の首領の1人に仕え，閏の日に関係のある千人隊長」として言及されている。アスファエルは，ヒルヤセフあるいはヨセフ＝エルの転訛といわれる。

アズフィエル Azfiel　ヘハロトの伝承（『マアセ・メルカバ』）で，7つの天の館の1番目に配置された護衛の天使。

アズブガ・ヤハウェ Azbuga YHWH（「力」の意）　審判の座の偉大な天使の支配者8人の1人で，メタトロンより高い位に属する。ゲルショム・ショーレムは「当初アズボガは最高領域の神の秘密の名前であった」と言っている。その主な任務は，天国に新たにやって来た者たち，すなわちふさわしいとされた者たちに義を与えることのようだ。後期ヘブライの護符には，アズボガの名前が「すべての病気，傷，悪霊を癒す」ために唱えるべきものとして含められた。[出典：トンプスン『セム族の魔術』p161；『エノク書』；ショーレム『ユダヤのグノーシス主義，メルカバ神秘主義，タルムードの伝統』で言及されたヘハロト文献]

アスベエル Asbeel（「神を放棄する者」の意）『エノク書I』で，堕天使の一人。「聖なる御使いたちの子らに悪知恵を授け，人の娘たちの間で身を滅ぼすように迷わせた者」である。

アスボガ Asbogah →アズブガイ・ヤハウェ Azbugay YHWH

アズボガ Azbogah →アズブガ・ヤハウェ Azbuga YHWH

アスマダイ Asmadai　ミルトンの『失楽園』VI, 365に登場する2人の「強大な座天使」の1人（もう1人はアドラメレク）。ウリエルとラファエルは，ミルトンの言う「神に劣ることを潔しとしない」2人の強敵を打ち破る。→アスモダイ

アスモダイ Asmoday（アシュメダイ Ashmeday, アスモディウス Asmodius, シュドナイ Sydoney）　バッジの『魔除けと護符』p377によれば，アスモダイは「翼をもって飛び回り，

アス-アズ

「悪魔アスモデ（アスモデウス）のサイン」1629年5月29日付の証書。聖十字教会で作成された。この中でアスモデは、とり憑いた修道女の身体から立ち去ることを宣誓している。証書は他の悪魔たち、グレシル、アマンド、ベヘリア、レヴィアタム（原文のまま）などの名を挙げている。
グリヨ『妖術、魔術、錬金術図説』より転載。

未来に関する知識をもつ」堕天使。人間に算術と透明になる術を教える。また、人間に「力天使の指輪を与え」、地獄の霊の72軍団を統率する。招霊されると、3つの頭（牡牛、牡羊、人間）をもつ生き物の姿で現われる。ジョン・ドライデンの劇詩『無垢の時』の登場人物でもある。また、月のデーモンの1人であるハスモダイ Hasmoday の別綴。[出典：ド・プランシー『地獄の辞典』；バトラー『儀礼魔術』；シャー『魔術の秘伝』]

アスモダル Asmodal ソロモンの蜜蝋の清めで唱えられる天使。[出典：メイザーズ『ソロモンの大きな鍵』]

アスモデ Asmodee アスモデウスのフランス語綴で、ド・プランシーによれば、サマエルあるいはサタンと同一視される。→アシュメダイ

アスモデウス Asmodeus （「審判する創造物」の意） アスモデウスという名前は、アシュマ・デヴァに由来する（→アシュマダイ、→カマダイ）。アスモデウスはもともとユダヤの悪魔ではなくペルシアの悪魔であったが、ユダヤの伝承に取り入れられ、悪霊とみられるようになった。フォーロングの『宗教百科辞典』によれば、アスモデウスは「怒れる敵を意味するゼンド・アエシュマデーヴァに由来する、タルムードのアシュメダイ」である（『トビト記』3：8）。ノアを酔わせ、『トビト記』で若きサラが嫁いだ7人の花婿を殺し、天使ラファエルに打ち倒され、ついには「上エジプトの果てに追い

払われた」のがアシュマダイ（アシュメダイ）であると、フォーロングは言う。悪魔学では、地獄のアスモデウスはすべての賭博場を支配する。悪魔学者ヴァイエルによれば、アスモデウスを招霊するときは、招霊者は帽子をかぶっていてはいけない。さもないと、アスモデウスはその招霊者に取り憑いてしまうという。

バレットの『魔術師』IIでは、「怒りの器（神の怒りにあうべき者）」として、彩色図版に描かれている。ル・サージュの小説『2本の杖の上の悪魔』でアスモデウスは主人公。J.B.キャベルの『悪魔の息子』では、アダムとその最初の妻リリトの息子。しかし、『アブラ＝メリンの魔術』には次のような記述がある。「アスモデウスはトバル＝カインとその妹ナアマの近親相姦で生まれた子供であるという律法博士もいる。また色欲のデーモンだとする者もいる。」ユダヤの伝承では、悪魔バル・シャルモンの義父［出典：『ユダヤ大辞典』p510］。ソロモン伝承では、サトゥルヌス、マルコルフ、マロルフという名前を持つ。回転木馬、音楽、ダンス、劇、それから「あらゆる新しいフランスの流行」を創造するとされる。［出典：ミカエリス『悔悛した女の驚嘆すべき憑依と改宗の物語』；ウェイト『黒魔術と契約の書』；『魔女の鉄槌』p30；ヴォルテール「天使、守護霊、悪魔について」]

アスモデル Asmodel 儀礼魔術で4月を支配する天使。また、カムフィールド『天使についての神学的論説』で言及されているように、金牛宮の支配者。（→トゥアル、→ハマビエル）アスモデルはかつては智天使の位の首長の1人であったが、現在は懲罰のデーモンである（コプト・グノーシス主義の『ピスティス・ソフィア』に記録されている）。カバラでは10の悪のセフィロトに含まれている。［出典：バレット『魔術師』；ド・プランシー『地獄の辞典』；アンブラン『実践カバラ』]

アスラ Asuras （アフラ Ahuras） アーリア人の伝承における天使たち。ヒンドゥーの教義では、秘儀における悪の霊とされ、偉大な神々（スリア）と永久に戦っている。かつては秘密の知恵の神々であり、キリスト教教義の堕天使に比せられる。［出典：ハンター『インド史』4章；ルノルマン『カルデア魔術』p77]

アズライル Azra'il アラビアの伝承で、悪

魔祓いの儀式で招喚される守護天使。〔出典：ヒューズ『イスラム辞典』「Angels」の項〕

アスラエル Asrael　アルベルト・フランケッティが作曲し，フォンタナが台詞をつけた同名の4幕オペラに登場する天使。古代フラマン人の伝説を基にしており，アスラエルはネフタという女性の天使と恋に落ち，彼女を失うが，最終的には天国で再び結ばれる。アメリカでの初演は1890年メトロポリタン歌劇場で行なわれた。

アズラエル Azrael（アズライル Azrail，アシュリエル Ashriel，アズリエル Azriel，アザリル Azaril，ガブリエル Gabriel，など。「神が助ける者」の意）　ユダヤとイスラムの伝承では，第3天にいる死の天使。イスラム教徒にとってアズラエルはラファエルの別称であり，「7万の足と4000の翼をもち，その身体は地上に住む人間の数の目と舌で覆われている」という。〔出典：ヘイスティングズ『宗教・倫理辞典』Ⅳ，617〕アラビアの伝承では，「常に大きな本を書いていて，常に書いたものを消している。書いているのは人間の誕生であり，消しているのは死ぬ人間の名前である」という。ミカエル，ガブリエル，イスラフェルがアダムを造るための7色の土を持ち帰るのに失敗したのに対し，4番目に遣わされたアズラエルは見事に成功した。この功績のため，肉体と魂を引き離すという任務を受けた。〔古代ペルシア伝承の死の天使であるムルダドを参照。〕東洋の伝説では，生命の木から林檎を死にかけた人間の鼻先にもってくることで，自分の使命（すなわち，はじめに死を持ってきて，そのあと肉体と魂を引き離すこと）を果たすとされる。ユダヤ神秘主義では，アズラエルは悪の具現である。『守護の書』によれば，ガブリエル，ミカエルと並んで3人の聖なる天使の1人であり，シリア語の呪文で召喚されるという。ロングフェローの詩「スペインのユダヤ人の話」では，「インドのラジャ」をもてなすソロモン王とともに生き生きと描かれている。

アスラデル Asradel →アスデレル Asderel

アスラフィル Asrafil　アラビアの伝承で，最後の審判の天使。ド・プランシーは「恐ろしい天使」と呼んでおり，『地獄の辞典』ではデーモンとして扱い，恐ろしい姿で描かれている。しばしば死の天使アズラエルと混同される。

アズリエル Azriel　『ゾハル』（出エジプト記 202a）などで「古き者アズリエル」，時には「マニエル」（「強力な陣営」の意）として言及される天使の首長。60万の霊の軍団を従え，天国の北の地域に配置され，祈りを受け取る。『オザル・ミドラシュム』Ⅰ，85では，破壊の天使の首長の1人。この名前は，悪魔祓いのための東洋の護符に記されている。〔出典：『ヘブライの魔除け』〕

アズリエル・X Azliel X　召喚の天使，14人のうちの1人。神聖な神の名の1つでもある。〔出典：M. ガスター『モーセの剣』〕

アスリエル・X Asriel X （あるいは，アスラエル・X，「神の誓約」の意）　第7天の護衛天使63人の首長。ヘハロトの教義では，呪文の天使。〔出典：M. ガスター『モーセの剣』；『新シャフ＝ヘルツォーク宗教学辞典』「Angel」の項〕

アズル Azur →アザル Azar

アスロン Asron　数多い東風の門の護衛の1人。〔出典：『オザル・ミドラシュム』Ⅱ，316〕

アセウ Aseu　天使アナウエルに相当する天使。

アゼル Azer　火の元素の天使。ゾロアスターの父の名前でもある。〔出典：『古代魔術書』〕

アセル・クリエル Asser Criel　カバラによれば，モーセとアロンの胸当てに彫られた口にすることのできない（霊の）名前。そのような胸当てをする者は頓死することがないとされる。〔出典：『モーセの第6，第7の書』p30〕

アセンタケル Asentacer　天使レラヘルに相当する天使。

アタイル Ata'il　アラビアの伝承で，悪魔祓いのために招喚される守護天使。〔出典：ヒューズ『イスラム辞典』「Angels」の項〕

アダティエル Adatiel　儀礼魔術で招霊される風の霊。降霊魔術書『黒鴉』では「たなびく黒と白のマント」をまとっているが，『魔術』では「たなびく青いマント」をまとっている。

アタティヤ Atatiyah　ミカエル，あるいはメタトロンの秘密の名前。〔出典：『エゼキエルの幻視』；ショーレム『ユダヤのグノーシス主義，メルカバ神秘主義，タルムードの伝統』；『希望の書』〕

アダディヤ Adadiyah　メタトロンの100以

上ある名前の1つ。

アダド Adad　アッシリア＝バビロニアの神話では、雷の神性、また「先見の主」。[出典：『ラルース神話辞典』p59]

アタナトス Athanatos　水星の霊。隠された宝を発見する際に用いられる神の名前。カバラでは、モーセ、アロン、ソロモンの一般的な招喚儀式に用いられる霊。[出典：スコット『妖術の暴露』]

アダビエル Adabiel　『聖なる天使の階級』で、7人の大天使の1人。おそらく別称はアブディエル。アダビエルは木星を支配する（他の文献では火星）。しばしばザドキエルと、あるいはハデスの王ネルガルとも同一視される。

アタフ Ataf　悪の天使。M. ガスター『モーセの剣』に記録されているように、敵を打ち倒すためにこの天使に祈る。また、夫を妻から離縁させる効力がある。

アタフィエル Ataphiel　3本の指で天を支える天使。『第3エノク書』に現れるバラティエルを参照。

アタマス Athamas　インクと絵具の呪文で唱えられる天使。[出典：メイザーズ『ソロモンの大きな鍵』]

アダム Adam（「人」の意）『アダムとエヴァの書』I, 10で「明るい天使」と呼ばれる。『エノク書II』では「第2の天使」である。ミドラシュ『ベレシト・ラバ』によれば、アダムは「地上から天空へ」到達した。ピストリウスによると、カバラでは第6のセフィラ、ティフェレト（「美」の意）である。アダムを創った塵は全世界から集められたものだと、ラビ・メイエルは主張した。タルムードには、アダムはもともとは両性具有で、神の正確な似像であった（神もアダムと同様に両性具有と考えられていた）とある。『モーセの黙示録』の物語では、アダムはミカエルによって火の戦車で一瞬のうちに天へと運ばれたことになっている。イエスにより、アダムは「鎖につながれた聖人たち」と共に、地獄から天へと運ばれたとする伝説もある。また『モーセの黙示録』に含まれるとされる他の伝説では、ウリエル、ガブリエル、ラファエル、ミカエルの4人の天使により埋葬されたとしている。メイザーズの『ヴェールを脱いだカバラ』は、10のセフィロトは全体として人間の原型アダム・カドモンを表わす、あるいは構成するとしている。

アダムとエヴァの守護天使たち Guardian Angels of Adam and Eve　『アダムとエヴァの書』によれば、我々の最初の両親には2人の守護天使がおり、共に力天使の位に属していた、とギンズバーグは述べている。[出典：チャールズ『旧約聖書の外典と偽書』p142]

アダムの天使 Adam's Angel →ラジエル Raziel

アタリエル Ataliel（アトリエル Atliel）　月の二十八宿を支配する28人の天使の1人。[出典：『モーセの第6、第7の書』]

アタリブ Attarib（あるいは、アタリス Attaris）　4人の冬の天使の1人で、冬の宮の統率者。[出典：バレット『魔術師』；ド・プランシー『地獄の辞典』]

アータル Atar（古代ペルシア語とサンスクリット語において「火」の意）　ゾロアスター教の火の霊。ヤザタと呼ばれる天上の存在の統率者。[出典：レッドフィールド『世界の神々の辞典』「Gods」の項]

アタルクルフ Atarculph　ヴォルテールの「天使、守護霊、悪魔について」によれば、『エノク書』に挙げられている堕天使の首領の1人。

アタルニエル Atarniel →アトルギエル Atrugiel

アタルフ Atarph　ハハイアと対になる天使。

アツァフツァフとアトシャツァ Atsaftsaf and Atshatsah　ヘカロトの伝承（『マアセ・メルカバ』）で、第6天の館を護衛する天使。

アツィルト Atsiluth（Atziluth）　カバラの宇宙論で、神性流出の世界、すなわち4つの世界のうちの最高の世界。神と至高の天使たちが住む。

アティエル Atiel　剣（神の言葉）の管理を命じられた主な天使王の1人。『天上の天使』ではアヒエルと同等視されている。[出典：M. ガスター『モーセの剣』]

アディエル Adiel　ヘカロトの伝承（『マアセ・メルカバ』）で、第7天の館に配置された護衛の天使。

アディトヤス Adityas　ヴェーダの万神殿の光り輝く神々。7つの天の神格あるいは天使から成り、ヴァルナを首長とする。他の6人は、ミトラ、サヴィタル、バガ、インドラ、ダクシャ、スリアである。[出典：ゲイナー『神秘主

義辞典』；レッドフィールド『世界の神々の辞典』「Gods」の項］

アディムス Adimus　745年のローマの教会会議で，ウリエル，ラグエル，シミエルなどとともに拒絶された6人の天使の1人。これらの天使を招喚したり崇拝することを承認した司祭たちは，破門となった。［出典：ヘイウッド『聖なる天使の階級』］

アディラエル Adirael （「神の荘厳」の意）（かつては高位にあった）49の霊の1人で，いまは地獄の副王ベルゼブドに仕えている。［出典：メイザーズ『術者アブラ＝メリンの聖なる魔術』p108］

アディラム Adiram　塩の祝福あるいは魔除けの儀式で唱えられる天使。［出典：『真の魔術書』］

アディリア Adiriah　第7天に住む天使。［出典：マーゴリアト『天上の天使』］

アディリエル Adiriel　『ゾハル』によれば，第5天に住む天使。→アディリリオン

アディリリオン Adiririon, アディリロン Adiriron（アディル Adir, アドリロン Adriron）「神の力」の天使長。神そのものをも表わす名称。邪視に対する魔除けとして招霊される。第1天の館あるいは宮殿の守衛と言われる。マーゴリアト『天上の天使』によれば，アディエルと同一視される［出典：ショーレム『ユダヤ神秘主義』；トラクテンバーグ『ユダヤ魔術と迷信』］。『天使ラジエルの書』ではアディリオンあるいはアディリリオンは，「天の家も地上の家もその手中にある，信じるべき癒やしの神」とされる。

アディル Adir（アディリ Adiri, アディロン Adiron, アディ Adi）儀式で招喚される天使。呪文を唱える際，この名前をしだいに短縮していく。また，神を表わす多くの名前の1つでもある。→アディリリオン

アデオ Adeo　『モーセの第6, 第7の書』によれば，主天使の位に属する天使。魔術儀式で招霊される。

アテニエル Atheniel　月の二十八宿を支配する28人の天使の1人。［出典：バレット『魔術師』］

アテムブイ Atembui　ムミアと対になる天使。

アテル Atel　デ・アバノの『ヘプタメロン』では，第4天の天使，日曜日を支配する風の天使。東から招喚される。

アテルキニス Aterchinis　時間の天使で，テイアゼルに相当する天使。［出典：アンブラン『実践カバラ』］H.D.は「知恵」という詩でアテルキニスに言及している。

アデルナハエル Adernahael（アドナキエル？ Adnachiel）　この天使は神から魔法の処方を与えられた。腸や胃の痛みを治すために，エティオピアの魔除けにその名が記される。［出典：バッジ『魔除けと護符』p186］

アテレスティン Aterestin　（天使あるいは神の）まことに神聖な名前。隠された宝を発見する際に唱えられる。［出典：ウェイト『黒魔術と契約の書』］

アドイル Adoil（「神の手」の意）　不可視の深みから生じる，光の原初的本質，あるいは神の創造物。神の命令で放出する。『エノク書Ⅱ』によれば，エノクが10の天に導かれたときにこれが生じ，これから世界のすべての物質が生まれたとされる。この名称は『エノク書Ⅱ』以外には見あたらない。R.H.チャールズは，古代エジプト神話の宇宙卵理論の変形をこれに見ている。

アドゥアキエル Aduachiel　→アドナキエル Adnachiel

アドヴァキエル Advachiel　→アドナキエル Adnachiel

アトゥエスエル Atuesuel　カバラでは，8人の万能の天使の1人。『モーセの第6, 第7の書』に言及されているように，レヴィアタンの特別な修法において「地獄の怪物たちをいぶし出すために」その名を唱える。

アトゥニエル Atuniel（「炉」の意）ラビの天使学では火の天使であり，また力天使の位に属する。ナサネルと比較せよ。［出典：ギンズバーグ『ユダヤ人の伝説』Ⅵ］

アトゥフィエル Atufiel　ヘハロトの伝承（『マアセ・メルカバ』）で，第6天の館に置かれた護衛の天使。

アドジュカス Adjuchas　岩の守護霊。11時の魔神の1人でもある。［出典：テュアナのアポロニウス『ヌクテメロン』；レヴィ『高等魔術の教理と儀礼』］

アト＝タウム At-Taum（「双子」の意）　マニ教で，マニが啓示を受け取った天使。キリス

ト教教義の聖霊にあたる。[出典：ドレッセ『エジプト・グノーシス主義の秘密の書』]

アドッシア Adossia（フィクション） グルジェフの宇宙神話『ベエルゼブブの孫への物語』に指揮官として登場する大天使。

アトト Athoth グノーシス主義で、ヤルダバオト神によって生み出された12の力の1つ。

アドト Adoth 『モーセの第6、第7の書』において、招喚儀式で指令を受ける智天使あるいは熾天使。

アドナイ Adnai（「悦び」の意） 金星の五芒星にその名が記される天使。[出典：メイザース『ソロモンの大きな鍵』；シャー『魔術の秘伝』]

アドナイ Adonai（Adonay、「神」の意） フェニキアの神話では、7人のエロヒムあるいは神の御前の天使（宇宙の創造者たち）の1人。またアドナイは、ソロモンの魔術における蜜蠟による招喚の儀式や、火の清めの儀式で呼び出される。オフィス派（グノーシス主義）においては、ヤルダバオトが「自らの姿にならって」創造した7人の天使の1人。[出典：キング『グノーシス主義とその遺産』]。旧約聖書では、「世界に情けをかける我はアドナイである」のように神Godの別称である。

アドナイオス Adonaios（アドナイウ Adonaiu、アドネウス Adoneus） グノーシス主義の一派オフィス派の体系では、ヘブドマドを構成し、7つの天を支配する7人のアルコンあるいは支配者の1人。またヤルダバオト神により創られた12の諸権力の1つ。[出典：オリゲネス『ケルソス反駁』；ドレッセ『エジプト・グノーシス主義の秘密の書』]

アドナエト Adonaeth 天使アドナエトに訴えることで、麻痺症を引き起こすデーモンであるイクチオンを追い払うことができる。[出典：シャー『魔術の秘伝』]

アドナエル Adonael 『ソロモンの誓約』において、7人の大天使の1人で、病のデーモンであるボベル（ボトデル）とメタティアクスを打ち倒すことができる唯一の天使。[出典：『第3エノク書』]

アドナキエル Adnachiel（アドヴァキエル Advachiel、アデルナハエル Adernahael） 11月の天使で、人馬宮を支配する。ファレグの代りに、天使の位の統率者とされることもある。

[出典：ヘイウッド『聖なる天使の階級』；バレット『魔術師』；バッジ『魔除けと護符』；ド・プランシー『地獄の辞典』；カムフィールド『天使についての神学的論考』]

アドナレル Adnarel（「我が主は神」の意） エノク文献で、1つの季節（たいてい冬）を支配する天使。→ナレル

アドニエル Adoniel ウェイト訳『レメゲトン』で、サリンディエルの下に仕える夜12時の天使の指揮官。天使バリエルの名前と共に、木星の第4の五芒星にこの名前が記される。『ソロモンの大きな鍵』(plate IV) にこの五芒星が複写されている。

アトバ Atbah グノーシス主義で、偉大なアルコンであるデカ (dekas) を示す秘密の名前。[出典：『小さきヘハロト』]

アトバ・ア Atbah Ah 天使アカトリエルにより呼び出される万軍の主。ショーレムの『ユダヤのグノーシス主義、メルカバ神秘主義、タルムードの伝統』で言及されている。ヘハロト文献（オクスフォード写本）を参照。

アドハイジジョン Adhaijijon 印章の天使。招喚儀式で唱えられる。[出典：『モーセの第6、第7の書』]

アドハル Adhar メタトロンがもつ多くの名前の1つ。

アドマエル Admael 地を支配する7人の大天使の1人。たいていの場合、第2天に住むとされる。[出典：『ユダヤ大辞典』「Angelology」の項]

アトモン Atmon 天使メタトロンがもつ多くの名前の1つ。

アドヤヘル Adoyahel カバラにおいて、神に仕える玉座の天使。『モーセの第6、第7の書』に挙げられている15人のうちの1人。15人すべての名前に関しては付録を参照。

アドライ Adrai 『ソロモンの大きな鍵』で、インクと絵具の清め〔魔術用のインクと絵具を清める儀式〕でこの天使の名を唱える。

アドラエル Adrael（「我が助けは神」の意） 第1天で仕える天使。→アドリエル

アドラペン Adrapen ナコリエルの下に仕える夜9時の天使の長。[出典：『レメゲトン』]

アドラメレク Adram[m]elech[k]（「火の王」の意） 2人の座天使の1人。たいていの場合、アスマダイに関係あるとされる堕天使。

悪魔学においては，10の大鬼神の8番目で，ベエルゼブブが創設したとされるハエの位階（大十字架）の偉大な大臣で大法官。ラビたちによれば，アドラメレクは招喚されるとラバか孔雀の姿で現われるという。セリグマンの『魔法——その歴史と正体』では，馬の姿で描かれている。「列王記下」17：31では，アドラメレクはサマリアを占拠したセファルワイム人の神であり，子供が生贄に捧げられた。バビロニア人のアヌ，アンモン人のモロクに相当する。『失楽園』でミルトンはアドラメレクに言及し「アッシリア人の偶像」と呼んでいる（これはアッシリアの神話に由来する）。『失楽園』VI，365では，天上の戦いでウリエルとラファエルに打ち倒される。クロップシュトックの『メシア』では，アドラメレクは「サタンよりも悪意があり，狡猾で，野心に溢れ，悪質な，神の敵であり，呪われた偽善の悪鬼」である。シャフの『聖書辞典』p26には，髭を生やし獅子の身体に翼をもった姿で描かれている。ド・プランシーの『地獄の辞典』では，ラバに孔雀の羽根が生えた姿で描かれている。

アトリエル Atliel →アタリエル Ataliel
アトリエル Atriel →アラジエル Araziel
アドリエル Adriel （「我が助けは神」の意）月の二十八宿を支配する28人の天使の1人。ヘイウッドの『聖なる天使の階級』によれば，死の天使の1人で「最後の日に，生ける者すべての魂を奪う」とされる。『オザル・ミドラシム』II，316a，317では，南風（と東風）の門を守る天使的存在。
アドリゴン Adrigon メタトロンがもつ多くの名前の1つ。
アトルギエル Atrugiel（アトリギエル Atrigiel，アタルニエル Atarniel，タグリエル Tagriel，アトルグニエル Atrugniel）第7天の館を護衛する天使。（→カフジエル）アトルギエルは天使メタトロンがもつ多くの名前の1つ。
アトルグニエル Atrugniel →アトルギエル Atrugiel
アトロパトス Atropatos 天使メタトロンがもつ多くの名前の1つ。
アナイ Anai 天国で「マラキム（天使）の文字」で書かれた名前で，デーモンたちに命令を下す強力な呪文の中で唱えられる。［出典：

〈バロック様式の天使〉フランツ・シュヴァンタラーの作品。1720年頃。ドレスデン，聖マリア教会のために制作。エドワード・R. ルービンのコレクション。

メイザーズ『ソロモンの大きな鍵』］
アナイズ Anayz デ・アバノの『エプタメロン』で，第1天に住むとされる月曜日の天使。南の方角から招霊される。天使は肉体をもたないので，いずれの天あるいは場所であれその住まいは仮のものである。天使はたまたま活動（作用）するところ（locus operandi）が住まいとされ，それも便宜上のものである。すべての物資的な描写（翼，大きさ，話し言葉，肉体の活動）も同様に比喩的にとらえねばならない。
アナイティス Anaitis →アナヒタ Anahita
アナイレトン Anaireton（アメレトン Amereton）魔術儀式，特にインクと絵具の清めと塩の清め〔魔術用の羊皮紙を作る際に子羊の皮をはぎ，そこに塩を振って清める儀式〕で唱えられる。「高位の，聖なる」神の天使。［出典：ウェイト『儀礼魔術の書』；『真の魔術書』］
アナウエル Anauel 商業，銀行家，株式取引などを守護する天使。対になる天使はアセイイ。［出典：アンブラン『実践カバラ』］
アナウエル Annauel シェムハムフォラエ神の名をもつ72人の天使の1人。72人の名前に関しては付録を参照。
アナエル Anael （ハニエル Haniel，ハミエル Hamiel，オノエル Onoel，アリエル Ariel など）創造の7天使の1人。筆頭権天使〔ニスロクと比較せよ〕。大天使たちの王で，金曜日の天使たちの支配者。また金星を統治し，人間の性に影響を与える天体天使の1人。第2天の統治者でもあり，第1天から昇ってくる祈

りの監督を行なう。「イザヤ書」26：2で「城門を開け」と布告するのはアナエルである。さらに地上の王国および王たちを監督し，月を支配する。上記の他に，アニィエル Aniyel，アナフィエル Anaphiel (Anafiel)，アウフィエル Aufiel という表記もあるようだ。[出典：クリスチャン『魔術の歴史と実践』II，p440]シェイクスピアの『テンペスト』では，アナエルはウリエルと結合され，妖精エアリエルとなっている [チャーチル『シェイクスピアと先人たち』を参照]。ロングフェローの『黄金伝説』では，7惑星の天使の1人であり，特に愛の星，すなわち宵の明星，金星(ウェヌス)の天使である。『トビト記』では，アナエルはトビトの兄弟である。[出典：レヴィ『高等魔術の教理と祭儀』；『真の魔術書』；デ・アバノ『ヘプタメロン』；アグリッパ『オカルト哲学』]

アナエル Annael アニエルあるいはアナエルの別綴（H.D.が「知恵」という詩で用いた）。

アナキエル Anachiel 『ソロモンの大きな鍵』によれば，土星の第3の五芒星にヘブライ文字で記される14人の重要な天使の1人の名前。『魔術の秘伝』p54に，招喚の際に用いられる魔法円の図版が掲載されている。ロングフェローの『黄金伝説』(米国初版，1851年)では，アナキエルは土星を支配する天使。後の版では，ロングフェローはアナキエルの代りにオリフェルを土星の支配天使としている。

アナキム Anakim (-enim？「巨人」の意)「創世記」6章で言及されている，堕天使と人間の女性の間の子孫。『ゾハル』によれば，アナキムは背が高く，「それに比べればヘブライ人たちはまるでバッタのようであった」。『ゾハル』では，天使ウザと天使アザエルが「アナキムと呼ばれる子供たちをこしらえた」とされる。アナキムの元の名前はネフィリムであった。[出典：ユング『ユダヤ教，キリスト教，イスラム教文学における堕天使』；「申命記」1：28；「ヨシュア記」14：12 ギンズバーグの『ユダヤ人の伝説』I，151では，アナキムは「首が太陽に触れた」とされる。創造されたばかりのアダムやイスラフェルがそうであった（そしてイスラフェルはいまでもそうである）ように，天使たちが天から地までの背丈があるとラビ文献，イスラム文献によく出てくるが，これはそうした見解である。[出典：『第3エノク書』]

アナク Anak アナキム Anakim の単数形。

アナザキア Anazachia 土星の第3の五芒星にヘブライ文字で記される天使の名前。アナザキアはこの五芒星に記される4人のうちの1人で，他の3人はオメリエル，アナキエル，アランキアである。招喚のための魔法円はシャー『魔術の秘伝』p54に記されている。[出典：ゴランツ『ソロモンの鍵』]

アナジムル Anazimur 『天使ラジエルの書』によれば，「有力者の命令を実行する」という第1天に住む7人の玉座の天使の1人。[出典：デ・アバノ『ヘプタメロン』；『モーセの第6，第7の書』；コルネリウス・アグリッパの著作]

アナス Anas 「そして，神は2人の天使シハイルとアナス，4人の福音書記者を，12人の狂乱のデーモン(12人はすべて女性)を捕まえ，炎の棒で打つために遣わした。」この物語の出所は大英博物館所蔵の12世紀の写本であり，M. ガスターの『民間伝承の研究とテクスト』II，p1030でも語られている。ガスターは，シハイルは単にミハイル(ミカエル)の別形で，アナスは天使となった聖アンナ，つまり聖母マリアの母のことだとしている。

アナタニエル A' Anataniel A' M. ガスター『モーセの剣』で，Xの軍勢に属する天使の支配者の1人。

アナニ Anani →アナネル Ananel

アナニエル Ananiel 南風の門を護衛する数多い天使の1人。[出典：『オザル・ミドラシム』II，316]

アナネ Anane 『エノク書I』で挙げられている堕天使の軍隊の1人。

アナネヘル Ananehel →アナンケル Ananchel

アナネル Anael (アナニ Anani, ハナネル Hananel, カナネル Khananel) 悪とも善とも見なされる。悪の天使(堕ちた大天使)としては，アナネルは天からヘルモン山へ降り，人間に罪をもたらしたとされる。[出典：『エノク書I』；アンブラン『実践カバラ』]

アナビエル Anabiel カバラで，愚鈍を治すための魔術儀式で招喚される天使。[出典：M. ボタレルの著作とエノク伝承]

アナピオン Anapion ウェイト訳『レメゲトン』で，メンドリオンの下に仕える夜7時の天使。

アナヒタ Anahita（アナイティス Anaitis）ゾロアスター教で，高位の女性の天使。「純潔な者，豊作をもたらす水と大地を肥沃にする守護霊」である。〔出典：レッドフィールド『世界の神々の辞典』「Gods」の項〕

アナファクセトン Anaphaxeton（アナファゼトン Anaphazeton, アルフェトン Arpheton, ヒペトン Hipeton, オネイフェトン Oneipheton）魔術儀式で招喚される，神の聖なる天使の1人。アナファクセトンという名が発せられるとき，天使たちは全宇宙の人々を裁きの日の裁きの場へ召喚する。またアナファクセトンの名は水の清めの儀式で唱えられる。〔文献：ウェイト『儀礼魔術の書』〕

アナフィエル Anafiel（Anaphiel, アンピエル Anpiel,「神の枝」の意）メルカバの8人の偉大な天使の長で，天の館の鍵を持つ者。秘密の保持者，水の支配者。伝説によれば，神のお気に入りだった神の御前の天使メタトロンが罰せられるとき，アナフィエルは60の火の鞭でメタトロンを打つよう命じられた。『第3エノク書』によれば，初めにエノクを天へ運んだのはアナフィエルとされ（ラスイルあるいはサムイルとする文献もある），それからエノクはメタトロンに変身させられた。〔出典：ショーレム『ユダヤ神秘主義』；シュワーブ『天使学用語辞典』〕『ヘハロト・ラバティ』では，アナフィエルは創造主に匹敵する力をもち，メタトロンと同一視されている。

アナフィエル Anaphiel → アナフィエル Anafiel

アナヘル Anahel（アナハエル Anahael）第3天の天使の支配者であるが，第4天で神に仕えている（『モーセの第6，第7の書』による）。アナハエルとしては，西風の門を護衛する数多い天使の1人。〔出典：『オザル・ミドラシム』II，316〕

アナボタス Anabotas『真の魔術書』において，カバラの儀式で名を唱えられる天使。

アナボナ Anabona『ソロモンの大きな鍵』で，「その名前（アナボナ）によって神は人間と宇宙全体を形成した」とされる霊，あるいは天使。モーセがシナイ山で十戒を授かったとき，この名を聞いたとされる。

アナメレク Anamelech → アドラメレク Adramelech

アナンケル Ananchel（あるいはアナネヘル Ananehel,「神の恩恵」の意）ペルシアの王アハシュエロス（クセルクセス）の前に召されるという恩恵をエステルに与えるために，神に遣わされた天使〔旧約聖書「エステル記」を参照〕。オリゲネスの「ローマ書注解」（IV, 12）にアナンケルへの言及がある。〔出典：『聖書古代誌』p73〕

アニイェル Aniyel → アナフィエル Anafiel

アニエル Aniel（ハニエル Haniel）西風の門を護衛する数多い天使の1人。〔出典：『オザル・ミドラシム』II，316〕

アニクエル Aniquel（アニトゥエル Anituel）楽園の蛇の姿で表わされる7人の偉大な霊の支配者の1人。アニクエリス（アンティクエリス）に仕える。ヴァティカン・ファウスト文書によれば〔出典：バトラー『儀礼魔術』〕，アニクエル（アニクイエルとも綴られる）は地獄の7大統轄者の1人。『モーセの第6，第7の書』p111も参照。

アニクシエル Anixiel 月の二十八宿を支配する28人の天使の1人。この28人の名前に関しては付録を参照。

アニトゥエル Anituel → アニクエル Aniquel

アニトル Anitor 神の聖なる高位の天使。正しい儀式を行なうと招喚される。出典：メイザーズ『ソロモンの大きな鍵』；『真の魔術書』；『黒魔術と契約の書』〕

アニヒエル Anihi'el M.ガスター『モーセの剣』で，神によって剣（神の言葉）の管理役に任命された天使の1人。

アヌシュ Anush 神によりアダムに仕えるよう指示を受けた3人の天使の1人（あと2人はアエベルとシェテル）。『ヤルクト・レウベニ』によれば，3人の天使はアダムのために「肉を焼き」「ブドウ酒を冷やした」とされる。〔出典：『アダムとエヴァの生涯』〕

アヌナ Anunna アッカド人の神学で，「ほとんどいつも地の霊となっている天使たち」である。〔出典：ルノルマン『カルデア魔術』〕

アネパトン Anepaton 招霊の指輪に名前が現われる「高位にある聖なる神の天使」。アロンによって呼び出されるときは，神を表わす言葉である。〔出典：バトラー『儀礼魔術』；『真の魔術書』；ウェイト訳『レメゲトン』；

ア

『儀礼魔術の書』]

アネブ Aneb 「慈悲深き神」という属性をもつ1時間の支配天使。[出典：アンブラン『実践カバラ』；ヒルダ・ドゥーリトル (H. D.)『知恵 Sagesse』]

アネレトン Anereton ソロモンの儀式で招喚される「高位にある神の聖なる天使」。[出典：シャー『魔術の秘伝』；『真の魔術書』]

アハ Aha 主天使の位に属する天使。カバラの魔術儀式で使われる火の霊。[出典：『モーセの第6，第7の書』]

アバ Aba 人間の性に関わる天使で，カバラの儀式でその名が唱えられる。サラボテス（金曜日の空気の天使を統率する）に仕える。アバリドトを参照。[出典：デ・アバノ『ヘプタメロン』；バレット『魔術師』；マスターズ『エロスと悪』]

アバイ Abay 主天使の位に属する天使。カバラの招喚儀式でこの名を唱える。

アハイジ Ahaij 『モーセの第6，第7の書』において，儀礼魔術で招喚される水星の霊。

アハヴィエル Ahaviel 悪魔祓いのために護符に記されるヘブライ語の天使の名前。[出典：シュライアー『ヘブライの魔除け』]

アバクタ Abachta（アバグタ Abagtha） ラビ文献では，7人の混乱の天使の1人。他の6人は，バルボナ（ハルボナ），ビグタ，カルカス，ビズタ，メフマン，ゼテル。アバクタはまた「ブドウしぼり」の1人である。[出典：ギンズバーグ『ユダヤ人の伝説』IV，374]

アバグタ Abagtha →アバクタ Abachta

アハシオル Ahassior テベテの月（12—1月）を支配する天使。[出典：シュワーブ『天使学用語辞典』]

アバスダルホン Abasdarhon 夜の5時を司る最高位の天使。[出典：『レメゲトン』]

アハディエル Ahadiel マーゴリアト『天上の天使』によれば，法の施行者。[アクリエルと比較せよ]

アハディス Ahadiss へシュワンの月（10-11月）を支配する天使。[出典：シュワーブ『天使学用語辞典』]

アバトゥル・ムザニア Abathur Muzania（アビュアトゥル Abyatur） マンダ教の宇宙論で，北極星のウトラ（天使）。肉体の死に際して人間の魂の測定を統轄する。アシュリエルとモンケル（ムハンマドの黒い天使）を参照。両者は同じ任務を遂行するとされる。[出典：ドロワー『イラクとイランのマンダ教徒』]

アバドナ Abbadona 堕天使。かつては，忠実な神の僕アブディエルに選ばれた友，熾天使であった。クロップシュトック『メシア』21篇では，アバドナは完全に謀反に荷担したのではなく，背教してしまったことをいつも嘆くので，「懺悔天使」と呼ばれる。しかしながら，少なくともカトリック教理では，堕天使は悔い改めることはできない。その理由は，天使が罪を犯すと，その天使は「永遠に悪に定着してしまい」，悪のことしか考えられなくなるからである。

アバトン Abbaton デーモンたちを指揮するため，ソロモンの招喚で使用される神あるいは聖なる天使の名前〔出典：『ソロモンの大きな鍵』〕。この語は死を意味し，この意味ではアバトンは死神あるいは地獄を監視する霊である。[出典：コプト語「使徒バルトロメオによるキリストの復活に関する写本」（M.R. ジェイムズ『新約聖書外典』にその一部を所収）]

アバドン Abaddon（Abbadon, Abadon, 「破壊者」の意） ギリシア語アポリュオン（Apollyon）のヘブライ語名。dが1つの綴りは『ゾハル』（申命記286a）に由来する。「黙示録」9：11に言及されるように，「底なしの淵の使い」であり，同書20章では「千年の間」サタンを縛っておく天使。『感謝の賛歌』（近年発見された死海文書に含まれている文献）には，「アバドンの冥土（シオウル）」「アバドンへ流入するベリエルの奔流」という言及がある。1世紀の外典『聖書古代誌』では，アバドンは霊，デーモン，天使ではなく，場所の名称（冥土，地獄）である。ミルトンも『復楽園』IV，624で，場所の名前，つまり淵としている。天使を表わすために，アバドンという名称を初めて擬人化したのは，聖ヨハネとされる。3世紀の『トマス行伝』ではデーモン，あるいは悪魔そのものの名称であり，後のバニヤンも『天路歴程』において同様に扱っている。『ソロモンの大きな鍵』では，モーセがエジプトに破壊の雨を降らすために招喚した神の名前。カバラ主義者のヨセフ・ベン・アブラハム・ギカティラは，天使バシエルの統括下にある，地獄 arka の7層のうちの第6層（の天使）をアバドンと称し

た。クロップシュトックは『メシア』において，アバドンを「死の闇の天使」と呼んでいる。フランシス・トムソンの詩「英国の殉教者へ」では，アバドンの鉤状の翼への言及がある［→アポリオン］。死や破壊の天使，深淵のデーモン，悪の世界のヒエラルキーにおけるデーモンの首領と同一視される。悪の世界では，アバドンはサマエルやサタンに匹敵する。［出典：ド・プランシー『地獄の辞典』；グリヨ『妖術師・秘術師・錬金術師の博物館』p128］グリヨの著作では，アバドンは「黙示録の破壊の天使」である。バレットの『魔術師』では，アバドンは「邪悪なデーモン」としてカラーで描かれている。

アハニエル Ahaniel 『天上の天使』で挙げられているように，産褥の魔除けの天使70人のうちの1人。［出典：『天使ラジエルの書』；バッジ『魔除けと護符』］

アハハ Ahaha 召喚に使われる印章の天使。［出典：『モーセの第6，第7の書』］

アババロイ Ababaloy ソロモンの魔術で召喚される天使。黒魔術の書『真の魔術書』で言及されている。

アハビエル Ahabiel モンゴメリーの『ニプールのアラム語呪文原典』で，愛の呪文で招霊される天使。

アハムニエル Ahamniel 神により剣（神の言葉）の管理を命じられた天使の統率者の1人。［出典：モーゼス・ガスター『モーセの剣』XI］

アハリエル Ahariel ガブリエルの配下にあり，2日目を支配する天使。［出典：マーゴリアト『天上の天使』］

アバリエル Abariel 儀礼魔術の呪文で召喚に用いられる天使。アバリエルという名称は，月の第2の五芒星に記されている。［出典：『ソロモンの大きな鍵』］

アバリドト Abalidoth アバと同様，人間の性に関わる天上の光的存在。金曜日の空気の天使たちの統率者サラボテス王に仕える天使。［出典：バレット『魔術師』II：マスターズ『エロスと悪』］

アバリム Abalim（アレリム Arelim） キリスト教の天使学で，座天使として知られる位。『魔術師』ではこの名称が用いられ，次のように記されている。「スロウンズ，ヘブライ語ではアバリム，すなわち偉大な天使，強大な者」

この位の叡智体（すなわち天使）の長は，ザフキエルとヨフィエル。

アパルあるいは**アパルシエル** Apar or Aparsiel M. ガスター『カルデア人の知恵』では，5日目の支配者であるサドクィエルに仕える天使。

アバロス Abaros →アルマロス Armaros

アバン Aban 古代ペルシアの伝承で，10月の天使である（あった）。また，その月の十日目を支配する。

アヒア Ahiah（ヒヤ Hiyyah） 堕天使セムヤザの息子。［出典：ギンズバーグ『ユダヤ人の伝説』III，340］以下のことは注意しなければならない。堕天する前の天使は純粋な霊であるから，その種を繁殖させることはできない。堕天使は腐敗し悪霊と化しているため，それができる。

アヒエル Ahiel（「神の兄弟」の意） 産褥の魔除けの天使70人のうちの1人。天使カフシエルの補佐。月の7日目の支配者。［出典：『天使ラジエルの書』］

アビオウ Abiou エイアエルと対になる天使。

アビレシア Abiressia グノーシス派の伝承で，ヤルダバオト神により生み出された12の能天使の1つ。［出典：ドレッセ『エジプト・グノーシス主義の秘密の書』II］→アベル

アフ Af（「怒り」の意） 破壊の天使の1人で，憤怒の支配者。人間の死を司る。ヘマと協力し，アフはモーセを「割礼した男根」まで飲み込んだ。それは，立法者モーセが息子ゲルショムの割礼という契約の儀式を行なわなかったため，神の怒りをかったからだった。しかし，ツィポラ（モーセの妻）がゲルショムに割礼を施すと，アフはモーセを吐き出さねばならなかった。アフは第7天に住み，500パラサング（約2800キロ）もの背丈がある。彼は「黒と赤の炎の鎖から創り出された」。［出典：『ゾハル』；ギンズバーグ『ユダヤ人の伝説』II，308，328；『ミドラシュ・テヒリム』］

アファフィエル Afafiel ヘハロトの伝承（『マアセ・メルカバ』）で，第7天の館に配置された護衛の天使。

アファフニエル Affafniel 表情を絶えず変化させる16の顔（頭の各側面に4つずつ）をもつ。憤怒あふれる天使，支配者。

■アフ-アブ

アファロフ Afarof →アフリエル

アファロフ Apharoph（Afarof, アフォルフ Apholph） ラファエルと同等視される天使で，「神の唯一の真の名前」とされる。［出典：『ソロモンの誓約』；『ピスティス・ソフィア』；M. ガスター『モーセの剣』］

アブイオニイ Abuionij 『モーセの第6, 第7の書』等のオカルト文献で，第2天の天使とされる。

アブイオリ Abuiori（アブイオロ Abuioro） 儀礼魔術で，第2天あるいは第3天（文献により異なる）に住むとされる水曜日の天使。北から招喚される。［出典：デ・アバノ『ヘプタメロン』；バレット『魔術師』Ⅱ］

アフイマイル Ahjma'il アラビアの伝承で，悪魔祓いの儀式で招喚される守護天使。［出典：ヒューズ『イスラム辞典』「Angels」の項］

アフィリザ Aphiriza →アルファリザ Alphariza

アフキエル Afkiel ヘハロトの伝承（『マアセ・メルカバ』）で，第5天の館に配置された護衛の天使。

アフザリエル Ahzariel 悪魔祓いのために東洋の護符に記される天使の名前。［出典：シュライアー『ヘブライの魔除け』］

アフシ＝コフ Afsi-Khof シュワーブの『天使学用語辞典』のリストにあるように，アブの月（7-8月）を支配する天使。

アブシンティウム Absinthium 「苦よもぎ」のラテン語形。

アブシントゥス Apsinthus →苦よもぎ Wormwood

アプス Apsu バビロニアの神話で，深淵の女（？）天使。バビロニアの神々の「父」であるとともに，タマトの「妻」。最終的には彼の（彼女の）息子エアに殺害された。［出典：ルノルマン『カルデア魔術』；マッケンジー『エジプト神話と伝説』］

アブゾハル Abuzohar 月の天使の1人で，月曜日に仕える天使。招喚魔術で呼び出される。［出典：『アルベール大王の驚くべき秘密』］

アブダルス Abdals（「代理人」の意） イスラムの教義では，神のみがその正体を知り，世界を存続させているとされる70の神秘的霊の名称。アブダルスの1人が死ぬと（この神的な霊は不死ではないらしい），神は密かに代理の霊を送る。70のうち40はシリアに住むとされる。（ユダヤの民間伝承における「義人」やインドの「ラマ僧」と比較せよ。）

アブディア Abdia（「僕」の意） ソロモンの五芒星の外円に見られる天使の名前。ウェイト訳『レメゲトン』（図156）に挙げられている。黒魔術書に名前が挙げられていても，その天使が必ずしも悪というわけではない。事実，多くの善良，偉大な天使の名前が列挙されており，彼らは神の目的のために地獄に配置されているのである。それは天国のある地域に悪の天使がいるのと同じことである（例えばグリゴリ）。

アフティエル Aftiel ラビ伝承によれば，薄明の天使。シュワーブの『天使学用語辞典』で言及されている。

アブディエル Abdiel（「神の僕」の意） アブディエルを天使の1人とする確証可能な最古の文献は，後期ヘブライ語で書かれたユダヤのカバラ文書『天使ラジエルの書』であり，著者はヴォルムスのエレアザールとされる。『失楽園』Ⅴ, 805, 809では，アブディエル〔アブデル〕は熾天使で，天上の戦いの第1日目にアリエル，アリオク，ラミエル（いずれもサタンの軍勢の反逆天使）を打ち倒す。サタン自身もアブディエルの「必殺の一撃」を受け，大きくよろめく（Ⅵ, 193, 194）。ミルトンは，アブディエルは「神に忠実，無数の不貞の群れに伍しながら／泰然自若として動揺することない」としている。『ミルトンと天使』でウェストは，天使としてのアブディエルはミルトンの創作で

〈ボッティチェリによる天使の手〉「聖母マリアの賛歌」細部。ウフィツィ美術館，フィレンツェ。
レガメイ『天使』より転載。

あると述べたが，別の箇所では『天使ラジエルの書』に登場すると指摘している。聖書（『歴代誌上』）においては天使の名前ではなく，ギレアドに住む人間の名前であり，語源がここにあることは間違いなかろう。アナトール・フランスの小説『天使の反逆』にもアルカードという名の天使として登場。

アプディエル Apudiel コルネリウス・アグリッパが選帝侯と呼んだ，地獄にいる7惑星の支配者の1人。デーモンのガナエルは，アプディエルとカマエルの共同統治の下に仕えた。〔出典：『ソロモンの誓約』〕

アブディズリエル Abdizriel（アブディズエル Abdizuel） カバラで月の二十八宿を支配する28人の天使の1人〔出典：バレット『魔術師』〕。28人の天使の名前に関しては付録を参照。

アフテメロウコス Aftemelouchos 『ファラシャ文献集成』にある伝説によれば，天における責苦の天使で，火の川で火の熊手を持っているとされる。〔出典：『パウロの黙示録』〕

アプテル Aputel 『ソロモンの大きな鍵』で言及される招喚の天使。司祭が最も聖なるものの内に入るときに胸につける名前。この名は，発声されると，死者を生き返らせる力があるとされる。また，金か真鍮の器に刻まれると，いかなる形の悪をも解き放つという。

アブテルモルコス Abtelmoluchos →テメルク Temeluch

アブハザ Abuhaza オカルティズムで，月曜日に大気を統率するアルカンに仕える天使。西風の支配を受ける。〔出典：バレット『魔術師』〕

アフ・ブリ Af Bri イスラエルの民に助力する天使。雨を司る（マタレルと比較せよ）。〔出典：マーゴリアト『天上の天使』〕

アブヘイエル Abheiel 月の二十八宿を支配する28人の天使の1人。

アフラ Ahura →アスラス Asuras

アブラエル Abrael →アブル=エル Abru-El

アブラカダブラ Abracadabra（「私は死者を祝福する」の意） 剣の呪文で唱えられる，3つの聖なる名前の1つ。魔術で使われる語としては，最古のものに属し，「至福を発する（話す）」を意味するヘブライ語のハ・ブラカー・ダバラー ha brachah dabarah に由来するとされる。魔除けとしては，羊皮紙にこの語を記し，首から下げ，病気にかかるのを防ぐ。招喚者はこの語を唱えるとき，1文字ずつ縮めていき，最後に"A"だけが残るまで続ける。

アブラガテ Abragateh 術者がソロモンの呪文を唱えることで招喚される，霊あるいは天使。〔出典：『ソロモンの大きな鍵』〕

アブラクサス Abraxas（アブラクシス Abraxis, アブラサクス Abrasax，など） グノーシス主義の神統譜では，至高の未知なるもの。ペルシアの神話では，365の流出の源。アブラクサスという名前は宝石の上に彫られ，魔除けとして，あるいは招喚のために用いられる。カバラでは，アイオンの王。『モーセの剣』や『天使ラジエルの書』などの魔術書，神秘主義の書でもこの名前が見られる。古代の神話作家によると，アブラクサスはデーモンの1人であり，エジプトの神々と同列に置かれる。「アブラカダブラ」という語は，アブラクサスに由来するとも言われる。グノーシスの体系では，もともとアイオンあるいは創造の周期を指す語であり，さらに深い意味では神を示す。フォーロングの『宗教百科辞典』によれば，グノーシス主義者バシレイデスがアブラクサスを創作し，365天のアルコンの統率者であり，地上で肉体化した被造物と神格の間の中間者であると主張した。〔バッジ『魔除けと護符』p208，雄鶏の頭をしたアブラクサスの図を参照。〕

アプラグシン Apragsin（アプラグシ Apragsih） M.ガスターの『モーセの剣』に挙げられているように，神により剣（神の言葉）の管理を命じられた御使い。アシ・アシシとしても知られる。

アブラティ Ablati ソロモンの魔術儀式で，ウリエルの呪文で招喚される天使。「神が従者モーセに話された4つの言葉の1つ」で，他の3つはヨスタ（ヨサタ），アグラ，カイラ。〔出典：『真の魔術書』；シャー『魔術の秘伝』；ウェイト『儀礼魔術の書』〕

アブラハムの3人の天使 Three Angels of Abraham アブラハムがマムレで「気づかずにもてなした」（『創世記』18章）3「人」は，神・ミカエル・ガブリエル，ロゴス・ミカエル・ラファエル，聖霊・神・イエスなどさまざまに解釈される。〔メイザーズ『ヴェールを脱いだカバラ』，コニビア『キリスト教の起源』p226を参照。〕3人の天使の1人が90歳のサラ

にした子宝の約束は，イサクの誕生で成就した。ここでオウィディウスが伝えたギリシアの類似した物語を思い出しても，場違いではあるまい。3人のオリュムポスの主神たち（ゼウス，ポセイドン，ヘルメス）は，タナグラの老人ヒュリエウスの客となった。神々が望みを述べるように言ったとき，子がなかった老人は子宝を願った。この願いはかなえられ，生まれた子がオリオンである。

アブラムス Abramus →アブリマス Abrimas

油を注がれしケルブ Anointed Cherub 「エゼキエル書」28：14で，ティルス〔ツロ〕の君主はこのように呼ばれる。

アフリエル Afriel（アファロフ Afarof） ラファエルとも目される力の天使。［出典：モンゴメリー『ニプールのアラム語呪文原典』；シュワーブ『天使学用語辞典』『ソロモンの誓約』］においてアファロフは，子供たちを殺害する女鬼神オビストの策略の裏をかくと評されている。

アブリエル Abriel 主天使の位に属する（あるいは属していた）天使の1人。カバラの儀式で召喚される。［出典：『モーセの第6，第7の書』］

アブリエル Abuliel ユダヤのオカルト教義では，祈りを伝達する天使。『イディッシュ語大辞典』に言及あり。マーゴリアトの『天上の天使』，現存するヘハロト文献，トラクテンバーグの『ユダヤ魔術と迷信』，ゲルショム・ショーレムの著作などの中にこの名前が見あたらないことから，重要視されてはいないようだ。高位にある祈りの天使は，アカトリエル，メタトロン，ラファエル，サンダルフォン，ミカエル，シズウゼなどである。アブリエルは上記の天使たちの誰かの手助けをする天使なのかもしれない。

アブリド Abrid オカルトの教義で，夏至の天使。邪視に対する魔除けに効果がある。［出典：トラクテンバーグ『ユダヤ魔術と迷信』p139。6人のメムニムとともに挙げられている。］

アブリナエル Abrinael →アブルナエル Abrunael

アブリマス Abrimas 安息日の終りに召喚される天使。［出典：トラクテンバーグ『ユダヤ魔術と迷信』p139］

アフリマン Ahriman（アリマン Ariman, アハルマン Aharman, ダハク Dahak, アングロ＝マイニュウス Angro-Mainyus, など） ペルシアの悪の支配者，キリスト教のサタンの原型。ゾロアスターは，この大敵の誘惑を受けるが，敗走させる。ゾロアスターによれば，人間と動物の原型を殺すことでこの世に死をもたらしたのは，アフリマンである［出典：フォーロング『宗教百科辞典』］。アフリマンはササン朝までは完全な悪ではなかった。かつて祭司が生贄をアフリマンに捧げていた。アフリマンはアフラ・マズダと対立し，対等な力をもつとされるが，最終的には，この偉大なペルシアの「天地の万能の主」により打ち倒されるという。

アブル＝エル Abru-El（「神の力」の意） ガブリエルに相当するアラビアの天使。

アブルナエル Abrunael 月の二十八宿を支配する28人の天使の1人。この28人の名前に関しては付録を参照。

アフレドン Aphredon グノーシス主義で，12人の「義なる者」と共にプレロマに住む天の存在。「分割できないもの」の支配者である。

アベジ＝チボド Abezi-Thibod（「助言なき父」の意） 初期ユダヤ教の教義では，サマエル，マステマ，ウザなどの主な悪魔の別称。エジプトでモーセと格闘し，ファラオの心を頑なにし，ファラオの魔術師の手助けをした強力な霊。ラハブとエジプトの王国を分け合うが，共に紅海で溺れたとされる。『ソロモンの誓約』においては，アベジはベエルゼブル（ベエルゼブブ）の息子であり，紅海のデーモンである。「我は大天使の子孫である」とアベジは宣言する。

アベドゥマバエル Abedumabael（ベドリムラエル Bedrimulael）『真の魔術書』において，魔術の祈禱で召喚される天使。

アベル Abel（「牧草地」の意） 天国にたどり着いた魂は，ヤルダバオト神が生み出した12の諸力の1つアベルにより裁かれる。アベルは，主日を支配する第4天の天使でもあり，東から召喚される。『アブラハムの誓約』13：11では，アベルは「天の筆記者エノクが魂の記録が書かれた本を持ってきたのち，すべての魂がその前で裁かれる」天使である。［出典：ドレッセ『エジプト・グノーシス主義の秘密の書』；バレット『魔術師』II］

アベレク Abelech（ヘレク Helech） オカルトの教義で，デーモンを指揮するために招喚される神，あるいは天使の名前。［出典：『ソロモンの大きな鍵』］

アボエズラ Aboezra 『儀礼魔術の書』に「最高に聖なるアボエズラ」という言及が見られる。『真の魔術書』の指示によれば，塩の祝福で祈願される。

アポリオン Apollion（アポリュオン Appolyon, Apollyon）「破壊者」を意味するヘブライ語アバドンのギリシア語形。「ヨハネの黙示録」9：11では，底なしの淵の使い。同20：2では，「悪魔でもサタンでもある，年を経たあの蛇，つまり竜を取り押さえ，千年の間縛っておく」という。また前述書によれば，アポリオンは聖なる天使，神の僕，御使いである。しかし，オカルト文献，または一般に聖書外典では，『聖書古代史』『トマス行伝』に見られるように，アポリオンは悪である。この名前は悪の霊の住処（地獄）を指すものとしても用いられる。バニヤンの『天路歴程』では，アポリオンは悪魔。「魚のような鱗，竜のような翼，熊のような足で，その腹からは火と煙が出ている」とバニヤンは描いている。『天路歴程』の初期の版に掲載された17世紀の画家のスケッチでは，アポリオンはそのように描かれている。聖書釈義学者ヴォルテルはアポリオンを，ペルシアの悪魔であるアフリマンと同一視している。［出典：チャールズ『ヨハネ黙示録注解』p247］バレットの『魔術師』にはアポリオンの彩色画が載っており，アバドン（これもカラー図版）とは区別されている。この2つは「邪悪な輩」と称されている。デューラーは「深淵への鍵を持つ天使」の版画を残している。

甘い香りの草の天使 Angel of Sweet-Smelling Herbs →アリアス Arias

アマザロク Amazaroc →アメジャラク Amezyarak

アマティエル Amatiel 春を支配する4人の天使の1人。［出典：デ・アバノ『ヘプタメロン』；バレット『魔術師』Ⅱ］

アマトリエル Amatliel ヘハロトの伝承（『マアセ・メルカバ』）で，第3天の館に配置された護衛の天使。

アマトル Amator カバラで，招喚者が適正な法衣を着用して唱える「神聖な天使の名前」。［出典：メイザーズ『ソロモンの大きな鍵』］

亜麻布をまとった男 Man Clothed in Linen ガブリエルを指す。この表現は「エゼキエル書」9章や「ダニエル書」10，12章で幾度か述べられる。角製のインク壺を持ち亜麻布をまとった男の姿は天上の書記に結びつけられ，さらに天上の筆記者はエノクやミカエルやヴレティルと同一視される。［参照：チャールズ『エノク書』p28；『ゾハル』（出エジプト記 231a）］『ヨハネ黙示録注解』p266でチャールズは，亜麻布をまとった男は，ガブリエルでもミカエルでもなく，名もない平和の天使であると主張している。同じ平和の天使は，『十二族長の誓約』の中の『アシェルの誓約』で言及されている。

アマバエル Amabael アルタリブと同様に，冬を支配する天使。［出典：バレット『魔術師』Ⅱ］

アマビエル Amabiel 火曜日の空気の天使で，火星を統轄する霊。また「人間の性に影響する」光の天使の1人。［出典：マルクス『トゥリエルの秘密の魔術書』；デ・アバノ『ヘプタメロン』；マスターズ『エロスと悪』；バレット『魔術師』Ⅱ］

アママエル Amamael ヘハロトの伝承（『マアセ・メルカバ』）で，第3天の館に配置された護衛の天使。

アマリエル Amaliel 懲罰の天使。また弱点の天使でもある。［出典：シュワーブ『天使学用語辞典』］

アマルジオム Amarzyom 『モーセの第6，第7の書』で挙げられている，15人の玉座の天使の1人。15人全員の名前に関しては付録を参照。

アマルライイ Amarlaii（アマルリア Amarlia）皮膚の病気を治すために招霊される天使。［出典：タルムード『サバト』fol. 67, col. 1］

アマルリア Amarlia（アマルライイ Amarlaii）『モーセの第6，第7の書』に記されているように，痛みを伴う腫れ物を癒すためにソドムの地から現われる天使。

アマレク Amalek 『ゾハル』において「邪悪蛇，毒の神と対をなす魂」としてのサマエルと同一視される。［『申命記』25：19を参照。］

アマロス Amaros →アルマロス Armaros

アミー Amy かつては「天使」の位と「能天使」の位に属する天使であったが，現在は地

獄の「大総督」となっている。「占星術や諸学問の完璧な知識」を人間に与える。「1200年以内に」最高位へ復帰しようと考えているが（ソロモン王にそう打ち明けた），悪魔学者のヴィエルスは「信じがたい」と述べている。アミの印章は『黒魔術と契約の書』p184に掲載されている。

アミエル Ammiel（「神の民」の意）ヴァクミエルの下に仕える4時の天使。またメンドリオンの下に仕える夜7時の天使とされることもある。［出典：ウェイト訳『レメゲトン』p67,69］

アミカル Amicar 法衣祈禱〔魔術師が法衣を着用する際の儀式〕で招霊される最も聖なる霊，あるいは神を示す名称の1つ。［出典：ウェイト『黒魔術と契約の書』］高位の者を含め多くの天使が，黒魔術を使う招霊者の命じるままとなるのは異例のことではない。

アミシエル Amisiel ウェイト訳『レメゲトン』で，5時の天使。サズキエルの支配下で作用する。

アミシヤ Amisiyah メタトロンがもつ多くの名前の1つ。

アミズィラス Amiziras → アメジャラク Amezyarak

アミソル Amisor ソロモンの魔術儀式，とくに香の呪文で唱えられる天使。［出典：『真の魔術書』；シャー『魔術の秘伝』］

アミティエル Amitiel 真実の天使。この名を唱えて魔除けとする。ミカエルとガブリエルも真実の天使とされる。ラビ文献によると，神が人間を創造しようと提案したところ，真実の天使，平和の天使（名前は不明），その他の天使たちは，それに反対した。このため，真実の天使と平和の天使たちは焼かれてしまった。［出典：ギンズバーグ『ユダヤ人の伝説』；シュワーブ『天使学用語辞典』］

アミデス Amides アミカルと同じく，法衣祈禱でこの天使に祈願する。［出典：マルクス『トゥリエルの秘密の魔術書』］

アミルファトン Amilfaton ヘハロトの伝承（『マアセ・メルカバ』）で，第7天の館に配置された護衛の天使。

アムシャ・スプンタ Amesha Spentas（amshashpands，「聖なる不死者」の意）ユダヤ=キリスト教の大天使に相当するゾロアスター教の大天使。たいていは6人で，惑星を支配する。カバラにおけるセフィロトの，ペルシアにおける原型とも言われる。隠された高次の意味においては，アムシャ・スプンタは叡智的スラヴァ Sravah に成る（あるいは元来そうであった）。セフィロトの場合と同様，アンラ・マンユ（アフリマン）を頭とする鬼神あるいは悪霊の中に，アムシャ・スプンタの敵対者がいる。6人の「聖なる不死の者たち」とは，アムルタト（不死），アルマティ（聖なる調和〈女性〉），アシャ（善），ハルワタト（救済），フシャスラ・ワルヤ（統治），ウォフ・マナフ（善思）であった。スラオシャという7番目の大天使もいた。［出典：ハイド『古代ペルシア宗教史』；ブラヴァッキー『秘密の教義』II；ルノルマン『カルデア魔術』；ミュラー『ユダヤ神秘主義の歴史』］『ダビスタン』p136には他のアムシャ・スプンタが記録されており，その中の4人，バフマン，アルダワヒシュト，アザルクルダド，アザルグシュタスプは「善なる神に最も近い者」であったとされる。6人の「悪」の大天使は，タウル Tauru，ザイリカ Zairicha，クルダド，ムルダド，他2名であった。［出典：フォーロング『宗教百科辞典』］

アムシャシュパンズ Amshashpands → アムシャ・スプンタ Amesha Spentas

アムティエル Amtiel ヘハロトの伝承（『マアセ・メルカバ』）で，第3天の館に配置された護衛の天使。

アムディエル Amudiel 地獄の7人の選帝侯のリストの番外。

アムニクシエル Amnixiel 月の二十八宿を支配する28人の天使の1人。また7人の地獄の選帝侯のリストの番外として言及される（少なくとも堕天使の1人とされている）。［出典：バレット『魔術師』II；バトラー『儀礼魔術』］

アムノディエル Amnodiel アムニクシエルと同様，月の二十八宿を支配する28人の天使の1人。また7人の地獄の選帝侯のリストの番外として言及される。

アムハエル・X Amuhael X 儀式で招喚される天使。［出典：ガスター『モーセの剣』］

アムヒエル Amhiel 悪魔祓いのために，東洋の護符に記される天使の名前。［出典：シュライアー『ヘブライの魔除け』］

アムファロオル Ampharool ソロモンに

「飛行の魔神の王」と呼ばれた天使。瞬間移動を司り、名前を呼ばれると招喚者のもとへやって来る。[出典:『力の書』]

アムライル Amra'il　アラビアの伝承で、悪魔祓いの儀式で招霊される守護天使。[出典:ヒューズ『イスラム辞典』「Angel」の項]

アムリエル Amriel →アンブリエル Ambriel

アムルタト Ameratat (Ameretat)　初期ペルシアの伝承では、不死の天使。ゾロアスター教の体系において、6人か7人の天上の能天使、あるいは大天使(アムシャ・スプンタ)の1人。[出典:『イラン史』Ⅲ] ムハンマド・マールート(コーランの堕天使)の由来を、ペルシアのアムルタトだと主張する学者もいる。[出典:レオ・ユング『ユダヤ教、キリスト教、イスラム教文学における堕天使』p131]

アムワクイル Amwak'il　アラビアの伝承で、悪魔祓いの儀式で招霊される守護天使。[出典:ヒューズ『イスラム辞典』「Angel」の項]

アメジャラク Amezyarak (アマザレク Amazarec、セムヤザ Semyaza)　『エノク書Ⅰ』(8:2)において、魔術師と薬草掘りに技術を伝えた天使。天から降りて人間の娘らと交わった200人の天使の1人。あるいは200人の天使の首長の1人。ギリシア語『エノク書Ⅰ』では、Amezyarakとは表記されず、セミアザズ Semiazasとなっている。R.H.チャールズの訳ではAmizirasと表記されている。エリファス・レヴィの『魔術の歴史』では、神に背いた天使の中で、アメジャラクとセムヤザが区別されている。

雨の天使 Angel of Rain　ラビ伝承では、少なくとも以下の5人が雨の天使と認められている。マトリエル、マタレル、マタリエル、リドヤ(リディア)、ザルベサエル(ゼレブセル)。『第3エノク書』では、「マタレルの代理はバタレル」である。古代ペルシアの文献では、雨の天使(また川の天使)はダラ。

アメルタティ Amertati　アラブの伝承における天使。モルダドとも呼ばれる。[出典:ユング『ユダヤ教、キリスト教、イスラム教文学における堕天使』p131]

アモイアス Amoias　グノーシス主義的な『シェムの釈義』で、天地創造の秘密を知る神秘的存在の1つ。[出典:ドレッセ『エジプト・グノーシス主義の秘密の書』p148]

〈天使の頭部〉 15世紀。ルーアン、聖ウーアン寺院の北側翼廊の大薔薇窓より。ローレンス・B.セイント『イギリスとフランスの中世ステンドグラス』(ロンドン、A. and C. Black, Ltd., 1925年)より転載。

アヤル・ジヴァ Ayar Ziva →ラム・カストラ RamKhastra

アライェカエル Arayekael　神により剣(神の言葉)の管理を命じられた多くの天使の1人。[出典:『モーセの剣』]

アラウキア Arauchia　土星の第3の五芒星にヘブライ文字で記される天使の名前。[出典:シャー『魔術の秘伝』;メイザーズ『ソロモンの大きな鍵』]

アラエベル Araebel　サミルに仕える6時の天使。[出典:ウェイト訳『レメゲトン』]

アラエル Arael (アリエル Ariel)　『古代魔術書』p115によれば、タルムード編纂のラビたちが、鳥類の群れの支配者とした聖霊。

アラキエル Araciel →アラクィエル Araqiel

アラキエル Arakiel →アラクィエル Araqiel

アラキバ Arakiba (アラカブ Arakab、アリスティクィファ Aristiqifa、アルタクィファ Artaqifa)　『エノク書Ⅰ』で言及されているように、地上に罪をもたらした悪の(堕)天使で、背教の軍勢「10隊の首長」の1人とされる。

嵐の天使 Angel of Storm →ザキエル Zakkiel、ザアマエル Zaamael

アラカァエル Araqael →アラクィエル Araqiel

アラクィエル Araqiel (アラクイエル Araquiel、アラキエル Arakiel、Araciel、アルクァエル Arqael、サラクアエル Saraquael、アルキエル Arkiel、アルカス Arkas)　『エノク書Ⅰ』で言及される200人の堕天使の1人。人間

に地の秘密を教える。しかし、『シビュラの託宣』では（チャールズ『エノク書』8：3の脚注参照）、アラクィエルは堕天使ではないらしい。実際、ラミエル、ウリエル、サミエル、アジエルと並び、人間の魂を審判へと導く5人の天使の1人。アラクィエルという名前は、大地の支配権を行使するという意味である。

アラクシエル Araxiel 『エノク書Ｉ』に堕天使の1人として言及されている。

アラザイオン Alazaion 魔術儀式、特に葦の聖別儀式〔魔術用に葦でナイフを作る〕で祈願される「最も聖なる神の天使」。〔出典：メイザーズ『ソロモンの大きな鍵』；ウェイト『儀礼魔術の書』〕

アラシエル Alaciel （フィクション）→ネクテール

アラジエル Araziel （アラズヤル Arazjal, Arazyal, アトリエル Atriel, エスドレエル Esdreel, サハリエル Sahariel, セリエル Seriel, など、「我が月は神」の意） 地上に降りたときに人間の女たちと交わるという罪を犯した天使。アラジエルはバグダルと共に、金牛宮（牡牛座）を支配する。〔出典：『エノク書Ｉ』；レヴィ『高等魔術の教理と祭儀』；『闇の王』〕

アラスバラスビエル Arasbarasbiel 『オザル・ミドラシム』Ｉ，116に挙げられているように、第6天の護衛の天使。

アラセク Arasek ヨセフスが言及したニスロクの別称。〔出典：ヘイリー編『ミルトン詩集』〕

アラディア Aladiah シェムハムフォラエ神の名をもつ72人の天使の1人。〔出典：『魔術師』Ⅱ〕

アラティエル Arathiel ガミエルに仕える、夜1時の天使長。〔出典：ウェイト訳『レメゲトン』〕

アラト Alat ヘカロトの伝承（『マアセ・メルカバ』）で、第7天の館に配置された護衛の天使。

アラド Alad 死者の王ネルガルに適用される称号。〔出典：ジョブズ『神話・民間伝承・象徴辞典』〕

アラド Arad 宗教と学問を守るインド＝ペルシアの天使。ハイドの『古代ペルシア宗教史』で言及されている。

アラトロン Arathron (Aratron) 土星を支配するオリュムポスの精霊の第1。196のオリュムポスの区域のうちの49区域を支配する。その霊符は『トゥリエルの秘密の魔術書』p22に描かれている。〔参照：『魔術のアルバテル』；ギラルディウスの神秘の書（1730）〕アラトロンは錬金術、魔術、医学を教え、人間の姿を見えなくすることができる。また不妊の女性を多産にする。

アラフィエル Arafiel 「神の力、威厳、万能」を表わす偉大な天使の首長の1人。〔出典：『第3エノク書』〕

アラフィエル Araphiel （「神の首」の意）第7天の第2の入口の護衛の1人。「アラフィエル・H'王はアスルリュ王を見ると、栄光の冠を取り（服従のしるしに）頭を垂れた。」〔出典：『第3エノク書』18〕

アラボト Araboth 第7天。エノクが主な体験をした場所。神の住む場所でもある。熾天使、オファニム、愛の天使、懸念の天使、恩恵の天使、畏怖の天使もここに住む。〔出典：『第3エノク書』；ミュラー『ユダヤ神秘主義の歴史』；ギンズバーグ『ユダヤ人の伝説』〕

アラボナス Arabonas ソロモンの儀式の魔道士の祈りにより招霊される霊。〔出典：『真の魔術書』；『黒魔術と契約の書』〕

アラマクァナエル Alamaqanael 西風の門を守る数多い天使の1人。〔出典：『オザル・ミドラシム』Ⅱ，316〕

アラリエル Arariel （アザレエル Azareel, ウジエル Uzziel？） 愚鈍を治す者、大地を支配する7人の天使の1人。（タルムード信奉者によれば）アラリエルは特に水域を司る天使。釣り人たちは、運よく大きな魚が釣れるよう、アラリエルに祈願する。〔出典：スペンス『オカルティズムの辞典』；『世界ユダヤ大辞典』；ゲイナー『神秘主義辞典』〕

アラリタ Ararita (Araritha) ソロモンの魔術で、デーモンに命令を下すためにカバラの霊符に記される名前。金の板に記せば、招霊者は突然死に遭うことはないと保証される。アラリタは、言い表わすことのできない神の神聖な言葉あるいは名前であると考えられている。〔出典：バレット『魔術師』Ⅱ；メイザーズ『ソロモンの大きな鍵』〕

アラリム Aralim →エレリム Erelim

アラリヤ Alaliyah　天使メタトロンがもつ多くの名前の1つ。

霰の天使 Angel of Hail (or Hailstorms)　バルディエル（あるいはバラディエル，バルキエル）。また，ヌリエル，ユルカミ，双子のイリン・カディシン。

アリアス Arias　甘い香りの草を支配する天使。オカルティズムでは，アリアスはデーモンと見られ，地獄の帝国の12人の女侯爵の1人。〔出典：ド・プランシー『地獄の辞典』〕

アリウク Ariukh　→オリオク Oriockh

アリエル Ariel（アラエル Arael，アリアエル Ariael，「神の獅子」の意）　外典『エズラ書』に登場する天使の名前。『ソロモンの大きな鍵』『魔術大全』等の魔術書でも，獅子の頭をもつ者として描かれている。コルネリウス・アグリッパによれば，「アリエルは天使，時には悪魔，あるいは偶像崇拝が行なわれアリオポリスとも呼ばれた町の名前」という。ヘイウッドの『聖なる天使たちの階級』では，水を司る7人の支配者の1人で，「地の偉大なる君主」。ユダヤ神秘主義者たちは，エルサレムを詩にうたう際にこの名を用いた。聖書（「イザヤ書」29章）では，人間，都，祭壇の炉などの名称に用いられている。オカルト文献では「風の第3アルコン」。病を癒すラファエルの手助けをする天使としても挙げられる〔出典：M. ガスター『カルデア人の知恵』〕。コプト語『ピスティス・ソフィア』ではマンダ教のウルに相当し，下界で罰を与える。『ソロモンの誓約』のアリエルは悪魔を統率する。グノーシス主義の伝承では，ヤルダバオト神の古称であり，風を司る。実践カバラにおいては元来，力天使の位に属するとされる。

エリザベス朝の宮廷付占星術師ジョン・ディーによると，アリエルはアナエルとウリエルが結合したもの。シェイクスピアの『嵐』では妖精。ミルトンの『失楽園』では，天上の戦いの第1日目に熾天使アブディエルに打ち倒される反逆天使の1人。詩人シェリーの自称はアリエル〔エアリエル〕であり，シェリー伝の著者アンドレ・モーロワもシェリーをアリエルと呼んだ。セイスは「アテナイオン」（1886年10月号）で，「イザヤ書」33：7で言及される勇壮なるものという意味のエレリム（アレリム）との関連を指摘。エレリムは，座天使の位に等しい天使の階級名である。〔出典：『救世主の書』（『ピスティス・ソフィア』に含まれる）；バトラー『儀礼魔術』；ボナー『魔除けの研究』〕

アリオク Arioc（アリウク Ariukh，オリオク Oriockh）　ユダヤの伝説で，神によりエノク文献を保存する使命を受けた，エノクの先祖あるいは子孫の守護天使。「創世記」14章では，アリオク〔アルヨク〕はエラサル王の名前。→アリオク Arioch

アリオク Arioch（「獰猛なる獅子」の意）　復讐のデーモンの1人。サタンに追随する堕天使（『失楽園』VI章では，天上の戦いで天使アブディエルに打ち倒される）。ナッシュの『文なしピアス』には「復讐の霊と呼ばれる偉大なるアリオク」が出てくる。〔出典：シュワーブ『天使学用語辞典』；ド・プランシー『地獄の辞典』1863年版。（アリオクはコウモリの翼を持つ復讐の天使として描かれている）；『古代魔術書』〕

アリマン Ariman　→アフリマン Ahriman

アリミエル Alimiel　第1の高み〔東の方角にあたる〕の5人の叡智体（すなわち天使）の1人。他の4人はガブリエル，バラキエル，レデス，ヘリソン。〔出典：シャー『魔術の秘伝』〕『オザル・ミドラシム』では，第7天の幕を守る7人のうちの1人。ドゥマヘルと同等視される。

アリモン Alimon　モーセの招喚の儀式における，偉大な天使王。招喚されると，招喚者を銃や刃物から守るとされる。アリモンに従う天使はレイヴティプとタフティ。〔出典：『モーセの第6，第7の書』〕

アルヴィアル Arvial（アヴィアル Avial）　『オザル・ミドラシム』I，116で言及されるように，第4天を守護する天使の1人。

アル・ウサ Al Ussa　アラブの神話に現われる女性の天使。ムハンマドの戒律によりその偶像は破壊された。〔出典：ジョウブズ『神話・民間伝承・象徴辞典』〕

アルカード Arcade（フィクション）　アナトール・フランスの『天使の反逆』の中で，守護天使の1人として登場。その他では普通アブディエルと呼ばれる。

アルカス Arkhas　不可視の深みから神は「堅く，重く，赤々とした」アルカスを呼び出し，この始原の霊に分かれるように命じた。ア

ルカスが分かれると、「暗く偉大な世界が生じ、その下にすべての生き物が創られた」。この地の形成（創造ではない）の話は『第２エノク書』26に見られる。

アルカナ Archana　土星の第5の五芒星にヘブライ文字で記される天使の名前。〔出典：メイザーズ『ソロモンの大きな鍵』〕

アルカルゼル Archarzel　魔道士により儀礼魔術で招霊される天使。〔出典：『真の魔術書』〕

アルカン Arcan　空気の天使の王。月曜日の支配者。ビレト、ミサブ、アブハザがアルカンに仕える。〔出典：バレット『魔術師』Ⅱ〕

アルカン Archan　月の下方の光を支配する天使。アルカン（Arcan）と同一かもしれない。〔出典：ヘイウッド『聖なる天使の階級』〕

アルギエル Arghiel　魔術儀式で招換される天使の名前。〔出典：シュワーブ『天使学用語辞典』〕

アルキキア Arciciah　シュワーブの『天使学用語辞典』で言及される地の天使。

アルキン Alcin　西風の門に配置された数多い護衛の天使の１人。〔出典：『オザル・ミドラシム』Ⅱ，316〕

アルゲニトン Argeniton　ハイドの『古代ペルシア宗教史』で言及される天使。

アルケル Archer　宝瓶宮をサスクマキエルと共に支配する霊。〔出典：レヴィ『高等魔術の教理と祭儀』〕

アルコン Archons（「統率者」の意）　国を支配する天使たちで、アイオンと同一視される。シャムシエルあるいはシェムイエルは、「偉大なアルコンにして、イスラエルの祈る者たちと第7天の支配者たちの媒介者」である〔出典：ショーレム『ユダヤ神秘主義』〕。隠秘主義では、アルコンは原初の惑星の精霊。マニ教では「闇の息子で、最初の人間の光の元素を飲み込んだ」とされる。ショーレムは「アルコン」を「偉大な天使」と交換可能な語として用いている。彼は『ユダヤ神秘主義』の中で、「アルコンたちと天使たちは、メルカバへと上昇（あるいは下降）する者を妨げる」と述べている。『ギリシア魔術書』では、ウリエル、ミカエル、ラファエル、ガブリエル、シャムイルという5つのアルコンの名が挙げられている。グノーシス主義の一派オフィス派の体系では、ヤルダバ

オト、ヤオ、サバオト、アドナイオス、アスタンファイオス、アイロアイオス、オライオスという7つのアルコンが示されている。その他の文献では、カトスピエル、エラタオル、ドミエルなどが、アルコンの名前として挙げられている。〔出典：ダニエルー『天使とその使命』；ドレッセ『エジプト・グノーシス主義の秘密の書』；ゲイナー『神秘主義辞典』〕

アル＝ザバミヤ Al-Zabamiya　コーラン74章で、地獄で仕える天使的存在を示す用語。19人いるとされる。〔出典：『イスラム百科辞典』Ⅲ「Angels」の項〕

アルザル Arzal（アルゼル Arzel）　「栄光ある、慈悲の天使」である4人の東の天使の1人。創造主の秘密の知恵を共にしたいと望む招喚者により招喚される。『ソロモンの鍵』を参照。

アルシアラリウル Arsyalalyur　神からの特別なお告げを携えてエノクを訪れた天使。『アダムとエヴァの生涯』によれば、ラメクの息子ノアに迫りくる洪水の警告を与えた。この名前は、イスラエルとウリエルの転訛あるいは融合である。〔参照：『エノク書Ⅰ』10（Dilliman's text）〕

アルタキファ Artakifa　エノク伝承で言及される大天使。

アルタリブ Altarib　冬を支配する天使。魔術儀式で招喚される。〔出典：デ・アバノ『ヘプタメロン』〕

アルダレル Ardarel　オカルトの教義では、火の天使。ガブリエル、ナタネルなどと比較せよ。〔出典：パピュ『隠秘学の基礎』〕

アルダワヒシュト Ardibehist　古代ペルシアの宗教で、4月の天使。アムシャ・スプンタの1人。月の3日目を支配する。〔出典：『ダビスタン』p35，136〕

アルデフィエル Ardefiel（アルデシエル Ardesiel）　月の二十八宿を支配する28人の天使の1人。〔出典：バレット『魔術師』〕

アルドウイスル Ardouisur（アルドゥイシェル Arduisher）　ゾロアスター教で、女性のイゼド（すなわち智天使）。人間の女性を多産にし、楽な出産をもたらし、母乳を満たしさえするのが、この天使の属性である。〔出典：『ダビスタン』p167〕キングは『グノーシス主義とその遺産』p106で、アルドウイスルの称号を「生ける水を与える者」としている。

アルドウル Ardour（アルドゥル Ardur）シュワーブの『天使学用語辞典』によれば，タムズ（6－7月）の月を支配する天使。

アルバテル Arbatel 『魔術のアルバテル』で言及される，「秘密を明かす」天使。[出典：ウェイト訳『レメゲトン』]

アルビエル Arbiel アナエルに仕える天使。月の6日目を支配する。[出典：M. ガスター『カルデア人の知恵』]

アルピエル Alpiel ヘブライの神秘主義で，果樹を支配する天使あるいはデーモン。[出典：スペンス『オカルティズムの辞典』；ゲイナー『神秘主義辞典』]

アルビオンの天使 Albion's Angel 詩人・画家ウィリアム・ブレイクの『アルビオンの娘たちの幻想』の口絵「都市の裂け目──戦いの翌朝に」で描かれた天使。ハグストルムの『詩人・画家ウィリアム・ブレイク』によれば，アルビオンの天使は「ジョージ3世治下のトーリー党の擬人化，あるいは無味乾燥な古典主義と貴族趣味の芸術の時代における詩神」であるという。この絵の複写は『フォッグ博物館紀要』第10巻（1943年11月）に掲載されている。アルビオンはイングランドの古称。

アルビオンの天使 Angel of Albion 「アルビオンの娘の幻想」に登場する，ブレイクが創作した天使。

アルビム Albim 北風の門を守る天使。[出典：『オザル・ミドラシム』Ⅱ, 316]

アルファタ Alfatha 北の方角を支配する天使。[出典：『バルトロメオ福音書』] 北の方角を支配する他の天使に関しては，ガブリエル，カイロウムを参照。

アルファリザ Alphariza（アフィリザ Aphiriza） 第2の高み〔西の方角にあたる〕の叡智体。[出典：ウェイト『ソロモンのアルマデル』]

アルフィエル Arfiel 天使ラファエルの別称。『ビルケ・ヘハロト』では第2天に配置された護衛の天使。[出典：シュワーブ『天使学用語辞典』supp.]

アルフギトノス Arphugitonos 『エズラ記』によれば「世界の終りに」支配する9人の天使の1人。[参照：『ニカイア公会議以前の教父たち』8, 573] 他の8人の天使の名前に関しては，「世界の終りの天使」の項目を参照。

アルブグドル Arbgdor 『天使ラジエルの書』で，いずれかの月を支配する天使。[出典：トラクテンバーグ『ユダヤ魔術と迷信』p99]

アルフム・ヒイ（ルム）ArhumHii (Rhum) マンダ教で，北極星のマルキ（malki, ウトリ uthri, 天使）の1人。

アルブロト Albrot 神あるいは天使の3つの聖なる名の1つで，剣の招喚で唱えられる。[出典：『真の魔術書』]

アルフン Alphun 鳩の霊魔（すなわち天使）。テュアナのアポロニウスの『ヌクテメロン』では8時の支配者の1人とされている。[出典：レヴィ『高等魔術の教理と祭儀』]

アルマイタ Armaita（アラマイティ Aramaiti, アルマイティ Armaiti） ペルシア神話で，6人あるいは7人のアムシャ・スプンタあるいは大天使の1人。彼女は，真実，知恵，善の霊であり，「善き者を助けるために」肉体化して地を訪れた。[出典：『イラン史』Ⅲ；フォーロング『宗教百科辞典』；レッドフィールド『世界の神々の辞典』「Gods」の項]

アルマサ Armasa（「偉大なる主」の意） モンゴメリーの『ニプールのアラム語呪文原典』で言及されるアラム魔術の天使。

アルマジエル Armaziel（アルミサエル Armisael?） 『エジプト・グノーシス主義の秘密の書』p198で言及される，グノーシス（認識）の実在。

アルマス Armas 安息日の終りに魔術儀式により招喚される天使。[出典：トラクテンバーグ『ユダヤ魔術と迷信』p102]

アールマティ Aramaiti (Armaiti) 聖なる調和を表わす6人のアムシャ・スプンタの1人。[出典：ゲイナー『神秘主義辞典』]

アルマロス Armaros（アルメルス Armers, ファルマロス Pharumaros, アバロス Abaros, アレアロス Arearos）『エノク書Ⅰ』で挙げられている堕天使の1人。人間に魔法の解き方を教える。R. H. チャールズによれば，Armarosは Araros の転化という。

アルミエス Armies ミルトンの『失楽園』で用いられる，天使の階級を示す名称の1つ。[出典：ウェスト『ミルトンと天使』p135]

アルミエル Armiel ダルダリエルのもとに仕える，夜11時の天使の将校。

アルミサエル Armisael 子宮の天使。タル

ムードでは，お産の苦痛を和らげるために，「詩編」第20章を9回唱えるよう薦めている。これで効き目がない場合，以下の呪文を唱えなければならない。「子宮を支配するアルミサエルよ，この女と女の体内にいる子供を助けたまえ。」[出典：トラクテンバーグ『ユダヤ魔術と迷信』p202]

アルミマス Armimas（アルミミマス Armimimas）　安息日の終りに魔術儀式で招喚される天使。[出典：トラクテンバーグ『ユダヤ魔術と迷信』p100] →ヘルメス，→オルムズド

アルミラス Almiras　儀礼魔術で「不可視の術の支配者」。この術を信奉する者は，アルミラスと接触するために，ギュゲスの指輪を所有しなければならない。[出典：『魔術大全』]

アルメシ Armesi　天使オリエルの配下に仕える，朝10時の天使。[出典：ウェイト訳『レメゲトン』p68]

アルメシエル Armesiel　ウェイト訳『レメゲトン』p69で言及される，イェフィシャの下に仕える夜4時の天使。

アルメルス Armers　マーク・ヴァン・ドーレンの詩「預言者エノク」で堕天使の1人に数えられている。→アルマロス

アルメン Armen（ラミエル？ Ramiel, アラキエル？ Arakiel, バラクェル？ Baraqel）『エノク書Ⅰ』69章に挙げられている堕天使の1人。

アル・モアキバト Al Moakkibat →モアキバト Moakkibat

アルモゲン Armogen →ハルモゼイ Harmozei

アルモン Almon　ヘハロトの伝承（『マアセ・メルカバ』）で，第4天の館を守る天使。

アルモン Armon　『ソロモンのアルマデル』で述べられているように，魔法の祈りで招霊される第2の高み（chora or altitude）の天使の1人。

アルル Aruru　シュメールの神話で，土から人間を創造した神々が派遣した女性の御使い。彼女は英雄ギルガメシュの母である。

荒地の天使 Angel of the Wilderness　レヴィの『高等魔術』によれば，ユダヤのカバラでは土星。天使オリフィエルもまた荒地の支配霊とされていた。

アレハナ Arehanah　土星の第3の五芒星に記される天使の名前。[出典：メイザーズ『ソロモンの大きな鍵』]

アレリム Arel(l)im →エレリム Erelim

アレル Arel　火の天使。この名前は太陽の五芒星の7番目に記される。M.ガスター『モーセの剣』では儀礼魔術で唱えられる。

アワル Awar（エル・アワル El Awar）　イブリスの息子の1人で，動揺のデーモンと呼ばれる。

アンゲレクトン Angerecton（アングレクトン Angrecton）『真の魔術書』では，魔術儀式，特に香の呪文で招喚される偉大な天使。ウェイトの『儀礼魔術の書』でも言及されている。

暗黒の天使 Angel of Darkness　暗黒の王，死の天使（ベリアル，ベルナエル，ハジエル，サタンなど）とも呼ばれる。「悪事を実践する者は，暗黒の天使の支配下にある」[出典：「規律書」『死海文書』T.ガスター編，p43-44]。「人間の悲嘆と苦悩の時は，すべてこの者の邪悪な影響によるものである。」「後期タルムード編纂者」から引用したバッジの『魔除けと護符』によれば，暗黒の天使はコクビエル。カルデアの伝承とクラマーの『シュメールの碑より』では，アン。マンダ教の伝承では，5人の主要な暗黒の存在，アクルン（クルン），アシュドゥム（シュドゥム），ガフ，ハグ，ザスギ＝ザルガナがいる。[出典：マンソア『感謝の賛歌』；ギンズバーグ『ユダヤ人の伝説』Ⅴ；『ユダヤ人の伝説』；ドロワー『イラクとイランのマンダ教徒』p251]

暗黒の天使 Dark Angel, The　ペヌエルでヤコブと格闘した天使＝人＝神。「創世記」32：25にこの出来事は述べられる。格闘の相手については，ミカエル，メタトロン，ウリエル，あるいは神自身であるなど，さまざまに言われている。『ゾハル』（Vayishlah170a）によれば，その天使は「エサウの族長」サマエルであったという。タルムードの史料では，天使はミカエル＝メタトロンとなっている。アレクサンドリアのクレメンスによれば，聖霊であったということである。[出典：『指導者』Ⅰ，7；タルムードの史料についてはギンズバーグ『ユダヤ人の伝説』Ⅴ，305]　この主題は，レンブラントやドラクロワ，ドレなど多くの人々によって描かれている。

アンコル Ancor　葦の聖別儀式〔魔術で使

う羊皮紙を作るのに必要な葦のナイフを製する儀式）で招霊される天使。法衣祈禱では神を示す名称でもある。[出典：メイザーズ『ソロモンの大きな鍵』；ウェイト『黒魔術と契約の書』]

アンシェ・シェム Anshe Shem（「名をもつ者」の意）魔術招喚で堕天使たちはこの名称（アンシェ・シェム）で呼ばれるが、アザとアザエルという2人の堕天使だけに使用されなければならない。[出典：『ゾハル』；バンバーガー『堕天使』]

アンシエル Ansiel（「圧迫者」の意）魔術儀式で招喚される天使。[出典：トラクテンバーグ『ユダヤ魔術と迷信』]

アンダス Andas オカルト文献で、主の日（日曜日）に風の天使を統率するヴァルカンに仕える天使とされる。デ・アバノの『ヘプタメロン』では、日曜日の惑星時間1時の天使たちを招喚するための魔法円の円周に、アンダスの名前が見られる。

アンティエル Antiel 悪魔祓いのためにヘブライの護符に記される天使の名前。[出典：『ヘブライの魔除け』]

アンティクエリス Antiquelis →アニクエル Aniquel

アンピエル Anpiel ラビ伝承では、鳥類を守護する天使。第6天に住み、70の門を監督する長。地上から昇ってくる全ての祈りに70の冠を戴かせ、さらなる清めのために第7天へと導く[出典：『ゾハル』；スペンス『オカルティズムの辞典』]。ギンズバーグの『ユダヤ人の伝説』Ⅰ，138では、アンピエルはエノクを天国へと運ぶ。→アンフィエル

アンフィアル Anfial 7つの天の館を監視する64人の天使の1人。[出典：『ピルケ・ヘハロト』]

アンフィエル Anfiel（アナフィエル Anafiel，「神の枝」の意）『ピルケ・ヘハロト』で、第4天の護衛。マーゴリアト『天上の天使』と『ベレシート・ラバ』も参照。『ユダヤ大辞典』p595によれば、アンフィエルの冠は「神の威厳をもって天を覆うほど広がっている」という。ここでは、7つの天の門番長、また印章保持者である。

アンブリエル Ambriel 5月の月の天使。座天使の位の支配者。夜12時の司令官で、双子宮を支配する黄道十二宮の天使の1人。アンブリエルという名前は、悪霊を追い払うために、東方のヘブライ人の護符に記された。カバラ（『モーセの第6，第7の書』）では、アンブリエルは火星の第7の印章のもとに招喚される霊。[出典：ヘイウッド『聖なる天使の階級』；ウェイト訳『レメゲトン、またはソロモンの小さな鍵』；バレット『魔術師』Ⅱ；シュライアー『ヘブライの魔除け』]

アンベル Amber この語は「エゼキエル書」1：4に現われる。「古代ヘブライ人によって、火を語る存在という意味」で用いられた。「智天使、熾天使などが天使の階級を示すように、天使の類を示す。」[出典：C.D.ギンズバーグ『エッセネ派とカバラ』p242；→ハシュマル]

アンマエル Anmael（ケヌム Cenum）堕天使の首領の1人。セムヤザ同様、人間の女（イスタハル）と取引をして明示された（神の）名前を明かそうとしたので、セムヤザと同一視される。[出典：ユング『ユダヤ教、キリスト教、イスラム教文学における堕天使』；タルムード伝承や韻文物語の中の民間伝承の数々]

アンラマンユ Angromainyus アフリマンの初期の形。ユダヤ＝キリスト教のサタンにあたる、ゾロアスター教の悪魔。しかし、アンラ

「天使と格闘するヤコブ」ドラクロワ作。天使については、メタトロン、ペヌエル、サマエルなど様々に推定される。レガメイ『天使』より転載。

マンユは堕天使ではなく，神の圧倒的支配に従うわけでもない。ペルシアの伝承においては，始源から神の対極にあって敵対するもの。ゼンドアヴェスタにおいては，アンラマンユは内に死を孕み，蛇の姿で（しばしばこのように描かれる）天から跳躍する。ゾロアスターをだまし，アフラ・マズダ（ゾロアスター教の至上の力）に反抗させようとするが，失敗に終わる［出典：ユング『ユダヤ教，キリスト教，イスラム教文学における堕天使』］。

イアエオ Iaeo デーモンを追い払うために招霊される天使。［出典：コニベア『ソロモンの誓約』；バトラー『儀礼魔術』］他の天使たちに助けられて，デーモンのサファトラエルの陰謀を挫折させることができる。

イアオト Iaoth 『ソロモンの誓約』における7人の大天使の1人。その名前の力によって，デーモンのクルテエル（腸の痛みを引き起こす）が打ち負かされる。［出典：シャー『魔術の秘伝』］

イアカディエル Iachadiel 月の第5の五芒星に名前が刻まれている天使。［出典：メイザーズ『ソロモンの大きな鍵』p80］彼は「破壊と損失に奉仕する。（略）汝は，夜のすべての亡霊たちに反抗して黄泉の国から死者の魂を呼び寄せるよう，彼に求めるであろう」。

イアクウィエル Iaqwiel シュワーブの『天使学用語辞典』に記載されている月の天使。

イアクス Iax デーモンのロエレド（胃の病を引き起こす）とデーモンのエンヴィを妨害する天使。［出典：コニベア『ソロモンの誓約』］

イアダラ Iadara 黄道十二宮の処女宮（乙女座）を，シャルティエルというもう1人の霊と共同して支配する。

イアダルバオト Iadalbaoth（イアルダバオト／ヤルダバオト Ialdabaoth, Jaldabaoth, イルダバオト Ildabaoth, など）暗黒界の第1のアルコン。ヘブライのカバラやグノーシス派の伝承において，「未知の神」のすぐ下の地位を占めるデミウルゴス〔造物主〕。フェニキアの神話では，7人いるエロヒムの1人で，目に見える宇宙の創造者である。オフィス派グノーシス主義では，「自らの姿」に似せて，7人のエロヒム（天使），7人の存在――イアオ，サバオト，アドナイ，オウライオス，エロイ，アスタファイオス，そしてイアダルバオト自身の母アカモトを生じさせたと言われる！ オリゲネスもまた，イアダルバオトを7人のうちの1人，あるいは7人を創造した者と呼び，さらに彼のことを「ミカエルの第2の名前」であると語っている。『エノク書I』では，堕天使として，また座天使（スロウン）という最高位にあるものとして，サマエルと同等視している。

イアディエル Iadiel（「神の手」の意）シュワーブの『天使学用語辞典』に記されている天使。

イアビエル Iabiel 夫と妻を別れさせるための儀礼魔術で招霊される邪悪な天使。『モーセの剣』で言及されている。

イアヘル Iahhel カバラで，哲学者や世俗的な関心事から遠ざかりたいと望む人々を支配する大天使。シェムハムフォラエ神の神秘的な名をもつ72人の天使の1人でもある。［霊符についてはアンブランの『実践カバラ』p294を参照。］

イアホ Iaho（イェホヴァ Jehovah）モーセが，ファラオであるネコ〔名前〕に対して名乗った聖霊の名。このエジプト王がその場で死ぬ原因となった。［出典：アレクサンドリアのクレメンス『雑文』5を引用したヴォルテール『天使，守護霊，悪魔について』］

イアマリエル Iamariel 夜の9時の天使で，ナコリエルに仕える。

イアメト Iameth オカルトや外典文献に出てくる天使。海のデーモンのクノスパストンの陰謀に打ち勝つ唯一の慈悲深い霊。［出典：オデバーグ『第3エノク書』；コニベア『ソロモンの誓約』；シャー『魔術の秘伝』］

イアメル Iahmel 空気を支配する天使。［出典：『天使ラジエルの書』］

イアルコアユル Ialcoajul 夜の11時の天使で，ダルダリエルに仕える。［出典：ウェイト訳『レメゲトン』p70］

イアルダバオト Ialdabaoth →イアダルバオト Iadalbaoth

イイコン Yikon →イェクォン Jeqon

イイスラエル Yisrael（「王権と強さ」の意）『ゾハル』（ヴァイシュラ171a）で，イスラエルの別形である。

イイズリエル・X Yizriel X（「王権」の意）M. ガスター『モーセの剣』で，14人の招霊天使の1人。また，言い表わせない神の名である。

イイバミア Iibamiah シェムハムフォラエ神の名をもつ72人の天使の1人。

イヴ →エヴァ

イウヴァルト Iuvart 天使（エンジェル）の位の王侯であった。いまは地獄で仕える。ミカエリスの『悔悛した女の憑依と改宗の驚嘆すべき物語』に言及されている。

イウラバトレス Iurabatres ヘイウッドの『聖なる天使の階級』で，金星を支配する天使。他に金星を支配すると見なされている天使は，アナエル，ハスディエル，ラファエル，ハギエル，そしてノグエルである。派生形はエウラバトレス。

イエアロ Iealo デーモンを追い払うために唱えられる天使。[出典：バトラー『儀礼魔術』p32；コニベア『ソロモンの誓約』] おそらくイアエオの別綴。

イエイアイエル Ieiaiel 未来の天使で，テイアイエルと共に任務を遂行する。シェムハムフォラエ神の名をもつ72人の天使の1人でもある。

イエイラエル Ieilael シェムハムフォラエ神の名をもつ72人の天使の1人。

イェウ Jeu グノーシス派の伝承，特に『ピスティス・ソフィア』で，偉大な天使であり，「光の監督官で，宇宙を調整する者」。天にいる3人の偉大な能天使（パワ）の1人で，神の右側の位置を占める。左側はプロパトル。[出典：ウァレンティヌスの作品]

イェヴァナエル Jevanael（ヤレアヘル Jareahel) モーセ伝承で，神の前に絶えず立ち，惑星の霊名を与えられている7人の支配者の1人。[出典：コルネリウス・アグリッパ『オカルト哲学』Ⅲ]

イェオウ Jeou グノーシス派の伝承で，イアルダバオト神を運命の領域につなぎとめている，偉大な天の能天使。イアルダバオト神からその地位を奪い，イアルダバオトの息子イブラオト（あるいはサバオト）をその地位に上げる。[出典：ドレッセ『エジプト・グノーシス主義の秘密の書』p176]

イェカヘル Yekahel カバラでは水星の霊の1人。その名は，この惑星の第1の五芒星に記されている。

イェコン Jeqon（Yeqon，イコン Yikon，「煽動者」の意）『エノク書Ⅰ』に記されているように，堕天使の首謀者。もう1人の背教者アスベエルと共に，神の息子たち（つまり他の天使たち）に人間の女性の姿を見せ，彼らをそそのかし堕落させたと言われている。そして，この神の息子たちが後に性的関係をもったのが，このとき目にした女性たちであったという。[出典：バンバーガー『堕天使』]

イェクシエル Jekusiel 『ピルケ・ヘハロト』で，第1天の館の1つに配置された護衛の天使。

イェクティエル Jekut(h)iel 出産時の女性が祈願する魔除けの霊。[出典：シュワーブ『天使学用語辞典』]『ピルケ・ラビ・エリエゼル』によれば，「モーセの姿が天使に似ていた」ので，洗礼を施されてイェクティエルと命名されたという。

イェコエル Yechoel 黄道十二宮の天使で，イェベメルの仲間。

イエサイア Iesaia 天使メタトロンの多くの名前の1つ。

イェシャミエル Yeshamiel ユダヤ伝説で，黄道十二宮の天秤宮を支配する天使。

イェシャヤ Yeshayah 天使メタトロンの多くの名の1つ。

イェズス Jesus フィロン，殉教者ユスティノス，そして初期のキリスト教著述家たちによって，「首位の天使」あるいは大天使とみなされる。また，ロゴスつまり言葉と同一視され，またそのような存在として，マムレのオークの下でアブラハムを訪れた3人の天使の1人と言われている。[出典：コニベア『神話，魔術，道徳』p226]

イェスビリン Jesubilin 『真の魔術書』によれば，グノーシス派の儀式で招霊される「神の聖なる天使」。名前はセラビリンの別綴。

イェソド Yesod（あるいはイェソディエル Yesodiel，「基礎」の意） カバラで，10ある聖なるセフィロトの9番目に位置する。モーセは，災いの時にエジプトの人間や動物の初子に死をもたらすため，この名（イェソド）を唱えた。

イェソドト Jesodoth ラビ文献の伝説で，人間に伝達するため神から直接知恵や知識を受け取る天使。エロヒムの位階の第10番目。[出典：スペンス『オカルティズムの辞典』p238]

コルネリウス・アグリッパは『オカルト哲学』で、イェソドトについて、10番目の神の実在であるエロヒムから恩恵を受け取ると述べている。

イェツィラ Yetsirah (「形成」の意）　形成の世界（すなわち神の流出から形成された天使の世界）。ユダヤ神秘主義で、イェツィラ（yetzirah とも）は天使の最高の領域である。

イェツィラの天使 Angel of Yetzirah　サマエルあるいはサタン。[出典：フラー『カバラの秘密の知恵』] イェツィラはヘブライ語で形成の意味。カバラでは世界は4つに区分されており、イェツィラはその1つ。

イェツェル・ハラ Yetzer Hara (イェツェル・ラ Yetzer Ra)　人間の中の悪しき傾向。ユダヤの伝統、また幾人かのラビの見解では、イェツェル・ハラそれ自体が悪しき霊、すなわちサタンとする。3世紀の学者ラビ・シメオン・ベン・ラキシュは、「イェツェル・ラ、サタン、そして死の天使は、一つであり同じものである」と述べている。[出典：『世界ユダヤ大辞典』Ⅰ, 303]

イェツリエル Yezriel　70人いる産褥の魔除けの天使の1人。

イエディディエル Iedidiel　儀式の呪文において呼び出される天使。[出典：シュワーブ『天使学用語辞典』]

イェディデロン Yedideron　10の聖なるセフィロトを擬人化した天使の6番目。ソリアのイサク・ハ＝コヘンの原典によれば、それほど「権威的」でない擬人化された天使は、ラファエルかミカエルかペヘルかツェフォンである。

イエトゥクィエル Ietuqiel　オカルトの教義では、女性が出産時にこの天使の名を唱える。モーセの元の名前であると言われている。[出典：シュワーブ『天使学用語辞典』]

イェドゥトゥン Jeduthun (「賞賛」あるいは「審判」の意)　カバラにおいて、天の夜の聖歌隊の統率者。「絶叫の首領」として、毎日の終りに神への讃歌をうたう無数の天使たちを指揮する。「詩編」第39編は「指揮者によって。エドトンの詩。」、第62編、第77編は「指揮者によって。エドトン〔イェドゥトゥン〕に合わせて。」と献題されている。ここでは明らかに、イェドゥトゥンは人間（レビ人）であり、神殿の音楽監督の1人である。しかし、中世初期になると、ゾハル主義者はイェドゥトゥンを天使に変容させ、地上で授けられたと同じ地位を天においても与えた。→アサフ、→ヘマン

イェトレル Jetrel　エノクのリストにある200人の堕天使の1人。

イェハドリエル Yehadriel →アカトリエル Akathriel

イェフイア Iehuiah　座天使あるいは能天使の位に属する天使で、君主たちの守護者。シェムハムフォラエ神の神秘的な名をもつ72人の天使の1人。その霊符については、アンブランの『実践カバラ』p273を参照。

イェフィエル Yephiel　悪を防ぐための東洋の護符に書かれている天使の名。[出典：シュライアー『ヘブライの魔除け』]

イェフェフィア Yefe(h)fiah (イェフェフィヤ Jefefiyah、イオフィエル Iofiel、ヨフィエル Yofiel、「神の美」の意)　律法の天使の王。モーセにカバラの神秘を教えた。アラム語の魔術原典では、6人（あるいは7人）の偉大な大天使の1人として描かれている。マンダ教ではイフィン＝ユファフィンとして知られ、メタトロンと比較されるかまたは同一視される。イェフェフィアには様々な綴がある。[出典：ドロワー『マンダ教の正典祈祷書』(p84)、ギンズバーグ『ユダヤ人の伝説』Ⅲ, 114；Ⅵ, 47] ディナ（『モーセの黙示録』によれば、イェフェフィアの別名である。）

イェフエル Jehuel →イェホエル Jehoel

イェフディア Yehudiah (イェフディアム Yehudiam)　『ゾハル』で、天使の使者の長の1人。瀕死の、あるいは死んだばかりの人の魂を上へ運ぶために、無数の天使を伴って降下する。死に関わる善行の天使である。→ヤリエル、→ミカエル

イェフディアム Jehudiam　『ゾハル』（出エジプト記 129a）で、「公正な者という評判を守る」天使。さらに、「主のすべての宝物の70の鍵を所持する」。

イェフディエル Jehudiel　天球の運動の支配者。「第10天の案内をする」メタトロンを参照のこと。時として7人の大天使のリストに含まれる。→サラテエル

イェヘミエル Yehemiel　悪を防ぐための東洋の護符に書かれている天使の名。[出典：シュライアー『ヘブライの魔除け』]

イェベメル Yebemel　黄道十二宮を支配す

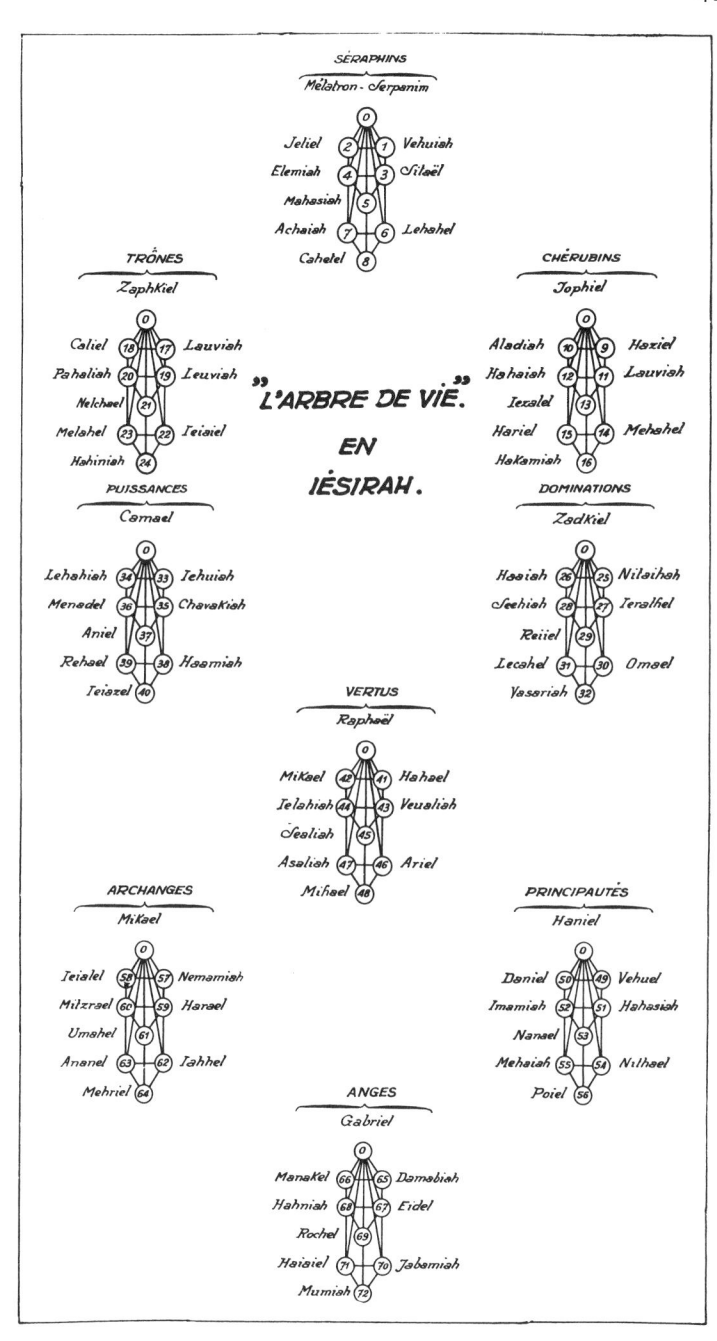

"L'ARBRE DE VIE." EN IÉSIRAH.

SÉRAPHINS — Melatron-Serpanim
- (0)
- Jeliel (2) — (1) Vehuiah
- Elemiah (4) — (3) Sitaël
- Mahasiah (5)
- Achaiah (7) — (6) Lehahel
- Cahetel (8)

TRÔNES — ZaphKiel
- (0)
- Caliel (18) — (17) Lauviah
- Pahaliah (20) — (19) Leuviah
- Nelchael (21)
- Melahel (23) — (22) Ieiaiel
- Hahiniah (24)

CHÉRUBINS — Jophiel
- (0)
- Aladiah (10) — (9) Haziel
- Hahaiah (12) — (11) Lauviah
- Iezalel (13)
- Hariel (15) — (14) Mehahel
- Hakamiah (16)

PUISSANCES — Camael
- (0)
- Lehahiah (34) — (33) Iehuiah
- Menadel (36) — (35) Chavakiah
- Aniel (37)
- Rehael (39) — (38) Haamiah
- Ieiazel (40)

DOMINATIONS — Zadkiel
- (0)
- Haaiah (26) — (25) Nitaihah
- Seehiah (28) — (27) Ieratiel
- Reiiel (29)
- Lecabel (31) — (30) Omael
- Vasariah (32)

VERTUS — Raphaël
- (0)
- MiKael (42) — (41) Hahael
- Ielahiah (44) — (43) Veualiah
- Sealiah (45)
- Asaliah (47) — (46) Ariel
- Mihael (48)

ARCHANGES — MiKael
- (0)
- Ieialel (58) — (57) Nemamiah
- Mitzrael (60) — (59) Harael
- Umahel (61)
- Ananel (63) — (62) Iahhel
- Mehriel (64)

PRINCIPAUTÉS — Haniel
- (0)
- Daniel (50) — (49) Vehuel
- Imamiah (52) — (51) Hahasiah
- Nanael (53)
- Mehaiah (55) — (54) Nithael
- Poiel (56)

ANGES — Gabriel
- (0)
- Manakel (66) — (65) Damabiah
- Hahniah (68) — (67) Eiael
- Rochel (69)
- Haiaiel (71) — (70) Jabamiah
- Mumiah (72)

イェツィラ（生成の世界）における生命の樹。
天の9つの階級とそれぞれを支配する天使を表わす。
アンブラン『実践カバラ』より。

イェホヴァ・ヴェハヤ Yehovah Vehayah　メタトロンの多くの名の1つ。

イェホヴァ＝天使(エンジェル) Jehovah-Angel　グレゴリウス・タウマトゥルゴスは「オリゲネスへの謝辞」で，「創世記」48：16における天使を，そのように（つまり主の天使と）呼んでいる。

イェホエル Jehoel（イェフエル Jehuel, ヤホエル Jahoel, Yahoel, ヤオエル Jaoel, シェムエル Shemuel, ケムエル Kemuel, メタトロン Metatron）　言葉に出せない名前をもつ仲介者で，御前の君主たちの1人。ユダヤの伝説では「レヴィアタンを食い止める天使」。熾天使の位の長（一般にこの地位を授けられているのはセラフィエル）。『アブラハムの黙示録』によれば，イェホエル（あるいはメタトロン＝ヤホエル）は，天上の聖歌隊指揮者であり，「神の歌い手」であり，アブラハムが楽園を訪れた際には同行して人間の歴史の推移を明かした，「天の人の子」である。『ユダヤのグノーシス主義，メルカバ神秘主義，タルムードの伝統』でショーレムは，イェホエルはメタトロンの初期の名前であると提唱している。カバラ主義の『ベリト・メヌカ』57aでは，ヤオエル（イェホエル）は火を支配する天使長である。キングの『グノーシス主義とその遺産』p15は，イェフエルの7人の属官として次の名を挙げている――セラフィエル，ガブリエル，ヌリエル，テマエル，シムシャエル，ハダルニエル，そしてサルミエル。

イェホエル Yehoel　天使メタトロンの名。[出典：『第3エノク書』p23]

イェラクミエル Yerachmiel　カバラで，地上を支配する7人の天使の1人。バッジの『魔除けと護符』によれば，この7人は「バビロニアの7つの惑星と同一視されているように思われる」。7人は，ウリエル，ラファエル，ラグエル，ミカエル，スリエル，ガブリエル，そしてイェラクミエル。

イェラゾル Jerazol　カバラ主義の文献に言及されている能天使。招喚の儀式でこの名を唱える。[出典：『モーセの第6，第7の書』]

イェラテル Ierathel（テラテル Terather）　バレットの『魔術師』Ⅱによれば，主天使の位の天使。

イェラテル Yerathel →テラテル Terathel

イェラヒア Ielahiah　以前は力天使(ヴァーチュー)の位に属した天使。判事たちを守護し，法服を着て判決を下す。シャムハムフォラエ神の名をもつ72人の天使の1人でもある。対応する天使はセンタケル。[出典：アンブラン『実践カバラ』]

イェラレム Ierahlem　メイザーズの『ソロモンの大きな鍵』で，儀礼魔術で祈願される天使。

イェリエル Jeliel　イェツィラ（生成）の世界の生命の樹に名前が刻まれている熾天使。カバラでは，トルコの天の君主＝支配者。王やその他の高官たちの運命を支配し，不当に攻撃されたり侵略されたりする人々を守り，勝利のシュロの葉を与える。また，男女の間に熱情を吹き込み，結婚の忠誠を保証する。その霊符は，アンブランの『実践カバラ』p260に転載されている。

イェリエル Yeliel　南風の門を護衛する天使。[出典：『オザル・ミドラシム』Ⅱ，316]

イェリエル Ieliel　シェムハムフォラエ神の名をもつ72人の天使の1人。

イェリミエル Ierimiel（ヒエリミエル Hierimiel）　イェレミエルの一形態。

イェルイエル Yeruiel　イサク・ハ＝コヘンのテキストによれば，10の聖なるセフィロトの3番目である。

イェルエル Yeruel　70人いる産褥の魔除けの天使の1人。

イェレスクエ Jeresucue（イェルスクエ Jeruscue）　デ・アバノの『ヘプタメロン』によれば，第3天に住む水曜日の天使で，西より招霊される。バレットの『魔術師』Ⅱによれば，第2天に住むという（そのために招霊される方向に違いが生じるかもしれない）。

イェレミエル Jeremiel（「神の慈悲」あるいは「神がほめそやす者」の意）『エノク書Ⅰ』や『第Ⅱエズラ書』でレミエルと同等視される。またウリエルとも同等視される。最初の，あるいは最も初期のリストでは，7人いる大天使(アークエンジェル)の1人である。「復活を待つ魂たちの長」として描かれる。[出典：外典のグッドスピード版やメッツガー版，コムロフ版など]『第Ⅱエズラ書』4：36には大天使として言及されている。ニューヨークの聖ジョージ教会で1966年2月に上演された1幕劇のオペラ『天使の仮面劇』で

は，イェレミエルは権天使（プリンシパリティー）の役であった。

イオエレト Ioelet 『ソロモンの誓約』によれば，悪魔を追い払うために招霊される天使。[出典：バトラー『儀礼魔術』]他の天使たちに助けられて，悪魔サファトラエル Saphathorael の陰謀を阻むことができる。

イオニエル Ioniel ソロモン伝承で，宇宙を支配する2人の君主の1人。もう1人はセフォニエル。イオニエルは，適切な権威に拠って，正しい魔術儀式を行なえば，招霊されよう。

イオフィエル Iofiel (Iophiel, ゾフィエル Zophiel, ヨフィエル Jofiel, Jophiel,「神の美」の意) メタトロンに同行する天使。律法（トーラー）の支配者で，通常7人の大天使の中に含まれ，イェフェフィアと同等視される。コルネリウス・アグリッパによれば，ザフキエルと交替で土星の支配者であるという。パラケルススは護符に関する説で，イオフィエルを木星の叡智体（インテリジェンス）として挙げている。[出典：クリスチャン『魔術の歴史と実践』Ⅰ，318]デ・ブレスの『美術における聖人の見分け方』によれば，アダムとエヴァをエデンの園から追い出したのは，イオフィエル（ヨフィエル）である。これはまた，論文「キリスト教の天使伝承」でのR. L.ゲイルズの見解でもある。C.E.クレメントの『美術の中の天使』という著作には，ノアの息子たち（セム，ハム，ヤフェト）の教導天使として記されている。

イオベル Iobel グノーシス派の伝承で，イアルダバオト神によって生じた12人の能天使の1人。[出典：ドレッセ『エジプト・グノーシス主義の秘密の書』]

イオムエル Iomuel シュワーブの『天使学用語辞典』によれば，ノアの洪水以前に女性と性的関係をもった天使。堕天使の中に含まれる。

位階 Hierarchy →天上の位階 Celestial Hierarchy

怒りの天使 Angel of Anger 黙示文学『モーセの黙示録』に記されているように，偉大な立法者モーセが楽園を訪れた際，彼は第7天に住む怒りの天使たちに出会う。彼らは「全身を火に包まれて」いた。怒りの天使とはアフである。

怒りの天使 Angel of Ire →ズクゾロムティエル Zkzoromtiel

怒りの天使 →激怒の天使，→憤怒の天使。

→神の憤怒の天使

イガル Ygal 70人いる産褥の魔除けの天使の1人。

イカル・ソフ Ikkar Sof シェバトの月（1月－2月）を支配する天使。[出典：シュワーブ『天使学用語辞典』]

イキリエル Iciriel 月の二十八宿を支配する28人の天使の1人。

イゲレト・バト・マハラト Iggereth bath Mahalath 『ゾハル』（レビ記 114a）におけるアグラト・バト・マラトの別綴。

イサク Isaac (ヘブライ語ではイシャク Ishak,「彼は笑った」の意) 誕生したとき，彼の周りには神秘的な光輝があったために，「光の天使」と呼ばれる。彼の誕生は，天使ミカエルによって知らされた。アブラハムが子をもうけるにはあまりにも年老いていた（「創世記」21章）ことが，イサクが神の血筋をひくという伝説を真実らしく見せている。フォーロングは『宗教百科辞典』で，「ユダヤの伝説によれば，イサクは世界創造以前に創られた光の天使であり，世界創造後は死の力が及ばない原罪なき族長の1人としてこの世に生をうけた」と述べている。

イザケル Izachel 『ソロモンの大きな鍵』において，儀礼魔術，特に魔道士による祈りで招霊される天使。[出典：ウェイト『黒魔術と契約の書』p204]

イザズ Izads (イゼズ Izeds) ゾロアスター教における，天の軍勢で，アムシャ・スプンタの後に続く第2の流出。時には智天使（ケルブ）と同等視される。この階級には27か28のイザズがいる。彼らの職務は「世界の無垢，幸福，保護」を監視することであり，これらの守護霊である。この「光の霊たち」の最も強力な長は，ミトラである（あった）。[出典：キング『グノーシス主義とその遺産』; サルトゥス『霊界の王たち』p42]

イシアエル Isiael デ・アバノの『ヘプタメロン』やバレットの『魔術師』において，第5天に住む，火曜日の天使の1人。

イシェト・ゼヌニム Isheth Zenunim →エイシェト・ゼヌニム Eisheth Zenunim

イシス Isis 『失楽園』Ⅰ，478でミルトンは，このエジプトの神を堕天使の中に置いている。フェニキア人はイシスをアシュトレトと混同し

た。アシュテロトは，妖術の教義ではかつて熾天使であったが，いまは地獄の領域で大公として務めている。

イシム Is(c)him（アイシム Aishim, イザキム Izachim） 雪と火で構成される天使たちで，第5天に住む（参照：「詩篇」104：4）。モーセはそこで彼らと出会った。［出典：ギンズバーグ『ユダヤ人の伝説』II，308とV，124］カバラでは「正しい人（聖人）の美しい魂」であり，『ゾハル』では，座天使あるいは天使の位のベネ・エリム，その位の長であるアザゼルと交換可能である。ミランドラの図式では，位階体系の第9番目に位置する（ディオニュシオスはイシムに言及していない）。天地創造以来の彼らの任務は，神を賞賛することである。天使の軍勢の中では9番目のセフィロトを代表する（エリファス・レヴィは10番目と言っている）。この点については，19世紀の聖書学者ド・ミルヴィルの文献を参照のこと。『ゾハル』では，ゼファニア（ゼフェミア）がこの階級の長に挙げられている。マイモニデスは著書『掟の反復』で，イシムを天使の高位の階級として語っている。

イシュリア Ishliah 東を支配する天使の1人。→ガウリイル・イシュリハ

イズイエル Iz'iel ヘカロト伝承（『マアセ・メルカバ』）で，第6天の館を護衛する天使。

イズシム Izschim →イシム Ischim

イスダ Isda 人間に食物を供給する天使。［出典：シュワーブ『天使学用語辞典』］

イスファン・ダルマツ Isphan Darmaz（イスフェンダルモツ Isphendarmoz, スペンダルモツ Spendarmoz） 古代ペルシアの伝承で，2月の月を統轄する大地の守護霊と天使。また，守護霊（すなわち天使）として貞淑な女性に仕える。［出典：クレイトン『天使学』；ハイド『古代ペルシア宗教史』］

イスファンダルメンド Isfandarmend（イスファン・ダルマツ Isphan Darmaz） ペルシアの神話における2月の天使。各月の5日の支配者でもある。［出典：ハイド『古代ペルシア宗教史』］

イスマイル Isma'il アラビアの伝説において，悪魔祓いの儀式で祈願される守護天使。［出典：ヒューズ『イスラム辞典』「天使」の項］また，第1天の天使で，アッラーの崇拝に

（雌牛の姿で）従事する天使の一団を監督する。［出典：ヘイスティングズ『宗教・倫理辞典』IV，619］

イスモリ Ismoli オカルティズムで，サマクスに奉仕する天使。サマクスは，月曜日に働く空気の天使たちの支配者。［出典：デ・アバノ『ヘプタメロン』；バレット『魔術師』II；デ・クレアモント『古代魔術書』］

イスラエル Israel（「神と闘う者」の意） ハイヨトの階級の天使。神の玉座をとり囲む高貴な天使の位で，智天使や熾天使に匹敵する。『天使ラジエルの書』では，座天使の第6番目に位置づけられている。アレクサンドリアのグノーシス派の外典で，オリゲネスとエウセビオスが注釈した『ヨセフの祈り』には，次のような一節が出てくる。「あなたに話しかける私は，ヤコブとイスラエルであり，神の天使であり，第1の（アルキコン archikon）霊である」。他のところでも同様に，「私は主の力の大天使イスラエルであり，神の息子たちの中の司令長官である」。さらに，ヤコブ=イスラエルは自ら，天使ウリエルであると認める。この外典には，族長ヤコブが大天使（天使名はイスラエル）であり，彼は出生前の状態から現世の生活に入ったとある。［出典：『第3エノク書』序章］ゲオニムの時代（7-11世紀）の神秘主義者たちは，イスラエルと名付けられた天の存在について，この天使の役割は「神の讃歌をうたう天使の軍勢を呼ぶ」ことであると語る。彼は「幸いなる主をたたえよ」と呼びかけるのである。フィロンはイスラエルをロゴスと同一視する。ギンズバーグの『ユダヤ人の伝説』V，307では，「栄光の座にいるヤコブの表情」と指摘された。［出典：『ヘカロト』4：29；『天使ラジエルの書』6b］

イズラエル Izrael 最後の審判の日に，第1のラッパの恐ろしい一吹きから逃れられるという4人の天使の1人（他の3人の天使は，ガブリエル，ミカエル，そしてイスラフェル）。イスラムの伝承によれば，ラッパは全部で3回吹かれ，最後は復活のラッパであるという。［出典：セイル『コーラン』「序論」p59］それぞれのラッパを吹く間隔は，おそらく40年（あるいは40日）であると言われる。その最後の時に，アッラーの命により，「あらゆる人間の乾いて朽ちた骨と身体の散乱した部分が，ま

さに髪の毛に至るまで，裁判にかけられる」のである。

イスラエルの天使 Angel of Israel ミカエル。ヤバン。『レヴィの誓約』と『ダンの誓約』（『十二族長の誓約』に含まれる）で言及される名前不明の天使。

イスラフェル Israfel（イスラフィル Israfil, イスレフェル Isrephel, サラフィエル Sarafiel, など） アラビアの民間伝承において，「燃えているもの」，復活と歌の天使で，最後の審判の日にトランペットを吹く。4つの翼をもち，「足は第7地の下にあるのに，頭は神の玉座の柱に達する」と描かれる。また，「昼に3度，夜に3度，地獄を見下ろし，アッラーがその流れを止めなかったら，涙で大地が水浸しになるほど悲しみに身もだえする」。さらに「明らかにされた」ところによれば，同行者として3年間ムハンマドに仕え，予言者としての仕事の手ほどきをし，そののちガブリエルがやって来てそれを引き継いだ。[出典：『イスラム小辞典』「イスラフィル」の項] 別のイスラムの民間伝承では，アダム創造の材料にする七つかみの塵を取ってくるために，アッラーによって大地の四方へ，イスラフェル，ガブリエル，ミカエル，アズラエルが派遣されたという。これは，神自身が地面の塵からアダムを造ったという創世記の話の変形である。あるいは，ユダヤの伝承（ギンズバーグ『ユダヤ人の伝説』I，55）によれば，「後に贖いの祭壇がイェルサレムに建つ，その場所から取られた1匙の塵から」となる。この使命には，ただ1人死の天使アズラエルだけが成功している。さらに，この世の終末に起こる全世界にわたる大火では，イスラフェルを含めこれら4人の天使は滅ぼされる。世の終末はコーランにあり，終末を告げる最後の3番目のラッパの音と共に起こるだろう。しかしながら，神あるいはアッラーが価値のない霊（例えばラハブ）を蘇らせるので，必ずや神は彼らを蘇らせるにちがいない。[出典：ヘイスティングズ『宗教・倫理辞典』IV, 615]

ここでは，コーランにおいて，イスラフェルの名前で言及されていないことに，注意を払うべきである。したがって，イスラフェルをコーランの天使と見なすのは妥当ではない。しかしポウは自らの詩の脚注で同一視した（「そして天使イスラフェル，その心の琴線はリュート，

「イスラフェル」アラビアの復活と歌の天使。
ヒューゴウ・シュタイナー＝プラグ作。
『エドガー・アラン・ポウ詩集』
(New York, Limited Editions Club, 1943) より転載。

神のあらゆる創造物の中でも最も甘美な声を持つもの——コーラン」）。このような引用や描写は，この種のものがコーランには見あたらないので，それ以外の原典や史料からポウは引いてきたにちがいない。（この問題については筆者の論じたところである。）イスラフェルは，C. E. S. ウッドの風刺詩『天の話』の「天の軍備」と呼ばれる第14章に登場し，そこで神はイスラフェルに対し「老いた護衛を出動させるよう」命じている。限定版協会の『エドガー・アラン・ポウ詩集』には，ヒューゴウ・シュタイナー＝プラグによるリトグラフがある（上図）。ハーヴェイ・アレンのポウの伝記『イスラフェル』とエドウィン・マーカムの詩『我らがイスラフェル』を参照のこと。

イズラフェル Izrafel →イスラフェル Israfel
偉大ですばらしきもの Great and Wonderful ミカエルが聖母マリアに差し迫った死を知ら

◼ イダ-イト

せに行ったとき，マリアはあなたは誰ですかと大天使に尋ね，彼は「私の名前は偉大ですばらしきものである」と答えたと言われる。この伝説は，クレメントの『美術の中の天使』に語り直され，場面を描写したフラ・フィリッポ・リッピの絵が収載されている。

偉大な忠告の天使 Angel of the Great (or Mighty) Counsel　メシア，聖霊，日々の主。（→契約の天使）「我らの主，救い主は父の意志を告げる者であるから，偉大な忠告の天使と呼ばれる。」[出典：レメシアナのニケタス（335-414)「我らの救世主の名前と称号」『初期キリスト教宝典』フリーマントル編] 聖ヒラリウスの『三位一体について』Ⅳでも，神の子（イエス）は「偉大な忠告の天使」と呼ばれている。[参照：イザヤ書9：6（七十人訳聖書）] グレゴリウス・タウマトゥルゴスは『オリゲネスへの謝辞』において「若い時分から神の天使（略）あるいは偉大な忠告の天使が私を養ってくれた」と感謝の意を述べている。

イタティヤ Itatiyah　天使メタトロンの多くの名前の1つ。

1月の天使 Angel of January　ガブリエル。古代ペルシアの伝承ではバマン。

1年12カ月を支配する天使たち Angels of the (12) Months of the Year　ガブリエル（1月），バルキエル（2月），マルキディエル（3月），アスモデル（4月），アムブリエルあるいはアムリエル（5月），ムリエル（6月），ヴェルキエル（7月），ハマリエル（8月），ズリエルあるいはウリエル（9月），バルビエル（10月），アドナキエルあるいはアドヴァキエル（11月），ハナエルあるいはアナエル（12月）。古代ペルシアの伝承では，バマン（1月），イスファンダルメンド（2月），ファルヴァルディン（3月），アルダワヒシュト（4月），クルダド（5月），ティル（6月），ムルダド（7月），シャリヴァル（8月），ミフルあるいはミヘル（9月），アバン（10月），アザル（11月），ダイ（12月）。[出典『魔術師』Ⅱ；ド・プランシー『地獄の辞典』]

1週間を支配する天使たち Angels of the Seven Days　ミカエル，ガブリエル，サマエル，ラファエル，サキエル，アナエル，カシエル。バレットの『魔術師』Ⅱ（p105の挿絵）によれば，それぞれの曜日の支配者は以下のようになっており，天使の霊符が記されている。ミカエル（日曜日），ガブリエル（月曜日），サマエル（火曜日），ラファエル（水曜日），サキエル（木曜日），アナエル（金曜日），カシエル（土曜日）。

偽りを言う霊 Spirit of Lying　「列王記上」22：22「わたしは，彼のすべての預言者たちの口を通して偽りを言う霊となります」の場面にある，神の使いの天使。

射手座の天使 →人馬宮の天使

イデディ Idedi　アッカドの神学で，天国に自分たちの住まいをもつ天使。[出典：ルノルマン『カルデア魔術』p148]

イトゥリエル Ithuriel　(「神の発見」の意) 天使長官セフリロンに仕える聖なるセフィロトの3名の副官サリム sarim（大公）の1人。イトゥリエルという名前は，16世紀のソリアのイサク・ハ=コーヘンの論文に登場し，「偉大なる黄金の冠」を意味すると解されている。また，コルドヴェロの『ザクロの園』にも現われる。さらに古い史料が出てくるかもしれない。メイザーズの『ソロモンの大きな鍵』p63に現われる火星の第1の五芒星のように，魔術書にも登場する。『失楽園』Ⅳ，788において，ミルトンは

「サタンの行方を追跡するため地上へ行く途中のイトゥリエルとゼフォン」ドレ作。『失楽園』第4巻の挿絵。
ヘイリー『ミルトン詩集』より。

イトゥリエルを，ゼフォンと共に，サタンの居場所を探しだすようガブリエルの命で派遣される智天使（ゲルショム・ショーレムによれば，ミルトンは「誤って」いるが）と述べている。「不気味な王」は，エデンの園で，「エヴァの耳もとにヒキガエルに化けてうずくまっている」のを発見される。イトゥリエルが槍でサタンに触れると，誘惑者は本来の姿に戻る。この事件は，ミルトン作品のヘイリー版（ロンドン，1794年）に描かれている。ドライデンの『無垢の時』には，イトゥリエルは4人の天使の1人として登場する。注：ミルトンが，イトゥリエル（もしくは，あるミルトン研究者が主張するように，アブディエルかゾフィエル）を作りだしたのではなく，手近にあってその出番を待っていたのは，引用されている史料から明らかである。[出典：ウェスト「ミルトンの天使の名前」，『文献学研究 Studies in Philology』（1950年4月）]

イトクァル Itqal　情愛の天使。人間同士の争いにおいて招霊される。[出典：シュワーブ『天使学用語辞典』]

イトト Ithoth　コニベアの『ソロモンの誓約』において，他の天使の助けを得て，デーモンのサファトレアルの陰謀を打破することができる天使。

イトモン Itmon　天使メタトロンの多くの名前の1つ。

イトライル Itra'il　アラビアの伝承で，悪魔祓いの儀式で招霊される守護天使。[出典：ヒューズ『イスラム辞典』「天使」の項]

イドラエル Idrael　ヘハロト伝承（『マアセ・メルカバ』）で，第5天の館を護衛する天使。

イドリス Idris　コーランの教義におけるエノクの名前。[出典：『第3エノク書』]

イニアス Inias　ローマの教会会議（745年）において退けられた7人の天使の1人。他は，ウリエル，ラグエル，シミエル（セミベル），トゥブエル，トゥブアス，そしてサボアクである。

イノセント Innocents　バレットの『魔術師』によれば，天使ハナエルを支配者とし，天上の位階の12ある階級の第10番目に位置する階級である。偽ディオニュシオスの体系では，階級は9つだけである。

生命の天使 Angel of Life　ロングフェロウは「2人の天使」という詩で，生命の天使と死の天使に言及している（どちらも名前不明）。彼らは白い衣服を身にまとい，1人は「火のようなアマランス（常世の花）の冠」を戴き，もう1人は「光の破片のようなアスフォデル（不死の花）の冠」を戴いている。ロングフェロウは，両天使とも神から遣わされた「天の御使い」と述べている。

祈りの天使 Angel of Prayer　オカルト文献では，祈りの天使は5人あるいは6人見つかる。つまり，アカトリエル，ガブリエル，メタトロン，ラファエル，サンダルフォン，シゾウセである。

イノン Innon　メイザーズの『ソロモンの大きな鍵』によれば，天使の聖なる名前。ソロモンの招喚の儀式でその名を唱えると，デーモンに出現を命じることができる。

イヒアゼル Ihiazel　シェムハムフォラエ神の名をもつ72人の天使の1人。

イブ →エヴァ

イファフィ 'Ifafi　ヘハロト伝承（『マアセ・メルカバ』）で，第7天の館を護衛する天使。

畏怖の天使 Angels (or Lords) of Dread　『第3エノク書』22によれば，畏怖の天使たちは恐怖の首領たちと同調し，神の玉座を囲んで「イスラエルの神ヤハウェの御前で賛歌を歌う」とされる。彼らの人数は合計すると「1000の1000倍と1万の1万倍」である。

イブリス Iblis →エブリス Eblis

イボリエル Iboriel　ヘハロト伝承（『マアセ・メルカバ』）で，第7天の館を護衛する天使。

イマケデル Imachedel　メイザーズの『ソロモンの大きな鍵』の目録によれば，儀礼魔術において魔道士によって祈願される。

イマミア Imamiah　カバラにおいて，権天使の位の天使。あるいはむしろ，堕天したので元・天使というべきだろう。地獄では，航海を管理支配する。また，敵対する者たちを殺したり辱めたりするが，それはそうするように招霊されたり，そう命ぜられた時である。かつてはシェムハムフォラエ神の名をもつ72人の天使の1人であった。その霊符はアンブランの『実践カバラ』p289に描かれている。

イミエル 'Immiel　ヘハロト伝承（『マアセ

・メルカバ』）で，シェマ〔ユダヤ教の基本的聖句〕を朗唱することでメタトロンを援助する天使。[出典：『第3エノク書』]

移民の天使 Angel of Migration　ナディエル。ナディエルはキスレウの月（11-12月）の支配霊でもある。

イム Im　リモンのアッカド語の名。

イムリアフ Imriaf　シュワーブの『天使学用語辞典』で，タモウズの月（6月-7月）を支配する天使。

イムリエル Imriel（「神の雄弁」の意）　シワンの月（5月-6月）を支配する天使。[出典：シュワーブ『天使学用語辞典』]

イメージ Images　ヴォルテールの小論『天使，守護霊，悪魔について』によれば，「タルムードやタルグムにおいて，10ある天使の階級の1つ」。

癒し手 Comforter　「弁護者，すなわち，父がわたしの名によってお遣わしになる聖霊」。[出典：「ヨハネによる福音書」14：26]→聖霊

癒しの天使 Angel of Healing　たいていの場合ラファエルであるが，スリエルとアシエルも癒しの天使とされる。

イヤスサエル Ijasusael (Iyasusael)　エノク伝承で，季節の天使の指導者の1人。

イヤル Iyal　ガブリエルやミカエル同様，バビロニアの出典に起源をもつと言われるタルムードの天使。ハイドの『古代ペルシア宗教史』やヴォルテール「天使，守護霊，悪魔について」に引用されている。

イラニエル Ilaniel　ユダヤの伝説で，実のなる木を司る天使。→ソフィエル

イリ=アブラト Ili-Abrat（イラブラト Ilabrat）　有翼の天使で，バビロニアのアヌ神の使者の長。右手に棒あるいは杖を携える。パプカルとも呼ばれる。

イリン Irin（「見張り」の意，あるいはイリン・クァディシン irin qaddisin，「聖なる見張りの天使たち」の意）　第6天に住む双子の天使（『第3エノク書』によれば第7天）。双子のクァディシンと共に，天の最高裁判所の審判団を構成する。彼らは，メタトロン（オカルト教義や外典において，神に仕える最も偉大なる天使の1人と考えられている）よりも高位の8位階に属する。「ダニエル書」4：14によれば，イリンは見張りの天使，すなわちグリゴリである。『第3エノク書』では，イリンのそれぞれは，「その他の天使と君主を合わせたものに等しい」と言われている。ハイドは『古代ペルシア宗教史』で，イリンはペルシア起源であると述べている。『モーセの誓約』では，律法者モーセがまだ生きている間に楽園を訪れたとき，第6天でメタトロンが彼にイリンを示した。

イルルング Ylrng　『天使ラジエルの書』に言及されている天使（謎の名前の1人）。

イレル Irel　オカルティズムにおいて，第5天に住む天使。火曜日を支配し，西から招霊される。

イロウエル Yrouel　恐怖の天使。その名は，妊娠中の女性が身につける魔除けに記されている。[出典：シュワーブ『天使学用語辞典』]

インクビ Incubi　殉教者ユスティヌス，クレメンティウス，テルトゥリアヌスが信じるところによれば，「女性との淫らな行為という罪にふける肉体的な天使」である。[出典：シニストラーリ『鬼神――あるいはインクビとスクビ』]

インゲタル Ingethal，あるいは，インゲテル Ingethel →ゲテル Gethel

「怒りの器」（デーモンあるいは堕天使）テウトゥス，アスモデウス，インクブス。バレット『魔術師』より。

淫行の霊 Spirit of Whoredom 「ホセア書」4：12に言及される。→情欲の天使 Angel of Lust

インテリジェンス Intelligences →叡智体

インドリ Indri ヴェーダの教義で，ユダヤ＝キリスト教の天使たちに類似した天上の神々の1人。→アディトヤス

イン・ヒイ In Hii マンダ教の神話で，北極星の4人のマルキ malki あるいはウトリ（つまり天使）の1人。[出典：ドロワー『イラクとイランのマンダ教徒』]

ウ

ヴァイイ Vaij ユダヤ神秘主義で，印章の天使の1人。[出典：『モーセの第6，第7の書』]

ヴァオル Vaol 月の第1の五芒星(ペンタクル)にその名がある天使。[出典：メイザーズ『ソロモンの大きな鍵』]

ヴァカティエル Vacatiel →ヴァカビエル Vacabiel

ヴァカビエル Vacabiel（ヴァカティエル Vacatiel）（別の霊）ラサマサと共同して，黄道十二宮の双魚宮（魚座）を支配する。[出典：闇の王]

ヴァクミエル Vachmiel 昼の4時を支配する天使。10人の上級将校と100人の下級の霊にかしずかれている。[出典：ウェイト訳『レメゲトン』]

ヴァサゴ Vassago 魔術書では「善き霊」。女性の深遠なる秘密を発見するために招霊される。[出典：クリスチャン『魔術の歴史と実践』II, 402]ウェイト訳『レメゲトン』では，失った所有物を探し出し，未来を予言することに携わっている。地下領域の支配者。その霊符(シジル)はシャー『魔術の秘伝』p210にある。

ヴァサリア Vasariah カバラで，主天使(ドミネイションズ)の位の天使。シェムハムフォラエ神の名をもつ72人の天使の1人である。

ヴァシアリア Vasiariah カバラで，裁判官，貴族，行政官，法律家を支配する天使。その霊符はアンブラン『実践カバラ』p271に再録されている。

ヴァシュヤシュ Vashyash 「全ての天使と皇帝の支配者。」[出典：メイザーズ『ソロモンの大きな鍵』]

ヴァタレ Vatale ヴァシュヤシュのように「全ての天使と皇帝の支配者」とされる。

ヴァドリエル Vadriel 昼の9時を支配する天使。ヴァクミエルと同様，10人の上級将校と100人の下級の霊にかしずかれている。上級将校には，アストロニエル，ダミエル，マドリエルがいる。[出典：ウェイト訳『レメゲトン』]

ヴァナンド・イェザド Vanand Yezad マギの教えでは，7つの地獄を司ることを許された唯一の天使。[出典：セイル『コーラン』「序説」p67]

ヴァフォロン Vaphoron 塩の祝福で祈願される天使。ソロモンの（黒魔術の）小冊子で言及される。

ヴァマナ Vamanah ヴェーダの教義で，「小人の姿の化身(アヴァタル)」であり，「理性の主」。10人の神格の5番目である。

ヴァメテル Vametel ルーンズの『カバラの知恵』で，黄道十二宮の72人の天使の1人。

ヴァリエル Variel 70人の産褥の魔除けの天使の1人。

ヴアル Vual →ウヴァル Uvall

ヴァルカン Varcan ヘイウッド『聖なる天使の階級』によれば，太陽を支配する天使。（別の天使も，この支配権を遂行する。）デ・アバノの『ヘプタメロン』で，「日曜日を支配する空気の天使の王」として言及される。→太陽の天使

ヴァルキエル Varchiel 黄道十二宮の1つを支配する天使で，獅子宮，双魚宮，冠座などさまざまに当てられる。[出典：ヘイウッド『聖なる天使の階級』p215]

ヴァルナ Varuna ユダヤ＝キリスト教の天使に相当する，7人のヴェーダの神々（すなわちスルヤ）の長。→スルヤ

ヴァルヌム Valnum オカルトの教義で，第1天に住み，北から招霊される月曜の天使。また，土星の3つの叡智体(インテリジェンス)の1つ。

ヴィアヌエル Vianuel（ヴィアニエル Vianiel）火曜を支配する第5天の天使で，南から招霊される。[出典：バレット『魔術師』II；コルネリウス・アグリッパ『オカルト哲学』III；『モーセの第6，第7の書』]

ヴィオナトラバ Vionatraba（ヴィアナトラ

バ Vianathraba）オカルティズムでは，主の日（日曜日）を支配する第4天の天使で，東から招霊される。太陽の3人の霊の1人として仕える。［出典：デ・アバノ『ヘプタメロン』；バレット『魔術師』II］

ヴィシュナ Vishna 『バガヴァッド・ギータ』で，ブラフマンやマヒシュと共に原初のものの1つから生じた力強い天使。［出典：『ダビスタン』p178］

ヴィシュヌ Vishnu 『バガヴァッド・ギータ』によれば，ブラフマンが創造した万物の維持を委ねられた第1の化身。伝説では，デーモンのラクシャス（別名サマク・アズル）がアナンタ＝ヴェーダ（ヴェーダ四書の源）を持って深い水底へ逃げた時，ヴィシュヌは魚の姿になって取り戻した。ヴィシュヌは他にも奇跡的な業をなしている。

ウイニ Uini 儀式で祈願される救いの天使。［出典：『モーセの第6，第7の書』］

ウヴァエル Uvael 月曜の天使で，第1天の住人。北から招霊される。［出典：バレット『魔術師』II］

ヴヴァエル Vvael 第1天に住む月曜の天使で，北から招霊される。

ウヴァブリエル Uvabriel 夜の3時の天使で，サルクアミクに仕える。

ウヴァヤ Uvaya 天使メタトロンの多くの名の1つ。

ウヴァル Uvall（ヴァル Vual，ヴォヴァル Voval）堕落する前は能天使の位に属する天使であったが，現在は地獄で37軍団の地獄の霊にかしずかれる大公爵である。その任務は，招霊者の要請で女性の愛を手に入れることである。ウェイト訳『レメゲトン』によれば，彼はエジプト語を話すが「完全ではない」。今日は明らかに口語のコプト語で話している。その霊符はウェイトの『黒魔術と契約の書』p180に描かれている。

ウヴミエル Uvmiel ヘハロトの伝承（『マアセ・メルカバ』）で，第2天の館に配置された護衛の天使。

ウウラ Uwula 救いの天使。太陽あるいは月の食のときに祈願される。［出典：『モーセの第6，第7の書』］

ウェアタ Weatta 印章の天使。［出典：『モーセの第6，第7の書』］

ヴェイシャクス Veischax モーセの魔術で，印章の天使。

ヴェヴァフェル Vevaphel 月の第3の五芒星に記されている天使の名。［出典：メイザーズ『ソロモンの大きな鍵』］

ヴェウアリア Veualiah アンブランの『実践カバラ』p88にある「イエシラの生命の樹」の表によれば，9人の力天使の1人。帝国の繁栄を司り，国王の力を強化する。（招霊の目的で）対になる天使は，ストケネである。その霊符はアンブラン『実践カバラ』のp281にある。

ヴェヴァリア Vevaliah シェムハムフォラエ神の名をもつ72人の天使の1人。［出典：バレット『魔術師』II］

ヴェヴァレル Vevalel 黄道十二宮の72人の天使の1人。［出典：ルーンズ『カバラの知恵』］

ヴェグアニエル Veguaniel 昼の3時を支配する天使。

ウェジナ Wezynna カバラの儀式で呼び出される奉仕の天使。［出典：『モーセの第6，第7の書』］

ウエストゥカティ Ouestucati 1時の女性天使。ヘスペリデス〔ヘスペリスの複数，「夕べの娘たち」の意〕の間から現われ，海風をもたらす。ウエストゥカティは，H.D.（ヒルダ・ドゥーリトゥル）の詩「知恵」の中で「汚れなき手の淑女」と呼ばれた。カバラではイエフイアと対になる天使。

ヴェトゥエル Vetuel 第1天に住み，南から招霊される，月曜の天使。［出典：デ・アバノ『ヘプタメロン』；バレット『魔術師』］

ヴェナヘル Venahel（ヴェノエル Venoel）第2天か第3天に住む水曜の天使で，北から招霊される。

ヴェニベト Venibbeth 不可視なもの（霊）への呪文で招霊される天使。不可視なものの主人アルミラスの下で働く。［出典：メイザーズ『ソロモンの大きな鍵』］

ヴェヒエル Vehiel その名が月の第1の五芒星に記された天使。

ヴェフイア Vehuiah カバラでは，8人の熾天使の1人で，祈りを成就させるために招霊される。太陽の第1光線を支配する天使。その霊符はアンブランの『実践カバラ』p260に見られる。

ヴェフエル Vehuel　権天使(プリンシパリティー)の位の天使で、黄道十二宮の天使。シェムハムフォラエ神の名をもつ72人の1人。その霊符はアンブランの『実践カバラ』p289にある。

ヴェホフネフ Vehofnehu　天使メタトロンの多くの名の1つ。

ヴェヨティエル Veyothiel　北イタリアの写本にある天使の名。この写本には『ラビ・アキバのアルファベット』などのカバラ文献が含まれている。

ヴェル Vel　水曜の天使で、第3天に住み、南から招霊される。

ヴェルア Veruah　天使メタトロンの多くの名の1つ。

ヴェル・アクイエル Vel Aquiel　主日（日曜日）を支配し、第4天に住む。よい結果を得るためには北から招霊しなければならない。

ヴェルキエル Verchiel（ゼラキエル Zerachiel）　7月の天使で、黄道十二宮の獅子宮を支配する。[出典：カムフィールド『天使についての神学的論説』p67]　また、能天使の位の支配者の1人である。バッジは『魔除けと護符』で、ヴェルキエルとナキエルを同じだと考えている。パピュの『隠秘学の基礎』によれば、ヴェルキエル（ここではゼラキエルと呼ばれている）は太陽の支配者である。

ヴェレル Velel　デ・アバノの『ヘプタメロン』やバレットの『魔術師』では、第2天か第3天に住む水曜の天使。北から招霊されるので、ヴェルと同一視することはできない。（しかしながら、ヴェルと多くの共通点をもっているように思われる。）

ヴェロアス Veloas（ヴェロウス Velous）　ソロモンの黒魔術の儀式で、特に剣の呪文で招霊される「神のまことに純粋な天使」。魔術書ではよく知られた天使である。

ヴォイジア Voizia　昼の12時の天使で、ベラティエルに仕える。[出典：ウェイト訳『レメゲトン』]

ヴォイス（声） Voices, The　グノーシス神秘主義では、ヴォイスは光の宝庫に住む天使的な存在である。7つのヴォイスがあるとされる。
[出典：『ブルース・パピルス』（大英博物館）]　フラッドの『両宇宙誌』での位階はまず、ヴォイス（声）、アクラメイション（歓呼）、アパリション（幻影）と（フラッドに）呼ばれる3つの

聖歌隊に分けられる。

ヴォイル Voil →ヴォエル Voel

ヴォヴァル Voval →ウヴァル Uvall

ヴォエル Voel（ヴォイル Voil）　黄道十二宮の天使の1人で、処女宮（乙女座）を代表するかあるいは支配する。[出典：ウェイト訳『レメゲトン』]

ヴォカシエル Vocasiel（ヴォカティエル Vocatiel）　双魚宮（魚座）の黄道十二宮を支配する2人の霊の1人。もう1つの霊はラサマサである。

ヴォカティエル Vocatiel →ヴォカシエル Vocasiel

魚座の天使 →双魚宮の天使 Angel of Pisces

ヴォハル Vohal　儀式で招霊される能天使。[出典：『モーセの第6、第7の書』]

ヴォフ・マナ Vohu Manah（ヴォフ・マノ Vohu Mano、「善き考え」の意）　ゾロアスター教で、6人のアムシャ・スプンタ（大天使）の1人。ヴォフ・マナは、善き考えの擬人化である。『アヴェスタ』では、アムシャ・スプンタの第1のものであり、信心深い者が死ぬとその魂を受け取るとされる。[出典：『サラティエルの黙示録』（ダフ『第Ⅳエズラ記』に収録）]

ウギエル Ugiel　ブルゴスのモーセの表にある10の邪悪なセフィロトの2番目。

ウキミエル Ucimiel →ウキルミエル Ucirmiel

ウキルミエル Ucirmiel（ウキルヌエル Ucirnuel）　第2天あるいは第3天に住む、水曜の天使。招霊するときは、招霊者は北を見なければならない。[出典：デ・アバノ『ヘプタメロン』；バレット『魔術師』Ⅱ]

ウザ Uzah（ウシア Usiah, ウザ Uzza）　ウザあるいはオザは、メタトロンの名の1つ。『セフェル・ハ＝ヘシェク』に挙げられている。

ウザ Uzza（Uzzah, オウザ Ouza, 「強さ」の意）　この名は、セムヤザに変わった。ラハブと同じく、ウザはエジプト人の守護天使である。[出典：ギンズバーグ『ユダヤ人の伝説』Ⅲ, 17]

ウシア Usiah →ウザ Uzah

ウシエル Usiel（ウジエル Uziel, Uzziel, 「神の力」の意）　『タルグム・オンケレスとヨナタン』にあるように、カバラでは一般的に、堕落して今は悪しき者。人間の妻を娶った1人

で，巨人たちを生んだ。10人の邪悪なセフィロトの中で第5番目に挙げられている。『天使ラジエルの書』で，ウシエル（ウジエル）は，神の御座の前にいる7人の天使の1人で，4つの風に配置された9人の1人でもある。[出典：ビショフ『カバラ入門』] ウシエルは，再版された英訳『イエズス会士の真性なる魔法の書』p110）では，ウリエルの代りに用いられている。『ファウストの地獄の三重苦への鍵』（または『黒い大鴉への鍵』として知られる）には，ウシエルへの一般的な呪文と，彼の副官の支配者たちの表がある。[出典：バトラー『儀式魔術』p190] 最後に，ミルトンによれば，ウシエルは善い天使で，力天使の位に属し，サタンが離反したときの天上での戦いでガブリエル派の副官であった。

ウジエル Uziel　10人の邪悪なセフィロトの5番目。[出典：『ピルケ・ヘハロト』]

ウジエル Uzziel（ウシエル Usiel，アザレエル? Azareel?，「神の強さ」の意）　ラビの天使学における主要な天使の1人。智天使または力天使（すなわちマラキム）の位に属し，時にその位の長に位置づけられる。『天使ラジエルの書』によれば，ウジエル（ウシエル）は栄光の御座の前に立つ7人の天使の1人で，4つの風を支配する9人の天使の1人である。ミルトンの『失楽園』IVでは，ウジエルはガブリエルに「厳しく警戒しながら南へ航行するよう」命じられている。メルカバの教義では，メタトロンの支配下にある慈悲の天使である。[出典：『第3エノク書』序文]

ウジフィエル Uziphiel　ヘハロトの伝承（『マアセ・メルカバ』）で，7つの天の館の第1番目に配置された護衛の天使。

ウスタエル Ustael　バレットの『魔術師』やデ・アバノの『ヘプタメロン』では，第4天の天使で，日曜日の支配者で，西から招霊される。また月の使者の天使3人のうちの1人。

ウストゥル Ustur　カルデア人の伝承で，守護霊の4つの主要な階級の1つ。人間に似た姿で描かれた。→エゼキエルの智天使と比較せよ。[出典：ルノルマン『カルデア魔術』]

ウズバズビエル Uzbazbiel　ヘハロトの伝承（『マアセ・メルカバ』）で，7つの天の館の第1番目に配置された護衛の天使。

ウスラエル Uslael　第4天で仕える天使。[出典：『モーセの第6，第7の書』]

ウセラ Usera　第1天で仕える天使。[出典：『モーセの第6，第7の書』]

ウゾ Uzoh　→ウザ Uzza

歌の天使 Angel of Song　ミューズ〔詩神〕の合唱隊長でもあるラドゥエリエル（ヴレティル）。コーランの伝承では，歌の天使はイスラフェル，あるいはウリエル。ラビ伝承では，シェミエル（シェマエル，シャミエル），あるいはメタトロン。メタトロンは「天の歌のマスター」と呼ばれる。

宇宙の創造主 Cosmocrator　ウァレンティヌス派のグノーシス主義で，ディアボロス（悪魔）の身なりをした物質的宇宙の支配者。仲間はバルベロで，共に「天光の能天使を称賛する歌をうたう」が，それは彼が完全には悪ではないことを示している。[出典：『ピスティス・ソフィア』]

ウトラ Uthra（複数形はウトリ Uthri）　マンダ教の神話で，天使あるいは生命の霊。太陽の毎日の運行に同行する10人のうちの1人。この10人は，ズハイル，ザルン，ブハイル，バルン，サル，サルワン，タル，タルワン，ラビア，タリアである。20人のウトリの表が，ドロワーの『イラクとイランにおけるマンダ教徒』に挙げられている。その名は，プタヒル，ザハリル，アダム，クィン，ラム，ルド，シュルバイ，シャルハビイル，シュムバル・ヌ，ヌライタ，ヤヤ・ユハナ，クィンタ，アンハル，エヴァ，アバトゥル，バラト，ユシャミン，ドヌト・ヒイ，ハブシャバ，カナ・ド・ジドクァである。

ウトリ Uthri　→ウトラ Uthra

ウドリエル Udriel　産褥の魔除けの天使。ウドルガジアと同じ出典に見られる。

ウドルガジアイア Udrgazyia　70人の産褥の魔除けの天使の1人。[出典：『天使ラジエルの書』；バッジ『魔除けと護符』]

ウナエル Unael　第1天に仕える天使。[出典：『モーセの第6，第7の書』] ウナエル（Unhael）の名は，邪眼を防ぐための東方の護符に書かれているのが見られる。[出典：シュライアー『ヘブライの魔除け』]

ヴノリ Vhnori　人馬宮を支配する2人の霊の1人。サリタイエルと支配権を分担する。[出典：レヴィ『高等魔術の教理と祭儀』p413]

ウバヴィエル Ubaviel　磨羯宮を支配する天

使。[出典：トラクテンバーグ『ユダヤ魔術と迷信』]

ヴフドルジオロ Vhdrziolo 『ソロモンの剣』(ノミナ・バルバラ)に挙げられている謎の名前の1人。剣を守るために神により指名された4人の偉大な天使の1人。

ウブリシ Ublisi オカルトの教義で，魔術儀式で招霊される全能の8人の天使の1人。

馬 Horses 「ゼカリア書」6：2-5におけるように，天使を指す用語。「それら(赤毛，黒，白，まだらの馬数頭)は，全地の主の御前に立った後に出て行く，天の4人の聖霊である」。この用語の同様の使用については「ヨハネの黙示録」を参照。

ウマヘル Umahel 大天使(アークエンジェル)の1人。アンブランの『実践カバラ』は，この大天使の任務が何であるかについては語っていないが，p88の図表にこの位の9人の1人として挙げている。

ウマベル Umabel カバラでは，物理学と天文学を支配すると言われる。また，シェムハムフォラェ神の名をもつ72人の天使の1人である。[出典：バレット『魔術師』Ⅱ]ウマベルと対になる天使は，プティアウである。その霊符は，アンブラン『実践カバラ』p294に見られる。

ウミエル Umiel シリアの魔法の呪文中に出てくる天使。[出典：ゴランツ『守護の書』]

ウミコル Umikol ユダヤ神秘主義で，印章の天使の1人。

海の天使 Angel of the Sea 聖書とタルムードで，ラハブについて使われる。ラハブは2度破滅させられる。1度目は天地創造の際，上方と下方の水を分けることを拒否したため，2度目は紅海(より正確には葦の海)を渡って逃げようとするヘブライ人たちを追うファラオの軍勢を溺れさせないようにしたため，であった。

ウメロズ Umeroz 夜の2時の天使で，ファリスに仕える。[出典：ウェイト訳『レメゲトン』]

ウラカバラメエル Urakabarameel アラキブとラミエルの伴走者。堕天使の指導者の1人。[『エノク書Ⅰ』]トマス・ムーアの長大な詩『天使の愛』で言及されている。

ヴラニエル Vraniel 夜の10時の天使で，ユスグアリンに仕える。[出典：ウェイト訳『レメゲトン』]

ヴラマヒ Vulamahi コウモリの清めで唱え

られる天使。[出典：メイザーズ『ソロモンの大きな鍵』]

ウリアン Urian (Uryan) 『エノク書Ⅰ』9：1にあるように，ウリエルの姿。低地ドイツの民間伝承では，ウリアン卿はサタンの異名である。

ウリアン Uryan →ウルヤン Urjan

ウリエル Uriel (「神の火」の意) 聖書正典外の伝承における主要な天使の1人で，熾天使，智天使，太陽の統治者，神の炎，神の御前の天使，タルタロス(ハデス)の統轄者，救いの大天使(『第Ⅱエズラ記』)など，さまざまに位置づけられている。『第Ⅱエズラ記』では，エズラの幻視の天上での解説者の役目を果たした。『エノク書Ⅰ』では，「雷と恐怖を見張る」天使である。『アダムとエヴァの書』では，悔恨を司る。ウリエルは「炎の剣を持って失楽園の門に立つ霊であろう」と，『カトリック教会の教え』でアンスカー・ヴォニアー僧院長は述べている。『アダムとエヴァの書』では，ウリエルは「創世記」3章の智天使の1人として名指しされている。ウリエルの名は古代の連禱で唱えられたこともあった。ウリエルは，アダムとアベルを天国に隠すのを助けた天使の1人(ヘイスティングズ『聖書辞典』)，ペヌエルでヤコブと格闘した暗黒天使，センナケリブの軍勢を破壊した者(「列王記下」19：35；「マカバイ記二」15：22)，ノアに差し迫った大洪水について警告する神からの使者(『エノク書Ⅰ』10：1-3)などと同一視され，場合によっては，他の天使たちのものとされる偉業や使命とも結びつけられた。ギンズバーグ『死海文書の規律』の見解では，「光の支配者」をウリエルとしている。さらに，ウリエルはエズラに天上の奥義の神秘を明かし，預言を解釈し，アブラハムをウルの外に導いたとも言われる。後期ユダヤ主義では，チャールズ(『エノク書』)が指摘するように，4人の御前の天使の1人として，「我々はファヌエルではなくウリエルを見いだす」。ウリエルはまた9月の天使で，おそらく儀式では9月に生まれた者により招霊される。バレットの『魔術師』では，「天来のものとされる」錬金術を地上にもたらしたとか，カバラを人間に与えたとされる。もっとも，この「聖書の神秘的解釈の鍵」(カバラ)はメタトロンの贈り物とも言われる。

■ ウリ-ウリ

ウ

「太陽の光にのって天より降りてきたウリエル」
ガブリエルやイトゥリエルやゼフォンに会うためにエデンの園に来るが、
そこではアダムとエヴァが抱き合い（右下），サタンがヒキガエルの姿で
「エヴァの耳もとにうずくまっている」。
『失楽園』(London, Richard Bently, 1688) より。

ミルトンは，ウリエルを「太陽の摂政」，「天国で最も鋭敏な視力を持つ霊」(『失楽園』Ⅲ)として記述している。ドライデンは『無垢の時』でウリエルを，白馬に引かれた戦車で天国から降りてくる者として描いている。その名声にもかかわらず，ウリエルは745年ローマの教会会議で非難された。しかし現在は聖ウリエルであり，そのシンボルは炎を抱く開いた手である。バーン＝ジョーンズの描いたウリエルは，ダフ『第1・第2エズラ記』の口絵に収録されている。

ウリエルの名は，預言者ウリアに由来すると言われる。偽典やオカルト文献ではウリエルは，ヌリエル，ウリアン，イェレミエル，ヴレティル，スリエル，プルエル，ファヌエル，イェホエル，イスラフェル，天使ヤコブ＝イスラエルと同等視あるいは同一視される。ギンズバーグ『ユダヤ人の伝説』Ⅴ，310に部分的に引用されている偽書『ヨセフの祈り』を参照せよ。この書の中で，ヤコブは次のように言う。「私がシリア(原文ママ)のメソポタミアからやって来ているとき，神の使者ウリエルが現われ語った。『私は人間のあいだに住みかをつくるために地上へ降りた。私は名をヤコブという。』」この文章は，ペヌエルでヤコブと格闘した後に，ウリエルがヤコブに変わったのでなければ，つじつまが合わない。だが『創世記』32章で語られている出来事は，別の解釈を示している。「出エジプト記」4：25の注釈は，モーセが息子ゲルショムの割礼という契約の儀式を行なうのを怠ったと非難した「慈悲深い天使」に言及しているが，この天使は『ミドラシュ・アガダ・エクソドゥス』ではウリエル，『ゾハル』Ⅰ，93bではガブリエルと同一視されている。『ゾハル』によれば，ガブリエルはモーセを「その罪ゆえに」殺すというはっきりした目的をもって，「燃える蛇の姿で炎につつまれながら降りてきた」と述べられている。『ユダヤ人の伝説』Ⅱ，328では，この天使はウリエルでもガブリエルでもなく，ヘマとアフという邪悪な2人の天使である。

ウリエルは，ルーブル美術館所蔵のプリュドン作の油絵『神の復讐と正義』で描かれた，復讐の天使であるとも言われる。「夕暮のなかを滑空しつつ／陽光に乗って」(『失楽園』Ⅳ，555)というウリエルの姿は，ヘイリー編『ミ

「ウリエル」──「夕暮のなかを滑空しつつ／陽光に乗って」
『失楽園』第4巻の挿絵。ヘイリー編『ミルトン詩集』より。

ルトン詩集』から上に再録。パーシー・マッケイの『ウリエル，その他の詩』にあるウリエルは，我々が取り上げてきた天使ではなく，ウィリアム・ヴォーン・ムーディー(アメリカの詩人・脚本家，1869-1910)を指し，「ウリエル」という題の追悼詩が彼に捧げられているのである。ウリエルについての最新の評価は，ウォルター・クライド・カリーが『ミルトンの存在論・宇宙生成論・自然論』で述べているもので，この本のp93でカリー教授はウリエルについて，「敬虔だがあまり鋭敏でない物理学者で，思想的に原子論哲学を好む傾向がある」と述べている。

どれほどウリエルが高いものと見なされていたかを例証するには，『シビュラの託宣』第2巻の記述を紹介するのがよいだろう。そこでは，「永遠なる神の不死なる天使」ウリエルが審判の日に「冥府の堅固無比の門に取り付けられた巨大な横木をうち砕き，それを投げ捨て，すべての哀れな姿の者たち，古のティタンや巨人たちの亡霊や，大洪水に呑み込まれた者たち，(略)すべての者たちを裁きの席に引き立て，(略)神の御前にひき据えた」と述べられている。

ウリオン Urion →オリオン Orion

ウリゼン Urizen ブレイクの『ウリゼンの書』で，革命的な霊オルクと交互に現われるイギリスの天使。4つのゾア〔ブレイクの詩に出てくる神的存在〕の1人で，理性神の化身である。ウリゼンの息子は，ブレイクが『天国と地獄の結婚』で出会った天使である。

ヴリハスパティ Vrihaspati ヴェーダの神秘主義において，賛歌と祈りの守護者である。

■ ウリ-エイ

また、「神々の指導者」、「至高の光につつまれた最高の天で最初に生まれたもの」である。その他にヴァカスパティ Vachaspati やブリハスパティ Brihaspati としても知られる。［出典：レッドフィールド『世界の神々の辞典』］

ウリム Urim（「照明」の意）　クロップシュトックの詩劇『メシア』に登場する智天使。この言葉は、聖書では「家庭の偶像」を意味し、たいていトゥミン Tummin（あるいはトンミム）に関連して用いられ、「完成」やさらに神の意思を確かめるための神託を表わす。ウリムとトゥミンは、（あらゆる悪の源とみなされる女の怪物ティアマトが「所有する」）運命に関するバビロニア＝カルデアのタブレットに由来する。それは、人間に運命を割り当てる力をもつと信じられている。アロン〔アアロン〕の胸当てには、高位聖職者の任務の標章として、ウリムとトンミムが彫られている。［→アセル・クリエル］タルムード『ヨマ』では、ウリムとトゥミンは第1神殿の5つの聖なる事物のうちに記載されているが、第2神殿にはない。『ゾハル』（出エジプト記 234b）は次のように定義し、2つの言葉を区別している。「ウリムは、輝く鏡を表わし、本来世界がそれによって創られた42の文字を組み合わせた神の名が刻印されている。それに対して、トンミムは22の文字で表わされた神の名でつくられた輝きのない鏡である。この2つが組み合わされ、ウリムとトンミムと呼ばれる。」ミルトンは『復楽園』Ⅲ、14で、ウリムとツムミムについて、「アアロンの胸当ての上なる／預言の宝石」として言及している。イェール大学の紋章は、ヘブライ文字の2人の名を結合させている。［出典：「出エジプト記」28：30；「レビ記」8：8；「エズラ記」2：63；「ネヘミヤ記」7：65；ドライヴァー『カナンの神話と伝説』p103；バッジ『魔除けと護符』p407；ギンズバーグ『ユダヤ人の伝説』Ⅱ，329］

ウリロン Uriron　妖術や急死に対する魔除けとして招霊される天使。［出典：トラクテンバーグ『ユダヤ魔術と迷信』p140］

ウル Ur（ヘブライ語でアウル Aur、「火」あるいは「光」の意）　マンダ教で、地下世界の王。［出典：クラウキン『ユダヤ百科事典』「Angelology」の項］

ウルズラ Urzla　カバラでは、東の天使で、召喚儀式で呼び出される。「輝かしく慈悲深い天使で、創造主の秘密の知恵を招霊者に分け与えるように求められる。」［出典：ゴランツ『ソロモンの鍵』］

ウルパニエル Urpaniel　魔除けのための東方の護符に記されている天使の名。［出典：シュライアー『ヘブライの魔除け』］

ウルフィエル Urfiel　マラキム（Malachim, Malakim）という天使階級の長。［出典：『ベリト・メヌカ』］

ウルヤン Urjan（ウリアン Uryan）　ウリエルの別名。

ヴレティル Vretil（プラヴイル Pravuil、ラドゥエリエル Radueriel、など）　神聖な諸書の宝庫を守る大天使。「他の大天使以上に賢い」という。しばしば『エノク書Ⅱ』やエズラ伝承で「至高なるものの知識の書記者」として言及される。チャールズ『エノク書』（p28）で言う「天上の書記者の概念」は、「バビロニア人のネブに主に由来する」。ヴレティルは、ダブリエル、ウリエル、エノク、ラドゥエリエル、プラヴイルらと同等視され、さらに「亜麻布をまとう男」（『エゼキエル書』9：2以下）と関係するかあるいは同一視される。『エノク書Ⅱ』23：3以下では、エノクが書き記す一方、ヴレティルが「30の昼と30の夜の間に366冊の本を口述した」。

ヴングスルシュ Vngsursh　夏至の天使で、邪眼に効果的な魔除けとして招霊される。［出典：トラクテンバーグ『ユダヤ魔術と迷信』p139］

運命の天使 Angel of Destiny (Fate)　→オリエル Oriel、→ Manu マヌ

エ

エア Ea　→金牛宮の天使 Taurine Angel

エイアエル Eiael　隠秘学や寿命を司る天使。また、シェムハムフォラエ神の神秘の名をもつ72人の天使の1人。対になる天使はアビオウ。その霊符はアンブランの『実践カバラ』p294に記載。エイアエルを召喚するとき、招喚者は「詩編」36：4を朗唱しなければならない。

栄光ある者たち Glorious Ones　大天使の最も高位の階級に対する用語。［出典：『エノク書Ⅱ』；『スラヴォニア大辞典』］

栄光の天使 Angel of Glory　祈りと涙の天使でもあるサンダルフォンのこと。ロングフェローの詩「サンダルフォン」を参照。栄光の天使は，集団としては，聖化の天使と同一視される。栄光の天使たちは最高天アラボトに住み，その数660万。「栄光の座と燃えさかる炎の場の近くで見張っている。」〔出典：『第3エノク書』22；『天使ラジエルの書』〕

栄光の能天使 Powers of Glory　『十二族長の誓約』（ユダ 25）において，天使を指す。ここでは，天の光輝的存在の1つとして，御前の天使，太陽，月，星と同等視されている。

エイシェト・ゼヌニム Eisheth Zenunim（イシェト・ゼヌニム Isheth Zenunim）　ゾハル崇拝のカバラで，娼婦あるいは売春の天使。悪しきサマエルの4人の妻の1人。同業の他の3人の天使は，リリト，ナアマ，そしてアグラト・バト・マラ（ト）である。

エイスティブス Eistibus　予言の守護霊で，4時の守護霊の1人。

叡智体〔霊〕 Intelligences　新プラトン主義において，ユダヤ=キリスト教の天使やセフィロトに相当する。通常10人いる。『教皇レオ3世便覧』（ローマ，1523）に言及があり，そこでは惑星の叡智体と呼ばれている。〔出典：ユング『ユダヤ教，キリスト教，イスラム教文献における堕天使』〕

エイルニルス Eirnilus　テュアナのアポロニウスの『ヌクテメロン』で，果実を支配する守護霊（天使）。6時の魔神の1人としても奉仕する。

エヴァ Eve →人道の天使 Angel of Humanity

エヴェド Eved　天使メタトロンの多くの名前の1つ。

エウケイ Euchey　香を焚いたり燻蒸したりすることで悪霊を退散させる際に祈願される天使。〔出典：『真の魔術書』〕

エウダエモン Eudaemon　善き霊，ダイモン。天使に対するギリシア的表現の1つ。

エウラバトレス Eurabatres　金星の天使。→イウラバトレスエオミアヘ Eomiahe　オカルトの教義で，コウモリの清めでこの名を唱える天使。〔出典：メイザーズ『ソロモンの大きな鍵』〕

エオルト Eoluth　カバラ主義者によって招喚のために用いられる智天使，あるいは熾天使。〔出典：『モーセの第6，第7の書』〕

エオン Eon →アイオン Aeon

エカヌス Ecanus（エルカナ Elkanah）　終末論的な『エズラ書』（『第Ⅳエズラ書』14：42）に言及されているように，エズラが口述したものを神の命により94冊（あるいは204冊）の本に書きとめた5人の「男性」（天使）の1人。5人の男性とは，エカヌスをはじめ，サレア，ダブリア，セレミア，アシエルである。異説では，エカヌスの代りにエタンを挙げている。書物のうち70冊は，「ユダヤ人の賢者のために取っておく」と隠されたままになった。それらは難解で深い知識を必要としたが，他の書は公に利用された。

エギイビエル Egiibiel　月の二十八宿を支配する28人の天使の1人。〔28人の天使すべての名前については付録を参照。〕

エギオン Egion　ヘハロトの伝承（『マアセ・メルカバ』）で，第7天の館を護衛する天使。

疫病の天使 Angel of the Plagues　剣を持ち，ユダヤ人，特にダヴィデ〔ダビデ〕王を罰するためにエルサレムに現われた，破壊の天使（名前は与えられていない）。ダヴィデ王は人口調査を命じたが，イスラエルの民の数を数えることは神に対する侮辱であった。ダヴィデは古代のエルサレムに住むエブス人オルナンの麦打ち場で焼き尽くす献げ物をささげ，疫病の天使をなだめた。この出来事に関しては「歴代誌上」21章を参照。

エクサエル Exael　『エノク書Ⅰ』において，「戦争で使う兵器，銀や金で出来た作品の制作，また宝石や香料の使い方などを人間に教えた偉大なる天使たちの10番目」として語られている天使。地獄の軍団から影響を及ぼすと考えられている。〔出典：ド・プランシー『地獄の辞典』〕

エクシストン Existon　塩の祝福の際に唱えられる天使。『ソロモンの大きな鍵』で言及されている。

エクスタボル Extabor　蜜蠟の清めに関わる「神の公正なる天使の1人」。グランツの『ソロモンの鍵』やシャーの『オカルティズム』p23に言及がある。

エクステルミナンス（追い出す者）Exterminans　アバドンのラテン語名。〔出典：新約聖

書協会（カトリック）版の「ヨハネ黙示録」9：11］

エクセルキトゥス Exercitus　天使の軍勢の名称（ストラテイアと同様）。［出典：『ペシクタ・ラバティ』XV，69a；『ユダヤ教百科辞典』「天使学」の項］

エクソウシア Exousia　新訳聖書で，権力，権威，力と様々に訳される天使のギリシア語。シュタイナー（『人間の星気体の中の天使の作用』）によれば，天使の位階体系の中の「形相の聖霊 Spirits of Form」となる。

エグリミエル Egrimiel（エグルミエル Egrumiel）『ピルケ・ヘハロト』で，第6天の館の1つに配置された護衛の天使。

エグレゴリ Egregori →グリゴリ Grigori

エゴロイ Egoroi →グリゴリ Grigori

エサウの天使 Angel of Esau　ヤコブがペヌエルで格闘したサマエルのこと。

エサビエル Esabiel　能天使の位の天使。シュワーブの『天使学用語辞典』に言及されている。

エシニエル Eshiniel　『守護の書』で，シリアの呪符に記された天使。

エジプトの天使 Angel of Egypt　マステマ，ラハブ，ドウマ，ウザ，サマエル。エジプトからの脱出の途中イスラエルの民は，「エジプトの天使が，彼の守護する（エジプトの）民族の手助けをしようと風を切って飛んでくるのを見て」恐怖におののく。この天使の名前は明らかにされていない［出典：ギンズバーグ『ユダヤ人の伝説』Ⅲ，13］。一部のラビ文献ではこの天使はアベジ＝チボドとされ，サマエル，マステマ（『ヨベル書』），ウザとするラビ文献もある。ラハブと推測することもできよう。

エシュマダイ Eshmadai　ラビ文学におけるデーモンたちの王。ペルシアのアエシュマ・デヴァに比べられたり，またヘブライの破壊者シャマドにも比べられる。［出典：ブワソン『魔術：その歴史と主な儀式』；「アシュメダイ」を参照］

エスオル Esor　カバラ主義者によって招喚の儀式で用いられる智天使あるいは熾天使。［出典：『モーセの第6，7の書』］

エスカヴォル Escavor　『真の魔術書』で，ソロモンの魔術儀式で祈願される天使。

エズガディ Ezgadi　旅の首尾を確実にす

るための招喚の儀式で使われる天使の名。『ヘハロト・ラバティ』に言及がある。［出典：シュワーブ『天使学用語辞典』］

エスキエル Eschiel（エシエル Eshiel）火星の第1の五芒星に名前が刻まれている4人の天使の1人。他の3人は，イトゥリエル，マディニエル，そしてボルトザキアク（バルザキア）。

エスキロス Eschiros　カバラの儀式で祈願される7人の惑星天使。［出典：『トゥリエルの秘密の魔術書』］

エスタエル Estael　黒魔術の伝承（『トゥリエルの秘密の魔術書』）において，木星の叡智体。ふつうこの惑星の他の3つの叡智体，カディエル，マルティエル，そしてフファトリエルと共に祈願される。

エステス Estes　天使メタトロンの多くの名前の1つ。

エスピアケント Espiacent　仕事の成功をもたらすよう蜜蠟の清めの儀式で用いられる天使。悪魔祓いの儀式の後には「詩編」が引用されねばならない。［出典：メイザーズ『ソロモンの大きな鍵』］

エスファレス Esphares　招喚の儀式で使われる天使あるいは神の名前。『トゥリエルの秘密の魔術書』に言及がある。

エズラ Ezra　『エズラの黙示録』（第4エズラ書）は，エズラの生きたままの昇天に言及した後で「天主の永遠の書記」と記している。→ヴレティル，→エノク，→ダブリエル。みな天上の書記たちとされている。

エズラエル Ezrael（ヘブライ語で「神の助け手」の意）『ペトロの黙示録』に言及されているように，憤怒の天使。『エデンの園の書』"Sefer Gan Eden"では，「破壊の天使たちから〈並のとりえしか持たない〉もの，あるいは〈しっかりしていない〉ものたちを救うのがその務めである」と紹介されている。すなわち，この天使は「助け手」エズラエル（エズラ ezra――助けるということ）なのである」。［出典：『第3エノク書』p182］

エズリエル Ezriel　近年，死海文書の中で発見された，アラム語の魔除けに刻まれていた天使の名前。モンゴメリーの『ニプールのアラム語呪文原典』では，大天使と呼ばれている。［出典：ショーレム『ユダヤのグノーシス主義，

メルカバの神秘主義，タルムードの伝統』]

エゼクェエル Ezeqeel（ヘブライ語で「神の力」の意）『エノク書I』で，「雲による占い」を教えた堕天使。〔出典：ギンズバーグ『ユダヤ人の伝説』 I，125〕

エセルキエ／オリストン Eserchie/Oriston モーセが災いの1つとしてエジプトにカエルをもたらした際に，唱えた天使（または神）の名前（カエルはまた，ザバオトの名前を呼ぶことによってももたらされた）。〔出典：『黒魔術と契約の書』〕バレットの『魔術師』IIによれば，エジプトの川を血に変えるとき，モーセがエセルキエ／オリストンの名前を唱えた。

エゾイイル Ezoiil 水の清め〔魔術師が入浴する際に唱える呪文〕で招霊される霊（天使？）。〔出典：メイザーズ『ソロモンの大きな鍵』〕

エタン Ethan →エカヌス Ecanus

エデンの園の天使 Angel of the Garden of Eden 一般にエデンの園の天使とされる2人の天使は，メタトロンとメシアである。両者とも智天使の位に属する。ラファエルもまた生命の木を守ることから，地上の楽園の天使と見なされる。ジョン・ドライデンは劇詩『無垢の時』の結末に，ラファエルが人間の最初の両親をエデンから追い出す場面を用いている（ミルトンの『失楽園』ではミカエル）。〔参照：『ゾハル』；ウェイト『イスラエルの秘密の教義』〕R.L.ゲイルズの「キリスト教の天使伝承」では，炎の剣を持ちエデンの園の門番をするのはヨフィエル。

エト Eth（「時間」の意）能天使で，奉仕の天使。「あらゆる出来事がその定められた時間に起こる」よう監督するのが役目。〔出典：『ゾハル』（ミクェズ，194a)〕→「時間」

エトナルク Ethnarchs 国家に対して権力をふるう天使たち（守護の天使で，70人いた）。〔出典：ダニエル『天使とその使命』〕→守護天使

エドムの天使 Angel of Edom エドムという名称はローマを表わすものだったが，エドムの天使とはサタンのことである。「私は雲よりも高く昇り，最高位の存在になるのだ」とエドムの天使は意気込む。すると神は「お前が鷹のように高く昇り，お前の住処が星の間に設えられようとも，私はお前をそこから落とす」と答

「ヤコブの梯子を上り下りする天使」
創世記第28章における夢の出来事。
ヘイリー編『ミルトン詩集』より転載。

える。エドムの天使は，ヤコブの夢に現われた地と天の間に掛けられた梯子を上り下りする天使の1人であった。〔出典：ギンズバーグ『ユダヤ人の伝説』 I，V〕

エトラフィル Etraphill 「裁きの日」にラッパを吹くことになっているアラブの天使の1人。おそらくイスラフェルの別綴。

エトレムプスコス Etrempsuchos（アストロムプスコス Astrompsuchos） 7天の1つを護衛する1人。オクスフォード大学のボドレイ図書館所蔵『ブルース・パピルス』に引用がある。

エネイイェ Eneije オカルトの教義で，魔術の儀式で招霊される印章の天使。

エネディエル Enediel 月の二十八の宿を支配する28人の天使の1人。具体的には，欠けていく段階の2日目の月の霊。〔出典：バレット『魔術師II』；レヴィ『高等魔術の教理と祭儀』〕

エノク＝メタトロン Enoch-Metatron 族長エノクは生きたまま昇天していき（『創世記』

5：24)，位階の中で最も偉大な1人，「すべての天使の王」であるメタトロンとなった。(参照：『イズドゥバル叙事詩』のアッシリア人の伝説) 人間として生きていたときに，エノクは366冊もの書物(エノク文献)を編んだと言われる。伝説によれば，エノク＝メタトロンはサンダルフォンの双子の兄弟であり，また栄光を授けられたときに36万5000個の目と36対の翼を与えられたという。[出典：ギンズバーグ『ユダヤ人の伝説』Ⅰ]「列王記下」第2章にあるようにエリヤが天に上げられる劇的な様子は，それ以前ではエノクの状況に類似しているように思われる。というのも，エノクもまた，『ユダヤ人の伝説』Ⅰ，130で語られているように，「火の馬に引かれた火の戦車で」連れ去られたからである。しかし，もう少し先へ進むと(p138)，大洪水以前の族長を地上から天へと運んだのは，1頭の馬あるいは1組の馬ではなく，天使(アンピエル)であったことが明らかになる。だが，これは別の旅でのことであったかもしれない。アラブ人にとって，エノクはイドリス(コーラン，19章，スーラ 56)であった。『ピルケ・ラビ・エリエゼル』では，天文学と算数の発明をエノクに帰している。伝説はエノク＝メタトロンとベヘモトを結び付けている。[出典：フォーロング『宗教百科辞典』]

エピティティオク Epititiokh　純潔のアイオン。グノーシス派の伝承に言及がある。[出典：ドレッセ『エジプト・グノーシス主義の秘密の書』p178]

エピノイア Epinoia　ヴァレンティヌス派のグノーシス主義で，神の第1の女性的な現われ。シェキナ，聖霊(後者は，ある資料では，生あるもの〈ゾウイ〉の母とみなされた。したがって女性）を参照。[出典：ドレッセ『エジプト・グノーシス主義の秘密の書』p2]

エピマ Epima　エイアエルに対応する天使。

エフェメラエ 〔短命な者〕Ephemerae　わずか1日も生きられなかった天使たち。賛美歌を歌い終えるとすぐに息を引き取ったという。[出典：「ダニエル書」7：10；タルムード『ハギガ』14a]

エフカル Efchal（エフキエル Efchiel）　天使ゾフィエルのもう1つの名か？［『天使ラジエルの書』Ⅰ，42b；シュワーブ『天使学用語辞典』；"Studies in Philology" XLVII, 2 (1950

年4月)；ウェスト「ミルトンの天使の名前」を参照]

エフニエル Efniel　智天使ケルビムの位に属する天使。『天使ラジエルの書』の中のエフニエルという名前は，(R. H. ウェストがエフカルの項に引用して述べているように) ミルトンのゼフォンの発想の源であったかもしれない。

エブフエル Ebuhuel　『モーセの第6，第7の書』に記されているように，全能の天使8人の1人。カバラの招魂術で招霊される。

エブリエル Ebriel　10人の邪悪なセフィロトの第9番目。[出典：ソリアのイサク・ハ＝コヘン文献]

エブリス Eblis（イブリス Iblis，ハリス Haris，「絶望」の意）　ペルシアおよびアラビアの伝承で，キリスト教のサタンに相当する。ユングの『ユダヤ教，キリスト教，イスラム教文献における堕天使』の中のイブン・アッパースによれば，高位の天使として，かつて天国のエデンの園の宝物の管理人であった。ベックフォードはその東洋趣味的伝奇小説『ヴァテック』の中で，エブリスを次のように紹介している。「堕天以前，エブリスはアザゼルと呼ばれた。アダムが創造されたとき，神はすべての天使にアダムを崇拝するよう命じたが，エブリスはこれを拒否した。」[参照：コーラン18章] さらに，ギンズバーグの『ユダヤ人の伝説』Ⅰ，63の中で次のような伝説が語られている。「あなたが私を煙の立たない炎から創造したのなら，私は塵から出来た被造物をあがめましょうか。」すると直ちに神はエブリスをシェタン(悪魔)に変えてしまった。そして彼は悪魔たちの父となったのである。アウグスティヌス(『エンキリディオン（便覧）』28) やコーランにおけるムハンマドにとって，エブリスは天使や堕天使というよりもむしろ霊魔ジンである。アラブ人は霊を3つのカテゴリー，すなわち，天使，霊魔(善悪にかかわらず)，そしてデーモンに分ける。エブリスの曽孫がムハンマドからコーランの数章を教わったという伝説がある。[出典：『イスラム百科辞典』Ⅲ, 191]

エベド Ebed　天使メタトロンの多くの名の1つ。

エヘレス Eheres　オカルトの教義で，蜜蠟の清めで祈願される天使。[出典：『ソロモンの鍵』；シャー『オカルティズム――その理論と

実践』p25〕ルイス・スペンスは，この名は「聖霊に属する」としている。

エホヴァの天使 Angel of Jehovah →主の天使 Angel of the Lord

エミアル Emial　オカルティズムにおいて，コウモリの清め〔コウモリの血液を清める儀式〕で祈願される天使。〔出典：『ソロモンの大きな鍵』〕

エムピュレアン（最高天）Empyrean　キリスト教天使学において，神と天使の住居。プトレマイオスにとっては，ダンテやミルトン同様，それは第5天であり，神の御座である。

エメクミヤフ Emekmiyahu　天使メタトロンの多くの名前の1つ。

エラスティエル Erastiel　第5天の第4区で仕える天使。〔出典：『モーセの第6，第7の書』〕

エラタオト Erathaoth →エラタオル Erathaol

エラタオル Erathaol（エラタオト Erathaoth）　グノーシス派の神学における7人のアルコンの1人。オリゲネス（『ケルソス反駁』Ⅵ，30）は，オフィス派の資料を引いて，エラタオルあるいはエラタオトを，ミカエルやラファエル，ガブリエルやオノエル，タウタバオトやスリエルと並んで記している。招霊されると犬の姿で現われる。〔出典：ミード『3倍に偉大なヘルメス』Ⅰ，294〕

エラディン Eradin　特別な儀式で唱えられる天使の名前。〔出典：ウェイト『黒魔術と契約の書』〕

エラデル Eladel　ルーンズの『カバラの知恵』に列挙されているように，黄道十二宮を支配する72人の天使の1人。

選ばれし者 Elect One, The　『エノク書Ⅰ』（『エノク書』）では，メタトロン，人の子，あるいは聖霊の主と同一視される。

エラミズ Elamiz　夜の11時の天使で，ダルダリエルに仕える。〔出典：『レメゲトン』p70〕

エラモス Elamos　ソロモンの招喚儀式において魔術士の祈りの中で唱えられる霊。〔出典：『真の魔術書』〕

エリエル Eliel（エラエル Elael）　モンゴメリーの『ニプールのアラム語呪文原典』で，「おそらく儀礼魔術で唱えられる」天使。

エリオナス Erionas（エリオネ Erione）　オカルトの教義で，蜜蠟の清めにおいて祈願される天使。〔出典：ゴランツ『ソロモンの鍵』〕

エリオン Elion, Elyon（フェニキア語で「最高位の者」の意）　第1天においてオファニエルの補佐官。葦の聖別儀式でその名が唱えられる天使であり，救いの天使でもある。疫病が流行ったとき，モーセはエリオンを招霊してエジプトに雹を降らせた。アブラハムがヤハウェ（神）と同一視したといわれるメルキゼデクの神でもある。「創世記」第14章，第18章，第19章，第22章参照。〔出典：フォーロング『宗教百科辞典』〕

エリギオン Erygion　ヨシュアがモアブ人に対し勝利するために招霊した天使（あるいは神）の名前。〔出典：メイザーズ『ソロモンの大きな鍵』〕

エリファニアサイ Eliphaniasai　『ソロモンのアルマデル』にあるように，魔術の祈りで祈願される第3コーラあるいは高み〔コーラは四方位のことで，第3は北を示す〕の天使。

エリミエル Elimiel　ユダヤのカバラで，月の天使（霊，叡智体）。

エリム Elim（「樹々」の意。ヘブライ語で「力強い者」の意）　使徒リベウスの守護天使。エリムという用語は，エレリムやタフサリムの階級と並んで，天使でも高位の階級（『第3エノク書』に言及）を表わしている。

エリメレク Elimelech（「我が神は王なり」の意）　R. M. グラントの『グノーシス主義と初期キリスト教』p49によれば，夏の天使であり，その名は『エノク書Ⅰ』82：13-20に由来しているという。「無数の統率者の首領」，天使ヘエルと関連づけられる。

エリヤ Elijah（ギリシア語でエリアス Elias，「我が神はエホヴァ」の意）　旧約聖書によれば，まだ生きているうちに天国に移された2人のヘブライ人の族長がいた。すなわち，神はエノクを「取られた」（「創世記」第5章）のであり，エリヤは火の戦車で運ばれた（「列王記下」2：11）。そしてエノクは天使メタトロンに変えられ，エリヤはサンダルフォンに変えられた（しかし，エリヤは全く最初から天使であったという伝説もある。「炎の天使の軍勢の中で最も偉大で最も強力な1人」）。別の伝説が語るところによれば，エリヤは死の天使と闘って押さ

えつけたが、もし神の仲裁がなかったら（神はおそらく、少なくともこの場合は、死の天使をまだ必要としていたと思われる）、完全に打ち負かしていたであろうということである。タルムードにも、モーセが死の天使——実際には彼らの幾人か——と出会う似たような話がある。

「マラキ書」4：5は、エリヤはメシアの先触れとなるだろうと予言している。「ルカによる福音書」では、エリヤは変容の山にモーセと共に現われ、イエスと言葉を交わす。『ピルケ・ラビ・エリエゼル』によれば、天国ではエリヤは「魂の導き手であり、その任務は楽園の十字路に立ち、敬虔な信者たちを約束された場所へと案内すること」となっている。リゼンスクのハシド派のラビ、エリメレク（d.1786）は、変容後のエリヤを「聖約の天使」として言及している。ユダヤ人の家庭では、過越の祭の際には、エリヤの杯がブドウ酒で満たされ、「予定の客」であるこの天使のための席として左側を空けておく。[出典：ギンズバーグ『ユダヤ人の伝説』]

大英博物館の東洋部門には、楽園でエノクと出会い、生命の樹の果実を食べているエリヤを描いている古写本（6673）がある。その図はバッジの『魔除けと護符』p277に収載。ブレイクは『天国と地獄の結婚』でエリヤを悪魔と天使の合成したものとして描いている。「私は、燃えさかる炎を抱きしめんと両の腕を伸ばす天使を見た。この者は燃え尽くされ、エリヤとして立ち上がった。」「この天使はいまや悪魔となったが、私の特別な友である」とブレイクは注釈を添えている。

エリライオス Elilaios　グノーシス主義では、7人のアルコンの1人、第6天に住む。[出典：『カトリック大辞典』「グノーシス主義」の項；ドレッセ『エジプト・グノーシス主義の秘密の書』]

エル El（複数はエロヒム elohim）　神あるいは天使に対する用語。カナンの叙事詩伝承では、エルは人間の女性と交わってシャハル Shahar とシャリム Shalim をもうけた天使である。

エル・アウリア El Auria　炎の天使。オウリエルあるいはウリエルと同等視される。

エル＝アドレル El-Adrel　シャーの『魔術の秘伝』p248の中で、招喚者の好みの音楽を奏って来させるために招霊される守護霊（天使）。『能天使の書』でも言及されている。

エル・エル El El　北風の門を護衛する天使の1人。『オザル・ミドラシム』Ⅱ、316に言及されている。

エルカナ Elkanah →エカヌス Ecanus

エルゲディアル Ergedial　月の二十八宿を支配する28人の天使の1人。[出典：バレット『魔術師』Ⅱ]

エルズラ Erzla　『ソロモンの鍵』で、儀式で招霊される恵み深い天使。

エルトラエル Ertrael　『エノク書』に挙げられている堕天使。

エルバテル Elubatel　8人の全能の天使の1人。『モーセの第6、第7の書』では全能の天使は2人で、エブフエルとアトゥエスエルとなっている。彼らはレビヤタンの招喚において呼び出される。退去の際には、それぞれの天使の名前を「大地の4方向に向かって3度ずつ呼ばなければならず、また3度角笛を吹かなければならない」。

エルモシエル Ermosiel　2時の天使で、アナエルに仕える。

エレイノス Eleinos　グノーシス派の伝承で、能天使、あるいはアイオンの1人。[出典：ドレッセ『エジプト・グノーシス主義の秘密の書』]

エレグブオ Eregbuo　天使ダニエルに対応する天使。

エレミア Elemiah　『イェツィラの書』で、生命の樹の8人の熾天使の1人。シェムハムフォラエ神の神秘的な名をもつ天使（72人のうちの1人）。旅行や航海を支配する。対応する天使はセナケル。エレミアの霊符は、アンブランの『実践カバラ』のp260を参照。

エレミエル Eremiel（イェリミエル Jerimiel、ヒエリミエル Hierimiel、イェレミエル Jeremiel、レミエル Remiel、など）　黄泉の国で魂を監視する天使。『エリヤの黙示録』（シュタインドルフ編）ではウリエルと同等視されている。『第Ⅳエズラ書』と『ゼファニアの黙示録』に登場するのはその異名。

エレリム あるいは**アレリム** Ere(l)im or Arelim（「勇敢なる者」の意）　イシムとも呼ばれる。天上の位階制度において、座天使と同等の階級。名は「イザヤ書」33：7に由来。エ

レリムは白い火で成り立ち，第3天（あるいは第4天か第5天）に配置され，7万もの天使たちで構成される。ギンズバーグは『ユダヤ人の伝説』の中でエレリムについて，草や樹木，果物や穀類の管理に配されていると述べている。律法家がエデンの園を訪れた際，メタトロンはモーセに彼らを示した。[出典：『モーセの黙示録』] タルムード『カタボト』104aは，「アレリムの位の天使と人間のうちで最もすぐれた者が聖櫃を得ようとしたが，天使の方がまさり聖櫃は彼らのものとなった」と語っている。エレリムは『マセケト・アジルト』によれば，「ミカエルの支配下にある天使の10階級の1つ」である。[出典：『第3エノク書』]

エレル Erel 聖なる天使あるいは神の名。ソロモンの招喚の儀式では，この名においてデーモンたちは現われるよう命ぜられる。[出典：メイザーズ『ソロモンの大きな鍵』]

エレレト Eleleth（ヘレレト Heleleth） 『ヨハネのアポクリフォン』では，大アイオンであるアウトゲネスを囲んで立つ4人の天体天使（ルミナリ）の1人。[フロネーシスと比較せよ。] →ヘレレト

エロ Ero ハジエルと対になる天使。

エロア Eloa クロップシュトックの『メシア［救世主］』で，偉大な（男性の）天使。アルフレッド・ド・ヴィニーの詩『エロア』(1823)では，イエスが流した涙から生まれた女性の天使の名である。

エロアイ Eloai オリゲネスによれば，（グノーシス主義の）オフィス派の体系で，7人のアルコンの1人。

エロイ Eloi（エロイエイン Eloiein） イルダバオトによって「自分自身に似せて」創造された7人の天使の1人。[出典：キング『グノーシス主義とその遺産』p15]

エロイエイン Eloiein（エロイ Eloi） グノーシス派の宇宙論における7人のアルコン（天上の能天使たち）の1人。[出典：『カトリック大辞典』「グノーシス主義」の項]

エロエウス Eloeus フェニキア神話で，7人いる神の御前のエロヒム（天使）の1人で，宇宙の建造者の1人。（グノーシス主義の）オフィス派の伝承では，7日を構成する7つの天の7人の君主のうちの1人である。[出典：エピファニオス『ペナリオン』]

エロギウム Elogium ヘブライ人の暦で，エルル（9月）を支配する天使。[出典：シュワーブ『天使学用語辞典』] 通常9月の支配天使はウリエル（ズリエル）。

エロトシ Erotosi 火星の守護霊。護符の魔術でその名を使用される。[出典：『魔術の歴史と実践（Ⅰ, 68, 317；Ⅱ, 475)』] ヘルメティズムでは，能天使の位の指導者。

エロハ Eloha（複数はエロハイム Elohaymあるいはエロヒム Elohim）『モーセの第6，第7の書』にあるように，能天使の位の天使。エロハはカバラ主義者による招喚の儀式で呼び出される。

エロヒ Elohi 火の清め〔魔術で使う火を清める儀式〕でその名が唱えられる天使。10ある神の名前に対応する，天使の位階で5番目にあたる。ソロモンの招喚の儀式では，エロヒは魔道士の祈りによって招霊される。[出典：スペンス『オカルティズムの辞典』；メイザーズ『ソロモンの大きな鍵』] メイザーズによれば，エロヒの名が発せられると，「神は海や川を干上がらせる」という。

エロヒム Elohim ヘブライ語では単数形でも複数形でもヤハウェ（YHWH）を表わす。この用語は，女性形単数の"eloh"と男性形複数の"im"に由来する。それゆえ神は本来両性具有と考えられた。「サムエル記上」28：13で，エン・ドルの女（魔女ではない）がサウルに「神々［ここではヘブライ語のエロヒム］が地から上って来るのが見えます」と言っているのは，神や神々ではなくむしろ，（上からではなく下からの）死者の霊を示しているように思われる。『ゾハル』（民数記208b）でラビ・イサクは，「そして神［エロヒム］がバラアムにやって来た」という「申命記」の一節に注釈を与え，「この節で，エロヒムは天使を示していることがわかる。なぜなら，時として天使は上位の名で呼ばれることがあるから」と述べている。ミランドラの天上の位階のリストでは，エロヒムは第9番目（ディオニュシオスが天使の位の1つとしている）に位置している。『天地生成の書』では，10人いるセフィロトの第7番目に位置し，ネツァク（勝利）に対応する。ブレイクの素描「アダムに生命を与えるエロヒム」を参照。

エロヘイイ Eloheij 印章の天使。『モーセの第6，第7の書』に言及がある。

「幼児の天使」ベラスケス作。「聖母の戴冠」の細部。
レガメイ『天使』より転載。

オ

エロムニア Elomnia（エロミナ Elomina） 第3の高みを支配する5人の天使長の1人。〔出典：『ソロモンのアルマデル』〕

エロメエル Elomeel（イリュルミエル Ilylumiel） エノクの伝承（『エノク書Ⅰ』82：1）で、それぞれの季節の天使の指導者の1人。

エロルカイオス Elorkhaios 創造の秘密が洩らされた神秘的な存在。グノーシス派の『シェムの釈義』に言及がある。

エンウォ Enwo マンダ教で、7惑星の霊の1つ。特に彼は学問と知恵のウトラ（天使）で、ユダヤ＝キリスト教天使学ではラファエルに匹敵する。

エンガ Enga ルキフェルに向けられる月曜日の招喚で用いられる、神の神聖な名前の1つ。〔出典：ウェイト『黒魔術と契約の書』〕

エンジェル →天使

エン・スフ En Suf（アイン・ソフ Ain Soph、「限りなきもの」の意） カバラにおいて、不可視で想像すらできない至高の存在、宇宙の創造主、パルツフィムで擬人化されるようになった神の実体の名。〔参照：ゾロアスター教徒のゼルヴァン・アカラナ；コルドヴェロとショーレムの著作〕

エンティティー（実在）Entities オカルトの教義における天使の階級。これらの天使たちは金色のラメで覆われている。〔出典：アンブラン『実践カバラ』〕

エンマヌエル Emmanuel（「神は我らと共に」の意） 灼熱の場所にいる天使で、シドラス、ミサク、そしてアベドネゴの傍らに現われる。招喚の儀式では、第3の印章の下に呼び出される。ヴィニーの詩「大洪水」の中でエンマヌエルは、人間の女性によって生まれた天使の息子の名と同じく、天使の名である。カバラでは、ブリア界のマルクト（王国）のセフィラとなっている。〔出典：アンブラン『実践カバラ』〕

オ

オイリン Oirin カルデア宇宙論における、地の王国の見張りの天使。→イリン〔出典：『術者アブラ＝メリンの聖なる魔術』、『魔術師』p208〕

オウ Ou ウリエルの異名。天使オウの名は、最近発見された死海文書の中の『光の子らと闇の子らの戦い』に現われる。

王冠を戴く熾天使 Crowned Seraph 6枚の翼をもつ悪魔は、エデンの園では誘惑者の立場で、王冠を戴く熾天使として描かれている。〔ウォール『悪魔』p42の図を参照。〕ファブリキウスによれば、悪魔（ルキフェル）はすべての熾天使の中からその王冠によって識別することができるが、それは光をもたらすものという彼の役割のために身につけているのだという。

王侯の子たち Sons of Princes 天使の位で、「タルムードやタルグムの10階級の1つ」とヴォルテールが『天使、守護霊、悪魔について』で述べている。ここでは子孫の意味で「子たち」が、天使の意味で「王侯」が使われているが、文字どおりには「王侯の子たち」は存在し得ない。なぜなら、天使は悪魔や地上の生物とはちがい自らの種族を生み出すことはないからである。

オウザ Ouza（ウザ Uzza）『ミドラシュ・ペティラト・モシェ』の中で、神はモーセの魂と対話し、「天使オウザとアザエルは天から降り、人間の娘と交わったために堕落したが、モーセは堕落しなかった」ことを思い出した。モーセが純粋さを保った理由は、神が目の前に姿を現わした後、モーセは妻との交わりを控えたからである。これについては、「出エジプト記」19：15において、山で神と出会う準備として純粋さを保つため、男たちは「妻のもとに行かないよう」勧められていることを思い出すだろう。これらの話はみな、婚姻の結びつきは、汚れた行為であるどころか、シェキナに祝福される神

聖なものであるというユダヤの伝統的で一般的な信仰に、矛盾していると思われる。

牡牛座の天使 →金牛宮の天使

雄牛のような天使 Taurine Angel　ギンズバーグ『ユダヤの伝承』V, 39で「雄牛のような天使の咆哮」と言及されている。これは、バビロニアのエア神信仰の焼き直しであると言われる。この天使の完全な名は「深淵の雄牛のような天使」である。その咆哮は、「低い淵から高い淵へ水が注ぎ込まれた」ときに聞かれる。〔出典：タルムード『タアニト』25b；また『ベレシト・ラバ』10〕深みの天使ラハブが、天地創造の際、上下の水を分けるのを拒絶したため神に殺されたことを思い起こさせる。

横柄の天使 Angel of Insolence　ラハブ。ラハブはまた、原初の水の天使あるいはデーモンであり、時には死の天使と同一視される。〔「イザヤ書」51：9と比較せよ。〕

オウムリエル Oumriel　第4天に住む奉仕の天使。〔出典：シュワーブ『天使学用語辞典』〕

オウル Oul　第3天の天使ダルクイエルの特別な側近。〔出典：シュワーブ『天使学用語辞典』〕

オウルパヒル Ourpahil（オウルパイル Ourpail）　マンダ教の天使。〔出典：ポニオン『マンダ教碑文』〕

オエトラ Oethra　「天と地を一団となって駆け回る」9人の天使の1人。バルトロメオがこの天使たちの正体を尋ねたとき、ベリアルはこの9人の天使の名を告げた。〔出典：『バルトロメオ福音書』p177〕

オエルタ Oertha　北の天使。「彼は炎の松明を持ち、それを傍らに置く。そして世界を凍らせないよう、そのすさまじい冷たさを暖めるのである。」〔出典：『バルトロメオ福音書』p176〕

覆いをする智天使(ケルブ) Covering Cherub　ブレイクによれば、「昔の栄光の中ではルシファー」であった。〔出典：ブレイク『4つのゾア』〕

大声の君主たち Lords of Shouting　吼える主とも呼ばれる。大声の君主たちは1550万の天使で構成され、「神の栄光を讃えている」。彼らは天使イェドゥトゥンに率いられる。〔出典：ショーレム『ゾハル』〕大声の君主たちの詠唱により、夜明けに「審判が明らかにされ、世界

が祝福される」と言われる。

丘の天使 Angel of the Hills　名前は与えられていないが、草の天使と同様に、『ラビ・アキバのアルファベット』で第1安息日に神の御前で賛美を行なう「壮麗で、恐ろしく、力強い天使長たち」に含まれている。〔出典：『ラビ・アキバのアルファベット』〕

オク Och　オカルティズムにおける、太陽を支配する天使（この「惑星」の支配者と呼ばれた別の天使については、「太陽の天使」の項目を参照）。オクは600年間の完全な健康を与えてくれる（もちろんオクを呼び出したものが600年生きるならばだが）。また、天の196のオリュンポスの領域のうち28を支配し、鉱物学者や「錬金術の王(パワジル)」と言われる。霊符についてはバッジ『魔除けと護符』p389を参照。この書では、霊の3万6536軍団を支配するとされる。更なる情報はコルネリウス・アグリッパの著作を参照。

オグ Og　堕天使の子孫。アヒヤの息子、セムヤザの孫、シホンの兄弟。ユダヤ伝承では、モーセに足首を切られて殺されたアモリ人の巨人。「民数記」21：33では、神によりイスラエルの手に引き渡されたバシャンの王。しかしながら、あの大洪水に遭い、箱船の屋根に登って助かったという伝説もある。パリトは、オグの別名。→ゴグとマゴグ

オクティノモン Octinomon（オクティノモス Octinomos）　葦の聖別儀式〔魔術に用いる羊皮紙を作るのに必要な葦のナイフを製する儀式〕の招喚で唱えられる「神のまことに聖なる天使」。

オグドアス Ogdoas　グノーシス主義では、最高天の能天使のグループを構成する。著名なグノーシス主義者バシリデスの説では、「偉大なアルコンの世界」を構成する。古代ギリシアでは、第8天はオグドアスと呼ばれ、神の知恵の住居である。

驕りの天使 Angel of Pride　ラハブ、サタン。

オザ Ozah（ウザ Uzah）『希望の書』のリストにある、天使メタトロンがもつ多くの名の1つ。

オサエル Osael　第5天に住む火曜日の天使。南の方角から招霊される。〔出典：バレット『魔術師』II〕

オシリス Osiris　『失楽園』I, 478の堕天使。

ミルトンはオシリスをエジプト神話から採りあげた。エジプト神話では、偉大な神でイシスの夫であり、兄弟のテュポン〔セト〕に殺された。

オスガエビアル Osgaebial　昼の8時を支配する天使。また「随行する雲霞のごとき数の天使」を指揮する。[出典：ウェイト訳『レメゲトン』]

オセニ Oseny　『モーセの第6、第7の書』において、儀礼魔術で唱えられる智天使。熾天使とも呼ばれる。

オーソリティー Authorities　能天使あるいは力天使の別称。あるいは、ディオニュシオスの体系以前は別の天使の階級で、能天使、力天使とも異なる。『使徒憲章』(クレメンティアと呼ばれるミサの礼拝方式)とダマスコのヨアンネスにおいては、能天使(dunamis)とオーソリティー(exousia)は別の2つの階級である。『正統信仰論』でダマスコのヨアンネスは、ディオニュシオスによる9階級の中で、能天使を5番目の階級、オーソリティー(力天使)を6番目の階級とした。『レヴィの誓約』では、オーソリティーは座天使とともに第4天に住むとされる。[出典：ケアード『権天使と能天使』；ディオニュシオス『天上位階論』；付録「天上の位階の階級」を参照。]

恐れの天使 Angel of Fear　イロウエル、モラエル。これらは魔除けの天使である。

堕ちた大天使 Archangel Ruin'd, Ruined Archangel　ミルトン『失楽園』I, 593で用いられた、堕天したサタンの通り名。「堕ちた大天使とはいえ、彼の姿はその本来の光輝を全く失っているわけではなかった」。

オテオス Otheos　ウェイトの『黒魔術と契約の書』によれば、「宝物を発見するため招霊される、まことに聖なる名前」。『モーセの第6、第7の書』では、カバラ主義者の召喚の儀式に用いられた大地の霊。

乙女座の天使 →処女宮の天使

オトモン Otmon　メルカバの教義において、「イスラエルの罪人を封じ込める時」のメタトロンの名。[出典：『第3エノク書』43]

オトリエル Othriel　魔術で招霊される霊。[出典：シュワーブ『天使学用語辞典』]

オナイェフェトン Onayepheton (オネイフェトン Oneipheton)　霊の名。神はこの霊により、死者を呼び出し再生しようとする。[出典：メイザーズ『ソロモンの大きな鍵』]

オナフィエル Onafiel　ロングフェローの『黄金伝説』(後期版)によれば、月を支配する天使。ロングフェローは初期の版では、月を支配する天使をガブリエルとしている。オナフィエルは、ロングフェローがオファニエル Ofaniel と書き記そうとして f と n の位置を間違えたために出来た新造語らしい。

オニエル Oniel　おそらくオノエルと同一。フトリエルと同等視される。アハブが住む地獄の第5区の監督者。アハブは「来世になんの分け前も持たない」少数の者の1人。[出典：『ミドラシュ・コネン』；ギンズバーグ『ユダヤ人の伝説』IV, 188；『ラビ・ヨシュア・ベン・レヴィの黙示録』]

オノエル Onoel (オニエル Oniel, ハミエル Hamiel, ハニエル Haniel, アナエル Anael) グノーシス主義では、7人のアルコンの1人。オリゲネスは、ロバの姿をした悪魔としている。しかしオリゲネスのリストでは、ガブリエルとミカエルも7人のアルコンに含まれる。[出典：コニベア『ソロモンの誓約』；グラント『グノーシス主義と初期キリスト教』；ミード『3倍に偉大なヘルメス』I, 294；オリゲネス『ケルソス反駁』]

オノマタト Onomatath　『バルトロメオ福音書』p117で言及された「天と地を一団となって駆け回る」9人の天使の1人。ベリアルが9人の天使を名付け、バルトロメオに告げた。

オハジア Ohazia　御前の天使の長であり、第3天を護衛する天使の1人。[出典：『オザル・ミドラシム』I, 117]

オバドン Obaddon　アバドンの別名。クロップシュトック『メシア』では、熾天使でイトゥリエルの仲間。『メシア』の第7編ではオバドンは「死の使い」とされる。[参照：「ヨハネ黙示録」9：10では、アバドン(アポリオン〔アポリュオン〕)とともに、「底なしの淵の天使」と呼ばれる。]

オピエル Opiel　モンゴメリーの『ニプールのアラム語呪文原典』によれば、愛の呪文で招霊される天使。

オビズト Obizuth　大天使バザザトが敗走させた、翼のある雌のドラゴン。

オファエル Ofael　第5天の火曜日の天使で、南の方角から招霊される。[出典：デ・アバノ

『ヘプタメロン』]

オファニエル Ofaniel (Ophaniel) あるいはオファン Ofan (Ophan)（オフニエル Ofniel, ヤリエル Yahriel） オファニム（座天使）の位の長で、この階級名の元となった。月を支配するとされ、時には「月輪の天使」と言われる。『第3エノク書』では、16の顔と100対の翼と8466の目をもつとされる。「能天使の命令を実行する7人の高位の座天使スロウン の1人。」［出典：『ソロモンのアルマデル』；『モーセの第6、第7の書』］「エゼキエル書」1：20の注釈で、ラシは「古代伝承では、オファン、すなわちこの階級の支配者は、サンダルフォンと同一視される」と述べている。［出典：ギンズバーグ『エッセネ派とカバラ』の「用語解説」］

オファニム Ofanim (Ophanim, 字義は「車輪」「多眼のもの」) メルカバの教えでは、オファニムは後にはガルガリムと呼ばれ、座天使の位に相当する。エノク書では「燃える炭火のオファニム」と言われる。『ゾハル』では熾天使より高い地位にある。ミランドラの体系では、天使の9段階の6番目になる。階級名の元となったオファニエルがこの位の統率者であるが、リクビエルやラファエルが長であるという説もある。ギンズバーグの『エッセネ派とカバラ』p90は、天使の軍勢の間ではオファニムが「知恵」のセフィラを象徴すると述べている。ミルトンはオファニムを智天使と結び付けた。［出典：ウェスト『ミルトンと天使』］

オファニム Ophanim (ofan〈n〉im） 智天使の位を指すヘブライ語の言葉。

オファン Ophan 古代の賢人たちが天使サンダルフォンと同一視した天使。

オフィエル Ofiel 産褥の魔除けの70人の天使の1人。［出典：『天使ラジエルの書』；バッジ『魔除けと護符』p225］

オフィエル Ophiel 7人（あるいは14人）のオリュムポスの精霊の1人。水星を支配する能天使の位の天使で、招霊に応じる。10万の軍団を成す下位の霊が配下にいる。霊符についてはコルネリウス・アグリッパの著作を参照。オフィエルの名は、死者を召集するために鳴らすギラルディウスの妖術の鐘にも現われる。［出典：グリヨ『妖術師・秘術師・錬金術師の博物館』144図；『魔術のアルバテル』］

オフィオモルフス Ophiomorphus オフィス派（グノーシス主義）の伝承では、蛇のオフィオモルフスは、ヘブライの悪魔サマエルの名である。［出典：レッジ『キリスト教の先行者と対抗者』II, p52］

オフィス Ophis（「蛇」の意） アッシリアのフェルシエスが「謀反の天使たちの統率者」と述べ、またバレットの『魔術師』やバトラーの『儀礼魔術』に登場する天使。オフィス派は、オフィスを神の知恵のシンボルとして崇めた。オフィスは蛇の姿となって、人間のために、エデンの園でアダムとエヴァに禁断の果実を食べることを勧めた。バレットの『魔術師』II (p46の挿絵) ではオフィスはデーモンとして描かれている。

オフニエル ofniel →オファニエル Ofaniel

オマエル Omael 種を殖やし、種族を存続させ、錬金術師に影響を与える天使。主天使の位の天使であり（あるいは、であった）、シェムハムフォラエ神の神秘的な名をもつ72人の天使の1人でもある。堕天使か、あるいはまだ高潔な天使なのか、入手できる資料から決定するのは難しい。天国と地獄の両方の領域に影響を与えるらしい。［出典：アンブラン『実践カバラ』］

オミエル Omiel シュワーブの『天使学用語辞典』に記された、大洪水以前に人間と「交わった」天使。

オメリエル Omeliel (オメリエイ Omeliei) 土星の第3の五芒星ペンタクル にヘブライ文字で記された4人の天使の1人。オメリエルの名がある招霊の魔方陣は、シャーの『魔術の秘伝』p54に収載されている。

オモフォルス Omophorus マニ教における「世界を支える天使」。アトラスのように肩で大地を支えている。→スプレンディテネス

オライオス Oraios (オレウス Oreus) グノーシス主義のオフィス派の教義に現われる、7人のアルコンの1人。［出典：『カトリック大辞典』「Gnosticism」の項］

オラエル Orael 土星の叡智体インテリジェンス の1人。

オラニル Oranir 夏至の9人の天使の長であり、護符にすると邪視から身を守る力がある。［出典：トラクテンバーグ『ユダヤ魔術と迷信』］

オリアレス Oriares (ナレル Narel) 冬を支配する天使の1人。

オリヴィエル Olivier　ミカエリスの『悔悛した女の驚嘆すべき憑依と改宗の物語』に記されている。かつては大天使の君主だった。[出典：ガリネ『フランスの魔術の歴史』；ド・プランシー『地獄の辞典』Ⅲ]

オリエル Oriel　(アウリエル Auriel,「神の光」の意)　産褥の魔除けの70人の天使の1人であり、昼の10時を支配する。『天上の天使』では神の天使と呼ばれる。[出典：『天使ラジエルの書』；バッジ『魔除けと護符』]

オリオク Oriockh, Oriock　(アリウク Ariukh, Ariuk)　『エノク書Ⅱ』によれば、神は、オリオクとマリオクの2人の天使にエノクが書いた本を守るように指示した。オリオク Oriocの名は、「創世記」14；1と14；9、「ダニエル書」2；14に見られる〔いずれもアルヨクと訳されている〕。しかし天使の名ではない。

オリオン Orion　クロップシュトックの『メシア』では聖ペトロの守護天使。エリファス・レヴィは、オリオンとミカエルを同一人物とした。→セムヤザ(墜ちた熾天使とギリシアでオリオン(狩人)と呼ばれる星座との象徴的関係について)

オリオン座の天使 Angel of Orion　『ラビ・アキバのアルファベット』で、オリオン座の天使(名前は与えられていない)は、第1安息日に神の御前で賛美を行なう「壮麗で、恐ろしく、力強い天使長たち」に含まれている。

オリフィエル Orifiel　(Oriphiel, オリフェル Orifel, オルフィエル Orfiel, Orphiel)　グレゴリウス教皇のリストによれば、7人の大天使の1人。他の書では座天使の位の君主であり、コルネリウス・アグリッパの『オカルト哲学の第3の書』では土星を支配する天使。エリファス・レヴィによれば、ヘブライのカバラではサトゥルヌスのように荒野の天使。ウェイト訳『レメゲトン』では、オルフィエル Orphiel は7人の世界の補佐役の1人であり、アナエルに仕える昼の2時の天使。護符についてのパラケルススの教義では、護符の長であり、エジプトの惑星霊の1人になっている。さらに土曜日の天使でもある。文学ではロングフェローの『黄金の伝説』が、土星を支配する天使としている。ただしこの作品の初版ではそれはアナキエルであった。レミ・ド・グールモンの演劇『リリト』の登場人物であり、キャベルの『悪魔の息子』では日和見主義の大天使である。[出典：クリスチャン『魔術の歴史と実践』Ⅰ，317]

オリフェル Orifel　→オリフィエル Orifiel

オリベル Oribel　ウリエルの別名。西暦745年にザカリアス教皇によって堕天使と非難された1人である。[出典：ヒューズ『海に働く人々』；ヘイウッド『聖なる天使の階級』]

オリュムポスの精霊 Olympian Spirits　16世紀の儀礼魔術書『魔術のアルバテル』によれば、空中と惑星空間に住み、196の領域に分けられた宇宙を分担して支配する。アラトンあるいはアラトロン、ベトル、ファレグ、オク、ハギト、オフィエル(あるいはオリフィエル)、フルの7つの偉大な位階がある。[出典：ゲイナー『神秘主義辞典』]「天の執事」という別名もある。

オル Ol　黄道十二宮の天使の1人。獅子宮を象徴し、これを支配する。火の三宮の1つともされる。[出典：ウェイト訳『レメゲトン』]

オル Or　『真の魔術書』で言及された、悪魔祓いの儀式、特に香の呪文で招霊される偉大な天使。

オルス Orus　(あるいは、ホルス Horus)　『失楽園』Ⅰ，478の堕天使。

オルファニエル Orphaniel　オカルトの教義では、「偉大で尊い讃えるべき天使、第1軍団の指揮官」。月曜日の招喚で唱えられる。[出典：『古代魔術書』；『トゥリエルの秘密の魔術書』]

オルフィエル Orphiel　→オリフィエル Orifiel

オルマエル Ormael　イェフィシャに仕える，夜の4時の天使。[出典：ウェイト訳『レメゲトン』]

オルマス Ormas　ウリエルに仕える、昼の10時の天使。

オルマズド Ormazd　(オルムズド Ormuzd)　ゾロアスター教では、善の最高の力であり、光の王。そして、後に闇と悪の王となるアフリマンの双子の兄弟である。2人ともそれぞれの領域で最高の位に就く。この二元性は、ユダヤ教、キリスト教のいずれからも、一神教支持の立場から否定された。一神教では、悪魔はただ神の黙認のもとでのみ存在する。オルマズドは時に天使に伴われた髭のある男として描写される。

オリュムピアの聖霊と7つの惑星の天使たちの霊符と宮。
ウェイト『儀礼魔術の書』より。

オルマリ　Ormary　バリエルに仕える，昼の11時の天使。

オルミイェル　Ormijel　ヴァクミエルに仕える，昼の4時の天使。

オルミシエル　Ormisiel　ファリスに仕える，夜の2時の天使。

オレア　Ore'a　ヘハロト伝承（『マアセ・メルカバ』）において第4天の館を護衛する天使。

オレウス　Oreus（オライオス Oraios, ホライオス Horaios）　フェニキア神話において，世界の創造者である，神の御前の7人のエロヒム（天使）の1人。エイレナイオスによれば，オフィス派の7人のアルコンの1人である。オリゲネスの『ケルソス反駁』によれば，オレウスの名は魔術に由来する。

オロイアエル　Oroiael　グノーシス主義における4人の偉大な天体天使（ルミナリー）の1人。エイレナイオスは，ウリエルかラグエルと同一視した。［出典：『ヨハネのアポクリフォン』］

オロマシム　Oromasim　『モーセの第6，第7の書』によれば，3人の世界の支配者の1人。他の2人はアラミネム Araminem とミトリム Mitrim。

オン　On　メイザーズの『ソロモンの大きな鍵』で，葦の聖別儀式で唱えられる天使あるいは神の名。『黒魔術と契約の書』では，ルキフェルに向けた月曜日の招喚で呼び出される悪魔。

音楽の天使　Angel of Music　イスラム教の教義では，音楽の天使はイスラフェル（イスラフィル）。しばしばウリエルと同等視される。

オンゾ　Onzo　蜜蠟の清めで唱えられる「神の公正な天使」。［出典：『ソロモンの鍵』］

恩寵の天使　Angel of Grace　→アナンケル Ananchel

カ

ガアプ Gaap（タプ Tap）　かつてはポテンタテス（能天使）の階級に属していたが、いまは堕天使となり、地獄で「偉大な首長、強力な君主」の役目を務める。南の王として、地獄の聖霊の66軍団を支配する。その霊符（シジル）は『黒魔術と契約の書』p176に転載。[『儀礼魔術』と『ソロモンの小さな鍵』を参照。(後者はまた『レメゲトン』としても知られている)] ド・プランシーの『地獄の辞典』(1863年版)には、巨大なコウモリの翼をもつ人間の姿で描かれている。

カイギディエル Chaigidiel　アサイア Asaiah 界において、ブリア界のコクマ Chochma（知）に相当し、敵対する（反対の、あるいは左派の）セフィラ。[出典：ウェイト『聖なるカバラ』p256]

悔恨の天使 Angel of Repentance　さまざまな文献によれば、悔恨の天使は、牧者（シェパード）、ミカエル、ラファエル、スリエル、サラティエル、ファヌエル（ペヌエル）。[出典：『ヘルマスの牧者』；『エノク書Ⅰ』；『解釈者の聖書（注解）』]

悔悛の天使 Angel of Penance　ファヌエル。ファヌエルは希望の天使でもあり、「ヘルマスの牧者」と同一視される。

解放天使 Liberating Angel　「万世にわたって世界を解放する」シェキナは、解放天使と呼ばれる。彼女は、常に人間の近くにおり、「義人から離れることはない」。「出エジプト記」23：20の一節（「見よ、わたしはあなたの前に使いを遣わした」）は解放天使を指すが、一般的には洗礼者ヨハネを指すものとされている。[出典：ウェイト『聖なるカバラ』p344]

解放の天使 Angel of Deliverance　ゾハル文献において、解放の天使はペダエル。[出典：エイブルスン『ユダヤ神秘主義』p117]

カイム Caim（Caym、カミオ Camio）　かつては天使の位に属していたが、いまは地獄にいる偉大なる首長。ツグミの姿で現われる。地獄の霊の30軍団がこの天使に伴っている。彼の印章は、ウェイトの『黒魔術と契約の書』p182に表わされている。ド・プランシーの『地獄の辞典』によれば、ルターはカイムと有名な対戦をしたという。そこでは(1863年度版)縞のある鳥として描かれている。

カイヨト Chayyoth →ハイヨト Hayyoth

カイラ Caila　ソロモンの魔術のウリエルの呪文中で唱えられる天使。カイラというのは、魔術書によれば、「神が僕モーセに対して、自らの口で語った4つの言葉の1つ」。他の3語は、ジョスタ、アグラ、アブラティである。[出典：『真の魔術書』]

カイリエル・H' Chayyliel H'（カイイエル Chayyiel、ハイイエル Hayyiel、ハイヤル Hayyal、ハイレアル Haileal、「軍隊」の意）　カイヨトあるいはハイヨトの支配者。カイリエルの前では「天国のすべての子供たちがぶるぶる震える」。さらにまた、この偉大なるメルカバ天使については、そう思うだけで、「大地の全てをたちまち一口に飲み込む」ことができる、と言われる。奉仕の天使たちが正規の時間に三聖誦を唱え忘れたりすると、カイリエルに火の笞で打たれる。[出典：『第3エノク書』20]

カイリム Chaylim　『第3エノク書』で、「カイリエルによって支配され指揮される天使の軍隊」。

カイロウム Chairoum　『バルトロメオ福音書』p176における北の天使。[→アルファタ、→ガブリエル。ともに北を統治する天使として、同じ点で公認された。]手に「火の職杖」を持つ姿で描かれ、「地面が湿りすぎないよう調整する」。

カイロン Chaylon　儀式の魔術で招霊される智天使（ケルブ）あるいは熾天使（セラフ）。[出典：『モーセの第6、第7の書』]

カヴァキア Chavakiah　バレットの『魔術師』Ⅱで、シェムハムフォラエ神の名をもつ72人の天使の1人。

ガヴァメント（統治権） Goverments 『聖母マリアの黙示録』で，座天使，ロードシップ（君主）、力天使、大天使などとともに言及されている天使の階級。

ガヴィエル Gaviel ガルガテルやタリエルと共に，夏の3人の天使の1人として仕える。〔出典：『魔術師』Ⅱ；『ヘプタメロン』〕

カヴォド Kavod ハシディズムで，神の栄光，すなわち神が人に示す神格の姿を意味する用語。創造神，聖霊，「シェキナと呼ばれる偉大なる光輝」と等しい。また「神の座に臨む智天使」を表わす用語でもある。〔出典：ショーレム『ユダヤ神秘主義』p110ff〕

カウカベル Kawkabel →カカベル Kakabel

カヴザキエル Kavzakiel M.ガスターの『モーセの剣』に記されているように，剣の天使＝支配者の1人。

カウスブ Causub 蛇を操る天使。テュアナのアポロニウスの『ヌクテメロン』では，7時の魔神の1人。〔出典：レヴィ『高等魔術の教理と祭儀』〕

カウテル Kautel →ケトゥエル Ketuel

カウメル Chaumel 黄道十二宮において5度ずつを支配する72人の天使の1人。〔出典：ルネス『カバラの智恵』〕

ガウリイル・イシュリハ Gauriil Ishliha 東を統轄するタルムードの天使。〔→ガザルディエル〕彼の務めは，太陽が毎朝正しい時刻に昇るように監督すること。マンダ教にも登場し，ゾロアスター教のスラオシャやヘブライのガブリエルにも相当する。

ガヴレエル Gavreel（ガヴリエル Gavriel）ハーレムの黒人ユダヤ教徒のエティオピア・ヘブライ・ラビ学院（ニューヨーク）で用いられている「ガブリエル」の別綴。この宗派には4人の主要な天使がおり（ガヴレエルもその1人），病気の治療や視力の回復，敵対する者を友人にしたり，「招喚者が夜になって気が狂うのを抑えるために」招霊される。他の3人の天使は，ミカレル（ミカエルのこと），オウレル（ウリエルのこと），ラファレル（ラファエルのこと）。〔出典：ブロッツ『ハーレムの黒人ユダヤ教徒』p32-33〕『オザル・ミドラシム』では，ガヴレエルは東風の門を護衛する数多い天使の1人。ヘハロト伝承（『マアセ・メルカバ』）では，第2天あるいは第4天の館に配置

「暁の星々が共に歌う時」ウィリアム・ブレイク作。ヨブ記38：7の挿絵。ジャストロウ『ヨブ記』の口絵。

された護衛の天使である。

カエル Cael 黄道十二宮のうちの巨蟹宮を代表する，あるいは支配する天使。〔出典：ウェイト訳『レメゲトン』〕

ガガ Ga'ga ヘハロトの伝承（『マアセ・メルカバ』）で，第7天の館に配置された護衛の天使。

カカベル Kakabel（コクビエル Kochbiel, Kokbiel, カバイエル Kabaiel, コカブ Kochab,「神の星」の意）星と星位を司る天使の大公。『天使ラジエルの書』では高位の聖なる天使。しかし，一般に外典伝承では，『エノク書Ⅰ』にあるように，邪悪（堕天使）な地下王国の住人。天国であれ地獄であれ，彼の命令を行なう36万5000の代理霊を率いる。数ある職務の中には，仲間たちに占星術を教授するというのもある。→ラティエル

ガギエル Gaghiel 第6天を護衛する天使。〔出典：『オザル・ミドラシム』Ⅰ，116〕

カクマル Chachmal（カクミエル Chachmiel）『天使ラジエルの書』で言及されている，産褥の魔除けの天使70人の1人。70人のリストについては付録を見よ。

カクミエル Chachmiel →カクマル Chachmal

学問の天使 Angel of Science　知識の天使でもあるラファエル。

影なす〔翼で覆う〕智天使（ケルブ） Overshadowing Cherub　ネブカドネツァル王あるいはティルス〔ツロ〕の君主は，「影なすケルブ」（『エゼキエル書』28：16）と呼ばれた。彼は神によって殺された。［出典：『ニカイア公会議とニカイア公会議以後の教父文献選集』13「アフラハトの論選集」p335］

カザルディア Cazardia　カザルディエルの転訛。［出典：レガメイ『天使とは何か』］ガザルディエル Gazardiel（カサルディア Casardia, ガザルディヤ Gazardiya）　東の監督天使の長。『ゾハル』にあるように，「忠実な信者の祈りに接吻し，神の大空へと運ぶ」。ハイドは『古代ペルシア宗教史』でガザルディエルに言及している。ド・プランシーの『地獄の辞典』では，日の出と日の入りを監督するタルムードの天使である。レガメイは『天使とは何か』で「元素の天使の名前を教える後期ユダヤ主義」について語りながら，カサルディア（すなわちガザルディエル）は「毎日太陽が正しい時刻に昇り，正しい時刻に没するのを監視」しなければならないとしている。

ガザルニエル Gazarniel　律法者モーセが天国を訪れた際に，彼に執拗に敵対し傷つけようとした「炎」の天使。モーセはガザルニエルを，「12文字から成る聖なる名前を発することによって」見つけだしたと言われる。（注：ガザルニエルにまで言及しているものは唯一ラスキンの『カバラ，創造の書，ゾハル』だけである。ラスキン氏は，12文字よりもむしろ72文字，ハドラニエルのつもりだったかもしれない。）

カサン Chasan　メイザーズの『ソロモンの大きな鍵』における空気の天使。太陽の7番目の五芒星（ペンタクル）に名前が刻まれている。

カシエル Cassiel（Casiel, カスジエル Casziel, カフジエル Kafziel）「永遠の王国の統一を説く」孤独と涙の天使。土星の支配者の1人で，第7天の支配者。また能天使の位で，sarim（大公）の1人。時には節制の天使とし

「天使カシエル」
土曜日の支配者で，竜にまたがっている。
フランシス・バレット『魔術師』より転載。

て現われる。バレットは『魔術師』で，カシエルは土曜日の3人の天使の1人で，マカタンとウリエルと共に仕える，と述べる。『魔術師』と同様『霊の書』にも，カシエルの霊符が彼の署名と並んで掲載されている。『霊の書』には，カシエル・モコトン（そのように呼ばれている）が竜（ドラゴン）にまたがり顎ひげを生やした霊魔（ジン）の姿で描かれている。グリヨの『妖術師・秘術師・錬金術師の博物館』（p113）には，カシエルの招喚について『霊の書』からの1ページの転載がある。

カシエル Chassiel　太陽の叡智体（インテリジェンス）の1人で，『トゥリエルの秘密の魔術書』p33に記されている。

カシエル Kashiel　南風の門を守る数多い護衛の天使の1人。［出典：『オザル・ミドラシム』Ⅱ，316］

カシエル・マコトン Cassiel Macoton　バレットの『魔術師』によれば，カシエルとモコトンは2人の別々の天使で，ともに土曜日に任務につく。

カシュリエル Kashriel（トフナル Tophnar）第1天に7人いる護衛の天使の1人。ゼヴディエルに仕える（あるいは同一視される）。［出

典：『ヘハロト・ラバティ』]

カズヴィエル Kazviel　第4天の護衛の天使。[出典：『オザル・ミドラシム』Ⅰ，116]

カス・カシア Cass Cassia　皮膚のさまざまな病気の治療の際に招霊される天使。[出典：タルムード『安息日』fol.67]

カスキエル Chaskiel　産褥の魔除けの天使70人の1人。70人の天使については付録を見よ。

カスダイェ Kasdaye（ケスデヤ Kesdeya, カスデヤ Kasdeja）「堕胎も含めて，さまざまな悪行」を教える堕天使。『エノクの書（エノク書Ⅰ）』p69によれば，背教の天使たちを率いたとみなされる7人の天使の1人。

カスティエル Castiel　オカルトの教義では火曜日の天使。

カスディエル Chasdiel　黙示伝承で，「メタトロンが現世の人々に親切にしている時に」与えられた名前。[出典：『第3エノク書』43]

カスディエル Khasdiel　ヘブライの魔除けに刻まれている天使の名前で，『天使ラジエルの書』に描かれている。同書では，アダム，エヴァ，リリトや，セノイ，サンセノイ，そしてサマンゲロフという天使の名と共に，カスディエルの名は現われる。バッジの『魔除けと護符』p227を参照のこと。p277に転載。

ガストリオン Gastrion　夜の8時の天使で，ナルコリエルに仕える。

カスバク Kasbak（バスカバス Baskabas）天使メタトロンの秘密の名前。[出典：『エゼキエルの幻視』]

ガスパルド Gaspard　ソロモンの魔術の儀式で，招喚者に女性のガーターをもたらすよう招霊される霊。[出典：『真の魔術書』；シャー『魔術の秘伝』]

カスピエル Kaspiel →カスベエル Kasbeel

カズビエル Kazbiel →カスベエル Kasbeel

カズピエル Kazpiel →カスベエル Kasbeel

カスベエル Kasbeel（カズビエル Kazbiel, カスピエル Kaspiel，「魔術」の意）「罪深い」天使で，「誓約の長」として言及されている。本来の名前はビクルで，「善き人」を意味する。[→アカエ]しかしカスベエルは堕天し，堕天後「神に嘘をつく者」という意味のカズビエルに改名した。かつてミカエルに神の秘密の名前を尋ねたことがあったが，もちろんミカエルはそれを明かすことを拒否した。話については

『エノク書Ⅰ』69：13を，解説についてはバンバーガー『堕天使』p264を参照のこと。

カスマル Chasmal →ハスマル Hasmal

カスマロン Casmaron　（パピュ『隠秘学の基礎』にあるように），隠秘学における空気の天使。

カスミロス Casmiros　夜の11時の天使。ダルダリエルに仕える。

カスモダイ Chasmodai　パラケルススの護符の教義によれば月の霊。月を支配する叡智体がマラク・ベであると言われる。[出典：クリスチャン『魔術の歴史と実践』Ⅰ]

カスヨイア Casujoiah　磨羯宮を支配する天使。[出典：ウェイト訳『レメゲトン』]

ガズリエル Gazriel　70人いる産褥の魔除けの天使の1人。[付録を参照。]

風 Winds　よく引用される「ヘブライ人への手紙」1：7の一節で，風は（少なくともこの用例では）天使を意味する。「神は，その天使たちを風とし，御自分に仕える者たちを燃える炎とす。」

火星の天使 Angel of (the planet) Mars　ウリエル，サマエル（ザミエル），ガブリエル，カマエル（カムフィールドの『天使についての神学的論説』において）。[出典：キルヒャー『エジプトのオイディプス』；レヴィ『高等魔術の教理と祭儀』；ルノルマン『カルデア魔術』]

風の天使 Angel of the Wind　「ヨハネの黙示録」7：1には，風を司る4人の天使への言及がある。オカルト文献（M.ガスター『モーセの剣』），『ヨベル書』『第3エノク書』では，以下の名前が風を司る天使として挙げられている。モリエル，ルヒエル，ルジエル，ベン・ネズ，天上のエフェメラエ（短命な者）。ロングフェロウの詩「サンダルフォン」では，風と火の天使たちは「賛歌を1つだけ歌い，消え去る」と詠われている。デューラーは風を支配する天使の版画を創作した（レガメイ『天使』p310の図版を参照）。智天使は風の擬人化と見なされていた[出典：詩編18：10]。

カダキエル Chadakiel →ハダキエル Hadakiel

カダシエル Kadashiel　南風の門を護衛する数多い天使の1人。[出典：『オザル・ミドラシム』Ⅱ，3，7]

カダシム Kadashim →カディシム Kadishim

カダト Cadat　ソロモンの魔術の中で唱えられる「まことに清純な天使」。[出典：『真の魔術書』]

ガダメル Gadamel →ハギエル Hagiel

カダル Kadal　70人いる産褥の魔除けの天使の1人。

ガダル Gadal　ウエイトの『儀礼魔術の書』p155によれば，魔術の儀式で招霊される天使。

家畜の天使 Angel Over (Tame) Beasts　ベヘミエル，ハリエル。

家畜の天使 Angel over Tame Beasts →ベヘミエル Behemiel

カツフィエル katzfiel　剣の天使の支配者で，第6天の護衛。カツフィエルの剣は電光を発すると言われる。[出典：『オザル・ミドラシム』I，p118]

カツミエル Katzmiel　第6天に配置された護衛の天使の1人。[出典：『ピルケ・ヘハロト』]

カディ(エル) Kadi(el)　第3天で仕える金曜日の天使で，西より招霊される。[出典：バレット『魔術師』II；デ・アバノ『ヘプタメロン』]

ガティエル Gat(h)iel　第5天を護衛する天使の1人。[出典：『オザル・ミドラシム』I，116]

ガディエル Gadiel　メイザーズの『ソロモンの大きな鍵』で示されるように，降霊魔術の操作で招霊される「まことに神聖なる天使」。第5天に居住。[出典：『モーセの第6，第7の書』]『オザル・ミドラシム』II，316では，南風の門を護衛する数多くの天使の1人。その名が東洋の護符に刻まれているという事実から，身につけている者を悪から守る力とみなされていたにちがいない。[出典：シュライアー『ヘブライの魔除け』]

カディシム Kadishim（カダシムあるいはカディシン Kadashim or Qaddisin，「神聖な者」の意）　メルカバ天使たちよりも高位の天使たちで，第6天あるいは第7天に住む。絶えまない崇拝の聖歌で神を賛美する。イリンとともに，天使のベト・ディン bethdin すなわち審判員を構成する。ラビ教義の伝説によれば，この階級の長は「雹で作られ，非常に背が高く，その距離を歩くには500年かかる」ということである。

モーセは楽園訪問の際，イリンの一団の中にいる彼ら天使たちと出会っている。[出典：『第3エノク書』；ギンズバーグ『ユダヤ人の伝説』II，308]

カディシン →カァディシン

カディル＝ラマン Kadir-Rahman（「慈悲の能天使」の意）　ヤズィード派の悪魔崇拝で，7人いる大天使の1人。祈りの言葉で招霊される。「慈悲の能天使」の7人すべての名前については付録を参照のこと。

ガデル Gader　ヘハロトの伝承（『マアセ・メルカバ』）で，第4天の館に配置された護衛の天使。

ガード Guards　『失楽園』IV，550で言及される天上の位階。XII，590には，能天使としてごく初期に言及され，また智天使とも同等視されたガードたちが，ミカエルの指揮下にいる。アルフレッド・ド・ヴィニーはその詩『エロア』で，ガードの位について触れている。[出典：ウェスト『ミルトンと天使』]

カドゥレク Cadulech　剣の呪文の中で唱えられる，神のまことに聖なる天使。[出典：『真の魔術書』]

カドカダエル Kadkadael　ヘハロト伝承（『マアセ・メルカバ』）で，第6天の館に配置された護衛の天使。

カトキエル Katchiel　70人いる産褥の魔除けの天使の1人。

カドシュ Kadosh　ヘハロト伝承（『マアセ・メルカバ』）で，第4天の館に配置された護衛の天使。

カドミエル Kadmiel（「神の御前」の意）　『天使ラジエルの書』にあるように，出産の際に招霊される70人の天使の1人。

カドリエル Kadriel　『ゾハル』(Balak 201b)において，天地創造の初まりに神によって創造された3つの「口」の1つ。同時に創造されたもう1つの「口」は，天使ヤハドリエルである(ある)。この天使の名は，おそらく預言者の声を表わすだろう。またこれに関連して，「天地創造の初まり」とは最初の安息日の前夜のことである。

ガドリエル Gadriel　第5天を支配する天使の長で，国家間の戦争を監督する。[→ガドレエル] ガドリエルは，祈りが天に上ってくると，それに冠を戴かせ，第6天まで同行する。[出

典：『ゾハル』（出エジプト記202a)］別の偉大な天使サンダルフォンは，天国から天国へではなく，人間から直接神へ伝達するために，祈りに冠を戴かせたと言われている。

ガドレエル Gadreel（ガドリエル Gadriel，アラム語で「神は我が助け手」の意）　エノク関連の伝承において，堕天使の１人。エヴァを誤らせたのはガドレエルであると評される。それが真実なら，サタンではなくガドレエルがエデンの園で話す蛇や誘惑者になっていただろう。アザゼル同様，人間に戦争の武器を教える（『エノク書Ⅰ』69，6)。『第Ⅳマカバイ記』はエヴァの誘惑に言及しているが，彼女は「不実な蛇に欺かれて」「処女の純潔」を汚されたことはないと主張していると述べる。ガドレエルはこの資料では名指しで言及されていない。

カトロイィェ Catroije　カバラで，第２天に仕える天使。[出典：『モーセの第６，第７の書』]

ガナエル Ganael　天使アブディエルとカマエルの共同統治の下に仕える，７人の惑星の支配者（選帝侯）の１人。[出典：コニベア『ソロモンの誓約』]

悲しみの天使 Angel of Grief　ローマのプロテスタント墓地の有名碑に記された言葉。アメリカの彫刻家・詩人のW.W.ストーリーの作品であり，彼は妻と共にその墓地に埋葬されている。カリフォルニアのスタンフォード大学のレプリカは，1906年に起きた地震の犠牲者の追悼碑として建てられた。

カニエル Chaniel　『天使ラジエルの書』とバッジの『魔除けと護符』p255において言及されている，産褥の魔除けの天使70人の１人。『オザル・ミドラシム』Ⅱ，316では，東風の門の護衛の天使の１人である。

カニエル Kaniel　70人いる産褥の魔除けの天使の１人。70人すべての名前については付録を参照のこと。

蟹座の天使 →巨蟹宮の天使

カネロアス Canleoas　魔術の操作で招霊される「まことに聖なる天使」。メイザーズ『ソロモンの大きな鍵』に言及されている。

カハヴィエル Kahaviel　→ダハヴィエル Dahaviel

カパビリ Capabili　主の日（日曜日）を支配する第４天の天使で，西から招霊される。

カパビレ Capabile　太陽の御使いの３人の天使の１人。[出典：マルクス『トゥリエルの秘密の魔術書』]

ガバミア Gabamiah　ソロモンの降霊魔術の儀式で，天使ウリエルの名前がもつ呪文の力によって招霊される偉大なる天使。[出典：『真の魔術書』]

カバリム Chabalym　カバラの魔術儀式で招霊される熾天使あるいは智天使。

カビエル Cabiel　月の二十八宿を支配する28人の天使の１人。

カビエル Khabiel　第１天の護衛を監督する１人。『ピルケ・ヘハロト』にその名が挙げられている。

カピティエル Capitiel　魔術の祈禱書の中で呼び出される，４番目のコーラあるいは高み〔北の方角にあたる〕の天使たちの１人。『ソロモンのアルマデル』に言及されている。

カビリ Kabiri　７人いる。フェニキアの神話では，世界の創造主である。グノーシス派やラビの教えにおける神の御前の７人の天使に比べられる。

カフォン Cafon →ゼフォン Zephon

カフカフィエル Kaphkaphiel　魔除けのための東洋風の護符に刻まれている天使の名前。

カブキエル Kabchiel　マンダ教における天使。[出典：ポニョン『マンダ教碑文』]

カフケフォニ Kafkefoni　７人の永続的に邪悪なセフィロトの１人。マジキン mazzikin の王で，「小さな瘤にかかった者」の夫。[出典：バンバーガー『堕天使』p174]

カフジエル Kafziel（カシエル Cassiel，「神の速さ」の意）　王の死を支配する天使。ゲオニムの伝承では，土星を支配する７人の大天使の１人。さまざまな綴をもつカフシエルと同じく，月の監督官である。[出典：『ユダヤ魔術と迷信』]『ゾハル』（民数記 155a）において，ガブリエルが軍旗を携えて戦いに赴くときは，副官長として，ヒズキエルと共に仕える。

カブシエル Kabshiel　ユダヤの神秘主義で，呪文で呼び出され，機嫌が良いときには神の恩寵と力を授ける天使。「カブシエル」という名は，魔除けに刻まれている。[出典：トラクテンバーグ『ユダヤ魔術と迷信』]

ガブテロン Gabuthelon　「世界の終わりに」支配するであろう９人の中の１人として，エズラ

に明かされた天使。他は次の通り——ミカエル，ガブリエル，ウリエル，ラファエル，そしてアケル，アルフギトノス，ベブロス，ゼブレオン。
［『ニカイア以前の教父たち双書』Ⅲ，573「エズラ書」を参照。］

カブニエル Kabniel　カバラで，愚鈍さを治すために招霊される天使。［出典：モーゼス・ボタレル『マヤン・ハホクマ』］

カフリエル Caphriel　オカルティズムにおいて「力強い天使」。7番目の日（安息日）の支配者の長。土星の招喚の中で招霊される。
［出典：バレット『魔術師』Ⅱ；デ・クレアモント『古代魔術書』］

カフリエル Chafriel　産褥の魔除けの天使70人の1人。

カブリエル Cabriel（Kabriel, Cabrael）　宝瓶宮を支配する天使。天国の4域に配置された6人の天使の1人。［出典：『天使ラジエルの書』；ヘイウッド『聖なる天使の階級』］

ガブリエル Gabriel（「神は我が力」の意）　ユダヤ＝キリスト教とイスラム教の教義において，2人の最高位の天使の1人。受胎告知，復活，慈悲，復讐，死，啓示の天使である。ミカエルを除き，旧約聖書で名前が挙げられている唯一の天使。ただしそれは旧約聖書の中にふつう外典と見なされている「トビト記」を入れない場合のことで，もし含める場合にはこの書に登場するラファエルが聖書において3番目に名前を挙げられる天使となる（しかし，拙論「聖書に名前を挙げられた天使たち」を参照されたし。7人もの天使たちの名が挙げられている）。ガブリエルはエデンの園を統轄し，第1天の支配者でありながら，神の左側に座っていると言われる（神の住まいは一般に第7天か第10天と信じられている）。

ムハンマドは，自分にコーランを章ごとに書き取らせたのは，「140対の翼」をもつガブリエル（イスラム教のジブリル）であったと述べている。イスラム教徒たちにとっては真理の霊である。ユダヤの伝説では，平原の罪深い都市（ソドムとゴモラも入っている）に死と破壊をもたらしたのがガブリエルであった。また，タルムード『サンヒドリン』95bによれば，「天地創造以来用意されていた鋭く尖った大鎌で」センナケリブの軍勢を打ち倒したのは，ガブリエルであった。タルムードの他の箇所では，ワシュティ王妃が自分に代わってエステルが王妃に選ばれるようアハシュエロス〔クセルクセス〕王や客人たちの前に裸で現われようとするのを，妨げたのがガブリエルとされる。「ダニエル書」第8章では，ダニエルは，雄羊と雄山羊との出会いの意味を教えるガブリエルの前にひれ伏している。名高いケルンの聖書には，この出来事が木版画で描かれている。カバラ主義者たちは，ガブリエルを「亜麻布をまとった者」と同一視する（「エゼキエル書」第9－10章）。「ダニエル書」第10－11章では，この亜麻布をまとった者はミカエルに助けられる。

ラビ文献ではガブリエルは正義の君主である。
［出典：コルドヴェロ『デボラのシュロの木』p56］オリゲネスは著書『諸原理について』Ⅰ，81でガブリエルを戦争の天使と呼んでいる。ジェロームはガブリエルをハモンと同等視している。ミルトンによれば（『失楽園』Ⅳ，549），ガブリエルは，エデンの園じゅうに置かれた護衛の天使の統率者であるという。炉から救出された3人の聖者（ハナニア，ミシャエル，アザリア）の事件について言えば，この奇跡を成し遂げたのは，ユダヤの伝説によればガブリエルである。他の資料ではそれをミカエルに帰している。ガブリエルはまた，ペヌエルでヤコブと格闘した人＝神＝天使と同一視されている。この「謎の相手」としては，ミカエル，ウリエル，メタトロン，サマエル，そしてカムエルなどの天使たちが名を連ねている。レンブラントはこの有名な遭遇を描いた。

『ムハンマドの前に現われた天使ガブリエル』
ジャミアル＝タワリクの写本より。
エディンバラ大学所蔵。

コーランの20章，88に由来するイスラム教伝説は，ガブリエルの馬の蹄の跡から舞い上がったほこりが黄金の子牛の口に入ると，子牛はすぐに動きだしたと語る。『イスラム百科辞典』Ⅰ，502によれば，ムハンマドはガブリエルを聖霊と混同した。しかしこれは，「マタイによる福音書」1：20と「ルカによる福音書」1：26の矛盾する説明によって生じたもので，その間違いの理由はわからないでもない。前者は，マリアに子を宿らせたのが聖霊であるのに対して，後者は，「彼女〔マリア〕のところに来て」，彼女が「神から恵みをいただき」「身ごもった」ことを知らせるのが，ガブリエルである。バンバーガー『堕天使』p109はバビロニアの伝説を引用しながら次のように述べている。ガブリエルはかつて「与えられた命令に忠実に従わなかったため」不興をこうむり，「しばらくの間，天国の幕の外にいた」。この期間，ペルシアの守護天使ドビエルがガブリエルの代理を務めた。

ところでガブリエルという名前はカルデア起源で，捕囚以前のユダヤ人には知られていなかった。パールシー教徒の119人の天使たちの最初のリストには，ガブリエルの名は見あたらない。ガブリエルはヨセフの教導天使である。ミドラシュ〔古代ユダヤの聖書注解書〕の『エレ・エゼラ』では，伝説的な10人の殉教者たち（ユダヤの賢人たち）の話に登場する。10人のうちの1人ラビ・イシュマエルは天国へ上ってゆき，なぜ自分たちが死に値するのかガブリエルに尋ねる。ガブリエルは，ヨセフを奴隷として売ったヤコブの10人の息子の罪をお前たちが償うのだ，と返答する。

ジャンヌ・ダルクの法廷証言によれば，フランスの王を助けに行くよう霊感を与えたのはガブリエルであったという。時代がさらに下ると，インディアナ州ニュー・ハーモニーにある再臨教団の指導者ジョージ・ラップ神父を訪れた天使として，ガブリエルは登場する。そして，同市のマクルーア＝オウエン邸の庭にあった石灰岩板に足跡を残す。ロングフェローの『黄金伝説』はガブリエルを，希望という贈り物を人間にもたらす月の天使としている。

ガブリエルがマリアに吉報をもたらす天使として描かれる受胎告知の絵は，巨匠たちによって無数に描かれている。韻文の言葉による描写は稀だが，その1つは17世紀のイギリスの詩人

〈レオナルド・ダ・ヴィンチによるガブリエル図〉「受胎告知」細部。
ウフィツィ美術館，フィレンツェ。レガメイ『天使』より転載。

リチャード・クラショーによるものである。四行連句は『聖堂への歩み』からのもの。「天国より黄金の翼もてる御使いの天使，かの者は遅く出会いぬ／貧しきガリラヤの乙女に遣わせしもの。／輝ける若さは低く身をかがめ，大いなる畏れもて／不死なる花々をその清らかな御手に差しいだす。」

カブリル Chabril　夜の2時の天使。ファリスに仕える。

カヘテル Cahet(h)el　8人の熾天使のうちの1人。農作物を支配し，またシェムハムフォラエ神の名をもつ72人の天使たちの1人。カバラにおいて，一般に農作物の量を増やしたり良いものにしたりするために頻繁に招霊される。相当する天使はアシカット。霊符についてはアンブランの『実践カバラ』p260を参照のこと。

カホエル Chahoel　カバラで，黄道十二宮の5度ずつを支配する72人の天使の1人。

カホル Cahor　詐欺の守護霊。テュアナのアポロニウスの『ヌクテメロン』で，3時の守護霊とされている。

カマイサル Camaysar　オカルティズムで，「対立者の結婚の」天使。5時の守護霊。［出典：テュアナのアポロニウス『ヌクテメロン』］

カマエル Camael（Khamael，カミエル Camiel，カミウル Camiul，カムエル Chamuel，ケムエル Kemuel，カムニエル Camniel，カンセル Cancel，「神を見るもの」の意） 能天使の位の長で，セフィロトの1人。オカルトの教義では，冥界に属し，パラティン伯〔王権の代行を許された領主〕に列せられている。招霊されると，岩の上にうずくまるヒョウの姿で現われる。カバラでは，カマエル（ケムエル）はブリア界の10人（実際は9人）の大天使の1人。エリファス・レヴィは，「それは，神の正義を象徴する名である」と『魔術の歴史』で言っている。レヴィの著書の第10章への脚注で編者のウェイトは，ドルイドの神話ではカマエルは戦争の神であったとしている。このことは，神秘主義において火星の支配者として，また7つの惑星を統治する天使の1人として，カマエルが頻繁に言及されることからも推測できる。〔出典：「天使の護符」の図像については『幸運の書』p.514を参照。そこにカマエルという名が登場する。〕『魔術師』では，「神の御前に立つ7人の天使たち」の1人となっている。伝説では，モーセが神の手から律法を受け取るのをこの偉大なる天使が妨げようとしたので，律法者〔モーセ〕が殺したとある〔→ケムエル〕。また別の伝説では，カマエル（ケムエル）について，1万2000の破壊の天使たちを監督するとされている。〔出典：『ユダヤ人の伝説』Ⅲ〕クレメントの『美術の中の天使』では，ヤコブと格闘した天使となっている。また，イエスがゲツセマネの園で苦悩しているとき，イエスを力づけるために現われた天使でもある（ふつうガブリエルと同一視される）。

カマエル Khamael →カマエル Camael

ガマリエル Gamaliel（ヘブライ語で「神の報い」の意） カバラやグノーシス主義の著作における，偉大なアイオンあるいは指導者たちの1人で，ガブリエルやアブラクサス，ミカルやサムロとも協同している慈悲深い霊。しかしながら，レヴィは『オカルト哲学』で，ガマリエルを邪悪なもの，リリト（放蕩のデーモン）に仕える「智天使の敵対者」とみなしている。『息子セトへのアダムの黙示録』（コプト語の黙示録）では，「神の選民たちを天国へ引き上げること」を使命とする，高貴で聖なる天上の能天使の1人である。

カマル Camal（ヘブライ語で「神を願う」の意） カバラで，大天使の1人の名。〔出典：『術者アブラ＝メルリンの聖なる魔術』〕

ガミエル Gamiel ウェイト訳『レメゲトン』によれば，夜の1時を支配する最高位の天使。

カミオ Camio →カイム Caim

ガミドイ Gamidoi 魔術の操作の際に招霊される「まことに聖なる天使」。メイザーズの『ソロモンの大きな鍵』に言及がある。

雷の天使 Angel of Thunder ラミエルと（あるいは）ウリエル。ウリエルは火の天使，雷光の天使でもある。アッシリア＝バビロニア神話では，雷の神はアダド。『ラルース神話辞典』p59の図版を参照。バビロニアのもう1人の雷の神はリモン。

神の息 Spiritus Dei (the breath of God) 天使を表わすためにラクタンティウスが用いた表現。〔出典：シュネヴァイス『ラクタンティウスによる天使とデーモン』〕

神の栄光 Glory of God 11–12世紀のユダヤの詩人，賢人であるユダ・ハ＝レヴィによれば，「神の栄光」とは，「天使たちの霊的な道具——玉座，戦車，蒼穹，オファニムあるいはガルガリム（車輪）も含めて，天使たちの全階級を意味する」用語。〔出典：エイブルスン『ユダヤ神秘主義』〕

神の獣 Divine Beasts 聖なるハイヨト。

神の下僕 Servant of God 天使アブディエルのこと。アブディエルの文字どおりの意味は「神の下僕」であり，『失楽園』Ⅵ，29でそう呼ばれている。

神の子 Son of God 『第Ⅱエズラ記』（第Ⅳエズラ記）でそのように呼ばれる天使。この称号は通常はイエスに充てられる。

神の御前の王 Prince of the Face, prince of the Presence 偉大な天使の位階のうちでこの称号をもつ者は，ミカエル，アカトリエル，ファヌエル，ラジエル，ウリエル，メタトロン，イェフェフィア，スリエル，サンダルフォン，など。→神の御前の天使

神の御前の天使 Angel of the Divine Presence ブレイクは彫刻「ラオコオン」に「神の御前の天使」という副題を付している。

神の御前の天使 Angels of the Face ラビ伝承で最も頻繁に言及される御前の天使は，メタ

トロン，ミカエル，イェホエル，スリエル，イェフェフィア，ザグザガエル，ウリエルである。およそ12人おり，きよめの天使，栄光の天使としても言及される。彼らはみな創造の時にきよめられた。

神の御前の天使 Angel of His Presence　たいていシェキナを指す。「イザヤ書」63：9「彼らの苦難を常に御自分の苦難とし／御前に仕える御使いによって彼らを救う」と比較せよ。ラビ伝承では，この階級の天使は12人いるとされ，ミカエル，ガブリエル，ウリエル，そしてザグザガエルが中でも卓越した天使とされる。
→きよめの天使，→栄光の天使

神の御前の天使 Angels of the Presence　単に御前の天使とも言う。たいていは，ミカエル，メタトロン，スリエル，サンダルフォン，アスタンファエウス，サラファエル，ファヌエル，イェホエル，ザグザガエル，ウリエル，イェフェフィア，アカトリエルの12人。創造の時にすでにきよめられていた，栄光の天使，きよめの天使の2つの集団と同一視される。『ヨベル書』15：27を参照。1：27では，創造の物語をモーセに明かすのは，御前の天使であるが，その名前は明らかになっていない。「おそらくミカエルであろう」とR.H.チャールズは述べている。族長ユダは『ユダの誓約』（『十二族長の誓約』に含まれる）の中で，御前の天使（名前はわからない）が彼を祝福したと述べている。『ゾハル』（Ⅰ, Vayere）では，御前の天使たちは「神秘」つまり神の目的を明かしたときに，神の御前から追放される。[出典：『ラビ文献集成』p162]

ブレイクは「ミルトン」という詩の中で「御前の天使」に触れている。ブレイクには「アダムとエヴァを皮膚のコートで包む神の御前の天使」という絵画もあり，ケンブリッジのフィッツウィリアム美術館に保管されている。ラビ文学の伝統では，70人の守護天使を御前の天使とみなしている。『レビの誓約』（『十二族長の誓約』に含まれる）では，御前の天使は第6天に住むとされる。[出典：アイゼンメンガー『ユダヤ人の伝統』Ⅰ；『賛歌の書』Ⅴ；『ユダの誓約』（『十二族長の誓約』に所収）；リー『魔術の歴史を探る資料』Ⅰ, 17]

神の子たち Sons of God　『創世記』6章の言葉で，一般に天使を意味すると理解されている。神の子たちは，人間の女たちと交わって，堕天使となった。これはヨセフスの見解であり，別の解釈がないわけではないが，幾世紀にもわたって信奉され，現代でも通用している。ミルトンは『復楽園』Ⅱで，「神の子と誤って称せられたものたちは堕天使のことである」と考えている。「ヨブ記」38：7の「そのとき，夜明けの星はこぞって喜び歌い／神の子らは皆，喜びの声をあげた」を参照。カバラでは，この言葉が「第8のセフィラ（ホド）に従う天上の存在特有の位階（ベネ・エロヒム）」を表わすと，『エッセネ派とカバラ』p92でギンズバーグが語っている。「別の解釈」については，次のことに注意されたい。『ゾハル』の著者と断定されるシメオン・ベン・ヨハイは，「創世記」6章を解釈して，神の子たちが「性的器官をもち，人間の娘たちと姦淫を犯す」と述べる者は誰であれ災いあれと呪っている。とりわけ自分の弟子で妙な解釈を下す者を罵っている。[出典：『新シャフ=ヘルツォーク宗教学辞典』「Angels」の項]

神の戦車 Chariots of God　聖なる車輪（オファニム）。ミルトンは，この天使たちの階級を智天使と熾天使と同一であるとみなした。すなわち，彼らは，ユダヤの律法学者たちからそのように分類されたのである。ショーレムは『ゾハル』で，12人の族長が「神の聖なる車輪」にされたとしている。

神の戦車の天使 Angel of the Divine Chariot
→リクビエル・ヤハウェ Rikbiel YHWH

神の知恵 Divine Wisdom　カバラでは，神の知恵あるいはチョクマは聖なるセフィロトの2番目で，天使ラジエルとして擬人化される。

神の天使 Angel of God　ウリエル，あるいは神自身。旧約聖書における「主の天使」「神の天使」という表現は，神を意味する。また『ラビ・イシュマエルのメキルタ』に見られるように，エロヒム（神あるいは神々）の代称である。[出典：オリゲネス『ヨハネによる福音注解』に引用されたユダヤの偽書『ヨセフの祈り』]

神の鳥 Bird of God　ダンテが天使を表わすのに使った語。

神の72の名 Seventy-two Names of God　『教皇大ホノリウスの魔術書』に記されている。その多くの名が，天使の名と同一視されている。

［出典：ウェイト『黒魔術と契約の書』p240；シャー『魔術の秘伝』p261］

神の憤怒の天使 Angels of the Wrath of God　「ヨハネの黙示録」で，名前を与えられてはいないが言及される7人の神の憤怒の天使がいる（いた）。

カミュエル Chamyel　『モーセの第6，第7の書』に挙げられた15人の座天使の1人。付録を参照のこと。

カムエル Camuel →カマエル Camael

カムエル Chamuel（Kamuel，ハニエル Haniel，シミエル Simiel，など。「神を捜すもの」の意）　7人の大天使の1人で，主天使ドミネイションの位の長。ニスロクや他の天使たちとともに，能天使の位の長でもある。ガブリエルと同じく，ゲツセマネの天使で，復活を保証してイエスを力づけた。［出典：バレット『魔術師』；『エノク書I』；R. L. ゲイルズ「キリスト教の天使伝承」］

カムエル Kamuel →カマエル Camael

ガムシエル Gamsiel　夜の8時の天使で，ナルコリエルに仕える。

カムビエル Cambiel　トリテミウスによれば，宝瓶宮（水瓶座）の支配者で，9時の天使。

ガムビエル Gambiel　カムフィールド『天使についての神学的論説』で言及されているように，黄道十二宮で宝瓶宮の支配者。『モーセの第6，第7の書』でもまた黄道十二宮の天使と言われている。

カムビル Cambill　ナルコリエルに仕える，夜の8時の天使。［出典：ウェイト訳『レメゲトン』］

ガムブリエル Gambriel　第5天の護衛天使の1人。［出典：『ピルケ・ヘハロト』］

ガムリアル Gamrial　7つある天上の館を管理する64人の天使の1人。［出典：『ピルケ・ヘハロト』］

ガメリン Gamerin　『真の魔術書』より引用しているウェイトの『儀礼魔術の書』p160によれば，儀礼魔術で特別な礼拝のために呼ばれる天使。召喚の儀式の始まる前に，ガメリンの名を魔法の剣に彫らなければならない。

カメロン Cameron　ベラティエルに仕える，昼の12時の天使。この天使はまたデーモンとも見なされている。アスタロトの召喚におけると同様，ベエルゼブトの召喚においても仕えてい

る。［出典：『自然魔術と非自然魔術』；バトラー『儀式魔術』；シャー『魔術の秘伝』］

ガモリン・デバビム Gamorin Debabim（ガメリン Gamerin）　剣の招喚で招霊される天使。［出典：メイザーズ『ソロモンの大きな鍵』］

カヤ Chaya　ハイヨトの単数形。

カヨ Chayo　魔術で召霊される座天使。『モーセの第6，第7の書』に列挙されている15人の天使の1人。15人全員の名前については付録を見よ。

カヨ Chayoh →ハイヨト Hayyoth

火曜日の天使 Angel of Tuesday　サマエル，サタエル，アマビエル，フリアグネ，カルマクス，アラゴン，ヒニエル。

カヨト Chajoth →ハイヨト Hayyoth

カラヴァ Charavah →カルビエル Charbiel

カラエル Kharael　『ソロモンの誓約』に登場する天使。その名を唱えると，デーモンのベルベルを追い出すことができると，ベルベル自身も認めている。［出典：『エジプト・グノーシス主義の秘密の書』p203］

カラカサ Caracasa　オカルトの教義で，コレ，アマティエル，コミソロスなどの天使とともに春の天使。

カラニエル Caraniel　モーセの神秘的な伝説において，第3天に仕える天使。［出典：『モーセの第6，第7の書』］

カリエル Calliel（Caliel）　第2天で仕える座天使の1人。逆境から迅速に救ってくれるよう招霊される。シェムハムフォラエ神の名をもつ72人の天使の1人。相当する天使はテルサトソア（あるいはテピサトソア）。カリエルの霊符については，アンブランの『実践カバラ』p267を参照のこと。

ガリエル Galiel　天使メタトロンがもつ多くの名前の1つ。

ガリエル Gariel　ハイム・ハジズの「セラフ」（"The Literary Review" 1958年春号）によれば，シナニムという階級〔付録参照〕の天使。『ヘハロト・ラバティ』では，第5天の護衛の天使である。

カリザンティン Calizantin　召喚の儀式で招霊される「善き天使」。［出典：『真のキリストの書』］

カリス Charis（「優美」の意）　グノーシス主義で，神の意志により流出される高貴な天体

天使の1人。

ガリズル Galizur（Gallizur, ガリツル Gallitzur, ラジエル Raziel, ラグイル Raguil, アクラシエル Akrasiel, ヘブライ語で「岩の啓示者」の意）　シモン・ベン・ラキシュが言っているように, モーセが天国で出会うタルムード伝承の偉大な天使の1人。『天使ラジエルの書』をアダムに与えたと考えられるのは,「ラジエルと呼ばれた」ガリズルである（→ラハブ）。第2天の支配天使であり, 律法の神の知恵の解釈者。「ガリズルは, ハイヨトの火のように熱い息が奉仕の天使たちを焼き尽くさないように, その翼を彼らの上に広げている。」（ハイヨトは「世界を持ち上げている」聖なる生き物。）［出典:『ピルケ・ラビ・エリエゼル』;『ペシクタ・ラバティ』］

カル Kal　ネブカドネツァル王の守護天使。［出典:ギンズバーグ『ユダヤ人の伝説』Ⅵ, 424］

カルヴェル Calvel →カルエル Caluel

カルエル Caluel（カルヴェル Calvel）　第2天あるいは第3天に住む水曜日の天使で, 南から招霊される。相当する天使はテルサトソアであることから, カルエルは, カリエルの別名であると思われる。

カルカイル Kalka'il　イスラム教の伝統で, 悪魔祓いの儀式で祈願される守護天使。［出典:ヒューズ『イスラム辞典』「天使」の項］また, 第5天の天使で, アッラー崇拝に携わるホウリス（黒い瞳の天上のニンフ）の身なりをした天使の一団を監督する。［出典:ヘイスティングズ『宗教・倫理辞典』Ⅳ, 619］

カルカス Carcas　7人の混乱の天使の1人。アハシュエロスに関する言い伝えでは,「戸をたたく者」となっている。［出典:ギンズバーグ『ユダヤ人の伝説』Ⅳ, 375］

ガルガテル Gargatel　夏の3人の天使の1人。タリエルやガヴィエルと協同して活動する。［出典:デ・アバノ『ヘプタメロン』;バレット『魔術師』Ⅱ］

カルカトウラ Chalkatoura　『バルトロメオ福音書』によれば,「天界と地上界を一団となって走り回る」9人の天使の1人。

ガルガリエル Galgaliel（ガルグリエル Galgliel）　ラファエルとともに太陽の天使長として仕える。また, 太陽の車輪を管理する天使。さらにガルガリムの位の名称の基となった統率者とみなされている。

ガルガリム Galgal(l)im（「球形」の意）　セラフィムに等しい地位で, 天使の高位の階級。「メルカバの車輪」（つまり神の戦車）と呼ばれ, オファニムと同等視される。一般に, 長と称されるガルガリエルあるいはリクビエルとともに, この階級には8人の支配天使がいる。［出典:『ピルケ・ヘハロト』;オデバーグ『第3エノク書』］ガルガリムは, 天上の歌の詠唱を他のメルカバの天使たちと共同で行なう。

カルキ・アヴァタル Kalki Avatar　ヴェーダにおいて, 10人いる神の化身の第10番目。→アヴァタル

カルキエル Charciel（カルシエル Charsiel）　デ・アバノの『ヘプタメロン』で, 第4天に住む天使。主の日（日曜日）を支配し, 南から招霊される。

カルキエル Karkiel　70人いる産褥の魔除けの天使の1人。

カルキュドリ Chalkydri, Kalkydri（カルキュドラ Kalkydra）　太陽の飛行するエレメントである大天使たち。『エノク書Ⅱ』では, 不死鳥と関連し, 智天使と熾天使の間に位置づけられている。12の翼をもち, 日の出の際に一斉に歌いだす。住居は第4天。グノーシス派の伝承ではデーモン的なものとされている。『エノク書Ⅱ』のチャールズの序論では,「クロコダイルの頭をもつ恐ろしい蛇」であり,「エジプト人の想像力の生んだ真に迫った産物」としている。

カルク Charuch　昼の6時の天使。サミルに仕える。

ガルグリエル Galgliel →ガルガリエル Galgaliel

カルケルミヤ Kalkelmiyah　天使メタトロンがもつ多くの名前の1つ。

カルザス Calzas　第5天で仕える火曜日の天使。必ず東から招霊される。［出典:デ・アバノ『ヘプタメロン』;バレット『魔術師』Ⅱ］

ガルザナル Garzanal　悪鬼を寄せつけないための東洋の護符に刻まれている天使の名。［出典:シュライアー『ヘブライの魔除け』］

カルシエル Charsiel →カルキエル Charciel

カルシオル Carsiol　2時の天使。アナエルに仕える。［出典:ウェイト訳『レメゲトン』

シリアの魔除け
〈女悪魔（邪眼）の身体を槍で刺す，白馬に乗ったガブリエル〉
大英博物館，東洋部門，写本 No.6673。
バッジ『魔除けと護符』より転載。

p67]

ガルシャネル Garshanel 悪鬼を寄せつけないための東洋の護符に刻まれている天使の名。[出典：シュライアー『ヘブライの魔除け』]

カルディエル Cardiel 剣の呪文においてと同様，儀礼魔術において特別な儀式で招霊される天使。

カルディエル Chardiel ウェイト訳『レメゲトン』で昼の2時の天使。アナエルに仕える。

ガルティエル Garthiel 夜の1時の天使の士官長で，ガミエルの下に仕える。[出典：『レメゲトン』]

カルティオン Kartion ヘハロト伝承（『マアセ・メルカバ』）で，第7天の館に配置された護衛の天使。

ガルデル Galdel 第5天に住む火曜日の天使。南から招霊されることになっている。[出典：『ヘプタメロン』；『魔術師』II]

カルドゥレク Caldulech (Caldurech) 儀礼魔術の儀式で招霊される「まことに清純な天使」。[出典：シャー『魔術の秘伝』]

カルドロス Chardros 昼の11時の天使。バレエルに仕える。

ガルドン Gardon メイザーズの『ソロモンの大きな鍵』によれば，塩の祝福の祈りにおいて唱えられる天使。

カルニイ Charnij 昼の11時の天使。オリエルに仕える。

カルニヴェアン Carnivean （カルニヴォール Carniveau） 能天使の位の前支配者（→カル

アウ）。いまはデーモンで，「魔女の宴」の連禱で招霊される。[出典：ミカエリス『悔悛した女の驚嘆すべき憑依と改宗の物語』]

カルニエル Carniel 第3天に仕える天使。[出典：『モーセの第6，第7の書』]

カルニエル Karniel 西風の門を護衛する天使。[出典：『オザル・ミドラシム』II, 316]

カルビー Charby アバスダルホンに仕える5時の天使。[出典：ウェイト訳『レメゲトン』]

カルビエル Charbiel （カラヴァ Charavah,「乾燥」の意）「地上のすべての水を寄せ集め，乾燥させる」よう任命される天使。ノアの大洪水のあと水を干上がらせたのはこの天使である。[出典：「創世記」8：13]『バライタ・デ・マアセ・ベレシト』や『天使ラジエルの書』11章でも言及されている。

ガルフィアル Garfial （ガルフィエル Garfiel）第5天の護衛の1人。[出典：『ピルケ・ヘハロト』]

カルポン Charpon 昼の11時を支配する天使。サマエルに仕える。

カルマクス Carmax オカルティズムで，空気の火曜日の天使たちの支配者であるサマクスに奉仕する天使。[出典：デ・アバノ『ヘプタメロン』]彼と共に，他に2人の天使，イスモリとパフランが仕えている。[出典：シャー『オカルティズム：その理論と実践』p50]

カルマン Charman 夜の11時の天使。ダルダリエルに仕える。

カルミエル Karmiel 東風の門を護衛する数多い天使の1人。[出典：『オザル・ミドラシム』II, 316]

カルミヤ Kalmiya 7人いる能天使の支配者の1人で，第7天のヴェールあるいはカーテンを管理する。他の6人の天使は，通常ボエル，アシモル，プサカル（パスカル），ガブリエル，サンダルフォン，そしてウジエルである。[出典：マーゴリアス『天上の天使』p17；『オザル・ミドラシム』I, p110]

カルムス Charms 昼の9時の天使。ヴァドリエルに仕える。

カルメアス Charmeas 昼の1時の天使。サマエルに仕える。

ガルモン Galmon ヘハロトの伝承（『マアセ・メルカバ』）で，第4天の館に配置された

護衛の天使。

カルライル Kharura'il　アラビアの伝承で，悪魔祓いの儀式で名を唱えられる守護天使。[出典：ヒューズ『イスラム辞典』「天使」の項]

カレアウ〔カロー〕Carreau（カルニヴェアン Carnivean）　能天使の位の前君主。ガリネの『フランスの魔術の歴史』では，ルーダンの修道女セラフィカの肉体に憑いた悪魔の1人となっている。バルク（そういう名の悪魔がもう1人いた）がいないときは，カローが修道女の胃にとりついている一滴の水の番をしていた（原文のママ）。

ガレアリイ Galearii（「軍隊の僕」の意）　『ユダヤ百科辞典』の「天使学」の項によれば，最も低い階級の天使。[出典：フリードマン『ペシクタ・ラバティ』V, 45b と XV, 69a]

ガレ・ラジヤ Gale Raziya　天使メタトロンがもつ多くの名前の1つ。

カロウト Charouth　「天界と地上界を一団となって走り回る」9人の天使のうちの1人。→カルカトウラ

カロズ Karoz　ラビの教義では「報告の天使たち」。[出典：『感謝の賛歌』]

川の天使 Angel of Rivers　M.ガスターの『モーセの剣』では，川の天使はトルシエル。ペルシアの伝承ではダラ。

姦淫の天使 Angel of Fornication →情欲の天使 Angel of Lust

姦淫の霊 Spirit of Fornication（情欲の天使 Angel of Lust）→ファルズフ Pharzuph

歓呼（アクラメイション） Acclamations　ロバード・フラッド『両宇宙誌』によれば，原初の天使の3つの位階の1つ。それぞれの位階は，さらに3つの下位の位階に分かれる。他の2つの原初の位階は，声（ヴォイス）と幻影（アパリション）。

カンタレ Chantare　オカルトの教義では，ハハエルに対応する天使。

カンディレ Kandile　『モーセの第6，第7の書』によれば，カバラ主義者によって招霊される9人の聖なる天使の1人。

寒の天使 Angels of Cold　『ヨベル書』にこの天使への言及が見られるが，名前は与えられていない。『ニカイア公会議以前の教父たち』所収の新約聖書外典『ヨハネのアポクリフォン』でも同様である。

キ

ギアティヤ Giatiyah　天使メタトロンの多くの名前の1つ。

キヴァ Chiva →ハイヨト Hayyoth

ギエル Giel　儀礼魔術において，黄道十二宮の双子宮（双子座）を支配する天使。

記憶の天使 Angel of Memory　ザクリエル，ザドキエル，ムピエル。モーセの呪文，オカルト儀式などで招喚される。

キサエル Kisael　ヘハロト伝承（『マアセ・メルカバ』）で，第5天の館に配置された護衛の天使。

キスマエル Chismael　木星の霊。パラケルススの護符に関する学説によれば，ゾフィエルが木星を司る叡智体。[出典：クリスチャン『魔術の歴史と実践』I]

季節（四季）の天使 Angels of the (Four) Seasons　ファルラス（冬），テルヴィ（春），カスマラン（夏），アンダルケル（秋）。中世ヘブライ語文献では，四季の天使は，マルキエル，ヘレメレク，メレヤル，ナレル。[出典：『聖書解釈辞典』「Angels」の項]

ギダイヤル Gidaijal（ゲダエル Gedael，「神の繁栄」の意）『エノク書I』にあるように，季節の天体天使。「無数の頭」をもつ指導者の1人。

北風の天使 Angel of the North Wind　カイロウム。

北の天使 Angel of the North →オエルタ，→アルファタ，→ウリエル，→カイロウム

北の星の天使 Angels of the North Star　マンダ教で，アバトゥル，ムザニア，アルフム・ヒイ，4人の天使（ウトリ）。

キドゥミエル Kidumiel　70人いる産褥の魔除けの天使の1人。新生児とその母親を災難や病気から守るために招霊される。『天使ラジエルの書』にはそれら70人の霊の名前が全て記されている。

キトレアル Kitreal（キトリエル Kitriel）アカトリエルの1つの姿。[出典：シュワーブ『天使学用語辞典』]

キニエル Kyniel　第3天で仕える天使。[出典：『モーセの第6，第7の書』]

木の天使 Angel over Trees →マクティエル

Maktiel

キノル Kinor　地獄の上部の門に配置された3人の天使の1人。

希薄な空気の天使 Angel of Rarified Air　パールシー教の天使学ではラム＝クヴァストラ。マンダ教ではアヤル・ジワ。

ギプイェル Gippuyel　天使メタトロンがもつ多くの名前の1つ。[出典：オデバーグ『第3エノク書』第48章]

希望の天使 Angel of Hope　ジャン・ダニエルーの『天使とその使命』で示されているように、ファヌエル。ファヌエルは「悪魔を支配下に置く」悔悛の天使でもある。

キポド Kipod　キノルに類似した天使。他の2人は、ナグラサギエル（あるいはナスラギエル）と、アフラ・マズダの伝令使であるナイリョ・サンガ。ラビ・ヨシュアを地獄の門に案内し、地下世界との区切りを彼に示したのは、キポドである。[出典：『ラビ・ヨシュア・ベン・レヴィの黙示録』；『ミドラシュ・コネン』]

ギボリム Gibborim（「強力なる者たち」の意）　タガスの指導下にある聖歌隊の天使たちの位。「彼らは強力なる者たちであり（略）名高い英雄たち」（『創世記』第6章）である。『ゾハル』I, 25a-bによれば、ギボリムは「ただ自分たちの名を挙げたいがためだけに、シナゴーグや大学を建設し、その中に豪華な装飾を施した律法の巻物を置いている」。もしうならギボリムは邪悪なものと考えねばならないし、通常はそうみなされている。

キモス Kimos（ケモス Kemos）『エゼキエルの幻視』で引用されているように、ミカエルあるいはメタトロンの秘密の名前。[出典：ショーレム『ユダヤのグノーシス主義、メルカバ神秘主義、タルムードの伝統』]

究極の神秘の天使 Angel of the Supreme Mysteries →ラジエル Raziel

救済の天使 Angel of Salvation　ゾロアスター教では、アムシャ・スプンタ（大天使）の1人であるハウルヴァタト。正典外の伝承（エノク書とバルク書）では、救済の天使はウリエル。[出典：グレイヴス＆パタイ『ヘブライ神話』p103]

99匹の羊 Ninety-nine Sheep　天使の世界を構成している。フィリピのメトディオスの『10人の処女の饗宴』3, 6には、「99匹の羊は、能

天使と権天使と主天使の代理と見るべきである」とある。オリゲネス、エルサレムのキュリロス、ニサのグレゴリウスも同じ趣旨のことを述べた。

キュナバル Cynabal　ヴァルカン（日曜日を支配する空気の王）に仕える救いの天使。[出典：バレット『魔術師』II；デ・アバノ『ヘプタメロン』；シャー『オカルティズム──その理論と実践』]

キュリオタテス Kyriotates　ルドルフ・シュタイナーは著書『歴史の中のカルマ的関連』で、3つある天上の位階のうち2番目の位であると述べている。ここでの3人組は、エクシュシアイ（力天使あるいはオーソリティー）、キュリオタテス（主天使？）、そしてデュナミス（能天使）である。

強者 Strong, The　天使の階級。ヴォルテール『天使、守護霊、悪魔』によれば、タルムードとタルグムにある10の階級の1つ。

共存する栄光 Cohabiting Glory　ウェイトが著書『イスラエルの秘密の教義』においてシェキナに与えた称号で、彼女を「地上の男性の導き手であり、男性の一部である『女性』性」と呼んでいる。

教導天使 Preceptor Angels　ユダヤのカバラでは、偉大な族長にはそれぞれ助言したり指導したりする特別の天使がいた。アダムはラジエル、セムはヨフィエル、ノアはザフキエル、アブラハムはジデキエル（ザドキエル）、イサクはラファエル（同時に小トビトの教導天使でもあった）、ヨセフはヨシュア、ダニエルはガブリエル、ヤコブはペリエル（ペベル）、モーセはメタトロン、エリヤはマラシエルあるいはマルティエル（エリヤ自身、天使サンダルフォンになった）、サムソンはカマエル（ガマエル）、ダヴィデはケルヴィエル（ゲルヴィエル、ゲルナイウル）、ソロモンはミカエルである。

恐怖の首領 Captains of Fear →畏怖の天使 Angels of Dread

恐怖の天使 Angels of Terror　この天使たちは震えの天使と同等視される。彼らは高位の者の中でも最も強く、栄光の玉座を取り囲む。ユダヤ神秘主義では、バハドロンが恐怖の天使の首長である。バハドロンはチスリ（9－10月）の月を支配する。

享楽の天使 Angel of Luxury　マタイ書注釈

で，オリゲネスは「ミカエルに背く者は，享楽の天使の支配下に，それから懲罰の天使の支配下に入る」と述べている。

巨蟹宮の天使 Angel of (the sign of) Cancer　カエル。レヴィが『高等魔術の教理と祭儀』で引用した聖書釈義の権威ラビ・コメルによれば，巨蟹宮を支配する霊はラダルとファキエル。

玉座の運び手 Throne Bearers　イスラム教で，天使の階級の1つ。この階級には，現在は4人の天使がいるだけだが，その数は復活の日には8人に増える。[出典：コーラン40章と69章；トンプスン『セム族の魔術』]

巨人天使 Giant Angels　ミルトンの『失楽園』Ⅶ-605で，偉大なるデーモンたちがそう呼ばれている。

拒絶された天使たち Reprobated Angels　西暦745年のローマの公会議において，教皇ザカリアスの下で7人の天使が非難された。ウリエル，ラグエル，イニアス，アディムス，シミエル（セミベル），トゥブアエル（トゥブアス），サバオテ（サボアク）である。これらの天使に崇敬の念を抱く司教クレメントとアダルベルトは異端とされた。当時の教会は，新たに造り出された天使があまりに多かったため，聖書に名が記されている天使（ミカエル，ガブリエル，ラファエル）以外の天使に祈願したり崇拝したりすることを禁じたのである。だがこの紛争は8世紀より以前からのものである。4－5世紀にエウセビオスとテオドレトスがこの風習をやめさせようとしたが，成功しなかった。[出典：レガメイ『天使とは何か』p119]

きよめの天使 Angel of Sanctification　栄光の天使。神の御前の天使と同等視される。きよめの天使の首長は，ファヌエル，スリエル，メタトロン，ミカエル，ザグザガエル。神の御前の天使と同様，きよめの天使は創造された時にはすでに聖化されていた。この事実は，キリスト教以前に記された『ヨベル書』にその証しがある。

キラムル＝カティビン Kiramu'l-katibin　アラビアの伝承における2人の記録天使の名前。→記録天使

きらめく剣の炎 Flame of the Whirling Swords　エデンの園を守護する智天使（ケルビム）たちに冠せられる用語。

キランギヤ Chirangiyah →パラスラマ Par-asurama

キリエル Kyriel（クリエル Kuriel）　月の二十八宿を支配する28人の天使の1人。[出典：バレット『魔術師』Ⅱ］クリエルとして，西風の門を護衛する数多い天使の1人。[出典：『オザル・ミドラシム』Ⅱ，316]

ギリシアの天使 Angel of Greece　ヤヴァン。ギンズバーグの『ユダヤ人の伝説』Ⅰ，35には，多くのタルムード文献に取材した結果「ギリシアの天使はヤコブの梯子を180回行き来した」と述べられている。

キルタブス Kirtabus　言語の守護霊で，9時の守護神の1人。[出典：テュアナのアポロニウス『ヌクテメロン』]

記録天使 Recording Angel　プラヴィル，ヴレティル，ラドゥエリエル，ダブリエルの名は，1人の天使の別名。アラビアの伝承では，記録天使はモアキバト。しかしある伝承では，キラム・ルカティビンという天使が2人ずつ全ての信者に伴っているとされる。1人は善い行為を，もう1人は悪い行為を記録する。信者が死ぬと，その記録が記録天使によって死の天使アズラエルに運ばれる。バビロニアの伝承では，記録天使はナブあるいはネボである。R.L.スティーヴンソンの『青年男女のために』には，「結婚することは記録天使を飼い慣らすことである」と述べられている。[出典：ヒューズ『イスラム辞典』「Angels」の項]

金牛宮の天使 Angel of Taurus　儀礼魔術では，黄道十二宮の金牛宮（牡牛座）を司る天使はトゥアル，あるいはアスモデル。レヴィが『高等魔術』で引用したラビ・コメルによれば，金牛宮の支配霊はバグダルとアラジエル。

金星の天使 Angel of (the planet) Venus　アナエル（ハニエル），ハスディエル，エウラバトレス，ラファエル，ハギエル，ノグエル。

金曜日の天使 Angels over Friday　アナエル（ハニエル，アナフィエル），ラキエル，サキエル。

ク

クァウス Qaus　アラビアの招喚儀式で唱えられる天使。[出典：シャー『オカルティズム』p152]

グアエル Guael（グエル Guel）　火曜日を支

配する第5天の天使。東から招霊される。

クァディシン Qaddisin　メルカバ伝承では，双子のイリンと共に熾天使（セラフ）より上位に位置づけられる。『第3エノク書』では，これら審判の4人の天使は「天のどの子供たちより偉大であり，神の下僕の中で彼らに匹敵するものはない」とされる。4人のどの1人でも，4人以外の残り全てと同じくらい偉大だからである。

クァディス Qaddis　（複数形はクァディシン Qaddisin，「聖なる者」の意）双子のイリンと共に神の審判会議を構成する2人の天使。

クァドシュ Qadosch　インクと絵具を清める儀礼で唱えられる天使。[出典：メイザーズ『ソロモンの大きな鍵』]

クァニエル Qaniel　南風の門を護衛する数多い天使の1人。[出典：『オザル・ミドラシム』II, 316]

グアバレル Guabarel　秋の天使。グアバレルのほか，秋を支配する天使としてオカルトの教義に引用されているもう1人は，タルクアム。

クァフシエル Qafsiel（Qaphsiel，クァスピエル Qaspiel，クアフシエル Quaphsiel）月を支配する天使。『第3エノク書』では第7の館の護衛。古代ヘブライの呪文で，敵を追い払うために招霊された。その方法は，鳥の血で書いた呪文を鳩の足か羽に縛りつけ，鳩を飛び去らせる。もし飛び去れば，それは敵が逃走した印でもある。[出典：トンプスン『セム族の魔術』p817] →アトルギエル

クアボテイイ Chuabotheij　カバラにおける印章の天使。

クァマミル・ジワ Qamamir Ziwa　マンダ教における光の天使。→ラファエル

クァミエル Qamiel　南風を護衛する天使。

クァルバム Qalbam　南風の門を護衛する数多い天使の1人。[出典：『オザル・ミドラシム』II, 316]

クァンギエル・ヤ Qangiel Yah　『第3エノク書』で言及されたメタトロンの名。

空気の天使 Angel of the Air　→カサン，カスマロン，ケルブ，イアメル。

空中に勢力をもつ王 Prince of the Power of the Air　パウロの「エペソ人への手紙」2章によれば，サタンの称号。しかしワームウッド〔苦よもぎ〕やメリリムなどの同種の能力をもつ他の霊も，空中に勢力をもつ王とされる。

グヴルティアル Gvurtial　第4天の大きな館（あるいは宮殿）の1つを護衛する天使。[出典：『ピルケ・ヘハロト』]

クェムエル Qemuel（ケムエル Kemuel，カマエル Camael）神がモーセの五書（トーラー）を公布したとき，モーセがこれを受け取れないようにしようとして神に滅ぼされた。ユダヤ伝承では，モーセに滅ぼされたとされる。その際クェムエルは1万2000にものぼる反逆天使たちを率いた。[出典：シュワーブ『天使学用語辞典』；ギンズバーグ『ユダヤ人の伝説』]

クエラミア Quelamia　『天使ラジエルの書』によれば，第1天に住む7人の地位の高い座天使（スロウン）の1人で，「能天使（パワーズ）の命令を実施する」。[出典：デ・アバノ『ヘプタメロン』；コルネリウス・アグリッパ『オカルト哲学』III]

グエル Guel（グアエル Guael）火曜日を支配する第5天の天使で，東から招霊される。もちろんグアエルと同じ。[出典：バレット『魔術師』II, 119]

クオリエル Quoriel　ヴァクミエルに仕える「下級霊」であり，昼の4時を支配する。パウロ魔術の儀式で招霊される。[出典：ウェイト『儀礼魔術の書』p67]

9月の天使 Angel of September　ウリエルあるいはズリエル。チスリの月（9-10月）の支配者はバハドロン。現行太陽暦の9月が，ユダヤ暦のエルルと同等視されるならば，この月の天使はエロギウム。古代ペルシアの伝承ではミヘル（ミフル）。

ククビエル Cukbiel　シリアの呪文の儀式で招霊される天使。『守護の書』やバッジの『魔除けと護符』に記述されている。「支配者の舌を縛る」，すなわち特別の呪縛の呪文の際に姿を現わす。

草の天使 Angel of Herbs　『ラビ・アキバのアルファベット』で，草の天使（名前は与えられていない）は，第1安息日に神の御前で賛美を行なう「壮麗で，恐ろしく，力強い天使長たち」に含まれている。

クサタニエル Xathanael（ナタナエル Nathanael）『バルトロメオ福音書』のエルサレム写本，また悪魔ベリアルの証言によれば（もちろん必ずしも額面どおりに受け取れるわけではないが），神によって創られた第6番目の天使である。この考えは，同時にすべての天使が創ら

れたと明言した，ローマ・カトリック教会その他の天使に関する tota simul（全ては同時に）の教義とは合わない。

クザファン Xaphan（ゼフォン Zephon） 離反した天使の1人で，今は第2階級のデーモン。サタンとその仲間の天使たちが反逆したとき，彼らに加担した。その創意のゆえに熱烈に歓迎され，彼は天に火をつけることを反乱軍に提案した。だが，その案が実行される前に，クザファンと仲間たちは深淵の底へと投げ込まれた。ここでクザファンは（おそらく）永遠に，炉の燃えさしに風を送ることになった。ふいごが彼の象徴である。クザファンの姿については，ド・プランシー『地獄辞典』（1863年版）を見よ。

クシエル Chushiel 南風の門を護衛する数多い天使の1人。[出典：『オザル・ミドラシム』II，317]

クシエル Kushiel（Kshiel，「神の厳格なるもの」の意） 7人いる懲罰の天使の1人で，「地獄を統轄する天使」。『ミドラシュ・コネン』によれば，クシエルは「火の笞で異教徒を罰する」。[出典：『ユダヤ大辞典』I，593；イェリネク『ベト・ハ=ミドラシュ』]

グジエル Guziel M.ガスターの『モーセの剣』において，敵を打ち破る魔術儀式で呼び出される悪の天使。

孔雀天使 Peacock Angel, The →タウス=メレク Taus-Melek

クシャトラ・ヴァイリャ Kshathra Vairya 6人いるアムシャ・スプンタの1人。

クズイアル Kzuial 第4天に配置された護衛の天使。[出典：『ピルケ・ヘハロト』]

クスカ Chuscha 『モーセの第6，第7の書』に挙げられている15人の座天使の1人。15人すべての名前については付録を参照。

グズレル Gzrel トラクテンバーグの『ユダヤ魔術と迷信』で，悪しき布告を取り消すために招霊される天使。「Gzrel」という語は，神の42文字の名前の一部である。

クセクソル Xexor オカルティズムでは，儀式で招霊される慈悲深い霊。[出典：『モーセの第6，第7の書』]

クソノル Xonor クセクソルやクソモイのように，儀式で招霊される慈悲深い霊。

クソブギエル Kso'ppghiel 憤激の天使の1人。M.ガスターの『モーセの剣』に記されている謎の名前の1人。→怒りの天使，→ズクゾロムティエル（ノミナ・バルバラ）

クソモイ Xomoy クセクソルのように，儀式で招霊される慈悲深い霊。

果物の天使（果樹の天使） Angel over Fruit (or Fruit Trees) ソフィエル，アルピエル，セラケル，イラニエル，エイルニルス。

クタラリ Ctarari 冬の2人の天使の1人。もう1人はアマバエル。[出典：デ・アバノ『ヘプタメロン』]

クティエル Kutiel 占い棒を使って招霊される天使。[出典：トラクテンバーグ『ユダヤ魔術と迷信』]

グディエル Gdiel →ゲディエル Gediel

グト Guth 木星の支配天使の1人。[出典：ヘイウッド『聖なる天使の階級』p215]

クトリエル Chutriel 地獄（アルカ）の7層のうちの5番目，粘土の沼を統轄する天使。[出典：カバラ主義者ヨゼフ・ベン・アブラハム・ギカティラの著書]

グトリクス Gutrix オカルティズムにおいて，空気の火曜日の天使。南風に順番に仕える天使たちの長であるストに奉仕する。同様にストに奉仕するマグトが，グトリクスと共に職務を果たす。[出典：『古代魔術書』；デ・アバノ『ヘプタメロン』；バレット『魔術師』II，122；シャー『オカルティズム』52]

クニアリ Cuniali 結合の守護霊（霊）で，8時を支配する天使の1人。[出典：テュアナのアポロニウス『ヌクテメロン』]

クヌム Chnum →アンマエル

クノスパストン Kunospaston オカルティズムにおける海のデーモン。[→ラハブ] 灰色の魚で，船を破壊するのを喜ぶ。また金に貪欲である。[出典：コニベア『ソロモンの誓約』]

クフィアル Kfial 7つある天の館の番をする64人の天使の1人。[出典：『ピルケ・ヘハロト』]

クプラ Cupra ノウェンシレスの1人。光が擬人化されたもの。

グミアル Gmial 7つある天上の館の番人天使64人の1人。[出典：『ピルケ・ヘハロト』]

クミエル Kmiel ユダヤ神秘主義における夏至の天使。邪眼に対する魔除けとして効果がある。[出典：トラクテンバーグ『ユダヤ魔術と迷信』]

雲の天使 Angels of Clouds 『ヨベル書』には，創造の第1日目に創造されたとされる雲の天使への言及が見られる。名前は与えられていない。

クライル Chrail（クレイル Chreil）　マンダ教の天使。[出典：ポニョン『マンダ教碑文』]

グラウロンあるいはグラウラ Glauron or Glaura　空気の慈悲深い霊で，北から招霊される。スコットの『妖術の暴露』に言及がある。

クラオスカ Craoscha →スラオシャ Sraosha

グラコク Gulacoc　印章の天使で，招喚に用いられる。[出典：『モーセの第6，第7の書』]

グラスガルベン Grasgarben　ハダキエルと共に天秤宮を支配する。[出典：レヴィ『高等魔術の教理と祭儀』]

グラディエル Gradiel (Gradhiel，グラフィエル Graphiel，「神の力」の意)　火星が白羊宮と天蝎宮に入るときの叡智体（インテリジェンス）。(火星にとって) グラディエルに相当する天使は，バルティアベル。

クラニエル Curaniel　月曜日の天使で，第1天に住み，南より招霊される。

グラニエル Graniel　2時の天使で，アナエルに仕える。

グラノジン Granozin　夜の2時の天使で，ファリスに仕える。

クラハ Klaha　南風の門を守る数多い護衛の天使の1人。[出典：『オザル・ミドラシム』II, 316]

グラファタス Graphathas　『バルトロメオ福音書』のp177にあるように，「天界と地上界を一団となって走り回る9人の天使の1人」。そこで9人の天使の名前がベリアルによってバルトロメオに明らかにされている。

グラフィエル Graphiel（グラディエル Gradiel）　フォーロングの『宗教百科辞典』によれば，カバラの目録でガブリエルに一致する霊。

グララス Glaras　夜の1時の天使で，ガミエルに仕える。

グリアル Grial（グリエル Griel）　第5天の護衛の天使。また70人いる産褥の魔除けの天使の1人でもある。[出典：『ビルケ・ヘハロト』]

クリエル Kuriel →キリエル Kyriel

グリエル Griel →グリアル Grial

グリエル Guriel（「神の子獅子」の意）　黄道十二宮の獅子宮を支配する天使の1人。[出典：トラクテンバーグ『ユダヤ魔術と迷信』]

グリゴリ Grigori（エゴロイ egoroi, エグレゴリ egregori,「見張り」の意）　ユダヤの聖徒伝承で，第2天と第5天（彼らが聖なるものか邪悪なものかによる）の両方における天使の高位の階級。外見は人間に似ているが，巨人よりも背が高く，永遠に沈黙している。階級を支配する長は，「神を拒絶した」サラミエル（『エノク書II』）。[出典：『レヴィの誓約』『十二族長の誓約』に収録)；タルムード『ハギガ』]

クリシュナ Krishna →クリスン・アヴァタル Krisn Avatar

クリスン・アヴァタル Krisn Avatar（クリシュナ Krishna）　ヴェーダの教義で，10人いる神の化身（アヴァタル）の第8番目。→アヴァタル

グリド Gurid　夏至の天使で，名を唱えると，邪眼に対する魔除けとして効果を発揮する。[出典：トラクテンバーグ『ユダヤ魔術と迷信』]

クリポン Cripon　魔術の儀式，特に葦の聖別儀式で招霊される「神の聖なる天使」。[出典：メイザーズ『ソロモンの大きな鍵』；ウェイト訳『レメゲトン』]

クリュモス Chrymos　夜の5時の天使で，アバスダルホンに仕える。

クル Chur（クルダド Churdad）　古代ペルシアの神話で，太陽の円盤を管理する天使。[出典：クレイトン『天使学』；ハイド『古代ペルシア宗教史』]

クルキエル Cruciel　夜の3時の天使で，サルカミクに仕える。

クルジ Kurzi →足台の天使 Angel of the Footstool

クルソン Curson →プルソン Purson

グルソン Gurson（ゴルソンあるいはゴルソウ Gorson or Gorsou）　ルキフェルのもと総崩れした軍勢の1人で，いまでは南の王として地獄の軍団で仕えている。[出典：スペンス『オカルティズムの辞典』p119]

クルダド Khurdad　古代ペルシアの伝承における5月の天使。また月の6日目を支配する。アムシャ・スプンタの1人で，仲裁者として楽園の第56の門で祈りを捧げられる。[出典：『ダビスタン』p164]

グルハブ Gulhab　ブルゴスのモーセ文献に

記されるように，10人の邪悪なセフィロトの第5番目。セフィロトの一覧表については付録を参照。

クルマヴァタル Kurmavatar 「亀のアヴァタル」で，10の化身のうちの1人。

グルマリイ Glmarij 昼の3時の天使で，ヴェグアニエルに仕える。

クレトン Cureton 黒魔術で招霊される「神の聖なる天使」と，魔術書に記述されている。［出典：ウェイト『黒魔術と契約の書』］

黒い天使 Black Angel イスラム教の悪魔学では，モンケルとナキルという2人の黒い天使がいる。ムハンマド・アル＝スディの『占星・占術論』では，名前は与えられていないもう1人の黒い天使が描かれている。インドの悪霊ラクシャサ rakshasa の容貌をしたこの天使は，他の2人の悪霊とともに『ラルース神話辞典』に図版が掲載されている。

クロキエル Crociel 昼の7時の天使で，バルギニエルに仕える。

クロケル Crocell（Crokel，プロケル Procel，プケル Pucel，ポケル Pocel） かつてはポテスタテス（すなわち能天使）の位だったが，いまは地獄の霊たちの48軍団を率いる地獄の大統轄者。ソロモンに対して，以前の（天上での地位であった）座天使に戻ることを望んでいると打ち明けながら，一方で幾何学と一般教養を教えている。おそらくプロケルと同一であり，その場合彼の霊符（シジル）はウェイトの『儀礼魔術の書』p211に示されている。

クロメ Chromme ナナエルと対応する天使。

君主 Sovereignty パウロが「コリントの信徒への手紙一」15：24で，キリストは「すべての君主，すべての権威や勢力」を滅ぼす（新約聖書の協会版）と語っていることから，天使の階級の1つとされる。欽定訳では，この「君主 sovereignty」の箇所に「支配 rule」が当てられている。

君主天使 Lords（あるいは，ロードシップ Lordships）『ニカイア公会議以前の教父双書』の中の『神の聖母の黙示録』，あるいは『預言者モーセの大天使の書』で，智天使，能天使，座天使と並べて挙げてある天上界の天使の階級。『エノク書Ⅱ』20：1では，ロードシップが主天使（ドミニオン）の代りに用いられている（「エフェソの信徒への手紙」1：21，「コロサイの信徒への手

「黒い天使」 ムハンマド伝承ではナキルやモンケルでもある。ここではラクハサ（ヒンドゥー教の悪霊）の姿で表わされている。左には2人の小さな悪魔がいる。
ムハンマド・アル＝スディの『占星・占術論』より。
『ラルース神話辞典』より転載。

紙」1：16）。さらに君主天使は，権天使（プリンシパリティー）と力天使（ヴァーチュー）とも同等視される。アレクサンドリアのクレメンスは，失われた『ゼファニアの黙示録』から次のような文を引用している。「その霊は，私を抱き上げ第5天に運んだ。そして私は君主と呼ばれる天使を見たのだ。彼らの頭上の栄光は精霊にあり，その各々に太陽の光の7倍に輝く玉座があった。」［出典：ケアード『権天使と能天使』；ドレッセ『エジプト・グノーシス主義の秘密の書』］

軍勢 Hosts 天使を指す用語。10ある天使の階級（ディオニュシオスは階級を9に確定し，軍勢を除外した）の1つを指す呼称でもある。［出典：『使徒憲章』；パレンテ『天使』］

ゲアル Geal ヘハロトの伝承（『マアセ・メルカバ』）で，第5天の館に配置された護衛の天使。

計算の天使 Angel of Calculations → ブタトル Butator

啓示天使 Revealing Angel, The コーラン51章（スーラ），50において，啓示天使は「神からの率

直な警告者」と述べられるが,「名前はわからない」。

啓示の天使 Angel of Revelation　ガブリエル。[ブレイクの詩「喜ばしい日」を参照。]

契約の使者 Messenger of the Covenant →誓約の天使 Angel of the Testament

契約の大天使 Archangel of the Covenant　コプト語『パウロの黙示録』で，ミカエルを指して用いられる表現。

契約の天使 Angel of the Covenant　この称号は，メタトロン，ファディエル，ミカエル，エリヤ，「主の天使」，そしてマステマにも用いられる。『ゾハル』Ⅰによれば，「出エジプト記」4：26, 24：1，あるいは「レビ記」1：1のような節は，契約の天使を表わすものとされる。『パウロの黙示録』14章では，ミカエルは「契約の天使」と呼ばれている。しかし，レガメイは『天使とは何か』において，「マラキ書」3：1を引用し「契約の天使は主自身に違いない」と述べている。ハシディズムを信奉するリゼンスクのラビ・エリメレク（1786年没）は，エリヤを「契約の天使」と呼んでいる［出典：ブーバー『ハシディームの物語』（*The Early Masters*, p257)］。

契約の箱の天使 Angel of the Ark of the Covenant　契約の箱の2人の天使は，たいていザラルとヤエルである。両者とも智天使の位に属する。もう1人の天使サンダルフォンは「箱の左側のケルブ」として描写されてきた。「出エジプト記」を解釈し，契約の箱には片側に2人ずつという具合に，4人の天使が表わされなければならないとする権威もいる。シャフ『聖書辞典』の図版（p67）を参照。

計量の天使 Weighing Angel →ドキエル Dokiel

ゲヴィリヤ Geviriyah　天使メタトロンの多くの名前の1つ。

ゲヴィリリオン Geviririon　ゲブラ（恐怖あるいは強さ）を象徴化あるいは擬人化された天使。10ある聖なるセフィロトの第5番目に位置する。

ケヴェクェル Keveqel　ルーンズの『カバラの知恵』に引用されているように，黄道十二宮の72人の天使の1人。

ケエル Keel（「神に似た」の意）　季節の天使。『エノク書Ⅰ』に引用されているように，

「魂の計量者」聖ミカエル。15世紀，ローマ，聖アグネス教会のフレスコ画。ウォール『悪魔』より。

「幾千人もの部下を率いる指導者」の1人。

ゲオリア Gheoriah　水星の第3の五芒星に刻まれている天使の名前。［出典：メイザーズ『ソロモンの大きな鍵』］

激怒の天使 Angel of Fury　クソプギエルが，この集団に属する多くの天使の首領である。→ズクゾロムティエル

激怒の天使 Angel of Rage　ヌモスニクティエルと，M.ガスターの『モーセの剣』で呼ばれている。→憤怒の天使

ゲザルディヤ Gezardiya →ガザルディエル Gazardiel

夏至の天使 Angels of the Summer Equinox　この集団には，オラニルを筆頭に9人以上の天使がいる。みな，邪眼に対する魔除けとして作用する。この9人の天使に関しては付録を参照。

化身 →アヴァタル Avatar

ゲズリヤ Gezuriya　『天上の天使』において能天使の位の天使。天上の館（ヘハロト）の1つの護衛。他の6人の天使を支配し，その中には太陽の天使ガザルディヤがいる。

ケセティアル Chesetial　黄道十二宮を支配する天使の1人。［出典：アグリッパ『オカルト哲学』Ⅲ］

ケセド Chesed（『慈悲』『善良さ』の意』）第4のセフィラ。

ケゼフ Kezef　ユダヤの伝説において，死の天使であり，破壊の5人の天使の1人（アフ，ヘマ，マシュヒトと，ハロン=ペオルとともに）。ホレブ山でモーセと戦った。アアロンが捕らえ，聖なる幕屋に閉じ込めた死の天使が，ケゼフである。［出典：ギンズバーグ『ユダヤ人の伝説』Ⅲ，306］『ミドラシュ・テヒリム』では，憤怒の天使となっている。

ゲダエル Gedael（ギアダイヤル Giadaiyal，「神の繁栄」の意）『エノク書Ⅰ』で，四季の1つの季節の天使。コルネリウス・アグリッパは，ゲダエル（ゲディエル）を黄道十二宮の支配天使として言及している。［出典：コルネリウス・アグリッパ『オカルト哲学』Ⅲ］

ケタラリ Cetarari（クタリリ Ctariri，クララリ Crarari）　冬の天使4人のうちの1人。［出典：ド・プランシー『地獄の辞典』］

ゲダリア Gedariah　『ゾハル』で言及されているように，第3天の監督長のサル sar（天使）。1日に3回奉仕する。すなわち，第2天から昇ってくる祈りに会釈し，冠を戴かせ，更に上へと送り出す。

ケダル Cedar　『バルトロメオ福音書』（ラテン語訳。ジェイムズの『新約聖書外典』）では，南を支配する天使として言及されている。他の訳ではケルコウタと呼ばれている。

ゲツセマネの天使 Angel of Gethsemane　ゲイルズの「キリスト教の天使伝承」によれば，ゲツセマネの園でイエスが苦悶の状態にあるとき，復活の確信をもってイエスを力づけたのは天使カムエル（ハニエル）。「ルカによる福音書」にはこの天使への言及があるが，名前は与えられていない。ガブリエルをゲツセマネの天使とする文献もある。

月曜日の天使 Angel of Monday　ガブリエル，アルカン（地獄の王国の王），ビレト，ミサブ，アブザハ，など。

ゲディエル Gediel（グディエル Gdiel）『ソロモンのアルマデル』で，第4コーラあるいは高みの筆頭君主の1人。『天使ラジエルの書』には，産褥の魔除けの天使70人の1人として現われる。またオカルトの教義では黄道十二宮の天使である。

ケデメル Kedemel　護符の魔術における金星の霊。［出典：バレット『魔術師』Ⅱ，147］

ゲデメル Gedemel　金星の霊。パラケルススの護符に関する学説によれば，金星を支配する叡智体は天使ハギエル。［出典：クリスチャン『魔術の歴史と実践』Ⅰ，315］

ケテリエル Ketheriel（「神の冠」の意）　カバラの儀式で唱えられるセフィロトの天使。［出典：レヴィ『高等魔術の教理と祭儀』］→アカトリエル

ゲテル Gethel（インゲテル Ingethel）　秘密の事柄を監視する天使。『聖書古代誌』によれば，セネツとの戦いで向こう見ずにもアモリ人

〈受胎告知〉に描かれたガブリエル
メロッツォ・ダ・フォルリ（1438−1494）作。
レガメイ『天使』より転載。

を打ち倒した天使。アモリ人に対抗するべく神によって遣わされたもう1人の天使ゼルエルに助力された。

ケトゥエル Ketuel（カウテル Kautel） 三位一体の神を構成する3人の天使の1人。他の2人はメアクエルとレバテイ Lebatei。［出典：『モーセの第6，第7の書』］

ケドゥスタニエル Chedustaniel（ケドゥシタニク Chedusitanick） 第3天に住む金曜日の天使。東から招霊される。また木星の天使霊の1人でもある。［出典：デ・アバノ『ヘプタメロン』；バレット『魔術師』II］

ゲドゥダエル Gedudael カバラの儀式において招霊されるセフィロト（神の流出）の1人。［出典：レヴィ『高等魔術の教理と祭儀』］

ゲドゥディエル Gedudiel ヘハロトの伝承（『マアセ・メルカバ』）で，第7天の館に配置された護衛の天使。

ゲドゥディム Gedudim タガスの指導の下にある聖歌隊の天使の階級。［出典：『第3エノク書』］

ゲドボナイ Gedobonai 『ソロモンのアルマデル』に述べられるように，魔術の祈りにおいて招霊される第3コーラあるいは高みの天使。

ケドリオン Cedrion 葦の聖別儀式〔魔術に用いる羊皮紙の製作に必要な葦のナイフを作る儀式〕でその名を唱えられる天使。南方を統治する。［出典：ウェイト訳『レメゲトン』］

ゲナリツォド Genaritzod 夜の7時の士官天使の長で，メンドリオンに仕える。［出典：ウェイト訳『レメゲトン』69］

ゲニウス →ジーニアス

ケヌニト Kenunit 70人いる産褥の魔除けの天使の1人。［出典：『天使ラジエルの書』］

ゲノ Geno 能天使の位の天使。［出典：『モーセの第6，第7の書』］

ゲノン Genon 魔術の祈りにおいて招霊される第2コーラあるいは高みの天使。［出典：『ソロモンのアルマデル』］

ゲハツィツァ Gehatsitsa ヘハロトの伝承（『マアセ・メルカバ』）で，第5天の館に配置された護衛の天使。

ゲビエル Gebiel 第4の高みの天使。［出典：ウェイト訳『ソロモンのアルマデル』］

ゲヒラエル Gehirael ヘハロトの伝承（『マアセ・メルカバ』）で，第7天の館に配置された護衛の天使。

ゲフエル Gehuel ヘハロトの伝承（『マアセ・メルカバ』）で，第6天の館に配置された護衛の天使。

ゲブラあるいはゲブラエル Geburah or Geburael（「神の力あるいは威光」の意） 神の左手を支える天使。オカルト書では通常，10人いる聖なるセフィロト（神の流出）の第5番目に挙げられている。また熾天使の位に位置している。ガマリエルやカマエルとしてさまざまに，そしてソリアのイサク・ハ=コーヘンの文書ではゲヴィリリヨンと同一視される。

ゲブラエル Geburael（ゲブラ Geburah） カバラ主義者が召喚を行なう際にしばしば現われる，ブリア界の熾天使。『古代魔術書』では，ゲブラあるいはゲブラエル（強さを意味する）はガマリエルと同等視され，エロヒ（神）の威光が「天使ゲブラ（あるいはガマリエル）を貫いて，火星の領域を通じて下っていく」と言われている。この天使に関する追加の事柄については，ゲブラを参照。

ゲブラティエル Geburathiel ゲブラの天使。『第3エノク書』（ヘブライ語版エノク書）では，「神の威光，権力，そして力」を表わす偉大な天使の支配者の1人。第7天の第4の館の執事長。

ゲブリル Gebril 召喚の儀式で唱えられる天使。［出典：『モーセの第6，第7の書』］

ゲヘギエル Gehegiel 第6天の護衛の天使。［出典：『ピルケ・ヘハロト』］

ゲヘナの天使 Angel of Gehenna (Gehennom, Gehinnom) テメルクス，クシエル，シャフティエル，ナサルギエル，ドゥマ。新約聖書ではゲヘナは地獄の別称［出典：『ユダヤ大辞典』I，593に引用された『マセケト・ガン・エデン&ゲヒノム』］。カバラ主義者ヨゼフ・ベン・アブラハム・ギカティラによれば，天使クシエルが支配天使として住む地獄の7層のうちの第1層の名称。

ケボ Chebo 黄道十二宮の5度ずつを支配する72人の天使の1人。

下僕 Servants ('ebed) ヘハロトの教義やメルカバの教義で，神に仕える天使を意味する言葉。［出典：『第3エノク書』］

ゲホリエル Gehoriel ヘハロトの伝承（『マアセ・メルカバ』）で，第1天の館に配置され

た護衛の天使。

ゲホレイ Gehorey　ヘハロトの伝承（『マアセ・メルカバ』）で、第7天の館に配置された護衛の天使。

ゲミニエル Geminiel　黄道十二宮を支配する天使の1人。[出典：コルネリウス・アグリッパ『オカルト哲学』Ⅲ]

ケムエル Kemuel（シェムエル Shemuel、カマエル Camael、セラフィエル Seraphiel、「援助者」あるいは「神の集会」の意）イスラエルの祈りと第7天の支配者たちの間の仲裁人として、天の窓に立つ偉大なるアルコン。熾天使の長で、10の聖なるセフィロトの1人。伝説によれば、律法者モーセが神の手から律法を受け取るのをこの偉大なる位階のケムエル（カマエル）が妨げようとして、モーセに殺されたという。[出典：ギンズバーグ『ユダヤ人の伝説』]『モーセの黙示録』によれば、ケムエルは破壊の1万2000人の天使の指導者である（あるいは、であった）。

ゲムト Gemmut　コプト語の著作『ピスティス・ソフィア』で、あらゆるアイオン、あらゆる運命を循環させるカラパタウロトの支配の下に仕えるアルコン。

ケモス Chemos　ペオルやニスロクと同等視される。ミルトンの『失楽園』Ⅰ、312行、406行では堕天使である。

ケモス Kemos　→キモス Kimos

ケライル Kelail　イスラム教の伝統的な伝承で、第5天の支配者。[出典：クレイトン『天使学』]

ケラティエル Cheratiel　夜の6時の天使。ザアゾナシュに仕える。[出典：ウェイト訳『レメゲトン』]

ケリエル Keliel　黄道十二宮の5分ずつを司る72人の天使の1人。[出典：ルーンズ『カバラの知恵』]

ゲリエル Geliel　月の二十八宿を支配する28人の天使の1人。

ケリオウル Cheriour　ド・プランシーの『地獄の辞典』によれば、犯した罪の償いを求めて犯罪者を追及する「恐ろしい天使」。

ケルヴィエル Cerviel（ケルヴィヘル Cervihel、ゼルエル Zeruel）権天使の位の長。その地位を、ハニエル、ニスロク、その他と共有している。ダヴィデの教導天使。「そして神は

ケルヴィエルを遣わした。力まされるダヴィデを助けてゴリアテを殺そう」というのは『聖書古代史』p234からの引用である。[出典：バレット『魔術師』]

ゲルヴィエル Gerviel（ケルヴィエル Cerviel）ユダヤのカバラで、ダヴィデ王の教導天使。[出典：クレイトン『天使学』]ケルヴィエルとして、権天使（エロヒム）の位の長。ハニエルやニスロクなどと同じ役職。

ケルケアとケルケアク Kelkhea and Kelkheak　『シェムの釈義』に記されているように、創造神の秘密が明かされた2人の神秘的な存在（天使）。

ケルコウタ Kerkoutha　『バルトロメオの福音書』において、南に支配権をもつ天使。

ゲルゴト Gergot　ヘハロトの伝承（『マアセ・メルカバ』）で、第6天の館に配置された護衛の天使。

ケルナイウル Cernaiul　第7セフィロト（ネツァク Netzach）の天使の名前。[出典：『モーセの第6、第7の書』]

ケルビエル Cherubiel（Kerubiel）智天使ケルビムの位の名の基となった長。[→ガブリエル。彼もまたこの位の長と見なされている。]

ケルビエル Kerubiel　智天使の位の名の基となった長。『第3エノク書』によれば、ケルビエルの身体は「燃えさかる石炭で満ち、（略）頭には聖性の冠を載せ、（略）両肩の間にはシェキナの弓がある」。

ケルビム →智天使

ケルブ →智天使

ゲルマエル Germael（「神の威厳」の意）アダムを塵から造るよう神によって遣わされた天使──この使命はまたガブリエルにも帰された。[出典：『ファラシャ文献集成』]

ケルミエル Chermiel　第3天の金曜日の天使で、南から招霊される。[出典：バレット『魔術師』Ⅱ；デ・アバノ『ヘプタメロン』]

ケルメス Chermes　夜の9時の天使。ナコリエルに仕える。[出典：ウェイト訳『レメゲトン』]

ゲレイモン Gereimon　ゲノンと同様、第2コーラの天使。

ケレド Kered　モーセの招喚魔術における印章の天使。

ゲロスケスファエル Geroskesufael　ヘハロ

トの伝承（『マアセ・メルカバ』）で，第7天の館に配置された護衛の天使。

ゲロミロス Gelomiros 『ソロモンのアルマデル』で述べられるように，魔術の祈りにおいて招霊される第3のコーラあるいは高みの天使。

ゲロン Geron ゲノンやゲレイモンと同様，魔術の祈りにおいて招霊される，第2コーラあるいは高みの天使の1人。

幻影（アパリション） Apparitions ロバード・フラッド『両字宙誌』によれば，原初の天使の位階の1つ。それぞれの位は，3つの下位の位に分岐する。→声（ヴォイス），→歓呼（アクラメイション）

健康の天使 Angel of Health ムミア。ラファエルも。

現世の王 Prince of this World 第4福音書では，イエスはサタンを「現世の王〔この世の支配者〕」と呼んでいる（「ヨハネによる福音書」12：31）。ロイジーの『キリスト教の誕生』によれば，現世の王は「書簡に述べられている権天使と能天使の機能」をもっているが，「性格がかなり異なっている」。ミランドラの『カバリストの結論』では，「現世の王なる悪鬼の名は，神 YHWH の名と同じ文字から成る。――そして，この文字の置き換えの方法を知っている者は，神の名から現世の王を引き出すことができる」と記している。

権天使 Angels of Principalities 偽ディオニシオスの天の位階の体系において，3番目のトリオの最初に挙げられるこの位の支配者に，ハニエル，ニスロク，ケルビエル，ラグエルが含まれる。この階級は大公（プリンスダム）とも呼ばれる。この集団の天使たちは「宗教の擁護者」であり，善き霊を支配する。ユダとパウロの手紙では，権天使たちは善をもたらす光の存在だとも，悪をもたらす存在ともされる。ニスロクは『失楽園』VI，447で「権天使の首領」とされている。ニスロクはかつてアッシリアの神（「列王記下」19：37）であった。オカルト教義ではニスロクはデーモン。[出典：ケアード『権天使と能天使』]

権天使 Principalities （あるいは，プリンスダム Princedoms） 天の9位階の位の1つであり，ふつう最下級の3位階の第1位に位置づけられる。権天使は信仰の擁護者にして，ディオニュシオスによれば，また「人々の指導者た

ちを見張り」，そしておそらく正しい決定をなすように促す。パレットの『魔術師』によれば，権天使は「ヘブライ人によってエロヒムと呼ばれた」。しかしこの同等視は疑わしい。この位の天使を支配する長は，レクエル，アナエル（ハニエル），ケルヴィエル，ニスロク。ニスロクは『失楽園』VI，447で「権天使の長」と特記される。エジプトの錬金術では，権天使の位の長はスロト。[出典：クリスチャン『魔術の歴史と実践』I，p68]はるか以前2世紀には，殉教者聖イグナティウス（107年没）が『トラレスの信者への手紙』で天使の地位に簡単に触れ，「権天使の階級」について述べている。

ケンドリオン Cendrion 魔術書において，カバラの儀式で招霊される「神の聖なる天使」。

コ

ゴアプ Goap 以前は能天使の位にいたが，いまでは堕天し地獄にいる。地獄の軍団長11人の1人。ガアプやタプとしても知られる。[出典：スコット『妖術の馬喰』：『レメゲトン』］ゴアプがかつて能天使の位に属したということが「限りない探求の末に証明された」と，スペンスは『オカルティズムの辞典』で報告している。デーモン学者たちによれば，ゴアプは「西の支配者」であったという。

航海の天使 Angel of Voyages テュアナのアポロニウス『ヌクテメロン』では，6時の支配霊の1人であるスサボ。

後悔の天使 →悔恨の天使

光輝（スプレンディテネス） Splenditenes マニ教で，「世界を支える天使」。天をその背で支えている。アウグスティヌスは『幸福反駁』XVで言及し，6つの顔と口をもち「光で輝く」と書いている。バル＝コナイは『注釈書』でスプレンディテネスを「神の光輝（Splendor）の飾り」と呼ぶ。ミトラ教の古文献にも見られ，ギリシアのアトラスの原型であると信じられている。[出典：マニ教徒『魂の賛歌』]→オモフォルス

コウスティエル Koustiel 大英博物館所蔵（56013）の紅玉髄に彫り込まれている天使の名前。ボナーは『魔除けの研究』p170で，「ウリエルにしくじりをさせたまえ」という意味に解している。

黄道十二宮の天使 Angels of the Zodiac　マラヒダエル（白羊宮），アスモデル（金牛宮），アムブリエル（双子宮），ムリエルあるいはムリエル（巨蟹宮），ヴェルキエル（獅子宮），ハマリエル（処女宮），ズリエル（天秤宮），バルキエル（天蠍宮），アドヴァキエルあるいはアドナキエル（人馬宮），ハマエル（磨羯宮），カムビエル（宝瓶宮），バルキエル（双魚宮）。〔出典：バレット『魔術師』Ⅱ〕十二宮全体の支配者はマスレである。コルネリウス・アグリッパは『オカルト哲学』で，十二宮を支配する天使として，他に以下の名前を挙げている。アクラビエル，ベトゥリエル，ケセティエル，ダギミエル，ダリエル，ゲミニエル，マスニエル，サルタミエル，テレティエル，トミミエル。

剛勇 Fortitude　首徳の1つ。15世紀フィレンツェの巨匠たちによってひとりの天使として描かれる。

コエセド Choesed →ホエセディエル Hoesediel

氷の天使 Angel of Ice　『ヨベル書』，新約聖書外典『ヨハネのアポクリフォン』で言及される天使。名前は与えられていない。マヤ族にはイズトラコリウークイと呼ばれる氷の神がいる。→雪の天使

コカヴィエル Kokaviel　水星の第3の五芒星に刻まれている天使の名前。

5月の天使 Angel of May　アンブリエル（アムリエル），アフシコフ。〔出典：ド・プランシー『地獄の辞典』〕古代ペルシアの伝承ではクルダド。

コカビエル Cochabiel（コアハビアト Coahabiath）　カバラで，水星の霊。バビロニアの宗教に由来する。〔出典：ルノルマン『カルデア魔術』p.26〕モーセ伝承やコルネリウス・アグリッパの『オカルト哲学』Ⅲによれば，「神の御前にずっと立っていて，惑星の霊名を与えられる」7人の支配者の1人であるという。

コカビエル Kokabiel →カカベル Kakabel

コカブリエル Kokhabriel →カカベル Kakabel

告示の天使 Angel of Announcements　古代ペルシアの伝承で，楽園の天使でもあるシルシ。

ゴグとマゴグ Gog and Magog　ホノリウス3世の魔術文書で，霊に命じるために用いられる神の神聖な名前。「他の聖なる神の名前の間にゴグとマゴグが突然現われるのは，ホノリウスの無知ゆえとされるべきである」と，バトラーは著書『儀礼魔術』で述べている。コーラン（18章，95）は，ゴグとマゴグを「土地をだめにする」と言及している。

告発天使 Accusing Angel, The　『ヨブ記』にあるように，たいていの場合，告発天使は神の敵対者（ハ＝サタン）である。サマエル，あるいはマステマとされることもある。ハシディズムのラビ・ズルヤは，『ピルケ・アボト』（父祖の言葉）に言及し，「罪を犯せば，そのつど告白天使が生まれる」という格言に触れている。

コクマ Choch(k)ma（ホクマ Hokhmah）　ヘブライ語で，「賢明」という含意をもつ。聖なるセフィロト（神の流出）の第2番目のもので，人格化された天使ラティエル（ラジエル）と同等視される。メイザーズの『ヴェールを脱いだカバラ』によれば，神の創造物で第1のもの，天上の抽象概念のうち実際に具現化，人格化されたと考えられる唯一のものである。〔出典：ギグネベルト『イエスの時代のユダヤ教世界』；『天地生成の書』〕

コクマエル Chochmael（ホクマエル Hochmael）　レヴィの『高等魔術の教理と祭儀』で，招喚の儀式で招霊されるセフィロトの天使。

コゲディエル Cogediel　月の二十八宿を支配する28人の天使の1人。

コスニエル Chosniel（「覆う」の意）　モー

「剛勇の天使」ルカ・デッラ・ロッビア作。エナメルをかぶせたテラコッタの小円盤。フィレンツェ，サン・ミニアト・アル・モンテ教会。1441-1466年。『メトロポリタン美術館，美術紀要』1961年12月号より転載。

セの呪文の儀式で，良い思い出と素直な心を授けてくれるよう唱えられる天使。

コスマゴギ Cosmagogi　カルデア人の宇宙体系における，宇宙の指導者的な叡智天使。3人いる。［出典：オード『ゾロアスター教のカルデア神託』］

コスミエル Cosmiel　17世紀，イエズス会の修道僧アタナシウス・キルヒャーが様々な惑星を訪問した際に同行した守護霊。キルヒャーは著書『エジプトのオイディプス』で，この訪問を「法悦の旅」と語っている。［出典：クリスチャン『魔術の歴史と実践』Ⅰ，p73］

コセル Cosel　夜の1時の天使で，ガミエルに仕える。［出典：ウェイト『儀礼魔術の書』

「聖パウロを天に運ぶ天使たち」プッサン作。
レガメイ『天使』より転載。

コテカ Kotecha 『モーセの第6, 第7の書』において, 儀礼魔術で召喚される印章の天使.

孤独の天使 Angel of Solitudes （サンダルフォンのように）涙の天使でもあるカシエル.

小鳥の天使 Angel over Small Birds →トゥビエル Tubiel

ゴナエル Gonael 北風の幾つかの門の数多くの護衛の1人.〔出典:『オザル・ミドラシム』II, 316〕

コナマス Conamas オカルトの魔術儀式を行なう際に, 蜜蠟の清めで唱えられる天使.

コニエル Coniel カバラで, 第3天に住む金曜日の天使. 西から招霊される.『トゥリエルの秘密の魔術書』では木星の使者の1人とされている.

この時代の神（あるいは**この世の神**）God of this Age (or God of This World) 「コリントの信徒への手紙二」第4章を参照.「この世の神が, 信じようとしないこの人々の心の目をくらまし」等々. パウロがここで想定しているのは, 堕天使の長サタンである.

コバリエル Chobaliel ヴォルテールの『天使, 守護霊, 悪魔について』によれば, エノクのリストにある堕天使の1人.

コフィ Cophi オカルトの教義において, 蜜蠟の清めで唱えられる天使.〔出典:グランツ『ソロモンの鍵』〕

コフニエル Chofniel 「ベネ・エロヒム」（神の子供たち）の天使の位の長. ミドラシュ〔古代ユダヤの聖書註解書〕の『ベレシト・メヌカ』に記載.

コマディエル Comadiel 昼の3時の天使で, ヴェグアニエルに仕える.

コマト(ス) Comato(s) グランツの『ソロモンの鍵』において, 蜜蠟の清めの儀式で唱えられる天使.

コマリ Comary 夜の9時の天使で, ナコリエルに仕える

コミソロス Commissoros 春の4人の天使の1人.〔出典:デ・アバノ『ヘプタメロン』; バレット『魔術師』II〕

コム Komm 『ラビ・ヨシュア・ベン・レヴィの黙示録』に言及がある. 召喚されても, ラビ・ヨシュアに地獄について説明をするのを拒否した天使.〔出典:M. ガスター『民間伝承の研究と文献』〕

コラエル Corael 望みが成就するよう, 魔術の祈りにおいて請願される天使.『トゥリエルの秘密の魔術書』で, 天使セチエルや天使ケドゥスタニエルと共に招霊される.

コラゾンタ Kolazonta（ギリシア語で「懲罰するもの」の意） ライダー編訳『知恵の書』18:22に描かれているアアロン〔アロン〕の出来事に登場する破壊の天使. 第4マカバイ記7:11では天使と呼ばれている「破壊の霊の擬人化」.

コラト Corat 第3天に住む, 空気の金曜日の天使で, 東から招霊される.

コラバエル Corabael 第1天に住む月曜日の天使で, 西から招霊される.〔出典:デ・アバノ『ヘプタメロン』〕

ゴラブ Golab（「扇動者たち」の意） 熾天使の敵の1人で,「その元素的外皮がウシエルである」10人の邪悪なセフィロトの1人. また, 統率者である「暗黒のサマエル」の下で働く, 憤怒と扇動の霊をも意味する.〔出典:レヴィ『オカルト哲学』; ウェイト『聖なるカバラ』p237〕

ゴランデス Golandes メイザーズの『ソロモンの大きな鍵』によれば, 蜜蠟の清めで唱えられる天使.

コリエル Choriel 昼の8時の天使で, オスカエビアルに仕える.〔出典:ウェイト訳『レメゲトン』;『モーセの第6, 第7の書』〕

コリエル Coriel 夜の7時の天使で, メンドリオンに仕える.

コリンヌ Corinne（フィクション） ジョナサン・ダニエルズの『天使の対立』に登場する女性の天使（とされている）.

コルシド Korshid マンダ教, またゾロアスター教の第1の霊. ユダヤのカバラにおけるメタトロンに匹敵する.〔出典:ド・ミルヴィル『聖書論』〕

ゴルソンあるいは**ゴルスウ** Gorson or Gorsou →グルソン Gurson

コルニエル Korniel 南風の門を守る数多い天使の1人.『オザル・ミドラシム』II, 316に名前がある.

ゴルフィニエル Gorfiniel 『オザル・ミドラシム』I, 119に挙げられているように, 第7天の護衛の天使.

コレ Core 春の4人の天使の1人。バレットの『魔術師』やデ・アパノの『ヘプタメロン』で，春の季節を支配する霊として言及されている。

コロバエル Corobael →コラバエル Corabael

コロパティロン Colopatiron テュアナのアポロニウスの『ヌクテメロン』で，牢獄を解放する守護霊。また9時の魔神の1人である。

コロブ Chorob 昼の10時の天使で，オリエルに仕える。

コンテンプレーション（黙想）Contemplation（フィクション） ミルトンの『沈思の人』の中の（いわゆる）智天使（ケルブ）。

混沌の天使 Angel of Chaos ミカエル。混沌が暗黒と，暗黒が死と同等視されるならば，混沌の天使はサタンである。［出典：『解釈者の聖書』；『ユダヤ人の伝説』Ⅴ，16］

ゴンファロンズ（旗幟）Gonfalons ミルトンの『失楽園』Ⅴ，590，591によれば，天上の位階における天使の階級。後の文献では，天使ラファエルが「位階，序列，階級の区別のために役立つスタンダード（軍旗）とゴンファロンズ」について述べている。

コンフェサー（証聖者）Confessors ヘイウッドが著書『聖なる天使の階級』で列挙している天上の位階の12（原文のまま）の位の1つ。位の長は天使バラキエルである。

混乱の天使 Angel of Confusion 混乱の天使は7人いる。王妃エステルの時代に，クセルクセス王の放縦な生活をやめさせるため，神によりその宮殿へと遣わされた［出典：ギンズバーグ『ユダヤ人の伝説』Ⅳ，374］。混乱の天使たちは，バベルの塔の一件に関わったようである［『創世記』11：7］。個々の混乱の天使に関して，タルムードには以下のように記されている。メフマン＝混乱，ビズタ＝家の破壊者，バルボナ＝絶滅，ビグタ＝ブドウしぼりをする者，アバクタ＝もう1人のブドウしぼり，ゼタル＝不道徳の監視者，カルカス＝戸をたたく者。

サ

サアクァエル Saaqael（サラキエル Sarakiel, スリエル？ Suriel？）『エノク書I』では御前の天使。

サアディヤイル Sa'adiya'il イスラム教の教義で，第3天の天使。禿鷹に姿を変えた天使たちの一群を率い，アッラーの賛美を務めとする。[出典：ヘイスティングズ『宗教・倫理辞典』IV，619]

サアフィエル Saaphiel ハリケーンの天使。『セフェル・イェツィラ』（『天地生成の書』）で言及される。

ザアフィエル Za'afiel（Za'aphiel，「神の憤怒」の意）暴風，すなわちハリケーンを支配する聖なる天使。地上で邪な人間を懲らしめるよう神に命じられた破壊の天使。イサク・ハ＝コヘンのテキストによれば，邪悪なセフィロトの5番目である。『第3エノク書』でも言及されている。他の事例では，その使命ゆえに，文献によっては善き天使とも悪しき天使ともされる。

ザアマエル Zaamael（ザアミエル Za'amiel）『第3エノク書』の表では，嵐を支配する天使。イサク・ハ＝コヘンのテキスト「神の左側からの流出」では，邪悪なセフィロトの6番目である。

最後の審判の天使 Angel of the Last Judgement ミカエル，ガブリエル。『アブラハムの誓約』では，アベルの名がある。

最古の天使 Oldest Angel, The フィロンは，ロゴス（理性あるいは言葉）を「最古の天使，主天使(ドミニオン)，神に似たもの」と呼んだ。[出典：ミード『3倍に偉大なヘルメス』I，137，161-162]

最後の7つの災いの天使 Angel of the Seven Last Plagues 『ヨハネの黙示録』15-17章には，「神の怒りが盛られた7つの金の鉢」を与えられて7つの災いをもたらす，7人の天使への言及がある。名前は不明。

サイサイエル Saissaiel リエホル（兄弟の霊）と共に天蝎宮を支配する。[出典：レヴィ『高等魔術』p413]

最初の天使 Protoctist Angels 最初に作用する天使で，より下位の天使を通じて人間にモーセの五書を渡す責任を負う。[出典：アレクサンドリアのクレメンス『予言の牧歌』；ダニエル—『天使とその使命』]

災難の天使 Angel of Adversity 『サドカイ派文書諸断片』や『ヨベル書』などでは，悪の支配者でサタンと同一視されるマステマが災難の天使である。

ザイノン Zainon オカルトの教義で，葦の聖別儀式で唱えられる天使。

ザヴァエル Zavael（ラシエル Rashiel）『第3エノク書』に言及されるように，旋風を管理し支配する天使。他にはラシエルがこのような支配と管理を任されている。

サヴァトリ Savatri（サヴィトリ Savitri, サヴィタル Savitar）ヴェーダ教義で，7人または12人のアディトヤスつまり「無限なる者」（天使）の1人。彼（彼女）は太陽神または太陽女神であり，「黄金の手，黄金の眼」をもち，「白い脚をもつ輝く栗毛の馬に引かれる者」とされる。ヴェーダ讃歌では，造物主プラジャパティと同一視される。「サヴィタル神のすばらしき栄光について，我らは瞑想する。我らが祈りを鼓舞されんことを。」[出典：フォーロング『宗教百科事典』；ゲイナー『神秘主義辞典』；レッドフィールド『世界の神々の辞典』「Gods」の項]

サヴァニア Savaniah この天使の名は，水星の第3の五芒星(ペンタクル)に記されている。[出典：メイザーズ『ソロモンの大きな鍵』]

サヴァリエル Savaliel 第3天の護衛の天使。『オザル・ミドラシム』I，116で，他の数多い護衛の1人として言及される。

サヴィタル Savitar →サヴァトリ Savatri

サヴィトリ Savitri →サヴァトリ Savatri

ザウイル・アフィン Zauir Aphin あるいは **ザウイル・アウピン** Zauir Aupin　カバラの概念で、（神の）「小さな顔」を意味するミクロプロソプスと同一視される。

ザヴェベ Zavebe　「創世記」6章に言及された出来事で、セムヤザに従い地上に降りて人間の娘と同棲した200人の天使の1人。エノクが堕落した天使は200人だけと語るのに対して、ヨハネは黙示録で天の軍勢の3分の1が離反したと語る。おそらく9つの位階それぞれから離反者が出た。マーク・バン・ドーレンの詩『預言者エノク』には、ザヴェベへの言及がある。→堕天使

サヴサ Savsa　ヘハロトの伝承（『マアセ・メルカバ』）で、第6天の館に配置された護衛の天使。

サウラサウ Saulasau　上部世界の能天使（パワー）。［出典：ドレッセ『エジプト・グノーシス主義の秘密の書』］

サウリエル Sauriel（サウリイル Sauriil、スリエル Suriel、ソウリル Sowrill）　ドロワー『マンダ教の正典祈禱書』で、死の天使、「解放者サウリエル」として言及される。

サヴリエル Savliel　『ピルケ・ヘハロト』で、第3天の門番または護衛の天使。

サヴリエル Savuriel　第3天の護衛の天使。［出典：『オザル・ミドラシム』Ⅰ, 116］

ザウルヴァ(ン) Zaurva(n)　ゾロアスター教の悪鬼。ザウルヴァは老衰のデーモンとされる。［出典：ガイガー、クーン『イラン史』Ⅲ；セリグマン『魔法――その歴史と正体』］

サエリア Saeliah →セエリア Seeliah

サエレル Saelel　カバラで、黄道十二宮を支配する72人の天使の1人。

魚の天使 Angel over Fish　ガギエル、アラリエル、アザレエル。

ザカラエル Zacharael（ヤリエル Yahriel、「神の記憶」の意）　ゲオニムの教義では、7人の大天使（アークエンジェル）の1人。また、主天使の位の王で、第2天の支配者。カバラでは、木星と同様、能天使の位に属する天使。［出典：レヴィ『高等魔術の教理と祭儀』p100］パラケルススの護符についての教義では、エジプトの惑星霊の1つピ=ゼウスと入れ代わる。さらに木曜の天使でもある。［出典：クリスチャン『魔術の歴史と実践』Ⅰ, 317］

ザカリエル Zachariel →ザカラエル Zacharael

ザカレル Zacharel　夜の7時の天使で、メンドリオンに仕える。［出典：ウェイト訳『レメゲトン』］

サガンサゲル Sagansagel →サグネサギエル Sagnessagiel

サキエル Sachiel（「神を覆うもの」の意）　ハシマリム（智天使）の位に属する天使で、第1天（幾つかの典拠では第6天）に住み、月曜（あるいは木曜か金曜）の天使。南（あるいは西）から招霊される。また、木星を司る霊。降霊魔術では、地獄の帝王に仕える4人の副王の従者。その霊符（シジル）は、バレットの『魔術師』Ⅱ、p105の挿絵に見られる。

サギエル Sagiel　バルギニエルに仕える、昼の7時の天使。［出典：ウェイト訳『レメゲトン』］

ザキエル Zachiel（ザドキエル Zadkiel）　第6天の総支配者。［出典：トラクテンバーグ『ユダヤ魔術と迷信』］

ザキエル Zakiel　シリアの呪文で、ミカエル、ガブリエル、サルフィエル、その他魔法をかける天使と共に招霊される天使。ザキエルは「支配者の舌を縛る者」として現われる。［出典：ゴランツ『守護の書』］

ザキエル Zakkiel　嵐を支配する天使。神がエノクを天に引き上げたときに、居合わせた偉大な司祭たちの1人。エノクを、死すべき者からメタトロンに変えた。［出典：ギンズバーグ『ユダヤ人の伝説』Ⅰ, 140］

ザギエル Zagiel　悪しき大天使。『エノク書Ⅰ』で言及される。

サキエル=メレク Sachiel-Melek　カバラで、司祭職と供犠とを支配する地下世界の王。［出典：レヴィ『高等魔術』p307］

ザキエル・パルマル Zaciel Parmar　ヴォルテールの『天使、守護霊、悪魔について』によれば、エノクのリストで堕天使の指導者の1人。

先触れの天使 Forerunner Angel, The →洗礼者ヨハネ、→メタトロン、→シェキナ

ザギン Zagin　救いの天使。『モーセの第6、第7の書』で言及される。

ザグヴェロン Zagveron　塩の祝福で唱えられる天使。［出典：メイザーズ『ソロモンの大きな鍵』］

ザクェン Zaqen　メタトロンの多くの名の1つ。

ザクザキエル Zakzakiel（「功績＝神」の意）　栄光の玉座にイスラエルの功績を書き留めるよう命じられた支配者。［参照：メタトロンに関するタルムード『ハギガ』15a］『第3エノク書』において，偉大な天使ガリスルがザクザキエルに出会ったとき，ガリスルは頭から栄光の冠を取り，ひれ伏して敬意を表した。

サグサゲル Sagusagel　→ザグザゲル Zagzagel

ザグザゲル Zagzagel（ザグザガエル Zagzagael, ザグンザギエル Zagnzagiel, ザムザギエル Zamzagiel,「神の光輝」の意）　律法と知恵の支配者（→イェフェフィア，→イオフィエル，→メタトロン）。モーセに，言い表わせない神の名の知識を教えた。燃える柴の天使（→ミカエル）であり，神の住まう第7天に住むとも言われるが，第4天の護衛長である。御前の天使の支配者として，天使たちの教師であり，70の言語を話す（メタトロンと比較せよ）。［出典：『第3エノク書』；ギンズバーグ『ユダヤ人の伝説』］後代の文献では，「栄光の角をもつ天使」としても描かれた。『ミドラシュ・ペティラト・モシェ』では，聖なる者（神）がモーセの魂を受け取る（そして埋葬を手伝う）ために天から降りたとき，別の2人の奉仕の天使ミカエルとガブリエルと共に神に同行した。［出典：『聖書以後のヘブライ文献』p42］

サクタス Saktas　天使メタトロンの多くの名の1つ。

サグダロン Sagdalon　セマキエルと共に，黄道十二宮の磨羯宮（山羊座）の統治者。

サクニエル Sakniel　西風の門を護衛する数多くの天使の1人。『オザル・ミドラシム』II, 316に挙げられている。

サグネサギエル Sagnessagiel（サスニエル Sasniel, サガンサゲル Sagansagel, サスニギエル Sasnigiel, など）　知恵の支配者で，第7天の第4の館を護衛する天使の長。またメタトロンの多くの名の1つとして『第3エノク書』に挙げられている。『バライタ・デ・マセケト・ゲヒノム』でサガンサゲル Sagansagel（と記されている）は，天国でラビのイシュマエルと話をした際，イスラエルに対する神慮が綴られた聖なる書を彼に示した。

サグハム Sagham　『高等魔術』によれば，セラティエルと共に，黄道十二宮の獅子宮の支配者。

サクマキエル Ssakmakiel　射手と呼ばれる霊と共に，黄道十二宮の宝瓶宮を支配する。［出典：レヴィ『高等魔術』］

サグマギグリン Sagmagigrin　天使メタトロンの多くの名の1つ。

サグラス Sagras　天使サライエルと共に，黄道十二宮の金牛宮を支配する。

ザクラト Zacrath　コウモリの清めで唱えられる天使。［出典：メイザーズ『ソロモンの大きな鍵』］

サクリエル Sacriel　オカルトの教義（『魔術師』IIなど）で，第5天で仕える天使。火曜を支配し，南から招霊される。

サクリエル Sakriel（サムリエル Samriel）　第2天の門番の天使。［出典：『ピルケ・ヘハロト』］

ザクリエル Zachriel　記憶を支配する天使。［出典：トラクテンバーグ『ユダヤ魔術と迷信』］

サクルフ Sachluph　惑星を支配する守護霊。2時の守護霊の1人。テュアナのアポロニウスの『ヌクテメロン』に記載されている。

ザクン Zakun　ラハシュと共に（死なないようにという）モーセの祈りが神に届く前に奪い取ろうとして，184万の天使を指揮した偉大な天使。（ラハシュは心変りしたため，神の前に連れてこられ，60回の炎の打撃を受け，内陣から追放された。）ザクンの罰については，伝説（『ミドラシュ・ペティラト・モシェ』）は語っていない。

ザグンザクィエル Zagnzaqiel　→ザグザゲル Zagzagel

ザザイ Zazay　→ザザイイ Zazaii

ザザイイ Zazaii（ザザイ Zazay）　魔術書によれば，香料を塗り，薫蒸して，悪しき霊を払うための厳粛な儀式で招霊される「神の至聖なる天使」である。［出典：『真の魔術書』］

ササイル Sasa'il　イスラム教の伝統では，第4天の天使。馬に変身した一群の天使の責任者として，アッラーの礼拝を務めとする。［出典：ヘイスティングズ『宗教・倫理辞典』IV, 619］

ザザヒエル Zahzahiel（ザグザゲル Zagzagel）　シナニムの位の天使。［出典：ハザズ『セラフ』］

ザザヒエル Zazahiel　第3天の護衛の天使。他の数多い護衛の天使たちとともに『オザル・ミドラシム』Ⅰ，116で言及されている。

サスガビエル Sasgabiel　悪魔祓いの儀式で唱えられる天使。［出典：モンゴメリー『ニプールのアラム語呪文原典』］

サズクイエル Sazquiel　5時を支配する天使。その下には，10人の天使長と，さらにその下に100人の将校，さらにその将校たちの部下たちがいる。［出典：ウェイト訳『レメゲトン』］

サスタシエル・ヤハウェ Sastashiel Jhvhh　Xの軍勢に属する天使の支配者たちの1人。［出典：M.ガスター『モーセの剣』］

サスニエル Sasniel　→サスニギエル Sasnigiel

サスニギエル Sasnigiel（サスニエル Sasniel，サガンサゲル Sagansagel，サスネサギエル Sasnesagiel）『第3エノク書』で，知恵の天使の支配者，世界の支配者，御前の支配者。さらに「平和のために任命された」熾天使の1人。天使メタトロンの多くの名前の1つ。

ザズリエル Zazriel（「神の力」の意）『第3エノク書』で，「神の力，権力，勢力」を代表する天使王。天においてザズリエルがゲブラティエルを見たとき，「ザズリエルは頭から栄光の冠を脱ぎ，ひれ伏して」敬意を表した。（注）メルカバの天使は，すべて馬に乗っており，自分より高い階級の兄弟天使に出会ったら必ず馬を下りなければならない。

ザゼアン Zazean　コウモリの清めで名前が唱えられる天使。［出典：メイザーズ『ソロモンの大きな鍵』p113］

ザゼル Zazel　ソロモンの魔術で名前が唱えられる偉大な天使で，特に愛の呪文として効果的である。土星の霊で，カバラの番号45をもつ。［出典：『真の魔術書』；バレット『魔術師』Ⅱ，146］アシエルと共に，突然死を防ぐ護符に描かれる。グリヨの『妖術師・秘術師・錬金術師の博物館』p342に収録。

蠍座の天使　→天蠍宮の天使

ザダ Zada　召喚に使われる救いの天使。［出典：『モーセの第6，第7の書』］

サタアラン Sataaran　黄道十二宮の白羊宮を支配する守護霊。その地位を，もう1人の霊サラヒエル Sarahiel（サリエル Sariel）と分担する。［出典：レヴィ『高等魔術』p413］

ザダイ Zaday　7つの惑星の天使の1人。［出典：『モーセの第6，第7の書』］

サダイエル Sadayel　3人の大天使の1人（他の2人はティリエルとラファエル）。サダイエルの名は，魔除けの指輪の五芒星に記されている。［出典：バッジ『魔除けと護符』］

サタイル Sahtail（サテイル Sahteil）　マンダ教における天使。［出典：ボニオン『マンダ教碑文』］

サタエル Satael　魔術的儀式で招霊される，空気の火曜の天使の1人。また火星を統轄する霊として仕える。［出典：デ・アバノ『ヘプタメロン』；バレット『魔術師』］

ザタエル Zathael　復讐の12人の天使の1人。天地創造の時に，神が最初に創られた天使（→ナタナエル）。復讐の天使のうち6人の名だけが知られている。ザタエルに加えて，サタナエル，ミカエル，ガブリエル，ウリエル，ラファエル，ナタナエルである。幾つかの出典（ユダヤ伝説）では，復讐の天使を御前の天使（やはり12人）と同等視する。

ザダキエル Zadakiel（ザドキエル Zadkiel）　木星の霊。［出典：ルノルマン『カルデア魔術』p26］

サタナイル Satanail　「サタンの名は，以前はサタナイルであった。」［出典：モルフィル版『エノク書Ⅱ（スラブ語エノク）』31章］

サタリエル Sathariel　「神を隠す」の意。「慈悲の顔を隠す」「反」セフィラ。『ゾハル』（補遺）ではシェイリエルと呼ばれる。［出典：ウェイト『聖なるカバラ』p257］

サタレル Satarel　→サルタエル Sartael

サタン Satan　ヘブライ語の意味は「敵対者」である。「民数記」22：22で，神の使いがバラムに対して「妨げる者」（satan）として立った。旧約聖書の他の書（「ヨブ記」「歴代誌上」「詩編」「ゼカリア書」）でも同じ役割を示している。この役割を与えられた天使は，背教者でも堕落した者でもない。初期新約時代の著作でサタン（Satan，大文字のS）として現われたときに，悪の王，神の敵となり，さらに「この世の支配者」（「ヨハネによる福音書」16：11），「空中に勢力を持つ者」（「エフェソの信徒

「空気の能天使の支配者」(サタン)ドレ作。
ラングトン『サタンの肖像』より転載。

への手紙」2：2)という称号がついた。ペテロはイエスに非難されたときサタンと呼ばれた(「ルカによる福音書」4：8)。

ピーター・ロンバード(1100頃-1160)のような中世の著述家は、創世記を読みなおして、サタンが蛇に変身してエヴァを誘惑したと考えた。だが他方、9世紀の司教アゴバルドのような著述家は、サタンがエヴァを蛇によって誘惑したと考えた。ラングトンはその著『サタンの肖像』で、「後世のユダヤ文学ではサタンと蛇は同じものであり、また一方が他方の手段とも

なった」と言っている。もともと、サタンは(ハ＝サタン ha-satan のように)偉大な天使で、熾天使の長、力天使(ヴァーチュー)の位の頭であり、熾天使はふつう6枚の翼をつけて描かれるのに、サタンは12枚の翼をもつ者として知られた。

聖グレゴリウス1世はその著『倫理学』で、9つの位階を挙げた後、サタンに次のような賛辞を捧げた。「衣服のようにあらゆる天使たちの全てを身につけ、その栄光と知恵はあらゆる天使に優る。」タルムードは、サタンが創造の6日目に造られたと主張する(『ベレシト・ラ

バ」17)。また「イザヤ書」14：12の誤読から，ルキフェルと同一視されてきた。トマス・アクィナスによれば，サタンは「罪を犯した最初の天使」で，熾天使ではなく智天使である。その論拠は，「智天使は智に由来し，地獄堕ちに値する罪と矛盾しないが，熾天使はあつい慈悲心に由来し，地獄堕ちの罪と矛盾する」からである。(『神学大全』1，第7項．異論答1）ジェローム，ニッサのグレゴリウス，オリゲネス，アンブロシウスらによれば，サタンは結局「本来の輝きと元の地位」に復帰するはずである。これはまたカバラ主義の教義でもある。

サタンは，神学以外の文献でも，多くの作品に描かれている。特にミルトンの『失楽園』では，反逆者の長であり，「堕ちた大天使」（Ⅰ，593）である。

『復楽園』では「楽園の盗人」（Ⅳ，604）である。さらに，フォンデルの『ルキフェル』，ドライデンの『無垢の時』，ゲーテの『ファウスト』でも（ここではメフィストフェレスとして）描かれている。サタンの別名には，マステマ，ベリアルあるいはベリエル，ドゥマ，ガドレエル，アザゼル，サマエル，エドムの天使がある。ラビの教説では「醜き者」（ギンズバーグ『ユダヤ人の伝説』Ⅴ，123）というあだ名をもつ。『ミドラシュ・テヒリム』では，ダヴィデが狩りに出かけたときにガゼルの姿で現われた。（スペンサーによって『仙女王』「〈無常〉の2編」で表わされているような）〈無常〉の姿と比べよ。ギリシアのティタンは，ゼウスの主権に挑戦し，サタンのように「天頂の統治」を狙った。

サディアル Sadial（サディエル Sadiel）　イスラム教では，第3天を支配する天使。[出典：ド・プランシー『地獄辞典』；クレイトン『天使学』]

ザディキエル Zadikiel　シリアの招喚の儀式で唱えられる天使。[出典：ゴランツ『守護の書』；バッジ『魔除けと護符』]

ザディキエル Zadykiel（ザドキエル Zadkiel）　『カルデア魔術』で木星の天使。

サディテル Saditel　コルネリウス・アグリッパ『オカルト哲学』Ⅲに挙げられている第3天の天使。[出典：『モーセの第6，第7の書』p139]

ザデス Zades　オカルトの教義（『ソロモンの鍵』）で，蜜蠟の清めで唱えられる天使。[出典：メイザーズ『ソロモンの大きな鍵』]

座天使 Angels of the Throne　『天使ラジエルの書』によれば，ヘブライで座天使の位に相当するのはアレリムあるいはオファニム。「玉座の御前に立つ7人の天使がいた」とされるが，ユダヤ教の伝承では70人いた（いる）とされる。この位の首長として以下の者が挙げられる。オリフィエル，オファニエル（オファニムから来た名），ラジエル，ザブキエル，ヨフィエル，アムブリエル，ティカガラ，バラエル，クエラミア，パスカル，ボエル，ラウム，ムルムル。これら高位の者のうちの幾人かは，もはや天国では見いだされず，地獄の堕天使の中に数えられる。ディオニシオスの天の階級の体系では，座天使は第1のトリオの3番目に位置している。座天使の属性，長所は「不動」である。

座天使 Thrones　偽ディオニュシオスの体系では，天上の位階の第1のトリオの第3番目に位置し，第4天に住む。この天使の位を支配する者として，オリフィエル，ザブキエル，ザフキエルなどいろいろな名前で挙げられている。『失楽園』Ⅵ，199においてミルトンは「反逆

深淵の天使（アポリオン／アバドン）によって千年の間縛られたサタン。
17世紀。ヨハネの黙示録20：1の挿絵。
ラングトン『サタンの肖像』より転載。

の座天使」について語っている。ディオニュシオスは，この座天使をとおして「神は我々にふさわしい正義をもたらすのだ」と言う。『レヴィの誓約』（『十二族長の誓約』に含まれる）では，座天使を天上の位階の位の1つとして述べている。→玉座の天使，→多眼者

サトゥルヌス Saturn ペルシア宗教では，第7天の主，天使。カバラでは荒野の天使。カルデア人の神話では，5つの惑星を支配する神々の1人アダルであった。ミルトンは堕天使として言及している（『失楽園』Ⅰ，512）。

ザドキエル Zadkiel（ツァドキエル Tzadkiel，ジデキエル Zidekiel，ザダキエル Zadakiel，ゼデキエル Zedekiel，「神の正義」の意）ラビ文献において，慈ողの天使で，主天使（ハシュマリムと同視される）の位の長。『マセケト・アジルト』では，その10の階級中，ザドキエル（あるいはゼデキエル）はシナニムの位のガブリエルと共同で統率するとされる。天の9人の支配者の1人で，神の御前に立つ7人の大天使の1人。『ゾハル』（民数記154a）では，2人の首領の1人とされる。もう1人はゾフィエルで，偉大な大天使ミカエルが戦いで軍旗を運ぶのを手伝った。魔術書『ファウスト博士の地獄の苦しみ』では，「聖なるイェホヴァの玉座の天使」と呼ばれ，メフィストフェレスの指南役である。[出典：クリスチャン『魔術の歴史と実践』Ⅱ］トラクテンバーグの『ユダヤ魔術と迷信』によれば，ザドキエルはサキエルの別名。カムフィールドは『天使についての神学的論説』で，ザドキエルを木星の宮の支配者と呼ぶ。しかし，木星の天使としては，ザカリエル，アバディエル，ゾビアケル，バルキエル，その他の天使とも同一視される。アブラハムが息子イサクを犠牲に捧げようとしたとき，その腕を引きとめたのがザドキエル（またはミカエル，タドヒエルなど）だという著者もいる。[出典：デ・ブレス『美術における聖人の見分け方』p52］

サドクィエル Sadqiel 『カルデア人の知恵』で，5日目を支配する天使。

サトラピイ Satrapies ミルトンがその論文「高位聖職者に対して提唱する教会統治の根拠」で，偽ディオニュシオスや他の天使学者たちが言及していない天使の位階を示すために，たとえば「天の支配者や統治者satrapies」のような階級に用いた言葉。

サドリエル Sadriel 天使（エンジェル）の位の1人。[出典：『旧約聖書の外典と偽典』］1966年2月，ニューヨーク，聖ジョージ教会で上演された一幕物オペラ「天使の仮面劇」では，会社事務員の役だった。

ザトリエル Zatriel シリアの魔術儀式で招霊される天使。『守護の書』で，ミカエル，ガブリエル，シャムシエルなど「魔法をかける天使」の仲間。[出典：バッジ『魔除けと護符』p278]

サナシエル Sanasiel マンダ教の天使学では，生命の門に立ち，魂のために祈る霊。[出典：ドロワー『マンダ教の正典祈禱書』]

ザニエル Zaniel 黄道十二宮の天秤宮を支配する天使。第1天に仕える月曜の天使で，西から招霊される。

サニグロン・クンヤ Saniguron Kunya M. ガスター『モーセの剣』では，特別な儀礼の儀式で名前が唱えられる14人の偉大な天使の1人。

サヌル Sannul (Sanul) 能天使の位に属する。オカルティズムでは，魔術儀式で呼び出される。[出典：『モーセの第6, 第7の書』]

サバオク Sabaoc 745年にローマ教会会議で開かれた裁判で拒絶された7人の天使の1人。同裁判で拒絶された天使は他にウリエル，ラグエル，シミエルがいる。[出典：ヘイウッド『聖なる天使の階級』]→拒絶された天使たち

サバオト Sabaoth（ツァバオト Tsabaoth, イブラオト Ibraoth，「軍勢」の意）御前の7人の天使の1人。グノーシス主義およびカバラの教義における神名の1つであり，オフィス派（グノーシス主義）の体系では7人のアルコン（宇宙の創造者）の1人。

サバオト・アダマス Sabaoth Adamas 『救い主の諸原典』で，悪の力，または悪しきアイオンの統率者。コプト語の『ピスティス・ソフィア』でも言及される。

サハクィエル Sahaqiel 『第3エノク書』によれば，空を支配する天使。

砂漠の天使 Angel of the Deserts 「第1安息日に神の前に出て，神を賛美し，主の日を祝う，荘厳で，恐ろしく，力強い天使長」の1人。名前は与えられていない。[出典：『ラビ・アキバのアルファベット』；ギンズバーグ『ユダヤ人の伝説』のリストにある多数のタルムード文

サバティ Sabbathi →サバティエル Sabathiel

サバティエル Sabathiel（サバティ Sabbathi）カバラでは、土星の霊（叡智体）。聖霊の神的光を受け、それを自らの王国の住人に伝達する。モーセ伝承では、「常に神の前に立ち、惑星の霊的な名を与えられた」7人の支配者の1人。[出典：コルネリウス・アグリッパ『オカルト哲学』Ⅲ］

サバト Sabbath 天の栄光の玉座に座す天使と言われる。彼に敬意を表する天使たちの位の長。安息日の主。

サバト（安息日）の天使 Angel of the Sabbath ユダヤ（ラビ）文献で、サバトと名づけられているこの天使は、偉大なる天上の高位の者の1人である。「サバトという名の天使が栄光の座にすわり、すべての天とすべての淵を支配するすべての天使の長たちがその前で踊り歓喜した。」[出典：ギンズバーグ『ユダヤ人の伝説』Ⅰ，84］

ザバニヤ Zabaniyah アラビア伝承で、マリクに仕える（護衛の）下位天使の1人。

ザハフティリイ Zahaftirii 『ヘハロト・ラバティ』で、御前の天使の支配者であり、またトラヴィエルと共に天の第5の門で印章をもつ。

ザハブリエル Zahabriel 『ビルケ・ヘハロト』で、第1天の護衛の天使。

ザハリイル Zahari'il マンダ教で、生殖と出産の霊。親切な光の霊。また、（ザハリイルを女とみなして）「慈悲深いリリト」とされる。

サハリエル Sahariel（アスデレル Asderel）シリア語の呪文で招霊される天使。黄道十二宮の白羊宮を支配する。[出典：『闇の王』（魔女関係のアンソロジー）p177；ゴランツ『守護の書』；バッジ『魔除けと護符』]

ザハルエル Zahariel（「輝き」の意）ユダヤの神秘主義者の文献、特に『アブラハムの黙示録』で言及される偉大な天使。レヴィの『高等魔術』では、魔王モロクの誘惑あるいは人格に対抗するために唱えられる天使。

サヒヴィエル Sahiviel 第3天の護衛の天使。『オザル・ミドラシム』Ⅰ，116で、他の多くの同様の護衛たちと共に言及される。

サビエル Sabiel 10の聖なるセフィロトを擬人化した天使たちの第1の者。モンゴメリーの『ニプールのアラム語呪文原典』では、厳粛な儀式により招霊される天使。

サピエル Sapiel（サフィエル Saphiel）第4天の天使で、日曜日を支配する。守護天使であり、北から招霊される。

サファル Saphar 『セフェル・イェツィラ』（『天地生成の書』）では、世界を創った3人の熾天使の1人。他の2人はセフェルとシプルである。

ザフィエル Zafiel ユダヤの伝承で、にわか雨を支配する天使。[出典：ギンズバーグ『ユダヤ人の伝説』Ⅰ，140］

ザフィエル Zaphiel（ゾフィエル Zophiel, イオフィエル Iofiel、など）智天使の位の支配者で、土星の君主。またノアの教導天使でもある。ミルトン（『失楽園』Ⅵ，535）は「最も速い翼をもつ智天使の」ザフィエル（ゾフィエル）と呼んでいる。ゾフィエルの「姿」がヘイリー編『ミルトン詩集』に載っている。アンブラン『実践カバラ』によれば、「座天使（の位）の長」でもある。

サフカス Safkas 天使メタトロンの多くの名の1つ。

ザフキエル Zaphkiel（Zaphchiel、ザフキアル Zaphchial、ザフィエル Zaphiel、ゾフィエル Zophiel、など、「神の知識」の意）座天使の位の長で、天を治める9人の天使の1人。また、7人の大天使の1人。土星の支配者である（この地位をイオフィエルやオリフィエルのような天体天使と分担していることに注意）。フラッドによれば、ザフキエルはゾフィエルと同じく智天使（ラビの教義のオファニム）の位の支配者である。[アグリッパ、カムフィールド、ミルトンの著作を参照。] クロップシュトックの『メシア』では、ゾフィエルが「地獄の使者」である。だが、ゾフィエルがザフキエルと厳密に同じかどうかについては少々疑問がある。

ザブキエル Zabkiel アレリムに等しい階級である座天使の位を支配する天使の1人。[出典：フラッド『モーセの哲学』]

ザブク Zahbuk 夫をその妻から引き離すための呪文で嘆願される悪しき天使。[出典：M. ガスター『モーセの剣』]

サブタビエル Sabtabiel カバラで、降霊の儀式で唱えられる天使。[出典：レヴィ『高等魔術』p281]

ザブディエル Zabdiel　M.ガスター『モーセの剣』によれば，あだ名をクンヤ Kunya という天使。ザブディエル・クンヤは，14ある神の言い表わせない名の1つ。

ザフニエル Zafniel　ゲオニムの教えで，12カ月の1つを支配する天使。[出典：トラクテンバーグ『ユダヤ魔術と迷信』]

サブラエル Sabrael（サブリエル Sabriel）『ソロモンの誓約』および『第3エノク書』によれば，7人の大天使の1人。タルシシム（「光り輝く者」の意で，力天使の位と同等視される）の位の長。『マセケト・アジルト』によれば，タルシエルとその地位を分担する。また第1天の護衛。[出典：クラウキン『ユダヤ百科事典』「天使学」の項] オカルティズムでは，疾病のデーモンのスフェンドナエルに打ち勝つことのできる唯一の天使。

サフリエル Safriel　第5天の護衛の天使。[出典：『オザル・ミドラシム』Ⅱ, 116] 邪眼を防ぐ護符として効き目があるとされる。[出典：シュライアー『ヘブライの魔除け』]

サブリル Sablil　レヴィ『高等魔術の教理と祭儀』によれば，盗人に降りる霊。レヴィの典拠は，テュアナのアポロニウスの『ヌクテメロン』。『ヌクテメロン』では9時の霊あるいは守護霊の1人。

ザフリレ Zafrire　朝の精霊。[出典：クラウキン『ユダヤ百科事典』516]

ザフン Zahun　醜聞の天使で，1時の精霊の1人。[出典：レヴィ『高等魔術』；テュアナのアポロニウス『ヌクテメロン』]

ザベサエル Zabesael　ミルキエルに関わる季節の天使。[出典：グラント『グノーシス主義と初期キリスト教』]

サホン Sahon　カバラでは印章の天使の1人，あるいは惑星の天使。

サマエイ Samaey →サルマイ Salmay

サマエル Sam(m)ael（サタニル Satanil, サミル Samil, サタン Satan, セイル Seir, サルマエル Salmael, など）毒を意味する「sam」と天使を意味する「el」が結合したもの。ラビ文献では，悪魔たちの長で，死の天使。『エノクの秘密（エノク書Ⅱ）』では，悪魔たちの王で魔術師である。天国・現世・地獄で行動する最も邪悪な霊あるいは最も崇高な霊の1つとして，善とも悪とも見なされる。また，第5天最高の支配者と呼ばれ（ユダヤの伝承によれば，住んでいるのは通常第7天である），200万の天使が仕える世界の7人の統治者の1人であるが，「堕天の際に太陽系を引き寄せた，12枚の翼をもつ大いなる蛇」とも言われる。（『ヨハネの黙示録』12章を参照。）またサマエルは，神がモーセの死に際しその魂を取ってくるように遣した死の天使（数ある死の天使の1人）である。タルムード『ヤルクト』Ⅰ, 110ではエサウの守護天使であり，『ソタ』10bではエドムのサルsar（護衛の天使の支配者）として述べられている。『ラビ・エリエゼルの言葉』では，蛇に変身してエヴァを誘惑し，たらし込み，カインの祖を生ませたとして非難される。『ゾハル』(Vayishlah 170b)では，ペヌエルでヤコブと格闘した暗黒天使である。ただし，ミカエル，ウリエル，メタトロンなどもこの格闘相手と同一視される。サマエルはまた，イスラエルの人口を数えるようダヴィデをそそのかしたサタン（すなわち敵）と見なされた。[出典：『歴代誌上』21章]『タルグム・ヨナタン』は『創世記』3：6を「そして女は死の天使サマエルを見た」と訳している。この1節は『ヨブの釈義』28：7では，「生命の木の小道を，鳥のように飛ぶサマエルは知らなかった。エヴァの目にも見えなかった」と訳されている。

ウェイト『聖なるカバラ』p255では，サマエルは「神の厳しさ」として表わされ，ブリア界の5番目の大天使として挙げられている。ここではセフィラのゲブラと照応する。コルネリウス・アグリッパの『オカルト哲学』では，ギリシア神テュポンと同等視されている。『バルク書Ⅲ』4章には「天使サマエル」という言及がある。チャールズの『イザヤの昇天』Ⅳ, 7には次のような1節がある。「私と彼（すなわち，イザヤと，その守護天使，非常に光栄ある者，名は呼ばれないが『アブラハムの黙示』でアブラハムが出会った天使に匹敵する者）は天空へと昇った。そこで私はサマエルとその軍勢を見た。その場所で，大いなる戦いがあった。サタンに与する天使たちは妬み合っていた。」ここでは，明らかにサマエルとサタンは交換可能である。

ロングフェローの長詩『黄金伝説』では，ラビがイスカリオテのユダになぜ犬たちが夜遠吠えをするのか尋ねたとき，「ラビの書に曰く／

冷たい息で，犬たちが吠えるのは，／大いなるサマエル，死の天使が，／その町を飛びゆくからだ。」とユダは答えた。キャベルの小説『悪魔の息子』では，「誘惑者赤きサマエル」が主人公の父として登場する。キャベルは，サマエルを「地獄の72人の支配者の中で最も若く最も力強い者，幾世紀もの昔エヴァとリリトと共に名をとどろかせた赤き頭の悪者」と呼んでいる。キャベルによれば，サマエルは熾天使の位に属し，「最初の芸術批評家」である。

ザマエル Zamael →サマエル Sammael

サマクス Samax 空の天使たちの長で，火曜の天使を支配する。サマクスに奉仕する天使は，カルマクス，イスモリ，パフランである。[出典：デ・アバノ『ヘプタメロン』；バレット『魔術師』II]

サマクス・レクス Samax Rex エリザベス朝の黒魔術書に記されている悪霊。[出典：バトラー『儀礼魔術』p256]

サマス Samas バビロニアやカルデアのオカルティズムでは上級の霊。黄道十二宮の1つ太陽として現われる。[出典：ルノルマン『カルデア魔術』；セリグマン『魔法——その歴史と正体』]

サマハイル Samaha'il イスラム教徒の伝統で，アッラーを礼拝する少年の姿の天使たちを監督する，第6天の天使。[出典：ヘイスティングズ『宗教・倫理辞典』IV, 619]

ザマルカド Zamarchad 悪を防ぐための東方ユダヤの護符に記されている天使の名。[出典：シュライアー『ヘブライの魔除け』]

サマンガルフ Samangaluf（スムングルフ Smnglf，サマンゲロフ Samangeloph）偽シラク書によれば，エヴァが出現する以前，長い別離の後，リリトをアダムのもとに連れ戻した3人の天使の1人。『天使ラジエルの書』から引用された，サマンガルフの印章のあるヘブライの魔除けは，バッジの『魔除けと護符』p225に再録。

サマンガロフ Sammangaloph →サマンガルフ Samangaluf

サマンディリエル Samandiriel（スマンドリエル Smandriel）マンダ教で，祈りを受け入れる豊穣の霊。祈りが実現すべきとサマンディリエルが確信するときまで，祈りをとどめておく。→ユサミン（ユシャミン）（Yus(h)amin）

[出典：ドロワー『マンダ教の正典祈禱書』p272]

サミアザ（ズ） Samiaza(z) →セムヤザ Semyaza

サミエル Samiel 『ペトロの黙示』（あるいはジェイムズ『新約聖書外典』）では，「神の不死なる天使」。ゴランツ『守護の書』では，ミカエル，ガブリエル，その他魔法をかける天使たちの仲間。だが，ヴォルテール『天使，守護霊，悪魔について』によれば，堕天使の指導者の1人で，悪しきものである。ヴォルテールにとっては，明らかに悪の王サマエルの異名である。バル＝コナイ『注釈書』では，「盲目で，奇形で，悪しき者」と記述されている。

ザミヤド Zamiyad この天使の世話のために，ペルシアの魔術師は黒い眼をした天女あるいは天国のニンフを選んでいる。[出典：セイル『コーラン』「序説」p72]

サミル Samil 配下のおびただしい霊と共に6時を支配する天使。[出典：ウェイト訳『レメゲトン』]

サムイル Samuil（セミル Semil,「神のことを聞く」の意）ユダヤ伝説では，地上の天使，つまり地上を支配する者である。『エノク書II』33では，エノクを（肉体と共に）天へ運び，神に命じられてまた地上に戻した。だが，この使命と功業は，他の天使たち，なかんずくラスイルやアナフィエルのものともされる。

サムキア Samchia（サムキエル Samchiel）産褥の魔除けの天使70人の1人。70人全ての表は付録を参照。

サムキエル Samchiel →サムキア Samchia

サムサヴェエル Samsaveel →サムサペエル Samsapeel

サムサペエル Samsapeel（サムサヴェエル Samsaveel，シャムシエル Shamshiel）『エノク書I』に背信者の1人として挙げられている悪しき大天使。天から降りて人間の娘と同棲した200人のうちの1人。

サム・ヒイ Sam Hii（ショム・ヒイ Shom Hii）マンダ教で，北極星の4人のマルキ（ウトリ，または天使）の1人。その名は「生命の創造」を意味する。

サムヒエル Samhiel カバラで，愚鈍さを治すために招霊される天使。[出典：『マヤンハホクマ』；『エノク書I』]

サムブラ Sambula　アラビアの伝承で，招喚の呪文で招霊される天使。[出典：シャー『オカルティズム』]

サムヤザ Samjaza →セムヤザ Semyaza

サムヤザ Samyaza →セムヤザ Semyaza

サムリエル Samriel →サクリエル Sakriel

サムロ Samlo　グノーシス主義で，「選ばれた者を天へと引き上げる」偉大なる天体天使（ルミナリー），あるいはアイオンの1人。[出典：ドレッセ『エジプト・グノーシス主義の秘密の書』]

サメヴェエル Sameveel　堕天使の1人で，『エノク書Ⅰ』に挙げられている。

サメオン Sameon　ウェイト訳『レメゲトン』で，サミルに仕える昼の6時の天使。

サメロン Sameron　昼の12時の天使で，ベラティエルに仕える。

サモイ Samoy　『真の魔術書』で，黒魔術を行なう際に招霊される天使。おそらくサモエルと同一人物。

サモエル Samoel（サモイ？ Samoy？）　ソロモンの儀式を行なう際に，魔道士への祈りで招かれる霊。[出典：メイザーズ『ソロモンの大きな鍵』]

サモハイル Samohayl　カバラの招霊の儀式で呼び出される救いの大天使。[出典：『モーセの第6，第7の書』]

サライエル Saraiel（サリエル Sariel）　黄道十二宮の双子宮（双子座）の統治者。その任務を，サグラスというもう1人の守護霊（あるいは天使）が手伝っている。[出典：『闇の王』p177]

サラキエル Sarakiel（サラクアエル Saraquael）　救いの天使の支配者。救いの天使が集合する審判会議で議長を務める。「心の罪を犯した者の子供たちの上に置かれた7人の聖なる天使の1人。」[出典：『エノク書』]他の天使，サタアランと共に白羊宮（牡羊座）を支配する。

サラキカイル Sarakika'il　アラビアの伝承では，悪魔祓いの儀式で招霊される守護天使。[出典：ヒューズ『イスラム辞典』「Angels」の項]

サラクアエル Saraquael →サラキエル Sarakiel

サラクニアル Sarakunyal（サラクイアル Sarakuyal）　「創世記」6章で触れられた出来事で，地上に降りて人間の娘と同棲した，セムヤザの支配下にある200人の天使の1人。アメリカの詩人マーク・ヴァン・ドーレンは「予言者エノク」という詩でサラクニアルに言及している。レヴィは『魔術の歴史』に200人の背教者の指導者たちを記した際，サラクイアルという異名を挙げている。

サラサエル Sarasael（サレア Sarea，サルガ Sarga，サラァエル Saraqael）熾天使。エズラが口述した204冊の本を書きとめた5「人」の1人とされる。「霊において罪を犯した者たちの霊の上に置かれた」聖なる天使の1人。『バルク書Ⅲ』の記述では，「アダムを道に迷わせた」（エデンの園の）木を移植せよとノアに忠告するために神が遣わされた天使。

ザラザズ Zarazaz（マスケリ Maskelli）『ピスティス・ソフィア』p370で，この天使の名は「デーモンたちにより，彼らの領域の強きデーモン，マスケリにちなんで呼ばれた」。[出典：レッジ『キリスト教に先行するものとライバル』p75, 148] ザラザズは，天の宝物庫の覆いの見張りでもある。

サラタン Saratan　アラビア伝承では，魔術的儀式で招霊される天使。

サラテエル Salatheel（セアルティエル Sealtiel, Sealthiel, サラティエル Salathiel,「私は神に尋ねた」の意）　7人の偉大な救いの大天使の1人。惑星の運行を支配する。スリエル（スリイェル）と共に，アダムとエヴァを，（『アダムとエヴァの書』で報告されているように）サタンが彼らをおびき出した高い山の頂から，宝物の洞窟へと導いた。『エズラ記』Ⅳではサラティエルとして言及している。世俗的な著作にはジョージ・クロウリー師のロマンス（『私が来るまで待て』1829年初版，1900年再版）があり，作中のさまよえるユダヤ人がサラティエル・ベン・サディという名の16世紀のヴェネツィア人である。[出典：レヴィ『高等魔術』；バーンハート『ニュー・センチュリー英文学ハンドブック』p960]

サラナナ Saranana　『ソロモンのアルマデル』では，第3の高位にある天使。

サラヒエル Sarahiel　『ヘハロト・ラバティ』によれば，第2天に7人いる護衛の天使の1人。[出典：『オザル・ミドラシム』Ⅰ, 116]

ザラフ Zaraph（フィクション）トマス・ムーアの『天使の愛』における第3の天使，熾天

「アダムとエヴァ」18世紀の想像図。
堕落後で、背景には罪と死がいる。エデンの園にサタンが入ってくるのを防ぐことができず、守護天使たちが天へ戻っていく。
ラングトン『サタンの肖像』より転載。

使。

サラフィエル Sarafiel　イスラム教の神話では，イスラフィルあるいはイスラフェルと同等視されている天使。[出典：クラウキン『ユダヤ百科事典』「天使論 Angelology」の項]

サラフシオン Sarafsion　ヘハロトの伝承（『マアセ・メルカバ』）では，第7天の館に配置された護衛の天使。

サラミエル Salamiel（サタナイル Satanail, サトマイル Satomail）　偉大な天使。グリゴリの王。グリゴリは天に住んでいるが，そのうち幾人かは悪しき者である。伝説では，サラミエルは主を棄て，いまは堕天使となった。[出典：ギンズバーグ『ユダヤ人の伝説』Ⅰ，133]

ザラル Zarall　契約の箱にある慈悲の座を占める双子の智天使の1人。もう1人の智天使はヤエル。

サリエル Sariel（スリエル Suriel, ゼラキエル Zerachiel, サラキエル Sarakiel, ウリエル Uriel，など）　もともとエノク書ではサラクェルとして挙げられ，ウリエルとは区別されている7人の大天使の1人だが，ガスター『死海文書』ではウリエルと同一視されている。聖なる天使と堕天使の両方に挙げられている。オカルティズムでは，夏至の9人の天使の1人で，邪眼に対する魔除けとして効力をもつ。サリエルは黄道十二宮の白羊宮（牡羊座）を支配し，さらに（かつては禁じられた知と見なされた）月の経路を教える。[出典：グラッソン『ユダヤ教の終末論におけるギリシアの影響』]最近発見された死海写本の一つ『闇の息子たちに対する光の息子たちの戦い』では，「第3の塔（塔という言葉は戦いの部隊の意味をもち，全部で4つの塔がある）」の盾にその名が見られると言われる。

サリエル Sahriel　7つの天の館にいる64人の天使の番人の1人。[出典：『ピルケ・ヘハロト』]

ザリエル Zaliel　火曜の天使で，第5天に住み，南から招霊される。

サリシム Sallisim　『第3エノク書』では，タガスの指揮下にある聖歌隊の位階に属する天使の位。

サリタイエル Saritaiel（サリティエル Saritiel）　ヴノリと呼ばれる兄弟霊と共に，黄道十二宮の人馬宮を支配する。

サリティエル Saritiel →サリタイエル Saritaiel

サリム Sarim（ヘブライ語のサル sar の複数，「支配者」の意）　タガスの指揮下にある聖歌隊の天使の位。[出典：『第3エノク書』]

サリルス Salilus　魔術において，封印された扉を開く守護霊。[出典：レヴィ『高等魔術』]。テュアナのアポロニウスの『ヌクテメロン』では7時の守護霊。

サル Sar（複数はサリム Sarim）　天使の君主を意味するヘブライ語。それぞれの民族に1人ずつで，70人のサリムがいる。『ヘルマスの牧者』では，70人の牧者と同一視される。

サルガ Sarga（サラサエル Sarasael）　エズラが口述する204冊の本を筆写するよう神に命じられた5人の天の書記の1人。他の4人は，ダブリア，セレウキア（セレミア），エタン

（またはエカヌス），アシエル。ここでは明らかにサレアやサラサエルの別名と考えられる。

サルギエル Sargiel（ナサルギエル Nasargiel） 邪悪な者たちの魂と共に，地獄に堕ちた天使。

サルクアミク Sarquamich 夜の3時を支配する天使。→ハグロウ

ザルザキエル Zarzakiel（ザグザゲル？ Zagzagel？）「栄光の玉座にイスラエルの功績を書き留めるよう神に命じられた」天使の支配者。生命を与える者ソフェリエルに匹敵するか同一視される。[出典：『第3エノク書』；ミュラー『ユダヤ神秘主義の歴史』]

サル・シェル・ヤム Sar Shel Yam（「海の支配者」の意） ラハブのこと。[出典：『ミドラシュ・ラバ』]

サルシュ Sarush →シルシ Sirushi，スラオシャ Sraosha

サルタエル Sartael（「神の側」の意） サタレルとも呼ばれる。不可視なものを支配する，悪しき大天使。タルムード『ベラコト』57bに言及される。

サルタミエル Sartamiel 黄道十二宮を支配する天使の1人。[出典：コルネリウス・アグリッパ『オカルト哲学』III]

サルツィエル Sartziel（サイサイエル Saissaiel） レヴィ『高等魔術の教理と祭儀』によれば，黄道十二宮の天蝎宮を支配する霊。[出典：『闇の王』]

サル・ハ＝オラム Sar ha-Olam 文字どおりには「世界の支配者」の意。サル・ハ＝パニム（「御前の支配者」）と同等の者。ミカエル，イェホエル，メタトロンと，さらに聖パウロによりサタンと，同一視される。タルムードは「出エジプト記」23：21に言及して，「内に神の名をもつ天使」と呼ぶ。[出典：タルムード『イェバモト』16b；『フリン』60a；『サンヘドリン』94a] サル・ハ＝オラムは，メタトロンと同様に，「詩編」37：25と「イザヤ書」24：16を書いたと信じられている。

サル・ハ＝コデシュ Sar ha-Kodesh 至聖所，あるいは神聖なるものの支配者の天使。メタトロンやイェフェフィアと同一視される。

サル・ハ＝トーラー Sar ha-Torah 文字どおりには「律法の支配者」の意。イェフェフィアのこと。

サル・ハ＝パニム Sar ha-Panim 文字どおりには「御前の天使」の意。御前の天使，あるいはサル・ハ＝オラムと同等視される。

サルババエル Salbabiel アラム語の愛の呪文で招霊される天使。[出典：モンゴメリー『ニプールのアラム語呪文原典』]

サルフィエル Sarfiel パレスティナのメズーザ（「申命記」一節を記した羊皮紙）に，他の6人の天使と共に名が記録されている古代の魔除けの天使。オカルティズムでは，昼の8時の天使で，オスガエビアルに仕える。『オザル・ミドラシム』II，316では，東風の門の数多い護衛の1人。

サルフィエル Sarphiel シリアの呪文で招霊される天使。ゴランツ『守護の書』では，ミカエル，シャムシエル，ヌリエルと共に「呪文の能天使」とされる。

サルプサン Salpsan ジェイムズ『新約聖書偽典』の「バルトロメオの福音」によれば，サタンの息子。

サルフマイル Sarhma'il アラビアの伝承では，悪魔祓いの儀式で招霊される守護天使。[出典：ヒューズ『イスラム辞典』「天使 Angels」の項]

ザルブリス Zalburis テュアナのアポロニウスの『ヌクテメロン』で，治療術の霊，また8時の霊の1人。

ザルベサエル Zalbesael（「神の心」の意）雨期を支配する天使。別綴には，ゼレブシェエル Zehlebhsheel，ザレブセル Zalebsel，など。

サルマイ Salmay（ザルマイイ Zalmaii，サマエイ Samaey）『真の魔術書』では，典礼の魔術的儀式，特に塩の祝福において招霊される「神の聖なる天使たち」の1人。[出典：ウェイト『儀礼魔術の書』p175]

サルマエル Salmael（サマエル Samael）天使の位の1つの支配者。贖罪の日には常にイスラエルを告発して，ユダヤ人の絶滅を求めるのだった（ヒットラーの大量虐殺の先駆者？）。サルマエルは，サマエルやアザゼルと同等視される。また，他の天使たちのように，ペヌエルでのヤコブの暗黒の格闘相手と同一視される。[出典：バンバーガー『堕天使』p284, 285]

サルミア Salmia 儀式において，招霊の願いの成就のために，他の「偉大で栄光ある霊たち」と共に祈願される天使。[出典：マルクス

『トゥリエルの秘密の魔術書』』

サルミエル Sarmiel　火の支配者イェホエルの副官。[出典：キング『グノーシス主義とその遺産』p15]

サルモン Salmon　ザアゾナシュに仕える，夜の6時の天使。[出典：ウェイト訳『レメゲトン』p69]

サルン Salun　儀式で祈願される天使。[出典：マルクス『トゥリエルの秘密の魔術書』p36]

ザルン Zahrun　マンダ教で，ミルカ・ド・アンフラ（生命の与え手）が，洗礼の儀式を手伝うために天から降下させたマルキ（天使）。この伝説については，ドロワー『イラクとイランのマンダ教徒』p328を参照。この役目のために2人のマルキが送られたが，もう1人はズヘイルである。

サレア Sarea（サルガ Sarga）　ダフ『第Ⅱエズラ記』では，サラサエルの項で言及した5「人」の1人とされる。エズラが口述した204冊の本のうち，70冊は賢人にのみ伝えられ，残りは公刊されることとされていた。

サレミア Salemia　『エズラ記Ⅱ』では，エズラが口述したものを204巻に書き取った5人（の天使）の1人。

サレム Salem　聖ヨハネの守護天使。おそらく，サレム（すなわちエルサレム）の伝説上の王メルキゼデクのこと。[出典：クロップシュトック『メシア』第vii巻注釈]

ザレン Zaren　テュアナのアポロニウスの『ヌクテメロン』で，復讐する霊。

サロスパ Sarospa　「アフラ・マズタの命令を実行する天使。」[出典：フォーロング『宗教百科事典』]

ザロテイイ Zaroteij　印章の天使。[出典：『モーセの第6，第7の書』]

ザロビ Zarobi　オカルティズムで，危機の霊。テュアナのアポロニウスの『ヌクテメロン』で，3時の支配者の1人である。

ザロン Zaron　ソロモンの魔術で，葦の聖別儀式で唱えられる天使。[出典：メイザーズ『ソロモンの大きな鍵』p115]

サワエル Sawael　カバラ主義の著作『天地生成の書』で，つむじ風の天使。[出典：バッジ『魔除けと護符』p375]

ザワル Zawar　カバラの招喚儀式で用いられる，15人の座天使の1人。[出典：『モーセの第6，第7の書』]

3月の天使 Angel of March　マキディエル（マルキディエル），メルケヤル，など。他の月を支配する天使に関しては「1年12カ月を支配する天使たち」の項を参照。古代ペルシアの伝承では，3月の天使はファヴァルディン。

サンガリア Sangariah　断食の天使。主要な役割は，安息日を守らなかった者たちを告発することである。[出典：『ゾハル』出エジプト記207a]

サンガリエル Sangariel　天の門を護衛する天使。[出典：メイザーズ『ソロモンの大きな鍵』]

三宮の天使 Angels of the Triplicities　儀礼魔術で黄道十二宮の中の三宮を支配する天使は，ミカエル（火の三宮），ラファエル（空気の三宮），ガブリエル（水の三宮），ウリエル（地の三宮）。

サンクティティー（神聖なもの）Sanctities　ミルトン『失楽園』Ⅲ，60で用いられているように，天の階級の1つを表わす言葉。[出典：ウェスト『ミルトンと天使』p135]

懺悔天使 Penitent Angel, The →アバドナ Abbadona

ザンザギエル Zanzagiel →ザグザゲル Zagzagel

サンサヌイ Sansanui（サンサンヴィ Sansanvi，サンヴィ Sanvi，サンセノイ Sansennoi，スンヴィ Snvi，サンザヌイ Sanzanuy）　（エヴァが世に出る前の時代）別れた後にリリトをアダムのもとに連れ戻したと信じられている3人の天使の1人。和解を手伝った他の2人の天使は，サヌイ（またはセノイ）とサマンガルフである。現在は，リリトとその家来たちが子供を奪うのを防ぐ上で卓効を示す。[出典：トラクテンバーグ『ユダヤ魔術と迷信』]

ザンジエル Zanziel　『オザル・ミドラシム』Ⅱ，316に挙げられる，西風の門を護衛する数多い天使の1人。

サンセノイ Sansennoi →セノイ Sennoi

サンタナエル Santanael　金曜の天使で，第3天に住む。呼び出す際，招霊者が南を向いているときにのみ現われる。[出典：デ・アバノ『ヘプタメロン』；バレット『魔術師』Ⅱ]

サンダルフォン Sandalphon（サンドルフォ

ン Sandolphon, Sandolfon，ギリシア語で「共通の兄弟」の意）もともとは預言者エリヤ。ラビの教説では，偉大なサリム（天使の支配者の1人），メタトロンの双子の兄弟，天の歌の主（ハザン hazzan）。ハドラニエルより500年歩いたくらい背が高く，天の領域で最も背の高い権力者の1人とされる。モーセは第3天でサンダルフォンを見て「丈高き天使」と呼んだ。タルムード『ハギガ』13bは，（イスラフェルやギリシアの巨人テュポンと同様に）その頭は天に達すると語る。メイザーズ『ソロモンの大きな鍵』では，サンダルフォンは「箱船の左側の女性智天使」として示される。幕屋の祝宴のための典礼で，篤信者の祈りを集め，その祈りで花環を作り，そして「王の中の至高の王へと宝珠のように上昇するように命じた」と言われる。

『第3エノク書』では，第6天（マコン）の支配者として記述されている。しかし『ゾハル』（出エジプト記 202b）では，「第7天の長」である。またイスラム教では，第4天に住む。ミカエルの伝承と同様に，明らかに不滅のサマエル（サタン）すなわち悪の王との絶え間ない闘争を続けている。俗説では，造物主の前に立つときにはサンダルの愛好家であるからこの名前が付いたと言われているが，シェキナの前に現われるときは革靴をはいている。（『ゾハル』参照）古代の賢人たちは，オファンと同一視した。また，カバラ主義者によれば，彼は胎児の性別を決める係だという。妊娠中の女性はこのことを覚えておかれるとよい。［出典：『ヤルクト・レウベニ』］ロングフェローの『サンダルフォン』では「栄光の天使，祈りの天使」である。ロングフェローは，この詩の着想を，J.P.ステヘリンの『ユダヤ人の伝統』から得た。

サントリエル Santriel 『ゾハル』（出エジプト記 151a）が唯一の出典。そこには次のように彼の役割がはっきりと記されている。「またサントリエルと名付けられた天使は，このような罪人（すなわち安息日を守らなかったような者）の死体を墓場へ取りに出かけ，ゲヘナへと運び，（他の）罪人たち全ての目の前にかかげて，身体にうじ虫がわくさまを見せたのだ。」

サンドルフォン Sandolfon, Sandolphon →サンダルフォン Sandalphon

三位一体の神の天使 Angels of the Triune

「三位一体の天使たち」アンドレイ・ルブリョフ作のイコン。1410－1420年頃。3人の人物（イエス，神，聖霊）はみな有翼で光輪をもつ。トレチャコフ美術館，モスクワ。レガメイ『天使』より転載。

God メアケウル，レパテイ，ケトゥエル。［出典：バレット『魔術師』；『モーセの第6，第7の書』p127-130］

山脈の天使 Angel of Mountains →ラムペル Rampel

~シ~

ジアノル Zianor インクと絵具の儀式で唱えられる天使。

シアルル Sialul 幸運の守護霊。デ・アバノ『ヘプタメロン』では，7時の霊に含まれるので，この時間に招霊される。

シイ＝エド＝ディン Sij-ed-Din（「慈悲の力」の意）ヤズィード派（クルド人イスラム教徒）の伝承における7人の大天使の1人で，祈りで招霊される。

ジイエル Zi'iel 『第3エノク書』で，「騒動に対して任命される」天使。

ジヴ・ヒイ ZivHii マンダ教で，北極星の4人のマルキ（天使）の1人。

シェイク・バクラとシェイク・イスム Sheikh Bakra and Sheikh Ism 悪魔崇拝者の

祈りで招霊される，イスラム教ヤズィード派の7人の大天使のうちの2人。[ヤズィード派の他の5人の大天使の名については付録を参照。]

シェイレイル Sheireil →サタリエル Sathariel

シェヴィエル Sheviel（シャヴィエル Shaviel）『ピルケ・ヘハロト』に挙げられている。第1天の門番の天使。

シェガツィエル Shegatsiel X（すなわち神）の軍勢の天使の支配者。[出典：M.ガスター『モーセの剣』]

シェキナ Shekinah（ヘブライ語のシャカン shachan，「住むこと」の意。シェキナ Schechinah，マトロナ Matrona，など）人における神の女性的顕現，神が宿ること。また「主の花嫁」は，シヴァの花嫁シャクティと同等の意味である。「シェキナが休む」という表現は，「神が住む」の言い換えとして用いられる。『創世記』48：16でイスラエル（ヤコブ）が口にした「わたしをあらゆる苦しみから贖われた御使いよ」とは，『ゾハル』（バルク書187a）によれば，シェキナにあてはまる。新約的意味では，シェキナは神から流出した栄光，その光輝である。『マタイによる福音書』18：20の一節は，エメットによって次のように翻訳された（J.ヘイスティングズ『聖書辞典』）。「2人が一緒に座り，律法の言葉で心が満たされたとき，シェキナは彼と共にあった。」ラビ・ヨハナンによる解釈では（『ミドラシュ・ラバ』「出エジプト記」），ミカエルはシェキナの栄光である。シェキナは解放する天使であり，その男性的な面はメタトロンとして現われる。カバラでは，第10セフィラのマルクト，あるいは女王である。

『ゾハル』（補遺）によれば，世界の創造がシェキナの仕事である。ここではまた，シェキナは「12の聖なる戦車と12の天のハイヨトの内に住む」とも語られる。『ゾハル』の別の箇所（バラク書＝民数記 187a）では，モーセに最初に現われたときに天使と呼ばれ，またヤコブからも同様に呼ばれ，高みからの御使いとされる。『ゾハル』（出エジプト記 51a）では，「生命の木への道」や「主の天使」である。マイモニデスは『迷える者の手引書 Moreh Nebuchim』で，シェキナを，神と世界との仲介者あるいは神を表わす婉曲表現とみなしている。[出典：クラウキン『ユダヤ百科事典』vol. 9, p501]

シェキナは，聖霊や，グノーシス主義者ウァレンティヌスのエピノイアと同一視された。

シェキナについては次のように言われている（ウェイト『聖なるカバラ』）。「見よ，わたしはあなたの前に使いを遣わして，あなたを道で守らせる」（『出エジプト記』23：20）。これはメタトロン，洗礼者ヨハネ，「先触れの天使」にも当てはまる。伝説によれば（ギンズバーグ『ユダヤ人の伝説』Ⅱ：148，200），アロンはシェキナのキスで死んだ。同じ出典（Ⅱ：260）では，アブラハムがシェキナを第2天から降りてこさせたと語る。さらにタルムードによれば，神がアダムを地上の楽園から追放したとき，シェキナは「生命の樹の下に熾天使より高い玉座について後に残り，その光彩は太陽の6万5000倍も輝いた」。その光輝「を浴びた全ての者は病を免れ」，そして，「虫けらもデーモンも彼らを傷つけるために近づくことはできない」とある。ショーレムの2つの著作『ユダヤ神秘主義』『ユダヤのグノーシス主義，メルカバ神秘主義，タルムードの伝統』には，これと矛盾する話が述べられている。ここでは，シェキナはアダムの堕落のために追放の身となった。このシェキナを神のもとに引き戻し，神と結びつけることが，律法（トーラー）の真の目的であるという。

シェキナの住む場所への言及は『ラバの歌』6に見られる。「シェキナの本来の住まいはタトニム（すなわち，下位世界のうち，人間の領域，この世）である。アダムが罪を犯したとき，シェキナの住まいは第1天へと上昇した。カインの罪で第2天へ，エノクの時に第3天へ，洪水の発生で第4天へ，バベルの塔の発生で第5天へ，ソドムの時代に第6天へ，アブラハムの時代のエジプト人たちの罪で第7天へと上昇した。」それに伴い，シェキナを再び地上に引き戻す7人の義人が現われる。アブラハム，イサク，ヤコブ，レビ，ケハト（レビの息子でモーセの祖父），アムラム，モーセである。シェキナのハガダ〔解釈〕では，彼女はすべてのユダヤ人の夫妻の交わりに立ち会い，面前での交わりを祝福する。[タルムード『シャバト』55b；『ベレシト・ラバ』98，4，などを参照。これに関連して，結婚の寝床の支配者，ローマの女神ペルトゥンダと比較せよ。]

シェキニエル Shekiniel 第4天の護衛の天使。[出典：『オザル・ミドラシム』Ⅰ，116]

シェジエム Sheziem　カバラの儀式で招喚される天使。[出典：『モーセの第6，第7の書』]

シェテル Shetel　3人の救いの天使の1人。他の2人はアエベルとアシュ。アダムに仕えるよう神に命じられた。『ヤルクト・レウベニ』と『アダムとエヴァの書』によれば，3人の天使はアダムのために「肉を焼き」，「ブドウ酒を冷やした」。

シェドゥ Shedu　バビロニア人の家の守護霊で，招喚の儀式で招霊される。[出典：マッケンジー『バビロニアとアッシリアの神話』；トラクテンバーグ『ユダヤの魔術と迷信』p156]

シェパード（牧者）Shepherd　6人の悔恨の天使の1人で，ファヌエルと同等視される。ヘルマスに幻視を書き取らせた者である。[出典：『ヘルマスの牧者』Ⅱ，Ⅲ]この著作では，もう1人の羊飼いについて「残酷で執念深い羊飼い」や「罪人への罰を定める聖なる天使」と述べられているが，その名は示されていない。モーセは，後世のユダヤ文学では「忠実な羊飼い」として知られていた。イエスは「ヨハネによる福音書」10：11で「良き羊飼い」と自称した。[出典：T.ガスター『死海文書』p321]注：『ヘルマスの牧者』は，かつてはオリゲネス，エイレナイオス，偽キプリアヌスらによって聖典として引用された。

シェブニエル Shebniel　産褥の魔除けの天使70人の1人。[出典：『天使ラジエルの書』]

シェブリエル Sheburiel　『ピルケ・ヘハロト』に示されているように，第3天の門番の長。

シェマエル Shemael（ケムエル Kemuel, カマエル Camael, シェムイエル Shemuiel, 「神の名」の意）ユダヤ人の学びの家や礼拝所から立ち上る賛美歌に耳を傾けながら天の窓際に立つ，強力な天使。ショーレムの『ユダヤ神秘主義』では，アルコンである。この名は，ヘブライ語の賛美歌の最初の言葉に由来する。

シェミエル Shemmiel　→シェマエル Shemael

シェム Shem（「名」の意）（メルキゼデク Melchizedec）マニ教では，「天使たちが神の知恵を明かした，天の偉大な使者の1人」。マンダ教神学ではシュム＝クシュタである。[出典：マンダ教聖典『洗礼者ヨハネの書』；ドレッセ『エジプト・グノーシス主義の秘密の書』p155]

シェムハザイ Shemhazai　→セムヤザ Semyaza

シエメ Sieme　カバラで，時間，特に午後3時20分に関係する天使。力天使ヴァーチューの位に属している。ヒルダ・ドゥーリトルの詩「知恵」では，「主の天使 ange du Seigneur」と呼ばれる。対応する天使はアサリアである。

シェルヴィエル Shelviel　タルシシムの位の天使。[出典：『オザル・ミドラシム』Ⅰ，67]

シェレミアル Shelemial　第3天の護衛の天使。[出典：『ピルケ・ヘハロト』]

シオナ Siona　クロップシュトック『メシア』に登場する熾天使。

4月の天使 Angel of April　アスモデル。古代ペルシアの伝承では，アルダワヒシュト。

時間の天使 Angel of Time　タロット（14番のカード）でそう呼ばれるが，名前は不明。時間の天使は「地と天の間に立ち，白い衣をまとい，炎の翼をもち，頭の周りには光輪がある。（略）片足を地につけ，もう一方を海に入れ，その背後では太陽が昇っている。（略）肘には永遠と生命の印の円がある」。クリスチャンの『魔術の歴史と実践』によれば，ヘルメス主義の位階体系では時間の守護霊はレムファ。

シキエル Sikiel　シロッコ〔熱風〕の天使で，『セフェル・イェツィラ（天地生成の書）』に名が挙げられている。[出典：バッジ『魔除けと護符』]『オザル・ミドラシム』Ⅱ，316では，西風の門を護衛する天使である。

ジキエル Zikiel（ジクィエル Ziqiel）『第3エノク書』で，彗星や火花（稲妻）の天使長。[→アクヒベル]中世のユダヤ教文献では，ジキエルは流星を支配する。[出典：『聖書の解釈者の辞典』「天使」の項]

子宮の天使 Angel of the Womb　→アルミサエル Armisael

刺激者 Stimulator　インクの清めで唱えられる天使。[出典：『真の魔術書』]

四元素の天使 Angel of the Four Elements　火を支配するのはセラフ，あるいはナタニエル。風はケルブ，水はタルシス（タルッス），地はアリエルが支配する。

シグロン Sigron　ヘハロトの教義で，人間の祈りを天国に入れる扉を閉めるときのメタト

ロンの名。扉が開いているときのメタトロンは，ピホンと呼ばれる。[出典：『第3エノク書』48]

ジケキエル Zikekiel　アブラハムの教導天使。→ザドキエル

至高者の知恵の書記者 Scribe of the Knowledge of the Most High　次の9人がこの称号で呼ばれる。ウレティル，エノク，ダブリエル，エズラ，プラヴィル，ウリエル，ラドゥエリエル，ソフェリエル・メミト，ソフェリエル・メハイイェ。

地獄の使者 Herald of Hell　天使ゾフィエル。[出典：クロップシュトック『メシア』]

地獄の天使 Angel of Hell　ドゥマを筆頭に7人の地獄の支配天使がいる。他の6人は，クシエル，ラハティエル，シャフティエル，マカティエル，クトリエル，パシエルを挙げるのが普通である。ダルキエル，ルグジエル，ナサルギエルが挙げられる場合もある。[出典：ヨセフ・ベン・アブラハム・ギカティラの著作；ギンズバーグ『ユダヤ人の伝説』Ⅱ]

シザヤセル Sizajasel　儀礼魔術で，黄道十二宮の人馬宮を代表する，あるいは支配する天使。[出典：ウェイト訳『レメゲトン』]

獅子宮の天使 Angel of (the sign of) Leo　儀礼魔術ではオル。レヴィが『高等魔術の教理と祭episode』で引用したカバラ主義者ラビ・コメルによれば，サガムとセラティエルという名の獅子宮を支配する霊が存在するという。→ヴェルキエル

使者 Ambassadors　「平和の使者たち」(「イザヤ書」33：7)のように，天使たちを表わす語。この部分は『ゾハル』では「平和の天使たち」と訳されている。

死者の宝の天使 Angel of the Treasures of the Dead　→レミエル Remiel（イェレミエル Jeremiel）

詩神の天使 Angel of the Muses　ウリエル，イスラフェル，ラドゥエリエル，ウレティル（プラヴィル）。グラニウスによれば（アルノビオス『異端論駁』で引用），エトルリアの9神はひとまとめで詩神とされる。

地震の天使 Angel of Earthquakes →スイエル Sui'el，→ラシエル Rashiel

ジズフ Zizuph　秘儀の霊で，8時の霊の1人。

死すべき人間の天使 Angel of Mortals　メハビア。死すべき人間が，子孫を残したいと欲するときに，手助けをする。『魔術師』においては，メハビアはシェムハムフォラエ神の名をもつ72人の天使の1人とされる。

シスラウ Sislau　毒の守護霊で，4時の霊の1人。[出典：『ヌクテメロン』]

シセラ Sisera　欲望の守護霊。テュアナのアポロニウスの『ヌクテメロン』によれば，2時の間に招霊すべき守護霊の1人。旧約聖書（「士師記」4章）では，「星々と天使たちに助けられて」ヤエルによって殺された将軍である。

慈善の天使 Angel of Benevolence　ザドキエル，ハスディエル，アクサ。

自然発生 Autogenes　グノーシス主義の教義において，「自然発生」はアイオンの1つで，ハルモゼル（アルモゲン），ダヴェイテ，オロイアエル（ウリエル？），エレレトという4人の偉大な発光体(ルミナリー)がその周りをとり囲む。[出典：『ヨハネのアポクリフォン』；グラント『グノーシス主義と初期キリスト教』]

シゾウゼ Sizouze　古代ペルシア神話において，祈りを司る天使。[アカトリエル，メタトロン，サンダルフォンと比較せよ。]

シタエル Sitael　逆境を克服するために名を唱えられる熾天使。貴族を支配し，黄道十二宮の72人の天使の1人である。あるいは，シェムハムフォラエ神の名をもつ72人の天使の1人。H.D.の詩「知恵」とアンブラン『実践カバラ』p260（ここにシタエルの符号(シジル)が見られる）参照。

シタキボル Sittacibor　蜜蠟の清めで呼び出される天使。[出典：メイザーズ『ソロモンの大きな鍵』]

シタケル Sithacer　セヘイアに対応する天使。

滴り（ドロップ） Drop　グノーシス派の『ベルリン写本』で，人類の救済のために地上に降った女性の天の能天使。→デルデケア

7月の天使 Angel of July　ヴェルキエル（ザラキエル）。古代ペルシアの伝承ではムルダド。

7人のオリュムピアの霊 Seven Olympic Spirits　いくつかの魔術書によれば，7人のオリュムピアの霊は次のとおりである。1．アラトロン＝土星を支配する。2．ベトル＝木星を支配する。3．ハギト＝金星を支配する。4．

「支柱の天使」デューラー作。
ヨハネの黙示録10：1-5の挿絵。「わたしはまた，もう一人の力強い天使が，雲を身にまとい，天から降って来るのを見た。（略）足は火の柱のようであり，（略）」。
ウィリー・クルト編『アルブレヒト・デューラー木版画全集』(New York, Dover Publications, 1963) より。

オク＝太陽を支配する。5．オフィエル＝水星を支配する。6．ファレグ＝火星を支配する。7．フル＝月を支配する。［出典：『トゥリエルの秘密の魔術書』］

7人の至高の天使 Seven Supreme Angels
カバラでは，天の196の領域の支配者。これらの天使の霊符は，コルネリウス・アグリッパの哲学的著作に見られ，バッジ『魔除けと護符』に再録されている。

7人の聖者たち Seven Holy Ones → 7人の大天使 Seven Archangels

7人の大天使 Seven Archangels　神の御座の周りに立ち，神にかしずく，7人の聖なる大天使。（「ヨハネの黙示録」8：2，「トビト記」12：15）「エズラ記」（旧約聖書続編）4章と『エノク書Ⅱ』では，1．ウリエル，2．ラファエル，3．ラグエル，4．ミカエル，5．サリエルあるいはセラクェル，6．ガブリエル，7．レミエルあるいはイェレミエル。別表では，（すでに挙げられた者たちに加えて）アナエル，サマエル，ザドキエル，オリフィエルの名が挙げられている。6「人」（すなわち天使）と，7番目の，書記の墨入れを携え「亜麻布をまとった者」（キリスト）については「エゼキエル書」9：2を参照。

占星術や錬金術では，7人の偉大な惑星の守護霊は，1．ラムファ＝土星の霊，2．ピ＝ゼウス＝木星の霊，3．エルトシ＝火星の霊，4．ピ＝レ＝太陽の霊，5．スロト＝金星の霊，6．ピ＝ヘルメス＝水星の霊，7．ピ＝ヨ＝月の霊，である。［出典：クリスチャン『魔術の歴史と実践』Ⅱ，475］カムフィールドは『天使についての神学的論説』で，「7つの惑星の支配者」として，「常に神の御前に立つ7人の霊」（すなわち御前の天使）を挙げている。これによると，1．ザプキエル＝土星の支配者，2．ザドキエル＝木星の支配者，3．カムエル＝火星の支配者，4．ラファエル＝太陽の支配者，5．ハニエル＝金星の支配者，6．ミカエル＝水星の支配者，7．ガブリエル＝月の支配者，となっている。しかし，これらの「惑星」の他の支配者の名については，「7人のオリュムピアの霊」の項目を見よ。アッカドの7人の元素霊，あるいは神々，すなわちアン（天），グラ（地），ウド（太陽），イム（嵐），イスタル（月），エアあるいはダラ（海），エン＝リル（地獄）は，後世の宇宙論における7人の支配者や造物主となった。エスタリーは「初期ユダヤ教の天使学と悪魔学」（マンソン『聖書の友』）で，「7人の大天使の原型は7つの惑星であり，彼らはすべてバビロニアの神である」と述べている。

7番目のサタン Seventh Satan → ハカエル Hakael

支柱の天使 Pillared Angel　「雲に包まれた」天使（「ヨハネの黙示録」10章）。支柱の天使は，片方の足は海の上に，片方の足は大地を踏み，右手は天を支えており，「もはや時がない」と宣言している。この1節はケルン聖書の木版にある。

嫉妬の霊 Spirit of Jealousy　「民数記」5：14「もし夫が妻に対して嫉妬の霊にかられるなら」などのように，神の使いの天使。

シティア Sittiah　シタキボル同様，蜜蠟の清めで唱えられる天使。［出典：デ・アバノ『ヘプタメロン』；メイザーズ『ソロモンの大きな鍵』］

シティエル Sitiel → シタエル Sitael

シティミクム Shitimichum（シティニクス・キタグニファイ Shitinichus Kitagnifai）　M.ガスター『モーセの剣』で，シティミクム（謎の名前の1人）は，剣のために神により指名された13人の天使長に属する。

ジデオン Zideon　ゼヴァニオンと同じく，葦の聖別儀式で唱えられる天使。

熾天使 Seraphim（セラフ seraph の複数）
偽ディオニュシオスの位階表やユダヤの伝承でも，天使の最高の位。栄光の御座を囲み，絶えず三聖誦（「聖なるかな，聖なるかな，聖なるかな」）を吟唱する。愛と光と火の天使である。幾人いるのか。その答えは（『第3エノク書』では）4人で，「世界の4つの風に対応する」。ラビ文献では，ハイヨトと同等視される。『エノク書Ⅱ』によれば，熾天使は「イザヤ書」6章にあるように4つの頭と6つの翼を持つ。「イザヤ書」は，「炎の蛇」（「民数記」21：6）という表現が熾天使を示しているのを除けば，旧約聖書におけるただ1箇所の熾天使への言及であることは注目すべきである。新約聖書には，暗示されている（「ヨハネの黙示録」4：8）以外は，熾天使への言及はない。この位を統べる支配者は，本来の（墜ちる前の）サタン同様に，セラフィエル，イェホエル，メタトロン，

「熾天使」カヴァルリーニ作。
「最後の審判」の細部。ローマ。1280年。
レガメイ『天使』より転載。

ミカエルなどさまざまな名を与えられている。この位の幾人かは大乱の際に離反した。ミルトンは『キリスト生誕の朝に』で「剣を持つ熾天使」について書いている。『モーセの黙示』は、「アケルシアン湖へアダムを急がせ、神の御前で彼を洗った、6つの翼をもつ熾天使の1人」について語っている。同書で、熾天使は「獅子のように吠える」と述べられている。マティアス・グリューネヴァルト（1470–1529）は、ヴィオラ・ダムール〔大型弦楽器〕を奏する熾天使を描いた。[出典：レガメイ『天使』に収載]

シート Seats　アウグスティヌスが『神の国』で「sedes（ラテン語で「座席」の意）」として述べた天使の階級。ジョン・サルケルドが『天使論』(1613) p303で言及している。「seat」という言葉は座天使とも見なされ、エドマンド・スペンサー『天上の美への讃歌』にそのような用例がある。

シト Sith　時（6時から7時）の天使。惑星を支配する統治者。シトに対応する天使は、ネルカエルである。[出典：H.D.の詩「知恵」；アンブラン『実践カバラ』]

シト Syth　時の天使。対応する天使はティアイエルである。[出典：ヒルダ・ドゥーリトル「知恵」；アンブラン『カバラ実践』]

シドクィエル Sidqiel　『第3エノク書』において、金星の統治者で、オファニムあるいはシナニム（ヘブライ語では、オファニムは座天使と等しく、シナニムは階級上は熾天使に近い）の位の支配者。

シトラ・カディシャ Sitra Kadisha　『トセフタ〔追加〕』ii, 69bでは聖霊。シトラ・アハラ（不浄の霊）と対比される。[出典：『タルムード集成』p115]

シトリエル Sithriel　メタトロンの名。「破壊天使から守るために、世界の子供たちを自らの翼の下に隠すとき」、こう呼ばれる。[出典：『第3エノク書』48]

シトリエル Sitriel　ブルゴスのモーセの表において、10の邪悪なセフィロトの3番目である。

シドリエル Sidriel（パズリエル Pazriel）第1天の支配者で、エノクの表にある7人の大天使の1人。

シナニン Shinanin（シンアン Shin'an）　天使の高い階級で、「炎のシナニン」として「詩編」68：18から引用され、『第3エノク書』でも言及される。無数のシナニンが、シナイでの啓示に立ち会うために天から降りた。[出典：『ペシクタ・ラバ』]『ゾハル』(1：18b)によれば、「幾千というシンアンが、神の戦車に乗っていた」。この位の長はザドキエルまたはシドクイエルである。オファニムと比べよ。[出典：「詩篇」68：18；ショーレム『ユダヤ神秘主義』；メイザーズ『ヴェールを脱いだカバラ』p26] ギンズバーグの『エッセネ派とカバラ』によれば、「第6のセフィラ、ティフェレトが、シナニムの天使の代表格である」。

ジーニアス，ゲニウス（守護霊） Genius（複数は genii）　天使、あるいは霊、あるいは叡智体の別名。[参照：ブレイク「あらゆる事物の形は彼ら守護霊に由来する。古代の人々によってこれらは天使、霊（聖霊）、鬼神と呼ばれた。」；出典：ブレイク『あらゆる宗教は一つである――第一の原理』]ポール・クリスチャンは『魔術の歴史と実践』I, 303で次のように言っている。「東洋の守護霊は、キリスト教の天使の原型であった。」17世紀のイエズス会修道士アタナシウス・キルヒャーは、守護霊コス

シニ-シノ

「善意の守護神」（アッシリア＝バビロニア神話）
手には，悪霊を近づけないための清めの水の入った手桶とその水を振りかけるための松かさを持つ。この守護神はサルゴンの宮殿の門を守る門番であった。紀元前8世紀。
ルーヴル美術館蔵。『ラルース神話辞典』より。

ミエルに伴われての惑星への旅で，土星には守護霊たち（彼は「不吉な」と称したが）が住んでいるのをつきとめた。キルヒャーによれば，守護霊は「邪悪なものには神の正義を，そして正しきものには苦しみを授ける」。

シニアル Shinial　7つの天の館に64人いる天使の番人の1人。[出典：『ピルケ・ヘハロト』]

ジニイェ Jinniyeh　（ジンの女性形）

死神 Reapers　「マタイによる福音書」13：29における天使の名称。「死神は天使である。」イギリスの詩人ヘンリー・ヴォーンの詩「秘かに育った種子」の最後は，「白い翼もつ死神がやってくるまで」とうたわれる。ロングフェロウの詩「死神と花」では，死神は死の天使アズラエル。

シヌイ Sinui　女性が妊娠したときに，モーセの呪文の儀式で唱えられる魔除けの天使。→セノイ Sennoi

シネシス Synesis　（「理解」の意）　グノーシス主義で，神の意志から流出した4人の偉大な天体天使の1人。[出典：ミード『忘れられた信仰の諸断片』]

死の王 Prince of Death　オカルト書では，地獄の死の王は，蠅騎士団の大十字章を佩びるエウロニュモウスである。しかし，死の王といえば，なによりもまずサタンである。[出典：「ヘブライ人への手紙」2：14-15]

死の悲しみの天使 Angel of the Sorrows of Death　→パラクリトス Paraqlitos

シノケス Synoches　カルデア人の宇宙論で，最高天の3つの叡智体の1つ。[出典：『ゾロアスター教のカルデア神託』]

死の天使 Angel of Death　ラビ文献では，少なくとも12人の死の天使が存在する。アドリエル，アポリュオン＝アバドン，アズラエル，ガブリエル（ハデスの監視者として），ヘマ，カフジエル，ケゼフ，レヴィアタン，マラク・ハ＝マヴェト，マシュヒト，メタトロン，サマエル（サタン），イェフディア（イェフディアム），イェツェル＝ハラ。ファラシャ人の伝承では，スリエルが死の天使。キリスト教神学では，死んだばかりの善良なキリスト教徒の魂を「永遠の光の中へ導く」死の天使はミカエル。イスラム教の死の天使はアズラエル。アラビアン・ナイトの物語「死の天使と傲慢な王」に見られるように，アズラエルはイブリスでもある。バビロニアの死の神はモットである。シェーンブルムの『ピルケ・ラベヌ・ハ＝カドシュ』によれば，死の天使は，ガブリエル（若者の生を司る），カフジエル（王たちを司る），メシャベル（動物を司る），マシュヒト（子供たちを司る），アフ（男たちを司る），ヘマ（家畜を司る）の6人である。死の天使は，悪魔や堕天使とは限らない。死の天使は常に神の使いであり，神に仕えるのである[出典：タルムード，『ババ・メツィア』86a]。ゾロアスター教では，死の天使あるいは死のデーモンはマーヤ（男性か女性か）であり，ゾロアスターに世界の支配権を与えようと申し出る[イエスを誘惑するサタンを参照。またサルトゥス『霊界の王たち』の「Ormuzd」の章を参照]。『バルク黙示録』では，名前は与えられていないが，死の天使が登場する[出典：スミス『人間と神々』]。ギンズバーグの『ユダヤ人の伝説』（IV, 200）では，エリヤが死の天使と戦い，これを打ち倒す。アロンが死の天使を捕らえ，「死が止むように」ユダヤ神殿に幽閉するという伝説もある。この幽閉は短期間であったと思われる（これは有名

なブロードウェイの劇『死の休日』の着想の基になったのかもしれない)。この死の天使は,『タルグム・イェルシャルミ』に示唆されているように, ケゼフであろう。

さまざまなラビ文献によれば, 聖書伝承に登場する大きな鯨, あるいはクロコダイル, レヴィアタンは, ラハブと同様, 死の天使と同一視される。タルムード『アボダ・ザラ』20では, 死の天使サマエルは「無数の目が体中を覆っている。人間の臨終に際し, その人間の頭の傍らに立ち, 剣を下に向け, そこから毒の滴を垂らす」と描写されている。アイゼンメンガーの『ユダヤ人の伝統』によれば, 至高の死の天使はメタトロンであり, ガブリエルとサマエルがこれに続く。10世紀のサアディア・ガオンは『信仰と自説の書』の中で,「我々の教師の教えでは, 肉体から魂を引き離すようにと神から遣わされた天使は, 黄色がかった炎に包まれ, 青い火で輝く無数の目が体を覆い, 手には剣を持ち, それを死に瀕した者に向ける」と述べている。彼は続けて,「歴代誌上」21：16で言及される「地と天の間に立ち, 剣を抜いて手に持ち, エルサレムに向けている」主の御使いとの類似を指摘している。ここでの天使は, 任務を頑なに遂行する天使というよりも, 慈悲深い死の天使である。死の天使は, アブラハム, イサク, ヤコブ, モーセ, アロン, ミリアムの6人に対しては, 力を発揮できない［出典：タルムード『ババ・バトラ』fol. 17］。ヤコブに関しては「死の天使が彼の生を終焉させたのではなく, シェキナがくちづけで彼の魂を奪った」と言い, ミリアムも「同じように, 息を引き取った」とされる。ロングフェローの詩「スペインのユダヤ人の話」は, 死の天使をだますあるラビのことが主題になっている。

詩の天使 Angel of Poetry　ウリエル, イスラフェル, ラドゥエリエル（ヴレティル）, フェニクス（不死鳥）。

支配天使 Rulers　七十人訳ギリシア語聖書で, 天上の位の1つを表わすのに使われた用語。

「死の勝利」より。フランチェスコ・トライーニ作とされる。ピサの共同墓地。天使と悪魔が, 死者と瀕死者（下左）の魂を引き出している。空中では熾天使と悪魔が, 幸いなる者や呪われた者の魂を持ち, あるいはそれぞれの所有を争っている。右側には幸福な人々の一団がおり, 死が大鎌を（中央）彼らにまさに振りおろそうとしている。デ・ブレス『美術における聖人の見分け方』(New York, Art Culture Publication, 1925) より。

■ シハ－ジミ

ふつう主天使〔ドミネイション〕の位と同等視されている。ケアードの『権天使と能天使』p11は，ギリシア語の「アルコノス」の訳に支配天使を用いている。ダマスコのヨアンネスの『正統信仰論』Ⅱは，天の位階の最下層の3つの位のうち，第1位を支配天使〔プリンシパリティー〕としている（慣例的には「権天使」とされる）。

シハイル Sihail 「そして，神は2人の天使，シハイルとアナスと，4人の福音書記者を遣わして，12人の熱狂したデーモン（すべて女性）を捕らえ火の筈で打たしめた。」この物語は，大英博物館所蔵の12世紀の写本に記録され，ガスター『民間伝承の研究とテキスト』Ⅱ，1030にも採録されている。ガスターによれば，シハイルはミカイル（ミカエル）の別形であり，アナスは天使となった聖アンネであることは確実であるという。

慈悲の天使 Angel of Mercy ラミエル，ラクミエル，ガブリエル，ミカエル，ゼハンプリュ，ザドキエル。アッシジの聖フランチェスコは慈悲の天使と呼ばれ，『ダウス・アポカリプス』では（翼をもった姿で）天使として描かれている（『ゾハル』；『第3エノク書』を参照）。2人の人間（エノクとエリヤ）の場合と同様，フランチェスコもラミエルという名の天使に変容したとされる。メルカバの教義で言及されるもう1人の慈悲の天使は，メタトロンの下に仕えるウジエルである。

慈悲深い天使 Benign Angel 『ミドラシュ・アガタ・エクソドゥス』で，ウリエル。『ゾハル』Ⅰ，93bでは，ガブリエル。この天使は，モーセが神との契約を怠って息子に割礼を施さなかったので，モーセを殺すために地上に降りたとされる。モーセの妻ツィポラが息子に割礼を施し，モーセの命を救った（「出エジプト記」4：25）。

四風の天使 Angel of the Four Winds ウリエルは南風を，ミカエルは東風を，ラファエルは西風を（またウリエルと共に南風を），ガブリエルは北風を支配する。[出典：ヘイウッド『聖なる天使の階級』p214]「ヨハネの黙示録」7章にある「大地の四隅から吹く風をしっかり押さえて立っている4人の天使」は，おそらく『エノク書』に由来するのであろう。『天使ラジエルの書』は，ウシエル（ウジエル）を四風の天使の1人としている。

ジブリル Jibril（ヤブリエル Jabriel，ヤブリル Jabril，ジブライル Jibra'il，ヤブリイェル Jabriyel，アブルエル Abruel） コーラン経典におけるガブリエルの名前。アラビアの悪魔祓いの儀式では，ジブライルとして，守護天使とみなされている。[出典：ヒューズ『イスラム辞典』「天使」の項] ペルシアの伝承では，ジブリルはバラムで，「あらゆる天使のうち最も力の強い者」，また「セロシュで，お告げをもたらす者」でもある。[出典：『ダビスタン』p127, 379]

シプル Sipur 3人の熾天使の1人（他の2人はセフェルとサファル）。これらの天使により世界が創造されたとされる。[出典：ウェイ『天地生成の書』]

四方位点の天使 Angel of the Four Cardinal Points（あるいは地の支配原理の天使 or Regents of the Earth） ブラヴァツキーの『秘奥の教義』においては「翼をもつ球体と炎の車輪」であり，「エゼキエル書」1章のケバル川で見られる4つの生き物の描写を想起させる。ヒンドゥー教では4つの支配原理はチャトゥル・マハラジャス（Chatur Maharajas）であり，それぞれドリタル＝アシュトラ，ヴィルダカ，ヴィルパクシャ，ヴァイシュラヴァナという名前が与えられている。[出典：リードビーター『アストラル界』]

シホン Sihon 堕天使セムヤザの孫で，オグの兄弟。[出典：ユング『ユダヤ教，キリスト教，イスラム教文献における堕天使』]

シマペシエル Simapesiel エノクの表にある堕天使の1人。

シミエル Simiel（カムエル Chamuel，セミベル Semibel） 7人の大天使の1人。しかし，西暦745年のローマ教会会議で，シミエルは（ウリエル，ラグエル，その他の高位の天使たちと共に）邪霊とされ，崇敬の対象とすべきではないと非難された。[出典：ヘイウッド『聖なる天使の階級』] ラオディキアの会議（343－381?）では，天使を名指しで呼ぶことは厳禁（戒律35）された。ヨセフスは，エッセネ派の宗教儀式の1つに，天使の名を明らかにしない誓いがあると述べている。[出典：トラクテンバーグ『ユダヤ魔術と迷信』p89]

ジミマル Zimimar（ジマル Zimmar） シェイクスピアにより与えられた肩書は，「北の威

「4人の風の天使」デューラー作。
4人の天使はそれぞれ，ラファエル（西風），ウリエル（南風），ミカエル（東風），ガブリエル（北風）。
レガメイ『天使』より転載

厳ある君主」である。［出典：スペンス『オカルティズムの辞典』p119］

シムキエル Simkiel 地上の邪悪を懲らしめるために神が指名した，破壊の天使たちの長。『第3エノク書』によれば，人間に対する裁きを執行するだけでなく，人間を浄化する役目をもっている。→ザアフィエル

シムシエル Shimshiel 東風の門を護衛する天使。

シムナイ Symnay カバラの儀式で招喚に用いられる能天使の位の天使。現存する記録からは，シムナイがサタンの反乱に加わったか，神に忠実な者のままであったのか，明らかでは

ない。［出典：『モーセの第6，第7の書』］

霜の天使 Angel of Hoarfrost 『エノク書Ⅰ』で言及されている天使。名前は与えられていない。

邪悪な意志の霊 Spirit of Ill-Will 神の使いの天使。「サムエル記上」18：10-11によれば，この霊が神から「サウルに降り，家の中で彼をものに取りつかれた状態に陥れた。ダビデはいつものように（略）奏でていた。サウルは，槍を手にしていたが，ダビデを壁に突き刺そうとし，その槍を投げた」。

邪悪の霊 Spirit of Perversion →暗黒の天使 Angel of Darkness

シムラトル Simulator　ソロモンの魔法において，インクと絵具の儀礼で唱えられる天使。

シャイタン Shaitan（サタン Satan）　アラビア伝承で，堕天使の1人。イブリスと同起源の言葉である。コーランの27章，24では，シバの女王とその民にアッラーの代りに太陽を崇拝するよう薦めた。

シャイタンス shaitans（シェデエム shedeem, シェイタンス sheytans, シェディム shedim, マジケエン mazikeen）　ヘブライやアラビアの神話では悪霊で，雄鶏の脚をもつ。ラビの教説では男のデーモンのことであり，女のデーモンはリリンとして知られる。[出典：タルムード『ベラホト』；ラングトン『悪魔学の本質』；マンソン『聖書の友』収載のエスタリーの論文]

シャヴィエル Shaviel　『ヘハロト・ラバティ』に言及されるように，第1天の7人の護衛の天使の1人。

シャヴズリエル Shavzriel　ヘハロトの伝承（『マアセ・メルカバ』）で，第2天の館に配置された護衛の天使。

シャクジエル Shakziel　水中の昆虫を支配する天使。[出典：『エノク書』]

弱点の天使 Angel of Weakness　アマリエル。懲罰の天使でもある。[出典：シュワーブ『天使学用語辞典』補遺]

シャクティ Shakti　ヴェーダの教義で，シヴァの花嫁。シェキナの原型である。

シャクミエル Shachmiel　ヘブライの東洋風護符に記されている天使の名。[出典：シュライアー『ヘブライの魔除け』]

灼熱の炎 Ardors　『失楽園』V, 249では天使の位を指す用語で，ミルトンはラファエルをこの中に数えている。ヴィニーの詩「エロア」でも天上位階の位として言及されている。

社交的な霊 Sociable Spirit, The　天使ラファエルは，ミルトン『失楽園』Vでこのように言及されている。

シャシュマスリヒエル・ヤハウェ Shashmasrihiel Jhvhw　M.ガスター『モーセの剣』に引用されている，X（「謎の名前」の1つ）の軍勢を支配する天使。

シャスタニエル Shastaniel　南風の門を護衛する数多い天使の1人。[出典：『オザル・ミドラシム』II, 316]

シャテイエル Shateiel　沈黙の天使。ドゥマに比せられる。おそらく（実際，それ以外にはないが）ギリシア神シガリオンの創造を促した。ローマの沈黙の女神タキタや，イシスの息子で沈黙の神ハルポクラトスを参照。[出典：ウッドコック『神話小事典』]

シャトクィエル Shatqiel　『第3エノク書』（ヘブライ語エノク書）では，7人の偉大な大天使の中の1人，または第5天の護衛の支配者として現われる。『ヘハロト・ラバティ』では，第4天の護衛である。[出典：『オザル・ミドラシム』I, 116]

シャトニエル Shathniel　東洋の護符にその名が記された天使。[出典：シュライアー『ヘブライの魔除け』]

シャドフィエル Shadfiel　北風の門を護衛する数多い天使の1人。[出典：『オザル・ミドラシム』II, 316]

シャハキエル Shahakiel（シャカクィエル Shachaqiel）　第4天に住む天使の支配者。『第3エノク書』によれば，その名が起源となったシャハキムの位の長であり，また7人の大天使の1人でもある。[出典：チャールズ『旧約聖書の外典と偽典』]

シャハキム Shahakim　ラビの教説では，天の位階に属する天使の位。[出典：クラウキン『ユダヤ百科事典』]

シャハリエル Shahariel　第2天の護衛の天使として，『ピルケ・ヘハロト』に挙げられている。

シャヒエル Shahiel　東洋風の護符に記されている天使の名。[出典：シュライアー『ヘブライの魔除け』]

シャフィエル Shaphiel　バラディエルと分担して第3天を支配する。

シャフティエル Shaftiel　地獄を支配する天使。死の影の主で，その固有の領域は7つに区分された地下世界の第3層にある。10の民族を「根拠があって」罰する。[出典：『バライタ・デ・マセケト・ゲヒノム』；『ミドラシュ・コネン』；『ブリューワー寓話辞典』「Hell」の項]

シャフティヤ shaftiyah　天使メタトロンの多くの名の1つ。

シャブニ Shabni（シャブティ Shabti）　メイザーズ『ソロモンの大きな鍵』に記述されるように，儀礼魔術で唱えられる天使。

シャマイン Shamain（シャマイイム Shamayim） 第1天の名。この天を支配する長は，天使ミカエル Mikael（Michael），あるいはクェムエル Qemuel（ケムエル Kemuel）。

シャミアザズ Shamiazaz →セムヤザ Semyaza

シャミエル Sham(m)iel（シャマエル Shamael） 天の歌の主で神の使者。(ユダヤ伝説では，メタトロンとラドゥエリエルが同じく天の歌の主になっている。) シリア語の呪文で，ミカエル，ハルシエル，ヌリエル，その他同じ階級の天使と共に招霊される。[出典：ゴランツ『守護の書』『オザル・ミドラシム』では，（シャマエルとは区別され，）南風の門を護衛する天使の1人とされる。

シャムカザイ Shamchazai →セムヤザ Semyaza

シャムシエル Shams(h)iel（「日の光」，「神の強き太陽」の意） 第4天の統率者で，天国の支配者。または，エデンの園（エデンの園はこの世の天国である）を護衛する天使。伝説では，肉体のまま立法者モーセが天国を訪れた際に彼を案内した。また，書記ヒルキアがダヴィデやソロモンの宝を引き渡したのがシャムシエルである。『ゾハル』では，365の霊（天使）の軍団の指揮者である。他の偉大な天使と同様に，祈りを聞き入れ，祈りを第5天まで持っていく。ゴランツ『守護の書』では，ミカエル，ヌリエル，サルフィエルと共に魔法の能天使として分類される。『ヨベル書』では番人あるいはグリゴリの1人で，サムサペエルと同等視される。『エノク書Ⅰ』では，「太陽の宮を教えた」堕天使と見なされている。『ゾハル』（民数記154b）では，ウリエルが戦いに赴いたとき，2人の副官の1人として従った（もう1人はハスディエル）。

シャムシャ Shamsha シャムロンと同様に，「全ての天使と皇帝たちの支配者」。

シャムス＝エド＝ディン Shams-ed-Din（「信仰の太陽」の意） 悪魔崇拝者の祈りで招霊される，ヤズィード派〔上メソポタミア山地に住むクルド人イスラム教徒〕の7人の大天使の1人。他の6人の大天使の名については付録を参照。

シャムダン Shamdan（アシャムドン Ashamdon） ナアマ（その美貌で天使たちを惑わせたトゥバル＝カインの美しい妹）を妻とした天使のデーモン。シャムダンとナアマの息子が，アスモデウスである。[出典：ギンズバーグ『ユダヤ人の伝説』Ⅰ，150-151]『ベレシト・ラバ』36：3によれば，ノアが畑にブドウを植え付けたときの協力者である。このブドウ畑で，ノアが酒を飲み，「天幕の中で裸になった」。この出来事は「創世記」9：20-22に語られている。

シャムハザイ Shamhazai →セムヤザ Semyaza

シャムリエル Shamriel オカルティズムで，邪眼に対するお守りとして唱えられる守護天使。[出典：シュライアー『ヘブライの魔除け』；トラクテンバーグ『ユダヤ魔術と迷信』]

シャムロン Shamlon メイザーズ『ソロモンの大きな鍵』によれば，「全ての天使と皇帝たちの支配者」。

シャリヴァル Shahrivar（シャリヴァリ Shahrivari） 古代ペルシアの伝承で，8月の天使。また月の第4日を支配する。[出典：ハイド『古代ペルシア宗教史』]

シャリエル Shariel →アスデレル Asderel

車輪 Wheels 「多眼者」あるいはオファニム。タルムード学者たちによって，高位の階級の天使（座天使が最も近い）として，智天使や熾天使とともに分類される。天使リクビエルがこの位の長である。アグリッパは（ミルトンもまた），オファニム（車輪）と智天使が同一か仲間であると考えている。『ゾハル』（出エジプト記 233b）の脚注では，「熾天使を越えた」天使に含めている。

シャルカイル Sharka'il アラビアの伝承で，悪魔祓いの儀式で唱えられる守護天使。[出典：ヒューズ『イスラム辞典』「Angels」の項]

シャルキエルとシャルミエル Shalkiel and Shalmiel これらの天使の名は，東洋風の護符に記されている。[出典：シュライアー『ヘブライの魔除け』]

シャルギエル Shalgiel 雪を支配する天使。[出典：ギンズバーグ『ユダヤ人の伝説』Ⅰ，p140]

シャルシヤ Sharshiyah 天使メタトロンの多くの名の1つ。

シャルティエル Shaltiel この天使の名は，ユーフラテス渓谷で発見された陶製の鉢に（ミ

カエル，ラファエル，ウリエルの名と共に）刻まれていた。呪文として唱えられる。[出典：ボズウェル『キリスト教神学の天使とデーモンの進化』]

シャルヘヴィタ Shalhevita　ヘハロトの伝承（『マアセ・メルカバ』）で，第7天の館に配置された護衛の天使。

シャルライイ Sharlaii　タルムードでは，皮膚病の治療のために唱えられる天使。[出典：タルムード『シャバト』67葉]

自由意志の天使 Angel over Free Will →タブリス Tablis

11月の天使 Angel of November　アドナキエル（アドヴァキエル，アデルナハエル）。古代ペルシアの伝承ではアザル。

10月の天使 Angel of October　バルビエル。古代ペルシアの伝承ではアバン。

13人の天使 Thirteen Angels, The　ブレイクはその黙示的詩『アメリカ』第12図で，「アルビオンの天使」「ボストンの天使」に加えて，13人の天使を描いている。「飢えた風に衣をもぎ取られ／かの黄金の笏を投げ／アメリカの地に降りた。憤って／天の高みから真っ逆さまに，火のように速く降りたのだ／かの地へと」とブレイクは語る。

獣的な愛の守護霊 Genius of Bestial Love →シエクロン Schiekron

12月の天使 Angel of December　ハニエル，あるいはナディエル。古代ペルシアの伝承では，ダイ。

自由の天使 Angel of Liberty　名前は不明。ヴィクトル・ユゴーの『サタンの終り』では，自由の天使によってサタンは贖われる。[出典：パピーニ『デヴィル』]

醜聞の天使 Angel of Scandal　レヴィの『高等魔術の教理と祭儀』p502によれば，ザフン。テュアナのアポロニウスの『ヌクテメロン』では，ザフンは1時の魔神の1人である。

守護天使 Guardian Angels (tutelary angels)　国家の（守護天使）あるいは奉仕の天使たちと同じ階級に属する。カバラでは，この階級に4人の支配君主，ウリエル，ラファエル，ガブリエル，ミカエルがいる。さらに諸国家の守護天使が70人，各国を1人ずつ担当する。[出典：『集会の書』]以上は，カエサレアの聖バシレイウスと他の教会博士たちの教義である。ブーバーの『ハシディームの物語』の用語解説によれば，これら70人の国家の守護王侯天使たちは「天使かデーモンのどちらかである」。よりいっそうラビの伝統に沿う見解は，70人は天使として出発したが，国民の偏向によって堕落し，いまではただ1つイスラエルのsar〔天使〕ミカエルの例を除いて，デーモンとなった，というものである。ミカエルは「神の選民」という大義名分を支持しているので，その偏向は許されるか，あるいは正当でさえあるとされた。

あらゆる人間が誕生の際に，1人かそれ以上の守護天使を割り当てられる。タルムードは実に，いかなるユダヤ人も生涯を通じて1万1000の守護天使たちに見守られると述べている。また「いかなる草の葉もその上に『伸びよ』と言う天使がいる」と語る。あらゆる子供に庇護する霊がいるということは，「マタイによる福音書」18：10から例証が挙げられている。そこではイエスが弟子たちに対して，小さな者たちを軽んじてはならないと命じ，彼らの「天での天使たち」について述べている。チャールズの『旧約聖書の外典と偽書』によれば，守護天使

「守護天使」　ジョルジュ・ルオー作。
レガメイ『天使』より転載。

「受胎告知」ティントレット作。スクオーラ・サン・ロッコ, ヴェネツィア。
レガメイ『天使』より転載。

信仰の最も初期の言及は, 正典ではない伝承,『ヨベル書』35：17に見られる。初期の別の資料が引用されるとしたら, その執筆が1世紀にまでさかのぼると言われる『聖書古代誌』であろう。アタナシウス・キルヒャーの惑星旅行の記述には,「あらゆる徳をもつ守護天使たち」が木星のエリュシオンの野に住んでいるのを確認されている。[出典：キルヒャー『エジプトのオイディプス』]

聖守護天使たちの礼拝式の祝祭は, カトリックの習慣では10月2日に行なわれる。[注：70人の守護天使のうち, 4つの国を担当する者の名前だけがラビ教義の著作に挙げられている。ペルシアのドビエル, ローマ（エドム）のサマエル, エジプトは, ラハブ, ウザ, ドゥマ, そして／あるいはセムヤザ, そしてイスラエルのミカエルである。]

主ゼバオト Lord Zebaot ユダヤの伝説では万軍の主。罪人たちと戦ったときの神の名。
[出典：ギンズバーグ『ユダヤ人の伝説』]

受胎告知の天使 Angel of Annunciation ガブリエル。受胎告知の天使は, ダ・ヴィンチ, メムリング, フラ・フィリッポ・リッピ, フラ・アンジェリコ, エル・グレコ, ティツィアーノなど, 偉大な画家たちによって繰り返し扱われた主題である。「マタイによる福音書」で語られるマリアへの受胎告知では, ガブリエルという名前は示されておらず,「ルカによる福音書」でこの名前が示されている（両者ともエリザベトとマリアに関連している）。

受胎の天使 Angel of Conception →ライラ Laila(h)

首長 Chieftains カバラで, 地上のさまざまな国に配属されている天上の守護君主を示す用語。『ゾハル』によれば, 守護霊は70は存在したという。

主天使 Angel of Dominions ザカリエルはたいていの場合この天の階級の支配者とされる。ディオニュシオスはその有名な天の位階に関する書で, 9階級のうちの第2位のトリオの筆頭に主天使を置いている。

主天使 Dominations（ドミニオン dominions, 君主天使 lords, ロードシップ lordships） ディオニュシオスの体系において, 主天使は天上

「主の天使」 バラムのろばとバラム（民数記第22章）。レンブラント作。
レガメイ『天使』より転載。

の位階で第4番目に位する。ヘブライの伝承ではハシュマリム。バレットの『魔術師』によれば、ハシュマル、あるいはザドキエルがその位の長である。ディオニュシオスは次のように述べている。「彼らは天使の務めを取り締まり、絶えず真の主権を熱望する。彼らを通じて神の至上権が明示される。」この階級は（十二宮図の）ピ＝ゼウスによって率いられる。［参照：「コロサイの信徒への手紙」1：16すなわち「主権 Dominions も、支配も権威も」；『エノク書Ⅰ』20：1「主権 lordships と支配と権威と」］『エノク書』では、lordships を dominions や dominations の代りにあてる。権威の象徴は、笏や、上に十字架の付いた宝珠がある。

シュトゥキアル Shtukial　7つの天の館に64人いる天使の番人の1人。［出典：『ピルケ・ヘハロト』］

シュナロン Shunaron　メイザーズ『ソロモンの大きな鍵』で、「すべての天使と皇帝たちの支配者」とされる。

主の軍勢 Hosts of the Lord　『ラビ・イシマエルのメキルタ』によれば、ミカエルに率いられた奉仕の天使たちのこと。

主の軍の将軍 Captain of the Host of the Lord　「ヨシュア記」第5章において、抜き身の剣を手に持ちヨシュアに向かって立つ天使で、自らを「主の軍の将軍」であると述べる。ふつうミカエルと同一視されている。

主の天使 Angel of the Lord　聖書の神の名を冠する名称。多くの場合、ミカエル、メタトロン、マラキ、ガブリエル、アカトリエル、イェハドリエル、ホマディエル、フィネハス等に同一視、あるいは擬人化される。旧約聖書、特に初期の文献の中にこの名前が見られる場合は、神の存在そのものを示すことが多い。「民数記」22：22では、主の天使は「妨げる者」（つまりハ＝サタン）として登場し、神のために働く。「サムエル記下」24：1（イスラエルの人口を数えるようにダビデを誘うのは神である）と「歴代誌上」21：1（誘うのはサタン）における一見矛盾すると思われる記述は、以下のように考えれば解消されるだろう。(1)ここでのサタンは satan と小文字で記され、天使の名前を示すのではなく（事実かつてはそうであった）、妨げる者の役目を示す。(2)この妨げる者は神のために働く、つまり主の天使として行為する。「士師記」第2章では、主の天使はギルガルからボキムに上り、「先祖に与えると誓った」約束の地に導くという契約を、イスラエルの民に思い起こさせる。

新約聖書においては、「使徒言行録」12：1-7（ペトロは牢獄から解放される）のように、主の天使は神そのものではなく、主により遣わされた天の御使いであり、主のために働く。ラファエロの絵画「聖ペトロを起こす天使」を参照。「使徒言行録」12：23でヘロデ王は「主の天使」に打ち倒される。ここでの名称は、死の天使と同等視されるか、あるいは死の天使の別称である。ユスティノスは、アブラハムを訪れた3人の天使の1人は（「創世記」18章）、「神の言葉 Word」（つまりロゴス、あるいは聖霊）であると主張した。フィロンは、他の2人は、キリストと神自身あるいは主の天使であり、これを三位一体の予型と考えた。「そうとは知らずに天使たちをもてなした」アブラハムの主題は、初期イタリア派の画家たちが好んで扱った。その場面はケルン聖書（1478-1480）の木版画に描かれているし、ハンス・ホルバイ

ンの木彫にも表われている（ここでの3人の天使には翼がない）。

ラビによれば，アブラハムに「啓示の言葉」であるヘブライ語を教えたのは，主の天使である。[出典：『ユダヤ大辞典』p85] 主の天使，神の天使，ヤハウェの天使という名称は，以下の物語との関連で見られる。ハガルの物語（創世記16章），イサクの犠牲の物語（創世記22章），燃える柴の物語（出エジプト記3章），バラムの物語（民数記22章），ギデオンの物語（士師記6章），サムソンの両親の物語（士師記13章），アラウナの麦打ち場のダビデの物語（サムエル記下），エリヤの物語（列王記下），アッシリアの軍隊の壊滅の物語（列王記下）など。

シュフィエル Shufiel　シリアの招喚儀式で招霊される天使。ガブリエル，ミカエル，ハルシエル，その他の魔法をかける天使の仲間。[出典：ゴランツ『守護の書』；バッジ『魔除けと護符』]

シュムイエル Shmuiel（サマエル Samael）ゴランツ『ソロモンの鍵』によれば，「ソロモンに語りかけた全ての天使や10階級すべての長で，もろもろの神秘への鍵を彼に与えた」。

シュラシエル・A' Shlasiel A'（シュロティエル A' Shlotiel A'，などの異名がある）　ガスター『モーセの剣』に挙げられたX（神）の軍勢の支配者の天使。

シュリニエル Shriniel　第4天の護衛の天使。[出典：『ピルケ・ヘハロト』]

シュロミエル Shlomiel　第3天の護衛の天使。[出典：『オザル・ミドラシム』Ⅰ，116]

殉教者 Martyrs　バレットの『魔術師』によれば，12階級ある「祝福された霊」の11番目の階級で，支配者はガブリエルである。

純潔な手の天使 Angel of the Chaste Hands →ウエストゥカティ Ouestucati

純潔の天使 Angel of Purity　タハリエル。[出典：アベルソン『ユダヤ神秘主義』]

巡歴の天使 Angel of Progress　ユダヤのカバラで，巡歴の天使はメルクリウス。ラファエルもまた巡歴の天使とされる。[参照：「使徒言行録」14：11-12；レヴィ『高等魔術の教理と祭儀』]

小イアオ Little Iao　天使メタトロンがもつ多くの名の1つ。[出典：『第3エノク書』]

賞賛の天使 Angel of Praise　名前は与えられていない。ギンズバーグの『ユダヤ人の伝説』Ⅰ，16によれば，「創造の第2日目の3番目に創られたのは，救いの天使と賞賛の天使の集団であった」。特に後者は，ディオニュシオスの体系において，位階の第1のトリオ，熾天使，智天使，座天使の3階級を形成しているかもしれない。

昇天の天使 Angel of Ascension　「使徒言行録」1：10では，昇天の天使は「そばに立つ白い服を着た2人」として言及されている。クリ

「キリスト昇天の天使」
『聖パウロの聖書』の細密画。
『聖書の失われた書』より転載。

ュソストモス，エウセビオス，エルサレムのキュリロスも，イエスの昇天の際に居合わせる天使に言及している。〔出典：ダニエルー『天使とその使命』〕正典外の文献では，昇天の天使が2人いることは頻繁に言及されているが，名前は出てこない。マンテーニャ（1431–1506）の油絵『昇天』では，衣服をまとったイエスが11人の子供の天使に囲まれながら昇天する姿が描かれている。

滋養の天使 Angel of Nourishment　イスダ。→食物の天使

情欲の天使 Angel of Lust　タルムード『ベレシト・ラバ』85，またはラビ・ヨカナンによる『創世記』38：13–26の注釈によれば，「ユダがタマル（路傍で娼婦のように座っていたユダの義理の娘）に気づかず通り過ぎようとしたとき，神は情欲の天使を彼の前に現わされた」という。この天使に名前は与えられていないが，アルノビオスが『異端論駁』Ⅲで「ヘレスポントスの情欲の神」と呼んだファルズフ（プリアプス），および「ホセア書」4：12の「淫行の霊」と比較せよ。

勝利者 Victor　ハイドが『アイルランド文学史』で勝利者と呼んだ天使。聖パトリックの前に現われ，キリスト教が異教徒たちに勝利するためアイルランドに戻るよう求めた。

勝利の天使 Angel of Victory　パールシー教の教義における，バラムあるいはヴァル（アダル）・バラムというヤザタ〔天使的存在〕である。『ダビスタン』と『イラクとイランのマンダ教徒』は，勝利の天使と人間の魂の上昇を関連づけている。

勝利の天使 Victor Angels　『失楽園』Ⅵで述べられた天体天使の一群。ミルトンはこの天使たちについて「燦然と輝くその軍勢は，黄金の甲冑で身を固める」と語っている。

ショエル Shoel　7つの天の館に64人いる天使の番人の1人。〔出典：『ピルケ・ヘハロト』〕

ショカド Shokad　7つの天の館に64人いる天使の番人の1人。〔出典：『ピルケ・ヘハロト』〕

書記者 Scribes　『第3エノク書』で，天使の高位に属する。書記者は，すべての人間の行為を記録し，天の裁判所で法廷が開かれたとき判決の書を声高く読み上げる。

植物の天使 Angel of Plants　→サクルフ

Sachluph

植民地の天使 Angels of the Colonies　「アルビオンの娘の幻想」でブレイクが創作した天使。

食物の天使 Angel of Food　マンナ。滋養の天使はイスダ。

処女 Virgins　コプト語の『使徒バルトロメオによるキリストの復活の書』に言及されている天使の階級。〔出典：『新約聖書外典』p183〕おそらく「処女」は力天使の別名である。

処女宮の天使 Angel of Virgo　ヴォイルあるいはヴォエル。レヴィが『高等魔術』で引用したラビ・コメルによれば，黄道十二宮の中のこの宮を支配する霊はイアダラとスカルティエル。

処女マリア Virgin Mary　ローマ・カトリック教会では，処女マリアは天使の女王である。

女性の天使 Female Angels　ユダヤのオカルトの教義では，女性の天使は稀（シェキナが1人いる）。グノーシス派の伝承では，顕著な例としてピスティス・ソフィア（「信仰，知識」）がおり，偉大な女性のアイオン，あるいはアルコン，あるいは天使である。アラビアの伝説には女性の天使は珍しくなく，しばしば崇拝あるいは尊敬の対象となっていた。この者たちは「ベナド・ハシェ」，すなわち神の娘たちと呼ばれた。

女性の楽園の天使 Angels of Women's Paradise　楽園の女性の天使は9人いる。かつてはヘブライの族長の母親，妻，娘であり，天のある一区域を占めていた。フィロンは「ユダヤ人の族長の妻たちを寓話化し，力天使とした」（フィロン『ケルビムについて』13章を参照）。〔出典：コニベア『神話，魔術，訓戒』p199〕

ショソリヤ Shosoriyah　メタトロンの多くの名の1つ。

ショフティエル Shoftiel　（「神の裁き」の意）懲罰の7人の天使の1人。〔出典：『ベト・ハ＝ミドラシュ』；『マセケト・ガン・エデン＆ゲヒノム』；クラウキン『ユダヤ百科事典』Ⅰ，593〕

ショムロム Shomrom　（シュナロン Shunaron）　メイザーズ『ソロモンの大きな鍵』によれば，「すべての天使と皇帝たちの支配者」。

シラ Sila　能天使。カバラの儀式で招霊される時の天使。〔出典：ヒルダ・ドゥーリトルの詩「知恵」；アンブラン『実践カバラ』〕

シラト Silat（ティラト Tilaht, フェルト Feluth）『真の魔術書』では，妖術の儀式で招霊される天使。イスラム教では，女性のデーモン。[出典：クラウキン『ユダヤ百科事典』p521]

シルシ Sirushi（スルシュ・アシュ Surush Ashu, サルシュ Sarush, スラオシャ Sraosha, アシュ Ashu）　古代ペルシアの伝承では，天国の天使，あるいは「告知の主」。[出典：『ダビスタン』p144]

シルビエル Sirbiel 『第3エノク書』や『ヘハロト・ラバティ』に言及されているように，メルカバ（神の戦車）の天使の支配者の1人。

シルマイ Silmai（シェルマイ Shelmai）マンダ教で，ヨルダン川の2人の守護霊（ウトリ，単数ウトラ）の1人で，もう1人はニドバイ。

シロッコの天使 Angel of the Sirocco →シキエル Sikiel

シワロ Sywaro　魔術的儀式において，カバラの呪文で呼び出される奉仕の大天使。[出典：『モーセの第6，第7の書』]

ジン Jinn　イスラム教の神話において，ジンはアダムより2000年前に創造されている。彼らは本来高い地位にあり，天使に等しく，エブリスが彼らの長である。アダムの創造で，エブリスが人間を崇拝することを拒否すると，彼は地位を下げられ，その後デーモンとなったジンと共に天から追放された。エブリスの5人の息子は邪悪なジンである。ヒューズの『イスラム辞典』の「守護霊」の項には，次のような引用がある。「天使の中で最も気高く尊敬すべき天使は，ジンと呼ばれるものである。というのも，彼らはその卓越さゆえに他の天使たちの目から隠されているからである。」

深淵の天使 Angel of the Abyss　たいていの場合，「世界とタルタルスを支配する天使」ウリエルと同一視される。[バビロニア＝カルデアの神話における女性の深淵の天使であるアプスと比較せよ。出典：チャールズ『ヨハネ黙示録注解』p239] →底なしの淵の天使 Angel of the Bottomless Pit

真実の天使 Angel of Truth　アミティエル，ミカエル，ガブリエル。ユダヤ教の伝承では，人間を創造しようと神が提案したとき，真実の天使（名前は不明）はそれに異を唱えた。そのため，同じく反対した平和の天使とその軍勢と共に焼かれた。ガブリエルとミカエルは焼かれるのを免れたので，燃え殻と化したのはアミティエルであろう。イスラムの伝承では，ガブリエルが真実の霊である。

人道の天使 Angel of Humanity　『モーセの黙示録』において，エデンでエヴァがひざまずき罪の赦しを求めて祈っているときに現われた。この天使は彼女を立たせて次のように言った。「エヴァよ，悔い改めるのをやめて立ち上がりなさい。見よ，お前の夫のアダムはその肉体から出て行った。」これはエヴァにとってアダムの死の初めての知らせであった。エヴァはその6日後に死んだ。

人馬宮の天使 Angel of Sagittarius　黄道十二宮の中の人馬宮を司る天使は，アイル，あるいはシザヤセル。レヴィが『高等魔術の教理と祭儀』で引用したラビ・コメルによれば，この宮を支配する霊はヴノリとサリタイエル（サリティエル）。ヘイウッドの『聖なる天使の階級』においては，人馬宮の支配者はアドナキエル。

審判の天使 Angel of Judgment →ガブリエル，→ゼハンプリュ，→ファルグス

人類の天使 Angel of Mankind　たいていの場合，メタトロンとされる。

スイエル Sui'el（ラアシエル Raashiel）　地震を支配する天使。[出典：ウェイト『天地生成の書』；ギンズバーグ『ユダヤ人の伝説』I]

水棲昆虫の天使 Angel of Water Insects →シャクジエル Shakziel

水生生物の天使 Angel of Aquatic Animals →マナケル Manakel

彗星の天使 Angel of Comets　ジキエルあるいはジクイエル。またアクヒベル。

水星の天使 Angel of (the planet) Mercury　魔法書，妖術書では，さまざまな天使が水星の天使として挙げられている。例えば，ティリエル，ラファエル，ハスディエル，ミカエル，バルキエル，ザドキエルなど。実践カバラではベネ（ブネ）・セラフィム。[出典：レヴィ『高等魔術の教理と祭儀』；トラクテンバーグ『ユダヤ魔術と迷信』]

水曜日の天使 Angel of Wednesday →ラファエル，→ミエル，→セラフィエル

枢要徳（すうようとく） Cardinal Virtues　正義, 倹約, 節制, 勇気の4つの徳。神学的徳は, 信仰, 希望, そして愛。それらはしばしば天使として人格化される。例えば勇気は, ポルトガルの枢機卿の礼拝堂や, フィレンツェの聖ミニアト・アル・モンテ教会にあるルッカ・デルラ・ロッビアの小円盤などにある　[p115に収載]。

スカクニエル Schachniel　70人の産褥の魔除けの天使の1人。

スカクリル Schachlil　高等魔術で, 太陽の光を支配する守護霊。また, テュアナのアポロニウスの『ヌクテメロン』に挙げられた, 9時の統治者。

スカディル Schaddyl　座天使（スロウン）であり, 『モーセの第6, 第7の書』に挙げられた15人の1人。

スカブタイエル Schabtaiel →スケブタイエル Schebutaiel

スカミイム Scamijm　『モーセの第6, 第7の書』によれば, 第1天で仕える天使。

スカリ Sukalli（スカリン Sukallin）　シュメール＝バビロニア人の神智論における天使。[出典：『カトリック百科事典』「Angelology」の項]

スカリアル Scharial　オカルトの教義では, 痛い腫れものを治すためにソドムから来たとされる天使。[出典：『モーセの第6, 第7の書』]

スカルティエル Schaltiel　イアダラに助けられて, 黄道十二宮の処女宮を支配する霊。[出典：『闇の王』p177]

スカワイト Schawayt　15人の座天使の1人。[出典：『モーセの第6, 第7の書』]

スキエクロン Schiekron　テュアナのアポロニウスの『ヌクテメロン』では, 淫らな愛の守護霊であり, 4時の守護霊の1人。→ファルズフ Pharzuph

スキオエル Schioel　この天使の名は, 月の第1の五芒星（ペンタクル）に書かれている。[出典：メイザーズ『ソロモンの大きな鍵』]

スキギン Scigin　妖術的儀式で招霊される天使で, 魔法書で言及される。

スキムエル Schimuel　『モーセの第6, 第7の書』に挙げられている, 15人の座天使の1人。

救いの天使 Ministering Angels（ヘブライ名はマラケ・ハシャレト malache hashareth）『ラビ・イシュマエルのメキルタ』におけるように, 救いの天使は天の位階の最高位で, 「万軍の主」であると判断するタルムード学者たちもいる。しかし, もっと下位の階級に属し, 数も多くほとんど雑兵であるという説もある。タルムード『サンヘドリン』では, 人類の最初の祖先がエデンに住んでいた短い間, 「救いの天使はアダムのために肉を焼きブドウ酒を冷やした」とされる。『ヤルクト・レウベニ』と『アダムとエヴァの書』では, アダムに仕えた3人の救いの天使はアエベル, アヌシュ, シェテル。『十二族長の誓約』の中の『ナフタリの誓約』は, 神が「ノアの子として生まれた70人の子供らに言葉を教えるため, 天の最高位から（ミカエルを統率者として）70人の救いの天使を遣わした」ことについて述べている。[→守護天使] タルムード『ハギガ』では, 「救いの天使は毎日ディヌル川から創られ, （略）賛美歌をうたい, その後滅んでは『毎朝生まれ変わる』」とされている。

ズクゾロムティエル Zkzoromtiel　『モーセの剣』での謎の名前（ノミナ・バルバラ）の1人で, 怒りの天使の指導者である。

スクド・フジ Skd Huzi →ソクェド・ホジ Soqed Hozi

スクトム Sktm　M.ガスター『モーセの剣』に挙げられた, 剣で召喚される14人の天使の1人。また神の言ってはならない名の1つ。

スグルドトシ Sgrdtsih　M.ガスター『モーセの剣』によれば, 「人の子に奉仕する」天使（「謎の名前」の1人）。

スクレウニエル Schrewniel（「改宗者」の意）　この天使は, モーセの招喚の儀式で, 記憶力を高め, 寛大さを得るために招霊される。

スケキナ Schekinah →シェキナ Shekinah

スケブタイエル Schebtaiel（サバティ Sabbathi）　カバラでは, 土星の統率者。この言葉は, 土星のヘブライ語 Schebtai に由来する。ロングフェローはダンテ『エデンの園』の訳注で, ステヘリン『ラビの文学』を引用して, 土星の叡智体（インテリジェンス）として言及する。ロングフェローは『黄金伝説』の最初期の草稿版で, アナキエルを土星の統率者とした。次にスケブタイエルを統率者としたが, 後にオリフェルとし, いずれの天使の説も捨てた。

スケラトス Suceratos　第4天で仕える天使。日曜日を支配し, 西から招霊される。[出典：

デ・アバノ『ヘプタメロン』；シャー『オカルティズム』〕

スケリエル Scheliel　月の二十八宿を支配する28人の天使の1人。

スサボ Susabo　旅の守護霊で，6時の守護霊の1人。〔出典：テュアナのアポロニウス『ヌクテメロン』〕

ススニエル Susniel　シリア語の魔法の呪文で招霊される天使。ミカエル，アズリエル，シャムシエルなどの天使と共に「魔法の力」として分類される。〔出典：ゴランツ『守護の書』〕

ズスネイル Zsneil　M.ガスター『モーセの剣』に挙げられている悪しき天使。炎症や水腫，その他の病を治療するために招霊される。

ズスマエル Zhsmael　夫をその妻から離すための招喚儀式に用いられる悪しき天使。〔出典：M.ガスター『モーセの剣』〕

スタンダード（旗印）Standards　ミルトンが『失楽園』V，590で使用している，天使の位を表わすための言葉。この箇所で，天使ラファエルは「旗印と吹流しは（略）位階，階級の区分のために役立つ」と語る。

スティエル・ヤハウェ Sstiel YHWH　メルカバの8人の偉大な天使君主の1人。『第3エノク書』では，天使メタトロンより上の位である。メタトロンは，水晶の道でスティエルと出会ったとき，（馬から）降りなければならない。ギンズバーグ『ユダヤ人の伝説』Ⅰでは，先触れはメタトロンを君主の長と宣言し，例外は「私（すなわち神）の名をもつ8人の威厳ある高貴な君主」であるとする。スティエルはこの8人の1人である。他は，アナフィエル（アウフィエル，アンピエル），ナズリエル，アカトリエル，ガリスル，2人のソフリエル，そしてラドゥエリエルである。

スト Sut　イスラムの堕落した大天使イブリスの5人の息子の1人。嘘のデーモンである。他の4人の息子は，卑猥のデーモンのアワル，争いのデーモンのダシム，致命的な事故のデーモンのティル，商人の不正のデーモンのザラムブル。

ストゥエル Sutuel（スルヤル Suryal）　ファラシャ〔エティオピア系ユダヤ人〕の教説で，聖都エルサレムにバルク書を伝えた天使。〔出典：チャールズ『バルク黙示録』Ⅵ，3，だがここではっきり名指しされてはいない。〕

ストゥリ（エル） Sturi(el)　70人の産褥の魔除けの天使の1人。

ストゥルビエル Sturbiel　昼の4時の天使。ヴァクミエルに仕える。〔出典：ウェイト『儀礼魔術の書』p67〕

ストラテイア Strateia　天使の軍勢。『ペシクタ・ラバティ』に言及される。〔出典：クラウキン『ユダヤ百科事典』「Angelology」の項 p585〕

ストリエル Striel　7つの大きな天の館の1つに配置された護衛の天使。〔出典：『ピルケ・ヘハロト』〕

ストールワート（忠実な人）Stalwarts　天使の位の1つを指す言葉。〔出典：『賛歌の書』Ⅲ。『死海文書』p341に言及される〕

ストレムプシュコス Strempsuchos　→アストロムプシュコス Astrompsuchos

ストロファエオス Strophaeos　グノーシス派の『シェムの釈義』で，天地創造の秘密を明らかにされた神秘的存在。

スナ Suna　儀礼儀式で用いられる智天使(ケルブ)あるいは熾天使(セラフ)。〔出典：『モーセの第6，第7の書』〕

スニアリア Ssnialiah　M.ガスター『モーセの剣』で，14人の偉大な招喚天使の1人。

スニエル Sniel　産褥の魔除けの天使70人のうちの1人。〔出典：『天使ラジエルの書』；バッジ『魔除けと護符』〕

ズハイル Zuhair　マンダ教で，太陽の毎日の運行に従う10人のウトリ（天使）の1人。

スパーク（閃光）Sparks　ヴォルテールが『天使，守護霊，悪魔について』で言及し，タルムードやタルグムでの天使の階級であると述べている。タルシシム（すなわち「光り輝く者」）あるいは輝く者と同等視され，その9つ（あるいは10ないし12）の階級に含まれることもある。

スフィンクス Sphinxes　メイザーズの『ヴェールを脱いだカバラ』は，「ヨハネの黙示録」に言及した箇所で，スフィンクスはエゼキエルの幻視におけるケルビム kerubim の別名であると述べている。（「エゼキエル書」Ⅰ，10以下）

スフェネル Sphener　オカルティズムでは，病魔のマルデロと戦うために招霊される能天使(パワー)の名。〔出典：シャー『魔術の秘伝』p223〕

スフェレス Spheres　→ガルガリム Galgallim

スプグリグエル Spugliguel　春の宮の統率者として仕える天使。[出典：デ・アバノ『ヘプタメロン』；バレット『魔術師』Ⅱ]

ズフラス Zuphlas　儀式的魔術における森の霊。また，11時の霊の1人。[出典：テュアナのアポロニウス『ヌクテメロン』]

スフラトゥス Suphlatus　埃の霊。[出典：テュアナのアポロニウス『ヌクテメロン』]

ズヘイル Zuheyr　洗礼の儀式を遂行する際に人間を手伝うために偉大な生命(すなわち神)が降下させた，マンダ教の2人のマルキ(天使)の1人。[出典：ドロワー『イランとイラクのマンダ教徒』p328]　もう1人のマルキはザルンであった。

スペンダルモズ Spendarmoz →イシュパン・ダルマズ Ishpan Darmaz

スマト Smat　メバヒアと対になる天使。カバラでは，メバヒアと共に道徳と宗教を支配する。

スマヌス Summanus　エトルリアの宗教で最高神にあたる9人のノウェンシレスの1人。[出典：レッドフィールド(編)『世界の神々の辞典』「神々」の項]

スマル Smal (サマエル Sammael)　死と毒薬の天使。その妻エイシェト・ゼヌニムは娼婦である。2人が合体したのが，野獣キオア Chioa だとされる。[出典：メイザーズ『ヴェールを脱いだカバラ』]

スマンドリエル Smandriel →サマンディリエル Samandiriel

スミエル Sumiel　ヴォルテール『天使，守護霊，悪魔』で，堕天使の指導者の1人。ヴォルテールはその出典をエノクだとするが，サマエルかシマペシエルのことを言ったものか，そうでなければエノク書にはスミエルにぴったり該当するものは見あたらない。スミエルの名は，東洋の魔除けの護符に書かれている。[出典：シュライアー『ヘブライの魔除け』]

ズミエル Zumiel　産褥の魔除けの天使70人の1人。[出典：『天使ラジエルの書』]

スムングルフ Smnglf →サマンガルフ Samangaluf

ズメク Zumech　魔法を行なう際に招霊される「神のまことに神聖な天使」。招霊の詳細については，メイザーズ『ソロモンの大きな鍵』を参照。

スメリエル Smeliel　ルノルマン『カルデアの魔術』における太陽の霊。スメリエルと対になる叡智体はナギエルである。

スモエル Smoel →サマエル Sammael

スラオシャ Sraosha (スロシュ Srosh, シルシ Sirushi, セロシュ Serosh, 他)　ペルシアの天使。世界を動かすとされる。アムシャ・スプンタの1人(第7番目)か，ヤザタスの1人。ゾロアスター教では，死んだときに魂を運ぶ天使。[出典：『ヴェンディダッド』18，『東方の聖なる書』収録]　マニ教の教義では，「服従の天使」で死者を裁く「悪魔を打つ者」。シルシという名では天国の天使で，「告知の主」でもある。[出典：レッジ『キリスト教の先駆者とライバル』Ⅱ，p327]

スラタリー Slattery (フィクション)　マーク・トウェイン作『天国からの報告』に付けられたディクスン・ウェクターによる序文で言及された天使。スラタリーが現われるのは，トウェインのストームフィールド物の未刊行断片である。この断片には，スラタリーが人間の創造を目撃したと報告されている。

ズラル Zlar　ゴランツ『ソロモンの鍵』で，招霊された際，創造主の秘密の知恵を招霊者に話すように求められた「輝かしく慈悲深い天使」の1人。

スリア Suria (スルヤ Suryah, スリヤ Suriya)『ピルケ・ヘハロト』では，座天使あるいは御前の天使の1人。また第1天の第1の館(宮殿)の番人でもある。『ゾハル』によれば，「食卓についたとき[そこで，その時に，律法からの言葉が唱えられるが]その発せられた聖なる言葉を取り上げ，神聖なる一者の前にそれらを再現する，高位の天使。そして，すべての言葉が食卓もろとも，神聖な王の前で栄冠を与えられる。」

スリアン Suryan　バートン『聖書文学ジャーナル』vol. 31によれば，ラファエルの「堕落」

スリイエル Suriyel (スリエル Suriel)　サラティエルと共に，アダムとエヴァを(サタンが彼らをおびき寄せた)高い山の頂から宝の洞窟へと連れてきた天使。このエデンの園の出来事は，『アダムとエヴァの書』に言及される。

スリエル Suriel (サリエル Sariel, サウリ

エル Sauriel，スリイェル Suriyel，スリア Surya，「神の支配力」の意）　ウリエル，メタトロン，アリエル，サラァエルなどと同一視される。メタトロンのように御前の天使であり，ラファエルのように癒しの天使でもある。同様に，数多い死の天使の1人で，モーセの魂を連れてくるためにシナイ山あるいはネボ山に送られた。『エノク書Ⅰ』では，4人の大天使の1人。『ファラシャ文献集成』では「ラッパ手スリエル」や「死の天使スリエル」と呼ばれた。モーセはその知識のすべてをスリエルから得たとされる（ザグザゲルも同様にモーセの知識の源であるとされるが）。タルムード『ベラホト』51aによれば，衛生の法をラビ・イシュマエル・ベン・エリシャに教えたのはスリエルである。グノーシス主義の魔除けには，ラグエル，ペヌエル，ウリエル，ラファエルと並んで，スリエルの名が見られる。オリゲネス『ケルソス反駁』Ⅵ，30では，スリエルはオフィス派における原初の力を示すエブドマド体系の7人の天使の1人。招霊されると，牡牛の姿で現われる。カバラでは，地上を支配する7人の天使の1人。キング『グノーシス主義とその遺産』p88で，スリエルはエラタオトやタウタバオトと共に「マギに由来するユダヤ教の天使」と呼ばれ，また恒星を司る霊ともされる。[出典：ミード『3倍に偉大なヘルメス』Ⅰ；バッジ『魔除けと護符』p203, 375]

ズリエル Zuriel（「我が岩は神である」の意）　権天使の位の君主で，黄道十二宮の天秤宮の支配者。[出典：カムフィールド『天使についての神学的論説』]そして，産褥の魔除けの天使70人の1人。また，人間の愚行の治癒者。ウリエルと同等視される場合は，9月の天使。「民数記」3：35で，「メラリ族の家系の代表者」である。

スリヤ Suriya →スリア Suria

スリヤ Suriyah（スリエル Suriel）　ラビ・イシュマエルに手相術や人相術の秘密を明かした天使。[出典：ショーレム『ユダヤ神秘主義』]→スリエル Suriel

スルシュ・アシュ Surush Ashu →シルシ Sirushi

スルタク Surtaq　ヘハロトの教義では，シェマを朗唱して，メタトロンを助ける天使。[出典：『第3エノク書』序文]

スルフ Suruph（「神の力」の意）　ハイド『古代ペルシア宗教史』に挙げられた天使。

スルヤ Surya（複数スルヤス Suryas）　ヴェーダ教の7人（あるいは12人）の輝く神々の1人。『第3エノク書』では，メタトロンの多くの名の1つ。→アディトヤス Adityas

スルヤス Suryas（単数スルヤ surya）　ヴェーダ教義では，スルヤス（後にアスルヤス Asuryas）は，ユダヤ＝キリスト教の天使たちに相似した神々である。アスルヤスは堕落した者，すなわちデーモンあるいは悪魔である。

スロ Sro　ネマミアに対応する天使。

スロト Suroth　パラケルススの護符についての教義によれば，エジプトの惑星の守護霊で，天使アナエルと置き換えられる。ウェイト「隠秘学」（『イスラエルの秘密の教義』所収）では，金星の守護霊。錬金術では，権天使（プリンシパリティー）の位の長。「彼は，植物の自然の調和を司る。」[出典：クリスチャン『魔術の歴史と実践』Ⅰ, 68]

スンゴティクテル Sngotiqtel　人間の子供の世話をする天使。[出典：M.ガスター『モーセの剣』]

セ

ゼアサル Zeasar　ナアセン（グノーシス主義の宗派）により，「より高い世界の偉大な力の1つで，ヨルダン河を[支配し]逆流させる力がある」と見なされた。[出典：ドレッセ『エジプト・グノーシス主義の秘密の書』p49]

セアリア Sealiah（セエリア Seeliah）　カバラで，地上の植物を治め，支配する。また，シェムハムフォラエ神の神秘的な名前をもつ72人の天使の1人。その霊符についてはアンブラン『実践カバラ』p281を参照。

セアルティエル Sealtiel（ヘブライ語で「神の要請」の意）　ジョウブズの『神話・民間伝承・象徴辞典』に挙げられた天使。

聖域の天使 Angel of the Sanctuary　サル・ハ＝コデシュ。ミカエル，メタトロン，イェフェフィアと同一視される。

聖歌隊 Song-Uttering Choirs　タガスの指揮の下で歌う天使たちの階級。サリシムはこの聖歌隊の一員で，第5天（マオン）に住む。[出典：タルムード『ハギガ』]聖歌隊は，歌うべきときにクェドゥサ（三聖誦）を歌わなか

ったとき，火で焼き尽くされた。

生気 Animastic (Animated, The)　ヴォルテールの「天使，守護霊，悪魔について」によると，天使の階級の1つで，「ヘブライ人がイシムと呼んだ祝福された魂で，つまり高貴な者，君主，支配者」を指す。また，この位の支配天使は「メシアの魂，メタトロン，世界の魂」などとも呼ばれる。さらに，モーセの支配天使あるいは守護天使とされることもある。[出典：バレット『魔術師』I, 38]

正義の書記者 Scribe of Righteousness　『パウロの幻視』XXで，エノクと同一視される。この幻視で，パウロは「天国の内で」天使としてのエノクを見た。

正義の天使 Angels of Justice　→ツァドキエル Tsadkiel, →アザ Azza

正義の天使 Angel of the Right　ヴァレンティヌス派（グノーシス主義）からの抜粋では，正義の天使はキリストの誕生を予め知っていた。[出典：ニューボールド「ソロモンの頌歌におけるキリストの降下」("The Descent of Christ in the Odes of Solomon," *Journal of Biblical Literature*, 1912年12月)]

正義の天使 Angel of Righteousness　ミカエル。『ヘルマスの牧者』で，この天使（名前は与えられていない）は「温厚，謙虚，寛大，静かな」天使とされており，「人間と共にいる」2人の天使の1人。もう1人は「不正の天使」である。

星座の天使 Angel of Constellations　カカベル（コクビエル），ラティエル。[出典：ギンズバーグ『ユダヤ人の伝説』I, 140]

聖者たち Saints　ヴォルテール（フランスの哲学者，1694-1778）『天使，守護霊，悪魔について』によれば，ユダヤ教のタルムードとタルグムにおける天使の位。天使という語については，「詩篇」89：7の欽定訳聖書版でも「聖なる者の会議」が「聖者たちの集会」と訳されている。

聖職と犠牲の天使 Angel of Priesthoods and Sacrifices　サキエル＝メレク。[出典：レヴィ『高等魔術の教理と祭儀』p307]

聖性の天使 Angel of Holiness　→きよめの天使 Angel of Sanctification

聖なる生き物 Holy Beasts　タルムードにおいて，智天使のこと。「ハギガ」では，「オファ

ニム（車輪，座天使）やセラフィム（熾天使）、そして救いの天使たちの中に数えられる」。→ハシュマリム，→ハイヨト

聖なる者 Holy Ones　大天使のもう1つの名前。

聖杯の天使 Angel of the Grail　リースボルンの画家によって描かれた（名前は与えられていない）。1465年に完成あるいは出版されたこの絵は，レガメイの『天使』に収載されている。また，聖杯の天使は，ボストン公立図書館の小壁の「ガラハッドの夢」という彫刻の中に見られる。

聖フランチェスコ Saint Francis　黙示録の天使であり，（翼をもった）慈悲の天使としても描かれる。[出典：ボナヴェントゥラ『聖フランチェスコの生涯』]黙示録の天使の役目として，「選ばれし者たちが集められるべき」時まで世界を破壊し尽くさないように，風たちに警告する。→ラミエル

聖母マリア　→処女マリア

セイメルケ Seimelkhe　グノーシス教義における天的存在で，一般に能天使あるいはアイオンとして言及される。[出典：ドレッセ『エジプト・グノーシス主義の秘密の書』]

聖約の天使 Angel of the Testament　「マラキ書」（3：1，「あなたたちが喜びとしている契約の天使」）などから引用をしているサルケルドの『天使の物語』(1613)によれば，バプテスマのヨハネ。シュネヴァイスの『ラクタンティウスによる天使とデーモン』によれば，これはキリストを指す。マラキ書のこの箇所は，聖約の「使者」とも訳される。[参照：「マタイによる福音書」11：10，「見よ，わたしはあなたより先に使者を遣わし，／あなたの前に道を準備させよう」]レガメイの見解では（『天使とは何か』），マラキ書のこの箇所は，「キリストは自分を聖約の天使であると宣言し，バプテスマのヨハネが神の使者であると認めさせる」ことを示す。

セイル Seir　ナーマニデスによれば，サマエルの別名。[出典：バンバーガー『堕天使』p154]

ゼイルナ Zeirna　病弱の霊で，5時の霊。[出典：テュアナのアポロニウス『ヌクテメロン』]

聖霊 Holy Ghost　（あるいは Holy Spirit）

「受胎告知の一団」 アンドレア・デルラ・ロッビア作。釉をかけたテラコッタ。上=父なる神、鳩によって象徴化されている。左=聖母マリア。右=受胎告知の天使ガブリエル。現在はサン・ニコロ教会（フィレンツェ）近くの礼拝堂オラトリオ=デルラ=アニマ=デル=プルガトリオに収蔵。『イタリアの名工たち』(New York, Museum of Modern Art, 1940) より転載。

「慰め手」のもう１つの名前。三位一体の３番目の位格。時として女性とみなされる。外典『ヘブル人福音書 The Gospel According to the Hebrews』は，主イエス・キリストに，「我が髪の一房をつかみ，偉大なるタボル山（伝統的に変容の山とされる）へと連れにし我が母，聖霊」について語らせている。ここで「母」は，イエスが語ったアラム語（ヘブライ語でも同様）で spirit あるいは ghost が女性形であることによる。オリゲネスは『ヨハネについて』Ⅱ，12で，『ヘブル人福音書』から引用した一節を示している。[出典：ハーナック『教理史』Ⅳ，308；エルヴュー（編）『新約聖書外典』p132；ヘイスティングズ『聖書辞典』「タボル山」の項]『聖ヨハネの黙示録についての注釈』は，天の中空を飛び回る天使が，聖霊の前触れとなる，と示唆している。

聖霊の天使 Angel of the Holy Sprit　ガブリエル。『預言者イザヤの昇天』で，イザヤは第７天で「主の左にいる」聖なる霊の天使を見る。

ゼヴァニオン Zevanion　カバラで，葦の聖別儀式で唱えられる天使。

ゼヴディエル Zevudiel　『ヘハロト・ラバティ』で，第１天の７人いる護衛の天使の１人。

ゼヴティヤフ Zevtiyahu 天使メタトロンの多くの名の1つ。

セエヒア Seehiah（セヘイア Seheiah） カバラでは，シェムハムフォラエ神の神秘的な名前をもつ72人の天使の1人。アンブラン『実践カバラ』中の「生命の樹 L'Arbre de Vie」の図（p88挿絵）では，ザドキエルに率いられる主天使（ドミネイション）の位にある9人の天使の1人。長命を授け，彼を招霊する者に健康を与える能力を有すると言われる。[出典：バレット『魔術師』Ⅱ，p62挿絵］

セエリア Seeliah（サエリア Saeliah） カバラでは，かつて力天使（ヴァーチュー）の位に属した堕天使。植物の支配権をもつ（あるいはもっていた）。招霊の際，最高の成果を得るには，「詩編」93の詩を暗唱するとよい。アンブラン『実践カバラ』p278に言及されている。

世界の王 Prince of the World メタトロンの称号。

世界の天使（あるいは君主）Angel (or Prince) of the World サタン（パウロ書簡を参照）。ミカエル，イェホエル，メタトロン，サル・ハ＝オラム（ヘブライ語で文字どおり世界の支配者を意味する）。マモンはまた「世界の王座を保持する」とされる。[出典：タルムード；バンバーガー『堕天使』p58］

世界を支える天使 World-Supporting Angels →オモフォルス Omophorus，スプレンディテネス Splenditenes

ゼカリエル Zechariel（「エホヴァが思い出す」の意） 世界の7人の統治者の1人。コルネリウス・アグリッパによればゼカリエルは木星を支配するが，別の箇所では，木星は他の天使が支配するとも言われる。

「急ぎ立てる天使」 Hastening Angels ミルトンは，「立ち去りかねている我々の先祖を／捕らえ」エデンの園から連れ出した天使としてミカエルをこう呼んだ（『失楽園』ⅩⅡ，637）37）用語。ドライデンは著書『無垢の時』で，不運なカップルを追放したのは，ミカエルではなくラファエルであると書いている。[出典：エデンの園の天使たち］

セグスヒエル・ヤハウェ Segsuhiel YHWH M．ガスター『モーセの剣』に挙げられているように，Ⅹ（すなわち神）の軍勢の天使の支配者の1人。[出典：レヴィ『高等魔術』］

ゼクニエル Zekuniel イサク・ハ＝コヘンの小論「神の左側からの流出」で，10の聖なるセフィロトの2番目としてベリイエルと交替する。

セクラム Seclam 能天使（パワー）の位の天使で，魔術の儀式で呼び出される。[出典：『モーセの第6，第7の書』］

ゼクリエル Zechriel 70人の産褥の魔除けの天使の1人。

セケト Seket カバラでは，エジプトに住む女性の天使。時の天使で，適切な手段によって現われる。詩人H.D.はその詩「知恵」でセケトについて歌った。またアンブラン『実践カバラ』でも言及されている。

セゲフ Segef 安息日の終りに招霊される破壊天使。[出典：トラクテンバーグ『ユダヤ魔術と迷信』］破壊天使は，本性は悪ではなく，ただ悪を引き起こしているだけという点に注意。最初に創造された天使たちの1人でもある。天の大乱のときに離反した3分の1の軍勢の中に，破壊天使は含まれない。

セセンゲス（ン）＝バルファランゲス Sesenges(n)-Barpharanges コプトのキリスト教徒によれば，一群の天使を意味する言葉あるいは名前。[出典：ショーレム『ユダヤのグノーシス主義，メルカバ神秘主義，タルムードの伝統』p100］また，強力な悪霊の名でもある。

ゼタル Zethar 混乱の天使の1人。[出典：ギンズバーグ『ユダヤ人の伝説』Ⅳ，ここではゼタルは「不道徳の観察者」］。

セチエル Setchiel 魔術でトゥリエルが仕える天使。[出典：マルクス『トゥリエルの秘密の魔術書』p36］

摂政天使 Regents ミルトンの『復楽園』Ⅰ，117で言及された天使の位。

節制 Temperance カバラの教義で，「額に太陽の印をもつ天使で，胸には7組の四角と三角を付け，命の霊薬をつくる2つのエキスを，1つの杯から別の杯へと注いでいる」。[出典：『聖なるポイマンドロス』］

絶壁の天使 Angel of Precipices →ザロビ Zarobi

絶滅の天使 Angel of Annihilation エステルとクセルクセスに関わる物語において，絶滅の天使はハルボナあるいはハスメド。[出典：『ミドラシュ・テヒリム』（「詩編」7章注解を参照］ハルボナもハスメドも懲罰あるいは混乱

の天使。

セディム Sedim（単数セドゥ Sedu） タルムード『アボト』では護衛の霊で，悪しき霊を払うために招霊される。

セテウス Setheus 第6天に住む偉大な能天使の1人。[出典：マリナイン『真理の福音』；ドレッセ『エジプト・グノーシス主義の秘密の書』]

セデキア Sedekiah 木星の五芒星(ペンタクル)に現われる「宝を見つける天使」の名。おそらくソロモンの魔術を行なうことで招霊される。

ゼデキエル Zedekiel →ザドキエル Zadkiel

ゼデレザ Zedereza（ゼデエシア Zedeesia, ゼデジアス Zedezias）「神がその名を口にすると，太陽と月が暗くなる」偉大な天体天使(ルミナリ)。[出典：メイザーズ『ソロモンの大きな鍵』]

セト Seth グノーシスの体系における7人のアルコンの1人。[出典：『カトリック百科事典』「Gnosticism」の項]

セドゥ Sedu →セディム Sedim の単数

セトファエル Setphael ヘハロトの伝承（『マアセ・メルカバ』）で，7つの天の館の第1を護衛する天使。

セトランス Sethlans（エトルリア人の9人の偉大な神） ノウェンシレスの1人。ノウェンシレスの表は付録を参照。

セナケル Senacher エレミアに対応する天使。

セネゴリン Senegorin メタトロンを長として一群を構成する擁護天使たち。その数は1800人である。[出典：『第3エノク書』]

セノイ Sennoi (Senoi, シヌイ Sinui, サヌイ Sanuy) サンセノイとサマンゲロフと共に，エヴァが世に出る前の時代，リリトがアダムのもとを去ったとき，リリトを連れ戻すために神によって遣わされた。リリトは悪であるが，セノイの名をもつ魔除けを見せるだけで彼女の危害から身を守ることができる。特に幼児をリリトから守るのに効果がある（エデンの園を追放された後の時代に）。セノイの霊符については，『天使ラジエルの書』，バッジ『魔除けと護符』225を参照。[出典：オーセイブル『ユダヤ伝承の宝庫』；ハイデ『古代ペルシア宗教史』]

背の高い天使 Tall Angel, The モーセは第3天で，彼を案内をしていたメタトロンと共に，7万の頭をもつ「背の高い天使」に会ったが，それがサンダルフォン（第6，第7天に住むと言われるが）であるとする。ウェルトハイマーは『ミドラシュ集』Ⅳで，その天使はヌリエルであったと断言している。しかし，ギンズバーグは『ユダヤ人の伝説』Ⅴ，416で，このような同一視は筆写の誤りによるものだと言う。合理的な結論は，ヌリエルは第2天に住み，そこでモーセは彼に会ったので，われわれが知るかぎりただ1つの頭をもつ。最も背の高い天使は，メタトロンかハドラニエルかアナフィエルのいずれかである。

セバイム Seba'im 『第3エノク書』19章で次のように語られる天使の階級。「時が天の歌の独唱会に近づいたとき，すべての軍勢（Seba'im）は驚いた。」

ゼバシャマイム Zeba'shamaim 「申命記」17：3で使われる天使に対する用語で，「天の軍勢」を表わす。

ゼバマロム Zeba'marom 「イザヤ書」24：21で使われる天使に対する用語で，「天の軍勢」を表わす。

セバリム Sebalim 聖歌隊に含まれる天使の階級で，タガスの指揮下で活動する。[出典：『第3エノク書』]

セハルティエル Sehaltiel 魔王モロクを追い払いたいときに招霊される天使。[出典：レヴィ『高等魔術』]

ゼハンプリュ Zehanpuryu'h（「解放者」の意） 偉大な天使の支配者。天の仲裁者や神の慈悲の分配者。ミカエルと共に，狂うことのない天秤で計量する者。メルカバの支配者の1人であり，メタトロンより高い地位にある。[出典：『第3エノク書』『ヘハロト・ラバティ』では，第7天における第7の館の護衛。

セヒビエル Sehibiel 『ピルケ・ヘハロト』に挙げられているように，第2天の護衛の天使。

ゼファニア Zephaniah（ゼフェミア Zephemiah, ゼファニエル Zephaniel, 「エホヴァが隠れる」の意） ラビ文献で，カバラの10の位階の第2の位であるイシムの長。[出典：ギンズバーグ『ユダヤ人の伝説』Ⅵ，236］ゼファニアは，エンドルの魔女（あるいは，より正確には占い師）の名でもある。→セデクラ

ゼファニエル Zephaniel 『マセケト・アジルト』で，10の位階の表によれば，イシムの位の長である。[出典：クラウキン『ユダヤ百科

セファル Sephar →ヴェパル Vepar

ゼファル Zeffar　テュアナのアポロニウスの『ヌクテメロン』によれば，「最終的な選択の霊」。また，9時の霊の1人として仕える。

セファロン Sepharon　ウェイト訳『レメゲトン』では，ガミエルに仕える夜の1時の天使の将校長。

セフィラ sefira (sephira, 複数セフィロト sefiroth, sephiroth)　宇宙の創造に際し，神が自らの存在を顕現させた神の流出。カバラでは，10の聖なるセフィロトと10の邪悪な連続したセフィロトがある。聖なるセフィロトは神の右側から出て，邪悪なセフィロトは神の左側から出た。10の聖なるセフィロトは，一般に次に挙げるものである。1．ケテル Kether（王冠）2．コクマ Chokmah（知恵）3．ビナ Binah（理解）4．ケセド Chesed（慈悲）5．ゲブラ Geburah（力）6．ティフェレト Tiphereth（美）7．ネツァク Netzach（勝利）8．ホド Hod（光輝）9．イェソド Jesod（基礎）10．マルクト Malkuth（王国）。セフィロトは，プラトン的力や知性，あるいはグノーシス的アイオンにたとえられる。

カバラで，特定の天使の形態をとる大セフィロトは，メタトロン=ハイヨト・ハコデシの大天使，ラジエル=アレリムあるいはエレリムの大天使，カマエル=熾天使の大天使，ミカエル=シナニムの大天使，ハニエル=タルシシムの大天使，ラファエル=よきエロヒムの大天使，ガブリエル=智天使の大天使，である。『天地生成の書』には，次のような10の「言い表わせない」セフィロトについての記述がある。「セフィロトは，限界をもたない，無限の始め，無限の終り，無限の善と無限の悪，無限の高み，無限の深みである。（略）稲妻のひらめきのごとく現われ，その目標は無限である。その（神の）言葉は，セフィラが流出し，還帰するときに彼らのうちにあり（略）神の御座の前で身を伏せている。」

16世紀の注釈者ソリアのイサク・ハ=コヘンの意見では，10の悪しき流出のうち7つのみが存続することを許され，この7つのうち5つ，すなわちアシュメダイ，カフケフォニ，タニニヴェル（盲目の竜），サマエル，サムマエルの妻のリリトだけが「本物」であると認められている。

セフィロト Sephiroth (Sefiroth)　『モーセの第6，第7の書』では，第5の印章の能天使。招喚の儀式で招霊される。→セフィラ

セフィロトの大天使 Archangels of the Sefiroth　メイザーズの『ヴェールを脱いだカバラ』では，セフィロトの大天使のリストは以下のようになっている。1．メタトロン・ケテル（最頂部）2．ラツィエル・コックマー（知恵）3．ツァフクィエル・ビナー（理解）4．ツァドクィエル・ケセド（慈悲）5．カマエル・ゲブラー（力あるいは厳格）6．ミカエル・ティフェレト（美）7．ハニエル・ネツァク（勝利）8．ラファエル・ホド（栄光）9．ガブリエル・イェソド（基礎）10．メタトロンあるいはシェキナ・マルクト（王国）

セフェリエル Sepheriel　偉大な天体天使。その名を唱えれば，「神は世界の審判のために来たらん」。[出典：メイザーズ『ソロモンの大きな鍵』]

セフェル Sepher　「世界を創る」（手助けをした）3人の熾天使の1人。他の2人はサファルとシプル。[出典：『セフェル・イェツィラ』]

セフォニエル Sofoniel　メイザーズ『ソロモンの大きな鍵』では，世界を支配する2人の君主の1人。もう1人はイオニエル。魔術によって招霊される。

ゼフォン Zephon（「気をつける」の意）　天国の護衛の支配者。第6のセフィラ。智天使の1人。『失楽園』IV，788と813で，ガブリエルはゼフォンを，イトゥリエルと一緒にサタンを見つけるために派遣した。彼らは，エデンの園で，エヴァを誘惑しようとする「身の毛もよだつ恐ろしい王」を見つける。サタンと対決するゼフォンとイトゥリエルの挿絵が『ミルトン詩集』に掲載されている。

セブハエル Sebhael（セブヒル Sebhil）　アラビア伝承における霊で，人間の善・悪の行いを記録した書の責任者である。[出典：ド・プランシー『地獄の辞典』（1863年版）]

ゼブリアル Zeburial　『ピルケ・ヘハロト』で，第7天の館の1つを護衛する天使。

セフリエル Sefriel　『ピルケ・ヘハロト』に挙げられている，第5天の護衛の天使。

ゼブリエル Zebuliel　『ゾハル』（出エジプト記 201b）で，第1天の西の天使長で，月が現われたときだけ支配する。また9つのドアを

「クサファン」（ゼフォン）
「エヴァの耳もとにヒキガエルの姿でうずくまっている」のを見つけられ
本来の姿に戻ったサタンに対して，イトゥリエルとともに立ち向かう。
J. マーティン作。『失楽園』の挿絵。
ヘイリー『ミルトン詩集』より。

見張る無数の隊長たちを指揮する。さらに，第2天まで祈りに付き添うと言われる。

セフリロン Sephuriron　10の聖なるセフィロトの10番目。マルキエル，イトゥリエル，ナシュリエルという3人の副官サリム（天使の支配者）を従える。『失楽園』Ⅳ, 800では，イトゥリエルがサタンを見つけるために派遣されているのに注意。〔出典：ソリアのイサク・ハ＝コヘン『神の左側の流出』〕

ゼブル Zebul（「住居」「神殿」の意）　サバトと共に第6天を支配する天使。ゼブルは夜に支配し，サバトは昼に支配する。しかしながら，ゼブルはまた第3天（『エゼキエルの幻視』）や第4天（『第3エノク書』，タルムード『ハギガ』12b）の名称でもある。

ゼブレオン Zebuleon　『エズラの黙示録』によれば，「世界の終り」に統治あるいは審判する9人の天使の1人。他の8人の名は，「世界の終りの天使」の項を参照。

セヘイア Seheiah　カバラでは，火災や病などを防ぎ，長生を司る天使。対応する天使は，セタケルである。セヘイアの霊符についてはアンブラン『実践カバラ』p269を参照。

セマキエル Semakiel（セマクィエル Semaqiel）　サグダロンと呼ばれる霊と共に，黄道十二宮の白羊宮を支配する。〔出典：レヴィ『高等魔術』〕

セマクィエル Semaqiel →サマキエル Samakiel

セマリオン Semalion　この天使は，タルムード『ソタ』13bで，モーセの死を「偉大な書記が死んだ！」という言葉で告知した。〔出典：ギンズバーグ『ユダヤ人の伝説』Ⅴ，6〕
〔注：サマエルがモーセの魂を運ぶために天か

ら遣わされた天使であったから，セマリオンはおそらくサマエルの異名。その名は，タルムード『サンヘドリン』38bと『ハギガ』13bにも見られる。]

セマングラフ Semanglaf（サマンガルフ Samangaluf）　女性が妊娠したとき，手助けを求めて招霊される天使。また，リリトをアダムに連れ戻した3人の天使の1人。

セミアクサス Semiaxas →セムヤザ Semyaza

セミアザズ Semiazaz →セムヤザ Semyaza

セミシア Semishia →セメリエル Semeliel

セミベル Semibel（シミエル Simiel）　743年ローマの教会会議で退けられた7人の天使の1人。ウリエルも退けられた7人の1人。[出典：ヘイウッド『聖なる天使の階級』]

セミル Semil →サムイル Samuil

セムヤザ Semyaza（Semjaza, セミアザ Semiaza, シェムハザイ Shemhazai, シャマズヤ Shamazya, アメズヤラク Amezyarak, など）　おそらくシェム Shem（名前を意味する）とアザ Azza（天使アザ，あるいはウザ）が一つになったもの。墜ちた悪しき天使の指導者，あるいは指導者の1人であった。伝説では，乙女イシュタハルに（神の）明確な名を明かすように誘惑された熾天使。いまや天と地の間にぶら下がり，頭を垂れて，オリオン星座になったと言われる。[出典：グレイヴズ『ヘブライの神話』] レヴィは『高等魔術』で，オリオンは「竜と戦った天使ミカエルと同一であり，空にその印が現われるのは，カバラ主義者にとって勝利や幸福の兆しとなる」と言う。『ゾハル』（創世記）によれば，セムヤザとエヴァの娘の間に生まれた息子たちヒワとヒヤは，毎日1000頭のラクダと1000頭の馬と1000頭の牛を食べるほど強かった。この伝説のバイロン版「天と地，神秘」では，セムヤザはアザジエルとされ，女のイシュタハルはアホリバマとされている。最近発掘されたエノク版（クムラン・コレクション）では，エノクからセムヤザ（シェマズヤ）とその仲間たちに宛てたとされている手紙が含まれている。[出典：アレグロ『死海写本』p119] シュワーブの『天使学用語辞典』では，セムヤザはアザエルと同一視される。

責苦の天使 Angel of Torment →アフテメロウコス Aftemelouchos

セメスキア Semeschiah →セメリエル Semeliel

セメリエル Semeliel（セミシアル Semishial）　コルネリウス・アグリッパによれば，「神の前に常に在り，惑星の霊的な名が与えられている」7人の支配者の1人。[出典：『モーセの第6，第7の書』『オカルト哲学』Ⅲに，セメリエル（セメシア）が太陽の霊であるという，コルネリウス・アグリッパの見解が述べられている。

セラエル Serael　第5天に仕える天使。[出典：『モーセの第6，第7の書』]

ゼラキエル Zerachiel（ヴェルキエル Verchiel, スリエル Suriel, サラクァエル Saraqael）『エノク書Ⅰ』や『エズラ記Ⅳ』では，「見張りをする」7人の天使の1人。つまり，ゼラキエルはグリゴリと同じ陣営に入る。パピュの『隠秘学の基礎』では，太陽を司る天使。（かつてそうであったように）ヴェルキエルと同等視されるときには，ゼラキエルは7月の天使で，黄道十二宮の獅子宮の支配者である。

セラクイエル Seraquiel　土曜に招霊される「強力な天使」。[出典：バレット『魔術師』Ⅱ, p126]

セラケル Serakel　果樹を支配する天使。[出典：クラウキン『ユダヤ百科事典』「Angelology」の項]

セラティエル Seratiel　サガム（別の守護霊，あるいは天使）と共に，十二宮の獅子宮を支配するとされている。[出典：レヴィ『高等魔術』p413；『闇の王――妖術選集』p177]

ゼラヒアフ Zerahyahu　天使メタトロンの多くの名の1つ。

セラピエル Serapiel　サズクイエルに仕える，昼の5時の天使で，ソロモンの魔術伝承に挙げられている。[出典：ウェイト訳『レメゲトン』]

ゼラヒヤ Zerahiyah　天使メタトロンの多くの名の1つ。

セラビリン Serabilin →イェスビリン Jesubilin

セラフ Seraph（「燃える蛇」の意，セラフィムの単数）　熾天使の位の名で呼ばれる天使。ギンズバーグ『ユダヤ人の伝説』Ⅳ, 263では，イザヤの唇に燃える炭を触れさせた。この出来事は「イザヤ書」6：6に語られている。また，

地水風火のうち火の元素を支配するかなりの数の天使の1人に任命されている。ヘイウッド『聖なる天使の階級』を参照。

セラフ Seraph →熾天使

セラフィエル Seraphiel イェホエルやその他の天使も長と呼ばれるが，熾天使の位の名の起源となった長。ふつう8人いるとされる審判の座天使の1人として，メルカバの支配者の中で最上位にある。オカルトの教義では，水星を司る霊で，火曜を支配し，北から招霊される。［出典：バレット『魔術師』II，119；『トゥリエルの秘密の魔術書』p35；『モーセの第6，第7の書』］

セラフィム Seraphim →熾天使

セラリフ Seralif イスラフル Israfel の綴り換え。ガブリエル，ミカエル，ラファエルとの対話に参加する天使で，トマス・ホーリイ・シヴァースの詩『ヴァージナリア』では天使の合唱隊。シヴァース（アメリカの詩人，1809-58）はしばらくポウと親交があり，彼の伝記を書いた。

セリエル Seriel（サリエル Sariel） 月の宮を人間に教えた堕天使だが，サリエルという名では，神の御座の周りに立つ7人の大天使の1人でもある。しばしばウリエルと同等視される。［出典：『エノク書I』；ギンズバーグ『ユダヤ人の伝説』］

セリト Selith クロップシュトック『メシア』で，聖母マリアと預言者聖ヨハネの2人の守護天使の1人で熾天使。

セルヴィエル Serviel ヴァグアニエルに仕える，昼の3時の天使。

ゼルエル Zeruel →ゼルク Zeruch

ゼルク Zeruch（ゼルエル Zeruel，ゼロエル Zeroel，ケルヴィエル Cerviel，「神の腕」の意）「兵力を支配する」天使。『聖書古代誌』に述べられている出来事，アモリ人との戦いで，ゼルクはケレズやケナズという名の軍人の武器を維持した。→ナタナエル

セルダク Seldac（セラオ Sellao，エサルダイオ Esaldaio，サクラ Sacla） グノーシス主義では，能天使の位に属する天使の1人で，天上での洗礼の責任者。［出典：ドレッセ『エジプト・グノーシス主義の秘密の書』］

セルパニム Serpanim（「御前の支配者」の意） ブリア界（創造された4世界の1つ）の

天使的力。［出典：アンブラン『実践カバラ』］

セルフ Seruf（Seruph） 火の元素霊を支配する天使。その名が示すように熾天使であり，またナタニエルの別名でもある。［出典：『モーセの第6，第7の書』］オカルト書では，力（すなわち力天使）と熾天使の位の天使と信じられている。

セレダ Sereda（フィクション） キャベルの『ジャーゲン』では，マザー・セレダは水曜を司り，「世界の全ての色を洗い流す」者である。またパンデリスの姉妹である。

セレフ Seref 死んだエジプトの王たちの身体を天へと運ぶ天使。［出典：ラングトン『悪魔学の本質』p39］

ゼレブゼル Zelebsel（「神の心」の意） 雨期の天使（エノク伝承とシュワーブ『天使学用語辞典』）。また，メルケヤルの支配下にある月の3人の指導者の1人。

セレミア Selemia（シェレミア Shelemiah，セレウキア Seleucia） 一般的伝説によれば，エズラが口述した94（あるいは204）冊の本を書き留めた5「人」（すなわち天使）の1人。他の書記の天使は，普通はアシエル，ダブリア，エカヌス，サラエ（あるいはサルガ）である。［出典：外典『エズラ記II』；チャールズ『旧約聖書外典・偽典』］

ゼロエル Zeroel →ゼルク Zeruch

セロシュ Serosh →スラオシャ Sraosha

世話をする天使 Caretaking Angels テメルクほかの天使たち。アレクサンドリアのクレメンスの『予言の牧歌』48によれば，「早産の幼児たちは，＜世話をする天使たち＞によって生み出される」。メトディオスは『饗宴』II，6で，この天使たちは不義による子供たちのためにも働く，と付け加えている。

センキネル Senciner ミカエルに対応する天使で，また能天使の位の天使。アンブラン『実践カバラ』では，エジプトのオイディプス Oedipus Aegyptiacus を見張るとされる。H.D.の詩「知恵」では，15分の天使。

善行の天使 Angel of Good Deeds ロングフェロウの『黄金伝説』で，名前は与えられていないが，記録者として描かれている天使。

宣告の天使 Angel of Proclamation ガブリエル。また，アクラジエルあるいはアズカリエル。

戦士 Warriors　天使の天の階級の1つを示す用語。ミルトン『失楽園』Ⅰ，315やザンキー『神学全集』で使われている。→勇者（天の）

戦士天使 Warriors Angel, The →ミカエル Michael

戦車 Chariots　天使の軍勢，「詩編」68：18に「神の戦車は幾千，幾万／主はそのただ中にいます。／シナイの神は聖所にいます」とあるように。

占術の天使 Angel of Divination →エイスティブス Eistibus

センセノイ Sensenoi →セノイ Sennoi

センセンヤ Sensenya　70人いる産褥の魔除けの天使の1人。

戦争の天使 Angel of War　ミカエル，ガブリエル，ガドリエル。カバラでは，コルネリウス・アグリッパが「戦争の神」と呼んだファレグが挙げられる。

センタケル Sentacer →イエラヒア Ielahiah

選帝侯 Electos　コニベアの『ソロモンの誓約』によれば，7人の惑星の霊あるいは地獄の天使が存在し，アッカド人のマスキム maskim に由来するという。7人とはすなわち，バルビエル（ザフィエルの支配下），メフィストフィエル（ザドキエルの支配下），ガナエル（アパディエルとカマエルの支配下），アキエル（ラファエルの支配下），アナエル（ハニエルの支配下），アリエル（ミカエルの支配下），マルブエル（ガブリエルの支配下）である。『自然の魔術と自然でない魔術』では選帝侯たちは悪霊（天使ではない）であり，名前が次のように記載されている。ディラキエル，アムノディエル，アドリエル，アムディエル，タグリエル，アニクシエル，ゲリエル，エエクイエル。アグリッパの7人の選帝侯のリストは『ソロモンの誓約』のリストと一致するところもあるが，アナエルとガナエルの代りにブルドンとアパディエルが入る。

全能の天使 Angel of Omnipotence　この集団には8人の天使，アトゥエスエル，エブフエル，エルバテル，トゥバトル，ブアル，トゥラトゥ，ラブシ，ウブリシがいる（いた）。『レヴィアタンの召喚』で，最初の3人の天使はデーモンを出現させ招喚者の命令に従わせる。［出典：『モーセの第6，第7の書』p85］

善の天使 Angel of Good　『アブラハムの黙示録』でそう呼ばれるが，名前は与えられていない。

戦慄の天使 Angels of Horror　智天使。智天使は栄光の玉座を囲み，「それらを見た者の心に恐怖を引き起こす」とされる。→恐怖の天使 Angels of Terror

洗礼者ヨハネ →バプテスマのヨハネ

洗礼水の天使 Angel of the Baptismal Water　ラファエル。洗礼の水は天使（名前は与えられていない）から癒しの特性を得ると主張したのは，テルトゥリアヌスである。［出典：スミス『人間と神々』p360］→バルファランゲス

ゾイグミエル Zoigmiel　昼の9時の天使で，ヴァドリエルに仕える。［出典：ウェイト訳『レメゲトン』］

双魚宮の天使 Angel of Pisces　儀礼魔術では，黄道十二宮の中のこの宮の天使はパシエル。レヴィが『高等魔術の教理と祭儀』で引用したラビ・コメルによれば，双魚宮（魚座）を支配する霊はラサマサとヴォカビエル（ヴォカティエル）。ヘイウッドの『聖なる天使の階級』では，ヴァルキエルが双魚宮の摂政。

創造の天使 Angels of Creation　「はじめの日」の出来事を記した記者の時代の天文学的知識によれば，はじめに（天地創造の時に）7人の創造の天使がおり，7つの惑星（太陽と月を含む）を支配していた。創造の7人の天使は，たいていの場合，オリフィエル，アナエル，ザカリエル，（神に逆らい堕天する以前の）サマエル，ラファエル，ガブリエル，ミカエルとされる。『エノク書』によれば，創造の天使たちは第6天に住むとされる。

騒動の天使 Angel of Commotion　オデバーグの『第3エノク書』にあるように，ジイエル。

ゾウリエル Zouriel　ユダヤのグノーシス主義で，この天使の名は，ガブリエル，ミカエルらと共に魔除けに記されている。

ソカト Sokath　護符に関するパラケルススの教義によれば，太陽の霊。天使ナクヒエルが太陽を司る叡智体(インテリジェンス)である。ソカトは明らかにナクヒエルとその地位を分担するか，あるいは交替しあう。［出典：クリスチャン『魔術の歴

ソキエル Sochiel　ウェイト訳『レメゲトン』に記されているように、黄道十二宮の360度を支配している地上の3宮を統治する大天使（アークエンジェル）の1人。

ソクェド・ホジ Soqed Hozi（ショクェド・コジ Shoqed Chozi, スクド・フジ Skd Huzi, 他）　メルカバの天使の支配者。神の調和を守る天使で、神により剣に対し任命された4人の天使の1人。［出典：『第3エノク書』；M.ガスター『モーセの剣』］

族長 Patriarchs　ソンキノ版『ゾハル』第2巻の用語解説では、全てのユダヤの族長は（エノクとエリヤの場合のように）楽園に到着すると偉大な天使に変わり、天の位階の3つの最高位の1つを構成するとされる。しかし『世界ユダヤ辞典』I、314には、ユダヤ信仰にこのような思想はないと述べられている。

底なしの淵の天使 Angel of the Bottomless Pit　深淵の天使に同じ。すなわち「ヨハネの黙示録」20章のアバドン（ギリシア語のアポリュオンにあたるヘブライ語）のこと。聖書以降の伝承では、「破壊者」「悪魔的なイナゴの王」あるいは「バッタ」として知られる。バニヤンの『天路歴程』では、この天使は悪魔そのものである。聖ヨハネは、底なしの淵の天使を悪と見ず、サタンを1000年間縛っておく天使としている（「ヨハネの黙示録」20：2）。ラングストンがその著『サタンの肖像』で明らかにしているのは、深淵の天使（底なしの淵の天使）は「（黙示録においては）サタンと同一視できない」ということである。デューラーは黙示録シリーズで、「底なしの淵の鍵を持つ天使」という題の木版画を制作した。

ゾゲネトレス Zogenethles　グノーシス主義で、天使の力あるいはアイオン。［出典：ドレッセ『エジプト・グノーシス主義の秘密の書』p85］

ソコディア Socodiah（ソコヒア Socohiah）　金星の第1の五芒星（ペンタクル）に記されている天使の名。［出典：シャー『魔術の秘伝』］

ソソル Sosol　魔術の儀式で招霊される天使。黄道十二宮の天蠍宮を表わし、また支配する。［出典：ウェイト訳『レメゲトン』］

ソディア Sodyah　ヘハロトの教義で、シェマを朗唱してメタトロンを助ける天使。［出典：『第3エノク書』序文］

ソディエル Sodiel　『第3エノク書』17では、第3天を支配する君主。

ゾティエル Zotiel（「神の小さき者」の意。ズティエル Zutiel，ズテル Zutel）　エノク伝承で、智天使（ケルブ）は、天国の護衛ヨヒエルとしばしば同一視される。エノクは、「エリュトラエアの海を越えての」旅でゾティエルに出会った。

ソティス Sothis（Sotis）　時の天使。［出典：H.D.の詩「知恵」；アンブラン『実践カバラ』］

ソテル Sother または **ソテル・アシエル** Sother As(h)iel　天使の支配者で、神の裁きの御座（メルカバの偉大な位階）に仕える。ソテルの背丈は7000パラサング（3万9000キロ）ある。カバラでは、天上でソフィアと結婚する。グノーシス主義の教説では、ソテルは神の別名である。『第3エノク書』によれば、「すべての天使の君主たちは、ソテルの許可がある場合だけ、シェキナの前に出入りすることができる」。光輝天使アルモゲンとも同等視される。この名は「神の火を燃え上がらせる者」の意味をもつ。

ゾニエル Zoniel　土星の3人の天の御使いの1人。［出典：『トゥリエルの秘密の魔術書』］

ソニタス Sonitas　第5天で仕える天使。［出典：『モーセの第6，第7の書』］

ソネイロン Sonneillon（ソニロン Sonnillon）（スコウン）　かつては座天使の位に属していたが、現在は堕落した天使。悪名高い16世紀の修道女ルイーズ・カポー（あるいはカベル）の身体に憑依した3人の「悪魔」の1人に挙げられている。［出典：ミカエリス『悔悛した女の憑依と改宗の驚嘆すべき物語』］

ゾノエイ Zonoei　カルデア神話で、惑星の神々あるいは叡智体たちである。彼らは、宇宙の指揮を託された天的な存在の位の3番目である。［出典：オード『ゾロアスター教のカルデア神託』］

ゾハラリエル・ヤハウェ Zoharariel JHWH　ヘハロトの教義では、（至高の者でないとしても）最高位の天使たちの1人の名、あるいは神の秘密の名。ショーレムの『ユダヤ神秘主義』p59-60では、「メルカバ幻視の主要な対象の1つ」と解釈されている。

ゾハル Zohar（「光輝」の意）　葦の聖別儀式で唱えられる天使。［出典：メイザーズ『ソ

ゾビアケル Zobiachel　ロングフェロウ『黄金伝説』によれば，木星の天使。カバラでは，木星の天使はザドキエルかあるいはザカリエルである。ゾビアケルの名は，ロングフェロウの著作でおそらく1度出てくるだけである。

ゾファス Zophas　五芒星の霊（天使），11時の霊の1人。[出典：テュアナのアポロニウス『ヌクテメロン』]

ソファル Sophar（フィクション）　アナトール・フランスの『天使の反乱』で，かつてヤルダバオト神のために天上で宝を守っていた堕天使。地上での姿は，銀行家マックス・エヴァーディンゲンである。

ソフィア Sophia →ピスティス・ソフィア Pistis Sophia

「底なしの淵の鍵をもつ天使」天使はアバドン／アポリオン。
アルブレヒト・デューラー作。木版画。
フランス国立図書館所蔵。
ウィリー・クルト編『アルブレヒト・デューラー木版画全集』（New York；Dover Publications, 1963）より

ソフィエル Sofiel　庭の果物や野菜を世話する天使。［出典：M. ガスター『モーセの剣』］

ソフィエル Sophiel　月の第4の五芒星の天使。ユダヤ教のカバラでは，木星の叡智体である（対応する天使はザディキエル）。［出典：ルノルマン『カルデア魔術』p26］

ゾフィエル Zophiel あるいは **ザフィエル** Zaphiel（「神の密偵」の意）　ソロモンの魔法で魔道士の祈りで招霊される霊。ミカエルが戦いに軍旗を携えるとき補佐する2人の隊長がいたが，ゾフィエルはその1人である（他の1人はザドキエル）。［『ゾハル』（民数記154a）を参照。］『失楽園』Ⅵでは，ゾフィエルは天の軍勢に，反逆者の仲間が第2のより激しい攻撃を準備していることを報告する。クロップシュトック（『メシア』）にとって，ゾフィエルは「地獄の使者」である。彼はまた，アメリカの詩人マリア・デル・オクシデンテ（マリア・ゴーウェン・ブルックス）の『ゾフィエル』と題された長大な詩の主要な登場人物である。詩人は，聖書外典『トビト記』の話からインスピレーションを得た。この詩の他の登場人物は，ハリフの名でも知られる天使ラファエルである。詩の中で，ゾフィエルは「本来の徳や美の痕跡をもつ」堕ちた（しかし邪悪ではない）天使で，「神の御前に戻る希望をなくしていない」。

ソフェリエル・ヤハウェ・メハイイェ Sopheriel Yhwh Mehayye と，**ソフェリエル・ヤハウェ・メミト** Sopheriel Yhwh Memith →ソフリエル Sofriel

ソフェル Sopher，ソフェリエル Sopheriel →ソフリエル Sofriel

ソフリエル Sofriel（ソフェル Sopher，ソフェリエル Sopheriel）　生者と死者を記録するために任命された天使の帳簿係。ソフリエル・メミトとソフリエル・メハイイェの2人のソフリエルがいる。2人は神の名（ヤハウェ YHWH）の運び手である。［出典：『ゾハル』；『第3エノク書』］

ソヘムネ Sohemne　印章の天使。［出典：『モーセの第6，第7の書』］

ソムカム Somcham　西風の門を護衛する数多い天使の1人。

ゾメン Zomen　オカルティズムで，蜜蠟の清めで唱えられる天使。ゴランツ『ソロモンの鍵』に記述あり。

「ゾフィエル，いと速き翼の智天使は／舞い来て，中空でかく大声で叫んだ」シングルトン作。『失楽園』第4巻の挿絵。ヘイリー『ミルトン詩集』より。

ソラト Sorath　邪悪な能天使（パワー）で，神秘的な数666の称号を担う。この数は，カバラ的には皇帝ネロにあてはめられる。［出典：『ヨハネの黙示録』］護符の魔術では，太陽の霊である。バレットの『魔術師』Ⅱ，147を参照。

空の天使 Angel of the Sky →サハクィエル Sahaqiel

ソルシュ Sorush　古代ペルシア人にとって，ガブリエル，つまり「魂を与えるもの」である。マギの教えでは，最後の審判の日に，2人の天使ソルシュとミルが，アル・シラトと呼ばれる（髪の毛より細く，剣の刃より鋭い）橋の上に立ち，そこを渡るあらゆる人々を調べるとされる。ミルは神の寛容を表わし，その手に秤をもち，人間の生涯を通してなされた行為を量る。もし行為が立派であると判定されると，その者は天国へ行くことが許され，そうでなければ，神の裁きを代理するソルシュに引き渡され，地獄へと落とされる。［出典：セイル『コーラン』

■ ソル-ソン

ヘブライの魔除け。
ソロモンの六線星形とシャダイ（神の名前）が刻まれている。
バッジ『魔除けと護符』より。

「序説」p64]

ソルゼン Soluzen　ウェイト訳『レメゲトン』図156で，ソロモンの五角形に（緑色で）記されている天使の名。

ゾルテク Zortek　第1天の護衛の天使の1人。[出典：『ピルケ・ヘハロト』]

ソルミス Solmis　グノーシス派の『真理の福音書』に挙げられている，偉大な天上の天体天使（ルミナリー）。

ゾロエル Zoroel　『ソロモンの誓約』で，クメアテルの陰謀を防ぐことのできる天使。病気の36人のデーモン（デカン）の1人。シャーの『魔術の秘伝』でも言及される。

ゾロコテラ Zorokothera　あるいはゾロコトラ Zorokothora　→メルキゼデク Melchizedec

ソンカス Soncas（ソネアス Soneas）　第5天の天使で，火曜を支配する。西から招霊されねばならない。[出典：デ・アバノ『ヘプタメロン』；バレット『魔術師』]

タ

ダアト Daath（「知識」の意）　神の流出に関するカバラの体系で、第2と第3のセフィロトを結合する。[出典：ルーンズ『カバラの知恵』]

タアニエル Ta'aniel　M.ガスター『モーセの剣』で、魔術的儀式で呼び出される天使。

ダイ Dai（デイ Dey）『モーセの第6，第7の書』で、能天使（パワー）の位の天使。古代ペルシアの伝承では12月の天使であった。

大イアオ Iao the Great　原初の諸力から成るグノーシス派の体系において、ヘブドマドを構成する7人のアルコンの第1。[出典：『ピスティス・ソフィア』] ドレッセの『エジプト・グノーシス派の秘密の書』によれば、デミウルゲ〔創造神〕であり、7つの天の長。『第3エノク書』では、メタトロンがもつ多くの添え名の1つとして、イアオの補佐である小イアオが挙げられている。→イェウ

第1天 First Heaven, The　イスラム教で、星々の住居であり、「それぞれに天使の番人がいる」。またアダムとエヴァの住まいでもある。

第1天の天使 Angel of the First Heaven　サブラエル、アスルリュ、パズリエル（シドリエル）、ガブリエル、など。

ダイエル Daiel →ダギエル Dagiel

第9天 Ninth Heaven　『エノク書Ⅱ』によれば、占星術の十二宮の故郷ともいう。ただし「第8天」もそうであるという。同項を参照のこと。ヘブライ語で第9天はクカヴィム。

第5天 Fifth Heaven, The　プトレマイオスによれば、最高天であり、神と天使の座。ここには「膨大な数の堕天使たちが、沈黙と永遠の絶望のうちにうずくまっている」と、グレイヴズは著書『ヘブライ神話』p36で述べている。この者たちは「北方の」区域にいるグリゴリである。第5天の他の場所では、聖霊に運ばれた預言者ゼファニヤが、「主と呼ばれる天使たち」を見、「その天使たちのそれぞれが、太陽の光の7倍も輝く玉座と同様に王冠を頭に戴いていた」。以上は、失われた『ゼファニヤの黙示録』よりアレクサンドリアのクレメンスによって引用されたものである。第5天の護衛長はシャトクィエル。イスラム教では、第5天は「アアロンと復讐の天使の座」である。

第5天の天使 Angel of the Fifth Heaven　第5天がマクム Machum ならば、ここを司る霊はミカエル。第5天がマテイ Mathey ならば、サマエル。第5天の支配を援助する天使は、フリアグネ、ヒニエル、オファエル、ザリエル〔デ・アバノ『ヘプタメロン』〕。ムハンマドの伝承では、第5天は「火の元素を支配する」復讐の天使の住まいとされる。

第3天 Third Heaven, The（第3天の天使 Angels of the 3rd Heaven）「広く普及した見解」によれば、天使がマナを蓄えるかあるいは創る上部天の座（ギンズバーグ『ユダヤ人の伝説』V，374）。2世紀のアセナテとヨセフの物語では、物語に登場するミカエルの命令で、蜂蜜（マナ）は「神の蜂」によりおそらく第3天から運ばれた。第3天は、外典のヤコブ（イエスの兄弟）の著とされる黙示録によれば、洗礼者ヨハネの住む場所である。しかし、イスラム教の教義では、洗礼者ヨハネの住む場所は第2天であり、この第3天には死の天使アズラエルを置いている。思うに、パウロが引き上げられ、「人が口にするのを許されない、言い表わしえない言葉を耳にした」（「コリントの信徒への手紙二」12：2-4）のは、この天である。[出典：ジェイムズ『新約聖書外典』p37]『エノク書Ⅱ』の著者にとって、第3天は天国と地獄のどちらにも当てはまり、ただ地獄は「北側に」置かれている。

第3天の天使 Angels of the Third Heaven　ヤブニエル、ラバキエル、ダルクイエル、バラディエル、シャフィエルなどが主な支配者。第3天でモーセは、「人間がその頂まで登るには500年かかるほど背が高く、7万の頭、それぞ

ダイ-ダイ

れの頭に 7 万の口，それぞれの口に 7 万の舌をもつ」天使に出会える。ムハンマドも天国で同じような天使を見るが，タルムードにもコーランにもその名前は示されていない。エレリム（天使の位の名）の名の基となった首長エレリム，あるいはしばしばエレリムの統率者と見なされるラジエルと考えるのが正論だろう。エレリムという語は「イザヤ書」33：7 に由来する。デ・アバノの『ヘプタメロン』では，第 3 天の天使にミリエル，ウキルムエル，ネラパ，イェレスクエ，バベルを含めている。エレリムを第 4 天に置く文献もある。

第 3 の天使 Third Angel, The ラッパを吹く 7 人の天使の 1 人で，「ヨハネの黙示録」8 章に言及される。第 3 の天使がラッパを吹くと，大いなる星「苦よもぎ」（天使とも見なされる）が天から落ちてくる。→苦よもぎ

第 7 天 Seventh Heaven 生まれるのを待っている人間の魂の住処。また，神の御座であり，律法の支配者ザグザゲルの座，さらに熾天使，ハイヨトなどの住む所である。［出典：タルムード『ハギガ』12b；『エノク書Ⅱ』；ギンズバーグ『ユダヤ人の伝説』Ⅱ，309］外典『イザヤの昇天』によれば，イザヤが神と救世主をかいま見，また「救世主（キリスト）がこの世に顕現し帰還する計画を神が命じるのを聞いた」のが，この第 7 天である。

第 4 天 Fourth Heaven, The シャムシエル，サピエル，ザグザゲル，そしてミカエルの住まい。タルムードの『ハギガ』12 によれば，それは天上のイェルサレム，神殿，そして祭壇を含んでいる。ここにはまた，涙の天使サンダルフォンが居住する。［出典：ブリューワー『ブリューワー寓話辞典』p537］ムハンマドがエノクに出会ったのが第 4 天である。［出典：『イスラム辞典』「天使」の項］

第 4 天の天使 Angels of the Fourth Heaven ミカエル，シャムシエル，シャハキエル。

大志と夢の天使 Angel of Aspirations and Dreams ユダヤのカバラによれば，月は大志と夢の天使である。オカルトの教義ではガブリエル。［出典：レヴィ『高等魔術の教理と祭儀』］

第 4 の天使 Fourth Angel, The 「ヨハネの黙示録」第 8 章でヨハネは，ラッパを吹く憤りの 7 人の天使の一人として，第 4 の天使につい

「大天使ウリエル」堕天使サタンとともに表わされている。『失楽園』第 3 巻の挿絵。ヘイリー編『ミルトン詩集』より。

て述べている。第 4 の天使のラッパが吹き鳴らされると，太陽の 3 分の 1，月の 3 分の 1，星々の 3 分の 1 が損なわれる。

胎児の天使 Angel of the Embryo →サンダルフォン Sandalphon

大天使 Archangels 大天使という語は一般に，天使 Angels の位より上の階級に属する全ての天使を指す。また，天の位階における特定の天使の階級をも指す。偽ディオニュシオスが創りあげた天使の 9 階級の体系では，大天使の位は 8 番目に位置し，天使のすぐ上にある。この体系は少々混乱している。旧約聖書でダニエルはミカエルを「長たる君の 1 人」と呼んでおり，これは大天使の 1 人を意味しているように，偉大な天使たちは大天使たちと呼ばれるのである。新約聖書では，大天使という語は 2 回だけ，「テサロニケの信徒への手紙一」と「ユダの手紙」で使われている。しかし，ミカエルが大天使の 1 人とわかるのは，後者においてのみである。「ヨハネの黙示録」8：2 には，「神の御前に立つ 7 人の天使」への言及があるが，これは一般に 7 人の大天使を指すと考えられている。『エノク書Ⅰ』ではこの 7 人に名前が与えられている。すなわち，ウリエル，ラグエル，ミ

カエル，サラクァエル，ガブリエル，ハニエル，ラファエルである。後のユダヤ教では，ウリエルの代りにファヌエルを入れている。外典・偽典では，この7人をバラキエル，イェフディエル，セアルティエル，オリフィエル，ザドキエル，アナエル（ハニエル）とするものもある。『レビの誓約』によれば，大天使は「無知による罪と義人たちの罪を主にとりなしている」とされる。この位を統率するのは，たいていラファエルあるいはミカエルとされる。コーランは4人の大天使の存在を認めているが，名前が与えられているのは，黙示の天使であるガブリエル（ジブリル）と，天上の戦いで戦う戦闘の天使ミカエル（ミカル）の2人である。名前が与えられていないもう2人の天使は，死の天使アザゼルと，最後の審判のラッパ（3つあるいは4つのうちの1つ）を吹く音楽の天使イスラフェルである。大天使の名前が見つかる最古の文献は，タルムード編纂期以後に神秘主義的著作を残したアル=バルケロニのものであり，彼はそれを惑星に結びつけている。

「黄道十二宮の印と結びついた12の大天使が見つかる」文献もある。[文献：『天使ラジエルの書』52a，61a：ギンズバーグ『ユダヤ人の伝説』V，24] 12の名前と黄道十二宮の印に関しては，付録を参照のこと。カバラでは10（実際は9）の大天使が認められており，ブリア界（4つの創造の世界の2番目）に以下のように置かれる。メトラトン，ラツィエル，ツァフクィエル，ツァドクィエル，カマエル，ミカエル，ハニエル，ラファエル，ガブリエル，メトラトン。メトラトンすなわちメタトロンが，リストの最初と最後に現われるのは注目に値する。[メイザーズ『ヴェールを脱いだカバラ』]ディオニュシオスは『神秘神学，天上位階論』の中で，「大天使は神の意を携えた使者である」と述べている。

第2天 Second Heaven, The　イスラム教の教説で，イエスと洗礼者ヨハネの住まい。ユダヤ教の教説では，ここに堕天使たちが閉じ込められ，惑星がとどまる。モーセが天国訪問の際に，「300パラサング（約5キロ半）の高みに立ち，水と火から創り出された無数の天使の従者を伴う」天使ヌリエルと出会ったのは，この第2天である。[出典：ギンズバーグ『ユダヤ人の伝説』Ⅰ，131とⅡ，306]

第2天の天使 Angels of the Second Heaven　たいていはラファエルとザカリエルの2名とされる。しかし，モーセが50万の天使を従えた天使ヌリエルに出会ったのも第2天である。[出典：ギンズバーグ『ユダヤ人の伝説』Ⅱ，306] このことから，ヌリエルも第2天の支配者として挙げることができよう。

第2の天使 Second Angel　アダムのこと。『エノク書Ⅱ』30：12で「第2の天使」と呼ばれた。

第8天 Eighth Heaven　古代ヘブライ語でこの天国はムザロトと呼ばれる。『エノク書Ⅱ』は，第8天を黄道十二宮の家であると述べているが，第9天もまた十二宮の家として割り当てている。

ダイモン Daemon（Daimon。デーモン）　ヘシオドスの『仕事と日々』によれば，2組の監視あるいは護衛の天使の1つ。また『黄金時代の人々の霊』でもある。ギリシアの伝承では，ダイモンは情け深い霊，使い魔，あるいは天使であった。ソクラテスは自身のダイモン，付き添いの霊をもっていた。ミードの『3倍に偉大なヘルメス』では，ヘルメスへの祈りが「すべての善き事物の善きダイモン・シレと全世界の乳母」に向けられており，そこではダイモンはミードが示唆しているように「宇宙の父=母」を表わしている。[出典：グラッソン『ユダヤの終末論におけるギリシアの影響』p69]

太陽 Sun　カバラでは「惑星」で，また光の天使である。[出典：レヴィ『高等魔術』]

太陽円盤の天使 Angel of the Disk of the Sun　古代ペルシアの伝承で，クル。→ガルガリエル（太陽の輪の天使）

太陽光線の天使 Angel of the Sun's Rays →スカクリル Schachlil

太陽の天使 Angels of the Sun　カバラとオカルトの教義では，太陽の天使には高位の天使たちが含まれる。アリティエル，ガルガリエル，ガザルディア（種々の綴りがある），コルシド=メタトロン，ミカエル，オク，ラファエル，ウリエル，ゼラキエルなど。『ゾハル』（出エジプト記 188a）は「太陽の運行を支配・統率する任務を与えられた天使」に言及し，この天使は夜明けになると「額に超自然的な聖なる名を記し，この文字の力で天国のすべての窓を開く」という。古代ペルシアの伝承では，太陽の表面

の天使はクル。

太陽の輪の天使 Angel of the Wheel of the Sun →ガルガリエル Galgaliel

太陽を身にまとう女 Woman Clothed with the Sun 「また，天に大きなしるしが現われた。ひとりの女が身に太陽をまとい，月を足の下にし，頭には12の星の冠をかぶっていた。女は身ごもっていたが，子を産む痛みと苦しみのため叫んでいた。」（「ヨハネの黙示録」12：1-2）これは，天の創造物の妊娠という，おそらく天使学上唯一の例である。このテキストでは，彼女は天の原型か，神の子の母，処女マリアにあたるものである。ヘケットホーン『あらゆる時代と国々の秘密結社』Ⅰ，108によれば，太陽を身にまとう女はエジプトのイシスに由来する。

対立者の結婚の天使 Angel of the Marriage of Contraries →カマイサル Camaysar

代理天使 Deputy Angels ユダヤ魔術でメムニム the memunim，すなわち正しい仕方で招霊された際に招霊した者の命令に従うために現われる霊の階級である。ふつう悪い天使と見なされるが，ヴォルムスのエレアザール（13世紀の賢人）は聖なる天使であると主張した。［出典：トラクテンバーグ『ユダヤ魔術と迷信』］

第6天 Sixth Heaven, The イスラムの伝承で，天と地の守護天使の住居，「半分は雪で，半分は炎」。この天使たちは名を確認できない。

第6天の天使 Angel of the Sixth Heaven ザキエル，ゼブル，サバト，サンダルフォン。イスラム教によれば，「ここには天と地の守護天使が住む」とされる。第6天の支配者はボディエル［出典：『ヘハロト・ゾテラティ』］。

第6の天使 Sixth Angel, The 「ヨハネの黙示録」において，第6の天使とは（名前は付けられていないが）憤怒の7人の天使の1人で，「大きな川，ユーフラテスのほとりにつながれている4人の天使を解き放ち」，「人間の3分の1を虐殺する用意を」した。

タウ Tau メイザーズ『ソロモンの大きな鍵』によれば，その名を唱えたことで「神が大洪水を起こした」天体天使（ルミナリー）。

ダヴィド David 『カトリック大辞典』の「グノーシス主義」によれば，グノーシス主義における7人のアルコンの1人。

ダヴェイテ Daveithe グノーシス主義で，自ら生まれる者（すなわち神）を取り巻く4人の大きな天体天使の1人。

タウサ Tausa ドロワー『イラクとイランのマンダ教徒』によれば，反逆するほどうぬぼれて，偉大な生命（神）に対して罪を犯したことを嘆き悲しむマルカ Malka（天使）に与えられた名である。→タウス＝メレク Taus-Melek

タウサエル Thausael エノク書で言及される堕天使の指導者の1人。ヴォルテール『天使，守護霊，悪魔について』を参照。

タウス＝メレク Taus-Melek（マレク・タウス Malek Tawus，メレク＝イ＝タウス Melek-I-Taus） 邪神でもあり，人間の恩人として，ヤズィード派により崇拝された孔雀天使。仏教徒における悪魔（サタン）でもある。上メソポタミア（イラク）山地に住むクルド人のヤズィード派にとって，タウス＝メレクは「堕天使であったが，いまは許され，世界の支配と魂の輪廻の管理を神から委ねられた」とされる。［出典：ルイ・マシニョン「シンジャル山のヤズィード派」，論文集『サタン』所収］ウォール『デヴィル』参照。

タウタヴェル Tavtavel 天使メタトロンの多くの名の1つ。

タウタバオト Thautabaoth →タファバオト Thaphabaoth

タウミエル Thaumiel 「反」（すなわち「邪悪な」）セフィラ。ケテル（「王冠」）に対応，あるいは対立する。その元素的外皮はカタリエルである。［出典：ウェイト『聖なるカバラ』］

タウリエル Tauriel マンダ教徒の祈禱書によれば，経札に指で触れて招霊される霊（ウトラ）で，「呼ぶ霊」として知られる。コルネリウス・アグリッパ『オカルト哲学』Ⅲでは，黄道十二宮を支配する天使として挙げられる。

タウル Thaur アラビア語の呪文の儀式で呼び出される天使。［出典：シャー『オカルティズム』］

タガス Tagas 偉大な天使の支配者。聖歌隊の指揮者。［出典：『第3エノク書』］

高みの天使 Angel of the Altitudes 4層の高み（altitudes or chora）を支配する主な統率者は，バラキエル，ガブリエル，ゲディエル［出典：『ソロモンのアルマデル』］。この高位の集団における他の統率者の名前は，付録を参照。

宝の天使 Angel of Treasures →パラシエル Parasiel

多眼のもの Many-Eyed Ones 座天使に匹敵する高い位の天使オファニム（車輪）のこと。エノクは「燃える石炭のオファニム」と述べている。ラビ文献では，族長はみな天に到達した際この位の天使となる。［出典：タルムード『ベレシト・ラバ』82：6］一般にラファエルが長とされる。「エゼキエル書」10：12は，ケバル川の生き物を「多くの目で覆われたもの」と述べ，「智天使の間にある火」10：2，7に言及している。これからすると「多眼のもの」は智天使に相当するようだが，おそらく誤りであろう。［参照：『エノク書Ⅱ』19-20章，偉大な大天使の燃え立つ軍勢を「数多の目に見張られて」と述べている。］

ダギエル Dagiel (Daghiel, ダイエル Daiel) 魚を支配する天使。バレットの『魔術師』によれば，金曜日の儀式で招霊される。この天使は「地位の高い天使，強力で権力のある支配者」としてこのような儀式に呼ばれ，金星の名で祈願を受ける。［出典：トラクテンバーグ『ユダヤ魔術と迷信』；『アブラメリンの魔術』；デ・クレアモント『古代魔術書』］

タキフィエル Takifiel シリアの魔術的儀式で招霊される天使。『守護の書』では，ミカエル，ガブリエル，サハリエル，その他魔法をかける天使の仲間。

ダギュミエル Dagymiel 黄道十二宮を支配する天使。［出典：コルネリウス・アグリッパ『オカルト哲学』Ⅲ］

タク Thaq マンダ教における天使。［出典：ポニョン『マンダ教碑文』］

ダクシャ Daksha ヴェーダの教義で，7人の輝ける神々の1人。→アディトヤス

託宣の天使 Angel of Oracles →ファルドル Phaldor

タクヌ T'achnu 『天使ラジエルの書』で名を挙げられた天使。［出典：トラクテンバーグ『ユダヤの魔術と迷信』，同書によればヘブライ語のアルファベットの文字操作で作られた名とされる。］

タグリエル Tagriel (タグリエド Tagried, ティグラ Thigra) 第2あるいは第7天の護衛の天使の長。また月の二十八の宿を支配する28人の天使の1人。［出典：『ピルケ・ヘハロト』

；『オザル・ミドラシム』Ⅰ，111］

タグリヌス Thagrinus 混乱の霊の1人。テュアナのアポロニウスの『ヌクテメロン』では4時の守護霊の1人。

タコウイン Tacouin イスラム教で，妖精の種族。「デーモンの策略に対して人間を守り，また未来を示す，翼をもつ美しい小天使。」［出典：ド・プランシー『地獄の辞典』Ⅳ，464］

ダゴン Dagon 『失楽園』Ⅰ，457では堕天使。しかし古代フェニキア人にとっては国民的な神。人間の顔と手，魚の身体をもつ姿で表わされる。

タサシヤ Tahsasiyah メタトロンの多くの名の1つ。

多産の天使 Angel of Fertility マンダ教では，多産の天使はサマンディリエル，あるいはユサミン（ユシャミン）。タルムード『ペシクタ・ラバティ』43：8には次のようにある。「アブラハムは100歳のときに，サラの小屋を訪れるようにという神の声を聞いたが，そのとき多産の天使に心を留めた。」アブラハムは神の忠言を気にかけた。当時サラは90歳で，子供がなかった。しかし，おそらくサマンディリエルあるいはユサミンの保護を受け，身籠もって，イサクを生んだ。年老いた夫婦の結合の際に居合わせたもう1人の天の霊はシェキナ。

ダシム Dasim イスラム教の堕ちた大天使イブリスあるいはエブリスの5人の息子の1人。不和のデーモン。他の4人は，好色のデーモンのアワル，虚偽のデーモンのスト，破滅的な災難のデーモンのティル，そして商業上の不正行為のデーモンのザラムブルである。

「ダゴン」ペリシテ人の神。一般に魚の身体をもつ姿で表わされる。薄浮彫り。
シャフ『聖書辞典』より転載。

タシュリエル Tashriel　第1天の館の1つを護衛する天使。[出典:『ピルケ・ヘハロト』]

タズブン Tazbun　『天使ラジエルの書』で、年の各月の1つを支配する天使。

堕胎の天使 Angel of Abortion → カスダイェ Kasdaye

タタイル Tata'il　アラビア伝承では、悪魔祓いの儀式で招霊される守護天使。[出典:ヒューズ『イスラム辞典』「Angels」の項]

竜巻の天使 Angel of the Whirlwind　『第3エノク書』によれば、ラシエルあるいはザヴァエル。[出典:ギンズバーグ『ユダヤ人の伝説』I, 140]

タティロコス Tatirokos → タルタルクス Tartaruchus

ダデン Daden　グノーシス主義において、第6天に住む偉大なる天の能天使。[出典:ドレッセ『エジプト・グノーシス派の秘密の書』]

堕天使 Fallen Angels　堕天使についての概念を旧約聖書に見いだすことはできない。「ヨブ記」のような書物では、神の定めた敵はハ=サタン(「対立者」を意味し、天使の称号や名前ではなく、職務の名称)である。考えられる例外は「歴代誌上」第21章と「サムエル記下」第24章で、そこではサタンが明確な個性をもつものとして登場しているように思われ、名前で見分けられる。しかし研究者たちは、この2つの事例にも、定冠詞が偶然に訳の段階で省略され、本来の読みは'thesatan'すなわち「対立者」であるという意見に傾いている。新約聖書、特に「ヨハネの黙示録」第12章には、堕天使や堕天使たちの概念が詳細に説明されている。「そしてこのもの(竜あるいはサタン)の尾は、天(天使たち)の星の三分の一を掃き寄せて、地上に投げつけた。(略)そして、サタンは、全人類を惑わす者は、地上に投げ落とされたのである。その使いたち〔天使たち〕も、もろともに投げ落とされた。」『エノク書I』は、約19(異なった綴りや繰り返しを差し引いて)の名を呼び、「10人の長」の名を挙げながら、200の天使たちが落ちていった、と述べている。その10人のうちでも著名な者は、セムヤザ、アザゼル、サリエル、ルミエル、ダニヤル、トゥレル、コカベルであったという。ギンズバーグの『ユダヤ人の伝説』I, 125では、長にシェムハザイ(セムヤザ)、アルマロス、バラケル、カウカベル(コカベル)、エゼケエル、アラキエル、サムサウェル、セリエルを当てている。

パリの司教ギヨーム・オーヴェルニュ(在位1228-1249)は著書『万物について』で次のように述べている。創造された天使の9つの階級の、それぞれの階級からあるものたちが(プルス枢機卿も主張したように)「10番目の部分として堕天した」、そして、それぞれが落ちた状況の中で、相応の地位を保ちつづけたのであると。[出典:リー『魔術の歴史を探る資料』I, 89] トゥスクルムの枢機卿(1273)によれば、またアルフォンソ・デ・スピナ(1460頃)も改めて肯定していることだが、堕天した天使は全体の3分の1で、全部で1億3330万6668であり、とどまった忠実な天使は2億6661万3336であった。天使たちの9つの階級のそれぞれから堕天したという主張に反対するものとして、ローマ教皇の権威によって支持された見解は、10番目(原文のまま)の階級の天使たちだけが堕天したというものである。問題は、9つの階級のどれが10番目かということである。

[ムーアの『天使の愛』p155を参照]この書でムーアは、「女性を飾ったりその魅力をかき立てたりするものの主な贅沢品——ネックレスや腕輪、口紅やまつげに塗る黒い粉——このようなものすべてが、たどっていくと堕天使の探究と発見に至るという旨を、テルトゥリアヌス(『女性の装いについて』)から引用している。セビリヤのイシドルスが著書『金言集』で請け合っているように、背信の天使たちが堕天すると、「残ったものたちは、永遠の八福という堅忍を追認された」。とはいえ、(堕天のずっと後になって)天使は信頼するに足りないと神が思ったという聖書の記述からすると、実際はその反対であったようだ。サタンの転落の場合、一般に傲慢あるい野心の罪のためということになっている(「かの罪により天使たちは堕ちた」)。堕天使の起源に関して時折り出されるもう1つの解釈は、「創世記」第6章にまでさかのぼる。そこでは、神の子ら(天使たち)が「人間の娘を見」、そして彼女たちの中から「妻をめとった」とある。エノクは、山が燃えているような7つの大きな星を見たが、それは(エノクの案内人が彼にそう言ったのだが)決められた時間に昇りそこねたために罰せられていたのであった。他の初期の作品では、堕天使は流星である

「堕天使」 12世紀フランス・スペインの概念。
フランス国立図書館所蔵。レガメイ『天使』より転載。

と言われている。アクイナスは堕天使をデーモンと同一視している。後の中世のキリスト教作家たちは、すべての異教の神々をデーモンと見なした。

ほとんどの資料において背教者の指導者はサタンであるが、外典の作品では指導者はマステマ、ベリアル（ベリエル）、アザゼル、ベルゼブブ、サマエルなどとも呼ばれたとある。イスラム教の伝承にはその者はイブリスとなっている。『レヴィ3』（『十二族長の誓約』）では、堕天使は「第2天に監禁されている」。『エノク書Ⅱ』7：1は堕天使について、第2天にいて、「[そこに] 未決拘留の囚人として、つまり果てしない裁判を運命づけられ [そして] 待っている囚人」としている。ケアードは著書『権天使と能天使』で、「ほとんどのユダヤ文学において、天使が堕天したのは人間のためであった」とし、「人間自身の魂にとって危険となっただけでなく、天使が堕天するという結果にまで至ったのは、人間の肉体的な本性であった」とまで述べている『バルク黙示録』の言葉を引用している。伝説（バッジ『魔除けと護符』）

タト–タフ

「アブラハムがイサクを犠牲にささげる場面」
刃を押さえる天使（タドヒエルとされる）がいる。
ストラハン『中世聖書の挿絵』より。

によれば、反乱を起こした天使たちは9日の間落下していったという。

タトノン Tatonon 塩の祝福で招霊される天使。［出典：メイザーズ『ソロモンの大きな鍵』］

タドヒエル Tadhiel（「神の正義」の意）フォランズビーの『天の歴史』によれば、イサクの犠牲を防いだ天使。別の典拠では、その行為はメタトロンかザドキエルか、主の天使に帰せられる（「創世記」）。

タトリエル Tatriel 天使メタトロンの多くの名の1つ。

タトルシア Tatrusia 70人の産褥の魔除けの天使の1人。70人の表は、付録を参照。

ダナイ Dahnay 「神の聖なる天使たち」の1人。しかし、魔術書に規定されているように、黒魔術の招喚で呼び出されるらしい。［出典：ウェイト『黒魔術と契約の書』］

ダニエル Daniel（「神は我が士師」の意）ダニエル（ダンヤルも同様）は、ウェイト訳『レメゲトン』によれば、権天使の位の天使であり、『エノク書Ⅰ』に記載されている堕天使の一群の1人。地獄で法律家たちに権力をふるう。霊符はアンブランの『実践カバラ』p289に収載。バレットの『魔術師』では、シェムハムフォラエ神の名をもつ高位の聖なる天使（72人の1人）となっている。

タニニヴヴェル Taninivvel 神の悪しき流出体で生き残った7体のうちの1つ。バンバーガー『堕天使』p175によれば、この存在の未来における絶滅が「イザヤ書」27：1で予言されている。［出典：イサク・ハ＝コヘン『神の左側からの流出』］

ダハヴァウロン Dahavauron 神の御前の支配者で、第3天の護衛の天使の1人。［出典：『オザル・ミドラシム』Ⅰ，117］

ダハク Dahak →アフリマン Ahriman, →ペルシアのサタン the Satan of Persia

タハリエル Tahariel 純潔の天使で、70人の産褥の魔除けの天使の1人。［出典：『天使ラジエルの書』；バッジ『魔除けと護符』］

ダハリエル Dahariel（ダリエル Dariel）『ピルケ・ヘハロト』では第1天の護衛であり、シナニムの位の天使。『ヘハロト・ラバティ』では第5天の護衛。

ダバリエル Dabariel ラドゥエリエルの別名。［出典：『第3エノク書』27章］

ダハンヴィエル Dahanviel（カハヴィエル Kahaviel）第1天の7人の護衛の1人。［出典：『ヘハロト・ラバティ』］

タプ Tap →ガアプ Gaap

タファバオト Thaphabaoth（タルタロト

Thartharoth，タウタバオト Thautabaoth，オノエル Onoel）オリゲネスは『ケルソス反駁』で，オフィス派の原典を引いて，人間に敵対する天使（あるいはデーモン）として，ミカエルやガブリエルと共にタファバオトを挙げている。グノーシス派の教義では，アルコン的なデーモンであり，下部領域の7人の支配者の1人。招霊されると熊の姿で現われる。ヘブライのタファバオトは，ギリシアのタルタロスに相当する。［出典：ソーンダイク『魔術の歴史と実験科学』；グラント『グノーシス主義と初期キリスト教』；ミード『3倍に偉大なヘルメス』Ⅰ，294］

タフェル・X Tafel X 魔術的儀式で招霊される天使。［出典：M. ガスター『モーセの剣』］

タブキエル Tabkiel 『第3エノク書』48に列挙されているように，天使メタトロンの100以上ある名の1つ。

タフサリム Tafsarim エリムやエレリムと共にメルカバの天使の階級。『第3エノク書』では，「栄光の王座の前に仕えるすべての奉仕の天使よりも偉大」とされる。

タプタルタレト Taptharthareth →トフタルタレト Tophtharthareth

タフティアン Taftian（タフィ Taphi）カバラでは，アリモンの召使で，奇跡を起こす天使。有名なラフ・アンラムによって招霊された。［出典：『モーセの第6，第7の書』］

タフテフィア Taftefiah 天使メタトロンの多くの名の1つ。

ダブリア Dabria エズラの口述を書き取って204冊（あるいは94冊）の書物にした5人の「男たち」（実際は天使）の1人。他の4人の天上の書記は，エカヌス，サレア，セレミア（セレウキア），アシエルである。［出典：『エズラ記Ⅳ』］

ダブリエル Dabriel 天上の書記で，ヴレティルと同等視される。また月曜日の天使であり，第1天に住むと言われている。北から招霊される。［出典：デ・アバノ『ヘプタメロン』］

タブリス Tabris オカルトの教義で，自由意志の天使あるいは守護霊。また，6時の守護霊の1人。［出典：テュアナのアポロニウス『ヌクテメロン』］

タブリビク Tablibik 魅惑の霊で，5時の守護霊の1人。［出典：テュアナのアポロニウス『ヌクテメロン』］

タマイイ Tamaii インクと絵具を清める儀礼で唱えられる天使。［出典：メイザーズ『ソロモンの大きな鍵』］

タマエル Tamael オカルトの教義では，第3天の金曜日の天使で，東から招霊される。

ダマビア Damabiah 「天使」の位の天使で，軍艦の建造を支配する。シェムハムフォラエ神の名をもつ72人の天使の1人。彼に相当する天使はプテビオウ。霊術については，アンブランの『実践カバラ』p294を参照。

ダマビアト Damabiath 能天使の位の天使。カバラの儀式で招霊される。5番目の印章によって美しい人間の姿で現われる。［出典：『モーセの第6，第7の書』］

タマリド Tamarid 夜の2時の将校長の天使で，ファリスの支配下に仕える。［出典：ウェイト訳『レメゲトン』p69］

タミィ Thamy 能天使の位の天使で，カバラの招喚儀式で呼び出される。［出典：『モーセの第6，第7の書』］

タミエル Tamiel（タメル Tamel，テメル Temel，タムエル Tamuel，「神の完璧性」の意）深淵の天使。『エノク書Ⅰ』で堕天使の中に挙げられている。［出典：『新シャフ＝ヘルツォーク宗教学辞典』「Angels」の項］

ダミエル Damiel 5時の天使で，サズクイエルの支配のもとに奉仕する。あるいは，9時の天使で，ヴァドリエルの支配のもとに奉仕する。剣の呪文において招霊される。［出典：ウェイト訳『レメゲトン』；メイザーズ『ソロモンの大きな鍵』］

タムズ Thammuz ミルトン『失楽園』Ⅰ，446の堕天使。「レバノンでは彼が毎年こうむる深傷に心動かされ／彼の運命を嘆くシリアの乙女らよ／愛の歌をうたって。」出典は「エゼキエル書」8：14。タムズは，ギリシアのアドニスに相当するフェニキア人である。

タムテミヤ Tamtemiyah メタトロンの多くの名の1つ。

ダムライ Damlay →ダルマイ Dalmai

ダメアル Dameal 第5天に住む火曜日の天使。東より招霊される。［出典：デ・アバノ『ヘプタメロン』；バレット『魔術師』Ⅱ］

ダメブエル Dameb'el ルーンズの『カバラの知恵』によれば，黄道十二宮の5度ずつを支

配する72人の天使の1人。

タラ Tara　H. D.の詩『知恵』の中で「神，知恵の泉」と述べられた天使。アンブラン『実践カバラ』では，天使たちの1人とした。

ダラ Dara　ペルシア神話における雨と川の天使。[出典：『ダビスタン』p378]

堕落の天使 Angel of Perversion　2世紀の外典『ヘルマスの牧者』によれば，「人間誰の近くにも2人の天使，聖性あるいはきよめの天使と堕落の天使がいる」という。→迫害の天使

タラナヴァ Taranava　『ソロモンのアルマデル』（ウェイト訳『レメゲトン』に収録）で，第3の高位にある能天使の長の1人。

タリア Talia　マンダ教で，太陽の毎日の運行に同行する10人のウトリ（天使）の1人。

タリアハド Taliahad（タリウド Talliud）水の天使。その名は，太陽の第7の五芒星（ペンタクル）に記されている。[出典：パピュ『隠秘学の基礎』p222；メイザーズ『ソロモンの大きな鍵』p72]

タリエル Tariel　夏の3人の天使の1人。シリア語の魔法の呪文で現われる。他の魔法をかける天使と共に，「支配者の舌の束縛」で招霊される。[出典：ゴランツ『守護の書』]

ダリエル Dariel　→ダハリエル Dahariel

ダリオエル Daryoel　ラドゥエリエルの別名。[出典：『第3エノク書』27章]

タル Tar　マンダ教で，太陽の毎日の運行に同行する10人のウトリ（天使）の1人。

ダルキエル Dalkiel　地獄の天使，シオウルの支配者。ルグジエルと同等視される。『バライタ・デ・マサケト・ゲヒノム』では，「10の国々を罰しながら」，黄泉の国の第7区画で働き，死の静寂の天使であるドゥマの指示のもとで仕えている。[ヨセフ・ギカティラ・ベン・アブラハム（1248-1305）の著作を参照。]

ダルキエル Darkiel　南風の門を護衛する数多い天使の1人。[出典：オザル・ミドラシム』II, 316]

ダルギタエル Dargitael　ヘハロトの伝承（『マアセ・メルカバ』）で，第5天の館を護衛する天使。

タルクアム Tarquam　オカルトの教義では，秋を支配する2人の天使の1人。デ・アバノ『ヘプタメロン』によれば，もう1人の天使はグアバレルである。[出典：シャー『オカルティズム』p43-44]

ダルクイエル Dalquiel　カバラで，第3天の3人の支配者の1人。他の2人はヤブニエルとラバキュアル。これら3人の天使はみな，司政長官アナヘルのもと火を支配する。ダルクイエルの特別な補佐役は，オウルと呼ばれる天使である。

ダルクイエル Darquiel　第1天に住む月曜日の天使。南から招霊される。[出典：バレット『魔術師』II；デ・アバノ『ヘプタメロン』]

タルシシム Tarshishim (Tarsisim, Tharshishim, 「輝くものたち」)　ユダヤ伝承にある天使の位。この用語は「ダニエル書」10：6に由来すると言われる。また，カバラでは，第7セフィラ（堅固）に一致する。ヴィニーの詩『エロア』では，この位は「光り輝く者たち」と呼ばれている。

タルシシュ Tarshish（ヘブライ語で「真珠」の意）『ゾハル』で，タルシシム（すなわち力天使）の名前の起源となった位の長。この位の長は他にハニエルとサブリエルがいる。→タルシシム

タルシス Tharsis（タルスス Tharsus）ラビ文献では，四大霊のうち水を支配する天使。[出典：ヘイウッド『聖なる天使の階級』]

ダルダイル Darda'il　アラビアの伝承で，悪魔払いの儀式の際に招霊される守護天使。[出典：ヒューズ『イスラム辞典』「天使」の項]

ダルダエル Dardael　→ダルディエル Dardiel

ダルダリエル Dardariel　夜の11時を支配する天使長。

タルタルキ Tartaruchi　地獄で責苦を与える天使。

タルタルキの天使たち Tartaruchian Angels　「タルタルキの天使たちは，罪人の内臓を突き刺す3つの鉤のある鉄棒を手にして，燃える川の傍らで見張っていた」『パウロの幻視』34。

タルタルク Tartaruch　『パウロの幻視』16では，「天使タルタルクは懲罰を与えている」。

タルタルクス Tartaruchus（「地獄の守り手」の意）地獄で責苦を与える天使の長。この任務をウリエルと交互に行なう。ウリエルは「タルタロスを統轄する霊の長」である。[出典：『パウロの黙示録』；ジェイムズ『新約聖書外典』]→テメルク

タルタロス Tartarus　地獄を統轄する天使，あるいは地獄そのものを表わす用語。この天使，

ふつうはウリエルかタルタルクスは，すでに述べたように地下の領域の責苦を監督する。この領域の他の天使の名については，地獄の天使，また特にドゥマ（「地獄の王」「死の静寂の天使」）についての記載を参照。

タルタロス（ハデス）の天使 Angel over Tartarus　ウリエル。その名をとったタルタルキ。

ダルディエル Dardiel　日曜日の3人の天使の1人。他の2人はミカエルとフルタパル。[出典：バレット『魔術師』Ⅱ：デ・アバノ『ヘプタメロン』]

タルニエル Tarniel　第3天に住む水曜の天使で，東から招霊される。水星の霊の1人。『オザル・ミドラシム』Ⅱ，316では，東風の門の護衛の1人である。

タルピエル Tarpiel →タルフィエル Tarfiel

ダルビエル Darbiel　昼の10時の天使で，オリエルに仕える。[出典：ウェイト訳『レメゲトン』]

タルファニエル Tarfaniel　西風の門を護衛する多くの天使の1人。[出典：『オザル・ミドラシム』Ⅱ，316]

タルフィエル Tarfiel（「神が養う」の意）カバラでは，愚かさを治すために招霊される天使。[出典：ボタレル『マヤン・ハホクマ』；魔除けの効果については，シュワーブ『天使学用語辞典』などの著作］『オザル・ミドラシム』Ⅱ，316では，東風の門を護衛する1人。

タルマイ Talmai　メイザーズによれば，葦の聖別儀式〔魔術に用いる羊皮紙を作る際に必要な葦のナイフを作る儀式〕で唱えられる天使。『ゾハル』（民数記159a）では，悪しき霊，すなわち「神が地上に投げ落とし，人間の娘と交わった巨人の子孫」である。

ダルマイ（イ） Dalmai(i)（ダルマイ Dalmay，ダムライ Damlay）オカルティズムではこの天使に，火の清めの儀式で祈願する。「神の聖なる天使」。[出典：『真の魔術書』；『儀礼魔術の書』]

ダルモシエル Darmosiel　夜の12時の天使で，サリンディエルに仕える。

タルワン Tarwan　マンダ教では，太陽の毎日の運行に同行する10人のウトリ（天使）の1人。

ダレシエル Daresiel　昼の1時の天使で，サマエルに仕える。

タンクフイル Tankf'il　アラビア伝承で，悪魔祓いの儀式で招霊される守護天使。[出典：ヒューズ『イスラム辞典』「Angels」の項]

断食の天使 Angel of Fasts　『ゾハル』（出エジプト記207a）で引用されているように，サンガリア。

タンダリエル Tandariel　ハイドの『古代ペルシア宗教史』で言及されている天使。ヴォルテール『天使，守護霊，悪魔について』でも言及される。

タンダル Tandal　7つの天の館を見張る64人の天使の1人。[出典：『ビルケ・ヘハロト』]

ダンヤル Danjal →ダニエル Daniel

チ

知恵 Wisdom（『ピスティス・ソフィア』Pistis Sophia）『エノク書Ⅱ』33では，知恵は実体化する。神は，創造の6日目に「7つの物質で人間を創ること」を知恵に命じた。ライダー訳『知恵の書』では，「神の御座の統治者」であり，「万物を創る際の」道具あるいは神の代理人（すなわち天使）である。[フィロンのロゴスを参照。]『カトリック百科事典』「天使」の項によれば，「主の天使」という言葉は，「知恵の書では知恵を擬人化したものであり，少なくともある一節（「ゼカリヤ書」3：1）においてこの言葉は，ダニエルが見た（「ダニエル書」7：13）『日の老いたる者』の前に来た人の子を意味しているように思われる」。

知恵の天使 Angel of Wisdom　ザグザゲル。（サスニギエルと称されるときの）メタトロン。（イェフェフィアあるいはヨフィエルと称されるときの）ディナ。伝説によれば，ザグザゲルは神の命でモーセを，おびただしい学者が集まって律法を解釈している場へと運んだ。[出典：ショーレム『ユダヤのグノーシス主義，メルカバ神秘主義，タルムードの伝統』]

力の天使 Angel of Force　アフリエル。ラファエルと同等視される。

力の天使 Angels of Might　アルノビオスの『異端論駁』Ⅰによれば，異教の著作家たちは，「エジプトの神殿から，キリストは力の天使たちの名を盗んだ」と主張した。この天使たちの名前は明らかにされていない。

■ チカ-チテ

「智天使の位の天使」 トゥームの想像図。
ヘイウッド『聖なる天使の階級』より。

力の天使 Angel of Strength →ゼルク Zeruch（ゼルエル Zeruel），→ケルヴィエル Cerviel

知識の天使 Angel of Knowledge　科学，健康，祈り，愛の天使でもあるラファエル。

知識の霊 Spirit of Knowledge　マンソアが『感謝の賛歌』で天使を指して用いた言葉。おそらく智天使(ケルブ)のことだろう。

地上の守護天使 Guardian Angels of the Earth　エイレナイオス，アテナゴラス，フィリピのメトディオス，その他初期の教父たちによれば，本来はサタンである。

秩序の天使 Angel of Order →サドリエル Sadriel

智天使(ケルビム) Cherubim (Kerubim)　概念上も，また名前も，起原はアッシリア語かアッカド語

である。アッカド語ではkaribuで、「祈願する者」あるいは「仲裁する者」を意味する。しかしディオニュシオスはこの語の意味を「知識」と解する。古代アッシリア美術でケルビムは、獅子と人間の顔をもち、牡牛やスフィンクス、そして鷲などの身体をもつ巨大な有翼の生き物として描かれる。通常、監視する霊として、宮殿や寺院の入口に置かれている。初期のカナン人の伝承では、彼らは天使とは考えられていない。[参照：ヘラクレイアの司教テオドロスの見解「このようなケルビムは、いかなる天使的な能力でもなく、むしろ楽園の入口にいてアダムを怖がらせるような獣の恐ろしい幻像である」。『天使の物語』サルケルド]ケルビムが天上の霊と見なされるようになるのは、ずっと後になってからにすぎない。フィロン(「ケルビムについて」)によれば、この者たちは、神の最高位の最も主要な権威、主権、徳を象徴している。

彼らは、旧約聖書(「創世記」3：24)で言及される(そして天使として解釈される)最初の天使である。燃え立つ炎の剣を持ち、生命の樹とエデンの園を監視する。「きらめく剣の炎」という呼称はこれに由来する。「出エジプト記」25：18には、契約の箱の両端に1体ずつ「純金の打ち出し作りの」2人のケルビムが登場する。(シャフ『聖書辞典』の挿絵参照)[参照：「ヘブライ人への手紙」9：5「栄光の姿のケルビムが償いの座を覆っている」]「エゼキエル書」1：5、10：21では、それぞれ4つの顔と4つの翼をもつ4人のケルビムがケバル川のほとりに現われ、ヘブライ人の預言者はそこで彼らをかいま見る。「列王記上」6-23では、ソロモン王の神殿の中に、オリーヴ材で作られた2体のケルビム像がある。

ラビやオカルトの教義においては、一般に神の戦車を駆る者、神の玉座を運ぶ者、またもろもろの風の化身として、考えられている。「ヨハネの黙示録」4：8では、創造主を絶え間なくほめ称える生き物である。ここで聖ヨハネは彼らを、6つの翼をもち「その周りにも内側にも一面に目がある」生き物(聖なる神の生き物)と述べている。またダマスコのヨアンネスは著書『正統信仰論』で、「多くの目をもつ」とケルビムについて述べている。タルムードでは、オファニムの位(車輪あるいは戦車)かイヨトの位(聖なる生き物)と等しいとされ、第6あるいは第7天に住むと言われている。ディオニュシオスの体系では、第9聖歌隊位階の2番目に位置づけられ、恒星の守護者となっている。主な支配者は、ほとんどのオカルトの著作に挙げられているように、オファニエル、リクビエル、ケルビエル、ラファエル、ガブリエル、ゾフィエルであり、堕天以前のサタンを含む。サタンは、パレンテが著書『天使』で言うように、「ケルビムの聖歌隊で最高の天使であった」。イスラムの初期の言い伝えでは、ケルビムは、イスラム教徒らの犯した罪に対してミカエルが流した涙から作られた、ということである。[出典：ヘイスティングス『宗教・倫理辞典』IV、616「(イスラム教の)悪魔と聖霊」]

世俗の伝承では、「黒いケルビム」(ダンテ)、「若い目をもつケルビム」(シェイクスピア)、「舵をとるケルビム」(ミルトン)と呼ばれている。ブレイクはサタンを「覆いをするケルブ」と言い表わし、その書『4つのゾア』にエゼキエルの4つの生き物の幻像を投影している。後者は黙示を告知する4つのラッパを吹く。光明、栄光の天使として、天上のさまざまな記録

「智天使」 ナポリ。18世紀後半。ロレッタ・ハインズ・ハワードのコレクション。『メトロポリタン美術館・美術紀要』1965年12月号より転載。

チテ-チノ

〈音楽を奏でるフランス・バロック様式の智天使たち〉
サボア、シャンパーニュ地方の祭壇背面の飾り。
『ホライズン』1960年11月号より転載。

の保管者として、ケルビムは知識において優っている。[出典：リンゼイ『セム族の宗教と美術におけるケルビム』] 神殿や宮殿の護衛として仕え、有翼で多数の頭をもつ生き物の観念は、中近東の多くの国々で一般的であったにちがいない。というのも、アッシリア＝カルデア＝バビロニアの美術や文書（そこで「イザヤ書」や「エゼキエル書」の著者たちは疑いなく最初に彼らに出会った）に現われているのに加えて、彼らは、すでに言及したようにカナンの伝承に現われているからである。（もちろんイスラエル人はそういったものに慣れ親しんでおり、「創世記」や旧約聖書のその他の書の記述に影響を与え彩った。）『ウェストミンスター聖書歴史図解書』のp45に転載されている紀元前1200年ごろのメギドの王のコレクションにある象牙細工は、玉座に座るカナン人の支配者を表わしており、「人間の頭をもつ有翼の獅子によって支えられている」。『図解書』の編者によれば、それらは「イスラエル人がケルビムと呼んでいるところの想像上の合成された生き物である」という。2人のケルビムが、人間の頭をもつ有翼の生き物として描かれ、古代ビブロスの王ヒラムの玉座を支えている（『聖書解釈者辞典』のA-D巻、p132の図を参照）。近代の作品では、ルーベンスの『ジェイムズⅠ世のアポテオシス』（ロンドンのホワイトホールの宴会の間に架けられ、長い側面鏡板を覆っている）が、ケルブたちの行進を表わしている。

智天使 Cherub （Cherubim の単数形） カバラでは空気の天使の1人。ケルブ Kerub という名では、「炎の剣を持ち、地上の楽園の守護者として創造された」天使。[出典：メイザーズ『ソロモンの大きな鍵』p.34] アクイナスは著書『神学大全』1巻7条、反対答弁1で、「最初に罪を犯した天使は、セラフィムではなく、ケルブである」と述べている。『ゾハル』ではケルビムの位の長。「エゼキエル書」28：14-15で、神はティルス〔ツロ〕の王に、彼が「油を注いで清められたケルブ」であり、彼の中に「不正が見いだされるようになるまでは」彼の行いは完全であったことを思い出させる。

智天使の王 Prince of Cherubim ケルビエルとガブリエル、あるいはどちらか1人。しかし元来サタンのことでもある。[出典：パレンテ『天使』p47]

地の天使 Angel of the Earth 伝統的に地の天使は7人いるとされる。アズリエル、アドマエル、アルキエル（アルカス）、アルキキア、アリエル、ハラパエルあるいはアラガエル、サラガエル、ヤバシャエル。転化では、ハルディエル、テブリエル、フォルラク、ラグエル、サムイルが含まれる。ヘイウッドの『聖なる天使の階級』には4人の地の天使が挙げられているが、これらは実際は四方の風の天使である。ウリエル（南）、ミカエル（東）、ラファエル

（西），ガブリエル（北）。古代ペルシアの伝承では，地の霊はイスファン・ダルマズである。[出典：『エノク書Ⅱ』；『ペシクタ・R. カハナ』155a]

仲裁の天使 Angel of Intercession　レヴィが（夢の中で）天を訪れた際にこの天使が述べたように，「イスラエルの民が全滅しないように」この名前不明の天使は神をとりなす。[出典：『十二族長の誓約』に含まれる『レヴィの誓約』]

長寿の天使 Angel of Longevity　オカルト文献で長寿の支配者・分配者として挙げられる天使は普通，セヘイア，ムミア，レハエルである。レハエルは能天使の位に属する。レハエルの霊符に関してはアンブラン『実践カバラ』を参照。

懲罰の天使 Angel of Chastisement　アマリエル。さらに，黙示文学，聖書以後の文献には，他の懲罰の天使たちへの言及が見られる。この高位にある者の1人として，「ダニエル書」10：6にある「目は松明の炎のよう」である者を参照せよ。コプト伝承では，懲罰のデーモンはアスモデルであるが，アスモデルはオカルト伝承においては4月の天使である。

「神秘の行進をする長老たち」 ドレ作。
ダンテ『神曲』「煉獄」第29歌の挿絵。
ローレンス・グラント・ホワイト訳『神曲』より転載。

■ チヨ-チヨ

「天国における聖ヨハネと24人の長老たち」 デューラー作。
ウィリー・クルト編『デューラー木版画全集』より転載。

184

懲罰の天使 Angel of Punishment 懲罰の天使は7人おり，『マセケト・ガン・エデン＆ゲヒノム』で言及される天使の名前は，クシエル（神の厳格な者），ラハティエル（燃える者），ショフティエル（神の裁き），フトリエル（神の杖），プシエルあるいはプリエル（神の火），ログジエル（神の怒り）である。『ユダヤ大辞典』I，593を見れば，アマリエルというもう1人の名前が見つかる。コプト語『ピスティス・ソフィア』では，地獄での懲罰の任に与る天使として，アリエルの名が挙げられている。『死海文書の規律』は懲罰の天使たちを列挙している。『エノク書Ⅱ』10：3では，懲罰の天使たちは第3天に住むとされる。『十二族長の

誓約』に含まれる『レビの誓約』と比較せよ。この書では，懲罰の天使の軍勢はおそらく悪であり，第3天に住むとされている。チャールズによれば，これらはグリゴリである。[出典：『エノク書I』]余談だが，地獄は「第3天の北側」に位置していたのである。エジプトのグノーシス主義では懲罰のデーモンはアスモデルであるが，オカルト文献ではアスモデルは4月の天使である。『ミドラシュ・テヒリム』の詩編7章注解では，モーセが天国で出会った5人の懲罰の天使が挙げられている。(1)怒りの天使アフ，(2)激怒の天使ケゼフ，(3)憤激の天使ヘマ，(4)絶滅の天使ハスメド，(5)破壊の天使マシト。

長老たち Elders 聖ヨハネの黙示録は，神の玉座をとり囲む24の玉座に座る24人の長老たちについて語り，彼らは白い衣服を身にまとい，「おのおの竪琴と，聖なる者たちの祈りである香で満たされた金の鉢を手に持っている」と述べている。チャールズの『ヨハネ黙示録注解』p130によれば，彼らは天使であって，ヨハネに対して「解釈する天使」として行動している。チャールズが信じているところでは，元々バビロニアの星の神々に起源をもつ「天使の一団あるいは階級」を構成し，24ある聖職者の階級のうちの天使の代表者であるという。『エノク書II』(スラブ語のエノク書)では，7つの天国の第1天に彼らを見つけることができる。偽典『パウロの幻視』では，24人の長老たちは天国では智天使の間に居る大天使であり，「聖歌をうたう」。ダンテの『煉獄』第29曲では，「24人の長老，百合の花冠をつけて2人ずつ並び来たれり」と語られる。ギュスターヴ・ドレは神秘的な行進をする長老たちを版画で描いて，『神曲』に深い感銘を添えている。プルデンティウス(ラテン系のキリスト教詩人，4-5世紀)は，教会のための油絵やモザイク画に添えて書かれる「二部作」と呼ばれる詩の中で，長老たちについて記述している。[出典：『旧約聖書解説』]

塵の天使 Angel of the Dust →スフラトゥス Suphlatus

沈黙の天使 Angel of Silence →シャテイエル Shateiel，→ドゥマ Duma(h)

ツ

ツァヴツィヤ Tsavtsiyah 天使メタトロンの別名。

ツァヴニヤ Tsavniyah 天使メタトロンの別名。

ツァクマクィエル Tzakmaqiel (サクマキエル Ssakmakiel) 宝瓶宮を支配する霊。[出典：『闇の王』p178]

ツァツェヒヤ Tsahtsehiyah 天使メタトロンの別名。

ツァディアエル Tzadi'ael ヘハロトの伝承(『マアセ・メルカバ』)では，第6天の館に配置された護衛の天使。

ツァディケル Tzadiqel 木曜に木星を支配する大天使。[出典：メイザーズ『ソロモンの大きな鍵』，惑星時間の表]

ツァドキエル Tsadkiel (Tzadkiel, アザ Azza) アザという名では，正義の天使。『ゾハル』で，ブリア界の10人の大天使の4番目。『オザル・ミドラシム』II, 316では，ツァドキエルあるいはカディシャ(聖なるもの)と呼ばれ，東風の門を護衛する天使の1人に挙げられている。カバラでは，木星の叡智体あるいは天使である。またはアブラハムを守る天使である。ロングフェローは，『黄金伝説』の初期の版で，ツァドキエルを木星の統治者として挙げたが，後にゾビアケルに替えた。→ザドキエル Zadkiel

ツァドクィエル Tzadqiel →ツァドキエル Tsadkiel

ツァフィエル Tsaphiel 隠秘学で，月の天使。[出典：パピュ『隠秘学の基礎』]月を支配する天使には，ヤリエル，ヤカディエル，ザカリエル，ガブリエルたちも含まれる。

ツァフキエル Tsaphkiel →ツァフクイエル Tzaphquiel

ツァフクィエル (ツァフクイエル) Tzaphq-(u)iel (ツァフキエル Tzaphkiel，「神の黙想」の意) 『ゾハル』で，10人の聖なるセフィラの第3番目である。あるいは10人の大天使の第3番目である。[出典：メイザーズ『ヴェールを脱いだカバラ』]メイザーズ『ソロモンの大きな鍵』の表で，ツァフクィエルは土曜に土星を支配する。

ツァフツェフィア Tsaftsefiah，ツァフツェフィエル Tsaftsefiel　天使メタトロンの別名。

ツァフニエル Tzaphniel　バレットの『魔術師』やメイザーズの『ソロモンの大きな鍵』などの著作では，招霊者が魔法の絨毯を手に入れようと望むときには，必ず嘆願すべしと推奨されている「神の聖なる使い」である。

ツァルタク Tzartak（ツォルタク Tzortaq）70人の産褥の魔除けの天使の1人。［出典：『天使ラジエルの書』；バッジ『魔除けと護符』P225］ツォルタクとしては，『オザル・ミドラシム』Ⅱ，316では，西風の門を護衛する数多い天使の1人。

ツァルツェリム Tsaltselim，ツァルツェリヤ Tsaltseliyah　天使メタトロンの別名。

ツァルミエル Tzarmiel　北風の門の数多い護衛の天使の1人。［出典：『オザル・ミドラシム』Ⅱ，316］

ツィルヤ Tsirya　70人の産褥の魔除けの天使の1人。

ツェアン Tse'an　ヘカロトの伝承（『マアセ・メルカバ』）で，第6天の館に配置された護衛の天使。

ツェデク Tsedeck　木星を意味するヘブライ語で，天使ツァドキエルあるいはザドキエルの語根。

ツェデクィア Tzedeqiah　木星の第1の五芒星にヘブライ文字で書かれた天使の名。［出典：メイザーズ『ソロモンの大きな鍵』］

ツェフォン Tzephon →ゼフォン Zephon

ツォルタク Tzortaq →ツァルタク Tzartak

月の天使 Angels of the Moon　ソロモン文献の伝承では，さまざまな天使が月を支配する天使として列挙されている。例えば，ヤリエル，イアカディエル，エリミエル，ガブリエル，ツァフィエル，ザカリエル，イアクウィエル，ほか。ロングフェローの『黄金伝説』では，7人の惑星を支配する天使に名前が与えられており，月の天使はガブリエルであったが，後の版ではオナフィエルに変更された。［出典：クリスチャン『魔術の実践と歴史』］実際にはオナフィエルという天使はおらず，ロングフェローが不注意からか，伝統的に月の天使とされるオファニエル（Ofaniel）のfとnの位置が替えられてオナフィエル（Onafiel）となったのだろう。

月の変異の天使 Angel of the Mutations of the Moon　古代ペルシアの神統系譜学では，この天使はマ Mah という名前。

月の宿の天使 Angels of the Mansions of the Moon　月を支配する28人の天使に関しては付録を参照。

月の輪の天使 Angel of the Wheel of the Moon　オファニエル，など。［出典：『エノク書』］

ツリア Tsuria　70人の産褥の魔除けの天使の1人。

ツリエル Tsuriel　天秤宮を支配する黄道十二宮の天使ズリエルの別綴。［出典：ジョウブズ『神話・民間伝承・シンボル辞典』］

剣の君主 Lords of the Sword　M. ガスターが『モーセの剣』で挙げた，儀式で招喚される14人の天使。14人の名は，アジエル，アレル，タアニエル，タフェル，ヨフィエル，ミトロン（メタトロン），ヤディエル，ラアシエル（ラジエル），ハニエル（アナエル），アスラエル（後に繰り返される），イスリエル，アシャエル，アムハエル，アスラエル。［出典：バトラー『儀礼魔術』p41］

剣の天使 Angel of the Sword　剣（神の言葉）の天使の首長は，たいていの場合，ソクェド・ヘジ（さまざまな綴がある）とされる。しかし，M. ガスター『モーセの剣』では，さまざまな天使が剣の天使の首長として挙げられている。

ツレル Tzurel　南風の門を護衛する数多い天使の1人。［出典：『オザル・ミドラシム』Ⅱ，316］

ツンドルニス Tshndrnis　『天使ラジエルの書』に述べられているように，謎の名前の1人で，一年の月の1つを支配する天使である。

～テ～

デアルザト Dealzhat　モーセのカバラ教義〔『モーセの第6，第7の書』のような魔法書〕を指す〕では，強大で神秘的な神の名。あるいは，ヨシュアが太陽を静止させようと（バアハンドの名と共に）呼び出した強大な天体天使（ルミナリー）。この出来事は「ヨシュア記」10：12-13に述べられる。

デイ（日々）Days　テオドトスの見解では，天使は「日」と呼ばれる。『ニカイア以前の教

父双書』の「テオドトスの抄録」参照。

デイ Dey →ダイ Dai

テイアイエル Teiaiel（イシアイエル Isiaiel） カバラでは，未来を予言することができる天使。座天使(スロウン)であり，海の探検や商業上の冒険を支配する。その霊符は，アンブランの『実践カバラ』p267に再録されている。対応する天使はシトである。

テイアゼル Teiazel（イエイアゼル Ieiazel） 能天使(パワー)の位の天使。文学者，芸術家，司書たちに影響を与える。対応する天使はアテルキニスである。その霊符は，アンブランの『実践カバラ』p281に再録されている。

ディアボルスあるいは**ディアボロス** Diabolus or Diabolos バニヤンの著書『聖戦』によれば，ディアボルスとは悪魔。シャダイ Shaddai（神）との戦いにおいて，彼の副官はアポリオンをはじめ，ピュトン，ケルベロス，レギオン，ルキフェル，それに他の「ディアボルスたち」たちである。→アステロト

ティムネイク Tijmneik 印章の天使（「謎の名前」の1人）で，『モーセの第6，第7の書』に挙げられている。

ティエル Thiel 第2天で仕える天使，しかしまた第3天で仕えるとも言われる。水曜を支配する長で，北から招霊され，金星の叡智体の1人ともされる。[出典：デ・アバノ『ヘプタメロン』；マルクス『トゥリエルの秘密の魔術書』]

ティエル Tiel 北風の門を護衛する天使の1人。

ティカガラ Tychagara 「能天使の命令を実行する」7人の高位の座天使の1人。他の6人の天使にはオファニエルとバラエルとが含まれる。[出典：『天使ラジエルの書』；コルネリウス・アグリッパ『オカルト哲学』III] 位階の序列に関して，通常の配列では，能天使が第2のトリオに属するのに対し，座天使は第1のトリオに属する。それゆえ，正確には命令は座天使から能天使に出すべきであって，その逆ではないことに注意。

ティカラティン Tikarathin（Thikarathin，ティカルティン Thikarthin） 魔術の儀式で招霊される軍勢の主。または，神の秘密の名。[出典：ショーレム『ユダヤのグノーシス主義，メルカバ神秘主義，タルムードの伝統』p53]

ティクスミオン Tixmion 塩の祝福で招霊される天使。

テイクラ Thigra →タグリエル Tagriel

帝国 Empire ホワイトの『キリスト教国での科学と神学の対立の歴史』で，力天使の代りに引用されている天使の位。

ティシュガシュ Tishgash メタトロンの多くの名の1つ。

ティシュバシュ Tishbash メタトロンの多くの名の1つ。

ディドナオル Didnaor 『天使ラジエルの書』に言及されている天使。

ティトモン Titmon 『第3エノク書』に列挙される，天使メタトロンの100以上ある名の1つ。

ディナ Dina 律法（トーラー）と知恵の守護天使。イェフェフィアやイオフィエルとしても知られる。天地創造の時に創造された魂に，70の言語を教えたと信じられている。第7天に住む。[出典：M.ガスター『民間伝承における研究と文献』「モーセの黙示録」]

ディニエル Diniel シリアのまじないで祈願を捧げる天使。70人の産褥の守護天使の1人としても挙げられている。『守護の書』では，「支配者の舌を縛る」ことで，ミカエル，プルキエル，ザディキエル，そして他の「呪縛の天使たち」と一群をなしている。[出典：バッジ『魔除と護符』p278]

ティフェリエル Tiferiel（ティフテリエル Tiftheriel, Tiphtheriel） カバラのブリア界のティフェレト（美）のセフィラ。[出典：ウェイト『聖なるカバラ』]

ティフェレト Tiphereth（Tifereth） 第6のセフィラ。

ティフテリエル Tiftheriel, Tiphtheriel →ティフェリエル Tiferiel

ディブリエル Dibburiel ラドゥエリエルの別名。[出典：『第3エノク書』27章]

ティペラ Tipperah（ツィポラ Zipporah） 立法者モーセの妻で，いまや天国の女性区の力(ヌチュー)天使である。

ディラエル Dirael ヘハロトの伝承（『マアセ・メルカバ』）で，第6天の館を護衛する天使。

ディラキエル Dirachiel 月の二十八宿を支配する28人の天使の1人。バレット『魔術師』

「星をもつ天使」 1505年ニュルンベルクで作られた木版画。ボストン美術館蔵。

Ⅱの見解では，地獄の7人の選帝侯の間でも「特別」であるという。

ティラト Tilath （シラト Silath） ソロモンの魔術儀式で，魔道士の祈りにより招霊される霊。[出典：メイザーズ『ソロモンの大きな鍵』]

ティリ Tilli オカルティズムで，呪文で呼ばれた熾天使，あるいは智天使。

ティリエル Tiriel 大天使，水星の叡智体で，カバラの数260をもつ。その名は（ラファエルやサダイエルの名と共に）指輪の魔除けに見られる。[出典：バッジ『魔除けと護符』；バレット『魔術師』Ⅱ]

ティリル Tiril ヴォルテールは『天使，守護霊，悪魔』で，堕天使の指導者の1人と呼んでいる。

ティル Tir 古代ペルシアの伝承では，6月の天使であり，また月の13日を支配する天使である。水星の摂政で，魚の身体とイノシシの頭部をもつ姿で描かれる。片腕は黒，片腕は白で，頭に冠を戴いている。イスラム教では，致命的な事故を起こすデーモンであり，堕ちた大天使イブリスの5人の息子の1人である。

ティルタエル Tirtael 東風の門の多くの護衛の1人。[出典：『オザル・ミドラシム』Ⅱ，316]

ティレイオン Tileion 塩の祝福で唱えられる天使。

ティロナス Tilonas インクと絵具を清める儀式で唱えられる天使。[出典：メイザーズ『ソロモンの大きな鍵』]

デーヴァ Daeva （デヴァ Deva） 初期ペルシアの神話では，アフリマンによって造られた悪の霊であった。ヒンドゥー教では慈悲深い神霊である。神智論においては，「神のもとで宇宙を支配する位階を成り立たせている，霊たちの階級あるいは位の1つ」を構成する。[出典：スペンス『オカルティズムの辞典』121]

デヴァタ Devatas ヴェーダの教義では，ユダヤ=キリスト教の天使に類似する。用語はしばしばスルヤと交互に用いられる。

テウミエル Teumiel 10人の邪悪なセフィロトの第7のセフィラである。

テオスカ Theoska 儀礼魔術で招霊される奉仕の大天使。[出典：『モーセの第6，第7の書』]

テオドニアス Theodonias （テオドマイ Theodomai） 神あるいは天使の聖なる名で，祭服をまとった儀式の祈りで，またソロモンの招喚儀式で呼び出される。[出典：ウェイト『黒魔術と契約の書』]

テオドニエル Theodoniel おそらくテオドニアスに同じ。

テオフィレ Theophile （フィクション） アナトール・フランスの『天使の反逆』で，天の背教者の1人である。

デガリエル Degaliel 金星の第3の五芒星に刻まれている天使の名。[出典：メイザーズ『ソロモンの大きな鍵』；シャー『魔術の秘伝』p49]

デガリム Degalim 聖歌隊の天使の位の下位に属し，タガスに仕える。[出典：『第3エノク書』]

テキアル Techial 第5天の護衛の天使の長。[出典：『ピルケ・ヘハロト』]

敵意の天使 Angel of Hostility （mal'akh hammastemah） たいていはベリエルあるいはベリアルあるいはマステマを指して用いられる。[出典：マンソア『感謝の賛歌』；ヴェルメシュ『ユダヤの砂漠での発見』p184]

テグリ Thegri （トゥリエル Thuriel，「牡牛神」の意） 獣を支配する天使。[出典：『ヘルマスの幻視』]

テザレル Tezalel （イカベル Icabel） 夫婦

の貞節を取り締まる天使。対応する天使はテオソルク Theosolk である。その霊符は，アンブラン『実践カバラ』p267に再録されている。

テスブ Tessub →リモン Rimmon

テトラ Tetra　招霊者の願いを実現するために，儀礼魔術の祈りで招霊される天使。他の「偉大で輝かしい霊」と共に，『トゥリエルの秘密の魔術書』に挙げられている。

テトラシヤ Tetrasiyah　天使メタトロンの多くの名の1つ。

テナキエル Tenaciel　東から招霊される金曜3時の天使。[出典：デ・アバノ『ヘプタメロン』；バレット『魔術師』；メイザーズ『ソロモンの大きな鍵』]

テバアト Teba'at　背教の天使の7人の指導者の1人。[出典：シュミット『ノアの黙示録とエノクの寓話』]

デハリエル Deharhiel　ヘハロトの伝承『マアセ・メルカバ』で，第5天の館を護衛する天使。

テピセウト Tepiseuth　H.D.の詩「知恵」に現われる，時を分担する天使。[出典：アンブラン『実践カバラ』]

デピュティー（副官，代理人）Deputies　ヴォルテールは著書『天使，守護霊，悪魔について』で，天使の1つの位であり，「タルムードとタルグム（旧約聖書のアラム語訳）における10の階級の1つである，と言っている。

テブリエル Tebliel　地を支配する7人の天使の1人。→地の天使

テフロス Tephros（テフラス Tephras）『ソロモンの誓約』によれば，暗黒をもたらし，野原を焼く悪しき霊。また，ソロモンの命でベエルゼボウル（ベエルゼブブ）により招霊された，灰のデーモンである。だがテフロスは全くの悪というわけではない。なぜなら，アザエルの力と助けで熱病を治すからである。ブルタラ，タレル，メルカルの名でも招霊できる。[出典：バトラー『儀礼魔術』；シャー『魔術の秘伝』；ギンズバーグ『ユダヤ人の伝説』IV, 151]

デヘボリュム Deheborym　『ピルケ・ヘハロト』における第1天の護衛の天使。

テホム Tehom　座天使，あるいは統治する天使。魔術の儀式で招霊される。『モーセの第6，第7の書』に挙げられた15人の1人。

テホリエル Tehoriel　南風の門を護衛する数多い天使の1人。[出典：『オザル・ミドラシム』II, p316]

デミウルゲ Demiurge（デミウルゴス Demiourgos）グノーシス派の著述家バシレイデスは，偉大なるアルコン（支配者）と呼んでいる。ウァレンティヌスにとっては「神のような天使」であり，ユダヤの神と同一視する。デミウルゲは常にミトラと同一視されてきた。「宇宙の造物主」というデミウルゲの称号は，エン・ソフ En Soph つまり「知られざる者」の要請により世界を形成したのが，神ではなく，デミウルゲであることを示唆している。[出典：レッジ『キリスト教に先行するものと対抗するもの』p107脚注；『異端反駁』I, 1] ウェストコットは著書『カバラ研究入門』で，カバラにおいてギリシア語のデミウルゴスはメタトロンであると言っている。

テムパスト Tempast　夜の1時の天使で，ガミエルに仕える。

テムファ Tempha　護符の魔術で招霊される土星の守護霊。[出典：ウェイト『隠秘学』，『イスラエルの秘密の教義』所収]

テムラコス Temulakos →テメルク Temeluch

テムレヤコス Temleyakos →テメルク Temeluch

テメル Temel →タミエル Tamiel

テメルク Temeluch（テメルクス Temeluchus, アブテルモルコス Abtelmoluchos, タルタルクス Tartaruchus, テムレヤコス Temleyakos）世話の天使で，誕生時や幼児期に子供たちを保護する。また，肉体が死ぬと魂が引き渡される，ゲヘナ（地獄）の天使。地獄の責苦を託された「無慈悲な天使，あらゆる火」。[出典：『パウロの黙示録』；『ペトロの黙示録』；ジェイムズ『新約聖書外典』]

デモニアルク Demoniarch　サタンの称号。[出典：シュネヴァイス『ラクタンティウスによる天使とデーモン』p105]

デーモン Demon →ダイモン Daimon

デュナミス Dynamis（あるいはドゥナミス Dunamis）7人のアイオンの1人。ピスティス・ソフィアについて言われているように，この天使はより高位の天使たちを生んだ。グノーシス主義では，ちょうどピスティス・ソフィアが智を女性としてとらえ擬人化したものの長で

あるように，デュナミスは力を男性としてとらえ擬人化したものであるという。「マタイによる福音書」26：64「あなたたちはやがて，人の子が全能の神の右に座るのを見る。」を参照。
［プライゼンダンツ『ギリシア魔術パピルス写本』Ⅱを参照］ショーレム『ユダヤのグノーシス主義，メルカバ神秘主義，タルムードの伝統』によれば，ヘハロトの教義ではデュナミスはメタトロンの秘密の名である。シュタイナーは『人間の星気体の中の天使の作用』で，デュナミスを力と同等視している。

テュポン Typhon　ヘブライ語のセフォンは「暗黒」あるいは「北の」を意味する。アラム語ではトゥフォンである。ギリシア人によって暗黒の神セトと同一視された。コルネリウス・アグリッパの『オカルト哲学』では，古典神話のテュポンがカバラ的天使サマエルと同一視される。

テラテル Terathel（イエラテル Ierathel）主天使の位の天使で，「光，文明，自由を広める」。アンブランの『実践カバラ』によれば，対応する天使はヘペ Hepe で，その霊符は p273 に再録されている。

テラフィム Teraphim（「猥褻」の意）　中世ユダヤのカバラ主義者によれば，テラフィムは男女の偶像で，その力は魔法に由来する。蛇の形象の熾天使に対応し，さらにその像はアッシリアの神カベイリに由来するとも言われる。

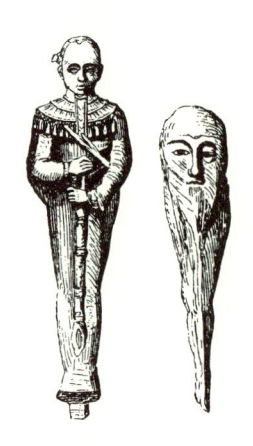

「テラフィム」　小さな偶像，あるいは迷信の像。護符として用いられ，時には信仰の対象とされる。『聖書辞典』（1859年）より。

［出典：「士師記」17-18章；「エゼキエル書」21：26；「列王記下」］『ゾハル』］

テラフニエル Terafniel　犠牲の天使。シュワーブの『天使学用語辞典』に言及がある。

デラミエル Deramiel　第3天で奉仕する天使。『モーセの第6書，第7の書』で言及される。

テランテス Telantes　ソロモンの蜜蠟魔術で唱えられる。［出典：メイザーズ『ソロモンの大きな鍵』p117］

テリアペル Teriapel　金星の叡智体の1つ。［出典：『トゥリエルの秘密の魔術書』］

テリエル Theliel　オカルティズムで，愛の支配天使。欲しい女性を得るために，儀礼魔術で招霊される。［出典：ウェイト『黒魔術と契約の書』］

デリエル Deliel　『ソロモンのアルマデル』に示されているように，第4のコーラあるいは高み〔南の方角を指す〕の天使。魔術の祈禱で招霊される。コルネリウス・アグリッパは，黄道十二宮を支配する天使と述べている。［出典：『オカルト哲学』Ⅲ］

デルキエル Delukiel　第7天の護衛天使の1人。［出典：『オザル・ミドラシム』Ⅰ，119］

デルデケア Derdekea　男性を救うために地上へ降りてくる天上の女性の能天使。グノーシス派の『シェムの釈義』では，至上の母として言及されている。→滴り（ドロップ）

テルリィ Terly（エルリィ Erly，イリクス Irix）『真の魔術書』では，ソロモンの呪文で（手順が正しい場合に）招霊され，愛する人の靴下留めを手に入れてやる，愛想のいい親切な霊。［出典：シャー『魔術の秘伝』］

テレシス Thelesis（アイステシス Aisthesis，「自由意志」の意）　グノーシスの教義で，神の意志から流出した4人の偉大な天体天使あるいはアイオンの1人。時にラグエルがテレシスと同一視される。［出典：ミード『忘れられた信仰の諸断片』］

テレタルカエ Teletarchae　カルデア人の宇宙体系では，天の叡智体あるいは天体天使である。［出典：『ゾロアスター教のカルデア神託』］

テレティエル Teletiel　黄道十二宮を支配する天使。［出典：コルネリウス・アグリッパ『オカルト哲学』Ⅲ］

天蠍宮の天使 Angel of Scorpio　ソソル。レ

ヴィが『高等魔術』で引用したラビ・コメルによれば，天蠍宮を支配する霊はリエホルとサイサエイエル（サルツィエル）。

天球の天使 Angel of the Spheres →サラテエル Salatheel（セアルティエル Sealtiel），→イェフディエル Jehudiel

天空の天使 Angel of the Firmament →フルム・フムル Hlm Hml

天国と地上の守護天使 Guardian Angels of Heaven and Earth　イスラムの体系では，天国は7つあり，天国と地上の守護天使は第6天に住む。名前で確認されていないが，雪と火とで構成されたものとして考えられている。

天国の鳥 Fowl of Heaven →奉仕の天使 Angels of Service

天使（エンジェル） Angel（ヘブライ語はマラーク malakh）　この語は，「神の霊」を意味するサンスクリット語のアンギラス angiras, 「特使」を意味するペルシア語のアンガロス angaros, 「使者」を意味するギリシア語のアンゲロス angelos に由来する。アラビア語ではマラク malak であり，ヘブライ語からの借用語である。一般に「天使」は，神と人間の間に位置する高次の存在を指す（ギリシア語のダイモーンの方が，アンゲロスよりも我々の「天使」観に近い）。初期キリスト教時代とそれ以前には，パウロとヨハネの著作に見られるように，エンジェルとダイモーン（あるいはデーモン）は交換可能な用語であった。

ヘブライ人は天使という概念を，バビロニア捕囚の時代にペルシア人及びバビロニア人から入手した。事実，旧約聖書で名前が挙げられている2人の天使ミカエルとガブリエルは，バビロニアの神話から採られたのである。3番目の天使ラファエルは外典『トビト記』に登場する。セイルズは『コーラン』の翻訳の序言 p51で述べているが，「ムハンマドとその信徒たちは，この天使に関する教義全体をユダヤ人から借用し，さらにユダヤ人は天使の名前と役職をペルシア人から借用した」。エノクは，キリスト教の発生期あるいはそれ以前にまで遡る著作の中で，多くの天使（とデーモン）に名前を与えているが，新約聖書の福音書ではことごとく無視された。しかし，同時代に書かれた正典外の文献には，多くの天使の名前が残っている。ユダヤ・グノーシス主義，神秘主義，カバラの文献では，一種の流行でもあった。

天使学は11－13世紀に最盛期を迎え，天使の名前が文字どおり次から次へと現われた。その多くは，ヘブライ語のアルファベットを組み替えたり，あらゆる語に接尾辞「エル el」を付けるだけで創られたのである。天使は非物質，つまり肉体をもたないが，描写の際には肉体をもつ者，あるいは肉体に宿る者（pro tem），翼をもち，衣服を身にまとった姿で描かれる。悪魔に仕える天使は，堕天使あるいはデーモンである。フィロンの「夢について」によると，天使は肉体をもたない知的存在だという。彼は，ラビたちは反対に天使を物質的存在と見なしていると主張した。カトリック神学では，天使は天地創造の第1日目に，あるいは創造以前に，全員同時に tota simul 造られたとされる。ユダヤ教の伝統では，天使は「朝ごとに新たになる」（「哀歌」3：23）。また，神が息をするたびに造られる（『ハギガ』14a）。

階級としてのエンジェルは，熾天使を至高とする偽ディオニュシオスの天使の9階級では，最下級に位置する。偉大な天使としてしばしば言及される大天使 Archangel は，その名声にもかかわらず，8番目の位である。

厳密に言えば，聖書の中で天使の名前が言及されているとしても，それはほんの2人か3人にすぎない。しかし次の点は考慮に入れるべきだろう。アバドン／アポリオン〔ギリシア語の発音表記はアポリュオン〕は「ヨハネの黙示録」で「底なしの淵の天使」と呼ばれていること。「苦よもぎ Wormwood」は星の名となっているが（黙示録8：11），天使と解釈すべきこと。さらに，サタンは，旧約聖書では偉大な天使，最も栄光ある者の1人であり，悪ではないし，堕ちたという示唆もない。敵対者（ha-satan）という肩書だけがあった。新約聖書の時代になって，旧約聖書のハ＝サタンは邪悪な霊に変わった。聖書に現われる名前の中で，ラハブなどもこれと同じような変化をしたのかもしれない。タルムードでは，ラハブは「海の天使」とされる。

天使（階級） Angels (Order of)　偽ディオニュシオスの天の位階の体系では，天使（エンジェル）は9階級の最下位である。ファレグとアドナキエル（アドヴァキエル）がこの階級の支配者とされる。

■ テン-テン

「玉座に座る聖母マリア」（天使の女王）
傍らに4人の天使がいる（おそらくミカエル，ガブリエル，ラファエル，ウリエル）。ラヴェンナのサン＝タポリナーレ＝ノヴォの古代モザイク画。
ジェイムソン『聖母の伝説』より。

天使軍長 Archistratege（Arhistratig，「軍勢の長」の意）エノクに忠告を与える際に，神はミカエルに「我が仲介者，我が天使軍の長よ」と呼びかける（『エノク書Ⅰ』33：11）。ルーマニア語版『アブラハムの黙示録』でも，同じ称号がミカエルに与えられている。この中で「死の伝令」ミカエルはアブラハムの死に涙し，その涙の滴は「落ちた鉢の上で宝石に変化した」という。ギンズバーグ『ユダヤ人の伝説』Ⅰ，300にも同じ物語が見つかる。

天使年 Angel-Year コルネリウス・アグリッパなどの隠秘学によれば，天使年は145年あるいは365年である。

天使の王 Prince of Angels 一般にはキリスト。ラクタンティウスが「天使たちの王princeps angelorum」という表現を用いた。

天使の起源 Origin of Angels 天使たちは世界の創造以前から存在すると想像された（「ヨブ記」38：7；アンブロウズ「天使との交感」；オリゲネス；『ケタブ・タミン』59；『ヤルクト・ハダシュ』11b）。後のユダヤ思想では，天使が創られたのは，創造の第1日（『ヨベル書』2：1；『エノク書Ⅱ』29：3；『バルク書Ⅲ』21；アウグスティヌス）か，創造の2日目（『ベレシト・ラバ』1：5；『ピルケ・ラビ・エリエゼル』3；『エノク書Ⅱ』；『タルグム・エルサルミ』；ラビ・ヨカナン；コルベイユのイサアク）か，創造の4日目（イブン・アナス）か，創造の5日目（『ゲネシス・ラバ』；ラビ・ハニナ）と言われる。今までのところ，その道の権威で創造の第3日目を選ぶ者はいない。

天使の女王 Queen of Angels カトリックの場合，天使の女王（「レギナ・アンゲリウム regina angelium」）は聖母マリア。カバラではシェキナ。グノーシス主義ではピスティス・ソフィア。［出典：ウォラギネ『黄金伝説』］

天上世界の家族 Household of the Upper World ヘカロト文献で，最も高位の天使の集団の1つを構成する。ヘブライ語で"pamelia shel ma'alah"と呼ばれる。［出典：ミュラー『ユダヤ神秘主義の歴史』p152］

天上の位階 Celestial Hierarchy 聖書の章句の解釈に基づく。聖アンブロシウスや偽ディオニュシオス，グレゴリウス教皇やその他の人人によって挙げられたもので，天上の位階の位や聖歌隊は7から10あるいは11にも及ぶが，最後にはトリオの3倍ということで9に定まる。すなわち，熾天使，智天使，座天使，主天使（あるいはドミニオン），能天使，力天使。それに権天使（あるいはプリンスダム），大天使，天使である。2番目のトリオは，時には主天使，力天使，能天使となる。異本には，ホスト（軍勢），アイオン，イノセント，コンフェサー（証聖者），ロードシップ（君主天使），オーソリティー（権力者），ウォリアー（戦士）等々の位も含まれている。メイザーズの『ソロモンの大きな鍵』では，招喚は「聖天使の10の聖歌隊」に規定されている。すなわち，(1)カイオト・ハ＝クァデシュ，(2)アウファニム，(3)アラリム，(4)カシュマリム，(5)熾天使，(6)マラキム，(7)エロヒム，(8)ベニ・エロヒム，(9)智天使，(10)イシム，である。以上はマイモニデスが著書『ミシュナ・トーラー』で挙げている10である。『ベリト・メヌカ』で挙げる10のリストは少し異なる。すなわち，アレリム，イシム，ベネ・エロヒム，マラキム，ハシュマリム，タルシシム，シナニム，智天使，オファニム（座天使），熾天使，である。［出典：『エノクの秘密の書』（『エノク書Ⅱ』）20章，脚注］アクイナスがトリオの3倍で9の聖歌隊で構成されるディオニュシオス派の体系を「賛美」すると，教会はそれを支持した。しかし，初期のプロテスタントの人々は異議を唱えるだけでなく拒絶した。バレットの『魔術師』のように幾つかのオカルト書は，4番目のトリオを加えて12位階をつくっている。それは，ダンテが『神曲』天国編の第28曲の中で，ディオニュシオス派の構成に「異

192

「天上の位階の9つの階級」 14世紀の想像図。
ハンス・ヴェルナー・ヘーゲマン『ドイツ芸術における天使』
（Munich, R. Piper, 1950）より。

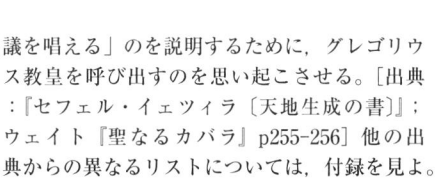

議を唱える」のを説明するために，グレゴリウス教皇を呼び出すのを思い起こさせる。[出典：『セフェル・イェツィラ〔天地生成の書〕』；ウェイト『聖なるカバラ』p255-256] 他の出典からの異なるリストについては，付録を見よ。

天上の水先案内人 Celestial Pilot, The　ロングフェローは自身の詩『天上の水先案内人』で，魂の渡し守を「神の鳥」と呼んでいる。この詩は，ダンテの『神曲』煉獄編Ⅱの中の水先案内をする天使（Pilot Angel）に由来している。

天上の4人の聖霊 Four Spirits of the Heaven　黒，白，灰色，そして鹿毛の馬の姿をした天使たちで，「全地の主の御前に立った後に出て行くもの」である（「ゼカリア書」第

テン-テン

「天の軍勢の光り輝く環」 ドレ作。
ダンテ「天国」編第27曲の挿絵。
ローレンス・グラント・ホワイト訳『神曲』より転載。

6章)。戦車に馬具でつながれた馬たちは，(名前のない) 天使によって旧約聖書の預言者に示される。ラビの伝承では，ダニエルより300年昔，ゼカリアがすでに天使たちを階級に分けているが，名前で呼んではいない。さらに，ゼカリアはパールシー教徒の大天使アムシャ・スプンタから，「主の7つの目」(「ゼカリア書」第4章) の霊感を得たと言われている。

テンダク Tendac　コウモリの清めでその名が唱えられる天使。[出典：メイザーズ『ソロモンの大きな鍵』]

天の英雄 Heroes of Heaven　マンソアの『感謝の賛歌』にあるように，善き天使に対する用語。

天の学院 Heavenly Academy　人間が審判を受けるべく天国に出廷する際に，彼らを裁くために集合する天使の審判団。善良であると立証された者は「光り輝く栄誉で報いられる」が，善良でないと判明した者は「追い出され，火柱の中に立って懲罰を受けることになる」。[出典

：『ゾハル』(Balak 185b)〕

天の9位階を支配する9人の天使 Nine Angels That Rule the Nine Hierarchies in Heaven
1．メラトロンあるいはメタトロン（熾天使 seraphim を支配する）2．オファニエル（智天使 cherubim を支配する）3．ザフキエル（座天使 thrones を支配する）4．ザドキエル（主天使 dominations を支配する）5．カマエル（能天使 powers を支配する）6．ラファエル（力天使 virtues を支配する）7．ハニエル（権天使 principalities を支配する）8．ミカエル（大天使 archangels を支配する）9．ガブリエル（天使 angels を支配する）〔出典：バレット『魔術師』〕

天の軍勢 Heavenly Host　天国の天使を全体として示す用語。ヨブは、天の軍勢を、共に歌い歓呼する明けの明星と考えた。ダンテの『神曲』「天国」編第27曲では、天の軍勢が「グロリア・イン・エクセルシス（いと高きところに神の栄光あれ）」の賛歌）を吟唱する。この箇所とその続編にドレが木版画を付している。ブレイクは、無数の一団（天の軍勢）が「聖なる、聖なる、聖なるかな、全能の神なる主は」と叫んでいるのを見た。

天の軍勢 Hosts of the High Ones or Hosts of the Height　「イザヤ書」24：21におけるように、天使を指す用語。そこでは神が、従者や人間たちや天の者たちを恐ろしい処罰でもって威嚇している。「その日が来れば、主が罰せられる／高い天では、天の軍勢を／大地の上では、大地の王たちを。」〔参照：「ヨブ記」4：18における、神の天使への不満。「見よ、神はその僕たちをも信頼せず／御使いたちをさえ賞賛されない。」〕

天の軍勢の王 Prince of Heavenly Hosts →ミカエル Michael

天の子たち Sons of Heaven　『共同体の契約』によれば、神の審議会に座す天使。マンソア『感謝の賛歌』では、単によき天使を意味する。

天の子供たち Children of Heaven　『エノク書I』において「堕天し人間の女を犯した、聖なる天使たちの息子たち」のこと。「創世記」6：2に言及されている。

天の7人の執事 Seven Stewards of Heaven　7人のオリュムピア霊の別名。

天の書記 Heavenly Scribe　ミカエル、エノク、ヴレティル、メタトロン、ラドゥエリエル、ソフェリエルである。天の書記は、「エゼキエル書」9：2や「ダニエル書」第10章に見られる姿、「亜麻布をまとう男」を連想させる。

天の洗礼の天使 Angel of Heavenly Baptism →セルダク Seldac

天の能天使たち Aetherial Powers　『復楽園』I：163で使われている用語。

天秤宮（天秤座）の天使 Angel of Libra (the balances)　儀礼魔術ではヤエル。『魔術師』ではズリエル。ラビ・コメルによれば、天秤宮を支配する霊はグラスガルベンとハダキエル（カダキエル）。ガファレル（枢機卿リシュリューに仕えた学者、司書）の予言の多くは、ラビ・コメルの著作に依拠するものであった。

天秤の天使 Angel of the Balances　ソクェド・ホジ、ドキエル、ミカエル、ゼハンプリュ。

伝令の天使 Herald Angel　ラジエルあるいはアクラジエル、さらにはミカエルとも同一視される。イエスの復活を予告していたと言われる。この用語は、ウェズリーの「聴け！　伝令の天使が歌う」によって普及した。祝禱の際に上げられる右手と広げられた翼をもって描かれる伝令の天使は、キリスト降誕の象徴である。

トゥアル Tual　儀礼魔術で、黄道十二宮の天使の1人。金牛宮（牡牛座）を代表する。神秘主義の教説では、この宮を代表する別の天使はアスモデル。

トゥイエル Tuiel　『天使ラジエルの書』で言及される天使で、ミルトンのイトゥリエルと誤って同等視された。〔出典：ウェスト『ミルトンの天使の名』〕

ドゥデヴィヤ Duvdeviyah　天使メタトロンの多くの名前の1つ。

ドキエル Duchiel　デーモンに命令を下すためにソロモンの魔術で招霊される天使。〔出典：メイザーズ『ソロモンの大きな鍵』〕

ドゥケイル Doucheil　マンダ教の天使。〔出典：ポニオン『マンダ教碑文』〕

同情の天使 Angel of Compassion　ラクミエル、あるいはラファエル。同情の天使は、国際連合を象徴する意図で、スイスの画家マックス

・フンツィカーがユニセフ（国連児童基金）のために制作した絵画に描かれている。ネパール人にはアヴァロキテシュヴァラと呼ばれる同情の神がおり、人類の奉仕と救済のために涅槃に入ることを断念したとされる。この天使の像は、1964年、ニューヨークのアジア協会本部に展示された。

トゥスマス Tusmas 昼の7時の天使で、バルギニエルに仕える。［出典：ウェイト訳『レメゲトン』p67］

トゥティエル Tutiel 招喚儀式で呼び出される「神秘的な」霊。［出典：シュワーブ『天使学用語辞典』］

ドウト Douth 『バルトロメオの福音書』p177にあるように、「天上と地上を一団となって走り回る」9人の天使の1人。その著書でベリアルはバルトロメオに、9人の天使の名を明らかにする。

トゥトルサイ Tutrusa'i （トゥトラキエル Tutrachiel、トゥフガル Tuphgar、ツルタグ Tzurtag、など） 第1天の護衛の天使。［出典：『ピルケ・ヘハロト』］

トゥトルベビアル Tutrbebial 天の7つの館を見張る64人の天使の最後の者。［出典：『ピルケ・ヘハロト』］

トゥトレシエル Tutresiel （ストゥトラヤ Stutrayah、「突き刺す神」の意）『第3エノク書』では偉大な天使の支配者。そこでは以下のことが記されている。天使ハモンが、トゥトレシエルに会うとき、頭から栄光の冠を脱ぎ、ひれ伏しておじぎをする。同様に、トゥトレシエルは、アトルギエルに会うときに同じことをする。そしてアトルギエルは、ナアリリエルに会うときに同じことをする。不可解なことに、この天使たちの名は実はすべてメタトロンの異名である！

ドゥナヘル Dunahel →アルミエル Almiel

ドゥハエル Duhael ヘブライ起源ではない天使。［出典：トラクテンバーグ『ユダヤ魔術と迷信』p199］

トゥバトル Tubatl 『モーセの第6、第7の書』で、全能の8人の天使の1人。→トゥラトゥ Tulatu

トゥビエル Tubiel 飼主のもとに小鳥たちを呼び戻すために招霊される天使。夏の宮の統率者でもある。［出典：デ・アバノ『ヘプタメ

「雄羊と雄山羊の幻視」（ダニエル書第8章）
天使ガブリエルの前にひざまずくダニエル。
［雄羊はメディアとペルシアの王を表わし、雄山羊はギリシアの王を表わす。］
ストラハン『中世聖書の挿絵』より転載。

ロン』；バレット『魔術師』；シュワーブ『天使学用語辞典』］

ドゥビエル Dubbiel （Dubiel、ドビエル Dobiel、「熊神」の意） ペルシアの守護天使で、イスラエルに対する特別な告発人の1人。ガブリエルが一時恥辱を受けた（ドゥビエルがガブリエルに対して勝利を収めた）際、彼の代理として21日間天上で職務を果たしたと言われている。［出典：タルムード『ヨマ』79a］ 諸民族の70あるいは72の守護天使すべて（イスラエルの保護者ミカエルは除く）が、民族の偏見のために堕落していったという伝説を考慮すると、ドゥビエルは堕落した悪の天使、デーモンと見なさねばならない。

トゥブアス Tubuas 745年、ローマの教会会議で非難された6人か7人の天使の1人。その他の非難された天使は、ウリエル、ラグエル、トゥブエル、イニアス、サバオク、シミエル。彼らは司教アデルベルトとクレメンスにより招霊された。［出典：ヘイウッド『聖なる天使の階級』p261］

トゥフィエル Tufiel 第1天の護衛の天使。［出典：『ピルケ・ヘハロト』］

トゥブエル Tubuel →トゥブアス Tubuas

トゥフリエル Tufriel 第6天の護衛の天使。

ドゥマあるいは**ドウマ** Duma(h) or Douma （アラム語で「沈黙」の意） 沈黙と死の静寂の天使。エジプトの守護天使で、地獄の支配者、また汚名弁明の天使でもある。『ゾハル』はこの天使について、その下には「幾万もの破壊の

天使」がおり，「罪人の魂に処罰を課す1万2000有余の随行を伴った，ゲヒノム（すなわち地獄）のデーモンの統率者である」と語る。［出典：ミュラー『ユダヤ神秘主義の歴史』］ハデスへ降るイシュタルについてのバビロニアの伝説では，ドゥマは第14門の護衛として登場する。［出典：フォーロング『宗教百科辞典』］ドゥマはイディッシュの民間伝承ではよく知られた人物である。I.B.シンガーの『短い金曜日』（物語集，1964年）は，ドゥマについて「炎の職杖あるいは燃え上がる剣で武装した，千の目をもつ死の天使」と述べている。

トゥマエル Tumael（トゥミエル Tumiel，トゥニエル Tuniel，タミエル Tamiel）　エノクの表にある堕天使の1人。

ドゥマリエル Dumariel　夜の11時の天使で，ダルダリエルに仕える。［出典：ウェイト訳『レメゲトン』］

ドゥミエル Dumiel →ドミエル Domiel

トゥミム Thummim →ウリム Urim

トゥミム Tummim →ウリム Urim

トゥモリエル Tumoriel　夜の11時の天使で，ダルダリエルに仕える。［出典：ウェイト訳『レメゲトン』］

トゥラトゥ Tulatu　『モーセの第6，第7の書』で，全能なる8人の天使の1人。おそらくトゥブラトゥの別形。

トゥリエル Touriel →トゥレル Turel

ドゥルバイル Durba'il　アラビアの伝承で，悪魔祓いの儀式の際に招霊される守護天使。出典：ヒューズ『イスラム辞典』「天使」の項］

トゥルミエル Turmiel　西風の門を護衛する数多い天使の1人。［出典：『オザル・ミドラシム』II，316］

トゥルロス Turlos　葦の聖別儀式でその名を唱えられる天使。［出典：メイザーズ『ソロモンの大きな鍵』］

トゥレル Turel（「神の岩」の意。トゥリエル Turiel，トゥラエル Turael）　『創世記』6章に触れられている天国から降って人間の娘と同棲した出来事で，セムヤザに従った200人の天使の1人として『エノク書』に挙げられている。堕ちたトゥレルの霊符は，『トゥリエルの秘密の魔術書』p39に描かれている。トゥレルという名では，木星の霊の使者，また天使サキエルあるいはセチエルの使者。

トゥワヘル Tuwahel　儀礼魔術で招霊される救いの天使。［出典：『モーセの第6，第7の書』］

黄道十二宮の周期の12人の霊 Twelve Spirits of the Zodiacal Cycle　エリファス・レヴィの一覧表では，白羊宮にサラヒエル，双子宮にサライエル，獅子宮にセラティエル，天秤宮にカダキエル，金牛宮にアラジエル，巨蟹宮にファキエル，処女宮にはスカルティエル，天蠍宮にはサルツェイル，人馬宮にはサリティエル，磨羯宮にセマクィエル，宝瓶宮にツァクマクィエル，双魚宮にヴォカティエル。カムフィールド『天使についての神学的論説』p67の一覧表は，レヴィが提示したものとはかなり異なる。すなわち，白羊宮にマルケダエル，双子宮にアムブリエル，獅子宮にヴェルキエル，天秤宮にズリエル，金牛宮にアスモデル，巨蟹宮にムリエル，処女宮ハマリエル，天蠍宮にバルキエル，人馬宮にアドナキエル，磨羯宮にハニエル，宝瓶宮にガムビエル，双魚宮にバルキエル。

時 Time　タロットカードの14番で時と名付けられた天使。翼をもち，額には太陽の印，胸に7組の四角と三角の印を付けている。杯から杯へと命のエキスを注ぐ。テンペランス〔節制〕とも呼ばれる。ゾハル（Miqez 195b）によれば，「コヘレトの言葉」9，12にある時を意味する 'eth は，「人間が演じるそれぞれの行為を司る奉仕の天使のことである」。アンゴフの物語『神は後悔する』（天の冒険）は，次のように述べている。かつて，創造主が世界を破壊しようと考えて，相談するために天使たちを呼んだ。その天使たちの中に，時，分 Minutes，秒 Seconds と名付けられた3人がいた。

ドキエル Dokiel　「重さを量る天使」，あるいは，『アブラハムの誓約』XIII で呼ばれるように，「手に天秤を持つ，太陽のような大天使」。名前は「イザヤ書」40：15「天秤の上の塵 dust [dk]」に由来する。

時の霊 Time Spirit, The　シュタイナーの『大天使ミカエルの使命』では，ミカエルにあたる大天使の階級より上位の称号。このスイスのオカルティストは，「私たちが霊的な概念を得られる」ように，ミカエルが地上で人間の魂が「敵対する霊たちと戦う」のを助けると主張する。ミカエルの地上への降下は，19世紀半ばに起こったと言われる。

ドクソメドン Doxomedon　グノーシス派の『ゾストリアン黙示録』で言及されている偉大なる天体天使の1人。。

ドジブリル Djibril（ジブリル Jibril, ガブリエル Gabriel）　コーランで「忠実な霊」と呼ばれている。

土星の天使 Angel of Saturn　オリフィエル，カフジエル，ミカエル，マイオン，オリフェル，マエル，ザフィエル，シェブタイエル。ザンキウス，アグリッパ，トリテミウスの著作では，ザフキエル。アグリッパはまた，オリフィエルを土星の天使として挙げている。ロングフェロウの『黄金伝説』（第1版，1851年）では，土星を支配する天使はアナキエルであるが，後の版ではアナキエルの代りにオリフェルとなっている。[出典：カムフィールド『天使についての神学的論説』]

トダタマエル Todatamael　東風の門の護衛の天使の1人。[出典：『オザル・ミドラシム』Ⅱ，316]

ドデカ Dodekas　ヴァレンティヌス派のグノーシス主義で，オグドアの支配の下で機能する神聖な能天使。

トト Thoth　錬金術で，大天使の位の長。トト（あるいはピ＝ヘルメス）は「アイオン中のアイオン」であると述べられ，善きダイモンと同一視される。

トトラヴィエル Totraviel　『ヘハロト・ラバティ』では，印章の所有者で，第5天の護衛の天使。ザハフティリイに仕える。

トトリシ Totrisi　剣のために神によって指名された4人の天使の1人。[出典：M. ガスター『モーセの剣』]

ドナキエル Donachiel　オカルトの教義で，デーモンを指揮するために招霊される天使。[出典：メイザーズ『ソロモンの大きな鍵』]

ドナハン Donahan　カバラにおいて魔術の儀式で召喚される大天使。[出典：『モーセの第6，第7の書』]

ドニエル Doniel　黄道十二宮を支配する72人の天使の1人。[出典：ルーンズ『カバラの知恵』]

ドネル Donel　南風の門を護衛する数多い天使の1人。[出典：『オザル・ミドラシム』Ⅱ，316]

賭博の天使 Angel of Chance　バラキエル，ウリエル，ルビエル。[出典：ド・プランシー『地獄の辞典』]

トビエル Tobiel　ユゴーの『海で働く人々』では，トゥブエルの別名。

ドビエル Dobiel →ドゥビエル Dubbiel

トピトゥス Thopitus　カバラで，儀礼的な呪文の朗唱で招霊される天使。対応する天使はレハヒアである。H. D. の詩『知恵』やアンブランの『実践カバラ』に現われる。

トフィエル Tophiel　『ヘハロト・ラバティ』に挙げられた，第1天の7人の護衛の天使の1人。

トフタルタレト Tophtharthareth（タプタルタレト Tapthartareth）　パラケルススの護符の教義によれば，水星の霊。水星を支配する叡智体はティリエルである。[出典：クリスチャン『魔術の歴史と実践』Ⅰ]

トフナル Tophnar（トフラグ Tophrag）　トフィエルのように，第1天の7人の護衛の天使の1人。ゼヴディエルとカシュリエルに仕えるか，あるいは彼らと同一視される。

トフラグ Tophrag →トフナル Tophnar

ドヘル Dohel →ボエル Boel

トマクス Thomax　夜の8時の天使で，ナルコリエルに仕える。[出典：ウェイト訳『レメゲトン』]

ドミエル Domiel（ドゥミエル Dumiel；アビル・ガヒドリオム AbirGahidriom）　メルカバ神秘主義において，第7天の6番目の館を護衛する天使。アルコンで，「威厳，恐れ，おののきの君主」。また4つのエレメントの支配者でもある。[出典：バレット『魔術師』；シュワーブ『天使学用語辞典』]『ユダヤ神秘主義』p362でショーレムは，ドミエルは地獄の門番としてドゥマと誤って混同されている，と述べている。

ドミニオン Dominion　フィロンによれば，「最も古い天使」の名前。[出典：ミード『3倍に偉大なるヘルメス』]

ドミネイション →主天使

トミミエル Tomimiel　黄道十二宮を支配する天使。[出典：コルネリウス・アグリッパ『オカルト哲学』Ⅲ]

トムスマエル Tmsmael　妻から夫を引き離すための招喚の儀式で使われる悪しき天使。[出典：M. ガスター『モーセの剣』]

左=ドラゴン（デヴィルやサタンとしても知られる）を槍で突くミカエル。
中央=王冠を戴く7つの頭をもつ獣。右=子羊のような角をもつ獣と天から落ちる火。
ヨハネの黙示録12：7-10, 13：1の挿絵。ケルン聖書の木版画。
ストラハン『中世聖書の挿絵』より転載。

ドメドン＝ディクソメドン Domedon-Dixomedon 「アイオンの中のアイオン」，またオグドアの1人として描かれる。[出典：ドレッセ『エジプト・グノーシス派の秘密の書』p178]

ドモス Domos 魔術で祈願される天使。また邪眼の12の名前の1つである。ドモルの変形。[出典：バッジ『魔除けと護符』]

土曜日の天使 Angel of Saturday カシエル，マカタン，ウリエル。パラケルススの護符ではオリフィエル。[出典：クリスチャン『魔術の実践と歴史』I，318]

トラクタトゥ Tractatu コルネリウス・アグリッパによれば，自らの名を冠した本をもつ天使。→ラジエル

ドラコン Dracon 夜の6時の天使で，ザアゾナシュに仕える。[出典：ウェイト訳『レメゲトン』]

ドラゴン Dragon 「ヨハネの黙示録」12：9で，サタンは「巨大な竜，年を経た蛇」と呼ばれ，彼に従う使いの天使たちと共に「地上に投げ落とされた」。「詩編」91：13には「聖なる人々が足元に毒蛇を踏みにじる」とある。通常ミカエル（聖ミカエル）はドラゴンを殺す者として描かれる。つまり彼は聖ジョージの先駆者なのである。古い伝説では，ドラゴンはヘスペリデスの園で黄金のリンゴを守っている。グノーシス主義においては，夜明けの天使を表わす語である。[出典：ジョウブズ『神話・民間伝承・象徴辞典』]

ドラマゾド Dramazod 夜の6時の天使で，ザアゾナシュに仕える。

ドラモジン Dramozin 夜の8時の天使で，ナルコリエルに仕える。

トランシン Transin メイザーズの『ソロモンの大きな鍵』では，天使の文字（すなわち言語）で天国に書かれた名で，デーモンを指揮するために招霊される。

ドリアル Drial 第5天に配置されている護衛の天使の1人。[出典：『ピルケ・ヘハロト』]

取り返しのつかない選択の天使 Angel of Irrevocable Choice →ゼファル Zeffar

鳥の守護天使 Angel Over Birds アラエル，アンピエル。

トルガル Thrgar 月の天使で，『天使ラジエルの書』に挙げられている。またトラクテンバーグの『ユダヤの魔術と迷信』にも言及される。

トルギアオブ Trgiaob 「謎の名前」の1つ。水鳥や爬虫類を支配する天使。[出典：M.ガスター『モーセの剣』]

トルクアレト Torquaret 秋の星座を率い

る天使。[出典：デ・アバノ『ヘプタメロン』；バレット『魔術師』Ⅱ]

トルシエル Trsiel　メルカバ神秘主義で，川を支配する天使。

ドルスミエル Drsmiel　悪の天使。「謎の名前」の1人で，夫を妻から引き離すための招喚の儀式で呼び出される。[出典：M.ガスター『モーセの剣』]

ドルミエル Dormiel　東風の門を護衛する数多い天使の1人。[出典：『オザル・ミドラシム』Ⅱ，316]

ドレミエル Doremiel　北から招霊される金曜日の天使。[出典：デ・アバノ『ヘプタメロン』；バレット『魔術師』]

ドレルメト Drelmeth　昼の3時の天使で，ヴェグアニエルに仕える。

トロトロシ・X Trotrosi X（トトリシ Totrisi）　モーセに神の名を知らせた，祈りの霊。

トロヌス Thronus　『モーセの第6，第7の書』に挙げられた15人の座天使の1人。

ドンクエル Donquel　招霊者が要求する女性を入手するために招霊される愛の支配者（天使）。[出典：ウェイト『儀礼魔術の書』p301]

トンミム →ウリム Urim

ナ

ナアダメ Naadame 「全ての天使と皇帝の支配者。」[出典：メイザーズ『ソロモンの大きな鍵』]

ナアマ Naamah (「喜ばせるもの」の意) 売春の4天使の1人。他の3人はリリト, エイシェト・ゼヌニム, アグラト (イゲレト)・バト・マラトであり, 皆サマエルの妻である。ラビ・イサクによれば, ナアマは, 神の息子たち, 特にウザ, アザエルを堕落させた。ラビ・シメオンは, ナアマをデーモンたちの母と呼んだ。またラビ・ヒヤは, ナアマは「人間ばかりでなく霊とデーモンをも強く魅惑する者」であり, リリトと共に「子供たちに癲癇を起こす」と考えた。[出典：『ゾハル』Ⅰ, 55a]『ユダヤ人の伝説』Ⅰ, 150では, ナアマは天使=デーモンのシャムダンとの間に悪魔アスモデウスを生んだ。「創世記」4：22ではナアマは人間であり, トバル=カインの姉。

ナアリリエル Naaririel (ナアルの別綴) 第7天を護衛する天使。

ナアル Naar (ヘブライ語「若者」の意) 天使メタトロンがもつ多くの名の1つ。

ナイリョ・サンガ Nairyo Sangha (ペルシア語) 地獄上部の3つの門の3人の天使君主の1人。アフラ=マズダの使者。[出典：『ミドラシュ・コネン』；『ユダヤ大百科辞典』Ⅰ, 593]「ナイリョ・サンガに義人の魂が委ねられた。」

ナオウタ Naoutha 『バルトロメオ福音書』p176によれば, 南西を支配する天使。「手に雪の棒」を持ち, それを「口に含み」, 火を消すときには「それを吹き出す」という。

仲買人の天使 Angel of Commission Brokers 商業, 銀行取引なども保護するアナウエル。

流れの天使 Angel of Running Streams ナハリエル。

ナキエル Nachiel (Nakiel, Nakhiel) カバラにおいて, 太陽が獅子宮に入ったときの太陽の叡智体。ナキエルのカバラ数は111。パラケルススの護符に関する教説によれば, 対応する天使はソラト。[出典：クリスチャン『魔術の歴史と実践』Ⅰ, 318]

ナキル Nakir ムハンマド伝承における黒い天使。→モンケル

ナクミエル Nachmiel 南風の門を護衛する天使。[出典：『オザル・ミドラシム』Ⅱ, 317]

ナグラサギエル Nagrasagiel (ナスラギエル Nasragiel, ナグダスギエル Nagdasgiel, ナガズディエル Nagazdiel) 立法者モーセが黄泉の国を訪れたとき, 彼を案内してまわったゲヒノム(地獄)の支配者。[出典：『ミドラシュ・コネン』；『ユダヤ人の伝説』Ⅱ, 310]→サルギエル, →ネルガル (シュメール=カルデアの)

ナクリエル Nakriel 南風の門を護衛する数多い天使の1人。[出典：『オザル・ミドラシム』Ⅱ, 16]

ナコリエル Nacoriel 夜の9時の天使。→ハノゾズ Hanozoz

ナサラク Nasarach (ニスロク Nisroch) 「イザヤ書」と「列王記下」19：37で用いられたニスロクの別名。

ナサルギエル Nasargiel (ナグラサギエル Nagrasagiel, ナスラギエル Nasragiel) 獅子の頭をした偉大で聖なる天使。キポドやナイリョ・サンガと共に地獄を支配する。シュメール=カルデアのネルガルに比せられよう。神に命じられて, モーセに冥界を案内してまわった。[出典：ギンズバーグ『ユダヤ人の伝説』Ⅱ, 310]

ナシャロン Nasharon 「全ての天使と皇帝を支配する」天使の君主。[出典：メイザーズ『ソロモンの大きな鍵』]

ナシュリエル Nashriel イサク・ハ=コヘンの原典では, 10人の聖なるセフィロトの10番目に位置づけられたセフリロンの支配下の3人のサリム(天使の王)の1人。他の2人のサリムは, イトゥリエルとマルキエル。

ナスラギエル Nasragiel →ナサルギエル

Nasargiel

ナスル=エド=ディン Nasr-ed-Din（「信仰の助け」の意） イスラム教ヤズィード派の悪魔信仰における7人の大天使の1人。他の6人の大天使については付録を参照。

ナタナエル Nathanael（クサタニエル Xathaniel、ザタエル Zathael、など。「神の贈物」の意） ユダヤの伝説では、6番目に創られた天使。12人の復讐の天使の1人でもある。火の元素を支配する。神とバアル神との争いの際、「ジャイルの召使を焼き」、異教の神に供物を捧げなかった7人の男を火から救った天使（『フィロンの聖書古代誌』）。ウェイト訳『レメゲトン』では、サミレに仕える6時の天使。インゲタルとゼルクと共に、隠されたものを監督する天使でもある。フェラーの『ユダヤ教外典』には、戦士ケズレがアモリ人を征服するのを助けるため、神により天から遣わされた伝説が述べられている。

夏の天使 Angel of Summer ガルガテル、ガヴィエル、タリエル。夏の宮の首長はトゥビエル。

ナツヒリロン Natzhiriron イサク・ハ=コヘンの文献では、10の聖なるセフィロトの1つで、ネツァクを擬人化した天使。カバラでは、ハニエルかアナエルが擬人化した天使である。

ナティエル Natiel 東洋ヘブライの魔除けの護符に記された天使の名。[出典：シュライアー『ヘブライの魔除け』]

ナディエル Nadiel シュワーブの『天使学用語辞典』では、移住の天使。12月の支配者（キスラヴ）でもある。→ハニエル Haniel

ナティグ Nattig カルデアでは、重要な4人の守護霊の1人。バビロニア神話のケルブ Kerubs に相当する。

ナナエル Nanael 実践カバラにおける権天使の1人。シェムハムフォラエ神の神秘的な名をもつ72人の天使の1人でもある。偉大な諸学を司り、哲学者や聖職者に影響を及ぼす。対応する天使はコメ。[出典：バレット『魔術師』；アンブラン『実践カバラ』]

7つの天 Seven Heavens ヘブライの用語あるいは伝承では以下のとおり。1．シャマイム Shamayim＝ガブリエルにより支配される。2．ラクィア Raqia＝ザカリエルとラファエルにより支配される。3．シェハクィム Shehaqim＝アナヘルとその3人の部下サリムsarim、すなわちヤグニエル、ラバキエル、ダルクイエルにより支配される。4．マコノン Machonon＝ミカエルにより支配される。5．マテイ Mathey＝サンダルフォンにより支配される。6．ゼブル＝ザキエルにより支配され、（昼は）ゼブル、（夜は）サバトが助力する。7．アラボト＝カシエルにより支配される。『エノク書Ⅱ』8章では、エデンの園と生命の樹は共に第3天にあるとされる。（この点では、第3天に引き上げられたパウロについて語られている「コリントの信徒への手紙二」12：2-3を参照。）『ゾハル』は、390の天と7万の世界に言及している。グノーシス主義者バシリデスは、365の天があると断言している。（『ベト・ハ=ミドラシュ』の中で）イェリネクは、955の天があるという伝説を思い起こしている。『エノク書Ⅱ』では天の数は10である。ここでの第8天はムザロト Muzaloth と呼ばれているが、『ハギガ』12bによればムザロトは実は第7天である。第9天はクカヴィム Kukhavim と呼ばれ、黄道十二宮の宿である。第10天はアラヴォト Aravoth（黄道十二宮を意味するヘブライ語）と呼ばれ、エノクが「主の顔の幻視」を見た所である。諸天界の説がいかに混乱しているかは、黄道十二宮が自らにちなんで名付けられた天にとどまらないという事実からも明らかである。[出典：『天使ラジエルの書』；デ・アバノ『ペプタメロン』；アグリッパ『オカルト哲学』] 7つの天の概念は、『12族長の誓約』や他のユダヤ外典にも現われ、さらに古代のペルシア人やバビロニア人にもよく知られていた。ペルシア人は第7天の頂に、「大いなる白い御座に座り、翼をもつ熾天使がとり囲んでいる」全能の神を想像した。コーラン（23章）でも、7つの天について語られる。

7つの天の天使 Angels of the Seven Heavens　7つの天の支配者は以下の通り。ガブリエル（第1天）。ラファエル、ザカリエル、ガリズル（第2天）。ヤブニエル、ラバキエル、ダルクイエル（第3天）。ミカエル（第4天）。サマエル、ガドリエル（第5天）。ザキエル、ゼブル、サンダルフォン、サバト（第6天）。カシエルあるいはカフジエル（第7天）。ヘハロト教義によれば、それぞれの天に住む支配者の中には、他の天の館の守護者となっている者

もいる。ユダヤの伝説では，サマエルは第7天に住むとされる（ここではサマエルは囚われの身である）。

ナハリエル Nahaliel （「神の谷」の意）　川の流れを統轄する天使。[出典：『ユダヤ魔術と迷信』]『民数記』21：19では町の名前である。

ナブ Nabu （ネボ Nebo，「予言者」「布告者」の意）　バビロニアにおけるユダヤ＝キリスト教の大天使(アークエンジェル)の原型。マルドゥク神の息子であり守護天使。またシュメール人の神智論では「主の天使」として知られる。運命の書の書記であり，彼を象徴するものはランプである。記録天使の1人ともされる。アッカド神話では水星の神である。ギンズバーグの『ユダヤ人の伝説』Ⅴ，163は，この東方の神ネブとエノク＝メタトロンを関連づけ，「天の書記，バビロニアのネボは，パレスティナ人にエノクを与え，バビロニアのユダヤ人にメタトロンを与えた。したがって，エノク＝メタトロンが最終的に結びつくことになったのも，当然至極である」と述べている。[参照：『カトリック大辞典』Ⅰ「Angel」の項]

ナフリエル Nafriel　南風の門を護衛する天使。[出典：『オザル・ミドラシム』Ⅱ，317]

ナフリエル Nahuriel　『ピルケ・ヘハロト』に挙げられた，第1天を護衛する7人の天使の1人。

ナホリエル Nahoriel →ナフリエル Nahuriel

涙の天使 Angel of Tears　サンダルフォンとカシエル。イスラムの伝承では，涙の天使（名前は与えられていない）は第4天に住む。

ナヤイル Naya'il　イスラム教の黙示文献において，スーフィーのアブ・ヤジドが7つ全ての天への上昇 (mir'aj) の間に，第4天で出会った天使。アブ・ヤジドに「言葉に表わすことができないような王国」を差し出した。しかし，この申し出（実際には賄賂）は神への純粋な信仰が試されているにすぎないと知って，アブ・ヤジドはこれを無視した。[出典：ニコルスン『初期アラビア解釈』など]

ナリエル Nariel　バレットの『魔術師』によれば，南風を支配する天使。真昼の風の統率者でもある。『魔術師』によれば，「ある人々にはアリエル〔エアリエル〕とも呼ばれる」。

ナルコリエル Narcoriel　夜の8時の天使。→ハノジズ Hanoziz

ナルシンハ Narsinha　「人間＝獅子」の化身。ヴェーダにおける10の化身(アヴァタル)の1つ。「勇壮の君主」。→アヴァタル Avatar

ナルディ Narudi　アッカドの霊。「偉大な神の君主。」ナルディの像は，悪人を追い払うため家の中に置かれた。[出典：ルノルマン『カルデア魔術』p48]

ナレル Narel　エノク伝承における冬の天使。

ナロミエル Naromiel　オカルトの教義では，月の霊であり，日曜日の支配者。第4天に住み，南の方角から招霊される。[出典：デ・アバノ『ヘプタメロン』；ルノルマン『カルデア魔術』；バレット『魔術師』]

南西の天使 Angel of the Southwest →ナオウタ Naoutha

二

2月の天使 Angel of Feburuary　バルキエル，バルビエル。他の月を支配する天使に関しては，付録を参照。[出典：ド・プランシー『地獄の辞典』Ⅳ]　古代ペルシアの伝承では，イスファンダルメンド。

苦よもぎ Wormwood　『ヨハネの黙示録』8：11で，第3の天使がラッパを吹くと天から落ちた星の名である。『聖書辞典』（アメリカ・トラクト協会，1859年）によれば，苦よもぎは「力強い支配者あるいは空の力，無数の不正な者への手ひどい審判の手段を示す」。聖パウロの見解では，苦よもぎはサタンに等しく，「空の力の支配者」として言及している。

イギリスのロマンス作家マリー・コレリは，「苦よもぎ」と題された小説を書いている。フィクションの他の作品，C.S.ルイスの『悪魔の手紙』では，（手紙の宛て先である）苦よもぎは「地上の下位の悪魔」で，（ルイスによれば，サタン陛下の「下位支配体制」の重要な役人である）スクリューテイプの甥である。読者は，ここで『ハムレット』Ⅲ，ⅱを想い起こしていただきたい。ここで，女王を演じる役者の「最初の夫を殺した者以外に第2の夫と結婚する者はいない」というせりふに続いて，ハムレットが「苦い，苦よもぎ」と傍白を口にする。しかし，シェイクスピアが，黙示録の天使を考えていたことはありそうにない，むしろ彼はこの言葉を，この言葉がもつ意味，ラテン語の

「ニスロク」センナケリブ（列王記下第19章，第37章）に崇拝されたアッシリアの神。シャフ『聖書辞典』より。

absinthium に由来する嫌悪や苦さの表現として使っている。

ニクバディエル Nichbadiel　南風の門を護衛する数多い天使の1人。[『オザル・ミドラシム』II，317を参照]

肉欲の天使 Angel of Carnal Desires →情欲の天使 Angel of Lust

ニサ Nisah →ネツァク Netzach

ニサン Nisan　ハイドの『古代ペルシア宗教史』で言及されたタルムードの天使。

西の天使 Angel of the West　「西の守護者」と呼ばれるガブリエル。[出典：アンブラン『実践カバラ』]

24人の長老 Twenty-Four Elders → 長老 Elders

ニスロク Nisroc　(h)（「偉大な鷲」の意）元来アッシリアの神であり，センナケリブにより崇拝された（「列王記下」19：37）。ミルトンの『失楽園』VI，447では，権天使の位を支配する天使。オカルトの教義では，地獄の諸侯の館の料理長として仕えるデーモンとされる。シャフの『聖書辞典』から引用した挿絵を参照。ニスロクは，ケモス，バアル＝ペオル，メセラク，アラセクと同等視される。

ニタイア Nithaiah（ニト＝ハイア Nith-Haiah）→ニライハ Nilaihah

ニタエル Nithael　カバラでは，以前は権天使の位に属した天使。『魔術師』では，堕天使にもかかわらず，いまだシェムハムフォラエ神の名をもつ72人の天使の1人とされる。一般には，天の反乱のあいだサタンと組み，いまは地獄で皇帝や王や世俗の要人やキリスト教会の要人を支配していると信じられている。霊符（シジル）については，アンブランの『実践カバラ』p289を参照。

日曜日の天使 Angel of Sunday　それぞれの時刻を支配する天使は以下のとおり。ミカエル（1時），アナエル（2時），ラファエル（3時），ガブリエル（4時），カシエル（5時），サキエル（6時），サマエル（7時），ミカエル（8時），アナエル（9時），ラファエル（10時），ガブリエル（11時），カシエル（12時）。安息日には，ミカエル，アナエル，ラファエル，カシエル，ガブリエルは二重の任務を務めていることがわかる。[出典：シャー『オカルティズム』55-56]

ニティカ Nitika　6時を統轄する，宝石の守護霊。[出典：テュアナのアポロニウス『ヌクテメロン』；レヴィ『高等魔術の教理と儀礼』]

ニティブス Nitibus　レヴィの『高等魔術の教理と儀礼』で言及された星の守護霊。テュアナのアポロニウスの『ヌクテメロン』では，2時の天使。

ニドバイ Nidbai　マンダ教神話における，ヨルダン川の2人の守護のウトリ uthri（天使）の1人。もう1人の天使はシルマイ。[出典：ドロワー『マンダ教の正典祈祷書』；『イラクとイランのマンダ教』]

ニニプ ninip　バビロニアの神智論における天使（すなわちイギギ）の長。[出典：『カトリック大辞典』「Angels」の項；マッケンジー『バビロニアとアッシリアの神話』]

ニブラ・ハ＝リション Nibra Ha-Rishon　神の流出（すなわちセフィラ）の1つ。ミュラーの『ユダヤ神秘主義の歴史』によれば，最高位の天使の1つに位置づけられ，マコン，ロゴス，ソフィア，メタトロンに比肩する。

ニライハ Nilaihah（ニト＝ハイア Nith-haiah）アンブランの『実践カバラ』では，詩人の主（ドミ）天使（ネイション）とされる。「詩編」9の最初の詩句と共に神名のいずれかを宣べると出現する。隠秘学を司り，韻文で予言を行ない，平和と孤独を愛す

る賢者に影響を及ぼす。霊符は『実践カバラ』p273を参照。

ニルガル Nirgal（ニルガリ Nirgali） カルデア伝承における4人の重要な守護霊（すなわち守護天使）の1人。ふつう人間の頭をした獅子の姿の霊として描写される。[出典：ルノルマン『カルデア魔術』p121]→ネルガル

にわか雨の天使 Angel of Showers →ザアフィエル Zaa'fiel

人間の魂の天使 Angel of the Souls of Men →レミエル Remiel（イェレミエル Jeremiel）

人間の魂を最後の審判へと導く5人の天使 Five Angels Who Lead the Souls of Men to Judgment　アラキエル，レミエル，ウリエル，サミエル，アジエル。[出典：『シビュラの託宣』Ⅱ]→世界の終りの天使たち

妊娠の王（女王） Prince of Conception →ライラ Lailah

妊娠の天使 Angels of Pregnancy　モーセの招喚の儀式において，妊娠の天使はシヌイとシンスニである。この2人の光の天使は，出産中の女性を助けるために招喚される。ユダヤの伝説によれば，神は生まれてくるユダヤ人の男の子が父親に似るように天使を派遣する。それはおそらく，子供が父親に似ていないという理由で，その母親が姦通したのではないかという非難を避けるためと思われる。[出典：ギンズバーグ『ユダヤ人の伝説』Ⅵ，83]

忍耐の天使 Angel of Patience　アカイア。自然の秘密を発見することに熟達している。カバラでは，熾天使の位に属する3人のうちの1人。

ヌカイルと**ヌライル** Nukha'il and Nura'il　アラビアでは，悪魔祓いの儀式で招霊される守護天使。[出典：ヒューズ『イスラム辞典』「Angels」の項]

ヌドリエル Nudriel　ヘハロト伝承（『マアセ・メルカバ』）において，第3天の館に配置された護衛の天使。

ヌリエル Nuriel（「火」の意）　ユダヤの伝承では霰の天使で，モーセは第2天で出会った。ヘセド（「親切」の意）の脇から鷲の姿で出現したが，ウリエルも鷲の姿でゲブラ（「力」の意）の脇から出現した。『守護の書』では「呪文をかける力」とされ，ミカエル，シャムシエル，セラフィエル，その他の偉大な天使の仲間に分類される。『ゾハル』によれば，処女宮を支配し，身の丈300パラサング〔約1690キロ〕で，「全員水と火から創られた」50万の天使を従える。ヌリエルの身長を越えるのは，エレリ，見張り，アフヘマ，そして言うまでもなくメタトロンのみであろう。メタトロンは天で最も背が高い天使であるが，たぶんハドラニエルとアナフィエルには負けるかもしれない。グノーシス主義の教えでは，火の支配者イェフエルに仕える7人の1人。[出典：キング『グノーシス主義とその遺産』p15；ギンズバーグ『ユダヤの伝説』Ⅱ，306とⅤ，418]ヌリエルは，悪魔を追い払う呪文としても効果がある。その名は，シュライアー『ヘブライの魔除け』に述べられているように，中東の魔除けに記されている。

ネイテル Neithel　『カバラの知恵』で，黄道十二宮の5度ずつを支配する72人の天使の1人とされる。

ネガルサネル Negarsanel（ナサルギエル Nasargiel）　地獄の支配者。ドイツ語版『ラビ・アキバのアルファベット』では，「ゲヒノム（地獄）の君主」と呼ばれている。

ネキエル Neciel　月の二十八宿を支配する28人の天使の1人。

ネキル Nekir　アラビアの伝承（ド・プランシーによれば，タルムードからの引用）で，モンケルとムンキルと共に，生存中のどのような神を崇拝していたかを知るために死者を取り調べる天使。ネキルとモンケルは恐ろしい姿で，ぞっとするような声を出すとされる。

ネクァエル Neqael（ヌクァエル Nuqael）　エノク文献に記された悪魔，すなわち堕天した大天使。この名はエゼクァエルの転訛か変形したものである。

ネクテール Nectaire（フィクション）　アナトール・フランスの『天使の反逆』に登場する，すばらしい笛吹き。作者によれば，ネクテールは天にあっては主天使の位に属し，アラシエルとして知られる。

ネゲフ Negef　安息日の最後に，儀礼魔術で呼び出される聖なる破壊の天使。[出典：トラクテンバーグ『ユダヤ魔術と迷信』]

ネサネル Nesanel　モーセの魔術儀礼において，メアクエルとガブリエルと共に，魔術師をあらゆる罪から解放し清めるために招霊される。

ネストゾズ Nestozoz　サルクアミクに仕え，夜の3時をとり仕切る天使の長。

ネストリエル Nestoriel　サマエルに仕える，昼の1時の天使。[出典：ウェイト訳『レメゲトン』]

ネタヘル Nethahel　ルーンズの『カバラの知恵』で，黄道十二宮の5度ずつを支配する72人の天使の1人。

ネツァエル Netzael →ネツァク Netzach

ネツァク Netzach（「勝利」「堅固」の意。〔ネツァ Netshah，ネザ Nezah とも表記〕）10の聖なるセフィロト（神の流出）の第7番目。ネツァクを擬人化した天使は，エロヒムの位のハニエル（アニエル）。

ネトニエル Netoniel　黒魔術において，木星の第1のペンタクル五芒星にヘブライ文字で記された天使の名。[出典：シャー『魔術の秘伝』；メイザーズ『ソロモンの大きな鍵』]

ネヒナ Nehinah　降霊術で招喚される天使。[出典：トラクテンバーグ『ユダヤ魔術と迷信』]

ネフィリム Nephilim（Nefilim，ネフェリム Nephelim）　ユダヤ伝承上の原始時代の巨人たち。また，堕天使あるいはその子孫（すなわち「創世記」6章におけるように，人間の娘たちと同衾した「神の息子たち」）。エミム the emim（「恐怖」の意），レファイム the rephaim（「弱さ」の意），ギボリウム the gibborium（「巨人」の意），ザムズミム the zamzummim（「達成者」の意）などが，ネフィリムと密接に関係する。[出典：『エノク書I』；ド・プランシー『地獄の辞典』；ギンズバーグ『ユダヤ人の伝説』；「民数記」13：33］　ネフィリムの統率者はヘレルである。9世紀の著述家ヒウィ・アル・バルキによれば，バベルの塔の建設者。[出典：サアディア『ヒウィ・アル・バルキに対する論争』p54, 56]

ネフォノス Nephonos　「天界と地上界を一団となって駆け回る」9人の天使の1人。ベリアルが9人の天使の名を付け，『バルトロメオ福音書』p177でバルトロメオに告げられた。

ネフタ Nefta（フィクション）　フランチェッティのオペラで，アスラエルに愛された女性の天使。→アスラエル

ネボ Nebo →ナブ Nabu

ネマミア Nemamiah　カバラにおける大天使で，提督や将軍や大義のために働く人々の守護天使。シェムハムフォラエ神の神秘的な名をもつ72人の天使の1人でもある。[出典：霊符についてはアンブラン『実践カバラ』p28を参照]

眠りの天使 Angel of Sleep　「エステル記」のエピソードにおいて，アハシュエロス王〔クセルクセス王〕の眠りを妨げる名前不明の天使。[出典：『オザル・ミドラシム』Ⅰ，p56]

ネメメル Nememel　黄道十二宮の5度ずつを支配する72人の天使の1人。[出典：ルーンズ『カバラの知恵』]

ネラパ Nelapa　バレットの『魔術師』における水曜日の天使。第2天に住み，魔法を操作するとき南の方角から招霊される。

ネリア Neria(h)（「神のランプ」の意）　70人の産褥の魔除けの天使の1人。

ネリエル Neriel　おそらくネリアと同一人物。『モーセの第6，第7の書』では，月の二十八宿を支配する天使の1人。

ネルカエル Nelchael スロウン　座天使の位の天使。バレットの『魔術師』やアンブランの『実践カバラ』によれば，シェムハムフォラエ神の神秘的な名をもつ72人の天使の1人。しかし，聖なる天使ではなく，地獄で仲間の悪魔に天文学と数学と地理学を教える堕天使である。対になる霊はシト。

ネルガル Nergal（「偉大な英雄」「偉大な王」「死の王」の意）　バビロニア神話で，ネルガル（ニルガル Nirgal，あるいは，ニルガリ Nirgali）は1週間の惑星を支配する。アッカド人にとっては獅子の頭をした神であり，カルデア人にとっては4人の重要な守護霊（すなわち守護天使）の1人。「列王記下」17：30にあるようにクトの町の神であり，黄泉の国の神としてバアル神に従った。[出典：フォーロング『宗教百科辞典』]　シュメール＝カルデア＝パレスティナ人の伝承では，夏の太陽の支配者。グノーシス主義でも，聖書にあるように黄泉の国の王。オカルティズムでは，地獄の秘密警察の長であ

「ネルガル」カルデア人の宇宙論における主要な4人の守護神（守護天使）のうちの1人。シャフ『聖書辞典』より。

る。火星の霊，占星術の十二宮の統治者の1人，そして悪疫，戦争，熱病の神ともされた。ル・クレルクのコレクション中にあるネルガルを彫ったブロンズのメダルには，表面に獅子の頭，裏面に翼と爪のある足が彫られている。ド・プランシーの『地獄の辞典』では，「ベルゼブトに仕える名誉スパイ」である。シャフの『聖書辞典』中の挿絵を参照。

ノアフィエル Noaphiel　土星の第5の五芒星にヘブライ文字で記された天使の名。呼び出すとき，よい結果を得るには術者は「申命記」10の短詩を唱えるとよい。

ノウェンシレス Novensiles　雷電を支配するエトルリアの9人の神。彼らの名は，ティナ，クプラ，メンルヴァ（メネルヴァ），スマヌス，ヴェヨヴィス（ヴェディウス），セトランス，マルス，マントゥス，エルクレ（ヘルクレ）である。アルノビオスの『異教論駁』が伝えるところによれば，グラニウスの説ではミューズ神であり，コルニフィキウスの説では事物の再生の見張りであり，マニリウスによればジュピターが唯一雷電を使う力を与えた神々であるという。

農業の天使 Angel of Agriculture →リスヌク Risnuch

能天使 Angel of (the order of) Powers　カバラでは［参照：レヴィ『高等魔術の教理と祭儀』］，能天使の位の天使はザカラエルあるいは木星。ヴェルキエル，カマエル，カフジエル（カシエル），サマエルを挙げる文献もある。サマエルは16世紀の錬金術師R.フラッドの文献で挙げられている。大グレゴリウスによれば，能天使は「デーモンたちを支配する」とされる。偽典『アブラハムの誓約』で能天使はミカエル。

能天使 Powers（ポウテンテイト potentates, オーソリティー authorities, デュナミス dynamis）　七十人訳聖書が最初に，能天使（dynamis）という用語を，「主の軍勢」というギリシアの概念に相当するものとして，天使の位の1つに用いた。［出典：ケアード『権天使と能天使』p11］ディオニュシオスは，能天使を天の位階の第2集団の第3位においた。彼は能天使を熾天使と同等視したが，これは間違いである。［出典：バレット『魔術師』］フラッドによればサマエルが能天使の長であるが，しかし一般にはカマエルとされる。ヘルメス主義では，能天使の長はエルトシ。

能天使の主な仕事は，天界の道に秩序をもたらすことである。ディオニュシオスによれば，「能天使は世界を転覆させようとする悪魔の企てを阻止するであろう」。グレゴリウス教皇の見解では，能天使は悪魔を統轄している。ユダヤ人フィロンは，6人の最高位の能天使を，「神の言葉」「創造の力」「君主の力」「慈悲」「立法」「懲罰の力」に分類した。さまざまな使徒の書簡における聖パウロの言葉の引用は，キリスト教の伝道者であるパウロにとって能天使は悪魔である（あるいはありうる）ことを示している。『テオドトゥス抜粋』では，能天使は「最初に創造された天使」とされている。『失楽園』XI, 221でミルトンは，能天使を守護天使の位に相当するものとして用いている（XII, 590）。

ノガ Nogah　メタトロンが第4天でモーセに示した2つの巨星（すなわち天使）の1人。ノガは「大地を冷やすため，夏には太陽の上に立っている」。［出典：『モーセの黙示録』］

ノガヘル Nogahel　「常に神の御前に立ち，惑星の霊名を与えられた」高位の天使の1人。［出典：コルネリウス・アグリッパ『オカルト哲学』III］

ノグエル Noguel　カバラにおける金星の霊。

ノハ-ノリ

「能天使の序列の天使」クリストファー・ビーストンの想像図。
ヘイウッド『聖なる天使の階級』より。

対応する叡智体はハギエル。［出典：ルノルマン『カルデア魔術』p26］

ノハリエル Nohariel　東風を護衛する天使。［出典：『オザル・ミドラシム』Ⅱ，316］

ノリエル Noriel（「神の火」の意）『ゾハル』（出エジプト記 147a）には象徴する色をもつ天使が出てくるが，ノリエルもその1人で，「オレンジ色に輝く真鍮の金色」で象徴される。［出典：『ポイマンドロス』］『オザル・ミドラシム』Ⅱ，316では，東風の門を護衛する天使の1人。

ハ

ハアイア Haaiah　主天使の位の天使。外交と使節を支配し、シェムハムフォラエ神の名をもつ72人の天使の1人。その霊符はアムブランの『実践カバラ』p273に転載されている。

ハアエル Haael　黄道十二宮の天使72人の1人。

パアジエル Pa'aziel　『第3エノク書』における天使メタトロンの名。

ハアタン Haatan　テュアナのアポロニウスの『ヌクテメロン』によれば、宝物を隠す守護霊。

バアビエル Baabiel　カバラにおいて、第1天で仕える天使。[出典:『モーセの第6、第7の書』]

ハアミア Haamiah　能天使(パワー)の位の天使。熱烈な信仰を支配し、「真実を探求する全ての者を保護する」。(カバラで)対応する天使はセルクト。霊符については、アンブランの『実践カバラ』p281を参照。

バアル・ダヴァル Baal Davar　ハシディズムを信奉する18世紀のユダヤ教徒が用いた、敵対者(ハ=サタン)を意味する語。[出典:バンバーガー『堕天使』]

バアル=ペオル Baal-Peor →ベルフェゴル Belphegor

ハアレズ Haarez　『モーセの第6、第7の書』が示すように、印章の天使。

ハイアイエル Haiaiel（ハハヘル Hahahel）黄道十二宮の72人の天使の1人で、シェムハムフォラエ神の名をもつ72人の天使の1人。その霊符はアンブランの『実践カバラ』p294に掲載されている。

ハイエル Hayyel（ハシュマル Hashmal、カイイエル Chayyiel、ハイイリエル Hayyliel、ヨヒエル Johiel、ヤヤエル Yayael）ハイヨトの天使長。野獣を支配しているが、『第3エノク書』によれば、その権利を、テグリ（トゥリエル）、ムトニエル、そしてイェヒエルと共有している。

バイイェル Baijel　カバラで、第5天で仕える天使。[出典:『モーセの第6、第7の書』]

ハイイリエル Hayyliel →ハイエル Hayyel

背教した天使 Apostate Angel　サタン。『ヨブ記訓釈』で、大グレゴリウスはこの名称を用い、「贖い主の到来により、人間は悔い改めの光へと導かれたが、背教の天使はどんなに赦しを乞うても呼び戻されなかった」と述べている。大グレゴリウスの見解では、人間はサタンが統率する堕天使の軍勢に取って代わるために創造された。

売春の天使 Angel of Prostitution　ゾハルのカバラでは、エイシェト・ゼヌニム（毒と死の支配者サマエルの仲間）。リリト、ナアマ、アグラト・バト・マラトの3人もサマエルの仲間であり、エイシェトと同様、売春の天使である。[出典:マスターズ『エロスと悪』]

ハイム Haim　黄道十二宮の処女宮を支配する天使。[出典:ヘイウッド『聖なる天使の階級』]

パイモン Paimon（Paymon、「チリンチリンという音」の意）主天使(ドミネイション)の位に属していた堕天使。地獄ではルキフェルに次ぐ偉大な王。配下には霊の200軍団がおり、「彼らの一部は天使の位に属し、一部は能天使の位に属する」。招霊されると、『地獄の辞典』(1863年版)p521に描かれているように、ひとこぶラクダに乗り、冠を戴いた若い女性の姿で現われる。ヴィエルスの『偽君主論』によれば、特別な招喚では、2人の地獄の偉大な君主ベバルとアバラムを従える。霊符については、ウェイト『黒魔術と契約の書』p168を参照。

ハイヤ Hayya　ハイヨトの単数形。

ハイヤエル Hayyael →ハイエル Hayyel

ハイヨト Hayyoth（カヨ Chayoh、カイヨト chayyoth、キヴァ Chiya、「聖なる、天の生き物たち」の意）智天使(ケルブ)と同等に位置づけられ

るメルカバ天使の階級。第7天に住む。火の天使たちであり、栄光の玉座を支える（→ハシュマリム）。『第3エノク書』に記録されているように、彼らは各々「4つの顔と4つの翼、2000人の座天使を有し、メルカバの車輪のすぐ傍らに置かれている」。エゼキエルはケバル川のほとりでハイヨト（智天使）を見た（『エゼキエル書』第10章）。『ゾハル』（Vayigash 211a）によればハイヨトは36人いるが、『第3エノク書』ではたった4人だけである。彼らは「シェキナの幕屋」を構成する。上からの神の流出を受け、「車輪を動かす者」であるハイヨト階級全体に行きわたらせる。［エイブルスン『ユダヤ神秘主義』を参照。］『ゾハル』（Noah 71b）によれば、ハイヨトは宇宙を支えており、翼を伸ばすと同時に、「全能なる神の御声のように」賛歌を歌いだす。［参照：『エゼキエル書』1：24，6；3］ ハイヨトについての預言者の幻影と、それら聖なる生き物たちに関する聖書から後の時代の伝承は、現代の画家マルク・シャガールの作品に強い影響を与えたと言われている。

ハイラエル Hailael （ハヤエル Hayael） ハイヨト（「聖なる生き物」）の階級の筆頭天使。

バインコオク Bainkhookh →バ＝エン＝ケコン Ba-En-Kekon

ハヴェン Haven レヴィの『高等魔術の教理と祭儀』（p503）で、昼の12時を統轄する12人の守護霊の1人。気高さの守護霊である。

ハヴハヴィヤ Havhaviyah, ハヴィヤフ Haviyahu, ハヤト Hayat 天使メタトロンの多くの名前の3つ。

パウラ Paula （フィクション） ダニエルズの『天使の対立』で言及された女性の天使。

ハウラス Hauras （ハウレス Haures, ハヴレス Havres, フラウロス Flauros） 伝説によれば、ソロモンが真鍮の容器に閉じ込め、深い湖（あるいは海）に投げ入れた72人の霊の1人。以前自らソロモンに打ち明けたところでは、ハウラスは強力な天上の力であった（どのような階級に属していたかは言わなかった）。世界の創造と天使たちの堕天について喜んで語っている。地獄では大公であり、ヒョウの姿で現われるが、悪魔祓いの命令には人間の形で現われる。過去と未来に関して、真実の答えを与える。地獄の亡者たちの36軍団が彼の支配下にあり、いつでも彼の命令を聞く。霊符は、ウェイトの『黒魔術と契約の書』p186に表示されている。ド・プランシーの『地獄の辞典』（1863年版）には人間＝ヒョウの姿で描かれている。

ハウルヴァタティ Haurvatati （ハウルヴァタト Haurvatat） アムシャ・スプンタに由来する、アラビアの天使。コルダドとも呼ばれる。

ハウルヴァタト Haurvatat（「全体」の意）ゾロアスター教で、6人いるアムシャ・スプンタ（大天使）の1人。女性で、救済の擬人化。また水の霊でもある。マンダ教ではハルドハとして知られ、あるいはハルドハは男性であるので、彼と同等視されている。［出典：『イラン哲学史』Ⅲ］コーランの堕天使ハルトの起源を、このペルシアの大天使に見る研究者たちもいる。［出典：『ユダヤ教，キリスト教，イスラム教文献における堕天使』p131］

バエ Bae 『ソロモンの誓約』で悪魔祓いのために呼び出される天使。

バエル Bael （バアル Baal，「主」あるいは「主人」の意）『ゾハル』では、バエルは大天使ラファエルと同等視される。しかし、多くの魔術書やヴィエルスの『偽君主論』では、60あるいは70の悪魔の軍団を従え地獄の東方領域で活動する地下の偉大な王。召喚されると、3つの頭（ヒキガエル，人間，猫）をもつ生物の姿で現われる。

バ＝エン＝ケコン Ba-En-Kekon （バインコオク Bainkhookh） グノーシス主義（『ピスティス・ソフィア』）で言及されるアイオン＝天使で、「暗黒の魂」と呼ばれる。エジプトの『死者の書』に由来する。

ハカ Hakha 『モーセの第6，第7の書』における印章の天使。

バガ Bhaga ヴェーダの教義で、ユダヤ＝キリスト教の天使に相似する7つの（あるいは12の）天の神格の1つ。→アディトヤス

ハガイ Hagai ヘハロト伝承（『マアセ・メルカバ』）で、第5天の館に配置された護衛の天使。

ハガイ Haggai 「神の使者あるいは天使」と呼ばれる無名のヘブライの預言者。旧約聖書の「ハガイ書」を参照。

破壊する天使 Destroying Angel （破壊の天使 Angel of Destruction） 死の天使を表わす用語。ダヴィデはモリア山で破壊の天使に出会い、なだめている。『知恵の書』（ライダー

編）では，破壊の天使はコラゾンタ，すなわち「罰するもの」である。ダナイト〔ダンの部族〕，つまり秘密の暗殺のために組織されたキリスト教信者の一団は，「破壊の天使たち」と呼ばれ，初期のモルモン教会が結成したと言われるが，これは誤りである。〔参照：「士師記」13：2に登場するダン族に属するマノア〔サムソンの父〕；出典：ジョウブズ『神話・民間伝承・象徴辞典』〕

破壊の天使 Angels of Destruction（マラケ・ハバラ malache habbalah）　ウリエル，ハルボナ，アズリエル，シムキエル，ザアフィエル，アフ，コラゾンタ，ヘマ。『モーセの黙示録』によれば，この集団の長はケムエルだが，『第3エノク書』ではシムキエル。『第3エノク書』では，破壊の天使は懲罰の天使に相当し，転じて破壊，怒り，死の天使と同等視され，アヴェスタのデーヴァに比せられる。「この世に罰を与えるに際し，破壊の天使は神の剣を与えられ，懲罰の道具として使う」〔出典：『第3エノク書』32：1〕。モーゼス・ガスターによれば破壊の天使は4万人いたというが，ユダヤの伝説では地獄にだけでも9万人いた（あるいは今もいる）という。破壊の天使はファラオの時代，エジプトの魔術師たちの手助けをし，モーセとアロンが行なった奇跡，特に水を血に変えるという奇跡を彼らにも行なわせたとされる。〔出典：「出エジプト記」7：20〕破壊の天使は，神に仕えるのか，悪魔に仕えるのか，ラビ文学の著者たちの間で意見が分かれた。明らかなのは，悪魔に仕えるときでも，それは神の赦しがあってのことである。『ゾハル』I，63aでラビ・ユダは大洪水について論じて，「絶滅あるいは他の懲罰の裁きも，未だこの世に下ってはいない。しかし，破壊の天使は今まさに訪れようとしているのだ」と言明する。ギンズバーグの『ユダヤ人の伝説』では，モーセが地獄を訪れたとき，ティタ＝ヤウェンという地域で彼が見たのは，罪人たち（主に高利貸し）が「臍のあたりまで泥に」浸かり，破壊の天使たちに「朝から晩まで炎の鎖で鞭打たれ，その炎のつぶてで罪人たちの歯が粉々になる」さまだった。ダンテが「地獄編」で描いた，罪人たちが受ける責苦と比べよ。〔出典：『バルク黙示録』；『エノク書』；タルムード『バブ＝サンヘドリン』；トラクテンバーグ『ユダヤ魔術と迷信』；『ユダヤ大辞典』p516〕

ハカエル Hakael　背信の天使たちの指導者7人の1人で，「第7のサタン」。〔出典：チャールズ『エノク書』p138の脚注；シュミット『ノアの黙示録とエノクの寓話』〕

ハカシェル Hachashel　黄道十二宮の72人の天使の1人。〔出典：ルーンズ『カバラの知恵』p87〕

バカノエ Bachanoe（バカナエル Bachanael）　オカルティズムにおける，第1天の天使，月曜日の支配者。

ハカミア Hakamiah（国賊を懲らしめるために招霊される）　智天使の1人で，フランスの守護天使。対応する天使はヴェラスア。霊符はアンブランの『実践カバラ』p267に収載されている。

ハカム Hakham　天使メタトロンの多くの名の1つ。

ハギエル Hagiel　金星が牡牛座と天秤座の宮に入るときの叡智体（インテリジェンス）。カバラの数は49。金星の支配霊として彼に対応する天使はガダメル。〔出典：バレット『魔術師』；バッジ『魔除けと護符』；ルノルマン『カルデア魔術』〕

パギエル Pagiel　魔術師の望みを実現するための儀式で祈願される天使。他の「偉大な栄光ある霊」と共に，マルクスの『トゥリエルの秘密の魔術書』で言及された。

バキエル Bachiel (Baciel)　第4天で仕える風の天使の1人。東から招喚される。土星の霊の1人とされることもある。『オザル・ミドラシム』II，316では，西風の守護天使の1人。

ハギオス Hagios　偉大なる天使の名前，あるいは神の秘密の名前の1つ。呪文の儀式で用いられる。〔出典：マルクス『トゥリエルの秘密の魔術書』〕

ハギト Hagith　金星の支配者で，7人いるオリュムピアの霊の1人。オリュムピアの196州のうち21あるいは35州の統治者。彼の日は金曜日。コルネリウス・アグリッパによれば，ハギスは霊の4000の軍団を指揮するという。金属を変質させる力をもつ。霊符についてはバッジの『魔除けと護符』p389を参照のこと。白魔術では，天上の7人の執事の1人である。

ハ＝クァドシュ・ベラカ Ha-Qadosch Berakha　メイザーズの『ソロモンの大きな鍵』において，ソロモンの招喚で呼び出される「祝福

された神聖なる者」に対する名前。

ハクェメル Haqemel　ルーンズの『カバラの知恵』に記載されているように，黄道十二宮の72人の天使の1人。

迫害の天使 Angel of Persecution　ローマ・カトリックの教義によれば，迫害の天使は，洗礼前の儀式において人間1人1人の中に（守護天使と隣り合わせに）いる個人的な悪魔。[出典：コルテ『悪魔とは何か』]→堕落の天使

バクタマエル Baktamael　西風の門を護衛する数多い天使の1人。[出典：『オザル・ミドラシム』II，316]

バグダル Bagdal　レヴィの『高等魔術の教理と祭儀』では，アラジエルとともに黄道十二宮の金牛宮（牡牛座）を支配する霊。

バグディアル Bagdial　（フィクション）低次の天に到着した者たちに，新しい「肉体」をもつ資格を付与するカードの発行を監督する，肥満の天使。バグディアルはアイザック・バシェヴィス・シンガーの創作であり，シンガーの短編小説「倉庫」（Cavalier, 1966年1月号）に登場する。

パクディエル Pachdiel　（「恐怖」の意）『ピルケ・ヘハロト』のリストによれば，第4天を護衛する天使の長。

バグナエル Bagnael　東風の門を護衛する数多い天使の1人。[出典：『オザル・ミドラシム』II，316]

薄明の天使 Angel of Twilight →アフティエル Aftiel

白羊宮の天使 Angel of Aries　儀礼魔術で白羊宮（牡羊座）の天使は，アイエルあるいはマキディエル。マキディエルは3月の天使でもある。カバラでは，白羊宮を支配する2霊はサタアランとサラヒエル（サリエル）。

パクリエル Pachriel　『第3エノク書』17によれば，第7天に任命された7人の偉大な天使の1人。パクリエルを含むこれらの天使は皆「49億6000万の救い天使を伴うなり」。

バクリエル Bachliel　南風の守護天使の1人。

バグリス Baglis　テュアナのアポロニウスの『ヌクテメロン』によれば，度量と平衡の守護霊。バグリスが召喚されるのは，一日のうちの2時のみである。

ハグロン Haglon　夜の3時の天使で，サルカミクに仕える。[出典：ウェイト訳『レメゲトン』]

ハゲドラ Hagedola　魔術儀礼で招霊される印章の天使。[出典：『モーセの第6，第7の書』]

ハケム Hakem　ヘハロト伝承（『マアセ・メルカバ』）で，第4天の館に配置された護衛の天使。

ハゴ Haggo　ハゲドラと同様，召喚の儀式で呼び出される印章の天使。[出典：『モーセの第6，第7の書』]

バササエル Basasael　（バササエヤル Basasaeyal）『エノク書I』における悪の大天使。

バザザト Bazazath　（ラファエル＝バザザト Raphael-Bazazath）第2天に住む大天使。『ソロモンの誓約』をはじめ一般的な魔術書では，さまざまな偉業の中でも，バザザト（あるいはバザザラト）はオビズトという名の翼をもつ竜（女性）を敗走させたことが知られる。

バザティエル Bazathiel　第1天を護衛する天使。[参照：『ヘハロト・ラバティ』]

ハシェシヤ Hashesiyah　天使メタトロンの多くの名前の1つ。

ハジエル Haziel　（「神の幻影」の意）智天使。神の哀れみを乞う時にこの名を唱える。シェムハムフォラエ神の神秘的な名前をもつ72人の天使（付録参照）の1人。ベルナエルと同等視されるときは，暗黒の天使である。霊符については，アンブランの『実践カバラ』p260を見よ。[出典：『ファラシャ文献集成』]「歴代誌上」23：9では，ハジエルは人間で，レビの子ゲルションの組の子孫となっている。カバラ主義者たちはおそらくこの典拠から名前を引いてきたのだろう。

パシエル Pasiel　儀礼魔術で，黄道十二宮の双魚宮（魚座）を支配する天使。ユダヤのカバラでは，地獄（アルカ）の天使。ヨセフ・ベン・アブラハム・ギカティラによれば，7層に分けられた地獄の第6層のアバドンを支配している。

パシシエル Pasisiel　ヘハロトの伝承（『マアセ・メルカバ』）において，第7天の館に配置された護衛の天使。

ハシュマリム Hashmallim　（「ハイヨト」，創造物そのものの意）天使の高位の階級で，主天使と同等視される。智天使と熾天使と同じ位に属している。この階級の名の基となった長が

「バラの形をした聖なるものの群れ」 ドレ作。
ダンテの『神曲』「天国」編, 第31曲の挿絵。
ローレンス・グラント・ホワイト訳『神曲』より。

ハシュマリムであるが, ザドキエルやザカラエルもまたこの階級の統率者に定められている。カバラでは, ハシュマリムは, イェツィラの世界, つまり土台の世界, 天使メタトロンによって統括された天使たちの住居に属している。
［出典：『ユダヤ神秘主義』p38］ディヌル川（「火の川」の意）は,「その生き物たち［ハシュマリム］が聖なる幸いなる神の玉座を運んだために流した汗で」出来た, と言われている（『ベレシト・ラバ』）。

バシュマリン Bashmallin（ハシュマリム Hashmallim） 主天使に相当する天使の位。

ハシュマル Hashmal（カスマル Chasmal, ハイヤ Hayyah） ハシュマリム（主天使）の

階級の天使長。『ゾハル』によれば、この語は、「その中に聖なる名前の天の文字の神秘が吊り下げられている、内なる、天の、秘密の、ヴェールで覆われた領域」を意味している。[出典：『エゼキエル書』1：4；参照：タルムード「ハギガ」13] ギンズバーグの『ユダヤ人の伝説』Ⅰ，18で、「ハシュマルは神の玉座を取り巻く」と言われている。彼は「火のように語る天使」である。ヨセフ・アルボは『原理の書』Ⅰ，14で、ラビたちにとってハシュマルとは、「火のように語るハイヨト」を意味する、と報告している。「ハギガ」では、「昔々、若者がエゼキエルの幻想を研究していて、天使カシュマルについて熟考していたとき、カシュマルから火が生じ、彼を焼き尽くしてしまった」と述べられている。この話の教訓が何なのかは説明されていない。

ハシュル Hashul 『マセケト・アジルト』に記録されているように、ハシュマリムの階級の長の1人。[出典：『オザル・ミドラシム』Ⅰ，67]

パスイ Pasuy ヘハロトの伝承（『マアセ・メルカバ』）における、第4天の館に配置された護衛の天使。

バスカバス Baskabas カスパクの別称。天使メタトロンの秘密の名前の1つ。

パスカル Paschar（プサカル Psachar）『天使ラジエルの書』によれば、「能天使を指揮する」7人の高貴な座天使の1人。また、デ・アバノの『ヘプタメロン』やコルネリウス・アグリッパの著作にも出てくる。『ピルケ・ヘハロト』では、第7天のカーテンあるいはヴェイルを護衛する天使の1人。[出典：『オザル・ミドラシム』Ⅰ，110]

バズキエル Bazkiel 第3天を護衛する天使。[出典：『オザル・ミドラシム』Ⅰ，116]

バスス Basus ヘハロトの伝承（『マアセ・メルカバ』）で、第4天の館に配置された護衛の天使。

ハスディエル Hasdiel 金星の天使。また、ドイツ語版のメズーザ「「申命記」の数節を記した羊皮紙片で、ケースに収めて戸口に掛けておく」に記されているように、慈愛の天使でもある。慈愛の天使としての務めでは、ザドキエルと役目を共にしている。[出典：『天使ラジエルの書』]『ゾハル』（民数記 154b）では、2人いる統率者の1人であり（もう1人はシャムシエル）、ウリエルが戦いで指揮したときには随行した。

バズティエル Baztiel ヘハロトの伝承（『マアセ・メルカバ』）で、第1天の館に配置された護衛の天使。

パストル Pastor 魔術師が望みを実現するため魔術儀礼に召喚し祈願する天使。[出典：マルクス『トゥリエルの秘密の魔術書』]

バズ・バジア BazBaziah 皮膚の異常を治すために召喚されるタルムードの天使。[出典：タルムード『シャバト』fol. 67]

パスパシム Paspassim ヘハロトの教説で、シェマ Shema（ユダヤ教の朝夕の祈り）を朗唱するときメタトロンの手伝いをする天使。[出典：『第3エノク書』序文]

ハスミヤ Hasmiyah 天使メタトロンの多くの名前の1つ。

ハスメド Hasmed 霊魂消滅の天使で、モーセが天国で出会った5人の懲罰の天使の1人。[出典：「詩編」第7章に関する『ミドラシュ・テヒリム』]

ハスモダイ hasmodai 護符の魔術で召霊される月の霊。[出典：『魔術師』Ⅱ，147]

ハスリエル Hasriel 邪悪なものを防ぐための東洋のお守りに刻まれている天使の名前。[出典：『ヘブライの魔除け』]

パズリエル Pazriel（シドリエル Sidriel）『第3エノク書』では、ガブリエル、サブラエル、アスルリュなどと地位を分担している、偉大な大天使で第1天の支配者の1人。

ハセハ Haseha 『モーセの第6、第7の書』に記載されている15人の座天使の1人。15人全員の名前については付録を参照。

パタ Patha（パティエル Pathiel）安息日の最後に召霊される天使。[トラクテンバーグ『ユダヤ魔術と迷信』]

パダエル Padael（ファディヘル Phadihel）『オザル・ミドラシム』Ⅱ，316に引用された、西風の門を護衛する数多い天使の1人。

ハダキエル Hadakiel（カダキエル Chadakiel）もう1人の守護霊グラスガルベンと共に、黄道十二宮の天秤宮（天秤座）を支配する。[出典：『闇の王』（『妖術選集』）p177-178]

ハタク Hatach 中世ユダヤの呪文の儀式で

招霊される天使。名前は，呪文の言葉の頭文字に由来する。[出典：『ユダヤ魔術と迷信』p165]

ハダスダゲドイ Hadasdagedoy　ヘヘロト伝承（『マアセ・メルカバ』）で，第6天の館の護衛の天使。

パタトゥモン Pathatumon　（パトトゥモン Pathtumon，パテオン Patheon，パトゥマトン Pathumaton）ソロモンの呪文における神の名であり，エジプトに暗闇をもたらすためモーセが唱えた名。ソロモンがデーモンを拘束するため用いた名。[出典：ウェイト『黒魔術と契約の書』；メイザーズ『ソロモンの大きな鍵』]

ハダリエル Hadariel　→ハドラニエル Hadraniel

バタリエル Bataliel　黄道十二宮の支配者の1人。

バダリエル Badariel　（バタルヤル Batarjal）200人の堕天使の1人。[出典：『エノク書Ⅰ』69：2]

ハダリリオン Hadaririon　小さな方のヘヘロト伝承，すなわち『ラビ・アキバのアルファベット』に名前が挙げられているアルコン。[出典：ショーレム『ユダヤのグノーシス主義，メルカバ神秘主義，タルムードの伝統』p63]

ハダル Hadar　カバラ主義者たちによってセフィラとみなされている「高位の慈悲」。[出典：ルーンズ『カバラの知恵』]

ハダルニエル Hadarniel　→ハドラニエル Hadraniel

ハダルミエル Hadarmiel　メイザーズの『ソロモンの大きな鍵』に名前が挙げられている聖なる天使。

バタルヤル Batarjal　→バタレル Batarel

バタレル Batarel　（バタリエル Batariel，バダリエル Badariel，バトラエル Batrael，バタルヤル Batarjal，メタレル Metarel）エノクがあげた200人の堕天使の1人。儀礼魔術の儀式で招霊されるという。バタリエルという名は『ピラミッドの聖人』（Talisman 4）に見られる。[ウェイト『黒魔術と契約の書』にある図版を参照。]

8月の天使 Angel of August　トリテミウスの『秘事の書』では，8月の天使はハマリエルであり，黄道十二宮の処女宮（乙女座）を支配する。オカルトの教義では，8月の天使あるいは8－9月（ユダヤ暦のエルル）の天使は，畏怖と恐怖の天使でもあるモラエル。古代ペルシアの伝承ではシャリヴァリ。

罰する者 Chastiser, The　破壊の天使コラゾンタを指し，アアロンに関するエピソードの中でそう呼ばれている。ライダー編訳『知恵の書』18：2に記載。

ハツパツィエル Hatspatsiel　天使メタトロンの多くの名前の1つ。

パツペツィヤ Patspetsiyah　メタトロンがもつ多くの名の1つ。

発明の天使 Angel of Inventions　マンダ教におけるウトラ（天使）であるリウェト。

パティエル Pathiel　（「開くもの」の意）『オザル・ミドラシム』Ⅰ，106において，シェムハムフォラエ神の神秘的な名をもつ天使の1人。→パタ

パディエル Padiel　（ファディヘル Phaihel）『天使ラジエルの書』に名を挙げられた，産褥の魔除けの70人の天使の1人。サムソンの両親のもとに現われた天使（*Jewish Quarterly Review*, 1898年, p328を参照）。[出典：「士師記」13]

ハティファス Hatiphas　テュアナのアポロニウスが『ヌクテメロン』で言及しているように，美装の守護霊。

ハディリリオン Hadiririon　おそらく儀礼魔術で招霊される「神の寵愛をうける天使」。[出典：ガスター, M.『モーセの剣』]

パテオン Patheon　→パタトゥモン Pathatumon

ハデス（冥界）の王 Prince of Hades　（あるいは地獄の王 Prince of Hell）『エノク書』22章では，ラファエルをハデスの王と呼んでいる。またここでは，ウリエルが「タルタロスを統轄する者」とされる。[出典：ギンズバーグ『ユダヤ人の伝説』Ⅴ，71]→ネガルサネル

ハデスの天使 Angel of Hades　ウリエル，ラファエル。ウリエルはタルタロスの支配者であり，ラファエルは「ハデスの支配者」である。ラファエルが肉体から離れた魂を司るのに対し，ウリエルは少なくとも元来は新たな死者を司る資格をもつ天使であった。[出典：『エノク書Ⅰ』；ギンズバーグ『ユダヤ人の伝説』Ⅴ，70, 273, 310]

パテニ Patteny　カバラの儀式で呼び出され

る救いの天使。[出典：『モーセの第6，第7の書』]

ハドゥリエル Hadurriel　ヘハロト伝承（『マアセ・メルカバ』）で，第6天の館に配置された護衛の天使。

バト・クォル Bat(h) Qol（バト・コル Bath Kol，「天の声」「声の娘」の意）『ゾハル』の著者と考えられる2世紀の賢者シメオン・ベン・ヨハイの住まいを訪れたとされる聖なる守護天使。後に予言が止んだとき，ラビたちはバト・クォルが神の意志の表われだと考えた。彼女は（バト・クォルは女性）鳩で象徴され，同じく鳩で表わされる新約聖書の神の顕現における聖霊に比べられる。[出典：『ピルケ・アボト』；『ゾハル』；ニューマン，スピッツ『タルムード集成』；フラー『カバラの秘密の知恵』]『守護の書』に記録されているシリアの呪文では，バト・クォルは「お前の弟アベルはどこだ，と殺害者カインに呼びかける声」とされている。

バト・ズゲ Bat Zuge　邪悪なリリトを指す。10の邪悪なセフィロトあるいは神の左側からの神的な流出の10番目のものと見なされる場合に用いられる。[出典：『ゾハル』補遺]

バトスラン Batsran　天使メタトロンがもつ多くの名前の1つ。

鳩の天使 Angel of Doves　→アルフン Alphun

バドパティエル Badpatiel　悪魔祓いのために東方のヘブライ護符（カメア）に記された天使の名前。[出典：シュライアー『ヘブライの魔除け』]

ハドラニエル Hadraniel（ハダルニエル Hadarniel, ハダリエル Hadariel, ハドリエル Hadriel,「神の威厳」の意）（ある見解によれば）天国の第2の門に配置されている門番の天使。パラサング〔ペルシアの距離の単位，約5.6キロ〕の60万倍だけカムエルより背が高く，「500年の行程だけ」サンダルフォンより低い。天国でハドラニエルを一目見るやモーセは「畏敬の念に打たれ」た。しかし，モーセが「至高の名前」を口にすると，今度はハドラニエルの方が恐れおののいた。

伝説は，モーセ以前の，アダムが天国にいた約2000年について語っている。あるときハドラニエルは，天使たちにさえ知られていない秘密や知識が書かれているという神聖なる大著『天使ラジエルの書』の後の所有についてアダムと話した。[出典：『ゾハル』Ⅰ，55b] 貴重な書物は，ノアやアブラハムを経て，最後にはソロモンの所有となった。

ゾハルの伝説（『ゾハル』Ⅲ）によれば，「ハドラニエルが神の意志を宣すると，その声は20万の大空を貫き，「口から放たれるあらゆる言葉で1万2000の雷光がきらめいた」（後者は『モーセの黙示録』による）。グノーシス主義では，偉大ではあるが，「火の支配者イェフエルの7人の部下の1人にすぎない」としている。[出典：キング『グノーシス主義とその遺産』p15] ハドリエルとして，東風の門を護衛する数多くの天使と共に仕える。『希望の書』では，ハドラニエルは，メタトロンがもつ72以上（実は100以上）の名前の1つである。ハドラニエルはメタトロンと同一視することができるし，これまでも実際に黙示文学で同一視されてきた，とオデバーグは『第3エノク書』の中で主張している。

ハドリエル Hadriel（ハドラニエル Hadraniel）『ラビ・ヨシュア・ベン・レヴィの黙示録』でプシエルと同等視される。

ハドリオン Hadrion　ハダリロンの別綴。

バトル Bathor　白魔術で，天の選帝侯あるいは執事として知られる，7人のオリュムポスの精霊の1人。

パトロジン Patrozin　アバスダルホンの下に仕える，夜の5時の天使。[出典：ウェイト訳『レメゲトン』]

パナイオン Panaion　『ユダヤのグノーシス主義，メルカバ神秘主義，タルムードの伝統』p63におけるショーレムの見解では，「おそらくメタトロンの別名」。ラビ・イシュマエルの『小ヘハロト』は，「アルコンのパナイオンは最高位の召使の1人であり，栄光の玉座の前に立つ」としている。

ハナエブ Hanaeb　黄道十二宮の12人の天使の1人。[出典：『モーセの第6，第7の書』]

ハナエル Hanael　→ハニエル Haniel

パナエル Panael　北風を護衛する天使の1人。同じ職務につくもう1人の天使パニエルとは区別すること。[出典：『オザル・ミドラシム』Ⅱ，316]

ハナニエル Hananiel（「神により慈悲深くも与えられし」の意）　その名前が，五芒星（ペンタクル），すなわちカバラ主義の起源であるヘブライの魔除

けに刻印されている大天使。バッジの『魔除けと護符』p233にある五芒星を参照。

ハナネル Hananel 『エノク書Ⅰ』で堕天使の1人。

ハニエル Haniel（アニエル Aniel, ハミエル Hamiel, オノエル Onoel, ハナエル Hanael,「神の栄光あるいは恩寵」あるいは「神を見るもの」の意）バレットの『魔術師』によれば、12月の天使、権天使、力天使（タルシシム）、イノセントの階級の長。また、（カムフィールドの『天使についての神学的論説』に引用されているように）磨羯宮と、金星の印の統治者である。その名は、7人（あるいは10人）いる大天使と10人いるセフィロトの中に現われる。ハミエル、シミエル、オノエル、アナエルなど、さまざまな異名がある。オカルト文献では、エノクを天国へ送るという離れ業を行なったのは、ハニエルであると見なされている（通常はアナフィエルに帰される）。ハニエルは、カルデアのイシュタル（金星を支配する）に比べられてきており、邪悪なものに対する魔除けとしてその名が用いられる。[出典：『聖なる天使の階級』;『ユダヤ魔術と迷信』;『実践カバラ』;『魔術師』]

パニエル Paniel 災難除けの護符に記された天使の名。北風を護衛する天使。[出典：シュライアー『ヘブライの魔除け』]

バニエル Baniel ソロモンの魔術儀式で招喚される下位の霊。[出典：『真の魔術書』；シャー『魔術の秘伝』]

ハニニエル Hanniniel アラム語の呪文の儀式において、愛のまじないで懇願される天使。[出典：『ニプールのアラム語呪文原典』]

ハヌエル Hannuel 磨羯宮を支配する天使。[出典：『聖なる天使の階級』]

ハヌム Hanum（ハヌン Hanun） 第1天に住む月曜日の天使で、南から招霊される。[出典：『ヘプタメロン』;『魔術師』Ⅱ］デ・クレアモントは著書『古代魔術書』で、ハヌムは北から招霊すべきと主張している。

バネク Banech 魔術儀式で招喚される7人の惑星の天使の1人。[出典：『モーセの第6、第7の書』]

ハノジズ Hanoziz ウェイト訳『レメゲトン』に引用されているように、夜の8時の天使で、ナルコリエルに仕える。

ハノゾズ Hanozoz 夜の9時の天使で、ナコリエルに仕える。

ハハイア Hahaiah 智天使の位の天使。思考に影響を及ぼし、人間に隠された謎を明らかにする。対になる天使はアタルフ。霊符はアンブランの『実践カバラ』p260を見よ。

ハハイエル Hahayel（カイイリエル Chayyliel）『第3エノク書』で、救いの天使たちが神の評議会に出席している際の長。

ハハエル Hahael（ハハヘル Hahahel） 力天使の1人。キリスト教の宣教師とキリストのすべての信奉者を庇護する。シェムハムフォラエ神の名をもつ72人の天使の1人。（オカルトの教義において）相当する天使はカンタレ。霊符はアンブランの『実践カバラ』p281に表示。

パバエル Pabael 月の使者の霊の1人。おそらくパベルと同一。

ハハジア Hahaziah バレットの『魔術師』Ⅱによれば、シェムハムフォラエ神の名をもつ72人の天使の1人。

パハディエル Pahadiel ヘハロトの伝承（『マアセ・メルカバ』）で、第7天の館に配置された護衛の天使。

パハドロン Pahadron ユダヤ神秘主義における恐怖の天使長。ティシュリの月（9月―10月）を支配する。[出典：トラクテンバーグ『ユダヤ魔術と迷信』p99]

ハハヘル Hahahel →ハハエル Hahael

パハリア Pahaliah 異教徒をキリスト教に改心させるために招霊される天使。神学と倫理学を支配し、シェムハムフォラエ神の神秘的な名をもつ72人の天使の1人。対になる天使はソティス。[出典：アンブラン『実践カバラ』p264]

バハリエル Bahaliel 東風の門を護衛する数多い天使の1人。[出典：『オザル・ミドラシム』Ⅱ、316]

ハビエル Habbiel（Habiel） 第1天の月曜日の天使で、愛の呪文で招霊される。[出典：デ・アバノ『ヘプタメロン』；ガスター, M.『モーセの剣』]

ハヒニア Hahinieh カバラにおける座天使の1人。[出典：アンブラン『実践カバラ』]

バビロンの天使 Angel of Babylon 『ミドラシュ・テヒリム』によれば、「バビロンの天使はヤコブの梯子を70段昇り、メディアの天使は52段昇った」とされる。両者とも名前は与えら

れていない。

ハファザ Hafaza イスラム教で，天使を意味する１つの用語。ある特別の階級を構成し，全部で４人いる。また「ジンや人間，それにサタンから人類を守る」。彼らの仕事は，人間たちの行いを書き留めることである。［出典：『宗教・倫理辞典』IV，617］

ハフイア Hahuiah シェムハムフォラエ神の名をもつ72人の天使の１人。

ハブイア Habu(h)iah 農業と豊饒を支配する天使。シェムハムフォラエ神の名をもつ72人の天使の１人。

ハフキエル Hafkiel モンゴメリーの『ニプールのアラム語呪文原典』において，悪魔祓いで招霊される天使。

パプスクル Papsukul カルデアの伝説では，偉大な神々の使者の天使。［出典：ルノルマン『カルデア魔術』p120］おそらくパプカルの別名。

ハブディエル Habudiel オカルティズムにおいて，第４天に住む日曜日の天使。南より招霊される。［出典：『ヘプタメロン』］

バプテスマのヨハネ John of Baptist ［出エジプト記］23：20，「マラキ書」3：1，「マタイによる福音書」11：10にあるように，「先触れの天使」。「見よ，わたしはあなたの前に使いを遣わして，あなたを道で守らせ，わたしの備えた場所に導かせる」。『ゾハル』（Vayehi，232a）ではラビ・ユダが次のように宣べる。「世界の解放者，この天使は，時には男であり時には女である。この者が世界に祝福をもたらすとき，女に祝福を与える男になぞらえて，彼は男である。しかし，世界に懲罰をもたらしに来るとき，いわば審判で腹が膨れているので，このものは女である。」［→メタトロン，→シェキナ，→預言者ヘリアス］コプト語の『福音書記者ヨハネの書』において，イエスは「預言者ヘリアス」（バプテスマのヨハネを意味する）について語り，水で洗礼を施すためにサタンによって遣わされた天使として述べている。［出典：ジェイムズ『新約聖書外典』p191］「東方教会のイコンには，彼（バプテスマのヨハネ）は，キリストの御前に遣わされる使者［天使］としての職務を示すために，常に翼をもった姿で描かれる」──ゲイルズ「キリスト教の天使伝承」より。

バブネア Babhne'a バビロニアのテラコッタで作る悪魔を捕まえる罠に，この天使の名前がヘブライ語で記され，悪からの防護のために唱えられる。［出典：バッジ『魔除けと護符』p288］

パフラン Paffran オカルティズムでは，サマクスの支配下に仕える火曜日の空気の天使。

ハブリエル Habriel 能天使の位の天使。招喚の儀式で呼び出される。［出典：「モーセの第６，第７の書」］

パベル Pabel 日曜日を支配する第４天の天使。パベルを招霊するとき，招霊者は西方を向かねばならない。［出典：デ・アバノ『ヘプタメロン』］

バベル Babel（バビエル Babiel）デ・アバノの『ヘプタメロン』では，木星の使者の１人。水曜日の天使あるいは金曜日の天使としてさまざまな文献で言及されている。招霊する者が南あるいは西を向いているときにだけ招霊されるという。一般的にカバラでは，バベルは第３天に住むとされる。

ハホウェル Hahowel 『モーセの第６，第７の書』における救いの天使。

ハボリム Haborym →ラウム Raum

ハマイゾド Hamayzod イェフィシャに仕える，夜の４時の天使。［出典：ウェイト訳『レメゲトン』］

ハマティエル Hamatiel オカルティズムにおいて，処女宮を支配する黄道十二宮の天使。［出典：ジョウブズ『神話，伝承，象徴辞典』］

ハマビエル Hamabiel ヘイウッドの『聖なる天使の階級』で，黄道十二宮の金牛宮を支配する天使。しかし，儀礼魔術では金牛宮を支配するのはトゥアルである。アスモデルも，黄道十二宮のこの宮を支配するとされている。

ハマヤ Hamaya 『モーセの第６，第７の書』に言及されているように，救いの天使。

ハマリエル Hamaliel トリテミウスによれば，８月の天使で，力天使の位の支配者の１人，また処女宮の支配者。儀礼魔術では，処女宮の統治者はヴォイルあるいはヴォエルである。［出典：バレット『魔術師』；ド・プランシー『地獄の辞典』；『モーセの第６，第７の書』；カムフィールド『天使についての神学的論説』］

ハマリツォド Hamarytzod ウェイト訳『レメゲトン』で，ダルダリエルの下に仕える11時

ハマ-ハマ

「最後の審判」 8世紀ペルシアの細密画。
『聖書の失われた書』より転載。

八

の天使。

ハマル Hamal（ハムナル Hmnal） 水を支配する天使。バラアムによって崇拝された7人の天使の1人でもある。アラビアの魔術儀式で祈願される。[出典：M.ガスター『アサティル』]

バマン Bahman →バルマン Barman

ハミエル Hamiel →ハニエル Haniel

ハムシャリム Hamshalim（ハシュマリム Hashmallim）『ゾハル』に記されるように、天使の位階を構成する10の階級の1つ。同書では、ハムシャリムはサマエルのもとで奉仕することになっている。

ハムネイイス Hamneijs 『モーセの第6、第7の書』にあるように、印章の天使。

ハム・メユカド Ham Meyuchad 智天使の位の天使。時に偉大な天使アカトリエルと同等視される。[出典：『第3エノク書』]

ハムワクイル Hamwak'il アラビアの伝承で、悪魔祓いの儀式で祈願される守護天使。[出典：T.ヒューズ『イスラム辞典』「天使」の項]

破滅の天使 Angel of Corruption (or Perdition) タルムード伝承によれば、神により地上の70国を守護するよう派遣された守護天使たちがいた。これらの天使は、国家の偏見により破滅し、マラケ・ハバラ（破滅の天使）となった。この集団の中で破滅しなかった唯一の天使は、イスラエルの守護天使であるミカエルである。[出典：アイゼンメンガー『ユダヤ人の伝統』Ⅰ，18；リー『魔術の歴史を探る資料』Ⅰ，17；ギンズバーグ『ユダヤ人の伝説』]

ハメリエル Hameriel アバスダルホンに仕える、夜の5時の天使。

ハモン Hamon 「イザヤ書」10：13についての聖ヒエロニムスの注解によれば、ハモンは天使ガブリエルのもう1つの名である。[出典：『第3エノク書』；ギンズバーグ『ユダヤ人の伝説』Ⅵ］『オザル・ミドラシム』Ⅱ，316では、南風の門を護衛する数多くの天使の1人。『第3エノク書』18章では、「偉大な支配者、近寄り難いが尊敬され、快活でありながら恐ろしい。〈まことに聖なる〉を歌う時間が近づくと、天国のすべての子供たちを震え上がらせる」。

パモン Pammon ザアゾナシュに仕える、夜の6時の天使。[出典：ウェイト訳『レメゲトン』p69]

速きもの Rapid, The ヴォルテール『天使、守護霊、悪魔について』によれば、「タルムードとタルグムの10階級の1つ」である天使の位。

ハヨト・ハカドス Hajoth Hakados スペンスの『オカルティズムの辞典』p199によれば、「エホヴァ」と名付けられた位階の1つに住む天使の種類。天使の住む領域とも言われる。

バラ Barah ヴェーダの教義で、10の神格の1つである「熊の化身（アヴァタル）」。→アヴァタル

バライ Balay デ・アボノの『ヘプタメロン』とバレットの『魔術師』で、第1天に住む月曜日の天使。招喚するとき、招喚者は北を向かなければならない。

バラエル Barael ユダヤ神秘主義で、第1天に住む7人の高位にある玉座の天使の1人。『天使ラジエルの書』によれば、「君主の命令の実行」を手助けする。[出典：コルネリウス・アグリッパ『オカルト哲学』Ⅲ；デ・アボノ『ヘプタメロン』]

バラカイアル Barkaial →バラクィヤル Baraqiyal

バラカタ Baracata ソロモンの魔術において、魔道士による祈りで招喚される天使。[出典：ウェイト『黒魔術と契約の書』]

バラキエル Barakiel（Barachiel、バラクィエル Baraqiel、バルビエル Barbiel、バルキエル Barchiel、Barkiel、など。「神の雷光」の意） 7人の大天使の1人。熾天使の4人の支配者の1人。2月の月の天使。第2天および証聖者の階級の支配者。雷光を司り、『ソロモンのアルマデル』では第2と第4の高みの天使の長の1人。さらに、木星、および天蠍宮（カムフィールドの『天使についての神学的論説』で引証されている）、双魚宮の統率者。ド・プランシーの『地獄の辞典』によれば、天使ウリエル、ルビエルとともに、賭博で勝利をもたらすために招喚される。[出典：ギンズバーグ『ユダヤ人の伝説』Ⅰ，140]

バラク Barach 魔術で使われる印章の天使。[出典：『モーセの第6、第7の書』]

バラクィヤル Baraqijal 『ヨベル書』にあるように、人の娘たちと交わった見張り（グリゴリ）の1人。この件に関しては『創世記』6章で触れられている。いまは冥府に住むデーモンで、占星術を教える。『エノク書Ⅰ』では、堕

天使の軍勢の指揮官の1人（10人の長の1人）として描かれている。→バラキエル［バラキヤルはバラキエルの別綴にすぎないのかもしれない。］

バラクェル Baraqel（バラキエル Barakiel）エノク書で挙げられている堕天使の1人。

パラクリトス Paraqlitos（パラクリート Paraclete〔「聖霊」の意味も〕）『ファラシャ文献集成』における，死の悲しみの守護天使。

ハラコ Halacho 哀れみの守護霊。11時の守護霊の1人でもある。［出典：テュアナのアポロニウス『ヌクテメロン』］

バラコン Barakon ソロモンの魔術儀式で招喚される天使。［出典：メイザーズ『ソロモンの大きな鍵』］

パラシエル Parasiel 木星の第1の五芒星にヘブライ文字で刻まれた天使の名。財宝の君主であり所有者。［出典：シャー『魔術の秘伝』p56］

パラシム Parasim（Parashim） タガスからドゥエリエルの支配下にある聖歌隊の天使あるいは天の騎士［参照：ペガソス］の位。［出典：『第3エノク書』］「神の歌（クェドゥシャ）の吟唱の時が来ると，この儀式全体の興奮と熱気に「歓喜する」と言われる。」

パラスラマ Parasurama ヴェーダの神智論における，10の神の化身の6番目。不死なるキランギヴァとして知られる。

パラダイス（楽園）Paradise 『異端駁論』においてエイレナイオスは，グノーシス主義のウァレンティヌス派の言葉を引用している。「第3天の上［すなわち第4天］にいるパラダイスは，実際は第4天の天使であると言われている。『モーセの黙示録』は，『エノク書Ⅱ』と同様に，パラダイスを第3天に置いている。［出典：ニューボウルド「ソロモンの頌歌におけるキリストの降下」*Journal of Biblical Literature*, 1912年12月］

バラティエル Baratiel 正午の時間を支配する天使の1人。［出典：ウェイト訳『レメゲトン』］

バラティエル Barattiel 『第3エノク書』18：6で，「3本指の偉大な天使の支配者」（その3本の指で最高の天を支えることができるらしい）であるバラティエルを見たとき，タガスは「頭から栄光の冠を取り，ひれ伏した」。→ア

タフィエル［おそらくバラティエルの異称。］

バラディエル Baradiel（ユルケモ Yurkemo, ユルケイ Yurkei, ユルケモイ Yurkemoi） 7人の大天使の1人。天使シャフィエルとともに，第3天を支配する。ヌリエルなどとともに雹を司る天使でもある。［出典：『第3エノク書』］

パラティネイト Palatinates〔「パラティン伯。」王権に等しい権力をもつ〕9の位階のうちの1つを指す言葉。『ソロモンの大きな鍵』で，祈禱師の姿を消す呪文に出てくる能天使の位の別名。［出典：シャー『オカルティズム』p161］

バラトン Ballaton ソロモンの五芒星の外円に見られる天使。ウェイト訳『レメゲトン』に図版が掲載されている。

ハラバエル Harabael（ハラビエル Harabiel） 地上を支配する天使。

ハラブ＝セラペル Harab-Serapel（「死のワタリガラス」の意） ネツァクに敵対する邪悪なセフィラ。その元素的外皮はテウニエルとバアル・カナンである。アシア界では，10人いるデーモンの第7番目である。また，地獄における指導者でもある。レヴィ『オカルト哲学』には「エロヒムあるいは神の敵対者たちで，彼らの長はバアル」とあり，そこではハラブ＝セラペルは複数と考えられている。［出典：『実践カバラ』p80の付表］

ハラヘル Halahel バエルの支配の下にある，善でもあり邪悪でもある霊。印章は，ウェイト訳『レメゲトン』175図に示されている。

ハラヘル Harahel カバラで，古文書保管所，図書館，稀覯本陳列棚を担当する天使。また，シェムハムフォラエ神の名をもつ72人の天使の1人でもある。［出典：霊符については『実践カバラ』p289］

バラボラト Baraborat 隠秘主義の伝承における水星の霊。水曜日の天使で，第2天あるいは第3天に住む。東から招霊される。［出典：デ・アバノ『ヘプタメロン』；バレット『魔術師』Ⅱ］

バラム Bahram →バルマン Barman

バラム Balam（バラン Balan） かつては主天使の位に属する天使であったが，現在は地獄で「3つの頭（牡牛，牡山羊，人間）と蛇の尾をもつ恐ろしい強力な王」である。彼は裸で熊にまたがる（ド・プランシーの『地獄の辞典』

1863年版掲載の図版を参照)。地獄の霊の40軍団を指揮する。[出典：『魔術大全』]

パララエル Palalael　パラリエルとは区別されるが，共に東風の門を護衛する天使。[出典：『オザル・ミドラシム』II，316]

ハラリエル Harariel　邪悪なものを防ぐための東洋のお守りに刻まれているのが認められた天使の名前。[出典：『ヘブライの魔除け』]

バリアイル Baryá'il　イスラム教の黙示録文献で，スーフィー教徒アブ・ヤジドが第7天で出会った天使。バリアイルは「500年の旅で進む距離ほどの背丈がある」とされる。[古代ペルシアの伝承で，パラサング〔1パラサングは約5.6キロメートル〕の単位で測定される天使たちの同じく想像を絶する背丈と比較せよ。]バリアイルは天に住む者たちが構成する多くの階級の統轄者である。低位の天で(第2天では天使ラウィド，第4天では天使ナヤイルを通して)，アブ・ヤジドはバラヤイルから「言い表わせない(ほどすばらしい)王国」を与えようと言われるが，その申し出あるいは賄賂を拒否して，天での上昇(mir'aj)の間ずっと神への献身に専念した。[出典：ニコルスン「アブ・ヤジド・アル=ビスタミの〈ミーラージュ Mir'-aj〉の初期アラビア語版」など]

ハリイ Hahlii　オカルトの教説において，インクと絵具の清めで唱えられる天使。[出典：メイザーズ『ソロモンの大きな鍵』]

パリウク Pariukh (マリオク Mariokh)　エノク文献の護衛を神に命じられた2人の天使の1人(もう1人はアリウク)。[出典：『エノク書II』『第3エノク書』]

ハリエル Hariel (ハラエル Harael, ベヘミアル Behemial)　温順な生き物を支配する天使。不敬虔に対して招霊される。科学と技芸を支配し，智天使の位に属する。[出典：『魔術師』II]霊符はアンブランの『実践カバラ』p267にある。

パリエル Pariel　災難除けのためのヘブライの護符に記された天使の名。[出典：シュライアー『ヘブライの魔除け』]

バリエル Baliel (バルヒエル Balhiel)　北から招喚される月曜日の天使。第1天あるいは第2天に住むとされる。[出典：『モーセの第6，第7の書』『オザル・ミドラシム』II，316では，バルヒエルという名で南風の門の数ある護衛の1人。→バライ

バリエル Bariel　午前11時を支配する天使。木星の第4の五芒星の天使でもある。[出典：メイザーズ『ソロモンの大きな鍵』]

ハリケーンの天使 Angel of Hurricanes　→ザミエル，→ザアフィエル

ハリザ Halliza　ソロモンの五芒星の外側の円に現われる天使の名前(156図)。[出典：ウェイト訳『レメゲトン』]

ハリス Haris　イブリスのもう1つの名前。ジンの長で，アラビアの伝承では堕天使の指導者。

バリデト Balidet　土曜日の風の天使。メイモンに仕える。

パリト Palit (「逃れたもの」の意)　ユダヤの伝説では，サマエル(サタン)が天から投げ出された際に，ミカエルはサマエルの手から逃れたという。このときのミカエルの名がパリトである。[出典：ギンズバーグ『ユダヤ人の伝説』I，231]『ミドラシュ・テヒリム』ではパリトはオグの別名とされる。さらに『ラビの哲学と倫理学』にはプラクリトという名も見られる。

ハリトン Hariton (フィクション)　グルジェフの宇宙神話『ベルゼバブの孫への物語』に登場する大天使。惑星間を航行する新型の宇宙船を考案する。

バリニアン Barinian　古代ペルシアの伝承で，至高の存在。「高位の天使たち。」フリスタルとも呼ばれる。[出典：『ダビスタン』]

ハリフ Hariph　マリア・ブルックスの1冊の長詩『ゾフィエル』における天使ラファエルのもう1つの名前。

パリメル Parymel　『モーセの第6，第7の書』において，招喚の儀式で唱えられる15人の天使の1人。15人の名については付録を参照。

パルヴァルディガル Parvardigar　古代ペルシアの神統譜における光の天使。[出典：『ダビスタン』p15]アラブ伝承では，光の天使はブ=ウン=マウである。

ハルヴィエル Harviel　ヘハロト伝承(『マアセ・メルカバ』)で，第2天の館に配置された護衛の天使。

バルキアケル Baruchiachel　『第3エノク書』において，7人の偉大な惑星の支配者の一人。ストリフェという名の女性のデーモンを追

い払うことができる唯一の天使［出典：『ソロモンの誓約』］。

ハルキエル Harchiel　黒魔術の儀式で，デーモンたちに命令を下すように招喚される天使。デーモンたちは，姿を見えなくする力を魔術師に授けるという。［出典：『ソロモンの大きな鍵』p45］

バルキエル Barchiel　→バラキエル Barakiel

バルキエル Barkiel（バラキエル Barakiel）『オザル・ミドラシム』II，316で，東風の門を護衛する数多い天使の1人。

バルギニエル Barginiel　午前7時を支配する天使。［出典：ウェイト訳『レメゲトン』］

バルキン Balkin　儀礼魔術では，情け深い霊の首領，北方の山脈の王。バルキンの補佐役は，土地霊であるルリダン。［出典：スコット『妖術の暴露』；バトラー『儀礼魔術』］

バルク Barku　→リモン Rimmon

バルク Baruch（「至福を受ける者」の意）『バルク黙示録』によれば，生命の樹を護衛する天使の首長。［生命の樹を護衛する天使でもあるラファエルと比較せよ。］『バルク黙示録』では，バルクは5つの天を旅し，最初の3つの天で「醜悪な姿の怪物」を目にする。初期オフィス派（グノーシス主義）の体系では，「人間の内にある魂を救済するために」エロヒム（神）により遣わされた3人の天使の1人。妖術の伝承では，ルーダンの修道女セラフィカに憑依した7人の悪魔の1人。［出典：ミード『忘れられた信仰の諸断片』p196］

ハルクィム Halqim　北風の門を守る数多くの護衛の天使の1人。［出典：『オザル・ミドラシム』II，316］

バルクス Barcus　テュアナのアポロニウス『ヌクテメロン』では，第5元素の守護霊（すなわち天使）。5時の魔神の1人でもある。

バルケイル Barkeil　マンダ教における天使。［出典：ポニョン『マンダ教碑文』］

バルサベル Barsabel（バルザベル Barzabel）『魔術師』で，火星を支配する天使の1人。カバラ数は325。

ハルシエル Harshiel　シリアの招喚の儀式で招霊される天使。『保護の書』では，呪文で拘束する能天使として，ミカエル，ガブリエル，サルフィエル，アズラエル，その他とともに（特に魔術師の拘束について）言及されている。

パルジエル Parziel　『ピルケ・ヘハロト』に記された，第6天を護衛する天使。

ハルシヤ Parshiyah　天使メタトロンがもつ多くの名の1つ。

ハルシャエル Harshael　→ハルシエル Harshiel

バルセロナの守護天使 Guardian Angels of Barcelona　聖ヴィンセント・ファーラーを訪れた名前のない天使。頻繁に捕らえられたので，実際にはこの都市を守ることはなかった。バルセロナにこの守護天使の彫像がある。［出典：ブリューワー『奇跡の辞典』p504］

ハルダ Harudha　ペルシアの神話学で，水の元素を支配する天使。マンダ教では，水の支配者であると同時に，健康と草木の霊である女性のハウルヴァタトと同等視される。

ハルタイル Harta'il　アラビアの伝承において，悪魔祓いの儀式で招霊される守護天使。［出典：『イスラム辞典』「天使」の項］

バルダク Baldach　メイザーズ『ソロモンの大きな鍵』にあるように，儀礼魔術で招喚される天使。

バルタザルド Baltazard　ソロモンの魔術で，女性（のガーター）を調達するために招喚される霊。［出典：『真の魔術書』］

パルタシャ Partashah　リリトがもつ多くの名の1つ。［出典：ハナウアー『聖地の民間伝承』p325］

バルツァキア Bartzachiah（バルザキア Barzachia）　イトゥリエル，マディニエル，エスキエルとともに，火星の第1の五芒星に記される天使の名前。これらの天使の名前はヘブライ文字で記される。［メイザーズ『ソロモンの大きな鍵』］

パルツフ Partsuf（複数はパルツフィム Partsufim，あるいは，パルズフェイム Parzupheim，「神性」の意）　カバラにおいて，セフィロトに内在する神の姿。「アジルト界に住む」5人のパルツフィムの長は，1．アリウク・アンピン（長い顔，あるいは，長い苦難）あるいは，アティカ・カディシャ（聖なる古代のもの），2．アバ（ホクマあるいは知のパルツフ），3．女性の姿をとるイマ（ビナあるいは理解のパルツフ），4．ゼイル・アンピン（待ちこがれるもの，聖なるもの），5．シェキナ（もう1人の女性のパルツフ，神の写し）であ

る。[出典：キング『グノーシス主義とその遺産』；ショーレム『ユダヤ神秘主義』]

バルティアベル Bartyabel　パラケルススによる護符に関する教えによれば，火星の霊で，火星を支配する叡智体であるグラフィエルに仕える。[出典：クリスチャン『魔術の実践と歴史』I，318]

バルティアル Balthial（バルティエル Balthiel）『第3エノク書』で，7人の惑星の天使の1人で，邪悪な嫉妬の霊の策略の裏をかき，これを打ち倒すことのできる唯一の者。[出典：『ソロモンの誓約』]

ハルディエル Haludiel　主の日（日曜日）に招霊される第4天の天使で，招喚者は南を向く。太陽の叡智体でもある。[出典：マルクス『トゥリエルの秘密の魔術書』]

バルディエル Bardiel（バルキエル Barchiel，バラディエル Baradiel）ユダヤの伝説で，双子のカディシン，ヌリエルとともに，雹の天使。

パルテロン Paltellon　塩の祝福の儀礼で招霊される天使。[出典：メイザーズ『ソロモンの大きな鍵』p94]

ハルト Harut（ハロト Haroth，ハウヴァタティ Hauvatati，ハロオト Haroot）イスラムの伝説では通常マロトと関連づけられる。支配の術を人間たちに教えるために（マロトと共に）天上から送られた（コーラン2章，102スーラを参照）。ペルシアの伝承では，ハルトとマロトは最高位の天使で，アムシャ・スプンタの2人であり，神の秘密の名をもつと言われている。この名前を，彼らが共に恋に落ちた人間の女性ゾブラあるいはズラに，不用意にも明かした。ハフィズのオード14への脚注（リチャード・ル・ガリエン英訳）は，明示された名前の力によって，「イスラム教の神話学で同一視されるようになった」金星にまで，ズラが上昇したと述べている。さらに次のように語る。堕天使（マルトとハルト）は「バビロンの近くの穴に頭を下にして監禁されるという罰をうけた。そこで魔術と妖術を教えると考えられた」。ヘイスティングズの『宗教・倫理辞典』IV，615には，2人は「サタンの役目をもつ堕天使」という特徴が挙げられている。

パルトリエル Paltriel『ピルケ・ヘハロト』に記された，第5天を護衛する天使。

春の天使 Angels of the Spring　オカルトの教義では，アマティエル，カラカサ，コレ，コミソロスの4人。春の宮の首長はスプグリグエル。天使長はミルキエル。

ハルハジエル Harhaziel（ハルハジアル Harhazial）第3天の館あるいは宮殿の1つを護衛する天使の1人。[出典：『ピルケ・ヘハロト』]

バルバトス Barbatos　かつては力天使の位に属していた天使。スペンスは『オカルティズムの辞典』の中で，「この事実は果てしない研究の末に確認された」と言っている。いまは地獄に住む偉大な統轄者で，30の霊の軍団を支配している。「鳥の歌を理解し，過去を知り，未来を予知する」とされる。魔術儀式で招喚されると，太陽が人馬宮にあれば，喜んで現われる。バルバトスの霊符に関しては，ヴィエルスの『偽君主論』，ウェイトの『黒魔術と契約の書』p108，『レメゲトン』を参照。

バルヒエル Balhiel →バリエル Baliel

バルビエル Barbiel（バルブエル Barbuel，バルエル Baruel）かつては力天使と大天使の位の支配者であった。10月の天使であり，月の二十八宿を支配する28人の天使の1人。バレットの『魔術師』ではバルビエルはバラキエルと同等視されている（バルビエルは2月の天使ということにもなる）。地獄では，ザフィエルの支配の下に7人の選帝侯の1人として仕えている。

バルファランゲス Barpharanges（セセンゲス＝バルハランゲス Sesenges-Barharanges）グノーシス主義で，生命の水源（天の洗礼）を監督する力の1つ。この名前はコプト語の魔術文献に現われる。洗礼の水の天使であるラファエルを参照。[出典：『ブルース写本』；ドレッセ『エジプト・グノーシス主義の秘密の書』]

バルベリト Balberith（ベリト Berith，ベアル Beal，エルベリト Elberith，バアルベリト Baalberith）堕天した智天使の支配者。いまは地獄の大祭司で儀式を司る。また，人間と悪魔の間に交わされた契約を認証する。「筆記者」と呼ばれ，地獄の記録にそう書き留められている。『妖術と悪魔学の辞典』によれば，エクス＝アン＝プロヴァンスの修道女マドレーヌに憑依したデーモンとされ，彼女に他の悪魔の名前を明かしたという。[出典：ミカエリス『悔悛し

た女の驚嘆すべき憑依と改宗の物語』；ド・プランシー『地獄の辞典』(1863年版) には冠をかぶり馬に乗った姿で描かれている］

バルペルティヤ Palpeltiyah　メタトロンがもつ多くの名の1つ。

バルベロ Barbelo　「万物の父に次ぐ地位にある，完全なる栄光の」偉大なるアルコン（女性）。「宇宙の造り主」（Cosmocrator）の配偶者［出典：グノーシス主義の『マリアの福音書』と『ヨハネのアポクリフォン』］。『救世主の書』では，ピスティス・ソフィアの娘で，上位の天使たちを生む。

ハルボナ Harbonah（「ロバの御者」の意）ギンズバーグの『ユダヤ人の伝説』に言及されているように，7人の混乱の天使の1人。アハシュエロス〔クセルクセス〕王とエステルに関わる話では，霊魂消滅の天使となっている。

バルマン Barman（バマン Bahman，バラム Bahram）　古代ペルシアの宇宙論では，人間を除く地上の動物すべてを支配する天使 (mihr)。月の30日を統轄するよう定められた30人の天使の首長［出典：ハイド『古代ペルシア宗教史』］。『ダビスタン』ではアムシャ・スプンタの1人で，「最初の知，最初の天使（略）他の聖霊や天使はこれから生じた」とされる。「イスラム教徒がヤブリエルと呼ぶ最強の天使」であり，1月の天使，月の2日目の支配者。頭に赤い王冠を被った，赤い石で出来た人間の姿で描かれることが多い。オマル・ハイヤームの『ルバイヤート』では「バラム，偉大なる狩人」と詠われている。

パルミエル Parmiel　ヴェグアニエルの下に仕える，昼の3時の天使。［出典：ウェイト訳『レメゲトン』p67］

ハルモゼイ Harmozey（Harmozel ハルモゼル，Armogen アルモゲン）　グノーシス派の伝承で，「自ら生まれたもの，つまり救い主，すなわち神を取り囲む」偉大な4人の天体天使の1人。［出典：『ヨハネのアポクリフォン』；『異端反駁』；『グノーシス主義と初期キリスト教』］自ら生まれたものを取り囲む他の3人の天体天使は，ふつうオロイアエル，ダヴェイタ，エレレトとして記載されている。

ハルワヤ Halwaya　『エゼキエルの幻視』で示されているように，天使メタトロンの秘密の名前。

バレスケス，あるいは，バレスカス Baresches or Bareschas（「始まり」の意）　魔術書で，招霊者が望む女性を手に入れるために招霊される偉大な天使。

ハレルヴィエル halelviel　ヘハロト伝承（『マアセ・メルカバ』）で，第7天の館に配置された護衛の天使。

反キリスト Antichrist　たいていの場合ベリアルあるいはベリエル。ネロを指して使用されることもある。グリヨ『妖術師・秘術師・錬金術師の博物館』p48の図解を参照。

万軍の主 Lord of Hosts　サバオト，アカトリエル，神。ラビ・イスマエル・ベン・エリシャは天を訪問して帰国した際，次のように報告した。「私はかつて香料を捧げんと内陣の奥に入っていき，崇高かつ高貴なる玉座に座すアカトリエル・ヤ，すなわち万軍の主を見たのだ。」［出典：『ベラコト』30（ソンキノ・タルムード）］

万軍の主の天使 Angel of the Lord of Hosts　天上では，ミカエル。地上では「神の恩寵の側に属するという理由で」司祭長とされる。［出典：『ゾハル』(民数記 145b)］

万軍の主の天使 Angel of Mighty Counsel　七十人訳聖書の有名な一節（「イザヤ書」9：6）で，キリスト教護教家はこれをキリスト到来の予言，あるいはキリストの別称と解釈した。

パンシア Pancia　儀礼魔術，特に剣の招喚で唱えられる「まことに純粋な天使」。［出典：『真の魔術書』］

ハンティエル Hantiel　昼の3時の天使で，ヴェグアニエルに仕える。

ハンル Hanhl　最初の7つの祭壇を建てるようバラムに命じた天使。［出典：『アサティル』］

ヒ

ヒヴァ Hivvah　堕天使セムヤザの2人の息子の1人。→ヒヤ

ヒウェル＝ジワ Hiwel-Ziwa（ヒベル＝ジワ Hibel-Ziwa）　マンダ教で，至高の存在アラハによって創造された360の神的存在の1人。この世界を創造したと言われる。

ヒエリミエル Hierimiel　→イェレミエル Jeremiel

ヒエル Hiel 厄除けのための東洋風の護符(カメア)に刻まれている天使の名前。[出典：シュライアー『ヘブライの魔除け』]

ヒオスキエル・イェホヴァ Hyoskiel Jhvhh Xの軍勢を率いる天使の長の1人。[出典：M.ガスター『モーセの剣』XI]

ビクア Biqa (アムハラ語で，「善人」の意) カスベエルの最初の名前。カスベエルは堕天した後（創造された瞬間に神から離れるという罪を犯した），「神に嘘をつく者」という意味のカズベエルと改名された。

東の天使 Angel of the East (or Angel of the Rising Sun あるいは昇る太陽の天使） ミカエル，ガウリイル，イシュリハ，ガザルディエル。

東の4人の天使 Four Angels of the East 『ソロモンの鍵』で東の4人の天使とは，ウルズラ，ズラル，ラルゾド，そしてアルザルである。彼らは「情け深く栄光ある天使たち」であり，「招喚者が造物主の神秘的な知に幾らかでも与れるように」招霊される。

光 Lights 天使，天体。[出典：『不可視の偉大なる霊の書』(ナグ=ハマディで発見されたものの1つ)，グラント『グノーシス主義と初期キリスト教』p44]

光り輝く者たち Splendors タルシシムの別名。力天使(ヴァーチュー)と同等視される。アルフレッド・ド・ヴィニーはその詩『エロア』で，光り輝く者たちについて（情熱や護衛と共に）天上の位階として言及している。

光の王 Prince of Light 死海文書『光の子らと闇の子らの戦い』によれば，ミカエルのこと。『死海文書の規律』には，人間の姿をした光の王が闇の天使（すなわち逸脱の霊）と絶えず戦っていることが述べられている。ギンズバーグの『ユダヤ人の伝説』によれば，ウリエルが光の王。

光の監視者 Overseer of Light 天使イェウ。

光の子供たち Progenie of Light 例えば『失楽園』V，600におけるように，天使に用いられる語。

光の処女 Virgin of Light マニ教では，月に住む力天使の位の大いなる天使。『ピスティス・ソフィア』で，光の処女は，ソフィアに代わって魂の審判や印章の配分を行なう。他に7人の光の処女を副官としている。[出典：レッジ『キリスト教の先駆者とライバル』II，150] コプト語の原典では，光の処女は「人間の魂が受胎の際に入る身体を選ぶ」者である。彼女はその義務を遂行して「洗礼者ヨハネの身体にエリヤの魂を送った」。

光の天使 Angel of Light イサク，ガブリエル，イエス，サタンがこのように呼ばれた。ただしサタンは光の天使を装っているにすぎない（「コリントの信徒への手紙二」11：14）。ユダヤの伝承でイサクが光の天使と呼ばれるのは，生まれたとき（ミカエルがイサクの誕生を告げた）の表情に超自然的な明るさがあったためである。中世のキリスト教の伝承では，ガブリエルが光の天使。[出典：クリスチャン『魔術の実践と歴史』I，296] パールシー教では，ミフル（メヘル，ミトラ）とパルヴァルギガル（アラビア語ではラブ=ウン=ナウ，「種の主」の意）。『ミドラシュ・コネン』によれば，300人の光の天使が第3天に住み，「たえまなく神への賛歌を歌うと同時に，エデンの園と生命の樹の見張りをしている」という。ここでは2つの楽園，地の楽園と天の楽園があることに留意しなけれ

「グロリアを歌う天使たち」ベノッツォ・ゴッツォリ（1420—1498）作。レガメイ『天使』より転載。

ばならない。カバラでは，惑星の1つとされた太陽が光の天使と見なされた。

光の天使 Angel of Lights 『サドカイ派文書諸断片』には次のような一節がある。「ベリアルの策略でヤンネとヤンブレが対抗したのにもかかわらず，モーセとアロンは光の天使の保護を受け，その務めを果たしつづけた。」[出典：『サドカイ派文書諸断片と死海文書』；グラント『グノーシス主義と初期キリスト教』] 太陽の統治者ラファエルやウリエル，「日の光」シャムシエルも，光の天使とされることがある。

秘儀の天使 Angel of Mysteries ラジエル，ガブリエル，ジズフ。クリスチャン『魔術の実践と歴史』で，ガブリエルは「秘儀の守護霊」である。

ビグタ Bigtha（ビズタ Biztha） ギンズバーグの『ユダヤ人の伝説』では，7人の混乱の天使の1人。また2人のブドウしぼりの1人。アハシュエロス王の宮殿では，破壊の天使となっている。

ヒザルビン Hizarbin 海の守護霊で，2時の守護霊の1人。[出典：レヴィ『高等魔術の教理と祭儀』；テュアナのアポロニウス『ヌクテメロン』]

ピジエル Pyziel M.ガスターの『モーセの剣』で言及された悪の天使。敵に対抗するための招喚儀式で呼び出される。

秘事の天使 Angel Over Hidden Things サタレル（サルタエル），ゲテル（インゲタル）。

ヒズキエル Hizkiel ガブリエルが軍旗をたずさえて戦いに赴く際には，カフジエルと共に筆頭補佐官として仕える。[出典：『ゾハル』民数記 155a]『オザル・ミドラシム』II, 316では，ヒズキエル（あるいはヒズクィエル Hizqiel）は，北風の門の数多くの護衛の1人である。

ピスクォン Pisqon 天使メタトロンがもつ多くの名の1つ。付録を参照。

ピスティス・ソフィア Pistis Sophia（「信仰」「知恵」の意） 女性のアイオンで，グノーシス主義において最も偉大な者の1人。「上位の天使たち」を生んだとされる。アダムとエヴァを誘惑する蛇を送った。[出典：ミード『ピスティス・ソフィア』]『救世主の書』によれば，ピスティス・ソフィアはバルベロの娘である。

ビズブル Bizbul（「ゼブルで」の意） ラビ・イニアネイ・バル・シソンによれば，メタトロンの秘密の名前。[出典：『エゼキエルの幻視』]

ヒスマエル Hismael 木星の霊。[出典：バレット『魔術師』II, 146]

ピ=ゼウス Pi-zeus 木星の守護霊であり，主天使（ドミネイション）の位の長。→ザカリエル

羊飼い Shepherd →シェパード

ビナ Binah（「理解」の意） 第3のセフィラ。『隠された神秘の書』では「海」と呼ばれている。[出典：ルーンズ『カバラの知恵』]

ヒニエル Hiniel 『守護の書』で引用されているように，シリアの呪術の儀式で，ミカエル，ガブリエル，サルフィエル，その他の「呪縛の天使たち」と共に招霊される天使。

ヒニエル Hyniel 火曜日を支配する天使の1人で，東風の支配下にある。北から招霊される。[出典：バレット『魔術師』II]

日の老いたる者 Ancient of Days カバラでは，第1セフィロトであるケテルを指す語。またカバラで「神自身に内在する神（God as He is in Himself）」であるマクロポソプス（「広大な表情」の意）に適用される。さらには「最高位にある聖なる者たち」すなわち天使のうちで最も尊ぶべき者を意味する。「ダニエル書」7：9では，この表現は預言者ダニエルの称号と神の幻を指している。「なお見ていると，／王座が据えられ／「日の老いたる者」がそこに座した。／その衣は雪のように白く／その白髪は清らかな羊の毛のようであった。／その王座は燃える炎／その車輪は燃える火」ディオニュシオスは『神名論』で日の老いたる者という語を，「日の経過，永遠なる時間の流れに先立つ万物の永遠性 the Etenity and the Time of all things prior to days and eternity and time」と定義している。この語はまたイスラエルにも適用される。ウィリアム・ブレイクは象徴詩の中で，エホヴァを象徴するユリゼンとして日の老いたる者を引き合いに出している。「日の老いたる者」はブレイクの有名な絵画のタイトルにもなっている。また「アダムに生を与えるエロヒム」という絵画も参照。米国聖公会の賛美歌集の中の519番は，「栄光の座におわします日の老いたる者よ；すべての者が御前でひざまずく」という歌詞で始まる。

火の王 Prince of Fire 「火の君主」と呼ばれるナタネル Nathanel のこと。[出典：キング『グノーシス主義とその遺産』p15] イェフ

エルも火の王と呼ばれる。地獄の帝国では，火の王はプルートー。[参照：『真の魔術書』などの魔術文献] →アトゥニエル

火の守護神 Genii of Fire　オカルティズムにおいて火の守護霊は3人いる。星の光の王アナエル，太陽の王ミカエル，そして火山の王サマエルである。[出典：ジョウブズ『神話・民間伝承・象徴辞典』]

日の天使 Angel of the Day（日光の天使 Angel of Daylight）『第3エノク書』で言及されるように，シャムシエル。[出典：『魔除けと護符』p375；ギンズバーグ『ユダヤ人の伝説』II，314]

火の天使 Angel of Fire, Fiery Angel　ナタニエル（ナタネル），アレル，アトゥニエル，イェホエル，アルダレル，ガブリエル，セラフ，「太陽の火の天使」であるウリエル。「ヨハネの黙示録」14：18は，「火をつかさどる権威を持つ」天の祭壇の天使に言及している。ヴェーダの火神，人間と神々の媒介者（天使）であるアグニと比較せよ。ゾロアスター教の火霊は，アータル。『第4マカバイ書』には，アロンにより打ち倒される火の天使への言及があり，これに関してはライダー『知恵の書』18：22で言及される破壊の霊と比較せよ。

バアル神を崇拝するヤイルがアビメレクを継承してイスラエルの王となり，神に忠実な7人の男を火刑に処そうとしたとき，「火の支配者」ナタネルはその火を消し，7人を逃がした。それからナタネルはヤイルとその部下1000人を焼いたという。この伝説に関しては，『聖書古代誌』39章，及び『エレミヤ余録』48：175を参照。

1920-26年に作曲されたプロコフィエフのオペラ『火の天使』（1903年出版）は，ロシアの詩人ワレリー・ブリューソフの小説が下敷きになっている。主人公はマディエルという名の火の天使で，ドイツの騎士の姿でヒロイン（16世紀の幻影）のもとに帰る。オペラの上演は1955年，ヴェニスで行なわれた。アメリカでの初演は1965年9月，ニューヨークのシティー・センターにて。

キルヒャーの『喜悦の旅』によれば，「太陽には火の天使たちが住んでおり，彼らは無数の流星を放出する火山を取り囲む光の海を泳いでいる」という。シャガールの有名な油絵「赤色天使の降下」では，平和で穏やかな世界に黙示的な火の天使が降り立ち，世界を破壊する様が描かれている。

火のように語る天使 Fire-Speaking Angel　ハシュマルのこと。

ビビヤ Bibiyah　天使メタトロンがもつ多くの名前の1つ。

ビフィエル Bifiel　ヘハロトの教義（『マアセ・メルカバ』）で，第6天の館に配置された護衛の天使。

ヒフカディエル Hiphkadiel　厄除けのための東洋風の護符に刻まれている天使の名前。[出典：シュライアー『ヘブライの魔除け』]

ヒペゾコス Hypezokos（「炎の花」の意）　カルデア人の宇宙論の体系において，「説明可能で，本質的で，基本的な階級」の1つ。

ヒペトン Hipeton（アナファクセトン Anaphaxeton）　木星の霊あるいは天使。天使ヨフィエルと支配権を共有する。[出典：バレット『魔術師』]

ヒペラキイ Hyperachii　カルデアの神々の系譜において，宇宙を導く大天使の集団。[出典：オード『ゾロアスター教のカルデア神託』]

ヒベル＝ジワ Hibel-Ziwa　マンダ教でガブリエルと同等視される天使。→ヒウェル＝ジワ

ピ＝ヘルメス Pi-Hermes　天使ラファエルと同等視される。ヘルメス主義では，水星の守護霊であり，大天使の位の長。[出典：クリスチャン『魔術の歴史と実践』I，68]

ピホン Pihon　「人間の祈りが天の住まいに入ることを許されて扉が開いたとき」の天使メタトロンの名。メタトロンがその扉を閉めるとき，彼はシグロンと呼ばれる。[出典：『第3エノク書』の序論]

ヒヤ Hiyyah　堕天使セムヤザの息子。伝説によれば，ヒヤとその兄弟は一緒に，毎日1000頭のラクダと1000頭の馬と1000頭の雄牛を食べ尽くしたという。→ヒヴァ

ヒュドラ Hydra(s)　カルキュドリと比べよ。

ピュトン Python　9人の大天使の第2位の者，あるいは悪の位階の第2位の者。「偽りの霊の王。」[出典：カムフィールド『天使についての神学的論説』] ギリシア神話では，デウカリオンの大洪水の泥から孵化した蛇の怪物であり，パルナッソスの深い裂目に潜んでいたが，太陽神アポロンの矢で射られてついには殺され

た。[出典：『ブリタニカ百科事典』「Dragon」の項；サマーズ『妖術と悪魔学の歴史』；レッドフィールド『世界の神々の辞典』]

ビュレト Byleth →ベレト Beleth

ピ＝ヨ Pi-Joh（ピ＝イオ Pi-Ioh） ガブリエルと同等視される。ヘルメス主義では，月の守護霊であり，天使（エンジェル）の位の長。

秒 Seconds（フィクション） チャールズ・アンゴフの短編「神は後悔する」における天使の名。

ピララエル Pilalael 西風の門を護衛する数多い天使の1人。[出典：『オザル・ミドラシム』II, 316]

昼の光の天使 Angel of the Light of Day 楽園の支配者であるシャムシエル。[出典：『第3エノク書』]

ピ＝レ Pi-Re ミカエルと同等視される。ヘルメス主義では，7人の惑星守護霊（大天使）の1人であり，力天使の位の長。

ビレト Bileth →ベレト Beleth

ヒロファテイ Hilofatei と**ヒロフェイ** Hilofei ヘハロト伝承（『マアセ・メルカバ』）で，第4天の館に配置された護衛の天使。

フ

ファイアル Phaiar 葦の聖別儀式で唱えられる天使。[出典：メイザーズ『ソロモンの大きな鍵』]

ファヴァシ Favashi（プラヴァシ Pravashi, ファロハルス Farohars, フェロウエルス Ferouers, フェルヴェルス Fervers, ファルケルス Farchers） ゾロアスター教で，あらゆる被造物の天上の原型であり，信者の守護天使。2つの性質あるいは特性をもつ。つまり，一方では天使であり，他方では人間の特質，属性，思考をもつ存在である。彼らはゼンド＝アヴェスタ〔ゼンドとアヴェスタを融合した古代ペルシアのゾロアスター教の経典〕のフラヴァルディン，すなわち「あらゆる事物に住む女性の魔神であり，人間の保護者」であった。ヤーコブ・ヴァッサーマンの小説『ケルクホーフェン博士』でファヴァシは次のように定義されている。「肉体からまだ独立できない人間の魂の部分であり，（略）良心や心のように破壊することができず，（略）同一の肉体になることもない。

つまり，彼らは，それが純粋なものに属するのならもう一つの肉体に気づいていたかもしれない」と。[出典：ゲイナー『神秘主義辞典』；ヘケットホーン『あらゆる時代，あらゆる国々の秘密結社』I, 25；キング『グノーシス主義とその遺産』]

ファキエル Phakiel ラダルという名の守護霊と共に黄道十二宮の巨蟹宮を支配する。[出典：レヴィ『高等魔術の教理と祭儀』；『闇の王』p177]

ファクル＝エド＝ディン Fakr-Ed-Din（「信仰の不十分なもの」の意） イスラム教ヤズィード派における7人の大天使の1人。祈りで唱えられる。他の6人の大天使の名前については付録を参照。[出典：フォーロング『宗教百科辞典』]

ファダヘル Phadahel →ファディヘル Phadihel

ファティエル Phatiel アバスダルホンに仕える，夜の5時の天使。

ファディヘル Phadihel（パダエル Padael） ユダヤの伝承において，マノアの妻（サムソンを産んだ）に遣わされた天使。[出典：『聖書古代誌』]また，アブラハム，ヤコブ，ギデオンの前に現れた天使とも言われる。（「創世記」32：29；「士師記」13：3-18；「ルカによる福音書」13：34）

ファヌエル Fanuel（Phanuel） 御前の4人の天使の1人。『エズラ書IV』に言及があるが，そこでは「もうひとつの姿でのウリエル」と言われている。→ファヌエル Phanuel〔ラグエル，ラミエル，ヘルマスの牧者などと同等視されている。〕

ファヌエル Phanuel（Fanuel，ウリエル Uriel，ラグエル Raguel，ラミエル Ramiel，など，「神の御前」の意） 悔悛の大天使であり，神の御前の4人の天使の1人。他の3人は一般にミカエル，ガブリエル，ラファエルとされる。『エノク書I』では，ファヌエルは「サタンをかわし」，「サタンが地上に住む者たちを告発するため神の前に現われることを」許さない。『ヘルマスの牧者』で牧者と同一視され，『エノク書I』（40）ではウリエルと同等視される。チャールズは，「後期ユダヤ教では，ウリエルが」御前の4人の天使の1人として「ファヌエルにとって代わる」と述べている。『第IVエズ

フア–フア

「燭台を手にひざまずく天使」 ミケランジェロ作。
『ミケランジェロの彫刻』 (New York, Oxford University Press, 1939) より。

ラ書』では，ラミエル（イェレミエル）かヒエレミヘルあるいはエレミエル（この名は『ゼファニアの黙示録』で挙げられた）と同等視される。『シビュラの託宣』では，「人間がしてきた全ての悪を知る5人の天使の1人」。初期のヘブライの魔除けで，ファヌエルはファニエルのように悪霊に対抗して招霊される。[出典：トンプスン『セム族の魔術』p161；『バルク書Ⅲ』]ミュラーの『ユダヤ神秘主義の歴史』ではウリエルと同一視される。エティオピア人はタクサスの第3の日に「大天使ファヌエル」の聖なる日を祝う。[出典：『ファラシャ文献集成』]

ファブリエル Fabriel 第4天で仕える天使。[出典：『モーセの第6，第7の書』]

ファマエル Phamael（ファヌエル Phanuel）『バルク書Ⅲ』におけるファヌエルの綴り「まちがい」。

ファミエル Famiel 空気の金曜日の天使。第3天で仕え，南から招霊される。

ファリス Farris 夜の2時を支配する天使。→プラクシル

ブアル Bualu 儀式でこの名を唱えると，絶大な力を発揮する8人の天使の1人。他の7人はアトゥエスエル，エブフエル，タバトル，トゥラトゥ，ラブシ，ウブリシ。[出典：『モーセの第6，第7の書』p85] これらの天使の招喚に関するカバラの規定によれば，「力強くはっきりした声で，世界の四隅から3回呼ばねばならない。それぞれの名前を3回ずつ発声したら，角笛を3回鳴らすこと」。

ファルヴァルディン Farvardin （古代ペルシアの伝承で）3月の天使。また各月の19日を支配する。「智天使の1人」と呼ばれる。[出典：『ダビスタン』p35-36]

ファルグス Phalgus レヴィの『高等魔術』で記されたように，裁判の守護霊。デ・アバノの『ヌクテメロン』では昼の4時の守護霊。

ファルズフ Pharzuph 姦淫の守護霊，欲情の天使。ヘブライ語で「2つの顔をもつ」「偽善的」を意味する。テュアナのアポロニウスの『ヌクテメロン』では，4時の守護霊の1人。『ベレシト・ラバ』では，「欲情の天使」（名はない）が路傍で族長ユダの前に現われ，ユダの義理の娘タマルがそこにいることに気づかせ床を共にさせた（「創世記」38）。→欲情の天使 Angel of Lust, →シエクロン Schiekron

ファルドル Phaldor 神託の守護霊。[出典：デ・アバノ『ヌクテメロン』]

ファルニエル Pharniel パラティエルに仕える，昼の12時の天使。

ファルマロス Pharmaros →アルマロス Armaros

ファルン・ファロ・ヴァクシュル Farun Faro Vakshur 古代ペルシアの神々の系譜で，人間を保護する天使。ユダヤ＝キリスト教のオカルトの教義におけるメタトロンを参照。そこではしばしば「人間の支援者」として言及されている。

ファレク Phalec（ファレグ Phaleg）天使の位の支配君主。また火星を支配する霊。そのため，コルネリウス・アグリッパが言ったように，しばしば戦いの君主と言われる。106のオリュムポスの領域のうち35を支配している。招霊される日は火曜日。アグリッパによれば，7つの天には，ファレクを含む7人の最高位の天

使たちが支配している196区がある。霊符については，バッジの『魔除けと護符』p389を参照。白魔術では，天の7人の執事の1人。

フィネハス Phinehas 「士師記」2：1における「ギルガルから上って来た主の天使」であり，フィネハスの顔色は「聖霊がそこに宿ったとき，松明のように輝いた」。[出典：『ミドラシュ・レヴィティクス・ラバ』I以下参照]

フェイス（信仰） Faith 15世紀フィレンツェの巨匠たちによって天使として描かれた，神学の3つの徳（他は希望 hope と寛容 charity）の1つ。

フェネクス Phenex（フェニクス Phenix, フォエニクス Phoenix, フェイニクス Pheynix）「1200年後に第7の座天使に戻りたい」とソロモン王に打ち明けたが，いまは地獄で仕える天使。[出典：ウェイト訳『レメゲトン』]地獄では偉大な侯爵であり，詩人であり，霊の20軍団を指揮する。スペンスの『オカルティズム事典』は，フェネクスは以前は座天使の位にいたのであり，このことは「果てしない研究の末に証明された」と記す。『バルク書III』6章においてフォエニクスは，太陽の前で円を描いて飛び，生き物が焼き尽くされるのを防ぐために翼を広げて太陽光線をさえぎった鳥である。大地のすべての雄鶏を眠りから起こすのもこの鳥である。フェネクスに類似しているのがガルーダ鳥（インド伝説）である。「ガルーダは，アルナを背中に乗せ，太陽の前に彼を置いた。そこで彼は御者となり，焼き尽くす太陽の光線をさえぎって世界にあたらないようにした。」→不死鳥

フェルケルス Ferchers →ファヴァシ Favashi

フェルト Feluth →シラト Silat

フォウルカス Fourcas →フォルカス Forcas

フォカロル Focalor（フォルカロル Forcalor, フルカロル Furcalor） 堕天する以前は，座天使の位の天使。この「事実」は，「果てしない探求によって証明」されたとスペンスは著書『オカルティズムの辞典』p119で報告している。地獄の強力な統轄者で，デーモンの霊で構成される30の軍団に命令を下す。彼独自の役割あるいは使命は，戦争で船を沈没させたり人を溺死させたりすること。1000年（あるいは1500年）後には「第7天に戻ることを希望している」とソロモンに打ち明けている。招霊されると，グリフィンの翼をもつ人間として現われる。フォカロルは，ロフォカレ Rofocale の綴り換え。霊符については，ウェイトの『黒魔術と契約の書』p178を参照。

フォース Forces ダマスコのヨアンネスの見解によれば，時には能天使，時には力天使，あるいはオーソリティーと同等の天使の階級を構成すると考えられ，9つある聖歌隊の2番目のトリオの第3番目に位置づけられる。彼らの特別な任務は，地上の出来事を管理することである（あるいは昔の話かもしれないが）。

フォルカス Forcas（フォラス Foras, Forras, フルカス Furcas, フォウルカス Fourcas）
オカルトの教義で，フォルカスがかつて天使の位階制度のどの地位を占めていたのか，どの位に属していたのかは示されていない。しかし堕天使であることはわかっている。地獄においては名高い総裁あるいは大公である。この世では修辞学や論理学そして数学を教えることに時間を充てている。彼は人々を透明にすることができる。また，失った財産を取り戻す方法を知っている。ド・プランシーは『地獄の辞典』で，フォルカスを地獄の王国の騎士と呼び，彼の命令に従うデーモンで構成される29の軍団について述べている。霊符はウェイトの『黒魔術と契約の書』p175に示されている。[出典：『妖術の暴露』；『偽君主論』] ルイス・ブレトンのフォルカスの版画は，セリグマンの『魔法』p230に転載。

フォルカロル Forcalor →フォカロル Focalor

フォルシエル Phorsiel イェフィシャに仕える，夜の4時の天使。

フォルネウス Forneus 堕天する前は座天使の位にあり，また少しは天使の位にもあった。冥府においては大侯爵で，地獄の聖霊の29軍団が彼の命令に従う。美術や修辞学，それにあらゆる言語を教えることに加えて，人々が彼らの敵によって愛されるようにする。その霊符は，ウェイトの『黒魔術と契約の書』p174に示されている。招霊されると，海の怪物の姿で現われると言われている。

フォルファクス Forfax（モラクス Morax, マラクス Marax） スコットの『妖術の暴露』において，聖霊たちで構成される36軍団を指揮

する冥府の大伯爵であり総裁。天文学など教養科目における技術を授ける。また（ウェイルスによって）フォライイとも呼ばれる。若い牝牛の姿で現われる。彼の宮は，シャーの『魔術の秘伝』に転載されている。

フォルラク Phorlakh（フルラク Furlac）太陽の第7の五芒星（ペンタクル）に名が記された大地の天使。［出典：メイザーズ『ソロモンの大きな鍵』］

深みの天使 Angel of the Deep　タミエル，ラムペル，ラハブ。［出典：出典：M. ガスター『モーセの剣』；ギンズバーグ『ユダヤ人の伝説』V］→海の天使

フキエル Hukiel　ヘハロト伝承（『マアセ・メルカバ』）で，第7天の館に配置された護衛の天使。

ブクエル Buchuel　東洋の悪魔祓いのための護符（カメア）に記された天使の名前。［出典：シュライアー『ヘブライの魔除け』］

復讐天使 Avenging Angels　神が初めに創造した天使たちで，破壊の天使としても知られる。ユダヤの伝説によれば，その首長は第5天に住む。伝統的には12人の復讐天使がいるとされる。→復讐の天使

復讐の天使 Angels of Vengeance　12人の復讐の天使は天地創造の初めに造られたとされるが，カトリック教義はすべての天使は同時に造られたとしている。名前が知られる復讐の天使は，サタネル，ミカエル，ガブリエル，ウリエル，ラファエル，ナタネル（ザタエル）の6名。（ユダヤの伝承では）神の御前の天使と復讐の天使は交換可能であり，前者に数えられる12名の名は明らかであることから，スリエル，イェホエル，ザグザゲル，アカトリエル，メタトロン，イェフェフィアの6名を復讐の天使のリストに加えてもいいだろう。フランスの画家プリュドン（1758-1823）は，「正義と復讐に追われる罪」（ルーヴル美術館所蔵）という絵画で「復讐」を擬人化して描いているが，そこでは天使ウリエルが想定されているらしい。

服従の天使 Angel of Obedience　マニ教で，スラオシャのこと。

フグロン・クンヤ Hugron Kunya　M. ガスターの『モーセの剣』で名前が挙げられた，14人の偉大な招喚の天使の1人。

プケル Pucel　→クロケル Crocell

フサエル Husael　第3天で仕える天使。［出典：『モーセの第6，第7の書』］

プサカル Psachar（パスカル Paschar）　7人の力の天使の王の1人。他の6人は，カルミヤ，ボエル，アシモル，ガブリエル，サンダルフォン，ウジエル。［出典：『ピルケ・ヘハロト』］

ブサセヤル Busasejal　『エノク書Ⅰ』によれば，堕天使の軍勢の1人。

フジア Huzia　7つある天上の館の番人天使64人の1人。［出典：『ピルケ・ヘハロト』］

プシエル Pusiel（プルエル Puruel）『マセケト・ガン・エデン&ゲヒノム』に記された7人の懲罰の天使の1人。『ラビ・ヨシュア・ベン・レヴィの啓示』ではハドリエルと同等視され，地獄の第6圏に住んでいる。

プシシャ Psisya　『天使ラジエルの書』における産褥の魔除けの70人の天使の1人。

不死鳥 Phoenixes　エノク文献では，不死鳥とカルキュドリは，熾天使（セラフ）と智天使と並ぶ高い位の天使。「太陽の元素」，あるいはその「惑星」の馬車（古代のオカルト文献と聖書外典で，太陽は7惑星の1つ）に伴なうものとされた。不死鳥たちは，カルキュドリと同じく，第4天あるいは第6天に住み，12の翼をもっている。『エノク書Ⅱ』19章では第6天にいる7羽の不死鳥について述べられているが，日の出を迎える彼らの歌は甘美なことで知られていた。プリニウスによれば，彼らの色は紫である。『エノク書Ⅱ』12章の注でチャールズは次のように書いている。「これは，このような生き物についての文献で唯一の言及であろう。」つまり，これらの生き物を天使と関連させて述べたのは，これが唯一のものだということである。K. ケーラー博士の「タルムード以前のハガダ」Jewish Quarterly Review, 1893年，p399-419は，『マセケト・デレク・エレツ』という古いミシュナを引用し，エノク書に言及されている不死鳥は楽園に行き着いた鳥類であるという伝説に触れている。［参照：『バルク書Ⅲ』における太陽の鳥］→フェネクス

フシャシエル Hshahshiel　『守護の書』で言及されている，シリアの「呪縛」の天使。［出典：バッジ『魔除けと護符』p273］

プシュケ（サイキ）Psyche　ヴァレンティヌス派グノーシス主義における造物主の名。

フシュマエル Hushmael　厄除けのためのヘ

ブライの護符に刻まれている天使の名前。［出典：シュライアー『ヘブライの魔除け』］

不条理の天使 Angel of the Odd（フィクション）　エドガー・アラン・ポウの短編「不条理の天使」で，翼のない，オランダ語訛りの英語を話し，自動醸造機のような姿の，「人類の意外な事故を司る」天使。この天使あるいは霊の職務は，「不条理な出来事を起こして，絶えず懐疑主義者たちをうろたえさせる」ことである。［出典：『エドガー・アラン・ポウ作品集』vol.4］

プスケル Psuker　第6天の天使。配下には，職務を行なう救いの天使ウジエルがいる。［出典：シュワーブ『天使学用語辞典』；ウェスト「ミルトンの天使の名前」*Studies in Philology* XLVII（1950年4月），p220］

ブスタリエル Busthariel　東洋の悪魔祓いのための護符に記された天使の名前。［出典：シュライアー『ヘブライの魔除け』］

フスティエル Fustiel　昼の5時の天使で，サズクイエルに仕える。

プスディエル Psdiel　敵に対抗する招喚儀式で用いられる悪の天使。［出典：M. ガスター『モーセの剣』］

フズノト Huznoth　水の清めで唱えられる霊。［出典：メイザーズ『ソロモンの大きな鍵』p93］

フスプル・フスミム Hsprh Hsmim　バラアムによって崇拝された7人の天使の1人。［出典：M. ガスター『アサティル』p263］

不正の天使 Angel of Iniquity　新約聖書外典『ヘルマスの牧者』によれば，「不正の天使は辛辣で恐ろしいが，愚かであり，その所行は悪質である」という。名前は与えられていないが，アポリュオンと見られる場合もある。

不正の時の王 Prince of the time of Iniquity　『バルナバスの書簡』によれば，サタンのこと。

双子宮（双子座）の天使 Angel of Gemini (twins)　アンブリエル，あるいは儀礼魔術でギエル。カバラ主義者でガファレルの師ラビ・コメルによれば，双子宮を支配する2霊はサグラスとサライエルである。［出典：レヴィ『高等魔術の教理と祭儀』］

ブタトル Butator（あるいは，ブタタル Butatar）　計算の守護霊あるいは霊。テュアナのアポロニウスの『ヌクテメロン』にあるように，

3時を支配し，儀礼魔術で招喚される。［出典：レヴィ『高等魔術の教理と祭儀』p503］

プタヒル Pthahil　マンダ教の造物主。より下位の星を支配する天使。「生命の主の創造を手伝った」と言われる。アダムの身体を創ったが，それに生命を与えることはできなかった。惑星霊とデーモンの支持を求める悪の王をも意味する。→プロノイア

復活の天使 Angel of Resurrection　イエスの墓の前の石を脇へ転がした天使。「マタイによる福音書」28章では，主の天使と呼ばれている。［ガブリエルと比較せよ。］

ブッダ Buddha　→ブド・アヴァタル Budh Avatar

フティニエル Futiniel　昼の5時の天使で，サズクイエルに仕える。

ブド・アヴァタル Budh Avatar　ヴェーダの教義における10の化身の9番目〔仏陀のこと〕。→アヴァタル

不道徳の天使 Angel of (or over) Immortality　混乱の天使でもあるゼタル。『タルグム・エステル』によれば「不道徳の監視者」。神はクセルクセス王の放縦を終わらせるため，他の6人の天使と共にゼタルを地上に派遣した。［出典：ギンズバーグ『ユダヤ人の伝説』IV, 375］→ファルズフ，→スキエクロン

フトリエル Hutriel（「神の杖」の意）　オニエルと同視される，懲罰の7人の天使の1人。地獄の第5陣営に投宿し，「10の国々の懲罰」を援助する。［出典：『マセケト・ガン・エデン＆ゲヒノム』；イェリネク（編）『ベト・ハ=ミドラシュ』；『ユダヤ大辞典』I, 593を参照］

プニエル Pniel　降霊魔術において，1年のうちの1カ月を支配する天使。［出典：『ユダヤ魔術と迷信』P99］

不妊の天使 Angel of Barrenness　→アクリエル Akriel

不妊の天使 Angel of Sterility　→アクリエル Akriel

ブネ・セラフィム Bne Seraphim　実践カバラで水星を支配する天使。魔除けの魔術では，金星の叡智体。［出典：バレット『魔術師』II, 147］

フハ Huha　『共同体の契約』（『死海文書』のうち最近発見された文書）においてエッセネ派の人々が言及している，神あるいは天使の名前。

[出典：ポッター『イエスの晩年』]

フバイエル Hubaiel 『モーセの第6，第7の書』の一覧表によれば，第1天で仕える天使。

ブハイル Buhair マンダ教で，日々の太陽の運行に随行する10人の天使（単数ウトラ）の1人。

フバリル Hubaril 土星の使者の天使。[出典：マルクス『トゥリエルの秘密の魔術書』p33]

フファトリエル Huphatriel 木星の叡智体天使の1人。[出典：マルクス『トゥリエルの秘密の魔術書』]

フファルティエル Hufaltiel (Huphaltiel) 第3天で仕える天使。金曜日に職務に就き，西から招霊される。[出典：バレット『魔術師』；デ・アバノ『ヘプタメロン』；シャー『オカルティズム』；『モーセの第6，第7の書』]

フマストラヴ Humastrav (フマストラウ Humastraw) 北から招霊される，月曜日の天使。第1天に住むと言われる。[出典：デ・アバノ『ヘプタメロン』]

フミエル Humiel オカルティズムにおいて，磨羯宮を支配する黄道十二宮の天使。[出典：ジョブズ『神話，民間伝承，象徴辞典』]

不眠症の天使 Angel of Insomnia ミカエルはクセルクセス王（策謀家のハマンの忠告を聞き，ユダヤ人の絶滅を命ずる勅書を公示した）を不眠にした。この物語は，アラム語版旧約聖書のエステル記とギンズバーグの『ユダヤ人の歴史』にある。

フムル・ハムル Hhml Haml 天空の天使で，バラアムに崇拝された7人の天使の1人。名前は，ヘブライ語のアルファベットの文字の置き換えによって造られた。[出典：M.ガスター『アサティル』]

冬の天使 Angel of Winter アマバエル，ケタラリ。冬の宮の首長はアタリス（アルタリブ）。[出典：ド・プランシー『地獄の辞典』；デ・アバノ『ヘプタメロン』；『ヨベル書』]

プラ Purah（プタ Puta，ポテ Poteh） 安息日の最後に，魔法の儀式で唱えられる天使。イサク・ルリアはプラをエサウ=サムエル Esau-Samuel と関連させている。ユダヤの伝説では，忘却の君主であり天使。アイザック・バシェヴィス・シンガーの『短い金曜日』(1964) の中の小説の1篇「ヤキドとイェキダ」では，プラ

は「神の光を放散する天使」として描かれる。

フライル Hula'il アラビアの伝承で，悪魔祓いの儀式で招霊される守護天使。[出典：ヒューズ『イスラム辞典』「天使」の項]

フラヴァルディン Fravardin →ファヴァシ Favashi

フラヴィシ Fravishi →ファヴァシ Favashi

プラヴイル Pravuil（ヴレティル Vretil）「最も高度な知恵の筆記者」にして「天の書物と記録の番人」であり，『エノク書Ⅱ』22：11によれば，「他の大天使よりも賢い」。エノク書の中で言及されるのは1度だけである。→ラドゥエリエル

ブラウテル Blautel 黒魔術で招喚される天使。[出典：『ソロモンの大きな鍵』]

フラウロス Flauros →ハウラス Hauras

フラエフ Flaef カバラで，人間の性に関わる光り輝く天使。[出典：マスターズ『エロスと悪』]

ブラエフ Blaef オカルトの教義で，サラボテスと「西風」に仕える金曜日の風の天使。[出典：デ・クレアモンド『古代魔術書』]

フラキエル Fraciel 第5天の火曜日の天使で，北から招霊される。[出典：デ・アバノ『ヘプタメロン』；バレット『魔術師』Ⅱ]

ブラクシル Praxil ファリスに仕える，夜の2時の士官天使。[出典：ウェイト訳『レメゲトン』]

ブラクリト Praklit →パリト Palit

フラモク Framoch ウェイト訳『レメゲトン』では，夜の7時の天使で，メンドリオンに仕える。

プラヤパティ Prajapati ヴェーダにある全人類の祖先である7人あるいは10人の霊であるリシ（聖仙）に比せられる。また，7人の御前の天使や，ゾロアスター教の7人（あるいは6人）のアムシャ・スプンタにも比せられる。

プラリミエル Pralimiel バリエルに仕える，昼の11時の天使。[出典：ウェイト訳『レメゲトン』]

フラワシ Fravashi →ファヴァシ Favashi

フランスの守護天使 Guardian Angels of France →ハカミア Hakamiah

フリアグネ Friagne オカルトの文献では一般に，第5天で奉仕する火曜日の天使で，東から招霊される。

ブリエウス Brieus　デーモンのラブドスの策謀・策略に打ち勝つことができる唯一の天使とされる。[出典：コニベア『ソロモンの誓約』；シャー『魔術の秘伝』]

フリエル Furiel　昼の3時の天使で、ヴェグアニエルに仕える。

プリエル Puriel →プルエル Puruel

ブリエル Briel　産褥の魔除けの天使70人のうちの1人。70人の名前に関しては付録を参照。

プリオン Prion　魔術の儀式、特に葦の聖別儀式〔魔術用の羊皮紙を作る際に必要な葦のナイフを製する儀式〕で唱えられる「神の崇高なる神聖な天使」。[出典：ウェイト『儀礼魔術の書』p175；メイザーズ『ソロモンの大きな鍵』p116]

フリスタル Huristar →バリニアン Barinian

プリメウマトン Primeumaton　水の清めで唱えられる霊の名。[出典：メイザーズ『ソロモンの大きな鍵』]「この名プリメウマトンにより、モーセはエジプトに霰(あられ)をもたらし」、「コラとダタンとアビラムを呑み込んだ」。[出典：『民数記』16：16；バレット『魔術師』Ⅱ]

プリンシパル Principals　グノーシス主義の『シェムの釈義』には、3人のプリンシプル(つまり原初の力)が記されている。光、闇、そして「中間の霊」である。[出典：ドレッセ『エジプト・グノーシス主義の秘密の書』p151]

プリンスダム Princedoms〔王や公爵の位のこと〕権天使の位を表わす用語。[参照：『失楽園』Ⅴ章；「座天使、主天使、プリンスダム」等]

フリン・フントル HlinHntr　「ノミナ・バルバラ」の1人であり、ガスターの『アサティル』に言及があるように、風の天使で、バラアムによって崇拝された7人の天使の1人。

フル Phul (フエル Phuel)　月の王であり、オリュムピアの地方のうち7つの支配者。月曜日の天使であるフルは、月曜日にのみ招霊される。コルネリウス・アグリッパのカバラの著作に霊符が載っている。ここでは「月の能天使の長であり、水の最高の統率者」と呼ばれている。[フルの霊符についてはバッジ『魔除けと護符』p389参照。]

ブル (雄牛) Bull　ゾロアスター教の神話では、すべての光の源。オルマズドにより創造され、アフリマンにより破壊された。伝説によれば、散らばったブルの種から、最初の男女が生まれた。

震えの天使 Angels of Quaking　「震えの天使は栄光の玉座を囲む。」[恐怖の天使と比較せよ。] モーセは40日間天にいる間に震えの天使たちを目にした。[出典：『マアヤン・ハ＝ホクマ』58-60などのミドラシュ]

プルエル Pruel　南風の門を護衛する天使。[出典：『オザル・ミドラシム』Ⅱ,316]

プルエル Puruel (プシエル Pusiel,「火」の意)　黙示録的『アブラハムの誓約』では、「魂を調べる」「火のような容赦ない」天使とされる。同書の編者G.H.ボックスは、プルエルはウリエルのギリシア語化したものとしている。

ブルカト Burc(h)at　カバラで、第4天で仕える風の天使。主の日 (日曜日) を支配し、西から招喚される。太陽の使者の1人である。[出典：デ・アバノ『ヘプタメロン』；バレット『魔術師』；マルクス『トゥリエルの秘密の魔術書』]

ブルカン Burkhan　マニ教において、光の神の化身で、人間への使い。ゾロアスターがブルカンとされる。[出典：レッジ『キリスト教に先行するものと対抗するもの』Ⅱ]

プルキエル Prukiel　『守護の書』で言及されたように、ミカエルやガブリエルやハルシエルなどの呪文をかける天使と共に古代シリアの呪文で招霊される天使。

フルク・リル・フルク・リブ Hlk Lil Hlk Lib　「謎の名前(ノミナ・バルバラ)」の1人で、聖性の天使。バラアムに崇拝された7人の天使の1人。

プルジエル Prziel　敵を滅ぼす儀式で招喚される悪の天使。[出典：M.ガスター『モーセの剣』]

プルシャ Purusha　サンスクリットの教義における宇宙の霊。それ自体が第1原因であり、他の原因から生じたものではない。「宇宙の想像もつかない創造者」であるカバラのエン・ソフと比べよ。[出典：ゲイナー『神秘主義辞典』]

プルソン Purson (プルサン Pursan, クルソン Curson)　堕天する前は力天使の位に属し、いくらかは座天使の位にも属していた天使。『オカルティズム事典』p119でスペンスは、この事実を「計り知れない探求の後に立証され

た」と述べている。いずれにせよ，いまや霊の22軍団を指揮する地獄の王である。プルソンの姿は「獅子の顔をした人間」で，手に毒蛇を持ち，熊にまたがっている」。彼は過去も未来も知っており，隠された財宝を発見する。霊符についてはウェイト『儀礼魔術の書』p201を参照。

フルタパル Hurtapal　主日（日曜日）の3人の天使の1人。他の2人の天使はミカエルとダルディエル。[出典：デ・アバノ『ヘプタメロン』]

ブルドン Bludon　コルネリウス・アグリッパが挙げた7人の選帝侯（地下界の惑星霊）の1人。コニベアの『ソロモンの誓約』に見られるように，惑星の支配者の1人としてガナエルの代りに挙げられる。

プルニコス Prunicos　オフィス派（グノーシス）の教義で，ソフィアとも呼ばれる，天の最高の力。[出典：ドレッセ『エジプト・グノーシス主義の秘密の書』p212]

プルフラス Pruflas　堕天使。以前は座天使の位に属し，ある程度は天使の位にも属した。[出典：ヴィエルス『偽君主悪魔論』]

フルミエル Furmiel　昼の11時の天使で，バリエルに仕える。

フルミズ Hurmiz　リリトの娘の1人。タルムード Sabbath 151b に言及がある。[出典：トンプスン『セム族の魔術』p71]

フルミン Hurmin　サタンのもう1つの名前。

フルム・フムル Hlm Hml　→フムル・ハムル Hhml Haml

フルラク Furlac（フォルラク Phorlakh）隠秘学では，大地の天使。[出典：パピュ『隠秘学の基礎』]

プレイアデスの天使 Angel of the Pleiades　『ラビ・アキバのアルファベット』で，プレイアデスの天使（名前は与えられていない）は，第1安息日に神の御前で賛美を行なう「壮麗で，恐ろしく，力強い天使長たち」に含まれている。

フレイム（炎，輝かしい光彩）Flames　天使の位であり，「タルムードとタルグムにおける階級の1つ」と，ヴォルテールは著書『天使，守護霊，悪魔について』で述べている。階級の長はメルハで，仏教における神々の系譜では，ユダヤ＝キリスト教の天使ミカエルと同一視されている。[参照：『エゼキエル書』第1章におけるカシュマリム chashmallim すなわち「き

らめく炎」]

プレイル Preil　マンダ教で「偉大な者」と呼ばれる天使。[出典：ポニョン『マンダ教碑文』]

プレシテア Plesithea　グノーシス主義における「天使たちの母」，4つの乳房をもつ姿で描かれた処女。[出典：ドレッセ『エジプト・グノーシス主義の秘密の書』]

プレノスティクス Prenostix　ザアゾナシュに仕える，夜の6時の天使。

フレミエル Fremiel　デ・アバノの『ヘプタメロン』やウェイト訳『レメゲトン』で，イェフィシャに仕える夜の4時の天使。

フレリエル Fuleriel　夜の6時の天使で，ザアゾナシュに仕える。

プロケル Procel　→クロケル Crocell

フロネシス Phronesis（「分別」の意）グノーシス主義における，神の意志から流出した4人の天体天使（ルミナリー）の1人。→エレレト

プロノイア Pronoia　グノーシス主義において，神がアダムを創るのを手伝った偉大なアルコンの1人。プロノイアは神経組織を与えた。[出典：『ヨハネのアポクリフォン』；ドレッセ『エジプト・グノーシス主義の秘密の書』p204-205]　神がアダムを創るため7握りの土を取ってくるように4人の偉大な天使を遣わしたというアラビアの伝承については，イスラフェルの項を参照。イラン人は，それぞれの惑星（ここではプロノイアは惑星の1つとされる）が人類の最初の祖先の創造に関与したと信じた。バル＝コニアは，「この神話はカルデア人から借用したものである」と考えている。→プタヒル Pthahil

プロパトル Propator　戦車（メルカバ）の星座に動かずにとどまっているアイオン。北極の主であり，黄道十二宮の霊と無数の天使に囲まれている。その名は「天の父の代理」という意味で，傍らのソフィアというアイオンと共に，7つの天の天頂に住む。[出典：ドレッセ『エジプト・グノーシス主義の秘密の書』]

フロムゾン Fromzon　夜の3時の天使で，サルクアミクに仕える。

フロメジン Fromezin　ファリスの命令に従う，夜の2時の天使。[出典：『レメゲトン』]

不和の霊 Spirit of Discord　『士師記』9：23に「アビメレクとシケムの人々の間に不和の

霊を送る」とある。この霊は，(「士師記」9章の別の訳では「悪霊」と呼ばれるが）単に原因となるという意味で悪いのであり，不和の霊自体は神に仕えているので，堕落することはない。

フンゲル Hngel　夏至の天使で，邪眼に対する魔除けとして効果がある。

憤怒の天使 Angels of Wrath　へマ，アフ，ムズポピアサイエル，エズラエル。『モーセの黙示録』で，立法者モーセは楽園を訪れている間に第7天に住む憤怒の天使たちに出会い，彼らが「火でつつまれている」のを見る［出典：『ゾハル』I；M.ガスター『モーセの剣』；ギンズバーグ『ユダヤ人の伝説』；『ペトロの黙示録』］。『ミドラシュ・テヒリム』では，憤怒の天使はケゼフである。

ベアティエル Beatiel　第4天で仕える天使。［出典：『モーセの第6，第7の書』］

ベアトリーチェ（ポルティナーリ）Beatrice (Portinari)　ダンテの『新生』『神曲』（特に『天国編』）におけるベアトリーチェ。ダンテは楽園で，天使となったかつての恋人ベアトリーチェに出会う。彼女はダンテを神の住まいの1つである至高天（エンピレオ）へと導く。

ベアルファレス Bealphares　ヴィエルスの『偽君主論』ではデーモンに分類されているが，「地上の人間に仕えた中で最も高貴な伝達者」とされる。したがって恵み深い霊と呼ぶべきであろう。さらにいえば，網羅的な『地獄の辞典』や他の地獄界を記述する文献にもデーモンとしては挙げられていないのである。

ベアレケト Bearechet　『モーセの第6，第7の書』で言及される印章の天使。

陛下 Majesties　天使の位で，ティンデイルとクランマーが座天使の代りに用いた言葉。［出典：『感謝の賛歌』V。ここでは神は「神神の支配者，諸王 Majesties の中の王」と言われている。］ヴェルメシュは『ユダヤの砂漠の発見』で「ユダの手紙」8を挙げ，この語を「おそらく天使のある階級」と解釈している。

ヘイカリ Heikhali　ヘハロトの伝承（『マアセ・メルカバ』）で，第7天の館に配置されている護衛の天使。

ヘイグロト Heiglot　高等魔術で，吹雪の守護霊あるいは天使。また1時の支配者でもある。テュアナのアポロニウスの『ヌクテメロン』では，黄道十二宮に類似して，12の時間が12人の守護霊あるいは天使によって統轄されるが，ヘイグロトはその1つである。

平和の王 Prince of Peace（平和の天使 Angel of Peace）　この称号は一般にイエスのこと。しかしまたメルキセデクも平和の王とされる。

平和の天使 Angel of Peace　ユダヤの伝説では，平和の天使（名前は不明）は人間の創造に反対したために，その軍勢と共に神に焼き尽くされた。真実の天使も同じ理由で滅ぼされた。しかし後には両者とも復活したようである。『エノク書I』40章では，平和の天使は族長エノクを天国へ導き，神の御前の4人の大天使（アークエンジェル）の名前を明かし（ミカエル，ラファエル，ガブリエル，ファヌエル），彼らが請け負う義務について述べる。『アセルの誓約』には平和の天使との出会いについての話があるが，名前は与えられていない。伝統的には7人の平和の天使がいたとされる。『ゾハル』では「イザヤ書」33：7を「見よ，天使たちは巷で叫び，平和の天使たちはいたく嘆く」と訳している。彼らが嘆くのは，「神がアブラハムに現われたときに与えた約束をどうすべきか，もはやわからないからだ」とラビ・シメオンは主張した。伝統的には，「安息日が近づくと，平和の天使はすべてのユダヤ人の家を訪れる」とされる［出典：『新ユダヤ大辞典』p441］。グノーシス派の伝承では，平和の支配者はメルキセデク。

ヘエル He'el（「神の生命」の意）　「無数の頭」をもつ天使の指導者。ヘエルは，『エノク書I』にあるように，1年の季節の1つの支配者である。外典では，ヘエルは天使エリメレクと関わりがある。

ベエルゼブブ Beelzebub（ベルゼブド Belzebud，ベルザボウル Belzaboul，ベエルゼボウル Beelzeboul，バアルセブル Baalsebul，など。「蠅たちの神」の意）　本来はシリアの神。「列王記下」1：3によれば，ペリシテのエクロンの神〔バアル・ゼブブと表記〕。カバラでは，地獄における悪の9階級の首長。「マタイによる福音書」10：25，「マルコ書」3：22，「ルカ書」11：15によれば，悪霊の長，「悪霊の頭」（マタイ書12：24など）であるが，中世魔術などにおけるように，サタンとは区別すべきであ

る。[参照：レッジ『キリスト教に先行するものと対抗するもの』9，108]。『ニコデモ福音書』では，キリストは3日間の地獄滞在中にベエルゼブブに地界の支配権を与えたとされる。それは，サタンの反対にもかかわらず，キリストがアダムや「鎖につながれた聖人たち」を天国へと運ぶことにベエルゼブブが同意したからだという。ベエルゼブブの一般的な名称は「蠅の王」であるが，ウァレンティヌス派のグノーシス主義文書に見られるように「混沌の王」とも呼ばれる。ダンテはベエルゼブブとサタンを同一視している。ミルトンの『失楽園』Ⅰ，79行では「力においても罪においてもサタンの次に位する者」とされ，157行ではサタンに「地獄に堕ちた智天使よ」と言わせている。ヘイリー編『ミルトン詩集』（London, 1794年）は，「ベルゼブブと協議するサタン」という図版を掲載している。グルジェフの宇宙神話『ベルゼバブの孫への物語』では主人公である。

ベオドノス Beodonos 『ソロモンの大きな鍵』で，葦の聖別儀式〔魔術に用いる羊皮紙を作るのに必要な葦のナイフを製する儀式〕で招喚される天使。

ペオル Peor →ケモス Chemos

ヘカロト Hekaloth（ヘハロト hechaloth）論文「ヘカロト」と『ゾハル』Ⅰ，141脚注で言及されている，天国の楽園にいる天使。

ペサク Pesak ヘハロト伝承（『マアセ・メルカバ』）における，第5天の館に配置された護衛の天使。

ペサグニヤ Pesagniyah 『ゾハル』（出エジプト記 201b）において，天の鍵を任されている，南を監督する天使。深く悲しんでいる人間の祈りが昇ると，ペサグニヤはその祈りにキスをし，より高い領域へと運んでいく。

ベザリエル Bezaliel 北風の門を護衛する数多い天使の1人。[出典：『オザル・ミドラシム』Ⅱ，316]。

ヘジエル Heziel 黄道十二宮の天使。

ベシュテル Beshter 古代ペルシアの伝承におけるミカエルの名称。人類に食物をもたらすとされ，メタトロンと同等視される。[出典：セイル『コーラン』「序論」p51]

ペシュトヴォグネル Peshtvogner グルジェフの『ベルゼバブの孫への物語』で，またの名を「あらゆるものを養う者」という大＝智天使。

ベエルゼブブ〔ベルゼバブ〕の頭に角が生えよと命令する。

ベズリアル Bezrial 『ピルケ・ヘハロト』で言及されるように，第3天を護衛する天使の1人。

ペダエル Pedael（「神が届けたもの」の意）ユダヤ神秘主義における救済の天使。[出典：エイブルスン『ユダヤ神秘主義』p127]

ペタヒア Petahyah 『ゾハル』（出エジプト記 201b）において，天の北方の地域を任されている統率者。「悪魔からの救済を願う祈りが昇ってくる場所である天の北方を守るよう命じられた。」もしそのような祈りに価値を認めれば，「ペタヒアはそれにキスをする」。

ペタヘル Petahel 安息日の最後に魔術の儀式で招霊される「まことに聖なる天使」。[出典：『ユダヤ百科辞典』p520；トラクテンバーグ『ユダヤ魔術と迷信』]

ヘタボル Hetabor 蜜蠟の清めで祈願される天使。カバラの実践書に登場する。元々はゴランツの『ソロモンの小さな鍵』に現われる。

ベダリエル Bedaliel 魔術の文献で引用されているように，デーモンに命令を下すために，あるいはデーモンを追い払うために招喚される天使。[出典：メイザーズ『ソロモンの大きな鍵』]

ペデニイ Pedenij 『モーセの第6，第7の書』に記された印章の天使。

ベトゥアエル Bethuael（「神の家あるいは人間」の意） 月の二十八宿を支配する28人の天使の1人。

ベトゥエル Bethuel 悪魔祓いのために東洋の護符（カメア）に記される天使の名前。〔シュライアー『ヘブライの魔除け』〕

ベトゥリエル Betuliel 黄道十二宮を支配する天使の1人。[出典：アグリッパ『オカルト哲学』Ⅲ]

ベドリムラエル Bedrimulael →アベドゥマバル Abedumabal

ベトル Bethor 天の196区域を支配する7人の至高の天使の1人。オリュンポスの42の地域を支配し，王，大公，侯爵たちに命令を下す。また「木星に端を発するすべてのことを支配する」。ベトルの命令を実行するために，さらに2万9000の霊の軍団がいる。[出典：コルネリウス・アグリッパ『オカルト哲学』（この天使

の霊符が示されている）；バッジ『魔除けと護符』（その霊符が複写されている）］

ペナエル Penael　デ・アバノのオカルティズムでは，第3天に住み，北の方角から招霊される金曜日の天使。金星の使者の1人でもある。
［出典：バレット『魔術師』II；マルクス『トゥリエルの秘密の魔術書』］

ペナク Penac　『モーセの第6，第7の書』で言及された，第3天に仕える天使。

ペナティエル Penatiel　ベラティエルに仕える，昼の12時の天使。

ペナト Penat　ペナエルと同様に第3天に住む金曜日の天使であり，金星の叡智体（インテリジェンス）の1人。

ベナド・ハスケ Benad Hasche（「神の娘たち」の意）　アラビア人に崇拝された女性の天使たち。［出典：ムーア『天使の愛』の序文］

ペナリス Penarys　サルクアミクに仕える，夜の3時の天使。［出典：ウェイト訳『レメゲトン』］

ペニエル Peniel（「神の御前」の意）　モーゼス・ボタレル，デ・アバノ，バレット等の文献では，天使イェホヴァ，暗黒の敵対者，ヤコブと格闘した者である。［出典：「創世記」32］『ゾハル』ではこの敵対者をサマエルと同一視していることは注目すべきである。カバラでは一般に第3天に住む金曜日の天使であり，ペヌエルと同じく人間の愚かさを治す。「創世記」ではペニエル〔ペヌエル〕は，神がヤコブに直接姿を現わした神聖な場所である。→ファヌエル

ベニエル Beniel　デーモンに命令を下し招喚者の姿を見えなくさせる天使。［出典：メイザーズ『ソロモンの大きな鍵』p45］

ペヌエル Penuel　→ペニエル Peniel

ペネアル Peneal　第3天に仕える天使。

ベネ・エリム Bene Elim（ブネ・エロヒム b'ne elohim,「神の子ら」の意）　神への賛歌を絶えずうたう天使あるいは大天使。『ゾハル』とデ・ミルヴィルの『聖霊論（スログ）』によれば，座天使の位の10番目の下位区分に属する。『ゾハル』ではこの位の首長はホフニエルであるが，『聖霊論』ではアザゼル。「創世記」6：2のベネ・エリムは，イシムの位と同等視されることもある。神学者たちはこの語を翻訳する際に，天使たちが人間と性的関係をもったという解釈を避けるために，「神の子ら」ではなく「人間の子ら」という訳語を使うことが多かった。

ベネ・ハ゠エロヒム Bene ha-Elohim（「神の子供たち」の意）　ベネ・エリムに同じ。ラビ・シメオン・ベン・ヨハイによれば，ハ゠エロヒムを「神の子ら」と訳すのは重大な誤りで，そう訳す者は呪われても仕方がないという。
［出典：バンバーガー『堕天使』］『オンケロスとヨナタンのタルグム』でベネ・ハ゠エロヒムに与えられた称号は「首長たちの子ら」である。

ペネムエ Penemue（「内側」の意）　エノク伝承では堕天使の1人。邪悪で有害であると非難された「インクと紙で書く技術を，人間に教えた」。また「人間の子供たちに，苦さと甘さと彼らの知恵の秘密」を教えた。人間の愚かさを治す者の1人であり，『ベレシト・ラバ』で言及された。別名はペネムエル，タムエル，タメル，トゥムエル。

ペネメ Peneme　→ペネムエ Penemue

ヘハロト Hechaloth（ヘカロト hekhaloth）　ヘハロトは，神から流出した7人の女性存在。10人の男性のセフィロトと対になっている。『ゾハル』（Exodus 128a）は，美しい処女を意味する言葉と解している。「ヘハロト」という用語はまた，偉大な番人天使たちによって護衛される天国の館あるいは宮殿を示す。この流出物は，創造主の右側から出てきたと指摘されるべきである。さらに，不浄な流出物（邪悪なセフィロト，反対するものたち）と，主の左側（暗黒のあるいは邪悪な側）から発したものたちもいる。両方の一群の一覧表については付録を参照。初めてイェリネクによって出版された『ヘハロトの書』は，オデバーグにより『第3エノク書』あるいは『ヘブライ語エノク書』として再発刊された。ヘハロトという名の天使については，この書を参照。

ヘブドマド Hebdomad（グノーシス主義の）オフィス派の伝承で，7人の天使あるいは君主，7つの天の支配者，ヤルダバオト，ヤオ，サバオト，アドネウス（アドナイ），エロエウス，ホレウス（オレウス），アスタファエウスの7人に対する用語である。オリゲネスは『ケルソス反駁』VIで，この7人に相当する名前について詳細に述べている——すなわち，ミカエル（獅子（ライオン）の姿で），スリエル（雄牛の姿で），ラファエル（竜（ドラゴン）の姿で），ガブリエル（鷲の姿で），タウタバオト（熊の姿で），エラタオト

「ベヘモト」ウィリアム・ブレイク作。
『ヨブ記』の挿絵。

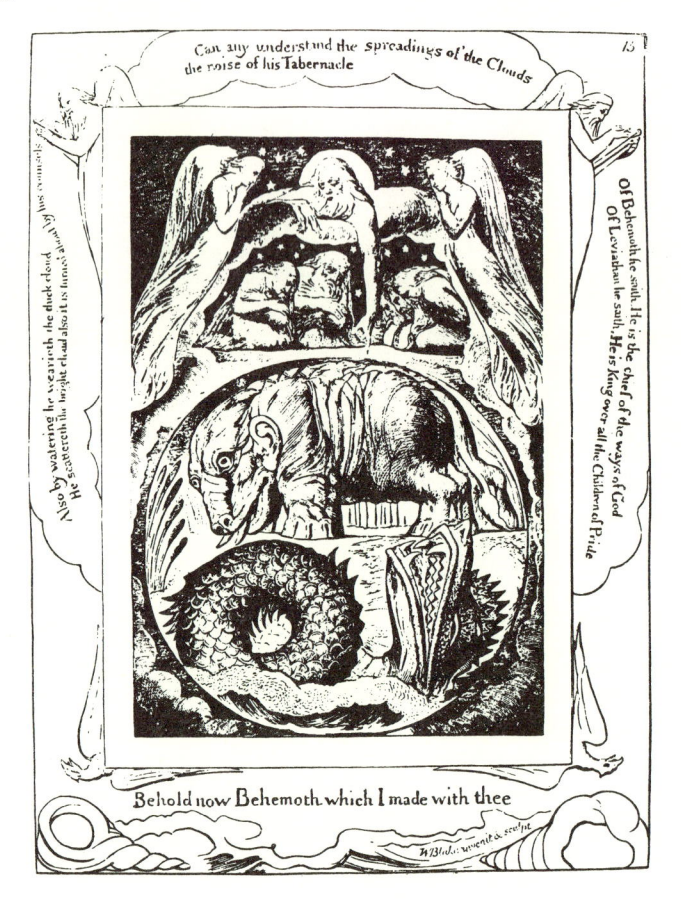

（犬の姿で），オノエル（ロバの姿で）。〔出典：『3倍に偉大なヘルメス』Ⅲ，p294〕

ベブロス Beburos 『エスドラス書』〔『エズラ書』と同じ〕によれば，「世界の終りに」支配をする9人の天使の1人。〔出典：『ニカイア公会議以前の教父たち』8，573〕他の8人の天使に関しては「世界の終りの天使」の項を参照。

ベヘミエル Behemiel （ハリエル Hariel，ハシュマル Hashmal）　家畜を支配する天使。智天使の位に相当する，ハシュマリムの階級の天使の統率者。

ベヘモト Behemoth　創造の5日目に創られた男性の混沌の怪物（鯨，鰐，カバ）。女性のレヴィアタンと密接な関係をもつ。〔出典：『バルク黙示録』29〕海の始原の天使ラハブや死の天使と同一視されることもある。「ヨブ記」40：19には「これこそ神の傑作」とあるが，カトリック神学では反対に闇の王とみられる。象の身体と熊の足をもつ怪物として描かれているセリグマンの『魔術の歴史』の図版，およびブレイクの版画「ベヘモトとレヴィアタン」を参照。

ヘマ Hemah　憤怒の天使で，家畜の死を支配する。また破壊の天使でもある。『ゾハル』Ⅰによれば，ヘマは，アフという名の兄弟の天使の助けで，ほとんどモーセを飲み込みそうに

なり，成功するところであったが，時宜を得た神の介入により果たせなかった。モーセは吐き出されると一転して攻勢に出てヘマを殺した。これは，死すべき者が，不死なる者すなわち天使を殺すことができた稀な例の1つである。ギンズバーグの『ユダヤ人の伝説』II，308には，アフと同様，ヘマも背丈が500パラサング（約2800キロ）あり，「黒と赤の火の鎖から作り出された」とある。

ヘマン Heman（「信頼」の意）『ゾハル』（Kedoshim）におけるラビ・ユダや『第3エノク書』によれば，天国の聖歌隊の1つの指導者。ヘマンと支配下の天使たちは，ちょうどイェドゥトゥン支配下の天使たちが夕方ホサナを歌い，アサフ支配下の天使たちが夜に歌うように，朝にホサナを歌う。『詩編』88次の言葉が頭に記されている。「指揮者によって。マハラトに合わせて。レアノト。マスキール。エズラ人ヘマンの詩」。3人の詩編作者たち（ヘマン，アサフ，イェドゥトゥン）は，この世で得意とした典礼聖歌を天国で演奏するために，その後，マエストロ〔名音楽家〕天使に変容させられたようだ。

ヘラキオ Herachio →アストラキオス Astrachios

ヘラヤセフ Helayaseph（イルヤセフ Jiluyaseph，ヒルヤセフ Hilujaseph） 季節の1つを支配する天使。『エノク書I』においてヘラヤセフとは，季節の「千の頭」の天使たち。[出典：チャールズ『エノク書』p177]

ペリ Peri アラビアでは，エブリスの統治下にある堕天使。ペルシア神話では，美しいが悪意ある霊で，堕天使から生まれた妖精のような存在であり，罪を贖うまで楽園に入れない。ムハンマドは彼らを回心させようとしたと言われる。[出典：ゲイナー『神秘主義辞典』]

ベリ Beli 北風の門を護衛する天使の1人。[出典：『オザル・ミドラシム』II，316]

ベリアエル Beliael ベリと同様に，北風の門を護衛する天使の1人。

ベリアル Belial（Beliar, Berial） ヤコブス・デ・テラモの『ベリアルの書』では，この偉大な堕天使はサタンと同等視されており，ソロモン王に信用状を渡し，王の前で踊る。「コリントの信徒への手紙二」6：15で，パウロは「キリストとベリアルにどんな調和があります

か」と質問している。パウロは明らかに，ベリアルをデーモンの首長，あるいはサタンとみている。『失楽園』I，490-492行には，「ベリアルが最後にやってきた。天から堕ちた天使のうち，彼ほど淫らで，また悪徳のために悪徳を愛する不埒な者も，他にはいなかった」とある。さらにII，110-112行ではミルトンはベリアルについて「天から失われた者で，彼以上に端麗な天使はいなかった。生まれつき威厳に満ち，高邁」な者と述べるが，すぐに「それはすべて偽りの虚飾にすぎなかった」と付け加えている。バートンは「天使の名前の起源」の中で，「おそらく冥土 Sheol の古称であろう」と述べている。『海に働く人々』で，ビクトル・ユゴーは隠秘主義文献に取材し，ベリアルをトルコに送

「ペリ」（ペルシアの天使）16世紀の細密画。
『ホライズン』1960年12月号より。

「ソロモン王の前で踊るベリアル」
ヤコブス・デ・テラモ『ベリアルの書』より。
グリヨ『妖術師・秘術師・錬金術師の博物館』より転載。

られた地獄からの使者としている。[→マステマ] ビレトの場合と同じく、スペンスは『オカルティズムの辞典』の中で、ベリアルがかつて力天使（ヴァーチュー）の1人だったということは「果てしない調査の末、証明された」と述べている。

ベリアル Beliar（「無価値なもの」の意） ベリエルの異称である場合が多い。「申命記」「士師記」「サムエル記上」では常に悪の象徴あるいは権化として言及される。聖書外典では闇の支配者、神の絶対的敵対者。『イザヤの殉教』では不法の天使。『バルトロマイ福音書』では、バルトロマイにお前は誰かと聞かれたベリアルは、「初めは神の使者サタネルであったが、神の似像を拒絶すると、サタナス、すなわち地獄（タルタルス）を管理する天使となった。（略）私は最初に造られた天使、（略）次がミカエル、3番目がガブリエル、4番目がウリエル、5番目がラファエル、6番目がナタナエル、（略）これらは最初に造られた復讐の天使たち」と述べる。[出典：ジェイムズ『新約聖書外典』p175] ウェイト訳『レメゲトン』では「ルキフェルの次に」創造されたとされ、「価値あるもののうちで最初に堕ちたのだ」とうそぶく。ミルトンは「神の子と称された好色の輩」と呼んでいる。スコラ神学者によれば、かつては天使の位と力天使の位に属していたとされる。しかし、グラッソンは『ユダヤ教の終末論におけるギリシアの影響』の中で、ベリアルが天使であったことはなく、「神から独立し、対等の力をもつペルシア神話の魔王アフリマンに比している。[→アフリマン] ベリアルを地獄の王とする伝統は、現代の小説家トーマス・マンとオールダス・ハックスリーの作品に受け継がれ、ベリアルを悪の典型としている。

ペリエル Peliel 力天使の位の長であり、ヤコブの教導天使。10人の聖なるセフィロトの2番目として、ゼクニエルと交互に現れる。[出典：バレット『魔術師』；ソリアのイサク・ハ＝コヘンの小冊子]

ペリエル Periel 『第3エノク書』43に記された、100以上あるメタトロンの名の1つ。

ペリエル Perrier 元は権天使（プリンシパリティー）の位の君主。[出典：ガリネ『フランス魔術の歴史』；ド・プランシー『地獄の辞典』Ⅲ]

ヘリソン Hel(l)ison 第1の高みの5天使の1人。他の4人は、アリミエル、ガブリエル、バラキエル、レベスである。招霊されると、深紅色の十字を飾った旗を持ち、バラの花をつけた王冠を戴いて現れる。[出典：『ソロモンのアルマデル』]

ベリト Berith →バルベリト Balberith

ヘル Hel スコットの『妖術の暴露』によれば、招喚の儀式で招霊される神の（あるいは神の天使の）名前。

ベルカエル Berka'el エノク伝承で、1年の3カ月を司る天使。メルケヤルに仕える。

ベルサル Belsal ガミエルに仕える、夜1時の天使。[出典：ウェイト訳『レメゲトン』]

ペルシアの王 Prince of Persia ミカエルとの戦いで敗れたドゥビエルのこと。[出典：「ダニエル書」10：13]

ペルシアの天使 Angel of Persia ペルシアの守護天使とされるドビエルあるいはドゥビエル。「ダニエル書」10：13によれば、ミカエルはペルシアの天使長（名前は与えられてない）と戦う。[出典：タルムード『ヨマ』77a]

ベル＝セ＝ブト Bel-se-buth →ベエルゼブブ Beelzebub

ベルゼブト Belzebuth（ベエゼブト Beezebuth） J.ガリネの『フランスの魔術の歴史』では熾天使（セラフ）の支配者。ド・プランシーの『地獄の辞典』Ⅲ、Ⅳでは、天使ではなくデーモンであり、7月の月を支配する悪霊（天使ヴェルキエルの反対数）。

ベルゼボウブ Belzeboub（ベエルゼブブ Beelzebub） ダンテはサタンと同一視している。

ベルナエル Bernael ファラシャ人〔エティ

オピア系ユダヤ人〕の伝承では，闇の天使。ベリエルと同一視されるときは悪の天使。

ベルハル Belhar →ベルナエル Bernael

ベルフェゴル Belphegor（ベルファゴル Belfagor，バアル＝ペオル Baal-Peor,「裂け目の主」「フェゴル山の主バアル」の意） モアブ人が崇拝した放蕩な神であり，カバラ主義者によれば，かつては権天使の位に属する天使であった。地獄では発見と発明のデーモン。招霊されると若い女の姿で現われる。ルフィヌスとヒエロニムスは，ベルフェゴルとプリアポスを同一視している（「民数記」25：1-3参照）。ド・ブランシーの『地獄の辞典』によれば，地獄帝国の高官のうちで，この世の国々への特使の役目を担う者が幾人かおり，ベルフェゴルはフランスに派遣されたという。ヴィクトル・ユゴー

「サタンとベルゼブト」（堕天使）戦いの計略を謀っているところ。ダロッズの彫刻にならった『失楽園』の挿絵。
ヘイリー編『ミルトン詩集』より転載。

の『海に働く人々』でも，ベルフェゴルはパリに派遣されたことになっている。［参照：ジョンスン『悪魔は馬鹿』；ウィルスン『ベルフェゴル，あるいはデヴィルの結婚』（1691）］ミルトンはニスロクの異称としており（『失楽園』VI，447），権天使の首領。マスターズの『エロスと悪』によれば，ベルフェゴルはヒンドゥー教のルトレム Rutrem に相当し，直立した男根で表わされることが多い。グリヨ『妖術師・秘術師・錬金術師の博物館』p132にあるデーモン・ベルフェゴルの絵を参照。

ペルマズ Permaz　ファリスに仕える，夜の2時の天使。［出典：ウェイト訳『レメゲトン』］

ヘルマスの牧者 Shepherd of Hermas →ファヌエル Phanuel

ペルミエル Permiel　ヴァクミエルに仕える，昼の4時の天使。

ヘルメシエル Hermesiel　天国の聖歌隊の指導者。この地位を，メタトロン，ラドゥエリエル，タガス，そして他の天の歌の教師たちと共有する。ヘルメスから「創造された」天使であり，ギリシアの神。T.ガスターは『聖なるものと俗なるもの』で，「リュラ〔竪琴〕の発明者ヘルメスは，天使ヘルメシエルに姿を変えた」と述べている。つまり，接尾辞を工夫することで，さまざまな異教の資料や原典が，初期ユダヤの天使学者たちの使用に役立つこととなったのである。早晩ヘルメシエルが「イスラエルの甘美な声の歌い手」ダヴィデと同一視されると，ガスター教授は付け加えている。

ヘルメス Hermes　善き聖霊，「良きものをもたらす者，テュケの傍らに立つ天使」。［出典：ハリスン『ギリシア神話論考』pp294ff］魂の導き手であり，地下の神，再生のダイモン。また羊や牛の群れの神でもある。予言の術と黄金の杖はアポロンから，翼のついたサンダルはペルセウスから受け取った。ホメロスでは，殺された求婚者たちの魂をハデスへ導く者である。天上の情報を人間に伝える第1の伝達者と言われていることから，トリスメギストゥス──「三重に偉大な情報伝達者」──という名を与えられた。また，カバラは，シナイ山頂で神によってヘルメスに示されたのであり，実に彼こそまさしくヘブライの律法者モーセであったと言われている。［出典：バレット『魔術師』「古代の伝記」p150］しかし，この同一視について，N.ヴィーダーは論文「モーセの第2の到来の観念」（*Jewish Quarterly Review*，1956年4月）で疑問を投じた。つまり，「ラビ文献のどこにも，この名前［ヘルメス］に出会う箇所はない。そして，これは全く無理からぬことである。ラビたちは，異教の神の名をモーセに付与するなど甚だけしからぬこととみなしたにちがいない」と明言したのである。ロングフェロウが書いた最後の詩（1882）には，「ヘルメス・トリスメギストゥス」という題が付けられている。

ヘレク Helech →アベレク Abelech

ベレケエル Berekeel（「我が祝福は神」の意）エノク伝承（『エノク書I』82:17）で季節の天使。

ベレト Beleth（ビレト Bileth, Bilet, ビュレト Byleth）　かつては能天使の位にあり，いつか復位したいと願っている。地獄に堕ちた天使の1人であり，デーモンの85軍団を従える。青い馬に乗った王であり，ラッパの音を合図に進む。その霊符は，ウェイトの『黒魔術と契約の書』p169，及び訳書『レメゲトン』で示されている。かつてベレトが能天使の位にあったということは，「果てしない調査の末，証明された」とスペンスは『オカルティズムの事典』で述べている。

ヘレムメレク Helemmelek　『エノク書I』で，季節の1つを支配する天使。名前は，ミルキエルの転置と言われる。

ヘレル Helel　カナン語群の神話体系における，堕天使，サハルあるいはシャレルの息子で，有翼の神。ヘレルは，至高の神の座を奪おうとして，罰として地獄に投げ落とされた。ルキフェルの伝説を参照せよ。天国から堕ちた第1の星（『エノク書I』86:1）は，サタン＝ヘレルであった。これは，モーゲンスターンの「詩編82章の神話的背景」（*Hebrew Union College-Jewish Institute of Religion Annual* XIV, p29-126）によって提出された解釈である。しかしながら，バンバーガーは著書『堕天使』で，「第1の［堕天した］星はアザゼルとする方が無理がない」と論じている。ヘレルは，ネフィリムの統率者あるいは指導者であった。一般に言われているように，天使たちは，純粋な霊であるからには，全く子孫をもち得ない。しかし，天使が罪を犯すとき，「堕落しやすい肉体をま

とい」，人間の女性と共に住むようになると，子孫をもうけることができる。適切な例は「創世記」第6章の出来事である。カバラやラビの伝承には，このように例外的な出産の例証が数多く見られる。[出典：グレイヴズ，パタイ『ヘブライ神話』]

ヘレレト Heleleth（エレレト Eleleth） グノーシス派の教義における偉大な天体天使。『アルコンの本質』に次のような記載がある。「偉大なるヘレレトは，聖霊以前からの系統を引く。彼の容貌は黄金のようであり，衣服は雪のようである。」[出典：ドレッセ『エジプト・グノーシス主義の秘密の書』p178]

ベン・アニ Ben Ani 天使たちの文字（言葉）で天界に記された名前で，デーモンに命令を下すために唱えられる。[出典：メイザーズ『ソロモンの大きな鍵』]

ベンクル Bencul モーセの招喚で，カバラ儀式で招喚される9人の聖なる天使の1人。[出典：『モーセの第6，第7の書』p72]

ペンドロズ Pendroz メンドリオンに仕える，夜の7時の天使。

ベン・ネズ Ben Nez（「鷹」の意） 天使ルビエルあるいはルヒエルを指す名称。ベン・ネズは風を支配する。伝統的には（タルムード『ババ・バトラ』25a），彼は「世界が荒らされないように，その翼で南風を抑える」とされる。天使だけでなく，山を指すこともある。[出典：バッジ『魔除けと護符』；ギンズバーグ『ユダヤ人の伝説』Ⅰ，12；Ⅴ，47]

ペンパラビム Penpalabim 隠された財宝を探す呪文で招霊される「まことに聖なる天使」。[出典：『真のキリストの書』；ウェイト『黒魔術と契約の書』]

ホ

ボアミエル Boamiel 『天使ラジエルの書』によれば，天国の4域に配置された6人の天使の1人。他の5人はスカミイム，ガブリエル，アドラエル，ドヘル，マディエル。[出典：『モーセの第6，第7の書』]

ポイエル Poiel 権天使の位の天使。幸運と哲学を支配する。また黄道十二宮の72人の天使の1人である。対応する天使はテメソ。バレット『魔術師』Ⅱによれば，シェムハムフォラエ

神の神秘的な名をもつ72人の天使の1人。霊符については『実践カバラ』p289を参照。

ポイマンドロス Pymander 最高神の精神，ロゴス，明らかにされた言葉，全人類のイデア的原型。[出典：ヘルメス・トリスメギストゥス『ポイマンドロス』]

ホヴェ・ハヤ Hoveh Hayah 天使メタトロンの多くの名前の1つ。

忘却の天使 Angel of Forgetting or Forgetfulness (or Oblivion) たいていはポテ，あるいはプラ。

忘却の天使 Angel of Oblivion (or Forgetfulness) プラ，あるいはプタ，あるいはポテ。

奉仕者 Ministers 天使 angels を表わす用語。「ヘブライ人への手紙」1：7に，「神は，その天使たちを風とし，御自分に奉仕する者たちを燃える炎とする」と述べられている。

奉仕の天使 Angels of Service ラビ・アキバによれば，奉仕の天使たちは「天の鳥」である（「詩編」104章と比較せよ）。『ゾハル』によれば，この天使たちは6枚の翼をもつとされる。

ポウテンテイト Potentates 能天使の位の別名。『失楽園』Ⅴでミルトンは，「熾天使とポウテンテイトと座天使」に言及している。

ホウト Hout アラビアの招喚の儀式で招霊される天使。[出典：シャー『オカルティズム』p152]

法の天使 Angel of the Law 「法」が律法（すなわちモーセ五書）を意味するならば，この天使はディナ。イェフェフィア，イオフィエル，ザザガエルとしても知られる。

宝瓶宮の天使 Angel of Aquarius 儀礼魔術の文献では，アウシエル（アウシウル）。レヴィが『高等魔術』で引用したラビ・コメルによると，宝瓶宮を支配する霊はアルケルとサスクマキエル（ツァクマクィエル）。

ホエセディエル Hoesediel（コエセド Choesed，「神の慈悲」の意） ホディエルと同様，ブリア界（4つの原型の世界の1つ）の天使。アンブランの『実践カバラ』p60の図表を参照。ハシュマリムあるいは主天使の位に属するものとして，ザドキエルと共に表に記載。10人いるセフィラの1人としても位置づけられる。

ボエル Boel（「神はその人の内に在り」の意，ボウル Boul，ボオエル Booel，ボヘル Bohel，ドヘル Dohel） 第1天に住む7人の高位の座

天使の1人。地上の4隅を開ける4つの鍵を持つ。この鍵によって，天使たちはエデンの園に入ることができる。ボエルが門を開き，2人の護衛智天使が許可を与えるのである。[出典：『ゾハル』(出エジプト記133b)] バレットの『魔術師』によれば，第1天ではなく第7天に住むとされる。ボエルが支配する星（正確には惑星）は土星。[出典：デ・アパノ『ヘプタメロン』；『天使ラジエルの書』；『ヘハロト書』；『オザル・ミドラシム』]

吼える主 Master of Howling 天使イェドゥトゥン。→大声の君主

牧者 Shepherd →シェパード

ホクス・ポクス Hocus Pocus 中世ユダヤ教の魔術の儀式において，「天の君主[天使]」（実際には2人の君主）として現われる。この用語は「これは我が肉なり」に由来すると言われる。[出典：グラント『グノーシス主義と初期キリスト教』p45]

ホクマエル Hokmael →ホクメル Hochmael

ホクメル Hochmel（ホクロエル Hocroel，ホクマル Hochmal，ホクマエル Hokmael, Hochmael,「神の知恵」の意）『教皇ホノリウス3世の魔術書』の第7巻に霊感を与えたとみなされている天使。10人のセフィロトの1人。

ホサムプシク Hosampsich エノク文献における堕天使の指導者の1人。[出典：ヴォルテール『天使，守護霊，悪魔について』]

星 Stars 聖書の教説では，星と惑星は，神に奉仕する使者，つまり天使とみなされた。[出典：『士師記』5：20；『ヨブ記』38：7「夜明けの星はこぞって喜び歌い，神の子たちは皆，喜びの声をあげた。」] ケアード『権天使と能天使』では，星は「ヤハウェの天使の従者に含まれている」。

星の天使 Angel of the Stars →カカベル Kakabel（コハビエル Kohabiel，コカビエル Kochabiel，コクビエル Kokbiel）

ポスリエル Posriel（ハドリエル？ Hadriel？）地獄の第6層を監督する天使。預言者ミカが発見したのは，地獄のこの層である。[出典：ギンズバーグ『ユダヤ人の伝説』IV，53とVI，214]

ポテ Poteh（プラ Purah）忘却の君主（sar，天使）。安息日の最後に，ユダヤ人による降霊術の儀式で招霊される。[出典：トラクテンバーグ『ユダヤ魔術と迷信』]

ホディエル Hodiel（「神の勝利」の意） カバラ主義者たちによれば，ブリア界（天地創造の世界）の天使。[→ホディリロン]魔除けの効力について書かれたモーセス・ボタレルの著書に，カブニエル，タルピエル，その他の霊たちと共に，招霊して効果が得られる天使とされている。

ボディエル Bodiel 『ヘハロト・ゾテラティ』（『第3エノク書』17に引用）によれば，第6天の支配者。多くの場合，サバト，サンダルフォン，ザキエル，ゼブルなどが第6天の統率天使とされる。

ホディリロン Hodiriron（「輝き」を意味する"hod"より） 10人の聖なるセフィロトの第9番目。ソリアのイサク・ハ＝コヘンの文献や他のカバラ主義者たちの著作に記載がある。

ホド Hod →ホディリロン Hodiriron

ホドニエル Hodniel 人間の愚かさを治す力をもつと考えられている天使。

炎の剣の天使 Angel of the Flaming Sword →エデンの園の天使 Angel of the Garden of Eden

炎の天使 Angel of Flame エル・アウリア。オウリエル（ウリエル）と同等視される名前。→火の天使

護符。天から星々を落とす力があると言われる。
ウェイト『儀礼魔術の書』より。

ホフニエル Hofniel（「神の戦士」の意）　カバラにおいて，10ある位階の中の位であるベネ・エロヒム（「神の息子たち」）の長。[出典：『ユダヤ大辞典』「天使学」の項]

ホマディエル Homadiel　「主の天使」と同一視される。[出典：メイザーズ『ソロモンの大きな鍵』の序文]

ホライオス Horaios（オレウス Oreus，ホレウス Horeus）　オフィス派（グノーシス派の）の体系における7人のアルコンの1人で，「アルコンのアイオンにつながる」7つある天の1つの支配者。レッジの『キリスト教に先行するものと対抗するもの』II，74に収録されているホライオスに対する呪文を参照のこと。オリゲネスも『ケルソス反駁』でホライオスに言及している。

ポルナ Porna　第3天で仕える金曜日の天使であり，南の方角から招霊される。[出典：デ・アバノ『ヘプタメロン』；『モーセの第6，第7の書』]

ホルムズ Hormuz　古代ペルシアの伝承で，月の第1日目を監督する天使。[出典：『ダビスタン』p35]

ポロ Poro　能天使の位の天使。招霊の儀式で唱えられる。[出典：『モーセの第6，第7の書』]

ポロサ Porosa　ポルナと同じく，第3天に住む金曜日の天使であり，南の方角から招霊される。[出典：バレット『魔術師』II]

マ

マ Mah 古代ペルシア伝承で、月の変化を監督する天使。［出典：クレイトン『天使学』］

マアディム Maadim メタトロンが第4天でモーセに示した2つの巨星すなわち天使の片方。『モーセの黙示録』によれば、マアディムは「寒い世界を暖めるため月の近くに立つ」。

マイアニエル Maianiel 『モーセの第6、第7の書』で名を挙げられた、第5天に仕える天使。

マイオン Maion ヘイウッドが『聖なる天使の階級』で言及した、土星を支配する天使。

マイツ Mights B.カムフィールドの『天使についての神学的論説』で用いられた、力天使（ヴァーチュー）の位を表わす用語。シュタイナーの『人間の星気体の中の天使の作用』では、デュナミスと同等視される。

マイフィアト Maiphiat コウモリの清めで唱えられる天使。［出典：メイザーズ『ソロモンの大きな鍵』］

マイモン Maymon 大気の天使長で、土曜日を支配する。南風に支配される。マイモンに仕える天使は、アブマリト、アサイビ、ベリデトの3人。デ・アバノの著作では「土曜日の大気の天使たちの王」。

マヴェト Mavet 死の天使。→マラク・ハ＝マヴェト

マヴキエル Mavkiel 悪魔祓いのための東洋の護符（カメア）に記された天使の名。［出典：シュライアー『ヘブライの魔除け』］

マエル Mael オカルトの教義で、水の3宮〔巨蟹宮、天蠍宮、双魚宮〕を支配する大天使〔→マディエル〕。また土星の叡智体の1人でもある。第1天の月曜の天使として、北から招霊される。

マカイル Mahka'il アラビアの伝承で、悪魔祓いの儀式で招霊される守護天使。［出典：ヒューズ『イスラム辞典』「Angels」の項］

マカシエル Machasiel バレットの『魔術師』IIとデ・アバノの『ヘプタメロン』によれば、南の方角から招霊される天使の1人。第4天に住み、日曜日を支配する。太陽の叡智体の1人として挙げられている。［出典：マルクス『トゥリエルの秘密の魔術書』］

マカタン Machatan（マカトル Machator, マコトン Macoton）バレットの『魔術師』や『古代魔術書』などのオカルト文献によれば、土曜日の天使で、ウリエル、カシエル、セラクイエルと共に支配する空気の霊の能天使（パワー）の1人。

磨羯宮の天使 Angel of Capricorn 儀礼魔術ではカスヨイア。レヴィが『高等魔術の教理と祭儀』で引用したラビ・コメルによると、黄道十二宮の中のこの宮を支配する霊はサグダロンとセマキエル（セマクィエル）。

マカティエル Makatiel（「神の疫病」の意）『マセケト・ガン・エデン＆ゲヒノム』で言及された、7人の懲罰の天使の1人。［出典：ユダヤ大辞典』I、593；イェリネク『ベト・ハ＝ミドラシュ』］

マカル Machal コウモリの清めで唱えられる天使。［出典：メイザーズ『ソロモンの大きな鍵』］

マキエル Mach(k)iel 『ピルケ・ヘハロト』のリストによれば、第6天の護衛の天使の1人。シャー『オカルティズム』p77にその五芒星（ペンタクル）が示されている。

マキエル Makiel シリアの魔法儀礼で招霊される天使。ミカエル、ガブリエル、ハルシエルなどとともに、魔法を用いる天使に分類される。［出典：『守護の書』；バッジ『魔除けと護符』］

マキディエル Machidiel（「神の完全さ」の意。マルキディエル Malchidiel、マラヒダエル Malahidael、マルケダエル Malchedael、メルケイアル Melkeial、メルケヤル Melkejal、など）3月を治める天使であり、白羊宮を支配する。［出典：カムフィールド『天使についての神学的論説』p67］『エノク書I』ではメルケ

ヤルと呼ばれる。彼は「一年の初めに現われてこれを支配し」、また「春から夏の間の91日間」を支配する。カバラの書物では、メルクラエル Melchulael として、聖なるセフィラ、マルクトの天使の権化の1人。マルクトは他にもサンダルフォン、メシア、エマヌエルという権化がいる。魔術書の呪文では、天使の王子マキディエルと呼ばれており、招喚者の命じるままに乙女を連れてくることになっている。招喚者が時と場所を指定すれば、「呼ばれた乙女は必ず現われるだろう」。

マギルコン Magirkon　天使メタトロンがもつ多くの名の1つ。

マク Mach　ソロモンの招喚儀式で、招喚者の姿を見えなくするために唱えられる天使。

マクウィリアムズ、サンディ McWilliams, Sandy（フィクション）　マーク・トウェイン『キャプテン・ストームフィールドの天国訪問』における禿頭の天使。

マクティエル Maktiel　M.ガスターの『モーセの剣』に名が記された、木々を支配する天使。『バライタ・デ・マセケト・ゲヒノム』では、マクティエル（あるいはマトニエル）は、10の非ユダヤ民族を罰した天使の1人であり、地獄の第4圏に住む。

マグト Maguth　木曜日に働く空気の天使。空気の天使たちの長スト Suth の臣下であり、さらにその上には南風がいる。[出典：『古代魔術書』；デ・アバノ『ヘプタメロン』；バレット『魔術師』II]

マクニア Machnia（マクニエル Machniel）　70人の産褥の魔除けの天使の1人。マクニエルという名で、南風の門を護衛する天使として『オザル・ミドラシム』に記されている。

マクマイ Machmay　ウェイト訳『レメゲトン』で、メンドリオンに仕える夜の7時の天使。

マクロプロソプス Macroprosopus　カバラにおける1番目の聖なるセフィロト。彼は「姿を隠した神」である。→ミクロプロソプス

マケドニアの男 Man of Macedonia　「使徒言行録」16：10でパウロは「マケドニアの男」を天使と考えている。ダニエルーの『天使とその使命』はこの聖パウロの幻視に言及し、オリゲネスを引用している。

マゴグ Magog　→ゴグとマゴグ Gog and Magog

マコトン Macoton　→マカタン Machatan

マジアン Mahzien　マンダ教の、視力を授ける霊。[出典：ドロワー『マンダ教の正典祈禱書』]

マシト Mashit(h)（「破壊者」の意）　子供たちの死を定める天使。[出典：ギンズバーグ『ユダヤ人の伝説』]『ゾハル』では、偶像崇拝、殺人、近親相姦という罪を犯した者たちを罰する地獄（ゲヒノム）の3人の悪魔の1人。他の2人の悪魔はアフとヘマ。詩編の注釈書『ミドラシュ・テヒリム』では、モーセが天で出会った懲罰の天使5人の1人。

マシム Masim　東風の門を護衛する数多い天使の1人。[出典：『オザル・ミドラシム』II, 316]

魔術の天使 Angels over Sorceries　『聖書古代史』によれば、「ミデアンの魔術師アオドは、夜に太陽を輝かせるために、魔術を支配する天使たちを使った」とされる。[『エノク書』で言及されている、秘密の術を人間に教えた堕天使たちと比較せよ。]

マスガブリエル Masgabriel　デ・アバノの『ヘプタメロン』で、第4天に住み、北の方角から招霊される天使。日曜日を支配する。

マスキエル Maskiel　第1天の護衛の天使。[出典：『ピルケ・ヘハロト』]

マスキム Maskim　アッカドの宗教における、地獄の7人の偉大な君主、あるいは奈落の底の7人の霊。「彼らの座は大地の深みにありながら、その声は高き所にこだまする。」またマスキムは「広大な空間に意のままに住んでいる」とも言われる。メフィストフェレスはこの7人の1人。[出典：ルノルマン『カルデア魔術』；アグリッパの選帝侯；コニベア『ソロモンの誓約』中、地獄の惑星の支配者のリスト]

マスケリ Maskelli（マスケリ＝マスケロ Maskelli-Maskello）　→ザラザス

マスティニム Mastinim　罪を告発する天使たちを表現する言葉。マスティニムの長はサマエル。バンバーガーの『堕天使』では、「民族の偉大な天使たち」。ギンズバーグの『ユダヤ人の伝説』III, 17は、エジプトの守護天使ウザを告発する天使と呼んでいる。エリヤも、選民のために罪を告発するとき、イスラエルの告発天使として特徴づけられる。

マステマ Mastema（マンセマト Mansemat）

マス-マタ

〈ケルン聖書の木版画〉 左＝7つの頭をもつドラゴンに乗り，地上の小国の王たちによって崇められている緋色の服を着た女性。中央（上）＝海に大きな石臼を落とす天使。右＝今まさに悪魔を葬らんとする底無しの淵の穴を開く鍵をもつ天使。右端＝ヨハネ黙示録第14章最後の場面，怒りのぶどうを地上から取り入れそれを搾り桶に入れているところ。
『中世聖書の挿絵』より。

罪を告発する天使。サタンと同じく，悪への誘惑者，刑の執行人として，神のために働く。悪，不正，非難の支配者である。『ヨベル書』や『サドカイ派文書諸断片と死海文書』では災難の天使であり，「全ての悪の父だが，神にへつらう」。「出エジプト記」4：24以下で述べられる出来事では，マステマがモーセを殺そうとし，ファラオの心を硬化させた（ただし『ミドラシュ・アブキル』によればこれはウザの仕業である）。マステマは，人間の子孫を自分の意のままにするため，神に向かって悪魔たちの命乞いをしたという伝説がある。神はこれをよい考えと思ったらしく，マステマの仕事のために10分の1の悪魔を自由にしておいた。またモーセとアロンがファラオの前に現われたとき，エジプトの魔術師を助けて魔術を行なわせたのがマステマであるとされる。［→ベリアル，→サタン］ヴェルメシュが『ユダヤの砂漠での発見』で言及した『ダマスコ文書』は敵意ある天使について述べているが，これはマステマのことである。

マスト Mastho　レヴィの『高等魔術の教理と祭儀』では「迷妄を司る守護霊」。テュアナのアポロニウスの『ヌクテメロン』のリストによれば，10時の霊の1人。

マスニエル Masniel　黄道十二宮の支配天使。［出典：コルネリウス・アグリッパ『オカルト哲学』Ⅲ］

マスピエル Maspiel　『ピルケ・ヘハロト』で言及された，第2天に配置された護衛の天使。

マス・マシア Mass Massiah　タルムード『シャバト』で，皮膚病を治すため招霊される天使。

マスレ Masleh　オカルティズムにおける「カオスを動かし，四大を造った」天使。ユダヤの伝説では，黄道十二宮の支配者。『古代魔術書』によれば，「ロゴスの力と影響は，天使マスレを通して黄道十二宮に伝わる」。

マゼイル Mahzeil　マンダ教の天使。［出典：ポニオン『マンダ教碑文』］

マダガビエル Madagabiel　北風の門を護衛する数多い天使の1人。［出典：『オザル・ミドラシム』Ⅱ，316］

マタクィエル Mataqiel（「甘さ」の意）『ヘハロト・ラバティ』で言及された，第1天の7人の護衛の天使の1人。

マタフィエル Matafiel　『ヘハロト・ラバティ』に言及された，第2天の7人の護衛の天使の1人。

マタリエル Matariel　→マタレル Matarel

マタレル Matarel　ラビ伝承と偽典伝承における雨の天使。リディア，ザルベサエル，バタレル Batarrel や他のものたちも，雨の天使である。『第3エノク書』では世界の支配者の1人。

マダン Madan　ヘイウッドが『聖なる天使の階級』で言及した，水星を支配する天使。

マタンブクス Matanbuchus（メケムベクス Mechembechus, メテルブクス Meterbuchus, ベリアル Beliar, マステマ Mastema）『イザヤの殉教』『ヨブの誓約』そして『イザヤの昇天』の序論で無法の天使と言われ，ベリアルと同一視される：「ベリアル，彼の名はマタンブクス」。この名は，ヘブライ語の2語マタン・ブカ mattan buka（「価値のない贈り物」の意）から作られたとされる。しかし，ヘブライ語のミツダベク mithdabek（「引き入れるもの」すなわち悪霊の意）から作られたと考えるほうがよいだろう。

マツメツィヤ Matsmetsiyah　天使メタトロンがもつ多くの名の1つ。

マティエル Mathiel　デ・アバノの『ヘプタメロン』，バレットの『魔術師』，その他のオカルト文献では，第5天に仕える天使。火曜日を支配し，北の方角から招霊される。

マディエル Madiel　オカルトの教義では，水の3宮〔巨蟹宮，天蠍宮，双魚宮〕を支配する大天使。第1天に住み，東の方角から招霊される。[出典：デ・アバノ『ヘプタメロン』；ウェイト訳『レメゲトン』] マディエルは，プロコフィエフのオペラ『火の天使』の天使である。→火の天使

マディミエル Madimiel（マディニエル Madiniel, マダミエル Madamiel）　火星の第1の五芒星に記された4人の天使の名の1つ。他の3人は，イトゥリエル，バルツァキア，エスキエル。[出典：メイザーズ『ソロモンの大きな鍵』] モーセ伝承では，「たびたび神の御前に立つ」7人の王の1人。そして「彼らには惑星の霊名が与えられている」。[出典：コルネリウス・アグリッパ『オカルト哲学』Ⅲ]

マトニエル Matniel　→マクティエル Maktiel

マトモニエル Matmoniel　魔法の絨毯を手に入れるためのソロモンの呪文で招霊される「神の聖なる臣下」。[出典：メイザーズ『ソロモンの大きな鍵』]

マトライ Mathlai　デ・アバノの『ヘプタメロン』によれば，水星の霊の1人。水曜日の天使であり，第3天に住む。しかしバレットの『魔術師』では，第2天に住み，東の方角から招霊される。

マドリエル Madriel　ヴァドリエルに仕える，9時の天使。[出典：ウェイト訳『レメゲトン』]

マドル Mador　ヘハロト伝承（『マアセ・メルカバ』）で，第4天の館に配置された護衛の天使。

マトロナ Matrona　『ゾハル』で「主の天使」と呼ばれたシェキナのこと。

マナ Manah　アラビアの出産の女神であり天使。アラブ人の知るかぎりで最古のマナの偶像は，ムハンマドの命令で壊された。[出典：ジョウブズ『神話・民間伝承・象徴辞典』]

マナ Manna（ヘブライ語「これは何？」の意）　ユスティノスはマナを天使の常食であると考えた。[参照：「詩編」78：24：降下する際「彼らは天使の食物を食べた」。] 周知のように（「列王記上」19章）エリヤは大鴉に与えられた天使の食物で荒野での40日間を生き延びた。[出典：シュネヴァイス『ラクタンティウスによる天使とデーモン』p40] ヒューズ『イスラム辞典』はイブン・マヤを引用し，天使の食物は「神の栄光を祝うもの」であり，天使の飲物は「神の神聖の宣言」であると述べている。

マナケル Manakel（メナケル Menakel, メナクェル Menaqel）　アンブランの『実践カバラ』によれば，水棲動物を支配する天使。ルーンズの『カバラの知恵』では，黄道十二宮の72人の天使の1人。

マニエル Mahniel（「強力な陣営」の意）「古き者アズリエル」という別名をもつ。『ゾハル』（[出エジプト記 202a]）によれば，「ある者は目で覆われ，ある者は耳で覆われた，60万の有翼の天使の軍団」を指揮する天使。

マニエル Maniel　シリア魔術の護符で招霊される天使。[出典：『守護の書』；バッジ『魔除けと護符』]

マヌ Manu　アッシリア＝バビロニア神話で「偉大なマヌ」は運命を統轄する霊である。[出典：ルノルマン『カルデア魔術』]

マヌエル Manuel　ヘイウッドの『聖なる天

使の階級』で言及された，黄道十二宮の巨蟹宮を支配する天使。

マネイイ Maneij イェフィシャに仕える，夜の4時の士官天使の長の1人。[出典：ウェイト訳『レメゲトン』]

マハシア Mahasiah シェムハムフォラエ神の神秘的な名をもつ72人の天使の1人。[出典：バレット『魔術師』Ⅱ]

マハシェル Mahashel 黄道十二宮の5度ずつを支配する天使の1人。[出典：ルーンズ『カバラの知恵』]

マハデオ Mahadeo（マヘシュ Mahesh） ヴェーダでは，マハデオ（シヴァ）は，太陽，月，火を象徴的に表現した「3つの目をもち，もつれた巻毛の」11人の天使の1人。マハデオも5つの頭をもつ（あるいは，もっていた）。[出典：『ダビスタン』p189]

マハナイム Mahanaim（「2組の陣営」の意） ヤコブがハランを離れたとき，60万人の天使の陣営が2組（マハナイム）彼の伴をした。この出来事は「創世記」32章に述べられている。[出典：ギンズバーグ『ユダヤ人の伝説』Ⅰ，377]

マハナネル Mahananel 『オザル・ミドラシム』Ⅱ，316に記された，北風の門を護衛する数多い天使の1人。

マハリエル Mahariel（「迅速な」の意） 第1の正門に配置された楽園の天使で，清められた者のために新しい魂を用意する。[出典：『オザル・ミドラシム』Ⅰ，85]

マハレルと**マハルキエル** Mahalel and Mahalkiel 東洋の魔除けの護符に記された天使たちの名前。[出典：シュライアー『ヘブライの魔除け』]

マヒシュ Mahish（マハシュ Mahash） 『バガヴァッド・ギーター』における強力な天使。ブラフマンとヴィシュヌと共に，原初の属性の1つから生じた。[出典：『ダビスタン』P178]

真昼の風の天使 Angel of the Noonday Winds →ナリエル Nariel

マホニン（マホニム）Mahonin(m) オーシュで行われた悪魔祓い（1618）で，貴婦人にとりついた悪魔は自ら「第3の位階で第2の位の大天使に属するマホニン」と名乗り，天における自分の敵は「福音書記者聖マルコ」であると述べた。[出典：ロビンズ『悪魔学大全』p49]

マミエル Mamiel 支配者バルギニエルに仕える，昼の7時の士官天使の長の1人。

マムベア Mambe'a 紀元前1，2世紀ごろ，悪魔を捕まえるためのテラコッタ製の罠（お守り）にその名前がヘブライ語で記された，強力な天使。魔術に対するバビロニアの守護霊として唱えられる。[出典：バッジ『魔除けと護符』p288] マムベアの仲間の天使はバブネア。

マムラケティ Mamlaketi 『第3エノク書』（エノクのヘブライ書）では，マムラケティはウザという別名を持つ。

マメロイユド Mameroijud 『パウロ魔術』における，夜の10時の士官天使の長。ユスグアリンに仕える。[出典：ウェイト『典礼魔術の書』p70]

マモン Mammon（アラビア語「富」の意） オカルトの教義では，大デーモンの1人であり，悪の誘惑者の王として，いまは地獄を支配する堕天使。ド・プランシーの『地獄の辞典』では，地獄の駐英大使とされた。ルキフェルやサタンやベエルゼブブ，さらにはネブカドネツァルと同等視されている。マモンは貪欲のデーモンである。聖フランチェスカが93の幻の1つに見たように，彼は「この世の玉座を手にしている」。中世の見解では，シリアの神であった。ニサのグレゴリウスは，マモンをベエルゼブブと考えた。「マタイによる福音書」6：24及び「ルカによる福音書」16：13では，マモンは神の強力な敵であると述べている。バレットの『魔術師』にも描かれ，『失楽園』Ⅰ，678-681でも「彼らの頭をとるはマモン／並びなき卑屈の霊マモン／天にあってさえ眼差しと思いとを常に下に向けるもの」とされる。

魔除けの天使 Amulet Angels 魔除けの天使は70人おり，子供が生まれるときには頻繁に招喚された。魔除けの天使の名前に関しては付録を参照。

マラ Mara 仏教神話のサタン。アーノルド『アジアの光』（Ⅵ, 19）には，「マラの強力な者ども，／悪の天使ども」，そのうちには「10の大罪」がいる，とある。

マラキ Malachi（Malachy）（「神の天使」の意） イェホヴァの天使。エズラ書4には「マラキ（Malachy），主の天使とも呼ばれる者」と書かれている。[出典：タルムード『ハギガ』] 旧約聖書の最終章は「マラキ書」と呼ば

れている。

マラキム Malakim（「王たち」の意）　力天使（エンジェル）と同一視される天使の位。その支配者は，ペリエル，ウリエル，ウジエル，ラファエルなどさまざまな名で呼ばれる。

マラクス Marax →フォルファクス Forfax

マラク・ハ=ソフェル Malach ha-Sopher　死の沈黙の天使ドゥマの側近。マラク・メムネと共に人間の寿命を計算する。〔出典：『オザル・ミドラシム』Ⅰ，92〕

マラク・ハ=マヴェト Malach ha-Mavet　コーランやラビ文献では，死の天使。一般にサマエルかアズラエルと同一視される。

マラク・メムネ Malach Memunne（「定められたもの」の意）　ドゥマの側近。マラク・ハ=ソフェルと共に人間の寿命を計算する。

マラク・ラ Malach Ra　善い天使は，神の命令に従って，しばしば一般に不正や邪悪とみなされる物事の使いをしたりその類いの行為をしたりするのであり，マラク・ラは，そのような原因という意味での悪の天使である。しかし必ずしも彼自身が悪ではない。→破壊の天使，→懲罰の天使

マラク・ル=マウト Malaku 'l-Maut　コーラン32章，11における死の天使。おそらくイズラエルかアズラエルに同等視されるか，あるいは同一視されている。

マラシエル Malashiel　ユダヤのカバラでは，エリヤの教導天使。→マルティエル

マリア Mary　『福音伝道のヨハネの書』では聖母マリアは天使とされる。ジェイムズの『新約聖書外典』p191によれば，キリストを受胎するため神に遣わされた天使。キリストは「彼女の中に耳から入り」「耳から現われた」。ロレットの連禱では「天使たちの女王」。

マリエル Mariel　『守護の書』で，シリアの魔法の護符で招喚される天使。〔出典：バッジ『魔除けと護符』〕

マリオク Marioc(h)（マリウク Mariuk）　ギンズバーグの『ユダヤ人の伝説』では，エノク文献を見張る天使。神によって，筆記者の天使アリウクと共に，エノク文献が守られるようエノクの直接の子孫を守護する地位に配置された。〔出典：『エノク書Ⅱ』33章〕

マリク Malik（マレク Malec）　アラビア神話における，地獄を守る恐ろしい天使。19人のスビレス（ザバニヤ）つまり守護天使が彼に仕える。コーラン43章，77で，マリクは懇願してくる邪悪なものたちに向かって，「真実が明かされたとき，真実を憎悪したが故に」お前たちは永遠に地獄にとどまらねばならぬと述べている。〔出典：ヒューズ『イスラム辞典』；『ユダヤ大百科辞典』「Angelology」の項；ヘイスティングズ『宗教・倫理辞典』Ⅳ，618〕

マリフィエル Marifiel　ナルコリエルに仕える，夜の8時の士官天使の長〔出典：ウェイト訳『レメゲトン』〕

マル Marou　かつては智天使だったが，いまは悪魔。ウーダンの悪魔憑き事件におけるウルバン・グランディエの審判の際，エリザベト・ブランシャールの身体にとり憑いた6人の悪魔の1人として名前が挙がった。〔出典：ド・プランシー『地獄の辞典』〕

マルガシュ Margash　天使メタトロンがもつ多くの名の1つ。

マルキイヤ Malkiyyah　「血を与える」天使。この名は，出血を防ぐ護符に記されていた。このことは，ボナーが『魔除けの研究』で言及した未刊のヘブライ語の写本に述べられている。マルキイヤは，マルキア〔マルキヤ〕Malchiahの名で「エズラ記」10：31にも現われる。

マルギヴィエル Margiviel　御前の君主であり，第4天を護衛する天使の1人。〔『オザル・ミドラシム』Ⅰ，117〕

マルキエル Malkiel, Malchiel（「神の王」の意）　10人の聖なるセフィロトの中で最下位に位置するセフィロンに仕える3人の天使王の1人。他の2人はイトゥリエルとナシュリエル

「踊る天使たちのいるエジプトでの休息」　ヴァン・ダイク作。アンナ・ジェイムスン『聖母伝説』より転載。

である。『オザル・ミドラシム』では，南風の門を護衛する数多い天使の1人。

マルキラ Malkira, Malchira（「不正の王」の意）『イザヤの殉教』におけるサマエルの異名。[出典：チャールズ『イザヤの昇天』へのボックスの序文]

マルクト Malkuth（メルコウト Melkout, マルクト Malchut）第10セフィラ，エン・ソフ，シェキナ，メシアの魂，あるいはメタトロン。『ゾハル』によれば，エゼキエルは「ケバル川の河畔で，イスラエルの神のもとに」マルクトを見た。[出典：「エゼキエル書」1：3, 10：15, 20] この旧約聖書の預言者エゼキエルが見た生き物は智天使(ケルビム)である。

マルゲシエル Margesiel 天使メタトロンがもつ多くの名の1つ。

マルケダエル Malchedael →マキディエル Machidiel

マルコシアス Marchosias（マルコキアス(ドミネイション) Marchocias） 主天使の位にいた堕天使。いまは地獄の強大な侯爵として仕える。ド・プランシーの『地獄の辞典』(1863年版)に描かれたように，召喚されると，グリフィンの翼と蛇の尾をもつ狼か雄牛の姿で現われる。マルコシアスは「1200年後に第7の座に戻りたい」とソロモンに打ち明けている。その霊符(シジル)については，ウェイト『黒魔術と契約の書』p176を参照。

マルジム Maluzim 魔術儀式で祈願を受ける，神の聖なる天使。[出典：『イエスズ会士の真正なる魔法の書』；ウェイト『黒魔術と契約の書』]

マルティエル Maltiel カバラにおいて，第3天に住む金曜日の天使で，西の方角から招霊される。木星の叡智体の1人でもある。ギンズバーグ『ユダヤ人の伝説』では，エリヤの教導天使。『オザル・ミドラシム』II，316では，西風の数多い護衛の1人。→マラシエル

マルティドレリス Malthidrelis ヘイウッドの『聖なる天使の階級』で，黄道十二宮の白羊宮（牡羊座）を支配する天使。

マルニエル Marniel 魔除けのための東洋の護符に記された天使の名。[出典：シュライアー『ヘブライの魔除け』]

マルヌエル Marnuel ラビ・アキバの文献で言及された天使。[出典：バンバーガー『堕天使』]

マルヌティエル Marnuthiel ラビ・アキバの文献で言及された天使。

マルフィエル Marfiel ウェイト訳『レメゲトン』で言及された，ヴァクミエルに仕える昼の4時の天使。

マルブシエル Malbushiel（フィクション。その名は Malbush「衣類」という言葉にちなむ） I. B. シンガーの小説「倉庫」(*Cavalier*, 1966年1月) の中の天使バグディアルのまいとこ。マルブシエルは「天の下層の住民」の1人で，物資補給係である。

マルマラオ Marmarao デーモンのアノステル Anoster（病気のデーモンである36の星界の霊の1人）に引き起こされる火ぶくれを治すため召喚される霊。[出典：シャー『魔術の秘伝』224]

マルマラト Marmarath（マルマラオト Marmaraoth） コニベアの『ソロモンの誓約』における，7人の惑星の天使の1人。戦いの女魔神クロトドを征服することができるただ1人の天使。

マルメリヤ Malmeliyah 天使メタトロンがもつ多くの名の1つ。

マロク Maroch ウェイト訳『レメゲトン』で言及された，サズクイエルに仕える昼の5時の天使。

マロト Maroth（マロオト Maroot, マロウト Marout, ヘブライ語「辛さ」の意）「全人類を支配し指導し教育する十分な権限を与えられて」，天使ハロトと共に，神から遣わされた。[出典：ヘイウッド『聖なる天使の階級』p289] ペルシアの伝承にあったものが，ユダヤに受け継がれた。コーランでもマロトは天使とされている。

マロン Maron 霊あるいは天使の聖なる名。ソロモンの招喚儀礼では，マロンの名はデーモンを支配する。[出典：メイザーズ『ソロモンの大きな鍵』]

マンセマト Mansemat 『フィリピ行伝』に出てくるマステマ（サタン）の別名。[出典：ジェイムズ『新約聖書外典』p440]

マントゥス Mantus エトルリアで崇拝された至高の霊である，9人のノウェンシレスの1人。

ミアヘル Miahel 黄道十二宮の5度ずつを支配する72人の天使の1人。[出典：ルーンズ『カバラの知恵』]

ミイコル Mijcol（Mijkol） 招喚に用いられる印章の天使。[出典：『モーセの第6，第7の書』]

ミヴォン Mivon 天使メタトロンがもつ多くの名の1つ。

ミエル Miel 水曜日の天使。[出典：デ・アバノ『ヘプタメロン』]シャーの『魔術の秘伝』p294で，水星の3人の天使の1人として言及される。他の2人はラファエルとセラフィエル。

ミカイル Mikail，あるいは，ミカエル Mikhael（Michael） アラビアの伝承では，悪魔祓いの儀式で招霊される守護天使。[出典：ヒューズ『イスラム辞典』「Angels」の項]

ミカエル Michael（「神のごとき者」の意） 聖書と聖書以後の伝承において，ユダヤ教，キリスト教，イスラム教のいずれの宗教書，非宗教書を問わず，あらゆる天使の中で最も偉大なものとされる。カルデアに起源をもち，カルデア人はミカエルを偉大な神として崇拝した。力天使及び大天使の長であり，御前の君主であり，懺悔・正義・慈悲・清めの天使であり，また第4天の支配者であり，イスラエルの守護天使 sar（天使の大公）であり，ヤコブの守護者であり，サタンを成敗する者である（しかしサタンはまだあちらこちらに存在し，征服されていないことを心に留めなければならない）。ミカエルの神秘的な名はサバティエルである。イスラム文献ではミカイルと呼ばれる。信仰篤き者の救済者として，『アヴェスタ』の救世主サオシハントと一致する。『ミドラシュ・ラバ』（エクソドゥス18）では，詩編85全ての作者であると言われる。さらにセンナケリブの軍勢を滅ぼした天使とも同一視される。しかしこれは，ウリエル，ガブリエル，ラミエルの戦功とも言われている。

また，後にアブラハムが息子イサクを犠牲に供しようとしたとき，これを押しとどめた天使である。ただしこれは，タドヒエルやメタトロンなどの天使の功績ともされる。ユダヤ伝承（ギンズバーグ『ユダヤ人の伝説』Ⅱ，303）には，「モーセが燃える柴に見た炎は，ミカエルの出現であった。彼はシェキナの先駆けとして天から降ったのだ」と述べられている。一般にはザグザゲルが燃え立つ柴の天使と呼ばれる。『創世記』18：1-10の注解のあるタルムード『ベラコト』35によれば，ミカエルはアブラハ

「ミカエル」 テラコッタ弓形明り採り窓（1475年頃）。アンドレア・デルラ・ロッビア作。
『メトロポリタン美術館, 美術紀要』1961年12月号より。

ムがそうとは知らずにもてなした3人の「男たち」の1人だが，サラに悟られた。モーセの埋葬で，ミカエルは他の4人の偉大な天使（ガブリエル，ウリエル，ラファエル，メタトロン）を助け，その死体の所有についてサタンと論争したという伝承もある。[出典：ユダの手紙9] 神秘主義とオカルトの文献では，ミカエルはしばしば聖霊，ロゴス，メタトロンなどと同等視される。『バルク書Ⅲ』ではミカエルを「天国の鍵を持つ」者としている。しかし伝統的に，また一般的なイメージでは，「天国の鍵を持つ」者は聖ペトロとするが，この方が適切であろう。

ヘイスティングズ『宗教・倫理辞典』Ⅳ，616の「Demons and Spirits」の項によれば，初期イスラム教の伝承では，ミカエルは第7天の「満潮のごとく無数の天使たちがずらりと並んで押し寄せた波の境目」にあるという。そして，ミカエルの翼は「エメラルド・グリーンのような色」で，彼は「サフラン色の髪の毛に覆われ，その1本1本に100万の顔と口，そして100万の言葉でアッラーの許しを請う多くの舌がある」と言われている。古代ペルシア伝承では，ミカエルはベシュテルと呼ばれ，「人間に食糧を供給する天使」である。[出典：セイル『コーラン』「序論」] ここには，智天使はミカエルが信心深き者たちの罪のため流した涙から創られたことが述べられている。キリスト教徒は，ミカエルを，救済と不死を与え，信者の魂を「永遠の光へと」導くという理由で，慈悲深き死の天使，聖ミカエルと呼ぶ。レガメイの『天使とは何か』によれば，ユダヤ教ではミカエルは「天の副王」である。これは，堕天する前の偉大な敵対者ハ＝サタンに付けられた称号である。

ミカエルは，ガブリエルとともに，古典の巨匠の作品に最も頻繁に描かれた。翼をもち，剣を抜いた神の戦士，ドラゴンの殺害者（この役割は後に聖ジョージのものとされた）として描かれていることが多い。また，最後に魂を計量する天使として（この任務はドキエルやゼハンプリュなどと共に行なう），ミカエルは正義のはかりを手にしている。フラ・フィリッポ・リッピは，ミカエルがひざまずいて細い蠟燭を捧げ，聖母マリアに迫りくる死を告げているスケッチを描いた（マリアに神の子の誕生を告げるのはガブリエルである）。これはジェイムスンの『聖母の伝説』p436に収載されている。同じ本のp433には，死んだばかりのマリアの棺をひっくり返そうとした「邪悪なユダヤの高僧」の両手をミカエルが切り落したという，中近東の伝説が記されている。しかし「無礼なユダヤ人」の手は，聖ペトロのとりなしで再び身体に取り付けられたという。

最近発見された死海文書の中の『光の子らと闇の子らの戦い』では，ミカエルは「光の君主」と呼ばれ，悪魔ベリアルの指揮する闇の天使の軍団と戦う光の天使を指揮している。ギンズバーグの『ユダヤ人の伝説』では，シェキナの先触れ，パレスティナからヨセフの妻としてアセナトを連れてきた天使，炎からダニエルの仲間を助けた天使，モルデカイとエステルの仲介者，バビロンを滅ぼした者などとされる。また大洪水のことを堕天使に知らせたとも言われる。ミカエルが泣くとき，その涙は宝石に変わる。ロングフェローの『黄金伝説』では，ミカエルは水星の霊であり，「忍耐の才をもたらす」。文学では，特にダンテとミルトンにおいて顕著な役割を果たしている。現代文学では，ネイサンの『司教の妻』で司教ブルームに副司教として仕え，またイェイツの後期の詩「平和の薔薇」では「神の軍勢の指揮官」と呼ばれる。ミカエルについての最新のニュースは，1950年にローマ教皇ピウス12世がミカエルを警察官の保護者と定めたことである。

ミカエル Mikael　君主，貴族，統治者の裁

「死の近いことを聖母マリアに知らせるミカエル」
フラ・フィリッポ・リッピ作。祭壇の飾り台の上の絵。
ジェイムスン『聖母の伝説』より転載。

「ミカエル」 6世紀ビザンティンのモザイク画。
レガメイ『天使』より転載。

定に影響を与える天使。また国家に対する陰謀を摘発する。対応する天使はアルピエンである。〔出典：アンブラン『実践カバラ』p277〕

ミカル Mikhar（Michar，ミケウス Mikheus） グノーシス主義で，生命の泉（天の洗礼）を支配する天上の能天使の1人。〔出典：ドレッセ『エジプト・グノーシス主義の秘密の書』p85，182。→ミケウ

ミキエル Mikiel 黄道十二宮を監督する72人の天使の1人。〔出典：ルーンズ『カバラの知恵』〕

ミクロプロソプス Microprosopus カバラ宇宙論で，よい影響をもたらす「左側」を意味する。第4～第9のセフィロトから生じたとされる。〔出典：ルーンズ『カバラの知恵』〕

ミケウ Micheu グノーシスの教義で，ミカルと共に「生命の水を司る」力。〔出典：『ブルース・パピルス』〕

ミケウス Mikheus →ミカル Mikhar

ミゴン Migon 『第3エノク書』に記された，天使メタトロンの多くの別名の1つ。

ミサブ Missabu オカルティズムで，アルカンに仕える天使。アルカンは，月曜日の大気の天使の王。〔出典：デ・アバノ『ヘプタメロン』；シャー『オカルティズム』p49〕

ミザブ Mizabu 月曜日の招霊で唱えられる，宇宙の宿の第4宿の霊。〔出典：『トゥリエルの秘密の魔術書』〕

ミサルン Missaln 月の天使の1人。月曜日に働く。魔法による招霊に応じる。〔出典：シャー『魔術の秘伝』p296〕

ミザン Mizan アラブの魔術で唱えられる天使。〔出典：シャー『オカルティズム』〕

ミズギタリ Mizgitari テュアナのアポロニウスの『ヌクテメロン』で言及された鷲の守護霊であり，7時の守護霊の1人。

ミズクン Mizkun テュアナのアポロニウスの『ヌクテメロン』に出てくる護符の守護霊で，1時の守護霊の1人。

水先案内の天使 Pilot Angel 『煉獄』で，煉獄行きの運命にある魂をテベレ河の南から船で渡す，ダンテが「神の天使」と呼んだ名もない天使。ダンテとウェルギリウスの旅の初めに彼らを迎えたのは，この天使である。

水鳥や爬虫類の天使 Angel Over Wild fowl and Creeping Things →トルギアオブ

水の天使 Angel of Waters　カバラ文献で，コルネリウス・アグリッパは（天の196の地域を支配する7人の至高霊の1人である）フルを「水の最高支配者」と呼んでいる。「ヨハネの黙示録」16：5でも言及されているが，名前は与えられていない。「そのとき，わたしは水をつかさどる天使がこう言うのを聞いた」など。→アラリエル

水（地の水）の天使 Angel of Water (waters of the Earth)　オカルト教義では，タルシスあるいはタルッス。アラリエル，タリウド，フル，ミカエル，アナフィエル。ペルシアの伝承で水の天使はハルダ。

ミズマ Mizumah　古代ペルシア伝承における，「神の下僕に付き添い，よりよい信仰を促す」天使。[出典：『ダビスタン』p126]

ミスラン Misran　テュアナのアポロニウスの『ヌクテメロン』に記された，迫害の霊。12時の守護霊の1人でもある。

ミダエル Midael　万軍の「長で，指揮官」。戦士の位の天使として『魔術師』に挙げられた。[参照：『詩編』34, 35] メイザーズの『ソロモンの大きな鍵』もミダエルに言及している。

ミタトロン Mitatron (メタトロン Metatron?)　デ・アバノの『ヘプタメロン』に述べられた，第3天に住む水曜日の天使。西の方角から招霊される。

密告者 Informer　『ゾハル』においてサタンを意味する。

ミツパド Mitspad　天使メタトロンがもつ多くの名の1つ。

ミツライム Mitzraim（エジプト人のヘブライ名）　エジプトの守護天使。[出典：バンバーガー『堕天使』] →ウザ，→ラハブ

ミツラエル Mitzrael（ミズラエル Mizrael）　カバラ伝承における大天使の1人。下位のものを上位のものに服従させる。シェムハムフォラエ神の名をもつ72人の天使の1人。対になる天使はホモト。その霊符についてはアンブランの『実践カバラ』p289を参照。

ミトギイエル・A' Mithghiiel A'　『モーセの剣』XIに引用された，Xの軍勢の天使の支配者の1人。

ミトクス（ト）Mitox(t)　「偽りの言葉」を意味する，ゾロアスター教の悪神。ペルシアの鬼神の王アフリマンの召使。[出典：『イラン哲学史』Ⅲ；セリグマン『魔術』p39]

ミドト Middoth　ラビ・ナタン『アボト』の見解では，神の属性あるいは流出が擬人化された7人。セフィロトに比せられよう。ラビ伝承では，ミドトの慈悲の天使と正義の天使の2人は世界創造の主な代行者とされる。他の5人のミドトは，知恵，正義，愛，真実，平和の天使。

ミトモン Mitmon　招霊魔術で呼び出される天使。[出典：メイザーズ『ソロモンの大きな鍵』]

ミトラ Mithra（Mitra，ミヒル Mihir，ミルMihr，イゼド Ized，など）　ヴェーダの宇宙論における輝く神の1人。ユダヤ＝キリスト教の天使に相当する。キングの『グノーシス主義とその遺産』はメタトロンと同等視している。ペルシア神学では，ミトラあるいはミルは，偉大な神アフラ＝マズダを取り巻く28のイゼド（霊）の1人。彼は「1000の耳と1000の目をもち，東の楽園から現われる。アーリア人の間では光の神であり，天で正しい魂に場所を割り当てる。[出典：『ダビスタン』p145；ルノルマン『カルデア魔術』]

ミドラシュ Midrash　天使メタトロンがもつ多くの名の1つ。

ミトン Miton　天使メタトロンがもつ多くの名の1つ。

南の天使 Angel of the South　→ケルコウタ Kerkoutha，→ケダル Cedar，→ラファエル Raphael

ミニエル Miniel　オカルトの教義では，偉大な光の天使の1人。その最大の力は，招霊されると，冷たく嫌がる乙女をなびかせるというものである。最良の結果を得るために，術を行なう者は南を向くように留意せねばならない。[出典：バレット『魔術師』] ミニエルは，魔法の絨毯の製作と使用のための呪文でも招霊される。このような呪文の1つが，シャーの『オカルティズム』p167に載っており，付録に再現してある。

ミハイル Miha'il　イスラム教では，アッラーをひたすら崇拝する，鷲の姿をした天使の集団を監督する第2天の天使。[出典：ヘイスティングズ『宗教・倫理辞典』Ⅳ, 619]

ミハエル Mihael　カバラで，夫婦の貞節と多産を司る天使。アンブランの『実践カバラ

では，力天使の位の天使。『魔術師』によれば，シェムハムフォラエ神の名をもつ72人の天使の1人。

見張り（の天使） Watchers　高位の階級の天使であり，グリゴリとも呼ばれる。彼らは決して眠らない。この点については，イリンと同様である。『ヨベル書』によれば，本来人の子たちに教えるために神によって送られたが，地上に降りてから人間の女と同棲し，堕落した。〔『創世記』6章の「神の子たち」と比較せよ。〕『エノク書I』によれば，7人の見張りの天使は，割り当てられた職務に時間どおりに現われそこなったせいで堕落したとされる。ラビやカバラの伝承の幾つかの版は，善き見張りの天使と悪しき見張りの天使について語っている。善き見張りの天使は第5天に今なお住み，悪しき見張りの天使は第3天（天の領域にある一種の地獄）に住んでいる。善き見張りの天使たちの長は，ウリエル，ラファエル，ラグエル，ミカエル，ゼラキエル，ガブリエル，レミエルであり，悪しき見張りの天使には，アザゼル，セムヤザ，シャムシエル，コカベル，サリエル，サタニル Satanil が含まれる。

近年発見された『創世記のアポクリフォン』で，レメクは，妻バト＝エノシュが（聖なるものあるいは堕天使と呼ばれる）見張りの天使の1人と関係をもち，さらにノアがその交わりの子ではないかと疑う。バト＝エノシュは，その子がレメクの子であると「世界の王」にかけて誓う。レメクが疑った理由は，ノアが生まれてすぐに「正義の主」と話しはじめたことや，彼の姿が「天上の天使たち」の姿に似たものであったからである。レメクは，父メトゥセラに事情を明らかにするよう促した。次にメトゥセラがエノクに真実を求めた。「アポクリフォン」はここで途切れているので，我々はエノクがメトゥセラに何を言ったのか決して知ることはできないだろう。「ダニエル書』4：10, 14でユダヤの預言者が，「見張りの天使たちの命令」をもって天から降りてくる見張りの天使を幻に見たと語っている。［出典：ミューラーズ『ユダヤ神秘主義の歴史』p52〕

ミビ Mibi　カバラの儀式で祈願される救いの天使。［出典：『モーゼの第6，第7の書』］

未来の天使 Angel of the Future　テイアイエルあるいはイシアイエル。アッシリア＝バビロニアの神話では，予見の神はアダド。

ミラエル Mirael　ソロモンの魔法の儀式で祈願を受ける，万軍の「指揮官」。［出典：メイザーズ『ソロモンの大きな鍵』p112：「詩編」34, 35〕

ミリ Miri　1時の天使。アメリカの詩人H. D.（ヒルダ・ドゥーリトル）の詩「女賢者」で言及された。ミリはアンブランの『実践カバラ』に記されており，ヒルダはこの書から多くの天使の名を作品に引用している。

ミリアエル Miriael　戦士(ウォリアー)の位の天使。バレットの『魔術師』II, 58によれば，ミリアエルの名は「主の天使〔主の使い〕」という表現のある「詩編」34と35に由来する。

ミリエル Milliel　デ・アバノの『ヘプタメロン』で言及された，第3天に住む水曜日の天使。しかしバレットの『魔術師』によれば，第2天に住んでいる。どの天に住んでいようとも，南の方角から招霊されることに変わりはない。

ミル Mihr（ミヒル Mihir, ミヘル Miher, ミトラ Mithra）　古代ペルシアの伝承で，第7の月（9月）とその月の16日を統轄する天使。友情と愛を監視する。［出典：ハイド『古代ペルシア宗教史』］ゾロアスター教では，最後の審判の日に2人の天使が，髪の毛よりも細く剣よりも尖ったアル・シラト al Sirat と呼ばれる橋に立ち，渡っていく人間すべてを調べると考えられた。ミルはこの2人の天使の1人であり，もう1人はソルシュである。ミルは，神の慈悲を代表し，手にはかりを持って人間が生存中に行なった行為の重さを計る。楽園に値すると認められればそのまま進むことができるが，値しない人間は，神の正義を代表するソルシュが地獄へ投げ落とす。［出典：セイル『コーラン』「序論」p64〕

ミルキエル Milkiel（メルケヤル Melkeyal, タマアノ Tamaano,「我が王国は神なり」の意）『ゾハル』で，春を支配する天使。チャールズの『エノク書』によれば，ミルキエルの名は，ヘレメレク Helemmelek を倒置したものである。バートンの『天使の名の由来』によれば，ミルキエルは夏のひと月を支配し，タマアニやスンの名でも知られている。［出典：『エノク書I』82：15〕

魅惑の天使 Angel of Fascination → タブリビク Tablibik

■ ムクームン

ム

ムクトロ Mqttro 「キリストを守護する」天使（「謎の名前」の1人）。［出典：M.ガスター『モーセの剣』］

ムサニオス Musanios グノーシスの教義における下位のアイオン。不可視の領域の支配者。［出典：ドレッセ『エジプト・グノーシス主義の秘密の書』］

無情な天使 Merciless Angel, The →テメルク Temeluch

ムズポピアサイエル Mzpopiasaiel M.ガスターの『モーセの剣』で、憤怒の天使の指導者と呼ばれる。

ムトゥオル Mutuol 『魔術大全』において、悪魔呪縛あるいは悪魔祓いのための強力な方策である、ペンとインクを清める儀礼で、この天使の名を唱える。［出典：シャー『オカルティズム』p20］

ムトニエル Mtniel （飼い慣らされた獣を支配するベヘミエルのように）野生の獣を支配する天使。イェヒエル、ハイイェルの2人の天使と共に仕事をする。

ムネシノウス Mnesinous 『息子セトへのアダムの黙示録』における、「選民たちを天に引き寄せることになっている」偉大な天の能天使（パワー）の1人。［出典：ドレッセ『エジプト・グノーシス主義の秘密の書』p182］

ムハンマドの天使 Angel of Mohammed 伝説によると、ムハンマドが天に運ばれたときに見たのは「7万の頭をもち、1つの頭が7万の顔をもち、1つの顔が7万の口をもち、1つの口が7万の舌をもち、1つの舌が7万の言語を話し、神の賛歌を歌う」天使であったと、のちに彼自身が報告したという。ブリューワーは『寓話辞典』で、上記の数を数えあげると「3万1000兆以上の言語と約50億の口をもつことになる」と見積もった。→エレリム

ムピエル Mupiel （「神の口から出た」の意）モーセの招霊儀式で、よい記憶力と広い心を手に入れるために唱えられる天使。

ムフガル Mufgar 『ピルケ・ヘハロト』で、第1天を護衛する天使。

ムフリエル Mufliel ヘハロトの伝承（『マアセ・メルカバ』）で、第7天の館に配置された護衛の天使。

ムブリエル Mbriel M.ガスターの『モーセの剣』における、風を支配する天使。

無法の天使 Angel of Lawlessness ベリアル（ベリエル）、マタンブクス。［出典：『イザヤの殉教と昇天』］

ムミア Mumiah カバラにおいて、薬学と医学を支配する天使。また健康と長寿を管理する。対応する天使はアテムブイ。霊符についてはアンブランの『実践カバラ』p294を参照。

ムモル Mumol ペンとインクを清める儀礼で、ムトゥオルと共に招霊される天使。

ムリエル Muriel （Murriel、ギリシア語「ミュラ Myrrh」に由来） カムフィールドの『天使についての神学的論説』p67で言及された6月の天使で、巨蟹宮（蟹座）の支配者。主天使（ドミネイション）の位の支配者の1人でもある。南の方角から招霊され、魔法の絨毯に呪文をかける。また昼の3時の士官天使の長たちの1人としてヴェグアニエルに仕える。

ムルギオイアル Mrgioial 招霊の天使（「謎の名前」の1人）で、神から、モーセの神聖な名を伝える剣の管理を命じられた4人の天使の1人。［出典：M.ガスター『モーセの剣』］

ムルキベル Mulciber 『失楽園』I，740以下で、かつて「天に幾つもの高層の塔を建てた」と述べられている。→ヴルカン

ムルダド Murdad 古代ペルシア伝承における7月の天使。また同月の第7日を支配する天使でもある。［出典：ハイド『古代ペルシア宗教史』］この書でムルダドはアズラエルと同等視され、死の際に肉体から魂を切り離す天使である。

ムルムル Murmur （ムルムス Murmus） 堕天する前は、幾らかは座天使の位に属し、幾らかは能天使（エンジェル）の位に属した。スペンスの『オカルティズム事典』p119には、この「事実は、計り知れない研究の後に立証された」と述べられている。地獄では、地獄の霊の30軍団を率いる偉大な公爵。頭に公爵の冠をのせグリフィンにまたがった戦士の姿で現われ、哲学を教える。また死者の魂を眼前に引き出して質問に答えさせる。霊符は、ウェイトの『黒魔術と契約の書』p182を参照。

ムンカル Munkar →モンケル Monker

「キリストの墓の天使たち」 エドゥアール・マネ作。
レガメイ『天使』より転載。

メアクエル Meachuel 『モーセの第6，第7の書』などのオカルト文献では，三位一体の神の3人の天使の1人で，魔術で招喚される。他の2人はレバテイとケトゥエル。

メイメイリロン Meimeiriron イサク・ハ＝コヘンの原典「神の左側の流出」では，10の聖なるセフィロト〔セフィラの複数〕の4番目で，「擬人化したヘセド」の天使とされる。このセフィラの「あまり正統性が認められていない天使」がザドキエルである。

メイル Meil 儀礼魔術で招霊される，水曜日の3人の天使の1人。〔出典：バレット『魔術師』Ⅱ〕

メエタトロン Meetatron →メタトロン Metatron

メカペリア Mekhapperyah 天使メタロトンがもつ多くの名の1つ。〔出典：『第3エノク書』〕

メキエル Mechiel ルーンズの『カバラの知恵』のリストに載る，黄道十二宮の72人の天使の1人。

メギドン Megiddon クロップシュトック『メシア』における熾天使。

メサレピム Mesarepim（メシャレティム Mesharethim） 天使タガスの指揮下にある聖歌隊の天使の位。〔出典：『第3エノク書』〕

メシア Messiah ソテル，キリスト，救い主，神と同等視される。メタトロンと共に，燃え立つ剣で武装したエデンの智天使，守護天使とされる。評議会の天使，主の天使，創造の4つの世界の1つであるブリア界のセフィラでもあり，ロゴスや聖霊の似姿でもある。パウロの言う「権天使，能天使，力天使，熾天使すべてより上位の」天使（「コロサイの信徒への手紙」1：16，「エフェソの信徒への手紙」1：21）も，エノクの言う「日々の統率者」も，メシアのことである。〔カバラとの関連はアンブラン『実践カバラ』を参照。〕

メシアク Messiach 魔術で唱えられる天使。「水とヒソプ〔ヒソプはハナハッカのことで，その小枝を清めに用いる〕」の祈祷に関連して，メイザーズの『ソロモンの大きな鍵』p107で名を挙げられた。この招喚を行なうときは，招霊者は「詩編」6，67，64，102の唱句を唱えるのが望ましい。

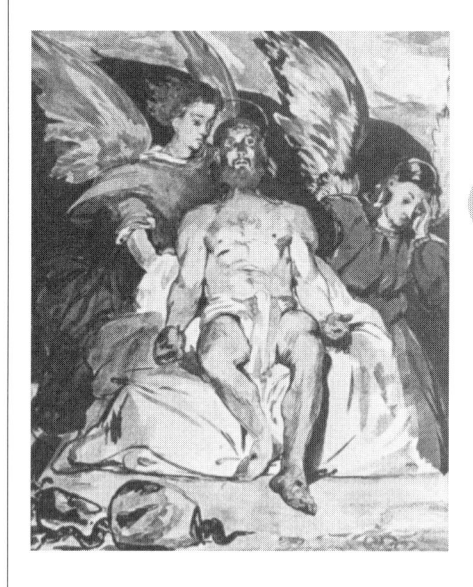

メシャベル Meshabber ラビ伝承で，動物の死を監督する天使。〔出典：ギンズバーグ『ユダヤ人の伝説』Ⅴ，p57〕

メシャリム Mesharim ヨセフ・カロが幻視を得たのは，この天使を通してのことである。カロはこれらの幻視の記述を含む自分の書物に，メシャリムの名にちなんで『マギド・メシャリム』という題をつけた。メシャリムは擬人化されたミシュナ。カロ（1488-1575）は，15世紀パレスティナの上ガリラヤのサフェドに集ったカバラ主義者たちの中心人物。〔出典：ミュラー『ユダヤ神秘主義の歴史』p120〕

メシャレティム Mesharethim →メサレピム Mesarepim

メシュルヒエル Meshulhiel イサク・ハ＝コヘンの原典に著された，邪悪なセフィロトの10人。聖なるセフィロトと邪悪なセフィロトのリストは付録を参照。

メスキエル Mesukiel 10人の聖なるセフィロトの1人（10人の3番目）。マクトやマルクトやエン・ソフやシェキナと比べられたり同等視されたりする。しかし，ソリアのイサク・ハ

■ メス-メタ

「イエスの死を嘆き悲しむ天使たち」 ジオット作，フレスコ画細部。
パドヴァ，アレーナ礼拝堂。
レガメイ『天使』より転載。

＝コヘンの「神の左側の流出」によれば，恐ろしい破壊的想像の諸世界はメスキエルから生じ，2筋の流出を引き起こす。1つは純粋な天使（聖なるセフィロト）に続く7つのグループであり，一方は闇の霊（邪悪なセフィロト）の7陣営である。[出典：バンバーガー『堕天使』p173]

メスリエル Mesriel オリエルに仕える，昼の10時の天使。[出典：ウェイト訳『レメゲトン』]

メセラク Meserach →ニスロク Nisroc

メタティアクス Metathiax コニベア『ソロモンの誓約』に出てくる36のデカン（黄道十二宮の霊で病気の悪霊）の1人。腎臓病の原因となる。聖なる天使アドナエルだけがメタティアクスの悪業を止め，元の状態に戻すことができる。[出典：シャー『魔術の秘伝』p222]

メタトロン Metatron（メトラトン Metratton，ミトロン Mittron，メタラオン Metaraon，メラトン Merraton，など） 正典書物では，おそらく天の最大の司教，ブリア界の10人の大天使の最初のもの（にして最後のもの）である。天使たちの王，神の御前の君主，7つの天の長官，契約の天使，奉仕天使の長，小 YHWH（神の名を示す4文字）と呼ばれる。人類を維持する務めをもつ。タルムードとタルグムでは，人間と神をつなぐ役目も担う。彼の地上での化身は族長エノクであるが，『タンフナ創世記』[出典：『ユダヤ大百科辞典』Ⅰ，94]はエノクは元来ミカエルであると主張している。タルムードに関する権威のほとんどは，メタトロンとエノクを同一視することに躊躇し，この関係を軽視し，隠そうとする傾向さえある。『ベン・シラのアルファベット』で述べられている神と大地（エロヒムとエデン）の結婚の不思議な伝説では，神は1000年の間アダムを「貸すこと」を大地に命じた。大地がこの貸与に同意したので，神は正式の受領書を書き，大天使ミカエルとガブリエルに連署させた。この伝説によれば，この受領書は，天の書記メタトロンの公文書保管所に今日まで預けられている。

メタトロンは様々なものと同一視されてきた。ペヌエルでヤコブと格闘した暗黒天使（「創世記」32章），「見張りの者よ，夜の何どきなの

か」(「イザヤ書」21)の見張りの者,ロゴスやウリエル,また悪魔サマエルとさえも。「出エジプト記」23:20の「見よ,わたしはあなたの前に使いを遣わして,あなたを道で守らせ,わたしの備えた場所に導かせる」(普通これはバプテスマのヨハネとされているが)と,「出エジプト記」23:21の「彼はわたしの名を帯びているからである」は,ともにメタトロンに言及したものとされる。さらに,解放天使や,幾つかの文献で女性メタトロンと言われるシェキナとも同一視される。トラクテンバーグの『ユダヤ魔術と迷信』p76によれば,「古代ユダヤ神秘主義の造物主である」。カバラでは,エジプト脱出の後に荒野でイスラエルの子供たちを導いた天使である。他のオカルト文献では,天使サンダルフォンの異母兄弟。[参照:ゾロアスター教の双子オルムズドとアフリマン]

『第3エノク書』によれば,メタトロンは,おそらくアナフィエルを除けば7つの天で最も長身の天使であり,「彼らの王の名をとってYHWHと呼ばれ尊敬され崇拝される8人の偉大な君主」を別にすれば,最も偉大な天使である。ユダヤ伝承では,メタトロンは(まだ人間エノクとして)天を訪れ,火の霊に変身し,36対の翼と数多くの目をもつことになった。

メタトロンの名の意味は十分に説明されてはいない。ヴォルムスのエレアザールは,案内人あるいは計る人を意味するラテン語のメタトール metator に由来すると考えた。オデバーグは『第3エノク書』の補遺2で,メタトロンの名はユダヤの円に由来し,「小YHWHの換喩であり,純粋なユダヤの発明とみなされるべきである」という仮説を出した。彼は「神の座の隣を占めるもの」を意味するという説に傾いている。したがって,メタトロンは神の住む第7天に住むとされる。招霊されると,「太陽よりも輝く顔をした火の柱として」現われる。ゲルショム・ショーレムは『アブラハムの黙示録』を論拠として,メタトロンの名は,ヤホエル(すなわち神)を示す「ヴォクス・ミスティカ vox mystica(神秘の音)」であろう,としている。メタトロンはまた,イザヤの苦難の下僕,キリスト教神学のメシアとも同一視される。しかしこれについては,オーリンスキーの「『イザヤ書』53のいわゆる〈苦難の下僕〉」を参照せよ。神の72の名前は,メタトロンの72(あるいはそ

れ以上)の名前と対応している。例えば,わずかな例を挙げても,スルヤ,タトリエル,サスニギエル,ラド,ヨフィエルなどがある。

メタトロンはまた,タルムード『イェバモト』16bでは「詩編」37:25の著者,また「イザヤ書」24:16の部分的な著者とされてきた。『ゾハル』Ⅰでは,「生と死の両面から現われた」モーセの子孫とされる。実際,アイゼンメンガーの『ユダヤ人の伝統』Ⅱ,408では,メタトロンは死の至上の天使である。神は毎日メタトロンに,その日に連れてくる魂についての命令を与える。メタトロンはこの命令を,部下のガブリエルとサマエルに伝える。少なくとも幾つかの典拠ではメタトロンがミカエルやガブリエルよりも強力と考えられていたというのが,『イェラメエルの年代記』の見解である。偉大な聖書の天使ミカエルもガブリエルも,魔法によって7つの天へ昇ったエジプトの魔法使いジャネスとジャムブレスを天から追い出せなかったが,メタトロンは彼らを追放できたためである。『ヤルクト・ハダシュ』でも,メタトロンは「ミカエルとガブリエルの上司に任命された」とされる。

メタトロンの大きさや背の高さについては,『ゾハル』が「世界の広さに等しい」と見積もっている。ラビ伝承では,これは罪を犯す前のアダムの大きさである。

『エゼキエルの幻視』によれば,メタトロンの

「メタトロン」(エル・シャダイ)。
メイザーズ『ソロモンの大きな鍵』より転載。

秘密の名の1つはビズブルであるが，この名の意味は書かれていない。キングの『グノーシス主義とその遺産』p15は，メタトロンを「ペルシアのミトラ」と述べている。オデバーグの『第3エノク書』には，この説を支持する文献が多数引用されている。ユダヤ天使学では，メタトロンは「大洪水の前に，神が世界を破壊するであろうともう1人の天使に告知させた天使」である。[出典：『ユダヤ大百科辞典』vol. 8「Metatron」の項]メタトロンはその他にも多くの使命や行為を果たしたとされるが，その中には，イサクを犠牲にしようとしていたアブラハムを押しとどめたことも入っている。しかしこの11時の調停は，ミカエル，ザドキエル，タドヒエル，そしてもちろん「創世記」22で指摘された「主の天使」の行為ともされる。最後に，タルムード『アボダ・ザラ』3bによれば，メタトロンは「成人にならずして死んだ子供たちの天国での教師」である。

メディアト Mediat（モディアト Modiat）水曜日を支配する天使たちの王であり，水星の叡智体の1人。[出典：デ・アバノ『ヘプタメロン』；マルクス『トゥリエルの秘密の魔術書』]

メディアの天使 Angel of Media 古代メディアの地を守護した名称不明の天使。「国家の偏見により腐敗した」とされる。ギンズバーグの『ユダヤ人の伝説』I, 351によれば，メディアの天使はヤコブの梯子を52段昇ったとされる。

メドゥスシエル Medussusiel ウェイト訳『レメゲトン』で言及された，サミルに仕える昼の6時の天使。

メトラトル Metrator 魔術によって招霊される「まことに聖なる天使」。独自の呪法は，「針とその他の鉄の道具と関わる」ものである。招喚のあいだ，招霊者は「詩編」31, 42の唱句を唱えるとよい。[出典：メイザーズ『ソロモンの大きな鍵』p188]

メドリン Medorin 天の楽園の天使。[出典：『ゾハル』(ベレシト39bへの脚注)]

メナクェル Menaqel →マナケル Manakel

メナケル Menakel →マナケル Manakel

メナデル Menadel アンブランによれば能天使の位の天使。ルーンズの『カバラの知恵』では，黄道十二宮の72人の天使の1人。亡命者たちに祖国への信義と忠誠を維持させる。カバラで対になる天使はアフト。霊符についてはアンブラン『実践カバラ』p273を参照。

メナフィエル Menafiel ウェイト訳『レメゲトン』で，バリエルに仕える昼の11時の天使。

メニエル Meniel シェムハムフォラエ神の名をもつ72人の天使の1人。[出典：バレット『魔術師』II]

メネルヴァ Menerva（メンヴラ Menvra）エトルリア人が崇拝した9人の最高霊あるいは神々である，ノウェンシレスの1人。

メノル Menor ソロモンの魔術儀式の1つ，蜜蠟の清めで唱えられる天使。[出典：メイザーズ『ソロモンの大きな鍵』]

メハイア Mehaiah アンブラン『実践カバラ』(p88対向ページ)に掲載された「生命の系統樹」の図表に記された権天使の位の天使。

メバヒア Mebahiah カバラにおいて倫理と宗教を支配する天使。また子孫を望む者を助ける。シェムハムフォラエ神の名をもつ72人の天使の1人。対になる天使はスマト。その霊符はアンブラン『実践カバラ』p289を参照。

メハヘル Mehahel アンブランの『実践カバラ』で言及された，智天使の位に属する天使。

メバヘル Mebahel シェムハムフォラエ神の神秘的な名をもつ72人の天使の1人。

メバベル Mebabel 黄道十二宮の5度ずつを支配する72人の天使の1人。他人の繁栄を奪おうとするものに招霊される。潔白な者を守るとされる。対応する天使はテソガル。[バレット『魔術師』；アンブラン『実践カバラ』；ルーンズ『カバラの知恵』を参照]

メハラレル Mehalael 『守護の書』における，シリア語の魔法の呪文で招霊される天使。[出典：バッジ『魔除けと護符』]

メヒエル Mehiel カバラにおいて，大学の教授，演説家，著述家を保護する天使。対応する天使はアスティロ。[出典：アンブラン『実践カバラ』]

メファティエル Mefathiel (「扉を開くもの」の意) トラクテンバーグの『ユダヤ魔術と迷信』によれば，名前のために盗人やその他の悪者に好まれた。

メフィストフェレス Mephistopheles（メフィストフィエル Mephistphiel,「光を愛さぬ者」の意） この名は元来ヘブライ語であり，

「破壊者」を意味するメフィズ mephiz と「嘘つき」を意味するトフェル tophel に由来する。メフィストフェレスは堕天した大天使(アークエンジェル)で，地獄の7人の大君主マスキムの1人。コルネリウス・アグリッパによれば，「木星の下に立っており，彼の補佐役は聖なるエホヴァの玉座の天使ザドキエルである」。[出典：魔術書『ファウスト博士の地獄の苦しみ』] セリグマンの『魔術』によれば，「下位のデーモンで堕天使であるが，時には神の前に出ることも許される。彼は悪魔ではない」。非宗教文学では，サタンの手先か代役である。マーロウの『フォースタス博士の悲劇』では，ルキフェルやベエルゼブブや他の悪魔たちとともに主要な登場人物となっている（この劇の天使は，善いものも悪いものも名前がないのだが）。ゲーテの『ファウスト』では，大君主サタンのために働き，ファウストとの契約に調印した。彼はまた，1964年にアメリカで初演されたブゾーニの未完のオペラ『ファウスト博士』の登場人物でもある。哲学者ヘーゲルは，「否定的原理」のシンボルと考えた。

メフマン Mehuman （「真実」「忠実」の意）
混沌の7人の天使の1人。ギンズバーグが『ユダヤ人の伝説』で述べているように，エステルとアハシュエロスの物語に現われる。

メヘキエル Mehekiel シェムハムフォラエ神の神秘的な名をもつ72人の天使の1人。[出典：バレット『魔術師』]

メヘル Meher （ミトラ Mithra） マンダ教の光と正義を統轄するヤザタ（天使）。[出典：ドロワー『イラクとイランのマンダ教徒』]

メムシエル Memsiel メンドリオンに仕える，夜の7時の士官天使の長。[出典：ウェイト訳『レメゲトン』]

メムニム Memunim （メムネ Memuneh の複数形）「任命されたもの」の意で，天使の階級の1つ。

メムネ Memuneh （複数形はメムニム Memunim。「任命されたもの」の意） 代理の天使，夢の分配者。複数形メムニムでメムネたちの階級を意味する。メムネを通して宇宙は動くと言われる。メムニムは天上にあっては，彼らの地上での行為の責任を問われる。ヴォルムスのエレアザールはメムニムは天使であると主張しているが，ユダヤの儀礼魔術では鬼神とされる。『第3エノク書』では，聖歌隊の天使の階級に属するとされる。

メムブラ Membra （ロゴス logos） 神の言葉，神の実体，天使のような神の媒介物。ユダヤのカバラでは，神の名を意味する。[出典：『イエスの時代のユダヤ教世界』；ルノルマン『カルデア魔術』]

メメオン Memeon 塩の祝福で唱えられる天使。[出典：メイザーズ『ソロモンの大きな鍵』]

メラシン Merasin →メレシン Meresin

メラトトロン Merattron →メタトロン Metatron

メラヘル Melahel バレットの『魔術師』IIで，シェムハムフォラエ神の神秘的な名をもつ72人の天使の1人。

メリアリイム Meriarijm サルクアミシュに仕える，夜の士官天使の長。

メリオト Melioth 「天界と地上界を一団となって駆け回る」9人の天使の1人。ベリアルが9人の天使の名を付け，『バルトロメオ福音書』p177でバルトロメオに明かされた。

メリリム Meririm （メレシン Meresin）『魔術師』Iでは，パウロが「エフェソの信徒への手紙」の中で「大気の力の君主」（すなわちサタン）と呼んだ悪の力と同一視される。バレットは，メリリムは「ヨハネの黙示録」が語っている天使たちの君主であると述べている。「彼に大地と海を傷つけさせた。（略）彼は，子午線の悪魔，激する霊，南にいる悪魔である。」

メルカバ Merkabah 戦車の天使（智天使）。

メルカバ天使 Merkabah Angels 栄光の玉座のすぐ近くにいるか，あるいはこれを守護する天使の6階級を指す。[出典：『第3エノク書』] メルカバ天使には，ガルガリム，ハイヨト，オファニム，熾天使が含まれる。

メルカボト Merkaboth （「四輪馬車」の意）
7つの天，あるいは「神的な力の実際の幻視」に対応する，7人のメルカボトがいる。ミドトあるいはセフィロトに匹敵し，神の属性の擬人化とみなされ，栄光の座に仕えるという。[出典：ショーレム『ユダヤ神秘主義の主潮流』；ミュラー『ユダヤ神秘主義の歴史』；「ゼカリヤ書」6章]

メルカラドニン Melkharadonin グノーシス主義で，ヤルダバオトにより生まれた12人の能天使の1人。[出典：ドレッセ『エジプト・

グノーシス主義の秘密の書』]

メルキ Melki　マンダ教では，メルキあるいはマルキ malki は，偉大な生命の意志を実行するウトリ〔ウトラの複数〕のような半神。メルキは皆「創造主に従う。彼らは神の最初の現われであった」。マンダ教伝承では，洗礼の儀式で信者を手助けするため，2人のメルキ，ズテイルとザルンが天から招喚されるという。
〔出典：ドロワー『イラクとイランのマンダ教』p328〕

メルキアエル Melchiael（メルキダエル Melchidael）　ウェイトの『黒魔術と契約の書』と『真の魔術書』において，ソロモンの黒魔術の儀式で招喚される大公天使。招霊者に望みの女性を与える力をもつ。

メルキエル Melkiel　ヘレムメレク，メレヤル，ナレルと共に仕える，四季の天使の1人。

メルキゼデク Melchisedec（メルキゼデク Melchizedek，メルクザドク Melchzadok，「ゼデク神は我が王」の意）偽デュオニュシオスに「神の最愛の位階の天使」と呼ばれた正義の王。エピファニオスの『異端反駁』によれば，力天使の位。偽テルトゥリアヌスによれば，「天界の天使や力天使に対し，キリストが人に対して行なったことをなす，偉大な恩寵の力の力天使」。[出典：レッジ『キリスト教の先行者と対抗者』II，p148]「創世記」14章では〔メルキゼデクとして〕エルサレムの古代名サレムの祭司王。アブラハムはメルキゼデクに対して十分の一税を与えた。フェニキア神話ではシディク Sydik と呼ばれ，神の御前の7人のエロヒム（天使）たちの父。グノーシス主義の『神秘による偉大なロゴスの書』では，メルキゼデクはゾロコテラである。ヒッポリュトスは，テオドトス（メルキゼデス派として知られるおそらく3世紀の異端者）の弟子たちのセクトに言及している。このセクトは，「キリストよりも偉大なメルキゼデクという名の偉大な力」があると主張した。あるオカルトの文献では，聖霊と同一視される。『モルモン経』（アルマ書）では「平和の王」と呼ばれる。メルキゼデクのシンボルは，聖餐杯と一塊のパンである。

R. H. チャールズは彼の編集した『エノク書II』に，「メルキゼデク神話の新しい形式，初期キリスト教の作品」という断片を加えた。この中でメルキゼデクは，ノアの弟ニルの人間離れした子孫として現われる。彼は幼児期にミカエルに保護され，ノアの洪水の後，偉大なる高僧，「神の言葉」，サレムの王となり，「今までにない栄光に溢れた大いなる奇跡を起こす力」をもつようになった。「神の言葉」という用語は，おそらくヨハネの「初めに言葉ありき，言葉は，神と共にあり，言葉は神なりき」に由来する。「詩編」76の注釈『ミドラシュ・テヒリム』は，メルキゼデクをノアの息子セムと同一視している。この原典には，ノアの箱船の動物たちを養うメルキゼデク伝説も含まれる。「創世記」14：17-24のアブラハムとメルキゼデク〔メルキゼデク〕の出会いは，見事なケルンの聖書の木版画（1478-80），ルーベンスの有名な絵画「アブラハムとメルキゼデクの出会い」，ディーリク・ボウツ（1415-75頃）の絵画などに描かれている。

「メルキゼデク，アブラハム，そしてモーセ」
シャルトル大聖堂の北側袖廊の入口（12世紀後半）。
E. H. ゴンブリッヂ『美術の歩み』(New York : Oxford University Press, 1951) より。

メルキダエル Melchidael →メルキアエル Melchiael

メルクリウス Mercury（ギリシアでは，ヘルメス Hermes）　カバラでは進歩の天使で，

ラファエルの称号でもある。〔出典：「使徒言行録」14：11–12；レヴィ『高等魔術の教理と祭儀』〕

メルケヤル Melkejal（マキディエル Machidiel） 3月を支配する天使。『エノク書Ⅰ』では，「一年の始まりに，メルケヤルが最初に現われて支配する」と言う。

メルコウタエル Melkoutael ブリア界におけるマルクトのセフィラ。〔出典：アンブラン『実践カバラ』〕

メルハ Melha 炎の位の天使。熾天使にあたる仏教の天使。〔出典：ブラヴァツキー『秘密の教義』Ⅱ〕

メルメオト Mermeoth ジェイムズ『新約聖書外典』の『バルトロメオ福音書』に引用されたように，「天界と地上界を一団となって駆け回る」9人の天使の1人。

メルロイ Merloy ソロモンの魔術の儀式で招霊される「下位」の霊。〔出典：『真の魔術書』；『儀礼魔術の書』p239；シャー『魔術の秘伝』p98〕

メレク Melech 招喚儀式で唱えられる，能天使の位の天使。〔出典：『モーセの第6，第7の書』〕

メレク=イ=タウス Melek-I-Taus（タウス=メレク Taus-Melek） イスラム教ヤズィード派の悪魔崇拝における孔雀天使。この名は，仏教の悪魔の意訳である。〔出典：ウォール『悪魔』〕フォーロングの『宗教百科辞典』によれば，「メレク=タウスは，かつてはアダムの身体からエヴァを造った天使，あるいは造物主であった」。→タウス=メレク

メレシイム Meresijm サマエルに仕える，昼の1時の天使。〔出典：ウェイト訳『レメゲトン』〕

メレシン Meresin（メラシン Merasin，メリス Meris，メティリス Metiris，メリヒム Merihim，メリリム Meririm） 『失楽園』におけるように，大気の能天使の長で，堕天使。カムフィールドの『天使についての神学的論説』では（同書ではメリリム），黙示の4天使の1人であり，このために聖なる天使とされる。しかし，ヘイウッドの『聖なる天使たちの階級』では地獄の雷と稲妻の君主で，おそらくこのために地獄の天使の1人とされたのであろう。

メレヤル Meleyal（Melejal，「神で満ちたもの」の意） エノク文献で，秋の3カ月を支配する天使。〔出典：『エノク書Ⅰ』〕

メレル Mehrel カバラにおける大天使の1人。

メロエ Merroe ソロモンの黒魔術で，特に剣の招喚で唱えられる「まことに純粋な天使」。〔出典：『真の魔術書』；『魔術の秘伝』〕

メロス Meros ヴァドリエルに仕える，昼の9時の天使。〔出典：ウェイト訳『レメゲトン』〕

メロド Merod メイザーズの『ソロモンの大きな鍵』で示されたように，魔術儀式で招霊される「まことに聖なる天使」。

メロフ Merof オカルト教義（『モーセの第6，第7の書』）における，魔術の儀式で唱えられる印章の天使。

メンヴラ Menvra →メネルヴァ Menerva

メンドリオン Mendrion カバラで〔出典：ウェイト訳『レメゲトン』〕夜の7時の最高統治者の天使。

メントル Mentor 『ソロモンの鍵』で言及された，蜜蠟の清めで唱えられる天使。→メノル

モ

モアキバト Moak(k)ibat ユダヤ=キリスト教のプラヴィルかラドゥエリエル，あるいはバビロニア伝承のネボかナブのような，イスラム教における記録天使。「アル・モアキバト al Moakkibat」という語は，アラビア伝承で人間の行為を書き留める2人の守護天使を意味する。天使たちは1日交替で仕事を引き継ぐ。〔出典：セイル『コーラン』『序論』〕

燃え盛る炉の天使 Angel of the Fiery Furnace ネブカドネツァル王が金の像を拝むよう命じたときに，それを拒絶した捕囚の身の3人のユダヤ人行政官シャドラク，メシャク，アベドネゴと共に，燃え盛る火の中を自由に歩いた天使。この天使は奇跡的に3人を救った。ネブカドネツァル王はその後，その天使の姿は「神の子」のようだと述べている。〔出典：「ダニエル書」3章〕

燃え立つ天使 Flaming Angel, The →火の天使 Angel of Fire

燃える柴の天使 Angel of the Burning Bush

ザグザグエル，ミカエル。この語の用法を厳密に解釈すれば（『出エジプト記』3：2，『ルカによる福音書』20：37，『使徒言行録』7：35）35），燃える柴の天使は天使を装った主そのものであると示唆されている。燃える柴の天使をザグザグエルとする説は『タルグム・イェルシャルミ』にある。レンブラントはこれを主題とした「モーセと燃える柴」という題の有名な絵画を残している。

黙示の天使 Angel of the Apocalypse　オリフィエル，アナエル（ハニエル，アナフィエル），ザカリエル，ラファエル，サマエル，ミカエル，ガブリエル，アッシジの聖フランチェスコ。コルネリウス・アグリッパによれば，おのおのの天使は354年の統治期間が与えられているという。「黙示の天使」という称号は，聖ヴィンセント・ファーラー（1315－1419）によって主張された。［出典：レヴィ『高等魔術の教理と祭儀』］アメリカの女性彫刻家マルヴィナ・ホフマンは「黙示の大天使」というゴールドブロンズの像を製作した。

黙示録の破壊の天使 Destroying Angel of the Apocalypse　アバドンあるいはアポリュオンで，「第7王朝のデーモンの長」とも呼ばれる。これはキリスト教のデーモン研究家たちに従ったもので，グリヨも著書『妖術師・秘術師・錬金術師の博物館』p128で述べている。

木星の天使 Angel of (the planet) Jupiter　ザカリエル（ヤリエル），ザドキエル，サキエル，アダビエル，バルキエル，ザディキエル。ロングフェロウの『黄金伝説』では，木星の天使はゾビアケル。7つの惑星の天使に関しては，カムフィールド『天使についての神学的論説』を参照。

木曜日の天使 Angels of Thursday　サキエル，カスティエル，アサシエル。パラケルススの『護符』ではザカリエル。［出典：クリスチャン『魔術の実践と歴史』Ⅰ，318］

モーセ Moses　タンナの原典では，天使として，あるいは天使より上位のイスラエル族長の預言者としてしばしば言及される。「儀式を行なうために7つの天に昇った」3人の人間（エノク，エリヤ，モーセ）の1人。ただ，エノク，エリヤの天使名は知られているが，モーセの天使名は知られていない。時に応じてミカエルがモーセの姿になったという伝承（『ミドラシュ・タナイム』）があるのみである。

モディエル Modiel　『オザル・ミドラシム』Ⅱ，316によれば，東風の門を守る数多い天使の1人。

モディニエル Modiniel　ユダヤ・カバラにおける，火星の霊の1人。対応する天使はグラファエル。［ルノルマン『カルデア魔術――その起源と発達』を参照］

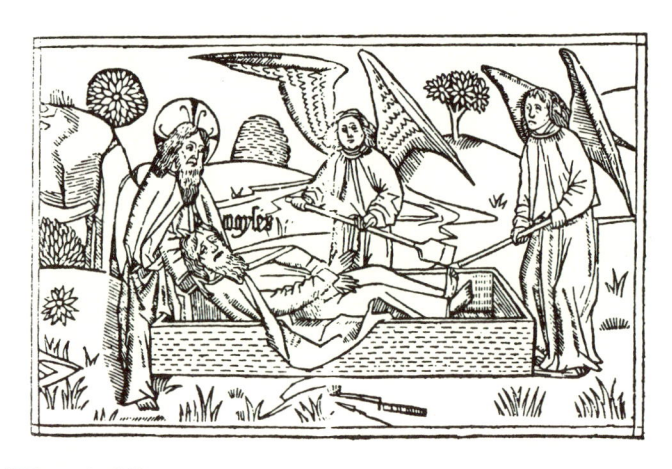

〈ケルン聖書の木版画〉　モーセの埋葬。
左側にいる神が律法者を埋葬している。
手伝っている天使はミカエルとガブリエル（あるいはザグザゲル）。
『中世聖書の挿絵』より。

モナデル Monadel　シェムハムフォラエ神の神秘的な名をもつ72人の天使の1人。

モラエル Morael（モリエル Moriel）　ゲオニムの教説における，畏怖あるいは恐怖の天使。エルルの月（8月から9月）の支配者。ウェイトの『黒魔術と契約の書』によれば，世界の万物を不可視にする力をもつ。その霊符については同書p161を参照。

モラクス Morax　→フォルファクス Forfax

「森の天使」 "Angel in the Forest"　ドイツから米国に移住し，1815-24年ウォバシュ川沿いに短命な共同体を築いたハーモニー会の，年代記のタイトル。ヤング（Marguerite Young）の手になる。タイトルは，このキリスト教団体の指導者ラップ（George Rapp, 1757-1847）が森で見たという天使（ガブリエル）に因む。この天使は「ありがたいことに足跡を残して」くれており，現在もインディアナ州のニュー・ハーモニーにある石版でこの足跡を見ることができる。

森の天使 Angel of Forests　→ズフラス Zuphlas

モルダド Mordad　古代ペルシア伝承における死の天使。〔出典：セイル『コーラン』「序論」p51〕

モロク Moloc(h)（モレク Molech）　『失楽園』Ⅱ，40以降における堕天使。「天で戦った最も獰猛なもの／今や絶望のためその獰猛の度を深めた」と述べられる。ヘブライ伝承では，カナン人が子供たちを犠牲に捧げた火の神である。ソロモンはモロクのために神殿を建てた。〔出典：「列王記上」7章〕

モロニ Moroni　モルモン教の神の天使。「ネフィテス Nephites の最後の偉大な指導者モルモン Mormon」の息子。モロニの像は，ニューヨーク州パルミラの南4マイルのクモラの丘に建つ40フィートの記念碑の頂上にある。そこは，モルモン教の教祖ヨセフ・スミスが，モロニから「新たに啓示された福音」が記された金板を受け取ったと主張したところである。〔出典：『モルモン書』〕

モンケル Monker（ムンカル Munkar）　アラビアの悪魔論における，2人の碧眼で黒い天使の1人。もう1人はナキル。モンケルの専門は，新たに死んだ人の魂が楽園に値するかどうかを調べ決定することである。トンプスンの『セム族の魔術』で言及された，シュリム・オクセルによる「マンダ教賛歌」を参照。〔出典：ヒューズ『イスラム辞典』「Azabu'l-Qabr」の項〕

モンスの天使 Angels of Mons（伝説）　マッケンの『弓兵』によると，第1次大戦中，馬に乗った天使がモンスの戦い〔1914年8月〕に現われ，英軍を助けたという。実際に戦地にいた兵士たちだけでなく，一般の人々もこの話を信じた。

ヤ

ヤアスリエル Yaasriel 「70本の聖なる画筆」の管理者とされる，ユダヤの伝説上の天使。この画筆で，言葉で言い表わせない名を絶えず新たに羽根に刻みつける。[出典：ギンズバーグ『ユダヤ人の伝説』Ⅲ，99]

ヤヴァン Javan（Yavan；ギリシア人，ギリシアのための）　守護天使で，その特別の統治権はギリシアである（あるいは，あった）。ユダヤの伝説では，イスラエルにも統治権をもつ。伝統的には，ユダヤ人の守護神として仕えるのはミカエルである。[出典：ギンズバーグ『ユダヤ人の伝説』Ⅵ，434]

野営の力天使(ヴァーチューズ) Virtues of the Camps 『十二族長の誓約』で，第2天に連れてこられたレヴィは，そこで「審判の日の準備をした野営の力天使」に出会った。

ヤエル Jael（ヨエル Joel）　契約の箱の純金製の蓋にのる双子の智(ケルブ)天使の1人。もう1人はザラル。オカルトの教義では，黄道十二宮の天秤宮を支配する天使。

ヤエル Yael（ヤレ Yale，イェヘル Yehel，ヘブライ語で「野生ヤギ」の意）　安息日の終りに魔法の儀式で招霊される座(スロウン)天使。[出典：トラクテンバーグ『ユダヤの魔術と迷信』p102]

山羊座の天使　→磨羯宮の天使

ヤクニエル Jachniel　南風の門を守る数多い天使の1人。[出典：『オザル・ミドラシム』Ⅱ，316]

ヤクリエル Yakriel　第7天の護衛の天使。[出典：『オザル・ミドラシム』Ⅰ，119]

ヤクロウン Yaqroun　マンダ教における天使。[出典：ポニオン『マンダ教碑文』]

ヤコブ Jacob　→イスラエル Israel

野菜の天使 Angel of Vegetables　果物の天使でもあるセアリアとソフィエル。

ヤザタ Yazatas（イェジド Yezids，「敬虔な者たち」の意）　ゾロアスター教で，天上の存在であり，四大の霊。ペルシア人の階級では天使。アムシャ・スプンタ（大天使）の庇護の下，人間の利益を守る。この位の長はミトラ（光と真実の擬人化）である。

ヤザル Jazar　「愛を強要する」守護霊。テュアナのアポロニウスの『ヌクテメロン』によれば，7時の守護神の1人である。

ヤシエル Yashiel　月の第1の五芒星(ペンタクル)にその名が記されている天使。[出典：メイザーズ

「楽を奏でる智天使」
ヘイウッド『聖なる天使の階級』より。

『ソロモンの大きな鍵』]

ヤシヤ Yahsiyah　天使メタトロンの多くの名の1つ。

野獣 Beasts of the Field　『ゾハル』をはじめカバラ文献一般では，「野獣」という語は高位の天使を指す。

野獣の天使 Angel of the Wild Beasts　ムトニエル，イェヒエル（ハイイェル）。[出典：M.ガスター『モーセの剣』；『ユダヤ大辞典』「Angelology」の項]

野獣の天使 Angel Over (Wild) Beasts　テグリ（トゥリエル），ムトニエル，イェヒエル，ハイヤル。[出典：『ヘルマスの牧者』；『ユダヤ大辞典』I，595]

ヤズロウン Yazroun　マンダ教における天使。[出典：ポニオン『マンダ教碑文』]

ヤゼリエル Jazeriel（ヤレリエル Jareriel）月の二十八宿を支配する28人の天使の1人。

ヤディエル Yadiel（ヤダエル Yadael）　M.ガスター『モーセの剣』で，儀礼儀式で招霊者を手助けするために要請される天使。『オザル・ミドラシム』II，316で，北風の門を護衛する天使の1人に挙げられている。

ヤナクス Janax　第1天の月曜日の天使で，東より招霊される。[出典：バレット『魔術師』II，118]

ヤニエル Janiel　火曜日を支配する第5天の天使で，東風に仕える。[出典：バレット『魔術師』II]

ヤハウェの天使 Angel of Yahweh　主の天使，つまり神自身。旧約聖書ではこの名称は迂言的表現として用いられる。後の学者の意見では，初期の旧約聖書の訳には，神の人事への直接介入があまりに多いとされる。「ヤハウェの天使」「主の天使」という用法は，神の地上への顕現を減らし，天使という媒介を通じて神の命令を遂行するためのものだとされる。[出典：グラント『グノーシス主義と初期キリスト教』]

ヤバシャエル Yabbashael　地上で支配権を行使する7人の天使の1人。「本土」を意味するヤバシャに由来する。[出典：ギンズバーグ『ユダヤ人の伝説』I，10] ヤバシャエルはシュワーブの『天使学用語辞典』に挙げられている。地上を支配する他の6人の天使の名については「地の天使」の項を参照。

ヤハドリエル Yahadriel　『ゾハル』（民数記201b）によれば，最初の安息日の前日に創造された「口」の一つ。ヤハドリエルは「泉の口」である。他の2つは「ロバの口」（カドリエル）と「主の口」である。

ヤハナク・ラバ Yahanaq Rabba　東風の門を護衛する数多い天使の1人。[出典：『オザル・ミドラシム』II，316]

ヤハラ Yahala　東風の門を護衛する数多い天使の1人。[出典：『オザル・ミドラシム』II，316]

ヤブニエル Jabniel（「イェホヴァにより建設される」の意）『モーセの第6，第7の書』に記されているように，第3天を支配する天使の1人。

ヤブリエル Jabriel　→ジブリル Jibril

ヤヘル Yahel（ヤエル Yael）　その名が月の第4の五芒星に記されている天使。[出典：メイザーズ『ソロモンの大きな鍵』] また『モーセの第6，第7の書』に挙げられた15人の座天使の1人。

ヤホエル Jahoel　→イェホエル Jehoel

ヤホエル Yahoel（ヤホ Yaho，イェホエル Jehoel，ヤオエル Jaoel）　メタトロンに同等視される天使（ヤホエルは実際，メタトロンの多

「天使ヤホエル」（メタトロン）鷹の翼に乗って族長アブラハムを天へと導いている。14世紀の原典から転載され，1891年にセントペテルスブルグで出版されたスラブ教会写本。『アブラハムの黙示録』より。

くの名の第1番目である)。ヤホエルは，アブラハムに律法を教え，天国だけでなく地上でもアブラハムの道案内であった。[出典：『アブラハムの誓約』]偽碑文『アブラハムの黙示録』では，ヤホエルはアブラハムに「私はヤホエル，(略)，私の内に住む言い表わせない名の力により」と言う。イェホエルと同様，天上の聖歌隊の指揮者か，その一員である。

闇の王（魔王） Prince of Darkness ユダヤ伝承で，サタンすなわち死の王（天使）のこと。またベリアルでもある。

ヤメントン Yamenton カバラで，塩の祝福で名前を唱えられる天使。[出典：『真の魔術書』]

ヤラシエル Yarashiel 東風の門を護衛する数多い天使の1人。[出典：『オザル・ミドラシム』II, 316]

ヤラメエル Yahrameel オカルトの教えでは偉大な天使。その名は，シュワーブの『天使学用語辞典』にイオフィ・エル（「神の美」の意）として載っている。そこではヤラメエルはヤホエルに相当する。17世紀の錬金術師ロバート・フラッドは著書『小宇宙史』でヤラメエルに言及している。

ヤリエル Jariel 神の御前の天使。スリエル，サリエル，ラジエルの別名。

ヤリエル Yahriel（イェラ Yehra，ヤルヘイル Yarheil，ザカリエル Zachariel，ヘブライ語の yerah，「月」の意）月を支配する天使。[出典：レヴィ『魔術の歴史』p147；トラクテンバーグ『ユダヤ魔術と迷信』p261]

ヤルダバオト Ialdabaoth, Jaldabaoth →イアダルバオト Iadalbaoth

ヤルダ・バフト Yalda Bahut（ヤルダバオト Ialdabaoth，「カオスの子」の意）オフィス派（グノーシス主義）の体系における7人のアルコンの1人。アリエルとも呼ばれる。創造神として，「不可知な父」のすぐ下の地位を占めている。[出典：クラウキン『ユダヤ百科事典』I, 595] →イアダルバオト Iadalbaoth

ヤルハ Jaluha グノーシス派の文献『救世主の書』において，「万軍の主 Sabaoth Adamas の接待者」。裁かれる者あるいは追放される者である罪人に，ヤルハが忘却の杯を持っていくと，魂は「その場で飲み，通ってきたすべての場所を忘れる」。[出典：レッジ『キリスト教

に先行するものと対抗するもの』X, 187]

ヤルヒエル Yarhiel →ヤリエル Yahriel

ヤレアヘル Jareahel →イェアナエル Jeanael

ヤレリエル Jareriel →ヤゼリエル Jazeriel

ヤロン Yaron メイザーズ『ソロモンの大きな鍵』で，塩の祝福で唱えられる智天使と熾天使。

ユ

勇者 Valiants（天の of the Heaven）「イザヤ書」33：7と，『新約の感謝の賛歌』にあるような，天使のための言葉。[出典：デュポン＝ソメール『死海文書』]→戦士

友情の天使 Angel of Friendship 古代ペルシアの伝承では，友情の天使はミフル。ミフルは愛の天使でもあり，第7の月を支配する。[出典：シャトーブリヤン『キリスト教精髄』]

勇壮の天使 Angel of Heroism「人間＝獅子の化身」で「勇壮の主」であるナルシンハ。

ユカル Jukar メイザーズの『ソロモンの大きな鍵』によれば，「すべての天使，すべての専制君主を支配する王」。

雪の天使 Angels of Snow シャルギエル，ミカエル。雪の天使は，名前は与えられていないが，外典『ヨハネのアポクリフォン』で言及されている。

ユサミン Yusamin（ユシャミン Yushamin）マンダ教で，光の源泉に住む豊饒の霊である。3人の至高のウトリ（天使）の1人。→サマンディリエル

ユスグアリン Jusguarin 夜の10時を支配する天使。彼の下には，100人の下級士官とともに，10人の士官天使長がいる。[出典：ウェイト『儀礼魔術の書』p70]

ユニエル Junier かつて天使の位の王であった。[出典：ガリネ『フランスの魔術の歴史』：ド・プランシー『地獄の辞典』III, p459]

夢の天使 Angel of Dreams ドゥマとガブリエル。レヴィの『高等魔術の教理と祭儀』によれば，カバラでは夢の天使は「月」あるいはガブリエル。『ゾハル』II, 183aでは，ガブリエルが「夢の監督者」とされている。

ユラ Yura マンダ教で，光と雨の霊。「偉大で神秘的なユラ」と呼ばれる。[出典：ドロ

ワー『マンダ教正典祈禱書』p304]

ユルケミ Yurkemi（ヨルカミ Yorkami，バラディエル Baradiel） 霰の天使。ユダヤの伝説で，ユルケミは燃えさかる炉で3人の人間を焼き尽くそうとしている火を消すことを申し出た。だが，ガブリエルは，ユルケミの助けは不十分だとして，そうさせなかった。[出典：『セフェル・イェツィラ』；『詩編』117についての『ミドラシュ・テヒリム』；タルムード『ペサヒム』118a]

ユルバ Yurba（ヨウルバ Yourba） マンダ教で，悪しき霊の長，あるいは闇の能天使の長だが，光の能天使の従者として働く。偉大なブラムがその力をユルバから引き出したと言われる。[出典：ドロワー『イランとイラクのマンダ教徒』]

揺れの天使 Angel of Trembling →パハドロン Pahadron，→震えの天使 Angel of Quaking，→恐怖の天使 Angel of Terror

ヨ

夜明けの天使 Angel of Dawn グノーシス主義では，黙示録でサタンあるいはルキフェルを表わす竜(ドラゴン)のこと。[出典：ジョブズ『神話・民間伝承・象徴辞典』]

ヨヴェ Jove 『失楽園』Ⅰ，512における堕天使。ミルトンはその起源をギリシア神話としており，ヨヴェは天の支配者ゼウスである。あるいはローマ神話が起源で，ジュピターまたはヨヴェとなる。

擁護の天使 Angel of Vindication 沈黙の天使，死の静寂の天使でもあるドウマあるいはドウマ。ウジエル(ラハブ)とともに，エジプトの支配サル（Sar，天使長）であった。[出典：ウェイト『聖なるカバラ』]

ヨウストリエル Joustriel ウェイト訳『レメゲトン』において，昼の6時の天使で，サミルに仕える。

ヨウルバ Yourba →ユルバ Yurba

ヨエル Joel（ヤエル Jael，イェホエル Jehoel，ヤホエル Yahoel，ヤエル Jah-el，など）偽典文献『アダムとエヴァの書』では，アダムとエヴァを地上の楽園の第7部分に割り当てた大天使(アークエンジェル)。また，アダムに対し，あらゆるものに名前をつけるよう命じたと信じられており，この出来事は『創世記』2：19-20に語られている（そこではアダムに仕事を命じたのは神自身になっている）。ヨエル（あるいはヤホエル）とは，メタトロンの第1の名前。コニベアの『ソロモンの誓約』によれば，女性の鬼神オノスケリスがソロモンによって審問された際，彼女はヨエルに仕えていると述べた，ということである。

予期せぬ事故の霊 Genius of the Contretemps →不条理の天使 Angel of the Odd

善きダイモン Good Daimon 「アイオンの中のアイオン」の意で，ヘルメス神学のトトに用いられる用語。[出典：ミード『3倍に偉大なヘルメス』Ⅰ，280]

良き忠告の天使 Angel of Good Counsel ディオニュシオス・アレオパギテス『天上位階論』によれば，イエス。

預言者ヘリアス Helias the Prophet 先触れの天使の名前。→バプテスマのヨハネ

ヨサタ Josata（ヨスタ Josta） ソロモンの魔術儀式でウリエルを招喚する際に，この天使に祈願する。神によって（「神の口で，神の僕モーセに対して」）語られる，4つの魔術的な言葉あるいは名前の1つ。他の3つは，アブラティ，アブラ，そしてカイラである。[出典：『真の魔術書』]

ヨセフェル Josephel →アスファエル Asfa'el

ヨト Joth 神の秘密の名前。それは，「ヤコブが格闘の夜に天使から教えられたもので，それによって彼は兄エサウから解放された」。[出典：マルクス『トゥリエルの秘密の魔術書』；ウェイト『黒魔術と契約の書』]

4人の大天使 Four Archangels 『エノク書Ⅰ』にあるように，ミカエル，ラファエル，ガブリエル，ファヌエルである。『ユニヴァーサル・スタンダード百科事典』では，ミカエル，ガブリエル，ウリエル，そしてスリエルが挙っている（最後の名前はラファエルと同等視される）。アラビアの伝統的な伝承によれば——啓示の天使ガブリエル，信仰の闘争を戦うミカエル，死の天使アズラエル，そして全人類の復活の際にラッパを鳴らすイスラフェルである。

4人の天使 Four Angels 『ヨハネの黙示録』第7章は，「大地の四隅に立ち，人地の四隅から吹く風を押さえている」4人の天使たち

〈悲嘆にくれる天使の頭部〉
フィリッピーノ・リッピ（1457－1504年）作。
レガメイ『天使』より転載。

について語っている。→四風の天使

ヨネル Yonel　北風の門を護衛する天使の1人。[出典：『オザル・ミドラシム』Ⅱ，316]

世の終りの天使 Angels at the World's End　エスドラス書，及びエスドラス〔エズラに同じ〕その人に明かされたところによると，「世の終りに」支配・統率する9人の天使は，ミカエル，ガブリエル，ウリエル，ラファエル，ガブテロン，ベブロス，ゼブレオン，アケル，アルフギトノスである。9人のうち後の5人は，外典あるいは黙示伝承以外には見つからない[出典：『ニカイア公会議以前の教父たち』Ⅷ，573]。→「人間の魂を審判へと導く5人の天使」

ヨヒエル Johiel　楽園の天使。通常，シャムシエル，ゼフォン，ゾティエル，ミカエル，そして特にガブリエルが，楽園の天使と言われる。実際，楽園は天上と地上（エデンの園）と2つある。

ヨフィエル Jofiel　→イオフィエル Iofiel

ヨフィエル Jophiel　→イオフィエル Iofiel

ヨフィエル Yofiel（イオフィエル Iofiel，ヨウフィエル Youfiel，ヨフィエル Jofiel，イェフェフィア Yefefiah）　シェムの師の天使。紀元後まもなくのアガダによれば，律法の支配者。[出典：ショーレム『ユダヤのグノーシス主義・メルカバの神秘主義・タルムードの伝統』]

『ゾハル』では，彼に仕える下位階の53軍団の偉大な天使長。安息日の集会で，律法の朗読を監督する。カバラでは，木星の霊（木星が双魚宮と人馬宮の宮に入る時）である。また，魔除けの天使としても招霊される。バンバーガーは『堕天使』で，「マジキンの王ヨフィエルに対し，カフゼフォニは服従しなければならない」と述べている。

ヨフィエル・ミトロン・X Yofiel Mittron X　M. ガスター『モーセの剣』に引用されている天使。

ヨフィム Yofim（ヨファフィン Yofafin）　マンダ教における天使。[出典：ブラント『マンダ教』p26, 198；クラウキン『ユダヤ百科事典』「天使学」の項]

ヨマエル Yomael（ヨミエル Yomiel）『第3エノク書』で，第7天の天使の支配者。また，シリアの儀式で招霊される天使。[出典：ゴランツ『守護の書』]

ヨミアエル Jomiael　→ヨムヤエル Jomjael

ヨミエル Yomiel　→ヨマエル Yomael

ヨムヤエル Jomjael（Yomyael，「神の日」の意）　セムヤザ，サタン等々と共に天国から追放された堕天使の1人。[出典：『エノク書Ⅰ』]

ヨルケモ Jorkemo　→ユルケミ Yurkemi

ヨルダン川の天使 Angel of the River Jordan　シルマイ。また，ニドバイとも呼ばれる。

夜の天使 Angel of Night　→レリエル Leliel，→メタトロン Metatron，→ライラ Lailah

喜びの天使 Angel of Joy　→ラファエル，→ガブリエル

ラ

ラアシエル・X Ra'asiel X（ラシエル Rashiel，スイエル Sui'el） M. ガスターの『モーセの剣』において，魔術儀礼で招霊される天使。

ラアヘル Raahel　黄道十二宮の5度ずつを支配する72人の天使の1人。[出典：ルーンズ『カバラの知恵』]

ラアミエル Raamiel（「神の前でのおののき」の意）　雷を支配する天使。幾つかのオカルト文献では，堕天使とされる。→ラミエル

雷光の主 Lord of Lightning →雷光の天使 Angel of Lightning

雷光の天使 Angel of Lightning　『ヨベル書』，ギンズバーグの『ユダヤ人の伝説』，『第3エノク書』によれば，バルキエル（バラキエル），あるいはウリエル。バルキエルは金曜日の天使でもあり，普通7人の大天使の1人とされる。『ソロモンの誓約』，シャー『魔術の秘伝』では，雷光の天使は，妬みのデーモンを打ち倒すことができる唯一の力とされている。

ライラ Laila(h)，Layla（レリエル Leliel，ライラヘル Lailahel）　この名前は，『ヨブ記』3:3の言葉「ライラ」（「夜」の意）のラビの解釈に由来するとされる。『ゾハル』（出エジプト記）によれば，ライラは「誕生のとき，霊を守るよう任命された天使」。ユダヤの伝説では，ライラは夜のデーモン天使，「妊娠・出産の支配者」として，妊娠・出産の女性デーモンであるリリトに比せられる。しかし『ゲネシス・ラバ』417と『サンヘドリン』96a [出典：ユダヤ大百科辞典』I, 588］には，アブラハムが王たちと戦ったとき，ライラはこの族長のために戦ったという話がある。そうであるならば，ライラは悪い天使ではなく，善い天使となろう。

ラヴァドレディエル Ravadlediel　ヘハロトの伝承（『マアセ・メルカバ』）において，第5天の館に配置された護衛の天使。

ラウイア Lauiah（ラウヴィア Lauviah）　カバラにおける座天使(スロウン)の位の天使。また智天使(ケルブ)の位にも属する。より正確に言えば，以前これらの位に属していた天使。学者や名士に影響を与える。彼の霊符(シジル)についてはアンブラン『実践カバラ』p260, 267を参照。

ラウィド Lawidh　イスラム教の黙示伝承では「天使長」。スーフィーのアブ・ヤジドは，7つの天に上昇 mi'raj した際に，第2天でラウィドに出会い，そこで「言葉に表わすことができないような王国」を差し出された。しかしアブ・ヤジドは，神に心から献身しているかどうかが試されているにすぎないとわかっていたので，この申し出（実際は賄賂）を拒否した。[出典：ニコルソン「初期アラビア解釈」等]

ラウダイ Lauday　『真の魔術書』に記されているように，塩の祈禱で唱えられる天使。

ラウム Raum（ライム Raym）　堕天する前は座天使の位にあった。地獄では偉大な伯爵であり，烏の姿で現われる。ラウムの使命あるいは職務は，町を破壊し，人間の尊厳を貶めることである。地獄の霊の30軍団を指揮する。霊符についてはウェイト『黒魔術と契約の書』p178を参照。またハボリムという名も持ち，ド・プランシーの『地獄の辞典』（1863年版）に，人，猫，毒蛇の3つの頭をもつ姿で描写されている。

ラウメル Rhaumel　第5天に住む金曜日の天使で，北から招霊される。[出典：『魔術師』]

ラエル Rael　オカルティズムにおいて，第3天に住む水曜日の天使。金星の叡智体(インテリジェンス)でもある。ラエルを召喚するとき，招霊者は北を向かねばならない。[出典：デ・アバノ『ヘプタメロン』；『トゥリエルの真の魔術書』]

ラガト Ragat　『モーセの第6，第7の書』において，カバラの召喚儀式で呼び出される天使（智天使あるいは熾天使）。

ラカニエル Rakhaniel　土星の第5の五芒星(ペンタクル)にヘブライ文字で名前が記されている天使。ラカニエルを招喚するとき，招霊者は『申命記』（10:17が好まれる）の唱句を朗唱すべきである。

ラカブ Rachab →ラハブ Rahab

ラキエル Rachiel　カバラにおいて，人間の性別に関わる天体天使の1人（マスターズ『エロスと悪』）。バレットの『魔術師』IIでは，金曜日の3人の天使の1人（他の2人はアナエルとサキエル）。『トゥリエルの秘密の魔術書』によれば，金星を統轄する霊。『オザル・ミドラシム』I，86では，オファニムの階級の天使である。

ラギエル Ragiel →ラグエル Raguel

ラクイエル Raquiel　西風の門を護衛する数多い天使の1人。『『オザル・ミドラシム』II，316』

ラグエル Raguel（ラグイル Raguil，ラスイル Rasuil，ルファエル Rufael，スリアン Suryan，アクラシエル Akrasiel，「神の友」の意）　エノク文献に記された7人の大天使の1人。地上の天使であり，第2天（あるいは第4天）の護衛。ラグエルは「光輝体の世界に復讐する」と言われるが，これは他の天使たちを非難していると解釈されている。偉大なラグエルだが，ウリエルなどの他の高位の天使とともに，745年にローマ公会議で非難された。

ユゴーの『海に働く人々』では，ラグエル（Raguhelと綴られている）は「聖人になりすました」悪魔である。745年にザカリアス教皇がこれを「暴き，オリベルとトビエルという名の他の2人の悪魔とともに聖人暦から除いた」。新約聖書外典を編集したティッシェンドルフは，『ヨハネの黙示録』に写本Eの末尾を引用している。「そこで神は天使ラグエルを遣わして告げた。冷気と雪と氷の天使のため，行きてラッパを吹け。そして左側に立っている者たちにあらゆる天罰を下せ。」これは羊と山羊を分けた後のことであろう。

グノーシス主義では，ラグエルはもう1人の偉大な天使テレシスと同等視される。『エノク書II』では，ラグエルは（ラグイルかラスイルかサムイルとして），大洪水以前の族長エノクをまだ生きているときに天に運んだ天使である。──この出来事は『創世記』5：24で言及されている。エノクを運んだ偉業は，アナフィエルの功績ともされる。『天使の仮面舞踏会』（ニューヨークの聖ジョージ教会で1966年2月に上演された1幕物オペラ）では，ラグエルは権天使の役を与えられた。→トゥブアス Tubuas

楽園の天使 Angel of Paradise　シャムシエル，ミカエル，ゼフォン，ゾティエル，ヨヒエル，ガブリエルなどの天使は，地上の楽園も天の楽園も支配する。マンダ教ではルスヴォン。古代ペルシアの伝承では，シルシ（あるいはスルシュ・アシュ，あるいはアシュ）。『出典：『ダビスタン』p144』

楽園の盗人 Thief of Paradise　ミルトンは『失楽園』IV，604でサタンをこう呼んでいる。

ラクシエル Rachsiel　産褥の魔除けの70人の天使の1人。

ラクミア Rachmiah　産褥の魔除けの70人の天使の1人。『出典：『天使ラジエルの書』；バッジ『魔除けと護符』』

ラクミエル Rachmiel（「慈悲」の意）　ラビ伝承における慈悲の天使（→ガブリエル）。70人の産褥の魔除けの天使の1人であり，儀礼儀式で招霊される祭式執行の天使でもある。『出典：『世界ユダヤ大辞典』p314；『天使ラジエルの書』『オザル・ミドラシム』II，316では，東風の門を護衛する天使に含まれる。』

ラケル Rachel（「雌羊」の意）　カバラにおいて，神と再び合一する際に天の花嫁として「作り直された」シェキナ。シェキナは4人の女族長の1人で，偉大なユダヤの族長の娘，妻，姉妹のために確保してある天の領域の支配者の1人。『出典：ショーレム『ユダヤ神秘主義』；ギンズバーグ『ユダヤ人の伝説』V，33』

ラザイ Lazai（Lazay）　火の清めで唱えられる「神の聖なる天使」。『出典：『真の魔術書』；メイザーズ『ソロモンの大きな鍵』』

ラサマサ Rasamasa　兄弟の霊のヴォカビエルと共に，黄道十二宮の双魚宮を支配する。『出典：レヴィ『高等魔術』』

ラシエル Rashiel（ザヴァエル Zavael）　竜巻と地震を支配する天使。→スイエル

ラジエル Raziel（「神の秘密」「秘儀の天使」の意，ラツィエル Ratziel，アクラシエル Akrasiel，ガリズル Gallizur，サラクァエル Saraqael，スリエル Suriel，など）「秘密の領域の天使であり，至高の秘儀の長」。『出典：M.ガスター『モーセの剣』』カバラでは，10の聖なるセフィロト中2番目のコクマ Cochma（神的な知恵）の擬人化されたもの。ラビの教えでは，「天と地の全ての知識を書き記した」『天使ラジエルの書』（『セフェル・ラジエル』）の伝

魔除け『天使ラジエルの書』より。
同心円の外側には，楽園の4つの川の名前。内側には，3文字で一団を成す六線星形（ソロモンの盾）。円と円の間には，アダム，エヴァ，リリト，カスディエル，セノイ，サンセノイ，サマンゲロフの名と，「かの者は天使に汝を委ねん。汝の前途は彼らによって守られん」の言葉がある。

説上の著者。本当の著者はわからないが，一般には中世の著述家ヴォルムスのエレアザールか盲人イサクとされる。伝説によれば，天使ラジエルがアダムに自分の本を手渡すと，他の天使が妬んで貴重な魔術書を盗んで海に投げ捨てた。そこで神は原始の海の天使／デーモンであるラハブに命じて，この書を引き上げてアダムに返させた。──ラハブは従順に従ったというが，しかしこれよりも前にラハブはすでに滅ぼされていたはずである。結局，『天使ラジエルの書』はまずエノクの手に落ちた（エノクはこれを自分自身の作品すなわち『エノク書』であると主張したとされる）。それからノアが，次にソロモンが手に入れた。悪魔学者によれば，ソロモンの魔法に関する偉大な知恵と力はこの本に由来する。［出典：ド・プランシー『地獄の辞典』］ノアはラジエルの書を熟読して箱舟を建造する方法を学んだということが，ユダヤ教の聖書注解（ギンズバーグ『ユダヤ人の伝説』I, 154-157）にある。［参照：ジャストロウ『ヘブライとバビロニアの伝統』］タルグム伝道の書10：20には，「天使ラジエルは毎日ホレブ山に立ち，全人類に人間の秘密を明かした」と述べられている。

カバラをさらに究めれば，ラジエルは，創造の4つの世界の2番目であるブリア界の10人（実際は9人）の大天使の1人であることがわかるはずである。このブリア界では，セフィロトがこれを治める大天使それぞれに割り当てられている。マグレガー・メイザーズのリストによれば，メタトロンがその長であり，ラジエル以外は，ツァフキエル，ツァドクイエル，カマエル，ミカエル，ハニエル，ラファエル，ガブリエル，サンダルフォンである。［出典：ウェストコット『カバラ研究入門』p54-55］マイモニデスの『ミシュナ・トーラ』によれば，ラジエルはエレリムの位の長であり，神の使者で，アダムの教導天使。さらに『天使ラジエルの書』に関連して，『ゾハル』I, 55aの中頃に，「聖なる天使にさえ明らかにされていない（世界の神秘の）1500の鍵を説明する」秘密の文献が存在すると述べられている。著名な13世紀のカバリスト，アブラハム・ベン・サムエル・アブラフィアは，ラジエルという名で（ゼカリアの名でも）著作を残している。

ラジエル Razziel　メンドリオンに仕える，夜の7時の天使。［出典：ウェイト訳『レメゲトン』］

ラシュ Rash（ラシン・ラスト Rashin Rast）ミトラに仕える正義の奉仕天使。［出典：『ダビスタン』p145］

ラシン・ラスト Rashin Rast →ラシュ Rash

ラスイル Rasuil →ラグエル Raguel

ラズヴァン Razvan　アラビアの伝承における「楽園の財宝係」で「天の門番」。［出典：『ダビスタン』p385］

ラゼイル Rahzeil　マンダ教の神智論における天使。［出典：ポツィョン『マンダ教碑文』］

ラセシヤ Rasesiyah　天使メタトロンがもつ多くの名の1つ。

ラタナエル Rathanael　「第3天に座る」天使。『ソロモンの誓約』によれば，女性デーモンのエネプシゴスの策謀を失敗させることができた唯一の天使であるという。［出典：『第3エノク書』17］

ラダル Rahdar　黄道十二宮の巨蟹宮を支配する。ファキエルと呼ばれる兄弟の鬼神がラダルを助ける。［出典：レヴィ『高等魔術の教理と祭儀』p413］

ラツィエル Ratziel →ラジエル Raziel

ラツィツィエル Ratsitsiel　ヘハロトの伝承

（『マアセ・メルカバ』）において，6つの天の館の1番目に配置されている護衛の天使。

ラツジエル Ratzuziel 第3天の護衛の天使。[出典：『オザル・ミドラシュ』Ⅰ，116]

ラティエル Rahtiel（ラハティエル Rahatiel，「走る」の意）ユダヤ伝承において，カカベルと同じく，星座の天使。『第3エノク書』46章で述べられるように，メタトロンがラビ・イシュマエルに星の名前を挙げる後から，「数えられた順番にそれらを登録した。」［ギンズバーグ『ユダヤ人の伝説』Ⅰ，140をも参照せよ。］

ラド lad（古代ヘブライ語「幼い年齢」の意）天使メタトロンがもつ多くの名の1つ。

ラドアダエル Rad'adael ヘハロトの伝承（『マアセ・メルカバ』）において，第6天の館に配置された護衛の天使。

ラドゥエリエル Radueriel（ラドウェリエル・H' Radwerieli H'）天の登録係，記録天使として，ダブリエル，ウレティル，プラヴィルなどと同等視される。また時には，メタトロンよりも上位にある，座天使の8人の偉大な審判天使の中に加えられる。詩の天使，詩人の長でもあり，「彼の口から発せられた言葉の1つ1つから歌う天使が生まれた」と言われる。［出典：タルムード『ハギガ』13a］注：『第3エノク書』で「より上位の天使たちの創造者」と言われるピスティス・ソフィアを除くと，神だけが天使の創造者である。したがって，天使を創造するこの力と特権は，同じ位階の天使の間でもラドゥエリエルだけがもつものである。もう1人の例外はデュナミス。

ラハヴィエル Rahaviel ヘハロトの伝承（『マアセ・メルカバ』）において，第2天に配置された護衛の天使。

ラバキエル Rabacyel 第3天を支配する3人の支配者の1人。［出典：『モーセの第6，第7の書』］

ラハシュ Lahash ラビの教義では，ザクンの助けを得て，184万の霊を率い，モーセの祈りが神に届く前にその祈りを奪い取った大いなる天使。神の意志を妨害しようとしたため，ザクンと共に「60回の炎の鞭打ち」で罰せられた。［出典：ギンズバーグ『ユダヤ人の伝説』Ⅲ，434］バンバーガーの『堕天使』p138はこの伝説の異伝を紹介している。それによれば，ラハシュを罰したのはサマエルであり，彼は「ラハシュを炎の鎖で縛り，炎の紐で70回鞭打ち，神の御前からラハシュを除名した」。

ラハティエル Lahatiel（「燃えあがる者」の意）『マセケト・ガン・エデン＆ゲヒノム』に記された懲罰の7天使の1人。［出典：『ユダヤ大百科辞典』Ⅰ，593］ヘブライ神秘哲学者ヨセフ・ベン・アブラハム・ギカティラの著作では，死の門を統轄する天使。死の門は，7層に分けられた地獄（アルカ）の第2層のことである。『ラビ・ヨシュア・ベン・レヴィの啓示』によれば，「理由がある場合」国々を罰する地獄の天使の1人［出典：M. ガスター『民間伝承の研究とテキスト』］。

ラハティエル Rahatiel →ラフティエル Rahtiel

ラハビエル Lahabiel ラファエルが第1日を支配するのを助ける天使（サマエルは第3日を，アナエルは第6日を支配する）。ラハビエルは，後期のヘブライの魔除けにあるように，ファニエル，ラハビエル，アリエル，その他と共に，悪霊に対する魔除けにその名が用いられた（おそらく現在においても同様である）。［出典：トンプスン『セム族の魔術』p161］

ラハビエル Rahabiel ファニエル，アリエル，ラハビエル，ラファエルと共に，後期ヘブライの護符で招霊される天使。［出典：M. ガス

「音楽を奏でる天使たち」ハンス・メムリンク作（1490年頃）。E. H. ゴンブリッヂ『美術の歩み』(New York, Oxford University Press, 1951) より転載。

ター『聖書考古学学会の会報』p339]

ラハブ Rahab （「暴力」の意, ヘブライ語では sar shel yam「原始の海の支配者」の意）『詩編』87：4,『イザヤ書』30：7によれば, ラハブは大地の悪の力としてのエジプトの象徴である。『ヨブ記』26：12,『イザヤ書』51：9などでは,「傲慢と高慢の天使」あるいは海の怪物。タルムード『ババ・バトゥラ』74bでは「海の天使」と呼ばれる。しかしオカルトの教説では海のデーモンはクポスパストンである。[コニベア『ソロモンの誓約』を参照。ここではクポスパストンは魚であり, 船が転覆するのを喜ぶ。]ギンズバーグ『ユダヤ人の伝説』V, 26によれば, ラハブは天地創造の際, 上下に水を分けるのを断ったため神に滅ぼされた。そして, ヘブライ人が追ってくるファラオの軍勢から逃れる途中紅海を渡ろうとしたとき, ラハブはそれを妨げようとして再び滅ぼされた。別の伝承では, ラハブはアダムに, ねたみ深い天使が海に投じた秘書セフェル・ラジエル Sefer Raziel（『天使ラジエルの書』）を返してやった。[なお伝説では, 全ての知恵を含むこの聖なる書を, ラファエルはノアに与えたとされる。]バビロニアのタルムードは, ラハブ, レヴィアタン, ベヘモト, 死の天使を同一視している。[出典：ミドラシュ『ゲネシス・ラバ』283；タルムード『サンヘドリン』108b]

ブレイクの『エルサレム』では, ラハブは偉大な遊女, 天と大地と地獄の3つから成る女神（原文のまま）となっている。ブレイクの『ヴァラ』あるいは『4つのゾア（夜8時）』では,「衣を脱いだウリゼンの秘密の代理人として, イエスの審判の裁判官の間に座っている」。このラハブは,「ヨシュア記」2のラハブとは別である。『ヨシュア記』のラハブはエリコの遊女で, ダビデの祖母であり, 全ての売国奴の祖先とされた。それでもダンテは『天国編』9巻で, 後者のラハブを天上の神の選民の間に置いた。

ラハリエル Lahariel　70人の産褥の魔除けの天使の1人。ミカエルが第2日を支配するのを助ける。[出典：『天使ラジエルの書』；バッジ『魔除けと護符』；M. ガスター『カルデア人の知恵』p338ff]

ラバルフィエル Labarfiel　第7天の護衛の天使の1人。[出典：『オザル・ミドラシム』I, 119]

ラビア Rabia　マンダ教における10人のウトリ uthri（天使）の1人。ウトリは太陽の日々の運行に付き従う。

ラビエル Labbiel　ラファエルの本来の名前。ユダヤの伝承によれば, 人類創造についての神の命に従ったとき, ラファエルと改名した。神の命令に従わなかった2つのグループの天使（真実の天使と平和の天使）は焼かれてしまったこともここに記しておくべきだろう。[出典：ギンズバーグ『ユダヤ人の伝説』I, 52ff]

ラファエル Raphael　（「神が癒したもの」の意）　カルデアに由来する天使。もともとはラビエル Labbiel と呼ばれた。聖書後伝承の3人の偉大な天使の1人で,『トビト記』（ユダヤ教では正典外, プロテスタントの聖書外典, カトリックの正典）で初めて現われる。『トビト記』では, メディアからニネヴェへ旅をするトビトの息子トビアに付き添い導き, 旅の終りに御座の「聖なる7人の天使の1人」であると名を明かす。[この物語の様々な出来事を描いたケルン聖書の木版画（1478–1480）を参照。]

『エノク書I』20章では,「見張りたちの1人」であり, 22章では冥界の案内者である。同書40章では,「人間の子供のあらゆる病気やけがを治す4人の御前の天使の1人」。[参照：『ゾハル』Iのラビ・アバ「ラファエルには地上を癒す責務があり, 彼のおかげで（略）地上は人間の住居となる。また人間の病いを癒すのも彼である。」]カバラ数秘術と『ヨマ』37aによれば, アブラハムを訪ねた3人の天使の1人（『創世記』18）。他の2人の天使は一般にガブリエルとミカエルとされる。ラファエルには族長アブラハムの割礼の痛みを癒した功績もある。アブラハムは若いときにこの儀式を行なうのを怠ったのである。『ユダヤ人の伝説』I, 385では, ヤコブがペヌエルで暗黒の敵（ミカエル, メタトロン, ウリエル, サマエル, あるいは神自身といろいろ解釈されている）と格闘したとき, ヤコブの腿の傷を治すため神に遣わされた天使。もう1つの伝説（『ノアの書』）では, 大洪水の後,〈医学書〉すなわち有名な『セフェル・ラジエル』（『天使ラジエルの書』）をノアに手渡したとされる。

ラファエルのその他の重要な務めは, 太陽の補佐役（ロングフェローは彼を太陽の天使と述

ラフ-ラフ

「アダムとエヴァを追放するエデンの園の天使」
ミルトンは『失楽園』でこの天使をミカエルとしているが，ドライデンは『無垢の時』でラファエルとしている。
ヘイリー『ミルトン詩集』より転載。

べた)，力天使(ヴァーチュー)の位の長，南の方角の統治者，西の方角の守護者，第2天の支配者，夜風の監督者，エデンの園の生命の樹の守護者，懺悔の6天使の1人，祈り・愛・喜びそして光の天使などである。特にラファエルの名が示すように彼は治療の天使である（ここでは古代ギリシアの治癒神アスクレピオスを参照のこと）。また科学と知識の天使であり，イサクの教導天使である。［出典：バレット『魔術師』Ⅱ］ラファエルの天上の位については，熾天使，智天使，主天使，能天使(パワー)と，少なくとも4つの説がある。15世紀の隠秘学者スパンヘイムのトリテミウスによれば，黙示録の7人の天使の1人。また10の聖なるセフィロトの1つともされる。

彼は一般に，（特に名が挙げられているわけではないが）古代のベトザタの池で水を波立たせた天使（『ヨハネによる福音書』5）と信じられている。［出典：サマーズ『ヨーロッパの吸

血鬼』] 奇妙にも（おそらくラファエルが地獄の案内者と呼ばれていたためであろうが），オフィス派の体系では，野獣の姿（！）をした地上の悪魔として描かれ，同じ姿をしたミカエル，スリエル，ガブリエルの3天使に結びつけられている。[出典：レッジ『キリスト教に先行するものと対抗するもの』Ⅱ, p70] ボッティチーニ，ロラン，ポライウオロ，ギルランダイヨ，ティツィアーノ，レンブラントのような巨匠の絵画では，巡礼者の杖と魚を持つ姿（『トビト記』），アダムとエヴァと食事をする翼のある聖人，「愛想のよい大天使」（『失楽園』Ⅴ），6つの翼のある熾天使，御前の7天使の1人など，様々に描写されている。ブレイクは「ミルトン」において，御前の7天使の1人とした。オフ・ブロードウェイの芝居『トビアスと天使』では，「トビアスの頭に良識をたたき込む」嘲り冷やかす天使である。

ラファエルについての資料は尽きないが，コニベアの『ソロモンの誓約』からの伝承をここに引いておくべきであろう。ソロモン王が神殿を建てるため神に助けを請うたとき，神はこれに応えてラファエル自身に直接王のもとへ魔法の指輪を届けさせた。その指輪には五芒星が記されており，全ての悪魔を征服する力があった。やがてソロモンが神殿造りを完成させたのは，悪魔の「奴隷労働」によるものであった。

ラブ＝ウン＝ナウ Rab-un-Naw　アラビアにおける光の天使で，ペルシアのパルヴァルディガルと同等視される。

ラブシ Labusi　5人の全能の天使の1人。他の4人は，トゥバトル，ブアル，トゥラトゥ，ウブリシ。[出典：『モーセの第6, 第7の書』p85]

ラブドス Rabdos （「杖」の意）　星の運行を止めることができる強力な天体天使。いまでは人々を抑圧するデーモン。ラブドスを征服できるのは，天使ブリエウスのみ。[出典：コニベア『ソロモンの誓約』；シャー『魔術の秘伝』]

ラフトマイル Raftma'il　アラビア伝承において，悪魔祓いの儀式で招霊される守護天使。[出典：ヒューズ『イスラム辞典』「Angels」の項]

ラフミエル Rahmiel （ラクミエル Rachmiel, ラハマエル Rahamael）　慈悲の天使で，愛の天使の1人。他の愛の天使については，ザドキエル，ゼハンプリュ，テリエル，アナエル（ハニエル）を参照。ラフミエルは，邪視に対する魔除けとして呼び出されたらしい。ラミエル Rhamiel としては，エノクとエリヤと同じく楽園に到着したとき天使に変えられた，アッシジの聖フランチェスコを指す。[出典：モンゴメリー『ニプールのアラム語呪文原典』p97；『ドゥース・アポカリプス』；トラクテンバーグ『ユダヤ魔術と迷信』p99, 140；シュライアー『ヘブライの魔除け』]

ラベゼリン Labezerin　護符の魔術では，成功を司る守護霊。昼の2時に仕える。[出典：テュアナのアポロニウス『ヌクテメロン』]

ラマ Lama　デ・アバノの『ヘプタメロン』では，ラマ（あるいはラ・マ）は火曜日を支配する空気の天使であり，第5天に住む。西の方角から招霊される。

ラマエル Ramael → ラミエル Ramiel

ラマク Lamach　火星を支配する天使。[出典：ヘイウッド『聖なる天使たちの階級』p215]

「エデンの園の天使」（ラファエルあるいはミカエル）デューラー作。地上の楽園より追放されるアダムとエヴァ。ウィリー・クルト編『アルブレヒト・デューラー木版画全集』(New York, Dover Publications, 1963) より。

ラマ-ラミ

「地上に降るラファエル」『失楽園』の挿絵。
ヘイリー編『ジョン・ミルトン詩集』より。

ラマス Lamas　カルデアの伝承では，守護霊の主要な4階級の1つ。(→ニルガル) 通常，獅子(ライオン)の身体に人間の頭をもつものとして描かれる。→ケルビム [出典：ルノルマン『カルデア魔術』p121]

ラマス Lamassu　アッシリアの伝承では，悪霊祓いの招喚儀礼で最後に祈願される温和な霊。[出典：トンプスン『ユダヤ人の魔法』p45] トラクテンバーグ『ユダヤ魔術と迷信』p156によれば，ラマスはバビロニアの霊。

ラマメル Ramamel　東風の門を守る数多い天使の1人。[出典：『オザル・ミドラシム』Ⅱ, 316]

ラマル Ramal　産褥の魔除けの70人の天使の1人。

ラミエル Ramiel (レミエル Remiel, ファヌエル Phanuel, ウリエル Uriel, イェラメエル Yerahmeel, イェレミエル Jeremiel, など) シリア語『バルク黙示録』(第3部)では，真の幻視を統轄する天使。バルクが見て語った幻視について，解釈して彼に教えた。この幻視の中に，センナケリブの軍勢を滅ぼす天使として現われる。これは，ウリエルやミカエルやガブリエルなどの恐るべき天使たちの功績でもある。

ラミエルは，ウリエルのように雷の統率者であり，ゼハンプリュのように最後の日の審判で審理される魂を監督する。エノク文献では，ラミエルあるいはレミエルは聖なる天使であり，堕天使でもある（『エノク書I』6章，20章）。20章では背信者の指導者であり，6章では神の玉座の前の7人の大天使の1人。『失楽園』VIでは，アリエルやアリオクと共に天の戦いの第1日目にアブディエルに征服される。だからミルトンによればラミエルはサタン側の悪魔である。『シビュラの託宣』II，2，5では，「人間の魂を審判へと導く5人の天使の1人」。5人の天使は，アラキエル，ラミエル，ウリエル，サミエル，アジエル。

多くのミルトン学者（キートリーやボールドウィンを含む）は，イトゥリエルやゾフィエルやゼフォンと同じくラミエルもミルトンが造り出したと長い間信じていた。しかしこれらの天使の名は初期の外典，黙示録，タルムードの原典に記されており，（これらの原典に精通している）ミルトンが彼らを発明する必要はなかったのである。

ラミエル Rhamiel (Rahmiel) アッシジの聖フランチェスコの，慈悲の天使としての天使名。聖フランチェスコは黙示録の天使としても言及される。「神の選民が共に集うまで」世界

「天使たちの輪」 フラ・アンジェリコ作。「最後の審判」の細部。
レガメイ『天使』より転載。

ラミデク Lamideck →ラメク Lameck

ラム Ram （化身）（ラマ Rama あるいはラマカンドラ Ramachandra） ヴェーダの教義における10人の化身の7番目。→アヴァタル Avatar

ラム・イザド Ram Izad 古代ペルシア伝承において，奉仕を受ける天使。［出典：『ダビスタン』p156］

ラム・カストラ Ram khastra（ラム・クヴァストラ Ram Khvastra） マンダ教のウトリuthri（天使）で，「音をもたらす」あるいは「空気を揺り動かす」アヤル・ジワ Ayar Ziwa に相当するパールシー語（中世ペルシア語）。［出典：『イラクとイランのマンダ教徒』］

ラムペル Rampel 深海と山塊を支配する天使。［出典：M. ガスター『モーセの剣』］『ラビ・アキバのアルファベット』では，名も無き山山の天使は，安息日の第1日目を祝って神の御前に出る「輝かしくも恐ろしい強大な天使長たち」に属している。

ラメカラル Lamechalal（ラメキエル Lamechiel）『第3エノク書』（ヘブライのエノク）で言及される惑星の支配者。コニベア『ソロモンの誓約』によれば，「偽り」という名の女性デーモンを倒すことができた，ただ1人の天使。

ラメキエル Lamechiel →ラメカラル Lamechalal

ラメク Lameck 黒魔術，特に剣の呪文で召喚される天使。［出典：『真の魔術書』；シャー『魔術の秘伝』］

ラメディエル Lamediel イェフィシャに仕える，夜の4時の天使。［出典：ウェイト訳『レメゲトン』］

ラメドク Lamedk 剣の招喚で唱えられるラメクのような天使。しかしラメクとは区別される。

ラルゾド Larzod 「栄光の慈悲深い天使」の1人。ソロモンの招喚儀式で呼び出され，招霊者に創造主の秘密の知恵を幾つか授ける。［出典：ゴランツ『ソロモンの鍵』］

リイエル Riyiel カバラにおける，黄道十二宮の72人の天使の1人。

リウェト Liwet マンダ教の愛と想像力の天使。また7つの惑星霊の1人でもある。［出典：ドロワー『イラクとイランのマンダ教徒』］

リエホル Riehol カバラにおける，黄道十二宮の天蝎宮の統治者。サイサイエルがリホエルの役目を助ける。［出典：レヴィ『高等魔術』］

リガル Rigal 産褥の魔除けの70人の天使の1人。70人全てのリストについては付録参照。

力天使（ヴァーチュー） Angels of (the order of) Virtues この階級に属する20人以上の天使の名前が，グスタフ・デイヴィッドソンの論文「天の力天使」に挙げられている。この階級の支配天使には，アリエル，バルビエル，ハニエル（アナエル），ペリエル，ナタナエル，アトゥニエルがいる。

力天使 vertues 『失楽園』で力天使 virtues の位を示すミルトンの綴。

力天使 Virtues ディオニュシオスの体系において，通常9つの聖歌隊中第2のトリオの第2あるいは第3番目に置かれている高位の天使。ユダヤの伝承では，マラキムあるいはタルシシムと同等視されている。その主な役割は，地上で奇跡を起こすことである。恩恵と勇気の授与役の長であるとも言われる。この位の君主たちの中に，ミカエル，ラファエル，バルビエル，ウジエル，ペリエル，そして（本来の）サタンがいた。エジプト人の＝星の体系や，ヘルメス主義では，力天使の長はピ＝レ（Pi-Rhe, Pi-Re）である。さらに多数の力天使の名が，グスタフ・デイヴィッドソンの論文「天上の力天使」に挙げられている。

偽典『アダムとエヴァの書』では，2人の力天使が他の12人の天使と共に，エヴァにカイン誕生の準備をさせた。この書の翻訳者ウェルズは，この2人の力天使は「わが主が「マタイによる福音書」18：10で語られた守護天使である」と信じている。昇天の2人の天使は力天使の位に属すると，伝統的に考えられている。エウセビオス：「天上の力天使は，イエスの上昇を見て，その護衛となるために彼を取り巻いた」と比較せよ。［出典：ダニエルー『天使とその使命』p35］カムフィールドは『天使についての神学的論説』で9つの階級を列挙したとき，力天使 virtues の代りに力 mights を使用している。『ラルース ビザンティン・中世美

術辞典』815図に力天使が集団で描かれている。

リグジエル Rigziel　イサク・ハ＝コヘンの文章で，「神の左側の流出」における10人の聖なるセフィロトの8番目。

リクビエル・YHWH Rikbiel YMWH　神の戦車（すなわちメルカバ）あるいは車輪に任命された天使。また，他の6人の支配天使のいるガルガリムの位の統率者。エノク書の教説では，メタトロンよりも高位にあり，そのため天の審判を司る偉大な皇太子の1人とされている（ギンズバーグ『ユダヤ人の伝説』I，139によれば，そのような皇太子は8人いるという）。

リコル Richol　能天使の位の天使。招喚の儀式で唱えられる。[出典：『モーセの第6，第7の書』]

リシ（聖仙） Rishis　プラジャパティに比せられる。全人類の祖先であると言われる7人あるいは10人のヴェーダの霊である。御前の7人の天使や，ゾロアスター教の7（あるいは6）人のアムシャ・スプンタと比べられよう。

リージェント〔摂政〕Regent　『失楽園』V, 698で，サタンの配下にある堕天使。彼は大反乱で戦った能天使のリージェントの1人，あるいはリージェントの長である。

リージョン Region　儀礼魔術の特別な目的のために，特に剣の招喚で唱えられる天使。[出典：ウェイト訳『レメゲトン』；メイザーズ『ソロモンの大きな鍵』]

リスヌク Risnuch　レヴィの『高等魔術』によれば，農業の守護霊。テュアナのアポロニウスの『ヌクテメロン』では，9時の霊の1人。

リスワン Riswan（ルスヴォン Rusvon）　ハーフィズの『オード』（オード586）では天の門番。「リスワンの座を恐れる」と言われる。

リタルゴエル Lithargoel　コプト語版『大天使ガブリエルの授与式』や『ペトロ行伝』に現われる偉大な天使。[出典：ドレッセ『エジプト・グノーシス主義の秘密の書』p235-236]

律法の天使 Angel of the Torah →イェフェフィア Yefefiah，→イオフィエル Iofiel（ヨフィエル Yofiel），→ザグザゲル Zagzagel，→メタトロン Metatron

リディア Riddia (Ridya，リドヤ Ridjah，マタリエル Mathariel，「灌漑する者」の意）水の元素を支配する雨の支配者。地の底と海の底の2つの深淵の間に住むとされる。ヘブライ伝承では，招霊されると，裂けた唇の雌の3歳牛の姿で現われる。[出典：タルムード『ヨマ』21a]

リドワン Ridwan　イスラムの教義で，地上の楽園の入口にいる天使。[出典：ヘイスティングズ『宗教・倫理辞典』IV, 618] エデンの園の護衛の大天使という役で，レミ・ド・グールモンの芝居『リリト』に登場する。

リバネル Libanel　クロップシュトックの『メシア』によれば，フィリピの守護天使。

リフ Riff（フィクション）ダニエルズの『天使の対立』中の智天使。

リフィオン Rifion　ヘハロトの伝承（『マアセ・メルカバ』）において，第5天の館に配置された護衛の天使。

リフトン Lifton　ヘハロト文献（『マアセ・メルカバ』）で，第7天の館に配置された護衛の天使。

リブラビス Librabis　隠された黄金の守護霊であり，7時の守護霊の1人。[出典：テュアナのアポロニウス『ヌクテメロン』]

リボタイム Ribbotaim　神の戦車の天使。おそらく智天使。[出典：『第3エノク書』]

リメジン Rimezin　イェフィシャに仕える，夜の4時の天使。[出典：ウェイト訳『レメゲトン』]

リモン Rimmon（ヘブライ語「咆哮する者」「賞揚する者」の意）「堕天した」大天使であり，いまでは「地下のデーモン」。元来ダマスカスで崇拝されていたアラム人の神であり，またシリアの偶像神でもある。オカルティズムでは，悪魔の駐露大使。ベイツの『生ける文学として読まれるべく計画された聖書』(p1262, 用語解説）によれば，「エリシャは，シリア人のナアマンがリモンの家で主人と共に腰をかがめるのを許した」。このようにリモンの家で腰をかがめるということは，「命を守るため非難すべき慣習に従う」ことを意味する。セム人によれば，リモンは嵐の神であり，アッカド名はイムである（フォーロング『宗教百科辞典』）。リモンの象徴はザクロ。アッシリア人は彼をバルク（稲妻），カッシート人はテスブと呼んだ。バビロニア神話では雷神であり，三叉の矛を持つ姿で描かれる。

竜 →ドラゴン

流星の天使 Angel of Meteors →彗星の天使

Angel of Comets

リュドの天使 Angel of Lude　フランスの屋根に据えられた天使。名前は与えられていないが，ニューヨークの聖バルトロメオ監督教会のステンドグラスに表現されている。1475年この天使の銅像がリヨンのジェアン・バルベによって制作されたが，それはパリの聖堂の風見としてであった。19世紀，この銅像はリュドにあるタルエ侯爵の城に移された（名称はこれに由来する）。後にJ.P.モーガンが購入し，合衆国で展示された。『美術商』にこの図版が掲載されている。

猟鳥の天使 Angel over (Wild) Fowl　トルギアオブ。[出典：M.ガスター『モーセの剣』]

リリト Lilith　リリトが生まれたユダヤの伝承では，幼児の敵であり，悪の天使サマエル（サタン）と結婚する女性のデーモン。リリトは，エヴァに先立ってアダムと夫婦関係をもった。したがって人類の始祖の最初の妻とみなさねばならない。ラビ・エリエゼル（『アダムとエヴァの書』）によれば，彼女はアダムに毎日100人の子供を生み与えた。『ゾハル』（レビ記19a）には，リリトは「熱い炎のような女で，初めのうちは男と共に暮らしていた」が，エヴァが創られたとき「海辺の町々に飛び去り」，その地で「さらに人間を誘惑しようとした」と書かれている。『イザヤ書』34：14，15ではフクロウと（誤って）同一視されている。カバラでは金曜日のデーモンであり，身体の先が蛇の尻尾の形をしている裸の女性として描写されている。

一般に中世初期のラビによって創られたものとみなされ，調べうるかぎりで最初に登場するのは『ベン・シラのアルファベット』と呼ばれる10世紀の民話である。しかし実際は，リリトの名は，メソポタミアの女性デーモンの霊リリに由来し，アルダト・リリ ardat lili として知られる。ラビたちは聖書に，最初の誘惑する女，アダムのデーモンの妻，カインの母としてのリリトを読み取ったのである。[出典：トンプスン『セム族の魔術』；クリスチャン『魔術の歴史と実践』] タルムード伝説では，カバラ（『ゾハル』）と同じように，ほとんどのデーモンは死すべき存在である。しかし，リリトと他の2人の悪名高い女性悪霊（ナアマとアグラト・バト・マラト）は，「神が最終的に地上から不浄と悪を一掃する救世主の日まで存在し，人間を疫病で苦しめつづける」であろう。

ある中世の著述家についてのショーレムの論文（雑誌 *Mada'e ha Yahadut*, II, 164ff）によれば，リリトとサマエルは「聖なる栄光の玉座の下に生じたとされる。その玉座の足は2人の行為のため少し揺れていた」。サマエル（サタン）がかつて天と親しいものであったことはよく知られているが，リリトもサマエルを助けてそこに昇ったことは知られていない。リリトは多くの名をもっている。そのうちの17の名は，旧約聖書の預言者エリヤに強いられてリリトが彼に語ったものである。リリトの名前の一覧は付録を参照。

＊ル＊

ルア・ピスコニト Ruah Piskonit　天使メタトロンがもつ多くの名の1つ。

ルエル Luel　15世紀のユダヤ魔術では，占い棒を使う際にこの天使の名を唱える。[出典：トラクテンバーグ『ユダヤ魔術と迷信』P225]

ルキエル Ruchiel　風の支配を任命された天使。[出典：『第3エノク書』14]

ルキフェル〔ルシファー〕Lucifer（「光を与える者」の意）　まちがって，堕天した天使（サタン）と同等視されているが，これは「イザヤ書」14：12「お前は天から落ちた／明けの明星，曙の子よ」を誤読したためである。この文は，バビロニア王ネブカドネツァルに呼びかけたものである。実のところ，旧約聖書の執筆者たちは，堕天使や悪の天使についてはなにも知らず，言及もしなかったのである。「ヨブ記」4：18のように，時には主は天使たちを「信頼しない」か，あるいは「彼らの愚行を責める」が，それは天使たちが必ずしも理想的な存在ではないことを意味する。ルキフェルという名をサタンに当てたのは，聖ヒエロニムスなどの教父たちである。

ミルトンの『失楽園』では，この名前を罪深い高慢なデーモンに当てている。ルキフェルは，オランダのシェイクスピアと言われるフォンデルの叙事詩の主人公であり，その題名となっている（彼はサタンの代りにルキフェルを用いている）。またイムレ・マダクの奇跡劇『人間の

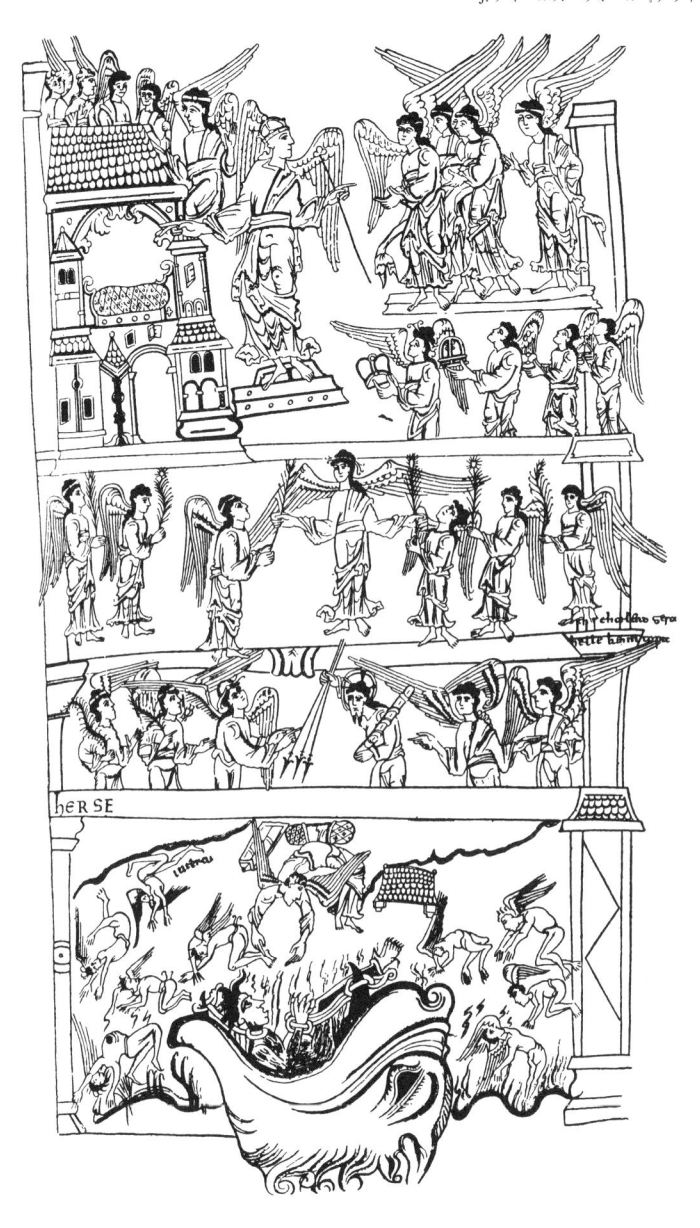

「天国からのルキフェル追放」 キャドモンのパラフレーズ。
J. チャールズ・ウォール『デヴィル』より転載。

「ルシファー」ウィリアム・ブレイク作。ラングトン『悪魔学の本質』より転載。

悲劇』の主人公でもある。ブレイクはダンテの挿絵にルキフェルを描いた。ジョージ・メレディスのソネット『星明かりの中のルシファー』は，「悪魔」をルシファー王子と呼んでいる。実際ルキフェルは星を意味する言葉で，明けの明星あるいは宵の明星（金星）を指す（あるいは最初はそれらを指していた）。スペンサー『天上の愛の賛歌』によれば，ルシファーは「最も輝く天使，いやむしろ光の子」である。→サタン

ルグジエル Rugziel（ダルキエル Dalkiel）「10民族の懲罰」のため地獄の第7圏で働く天使。［出典：『バライタ・デ・マセケト・ゲヒノム』］

ルサシエル Rsassiel　70人の産褥の魔除けの天使の1人。

ルシファー →ルキフェル

ルスヴォン Rusvon（リスワン Riswan）イスラム教徒の地上の楽園の鍵を持つ天使。［ド・プランシー『地獄の辞典』を参照。→リドワン Ridwan

ルディエル Rudiel　ヘハロトの伝承（『マアセ・メルカバ』）において，第3天の館に配置された護衛の天使。

ルドソル Rudosor　ザアゾナシュに仕える，夜の6時の天使。［出典：ウェイト訳『レメゲトン』］

ルバイル Ruba'il　イスラム教で，アッラーを崇拝する（人間の姿をした）天使のグループを監督する第7天の天使。［出典：ヘイスティングズ『宗教・倫理辞典』IV, 619］

ルビ Rubi（フィクション）ムーアの『天使の愛』で，第2位の天使である智天使（ケルブ）。

ルヒエル Ruhiel　ユダヤの伝承で風を支配する天使。「メタトロンに出会い，おののき平伏した」，天の大いなる天体天使（ルミナリー）の1人とされる。［出典：ギンズバーグ『ユダヤ人の伝説』］

ルビエル Rubiel　ド・プランシーの『地獄の辞典』で言及された，ウリエルとバラキエルと共に賭博の際に祈願される天使。よい結果を得るためには，祈るときはルビエルの名を未使用の羊皮紙に書き込まねばならない。

ルファエル Rufael　天使ラファエルの別名か，あるいは堕天したラグエルの名。『エノク書I』68：4によれば，ルファエルは堕天使についてミカエルと語り合った。

ルマイル Luma'il　アラビアの伝承で，悪魔祓いの儀式で祈願される守護天使。［ヒューズ『イスラム辞典』「Angels」の項］

ルマエル Rumael（ラミエル Ramiel）エノクの目録に記された堕天使の1人。

ルマジ Lumazi　アッシリアの宇宙論では，宇宙の創造主である7人のルマジがいる。彼らはおそらく，7人（あるいは12人）の御前の天使（ラビの教義），7人のプラジャパティ（ヒンドゥー教），タルムード文書のミドト（これは2人であるが）に比せられる。

ルマン Ruman　イスラム伝承において，地下の領域の特別な天使。全ての死者を自分の前に来させ，彼らが生前なした地獄行きに値する悪行を書き留める。それから，死者を罰するため天使ムンカルとナキルに引き渡す。［出典：『ユダヤ大百科辞典』；ヘイスティングズ『宗教・倫理辞典』IV, 617］

ルミエル Rumiel　第6天の護衛の天使。産褥の魔除けの70人の天使の1人でもある。［出典：『ピルケ・ヘハロト』；『天使ラジエルの書』

；バッジ『魔除けと護符』p225]

ルムヤル Rumjal （ルマエル？ Rumael？）　『エノク書Ⅰ』によれば，堕天した大天使，悪魔。サタンに最初に反乱をそそのかされた200人の1人。

ルヤイル Ruya'il　アラビア伝承において，悪魔祓いの儀式で招霊される守護天使。[出典：ヒューズ『イスラム辞典』「Angels」の項]

ルワノ Ruwano　魔術の儀式で招霊される救いの天使。[出典：『モーセの第6，第7の書』]

レ

霊 Sprit　いかなる天使もデーモンも霊であり，それも純粋な霊である。人間は不純な霊である。神は，神的な霊である。[序文を参照。]

レイイエル Reiiel　主天使（ドミネイション）の位の天使。シェムハムフォラエ神の神秘的な名をもつ72人の天使の1人でもある。

レイヴティプ Reivtip （リルヴティプ Rirvtip）　モーセの招喚の儀式で，天使の君主アリモンに仕える天使。

霊魂の導師 Psychopomp(us)　楽園におけるエリヤ（サンダルフォン）は，霊魂を死後の世界に導く案内者とされ，敬虔な者の肉体の死後，魂を天の住まいの定められた場所に導く。エリヤ（サンダルフォン）を長として，魂を護衛する天使たちをプシュコポンポイ Psychopompoi と言う。ミカエルも，霊魂を死後の世界に導く天使たちの指導者と考えられている。[出典：ギンズバーグ『ユダヤ人の伝説』p589；参照：ギリシア神話におけるヘルメス・プシュコポンポス]

レヴァナエル Levanael （イアラエヘル Iarahel）　コルネリウス・アグリッパ『オカルト哲学』Ⅲによれば，月の霊。

レヴィア Leviah →レウウイア Leuuiah

レヴィアタン Leviathan （ヘブライ語「集まって群れをなすもの」の意）　エノクの寓話では，原初の雌の海竜であり悪の怪物である。ラビ文献では（女性か男性か不明で）原初の海の天使ラハブと同一視され，ベヘモトと結び付けられる。レヴィアタンとベヘモトは共に第5日に創られたとされる。（ギリシア語『バルク黙示録』を参照。）ユスティヌス体系では悪の天使［出典：ギンズバーグ『ユダヤ人の伝説』Ⅴ，46；『アブラハムの黙示録』10］。『聖書文献雑誌』*Journal of Biblical Literature*（1912年12月）p161のジョージ・バートンの見解では，「バビロニアの怪物ティアマトのヘブライ名である」。聖書（「ヨブ記」41：1）では，巨大な鯨〔レビヤタン〕。「詩篇」74：14では，カバまたはクロコダイルとされる。あるいはそれを暗示している。[出典：「イザヤ書」27：1，ここではレヴィアタン〔レビヤタン〕は「曲がりくねる蛇」と呼ばれる。この形容は，「ヨハネの黙示録」12：9でサタンが「年を経た蛇」と称されていることを思い起こさせる。]マンダ教によれば，終末とは，浄化された魂以外の全てがレヴィアタンに呑み込まれることである。

レウウイア Leuuiah （レヴィア Leviah）　シェムハムフォラエ神の神秘的な名をもつ72人の天使の1人。

レカブスティラ Recabustira　魔法の絨毯をもたらすためのレカブスティラへの祈りは，徐徐にその名を縮めていって出来上がっている。カブスティラ Cabustira, ブスティラ Bustira, スティラ Stira, イラ Ira, など。[出典：メイザーズ『ソロモンの大きな鍵』]

レカヘル Lecahel　主天使の位の天使。[出典：アンブラン『実践カバラ』p88]

レカベル Lecabel　植物と農耕を支配する天使。シェムハムフォラエ神の神秘的な名をもつ

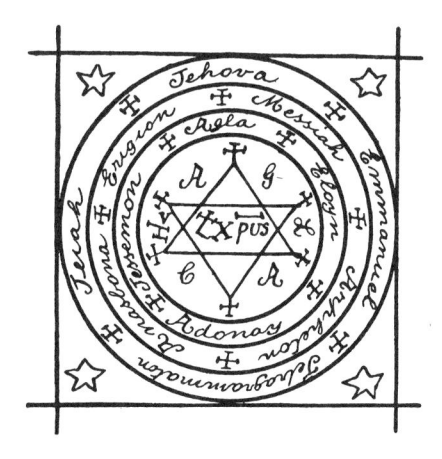

ソロモンの六六線星形。
霊を呼び出したり去らせたりする際に使われる。
ウェイト『儀礼魔術の書』より。

72人の天使の1人。その霊符についてはアンブラン『実践カバラ』を参照。[出典：バレット『魔術師』]

レクイエル Requiel　月の二十八宿を支配する天使の1人。[出典：バレット『魔術師』]

レクエル Requel　『モーセの第6、第7の書』における権天使の位の支配君主。その他の文献では、ニスロク（『失楽園』）、アナエル、ケルヴィエルなどがこの位の支配君主である。

レクタコン Rectacon　ソロモンの魔法書にある、塩の祝福の儀式で唱えられる天使。

レクトレス・ムンドルム〔この世の支配者〕Rectores Mundorum　カルデアの伝承において、下の世界に命令を下す神の補佐役あるいは能天使。[出典：オード『ゾロアスター教のカルデア神託』]

レコディア Rekhodiah　太陽の第2の五芒星(ペンタクル)に記された4人の天使の1人。[出典：メイザーズ『ソロモンの大きな鍵』]

レシト・ハヤラリム Reschith Hajalalim（ラシト・ハ＝ガルガリム Rashith ha-Galgalim）ユダヤのカバラでは、奉仕の霊レシトを通じて「神の本質が流出する」。第10天〔他の9の天界を動かす原動力となる最外層の天界〕を先導するが、これは普通メタトロンと結び付けられる職務あるいは役目である。[出典：ヘイウッド『聖なる天使の階級』]

レシュ Resh（ラシュ？ Rash？）　ハイドの『古代ペルシア宗教史』で言及された、インド＝ペルシアの天使。

レゾジエル Rezoziel　『ピルケ・ヘハロト』で言及された、第3天の護衛の天使。

レツツィエル Retsutsiel　→レゾジエル Rezoziel

レドリオン Ledrion　香料と燻煙による清めで唱えられる天使。[出典：『真の魔術書』]

レノ Reno　天使ヴェフエルに対応する天使。

レハヴァ Lehavah　ヘハロト伝承『マアセ・メルカバ』で、第7の館を護衛する天使。

レハウエル Rehauel　ルーンズの『カバラの知恵』における、黄道十二宮の72人の天使の1人。

レハエル Rehael　能天使の位の天使。健康と長寿を支配し、両親への尊敬の念を吹き込む。シェムハムフォラエ神の神秘的な名をもつ72人の天使の1人。対になる天使はプテコウト。[出典：『魔術師』Ⅱ；アンブラン『実践カバラ』]

レハケル Lehachel　黄道十二宮の5度ずつを支配する72人の天使の1人。[出典：ルーンズ『カバラの知恵』]

レハヒア Lehahiah　以前は能天使の位に属していた。国王と女王を保護し、臣下を忠実ならしめる。シェムハムフォラエ神の神秘的な名をもつ72人の天使の1人である（あるいは、現在は悪の天使に堕ちたとすれば、かつてはそうだった）。その霊符については、アンブラン『実践カバラ』p273を参照。

レハヘル Lehahel　カバラにおける8人の熾(セラ)天使の1人。[出典：アンブラン『実践カバラ』p88]

レファ Lepha　印章の天使。『モーセの第6、第7の書』によれば、特別な招喚儀式でその名が唱えられる。

レベス Lebes　第1の高みの5人の天使長の1人。[出典：『ソロモンのアルマデル』]招霊されると、赤い十字架が描かれた旗印を持って現われる。他の4人は、アリミエル、バラキエル、ガブリエル、ヘリソン。

レヘル Rehel　信仰の敵と戦う天使。対応する天使はフペ。[出典：アンブラン『実践カバラ』]

レマナエル Lemanael　カバラにおける月の霊。対応する天使はエリミエル。[出典：ルノルマン『カルデア魔術』p26]

レミエル Remiel（ラミエル Ramiel、ルマエル Rumael、など）『エノク書Ⅰ』20で述べられるように、神の御座に仕える7人の大天使(アークエンジェル)の1人。『第4エスドラス書』〔エズラ書〕の様々な翻訳でイェレミエルあるいはウリエルと呼ばれ、（死者の間から）「起き上がった者たちの頭上に神が置いた聖なる天使の1人」とされている。『バルク黙示録』ではレミエルは、センナケリブの軍を滅ぼした天使ラミエルである。『エノク書Ⅱ』とゲフケン『シビュラの託宣』Ⅱ, 215を参照。

レムファ Rempha　エジプトの神統譜では座天使の位の長であり、時の守護霊。ヘルメス主義では、7人の惑星霊の1人であり、土星の霊(ラウン)（大天使）。[出典：クリスチャン『魔術の歴史と実践』Ⅰ, 317；Ⅱ, 475］→オリフィエル Orifiel

レライル Relail アラビアの伝承における，第5天の支配者。〔出典：ムーア『天使の愛』〕

レラヒア Lelahiah シェムハムフォラエ神の神秘的な名をもつ72人の天使の1人。

レラヘル Lelahel 愛，芸術，科学，未来を支配する黄道十二宮の天使。カバラの教えでは，対応する天使はアセンタケル。その霊符についてはアンブラン『実践カバラ』p260を参照。

レリエル Leliel 天使の夜の支配者の1人。→ライラ

錬金術と鉱物学の天使 Angel of Alchemy and Mineralogy →オク Och

錬金術の王 Prince of Alchemy →オク Och

ロ

ロウパイル Roupa'il マンダ教における天使。〔出典：ポニョン『マンダ教碑文』〕

ロエル Loel 南風の門を護衛する数多い天使の1人。〔出典：『オザル・ミドラシム』Ⅱ，316〕

ロエルハイファル Roelhaiphar 土星の第5の五芒星に名を記された天使。招霊するときは，最良の結果を得るために，術者は「申命記」10：17の唱句を唱えるべきである。〔出典：メイザーズ『ソロモンの大きな鍵』〕

ロクエル Loquel 第1天に仕える天使。〔出典：『モーゼの第6，第7の書』〕

6月－7月の天使 Angel of June-July →イムリアフ Imriaf

6月の天使 Angel of June ムリエル（男性天使）。古代ペルシアの伝承では，ティル。

ログジエル Rogziel（「神の憤怒」の意）『マセケト・ガン・エデン＆ゲヒノム』に記された懲罰の7人の天使の1人。〔出典：『ユダヤ大百科辞典』593〕

6人の至高の（フィロン的）能天使 Six Highest Angelic (or Philonic) Powers この6人の至高の能天使は，神（ゾロアスター教では神はアフラ＝マズダ）の御座をとり囲む6人のアムシャ・スプンタに対応するか，あるいは由来する。『バルク書Ⅲ』では，6つの至高の能天使は，1．神のロゴス（フィロンによってミカエルと同一視された），2．創造の能天使，3．主の能大使，4．慈悲，5．律法の能大使，6．懲罰の能大使，である。

「嘆き悲しむ天使」古代ギリシアのピエタより。ジェイムスン『聖母の伝説』より転載。

ロケル Rochel 紛失物を見つける天使。対応する天使はコンタレ Chontare。シェムハムフォラエ神の神秘的な名をもつ72人の天使の1人でもある。

ロゴイ Logoi 「夢について」でフィロンが用いた天使の呼び名。ロゴス，「言葉」（あるいは「理性」）の複数形でもある。〔出典：ミュラー『ユダヤ神秘主義の歴史』〕

ロゴス Logos（ギリシア語「言葉」あるいは「理性」の意）フィロンによれば「ハガルのもとに現われた天使。紅海の雲であり，（殉教者ユスティノスも記しているように，マムレで）アブラハムのもとに現われた天使の1人。ペヌエルでヤコブの名をイスラエルと変えた神の姿」である。ラビ神秘主義では，メタトロンは擬人化されたロゴスである。聖霊，ミカエル，メシアも，ロゴスと同一視される。〔出典：ミュラー『ユダヤ神秘主義の歴史』〕フィロンはロゴス（理性）を「神の化身，彼の天使」と呼んでいる。また，「最古の天使ロゴスは，多くの名を持つ天使長のごときもの。なぜなら彼は主天使そして神の名と呼ばれた」。〔出典：ミード『3倍に偉大なヘルメス』Ⅰ，p161-162〕

ロサビス Rosabis 金属の守護霊であり，11時の守護霊の1人。〔出典：テュアナのアポロニウス『ヌクテメロン』〕

ロシエル Rosier 以前は主天使の位の下位にいた天使。いまでは地獄で職務に励む。〔出典：ミカエリス『悔悛した女の驚嘆すべき憑依と改宗の物語』〕

ロス Los（ルキフェル？）神の摂理の代理

人,「長い年月働くもの」。天より堕ちて以来,6000年を費やして世界に形を与えようとしてきた。「我は,6000年の昔に我が地位より果てしなき底に落ちた,影の預言者なり。」[出典:ブレイク『4つのゾア』と『エルサレム』]

ロファエル Rofael →ラファエル Raphael

ロフォカレ Rofocale 『魔術大全』によれば,より一般的にはルシフゲ・ロフォカレと呼ばれ,地獄の領域の首相であり,世界の富と財宝を管理する。東を支配する王バアルと,(地獄の公爵の1人で以前は力天使(ヴァーチュー)の位にあった)アガレスと,マルバスが,ロフォカレの部下である。

ロブキル Lobkir 西風の門を護衛する数多い天使の1人。[出典:『オザル・ミドラシム』Ⅱ,316]

ロブクイン Lobquin 西方で火曜日を支配する,第5天の天使の1人。東風に支配される。[出典:バレット『魔術師』]

ローマの天使 Angel of Rome たいていはサマエルとされる。サマエルは,聖書伝承以降はサタンである。エドムという名称はローマを表わす。

ロミエル Romiel 中世のゲオニムの教義で,一年の1カ月を支配するよう任命された天使。[出典:トラクテンバーグ『ユダヤ魔術と迷信』]

ロムボマレ Rombomare ラウヴィアに対応する天使。

ロレクス Rorex コニベアの『ソロモンの誓約』で,アラト(病気のデーモン,地獄のデカンの1つ)の力を和らげるよう招霊される霊(天使)。

ワ

惑星の天使 Angels of the Planets　オカルトの教義では普通，太陽と月を含めた7つの惑星に対応する天使がいる。首長はレハティエル（ラティエル）あるいはレヤティエル。それぞれの惑星，宮，日を支配する天使の名前に関しては，付録を参照。ロングフェロウの『黄金伝説』第1版では，惑星の天使の配置は以下のようになっている。ラファエル（太陽），ガブリエル（月），アナエル（愛の星，つまり金星），ゾビアケル（木星），ミカエル（水星），ウリエル（火星），アナキエル（土星）。後の版ではロングフェロウは，ガブリエルの代りにオナフィエルを，アナキエルの代りにオリフェルを採用している。ゾビアケルとオナフィエルはロングフェロウの創作と思われる。この2名は他の文献では全く見当たらない。

災いの天使 Scourging Angels（ヘブライ語「malache habbala」）　アブラハムが天国訪問中に出会った「無慈悲な心」の天使。［出典：『アブラハムの誓約』］

ワリム Wallim　第1天で仕える天使。［出典：『モーセの第6，第7の書』］

ワル Wall　以前は能天使の位に属した天使だが，現在は地獄の大公爵である。招霊されると，ひとこぶラクダの姿で現われると，ド・プランシー『地獄の辞典』（1863年版）には説明されている。地獄の霊たちの36軍団がワルの指揮下にある。

ンズリエル・ヤハウェ N'Zuriel Yhwh　メルカバの8人の最高位の天使の君主の1人。8人は皆メタトロンより優位を占めているとされる。〔出典：『第3エノク書』〕

ンドゥム Ndmh　邪視から身を守るために招喚される夏至の天使。〔出典：トラクテンバーグ『ユダヤ魔術と迷信』〕

ンバト Nbat　マンダ教の「光る存在」（天使）。〔出典：ドロワー『イラクとイランのマンダ教』〕

ンモスニクティエル N'mosnikttiel　激怒の天使たちの指導者。ユダヤ神秘主義の文献に記されている。〔出典：M.ガスター『モーセの剣』〕

「幼児の天使」　ラファエルロ作。
レガメイ『天使』より転載。

付録

天使のアルファベット

ALPHABET "CÉLESTE"

ALPHABET "MALACHIM"
DIT "ÉCRITURE DES ANGES" OU "ROYALE"

ALPHABET "DU PASSAGE DU FLEUVE"

［天使のアルファベット］アレフからタウまでのヘブライ語のアルファベットの変形。アンブランの『実践カバラ』より。

🌿 天上の位階の階級
　　　さまざまな出典，文書による

聖アンブロシウス（『アポロギアの預言者ダヴィデ』5）
1．熾天使（セラフイム）　2．智天使（ケルビム）　3．主天使（ドミネイションズ）　4．座天使　5．権天使（プリンシパリテイーズ）　6．能天使（パワーズ）　7．力天使（ヴァーチューズ）　8．大天使（アークエンジェルズ）　9．天使（エンジェルズ）

聖ヒエロニムス
1．熾天使（セラフイム）　2．智天使（ケルビム）　3．能天使（パワーズ）　4．主天使（ドミネイションズ）　5．座天使（スローンズ）　6．大天使（アークエンジェルズ）　7．天使（エンジェルズ）

大グレゴリウス（『説教集』より）
1．熾天使（セラフイム）　2．智天使（ケルビム）　3．座天使（スローンズ）　4．主天使（ドミネイションズ）　5．権天使（プリンシパリテイーズ）　6．能天使（パワーズ）　7．力天使（ヴァーチューズ）　8．大天使（アークエンジェルズ）　9．天使（エンジェルズ）

偽ディオニュシオス（『天上の位階』，トマス・アクィナスの『神学大全』より）
1．熾天使（セラフイム）　2．智天使（ケルビム）　3．座天使（スローンズ）　4．主天使（ドミネイションズ）　5．力天使（ヴァーチューズ）　6．能天使（パワーズ）　7．権天使（プリンシパリテイーズ）　8．大天使（アークエンジェルズ）　9．天使（エンジェルズ）

『十二使徒憲章』（『クレメンスのミサ祈禱書』）
1．熾天使（セラフイム）　2．智天使（ケルビム）　3．アイオン　4．ホスト　5．能天使（パワーズ）　6．オーソリティーズ　7．権天使（プリンシパリテイーズ）　8．座天使（スローンズ）　9．大天使（アークエンジェルズ）　10．天使（エンジェルズ）　11．主天使（ドミネオンズ）

セビーリャのイシドルス（『語源学』より）[1]
1．熾天使（セラフイム）　2．智天使（ケルビム）　3．能天使（パワーズ）　4．権天使（プリンシパリテイーズ）　5．力天使（ヴァーチューズ）　6．主天使（ドミネイションズ）　7．座天使（スローンズ）　8．大天使（アークエンジェルズ）　9．天使（エンジェルズ）

モーセ・マイモニデス（『ミシュナ・トーラー』）
1．カイオト・ハ=クァデシュ　2．アウファニム　3．アラリム（エレリム）　4．カシュマリム　5．熾天使（セラフイム）　6．マラキム　7．エロヒム　8．ベネ・エロヒム　9．智天使（ケルビム）　10．イシム

『ゾハル』（『出エジプト記』43a）
1．マラキム　2．エレリム　3．セラフィム　4．ハイヨト　5．オファニム　6．ハムシャリム　7．エリム　8．エロヒム　9．ベネ・エロヒム　10．イシム

『マセケト・アジルト』[2]
1．熾天使（セラフイム）　2．座天使（オファニム）　3．智天使（ケルビム）　4．シナニム　5．タルシシム　6．イシム　7．ハシュマリム　8．マラキム　9．ベネ・エロヒム　10．アレリム

ダマスコのヨアンネス（『正しい信仰について』）
1．熾天使（セラフイム）　2．智天使（ケルビム）　3．座天使（スローンズ）　4．主天使（ドミネイションズ）　5．能天使（パワーズ）　6．オーソリティーズ（力天使／ヴァーチューズ）　7．ルーラーズ（権天使／プリンシパリテイーズ）　8．大天使（アークエンジェルズ）　9．天使（エンジェルズ）

『ベリト・メヌカ』[3]
1．アレリム　2．イシム　3．ベネ・エロヒム　4．マラキム　5．ハシュマリム　6．タ

297

ルシシム　7．シナニム　8．智天使(ケルビム)　9．座天使(オファニム)　10．熾天使(セラフィム)

ダンテ
1．熾天使(セラフィム)　2．智天使(ケルビム)　3．座天使(スロウンズ)　4．主天使(ドミネイションズ)　5．力天使(ヴァーチューズ)　6．能天使(パワーズ)　7．大天使(アークエンジェルズ)
8．権天使(プリンシパリティーズ)　9．天使(エンジェルズ)

バレット『魔術師』
1．熾天使(セラフィム)　2．智天使(ケルビム)　3．座天使(スロウンズ)　4．主天使(ドミネイションズ)　5．能天使(パワーズ)　6．力天使(ヴァーチューズ)　7．権天使(プリンシパリティーズ)
8．大天使(アークエンジェルズ)　9．天使(エンジェルズ)　10．無垢な者(イノセンツ)　11．殉教者(マータース)　12．証聖者(コンフェサーズ)

　エレリムとイシムは時々同じものとみなされる。[出典：M.ガスター『民間伝承の研究と文献』の『モーセ黙示録』p128-129] エレリムは「イザヤ書」33：7に由来する。エリムは「出エジプト記」15：27と「エゼキエル書」32：21に由来する。
　ハシュマリム（あるいはハムシャリム）は, しばしば主天使(アークエンジェルズ)の位と同等視される。
　ハイヨトは, 智天使(ケルビム)と同等視される（「エゼキエル書」20）。
　次に, 座天使(オファニム)は智天使(ケルビム)と同等視される。彼らは「多眼のもの」あるいは「車輪」と呼ばれる。
　座天使(スロウンズ)は, オファニム, あるいはアレリム（エレリム）と同等視される。
　マラキムとタルシシムは, 力天使(ヴァーチューズ)と同一視される。
　タフサリム（『第3エノク書』）は, 通常エリムとエレリムと共に天使の1つの位を構成する。彼らは「栄光の玉座の前で仕える救いの天使たちよりも偉大」であるとみなされている。
　ベネ・エロヒム（神の息子たち）は時にイシムと同等視される。『ゾハル』によれば, 彼らは座天使の下位区分に属する。
　宗教的また世俗的なさまざまの出典において言及されている他の位階の位には, 灼熱の炎 Ardors, オーソリティー Authorities, サンクティティー（神聖なもの）Sanctities, ヴォイス（声）Voices, 摂政天使 Regents, 幻影（アパリション）Apparitions, 歓呼 Acclamations, 君主 Sovereignties, ゴンファロンズ（旗幟）Gonfalons, 戦士 Warriors, など。

【注】
1　セビーリャのイシドルスの『被造物の序列について』には7つの階級だけが記載されている。順序は次のとおり。
　1．座天使(スロウンズ)　2．主天使(ドミネイションズ)　3．権天使(プリンシパリティーズ)　4．ポウテンテイツ（能天使(パワーズ)）　5．力天使(ヴァーチューズ)
　6．大天使(アークエンジェルズ)　7．天使(エンジェルズ)。熾天使は出てこない。智天使は脚注で言及されている。
2　『マセケト・アジルト』に挙げられている階級の長は以下のとおり。
　1．熾天使(セラフィム)の長がシェムエル（ケムエル, あるいは, イェホエル）　2．座天使(オファニム)の長がラファエルとオファニエル　3．智天使(ケルビム)の長はケルビエル　4．シナニムの長はゼデキエル（ザドキエル）とガブリエル　5．タルシシムの長はタルシエルとサブリエル　6．イシムの長はゼファニエル　7．ハシュマリムの長はハシュマル　8．マラキムの長はウジエル
　9．ベネ・エロヒムの長はホフニエル　10．アレリムの長はミカエル。
3　『ベリト・メヌカ』では, 熾天使(セラフィム)が最後に（10番目）に位置づけられていることに気がつくだろう。ここでの階級の長は, 1．アレリムはミカエル　2．イシムはゼファニア
　3．ベネ・エロヒムはホフニエル　4．マラキムはウリエル　5．ハシュマリムはハシュマル　6．タルシシムはタルシシュ　7．シナニムはザドキエル　8．智天使(ケルビム)はケルブ
　9．座天使(オファニム)はラファエル　10．熾天使(セラフィム)はイェホエル。

🌿 7人の大天使
　　さまざまな出典，文書による

『エノク書Ⅰ』（エチオピア語エノク書）
1．ウリエル　2．ラファエル　3．ラグエル（ルヒエル，ルアゲル，ルアヘル）　4．ミカエル　5．ゼラキエル（アラカァエル）　6．ガブリエル　7．レミエル（イェレミエル，イェラメエル）

『第3エノク書』（ヘブライ語エノク書）*
1．ミカエル　2．ガブリエル　3．シャトクィエル　4．バラディエル　5．シャカクィエル　6．バラクィエル（バラディエル）　7．シドリエル（あるいはパズリエル）

『ソロモンの誓約』
1．ミカエル　2．ガブリエル　3．ウリエル　4．サブラエル　5．アラエル　6．イアオト　7．アドナエル

キリスト教グノーシス派
1．ミカエル　2．ガブリエル　3．ラファエル　4．ウリエル（＝ファヌエル）　5．バラキエル　6．セアルティエル　7．イェフディエル

大グレゴリウス
1．ミカエル　2．ガブリエル　3．ラファエル　4．ウリエル　5．シミエル　6．オリフィエル　7．ザカリエル

偽ディオニュシオス
1．ミカエル　2．ガブリエル　3．ラファエル　4．ウリエル　5．カムエル　6．ヨフィエル　7．ザドキエル

ゲオニムの教説では
1．ミカエル　2．ガブリエル　3．ラファエル　4．アニエル　5．カフジエル　6．サマエル　7．ザドキエル

護符の魔術では
1．ザフキエル　2．ザドキエル　3．カマエル　4．ラファエル　5．ハニエル　6．ミカエル　7．ガブリエル

『聖なる天使の階級』では
1．ラファエル　2．ガブリエル　3．カムエル　4．ミカエル　5．アダビエル　6．ハニエル　7．ザフィエル

　7人の大天使に含まれると言及されている他の大天使たち──プラヴィル，シェパード，ファヌエル（ウリエルと同等視される）

　ペルシアの神話には，天使の性質をもつ「神聖な不死なるものたち」がいた。1．正義あるいは真実　2．正しい秩序　3．服従　4．繁栄　5．敬虔あるいは知恵　6．健康　7．不死

イスラム教の教義では，わずかに4人の大天使が存在する。ガブリエル，ミカエル，アズラエル，イスラフェルである。通常は4人よりは7人の方が好まれる。というのも，7という数字はより神秘的であり，また，「エステル記」1：14に見るように，「王の（神の）御前には7人の王子」がいたからである。
　バビロニア人は7つの惑星を神と見なしたが，それらは（W.O.E.エスタリーが述べているように）ユダヤ＝キリスト教の大天使の原型であった。アムシャ・スプンタもまた原型とみなされている。

【注】　＊『第3エノク書』のオデバーグ版では，「7人の大天使の各々に49万6000もの救いの天使が随行している」と記されている。

✤ 天上の9階級の支配君主たち

熾天使（セラフィム）：ミカエル，セラフィエル，イェホエル，ウリエル，ケムエル（シェムエル），メタトロン，ナタナエル，そしてサタン（堕天以前の）

智天使（ケルビム）：ガブリエル，ケルビエル，オファニエル，ラファエル，ウリエル，ゾフィエル，そしてサタン（堕天以前の）

座天使（スロウンズ）：オリフィエル，ザフキエル，ザブキエル，ヨフィエル（あるいはゾフィエル），ラジエル

主天使（ドミニオンズ）（ドミネイションズ）：ザドキエル，ハシュマル，ザカラエル（ヤリエル），ムリエル

力天使（ヴァーチューズ）：ウジエル，ガブリエル，ミカエル，ペリエル，バルビエル，サブリエル，ハニエル，ハマリエル，タルシシュ

能天使（パワーズ）：カマエル，ガブリエル，ヴェルキエル，そしてサタン（堕天以前の）

権天使（プリンシパリテイーズ）：ニスロク，ハニエル，レクエル，ケルヴィエル，アマエル

大天使（アークエンジェルズ）：メタトロン，ラファエル，ミカエル，ガブリエル，バルビエル，イェフディエル，バラキエル，そしてサタン（堕天以前の）

天使（エンジェルズ）：ファレグ，アドナキエル（アドヴァキエル），ガブリエル，カイイリエル

✤ 7つの天を支配する天使

第1天（シャマインあるいはシャマイム）　支配天使：ガブリエル
第2天（ラクイエあるいはラクィア）　支配天使：ザカリエル，ラファエル
第3天（サグンあるいはシェハクィム）　支配天使：（長）アナヘル（副官）ヤブニエル，ラバキエル，ダルクイエル
第4天（マコノンあるいはマケン）　支配天使：ミカエル

第5天（マテイあるいはマコン）　支配天使：サンダルフォンあるいはサマエル
第6天（ゼブル）　支配天使：（長）ザキエル（副官）ゼブル（昼間）サバト（夜間）
第7天（アラボト）　支配天使：カシエル
［出典：『モーセの第6，第7の書』137；『天使ラジエルの書』；ド・プランシー『ヘプタメロン』；コルネリアス・アグリッパ『オカルト哲学』］

❦ 座天使たち

　『天使ラジエルの書』によれば，座天使の数は7。他の出典では4あるいは70の座天使が挙げられている。

1．ガブリエル　2．ファヌエル（ペヌエル，ウリエル，フェニエル，ファヌエル）　3．ミカエル　4．ウリエル　5．ラファエル　6．イスラエル　7．ウジエル（あるいはウシエル）
［出典：『天使ラジエルの書』］

カバラ的な座天使。これらの名前は魔術で唱えられる。
1．トロヌス　2．テホム　3．ハセハ　4．アマルジオム　5．シャワイト　6．クシャ
7．ザワル　8．ヤヘル　9．アドヤヘル　10．シムエル　11．アクサトン　12．シャディル
13．カムイェル　14．パリメル　15．カヨ
［出典：『モーセの第6，第7の書』］

❦ 7つの天の館あるいは天の64の管理天使たち（ヘハロト）

第1天あるいは館
1．スリア　2．トゥトレキアル　3．トゥトルシアル　4．ゾルテク　5．ムフガル
6．アシュルリアイ　7．サブリエル　8．ザハブリエル　9．タンダル　10．ショカド
11．フジア　12．デヘボリン　13．アドリリオン　14．カビエル（管理天使の監督長）
15．タシュリエル　16．ナフリエル　17．イェクシエル　18．トゥフィエル　19．ダハリエル
20．マスキエル　21．ショエル　22．シェヴィエル
第2天
23．タグリエル（長）　24．マスピエル　25．サリエル　26．アルフィエル　27．シャハリエル　28．サクリエル　29．ラギエル　30．セヒビエル
第3天
31．シェブリエル（長）　32．レツツィエル　33．シャルミアル　34．サヴリアル　35．ハルハジアル　36．ハドリアル　37．ベズリアル
第4天
38．パクディアル（長）　39．グヴルティアル　40．クズイアル　41．シュキニアル　42．シュトゥキアル　43．アルヴィアル（あるいはアヴィアル）　44．クフィアル　45．アンフィアル
第5天
46．テキアル（長）　47．ウジアル　48．グミアル　49．ガムリアル　50．セフリアル
51．ガルフィアル　52．グリアル　53．ドリアル　54．パルトリアル
第6天
55．ルミアル　56．カトミアル　57．ゲヘギアル　58．アルサブルスビアル　59．エグルミアル　60．パルジアル　61．マクキアル（ムルギアル，ムルギヴィエル）　62．トゥフリアル

第7天
63. ゼブリアル　64. トゥトルベビアル
［出典：『ピルケ・ヘハロト』］

❧ 1年の12カ月を支配する天使たち

1月　ガブリエル（あるいはカムビエル）　　7月　ヴェルキエル
2月　バルキエル　　　　　　　　　　　　　8月　ハマリエル
3月　マキディエル（あるいはマラヒダエル）　9月　ウリエル（あるいはズリエル）
4月　アスモデル　　　　　　　　　　　　　10月　バルビエル
5月　アムブリエル（あるいはアムビエル）　　11月　アドナキエル（あるいはアドヴァキエル）
6月　ムリエル　　　　　　　　　　　　　　12月　ハナエル（あるいはアナエル）
［出典：ド・プランシー『地獄の辞典』Ⅳ，138］

❧ 7つの惑星の霊，使者，叡智体(インテリジェンス)

太陽　霊　　　ガブリエル，ヴィアナトラバ，コラト
　　　使者　　ブルカト，スケラトス，カパビレ
　　　叡智体　ハルディエル，マカシエル，カシエル

月　　霊　　　ガブリエル，ガブラエル，マディオス
　　　使者　　アナエル，パバエル，ウスタエル
　　　叡智体　ウリエル，ナロミエル，アブオリ

土星　霊　　　サマエル，バキエル，アステル
　　　使者　　サキエル，ゾニエル，フバリル
　　　叡智体　マエル，オラエル，ヴァルヌム

木星　霊　　　セチエル，ケドゥシタニエル，コラエル
　　　使者　　トゥリエル，コニエル，バビエル
　　　叡智体　カディエル，マルティエル，フファトリエル，エスタエル

金星　霊　　　タマエル，テナリエル，アラゴン
　　　使者　　コルズラス，ペニエル，ペナエル
　　　叡智体　ペナト，ティエル，ラエル，テリアベル

水星　霊　　　マトライ，タルミエル，バラボラト
　　　使者　　ラファエル，ラメル，ドレミエル
　　　叡智体　アイエディアト，モディアト（メディアト），スグモノス，サラレス

木星の統轄霊　サキエル，カスティエル，アサシエル
金星の統轄霊　アナエル，ラキエル，サキエル
火星の統轄霊　サマエル，サタエル，アマビエル
水星の統轄霊　ラファエル，ウリエル，セラフィエル

[出典：『トゥリエルの秘密の黒魔術書』33-35。同書は，火星の霊・使者・叡智体を載せ忘れている。]

🌿 黄道十二宮を支配する天使

天使	宮
マラヒダエルあるいはマキディエル（3月の天使）	白羊宮（牡羊座）
アスモデル（4月の天使）	金牛宮（牡牛座）
アムブリエル（5月の天使）	双子宮（双子座）
ムリエル（6月の天使）	巨蟹宮（蟹座）
ヴェルキエル（7月の天使）	獅子宮（獅子座）
ハマリエル（8月の天使）	処女宮（乙女座）
ズリエルあるいはウリエル（9月の天使）	天秤宮（天秤座）
バルビエル（10月の天使）	天蠍宮（蠍座）
アドヴァキエルあるいはアドナキエル（11月の天使）	人馬宮（射手座）
ハナエル（12月の天使）	磨羯宮（山羊座）
カムビエルあるいはガブリエル（1月の天使）	宝瓶宮（水瓶座）
バルキエル（2月の天使）	双魚宮（魚座）

[出典：トリテミウス『天の叡智体について』；参照：カルデア人の占星術の体系における黄道十二宮の12人の支配者たち：1．アヌ　2．ベル　3．ヌア　4．ベリト　5．シン　6．サマス　7．ビン　8．アダル　9．マルドゥク　10．ネルガル　11．イスタル　12．ネボ。出典：ルノルマン『カルデア魔術』p119]

🌿 1週間の7日を支配する大天使と天使

日	大天使	天使	日	大天使	天使
月曜日	ガブリエル	ガブリエル	金曜日	ハニエル	アナエル
火曜日	カマエル	ザマエル	土曜日	ツァフィエル	カシエル
水曜日	ミカエル	ラファエル	日曜日	ラファエル	ミカエル
木曜日	ツァフィエル	サキエル			

日曜	月曜	火曜	水曜	木曜	金曜	土曜
ミカエル	ガブリエル	カマエル	ラファエル	サキエル	アナエル	カフィエル
(霊符)	(霊符)	(霊符)	(霊符)	(霊符)	(霊符)	(霊符)
☉ ♌	☽ ♋	♂ ♈ ♏	☿ ♊ ♍	♃ ♐ ♓	♀ ♉ ♎	♄ ♑ ♒
第4天 マケン	第1天 シャマイン	第5天 マコン	第2天 ラクイエ	第6天 ゼブル	第3天 サグン	第6天より上は支配する天

彼らの霊符（シジル），黄道十二宮の印，その天使に支配される天の名称も表示。バレット『魔術師』より。

［出典：シャー『オカルティズム――その理論と実践』p143；バレット『魔術師』p105対向頁；メイザーズ『ソロモンの大きな鍵』惑星時間の表，p7］

7つの惑星の支配天使たち

惑星の長：ラハティエル

アル=バルケロニによる

1．ラファエル　太陽
2．アニエル　金星
3．ミカエル　水星
4．ガブリエル　月
5．カフジエル　土星
6．ザドキエル　木星
7．サマエル　火星

バレット『魔術師』による

1．ラファエルあるいはミカエル　太陽
2．アナエルあるいはハニエル　金星
3．ミカエルあるいはラファエル　水星
4．ガブリエル　月
5．ザフィエルあるいはオリフィエル　土星
6．ザドキエルあるいはザカリエル　木星
7．カマエルあるいはザマエル　火星

ロングフェロウは『黄金伝説』の中で次のような表を挙げている。
1．ラファエル　太陽　2．ガブリエル　月　3．〈愛の天使〉アナエル　金星
4．ゾビアケル　木星　5．ミカエル　水星　6．ウリエル　火星　7．オリフェル　土星
　天使学において，ゾビアケルはただ１度しか現われない（『黄金伝説』に１度登場するだけで，他の資料には出てこない）。

4つの季節を支配する天使

	春（タルヴィ）	秋（アルダルケル）
支配天使	スプグリグエル（春の宮の長）	トルクアレト（秋の宮の長）
補助天使	アマティエル，カラカサ，コレ，コミソロス	タルクアム，グアバレル

	夏（カスマラン）	冬（ファルラス）
支配天使	トゥビエル（夏の宮の長）	アタリブ（冬の宮の長）
補助天使	ガルガテル，ガヴィエル，タリエル	アマバエル，カタラリ（クタラリ）

［出典：バレット『魔術師』108；シャー『オカルティズム――その理論と実践』43-44］

昼と夜の時間の天使たち

時	日曜日を支配する惑星と天使	月曜日を支配する惑星と天使	火曜日を支配する惑星と天使	水曜日を支配する惑星と天使	木曜日を支配する惑星と天使	金曜日を支配する惑星と天使	土曜日を支配する惑星と天使
昼							
1	⊙ミカエル	☽ガブリエル	♂サマエル	☿ラファエル	♃サキエル	♀アナエル	♄カシエル
2	♀アナエル	♄カシエル	⊙ミカエル	☽ガブリエル	♂サマエル	☿ラファエル	♃サキエル
3	☿ラファエル	♃サキエル	♀アナエル	♄カシエル	⊙ミカエル	☽ガブリエル	♂サマエル
4	☽ガブリエル	♁サマエル	☿ラファエル	♃サキエル	♀アナエル	♄カシエル	⊙ミカエル
5	♄カシエル	⊙ミカエル	☽ガブリエル	♂サマエル	☿ラファエル	♃サキエル	♀アナエル
6	♃サキエル	♀アナエル	♄カシエル	⊙ミカエル	☽ガブリエル	♂サマエル	☿ラファエル
7	♂サマエル	☿ラファエル	♃サキエル	♀アナエル	♄カシエル	⊙ミカエル	☽ガブリエル
8	⊙ミカエル	☽ガブリエル	♁サマエル	☿ラファエル	♃サキエル	♀アナエル	♄カシエル

9	♀アナエル	♄カシエル	☉ミカエル	☽ガブリエル	♂サマエル	☿ラファエル	♃サキエル
10	☿ラファエル	♃サキエル	♀アナエル	♄カシエル	○ミカエル	☽ガブリエル	♂サマエル
11	☽ガブリエル	♂サマエル	☿ラファエル	♃サキエル	♀アナエル	♄カシエル	☉ミカエル
12	♄カシエル	☉ミカエル	☽ガブリエル	♂サマエル	☿ラファエル	♃サキエル	♀アナエル
夜							
1	♃サキエル	♀アナエル	♄カシエル	☉ミカエル	☽ガブリエル	♂サマエル	☿ラファエル
2	♂サマエル	☿ラファエル	♃サキエル	♀アナエル	♄カシエル	☉ミカエル	☽ガブリエル
3	☉ミカエル	☽ガブリエル	♂サマエル	☿ラファエル	♃サキエル	♀アナエル	♄カシエル
4	♀アナエル	♄カシエル	☉ミカエル	☽ガブリエル	♂サマエル	☿ラファエル	♃サキエル
5	☿ラファエル	♃サキエル	♀アナエル	♄カッシエル	☉ミカエル	☽ガブリエル	♂サマエル
6	☽ガブリエル	♂サマエル	☿ラファエル	♃サキエル	♀アナエル	♄カシエル	☉ミカエル
7	♄カシエル	☉ミカエル	☽ガブリエル	♂サマエル	☿ラファエル	♃サキエル	♀アナエル
8	♃サキエル	♀アナエル	♄カシエル	☉ミカエル	☽ガブリエル	♂サマエル	☿ラファエル
9	♂サマエル	☿ラファエル	♃サキエル	♀アナエル	♄カシエル	☉ミカエル	☽ガブリエル
10	☉ミカエル	☽ガブリエル	♂サマエル	☿ラファエル	♃サキエル	♀アナエル	♄カシエル
11	♀アナエル	♄カシエル	☉ミカエル	☽ガブリエル	♂サマエル	☿ラファエル	♃サキエル
12	☿ラファエル	♃サキエル	♀アナエル	♄カッシエル	☉ミカエル	☽ガブリエル	♂サマエル

天使たちが支配する昼と夜の時間を示す表。関連する黄道十二宮の印を併記してある。バレット『魔術師』より。

シェムハムフォラエ神の神秘的な名前をもつ72の天使

				ヴェフイア					ニトハイア					ヴェフエル
				イェリエル					ハアイア					ダニエル
				シタエル					イエラテル					ハハジア
				エレミア					セエヒア					イマミア
				マハシア					レイイエル					ナナエル
				レラヘル					オマエル					ニタエル
				アエハイア					レカベル					メバヒア
				カヘテル					ヴァサリア					ポイエル
				ハジエル					イエフイア					ネマミア
				アラディア					レハヒア					イエイラエル
				ラウイア					カヴァキア					ハラヘル
				ハヒア					モナデル					ミズラエル
				イエイアゼル					アニエル					ウマベル
				メバヘル					ハアミア					イアヘル

ｒｒｚ	ハリエル	ｒｈ（ｚ	レハエル	ｊ¬ｒｚ	アナウエル
ｒｒｒｈ	ハカミア	¬ｒｒｚ	イヒアゼル	ｏｒｒ	メヘキエル
ｊｚ¬ｈ	レヴィア	ｒｒｒｚ	ハハヘル	ｒｏｎｈ	ダマビア
ｊｎｚ	カリエル	ｏｒｒ	ミカエル	ｒ¬ｒ	メニエル
ｒ¬ｈ	レウウィア	ｒ¬ｊｈ	ヴェヴァリア	ｚ¬ﾝ	エイアエル
ｏｒｒｊ	バハリア	¬ｊｒｒ	イエラヒア	ｒｎ¬ｈ	ハブイア
ｎｒｚ	ネルカエル	ｏｚｒｒ	セアリア	ｒｚｒｒ	ロケル
¬ｒｒｚ	イエイアイエル	ﾝｒｒ	アリエル	ｒｎｏ	イイバミア
ｏｊｒｒ	メラヘル	ﾝﾜｒ	アサリア	¬ｒ¬	ハイアイエル
ｒｒｒｈ	ハフイア	ｏ¬ｒｚ	ミハエル	ｏｒｏｈ	ムミア

カバラによる。バレット『魔術師』より。

シェムハムフォラエ (1)　　　　シェムハムフォラエ (2)

ヘブライ語によるシェムハムフォラエ神の72の名前。
『モーセの第6，第7の書』より。

❦ 出産の際に招喚される70の魔除けの天使

　　　『天使ラジエルの書』より。

1. ミカエル	6. マルキエル*	11. ズリエル	16. ウドリエル
2. ガブリエル	7. ツァドキエル	12. ラムエル	17. ラハリエル
3. ラファエル	8. パディエル	13. ヨフィエル	18. カスキエル
4. ヌリエル	9. ズミエル	14. ストゥリ(エル?)	19. ラクミア
5. キドゥミエル	10. カフリエル	15. ガズリエル	20. カツヒエル

21. シャクニエル	35. アニエル	48. スニエル	61. ケヌニト
22. カルキエル	36. アズリエル	49. タハリエル	62. イェルエル
23. アヒエル	37. カクマル	50. イェズリエル	63. タトルシア
24. カニエル*	38. マクニア	51. ネリア	64. カニエル*
25. ラハル	39. カニエル	52. サムキア*	65. ゼクリエル
26. マルキエル*	40. グリエル（ある	53. イガル	66. ヴァリエル
27. シェブニエル	いはグリアル）	（サムキエル）	67. ディニエル
28. ラクシエル	41. ツァルタク	54. ツィルヤ	68. グディエル（ある
29. ルミエル	42. オフィエル	55. リガル	いはゲディエル）
30. カドミエル	43. ラクミエル	56. ツリア	69. ブリエル
31. カダル	44. センセンヤ	57. プシシャ	70. アハニエル
32. カクミエル	45. ウドルガジイア	58. オリエル	
33. ラマル	46. ルサシエル	59. サムキア*	
34. カチエル	47. ラミエル	60. マクニア*	*は重出。

❦ メタトロンの名前

　ここに記されたメタトロンの76の名前は、『セフェル・ハ=ヘシェク』、1865年にレンベルクで刊行されたI. M. エプスタイン編のヘブライ語冊子から引いたものである。メタトロンはこの他にも100以上（『第3エノク書』48では105）にのぼる名前をもつと思われる。ここに記された以外の名称の中には、ラド、ナアル、サル・ハ=オラム、小イアオ、シャダイ、ヨエル、スルヤ、ヨフィエル、ピスゴン、シトリエルなどよく知られるものが含まれる。

1. ツァツェヒヤ	21. ゼブティヤフ	41. アサシア	61. ウヴァヤ
2. ゼラヒアフ	22. ミトン	42. アヴツァンゴシュ	62. ショソリヤ
3. タフテフィア	23. アドリゴン	43. マルガシュ	63. ヴェホフネフ
4. ハヤト	24. メタトロン	44. アトロパトス	64. イェシャヤ
5. ハシェシヤ	25. ルア・ペスコニト	45. ツァフツェフィヤ	65. マルメリヤ
6. ドゥヴデヴィヤ	26. イタティヤ	46. ゼラヒヤ	66. ガレ・ラジヤ
7. ヤシヤ	27. タヴタヴェル	47. タムテミヤ	67. アタティヤ
8. パルペルティヤ	28. ハドラニエル	48. アダディヤ	68. エメクミヤフ
9. ハウハヴィヤ	29. タトリエル	49. アラリヤ	69. ツァルツェリム
10. ハヴィヤフ	30. オザ（ウザ）	50. タサシヤ	70. ツァヴニヤ
11. ヴェラア	31. エヴェド	51. ラセシヤ	71. ギアティヤ
12. マギルコン	32. ガリエル	52. アミシヤ	72. パルシヤ
13. イトモン	33. ツァフツェフィエル	53. ハカム	73. シャフティヤ
14. パトスラン	34. ハツパツィエル	54. ビビヤ	74. ハスミヤ
15. ティシュバシュ	35. サグマギグリン	55. ツァヴツィヤ	75. シャルシヤ
16. ティシュガシュ	36. イェフェフィア	56. ツァルツェリア	76. ゲヴィリヤ
17. ミツパド	37. エステス	57. カルケルミヤ	
18. ミドラシュ	38. サフカス	58. ホヴェ・ハヤ	
19. マツメツィヤ	39. サクタス	59. イェホヴァ・ヴェハヤ	
20. パツペツィヤ	40. ミヴォン	60. テトラシヤ	

❧ 偉大なるアルコン

　アルコン（「支配者たち」の意）はアイオンと同一視あるいは同等視される。ゲルショム・ショーレムによるアルコンの定義は，単に「偉大なる天使」である。ラビの教義では，偉大なるアルコンはシャムシエルあるいはシェムイエルであり，イスラエルの祈りと第7天の君主たちとの間の仲介者である。

グノーシス主義オフィス派の体系で
　　ヤルダバオト　　　アスタンファイオス
　　ヤオ　　　　　　　アイロアイオス
　　サバオト　　　　　オライオス
　　アドナイオス

その他のグノーシス主義の体系で
　　サクラス（マニ教では　　エロイエイン
　　　デーモンの長）　　　　カツピエル
　　セト　　　　　　　　　　エラタオル
　　ダヴィド　　　　　　　　ドミエル

ギリシア魔術パピルス写本で
　　ウリエル　　　ガブリエル
　　ミカエル　　　シャムイル
　　ラファエル

［出典：ダニエルー『天使とその使命』；ゲイナー『神秘主義辞典』；ドレッセ『エジプト・グノーシス主義の秘密の書』；ショーレム『ユダヤ神秘主義』］

❧ 高みの天使君主長──4 主要地点

第1の高み（あるいはコーラ）の長たち
アリミエル
バラキエル　　｛赤い十字のついた旗印あるいは
ガブリエル　　　旗を手に持ち，
ヘリソン　　　　バラの花の冠を戴き，
レベス　　　　　低い声で話す。

第3の高み（あるいはコーラ）の長たち
エリファニアサイ
エロミナ　　　｛子供か若い女の姿で，
ゲドボナイ　　　緑色か銀色の服をまとい，
ゲロミロス　　　月桂冠を戴き，
タラナヴァ　　　通った後に甘い香りを残す。

第2の高み（あるいはコーラ）の長たち
アフィリザ
アルモン　　　｛繻子の服をまとった子供の姿で，
ゲノン　　　　　ニオイアラセイトウの花冠を
ゲロン　　　　　戴き，
ゲレイモン　　　顔が紅潮している。

第4の高み（あるいはコーラ）の長たち
バラキエル＊
カピティエル　｛若い男か少年の姿で，
デリエル　　　　濃緑色の混じった黒服をまとい，
ゲビエル　　　　「羽のない」小鳥を手につかん
ゲディエル　　　でいる。

【注】　＊バラキエルは第1の高みと第4の高み両方の長と考えられる。高みの天使は，一年の適正な月日の適正な時刻に呼ばれなければ，招喚できない。［出典：『ソロモンのアルマデル』；シャー『魔術の秘伝』173ff］

❧ 月の二十八宿を支配する28の天使

1．ゲニエル　　　　6．ディラキエル　　11．ネシエル　　　16．アゼルエル
2．エネディエル　　7．スケリエル　　　12．アブディズエル　17．アドリエル
3．アニクシエル　　8．アムネディエル　13．ヤゼリエル　　18．エギビエル
4．アザリエル　　　9．バルビエル　　　14．エルゲディエル　19．アムティエル
5．ガブリエル　　　10．アルディフィエル　15．アトリエル　　20．キリエル

21.	ベトナエル	23.	レクイエル	25.	アジエル	27.	アテニエル
22.	ゲリエル	24.	アブリナエル	26.	タグリエル	28.	アムニクシエル

［出典：バレット『魔術師』II，57］

❧ 聖なるセフィロトに対応する大天使
1. メタトロン　　ケテル（王冠）
2. ラツィエル（ラジエル）　　コクマ（知恵）
3. ツァフクィエル　　ビナ（理解）
4. ツァドクィエル　　ケセド（慈悲）
5. カマエル　　ゲブラ（力）
6. ミカエル　　ティフェレト（美）
7. ハニエル　　ネツァク（勝利）
8. ラファエル　　ホド（光輝）
9. ガブリエル　　イェソド（基礎）
10. メタトロン（あるいはシェキナ）　　マルクト（王国）

［出典：メイザーズ『ヴェールを脱いだカバラ』］

❧ 邪悪なセフィロト――神の左側からの流出
1. タウミエル　　ケテルに対立する反セフィラ。元素的外皮はカタリエル。
2. カイギディエル　　コクマの反セフィラ。元素的外皮はオグヒエルあるいはゴギエル。
3. サタリエル（シェイレイル）　　ビナの反セフィラ。
4. ガムキコト（ゴグ・シェクラ）　　ケセドの反セフィラ。元素的外皮はアザリエル。
5. ゴラブ　　ゲブラの反セフィラ。元素的外皮はウシエル。
6. トガリニ　　ティフェレトの反セフィラ。元素的外皮はゾミエルとベルフェゴル。
7. ハラブ・セラプ　　ネツァクの反セフィラ。元素的外皮はテウミエルとバアル・カナン。
8. サマエル　　ホドの反セフィラ。元素的外皮はテウニエルとアドラメレク。
9. ガマリエル　　イェソドの反セフィラ。元素的外皮はオギエル。
10. リリト　　マルクトの反セフィラ。

［出典：ウェイト『聖なるカバラ』］

❧ 見張り（の天使）――別名グリゴリ。
　『ヨベル書』によれば，〈見張り〉は神の息子たち（「創世記」6章）で，人間の子供たちを指導するために天から派遣された。彼らは地上に降りて人間の娘と同棲（伝説によれば，その行為のために断罪され），堕天使となった。しかしすべての見張りが地上に降りたのではない。とどまった者たちは聖なる見張りであり，第5天に属する。邪悪な見張りたちは第3天か地獄に住む。
1. アルマロス　　人間に魔法を解く法を教えた。
2. アラクィエル（アラキエル）　　大地の印(サイン)を教えた。
3. アザゼル　　ナイフ・剣・楯の製造法，女性を美しくするための装飾や化粧の工夫などを教えた。
4. バラクィヤル（バラケル）　　占星術を教えた。
5. エゼクエル（エゼケエル）　　雲についての知識を教えた。
6. ガドレエル　　初めて戦いの武器をもたらした。

7．コカベル（カウカベル）　星座についての知恵を教えた。
8．ペネムエ　人間に字の書き方を教えた。「そしてそのために多くの者が，永遠から永遠へ，またこの日までに罪を犯した。人間はこのような目的のために創造されたわけではないからである」（『エノク書I』7：8）。また，子供たちに「苦いものと甘いもの，そして知恵の秘密」を知らせた。
9．サリエル　月の運行について教えた。
10．セムヤザ　魔法，根切りなどを教えた。
11．シャムシエル　太陽の印（サイン）について教えた。

❦ サリム——天の主な支配天使王

1．アカトリエル（アクラシエル）　神の秘密を啓示するもの。布告の天使。ラジエルを参照。
2．アナフィエル　メルカバの至高の審判天使の長。
3．アズブガ　8人の偉大な審判の座天使の1人。天に新たに入来した者の中で義人と認められた者に，正義の衣をまとわせる。
4．バラキエル（バルキエル，バルビエル）　熾天使（セラフイム）の位の支配者。2月の統治者。7人の大天使（アーク エンジエル）の1人。
5．カマエル（ケムエル）　能天使（パワーズ）の位の長。聖なるセフィロトの1人。神の正義の具現したもの。神の御前にある7人の1人。
6．カイイエル　聖なるハイヨト（智天使（ケルビム））の1人。
7．ガブリエル　告知，復活，慈悲，そして復讐の天使。第1天の支配君主。楽園の護衛天使の長。
8．ガルガリエル　ガルガリム（メルカバの戦車）の位の名の元となった長。太陽の車輪の天使長。
9．ハニエル（アナエル）　権天使（プリンシパリティーズ）と力天使（ヴァーチューズ）の位の長。7人の大天使の1人。12月の統治者。エノクを天に送り届けたと考えられる。
10．イオフィエル（ヨフィエル，ゾフィエル）　シェムの教導天使。律法の君主（イェフェフィアと同様に）。7人の大天使の1人。座天使（スロウンズ）の位の長。
11．イリン　双子の天使であり，同じく双子の天使クァディシンと共に，天の法廷の最高審判会議を構成する。メタトロンより高位の階級にある8人のうちの1人。
12．イェホエル（ヤオエル）　言ってはならない名前の仲介者。神の御前の君主。
13．メタトロン（元はエノク）　天の大法官。救いの天使の君主。人間の支持者。
14．ミカエル　主の天使の長。篤信者を救うもの。イスラエルの守護天使。悔恨の天使，など。
15．ファヌエル（ラグエル）　悔悛の大天使。御前の君主。ウリエルとラミエルに同一視される。
16．クァディシン　双子の天使であり，同じく双子のイリンと共に，天の法廷の最高審判会議を構成する。
17．ラドゥエリエル（ヴレティル）　記録天使。天の聖歌隊の指導者。下部天使を創造する。
18．ラファエル　治療，学問，そして知識の天使。神の御前の君主の1人。太陽の摂政。
19．ラジエル（ガリズル）　最高の神秘の長。ブリア界を支配する大天使の1人。アダムの教導天使。神の使者。『天使ラジエルの書』の著者とされている。
20．リクビエル　神の戦車の長。メルカバの天使の君主。
21．ソフェリエル・メハイイェ　（22を参照。）
22．ソフェリエル・メミト　21と22はメルカバの至高の天使（8人いる）の2人。生と死の書の保管者。
23．ソクェド・ホジ　神の秤の保管者。8人のメルカバの至高の天使の1人。神により剣に任

命された。
24. サンダルフォン（元はエリヤ）　力と栄光の天使。メタトロンの双子の兄弟。
25. シェムイル　偉大なるアルコン。イスラエルの祈りと第7天の君主たちの間の仲介者。
26. スリエル　死の慈悲深い天使。モーセの指導者。御前の君主。
27. ツァドキエル　神の正義の天使。
28. ウリエル　救済の大天使。太陽の摂政。タルタロス（地獄）の監督者。
29. イェフェフィア（ディナ）　律法の天使。モーセにカバラの秘儀を教えた。
30. ザグザゲル　知恵の天使。第4天の護衛の長。燃える柴の天使。

懲罰の天使（マラケ・ハバラ）
地獄の7領域を支配する
1. クシエル（「神の厳正なもの」）
2. ラハティエル（「神の燃え上がるもの」）
3. ショフティエル（「神の審判官」）
4. マカティエル（「神の疫病」）
5. フトリエル（「神の笞」）
6. プシエルあるいはプリエル（「神の火」）
7. ログジエル（「神の憤怒」）

『ソロモンの誓約』によれば，懲罰の天使は大天使に統率されており，大天使はさらに死の天使（1人もしくは複数）に支配されている。

懲罰の大天使
1. ケゼフ（憤怒と破壊の天使）
2. アフ（怒りと人間の死の天使）
3. ヘマ（家畜の死を司る天使）
4. マシト（子供たちの死を司る天使）
5. メシャベル（動物の死を司る天使）

[出典：イェリネク『ベト・ハ＝ミドラシュ』]

リリトの名前
伝説によれば，預言者エリヤがリリトに出会ったとき，彼女が人間に対して悪行をなしていた際に用いたさまざまな姿の名前を告白させた。彼女は17の名前を告白し，それらはM.ガスター『民間伝承の研究とテキスト』p1025に記録されている。
1. アベコ　2. アビト　3. アミゾ　4. バトナ　5. エイロ　6. イタ　7. イズルポ　8. カリ　9. ケア　10. ココス　11. リリト　12. オダム　13. パルタサ　14. パトロタ　15. ポド　16. サトリナ　17. タルト

J.E.ハナウアー『聖地の民間伝承』に，リリトの他の名前の表が記載されている。
1. アブロ*　2. アビズ　3. アイロ　4. アル　5. アミズ*　6. アミズ（異綴）*　7. アルダド・リリ　8. アヴィトゥ*　9. ビトウア*　10. ガル　11. ゲロウ　12. ギロウ　13. イク*　14. イルス*　15. カレエ*　16. カカシュ*　17. ケマ*　18. ラマス　19. リリト*　20. パルタシャ*　21. ペトロタ*　22. ポズ*　23. ラフィ*　24. サトリナ*　25. ティルト*　26. ザリエル　27. ゼフォニト

*印を付した名前はハナウアーの書より。その他はいろいろな出典から。

堕天使
「ヨハネの黙示録」12章によれば，反乱の軍勢は天にある天使の3分の1に達したという。

彼らは9日間にわたって堕ちつづけた。その数は15世紀に1億3330万6668と算定された（トゥスクルムの大僧正の表で）。『エノク書Ⅰ』は200の背信者について述べているが，20ほどの名前しか挙げていない（別綴と重複を差し引いて）。次に挙げたのは，エノクの表から引いた名を，外典，カバラ，妖術書，ラビ教義，教父書と世俗書の表で補ったものである。

1．アバドナ（かつては熾天使の位）
2．アドラメレク
3．アガレス（アグレアス）
4．アメジャラク（アミジラス；セムヤザの代替にも）
5．アミ（かつては，一部は能天使，一部は天使の位）
6．アンマエル（セムヤザと同一視される）
7．アラキエル（アラクィエル）
8．アラジエル
9．アリエル（かつては力天使の位）
10．アリオク
11．アルマロス（アバロス，アルメルス，ファルマロス）
12．アルメン
13．アルタクィファ（アラキバ）
14．アスベエル
15．アスモダイ
16．アスモデウス（サマエル；かつては熾天使の位）
17．アスタロト（かつては熾天使と座天使の位）
18．アストレト（アスタルテ）
19．アタルクルフ
20．アウザ（オザ）
21．アザラデル
22．アザゼル（かつては智天使の位）
23．アザ
24．アザエル（アサエル）
25．バラム（かつては主天使の位）
26．バラクェル（バラケル，バラクィヤル）
27．バルバトス（かつては力天使の位）
28．バルビエル（かつては力天使の位）
29．バタルヤル
30．ベエルゼブブ（かつては智天使の位）
31．ベリアル（かつては一部は力天使，一部は天使の位）
32．ブサセヤル
33．ビレト（ベレト；かつては能天使の位）
34．バルベリト（かつては智天使の位）
35．カイム（かつては天使の位）
36．カルニヴェアン（かつては能天使の位）
37．カレアウ（かつては能天使の位）
38．ダゴン
39．ダンヤル
40．エゼケル（エゼクエル）
41．フラウロス（ハウラス）
42．ガアプ（かつては能天使の位）

312

43. ガドレエル
44. グレシル（かつては座天使の位）
45. ハカエル
46. ハナネル（アナネル）
47. ハルト（ペルシアの天使）
48. イブリス（エブリス，ハリス；イスラム教のサタン）
49. イエラヒア（かつては力天使の位）
50. イウヴァルト（かつては天使の位）
51. イェクォン
52. イェトレル
53. カスデヤ
54. カウカベル（コカベル）
55. ラウヴィア（ラウイア；かつては一部は座天使，一部は智天使の位）
56. レヴィアタン（かつては熾天使の位）
57. ルキフェル（しばしば誤ってサタンと同一視される）
58. マモン
59. マルコシアス（かつては主天使（ドミネイションズ）の位）
60. マルト（ペルシアの天使）
61. メフィストフェレス
62. メレシン
63. モロク
64. ムルキベル
65. ムルムル（かつては一部は座天使，一部は天使の位）
66. ネルカエル（かつては座天使の位）
67. ニライハ（かつては主天使の位）
68. オエイレト（かつては主天使の位）
69. オリヴィエル（かつては大天使（アークエンジェルズ）の位）
70. アウザ（ウシエル）
71. パイモン（かつては主天使の位）
72. ペネムエ
73. プロケル（かつては能天使の位）
74. プルサン（クルソン；かつては力天使の位）
75. ラウム（ライム；かつては座天使の位）
76. リモン
77. ロシエル（かつては主天使の位）
78. ルマエル（ラミエルあるいはレミエル）
79. サマエル（サタン，アスモデウス）
80. サムサウェル
81. サラクニアル
82. サリエル
83. サタン
84. セアリア（かつては力天使の位）
85. セムヤザ（シェムハザイ，アザジエル；かつては熾天使の位）
86. センキネル（かつては一部は力天使，一部は能天使の位）
87. シャムシエル
88. シマペシエル

89. ソネイロン（かつては座天使の位）
90. タバエト
91. タムズ
92. トゥマエル
93. トゥラエル
94. トゥレル
95. ウラカバラメエル
96. ウシエル（ウジエル；かつては力天使の位）
97. ヴェリエル（かつては権天使の位）
98. ヴェリネ（かつては座天使の位）
99. ヴアル（ウヴァル；かつては能天使の位）
100. ヨムヤエル
101. ザヴェベ
102. ベルフェゴル（バアル＝ペオル；かつては権天使の位）
103. フォルカス（フォラス）

❊ ヤズィード派の大天使──ヤズィード派の悪魔崇拝で祈禱される。

1. シャムス＝エド＝ディン（「信仰の太陽」）
2. ファクル＝エド＝ディン（「信仰の貧者」）
3. ナスル＝エド＝ディン（「信仰の助け」）
4. シイ＝エド＝ディン（「慈悲の力」）
5. シェイク・イスム（「慈悲の力」）
6. シェイク・バクラ（「慈悲の力」）
7. カディル＝ラーマン（「慈悲の力」）

ヤズィード派の悪魔招喚の呪文は次のようなものである。

「天にまします唯一全能の創造主よ、我は［ここに聖なる上記7大天使の名が入る］の取りなしによってあなたを呼び求める。(略) あなたは罪びとアダム、イェズスとマリア［原文のまま］を創造した。(略) あなたは歓びと至福の源。あなたは顔をもたない；あなたのありさま、行動、実体ははかり知れない。(略) あなたは羽も翼も腕も声も、色彩ももたない。(略)」

J.G.R.フォーロングが『宗教百科辞典』(上記の呪文の出典)で言っているように、「これは悪魔崇拝というよりも、敬虔な一神教信者の祈りである」。

❊ 7天使の印章

アラトロンの印章。
錬金術師。
1764万の霊を指揮する。

ベトルの印章。
2万9000の霊の軍団を指揮する。

ファレグの印章。
戦争の君主。

オクの印章。
錬金術師、化学者、魔術師。

ハギトの印章。
金属変成者。
4000の霊の軍団の指揮者。

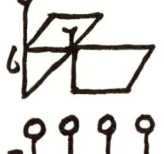

オフィエルの印章。
10万の霊の軍団の指揮者。

フルの印章。
月の力の君主、
水の至高の君主。

天の196領域を支配する7天使の印章。コルネリウス・アグリッパの著作に掲載された古代

の魔術書の収集から。

✤ 魔法円

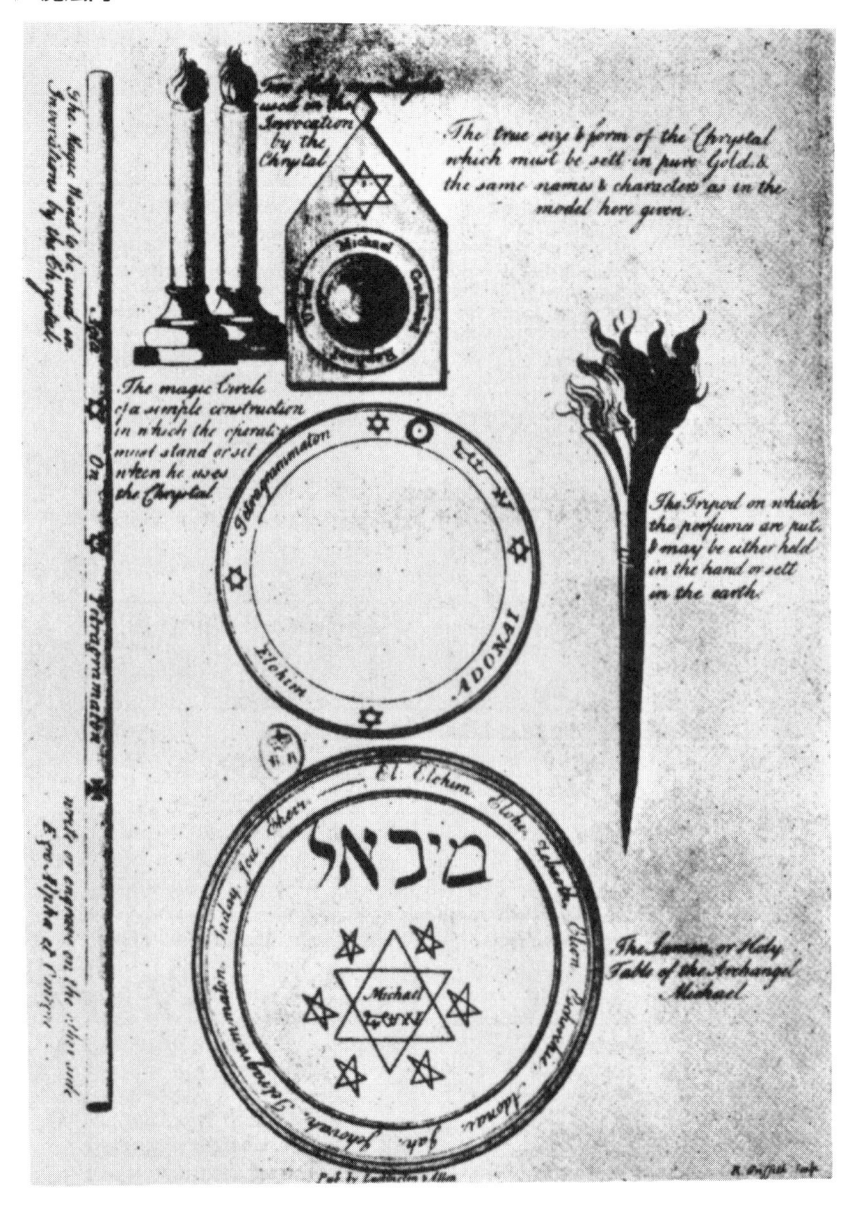

ソロモンの魔術の儀式における招喚のための魔法円と装飾。バレット『魔術師』より。

❀ 10人の天使の支配者とその位

天球の叡智体	至福の位	
地球の君主 מטטרון ミタトロン	熾天使　聖者 חיות הקדש ハコデシュ・ハイオト	動物
神の使者 רציאל ラツィエル	智天使 אופנים オファニム	車輪
神の瞑想 צפקיאל ツァフキエル	座天使 אראלים エレリム	力
神の正義 צדקיאל ツァドキエル	主天使 חשמלים ハシュマリム	光輝
神の懲罰 סמאל サマエル	能天使 שרפים セラフィム	炎
神に似たもの מיכאל ミカエル	力天使 מלכים メラキム	帝王
神の恩寵 חבניאל ハニエル	権天使 אלהים エロイム	神
神の医術 רפאל ラファエル	大天使 בני אלהים エロヒム・ベネ	神の子
神の人 גבריאל ガブリエル	天使 כרובים ケルビム	子供の基盤
救世主 מטטרון ミタトロン	人の至福の魂 אשים イシム	

10人の支配天使あるいは叡智体を示す一覧表。ヘブライのカバラによる，天の10の階級（降順）。アンブラン『実践カバラ』より

❀ 霊符（シジル），図表，契約
　　招霊，招喚，魔法，呪い，悪魔祓い

　これらによって，招霊者は天使たちを呼び出し命令を実行させ，通常，神とその天使たちの名において魔力を行使するよう申しつけたり，あるいは（同時に）悪魔祓いを行なう。

✤ 能天使の印章による第6の秘儀の呪文

　神の下僕なる我，（招霊者の名前）は，汝，霊アリモンを，最も畏敬すべき言葉で切望し招喚し招霊す。サテル，エホモ，ゲノ，ポロ，イェホヴァ，エロヒム，ヴォルナ，デナク，アロンラム，オフィエル，ゾフィエル，ソフィエル，ハブリエル，エロハ，アレシムス，ディレト，メロヒム，そして汝を征服し得る最も聖なる言葉で，温和で美しき人間の姿をせし汝が，我の前に現われるよう。そして，やがて生者と死者の審判のため神が現われるごとく確実に，我が汝に命ずることを成し遂げよ。さあ，さあ，さあ。
[出典：『モーセの第6，第7の書』p11]

　　　　　　　　　　能天使の印章

✤ 善き霊の招喚

　汝ら栄光ある慈悲深き天使たちよ，東方の4天使なるウルズラ，ズラル，ラルゾド，アルザルよ，その姿を現わすよう，至聖なる神エルズラのあまねく知られた聖なる名によって，我は汝らを招霊し懇願し招喚す。また汝らを支配し招霊する口にするも恐れ多き神の徳と力によって，我は汝らを招霊し懇願し招喚す。ゆえに，これは，完全に強制され，予め定められ，指示され，命じられたものなり。ゆえに，いま我は，汝らに心より嘆願し，力を込めて懇願す。おお汝ら慈悲深き天使たち，ウルズラ，ズラル，ラルゾド，アルザルよ，この汝らの神の力ある名エルズラのもとに，我が眼前のこの水晶の石（あるいは鏡）の中に来たりて姿を現わし，我に汝ら自身を見せたまえ。

　同様にして，汝らの光を我が視界に送り，汝らの声を我が耳に送りたまえ。我が，汝らの声を聞き，汝らの姿を見んがため。そして，汝らの神秘に我を参加させたまえ。それがため，我は心より汝らに懇願す。おお慈悲深き友好的なる天使たち，アズラ，汝らの神の卓越せる名エルズラにおいて，至高のものの下僕なる我は，効力をもちて汝を招喚す。いま我の前に完全に姿を現わせと。おお，汝ら，寛容の下僕たちよ。我のもとに確実に来たりて現われよ。そして，我を汝らの創造主の秘密の知恵に与らせよ。アーメン。
[出典：ゴランツ『ソロモンの鍵』]

✤ 死の呪文

　我は汝を招霊す。悪霊，冷酷な霊，無慈悲な霊よ。我は汝を招霊す。共同墓地に座し，人間から癒しを取り去るもの。行きて［名前］の頭に，目に，口に，舌に，喉笛に瘤をつくれ。そして彼の腹に毒水を入れよ。もし汝が彼の者の腹に水を入れに行かぬなら，我は汝に悪しき天使プジエル，グジエル，プスディエル，プルシエルを遣わすであろう。我は汝を6つの瘤に呼びかける。急ぎ［名前］の下に行け。彼の腹に毒水を入れ，［名前］を殺すのだ。それが我が

望みである。アーメン，アーメン，セラ。
[出典：M. ガスター『モーセの剣』]

❧ 剣の招霊
（英語訳は，おそらくラテン語のオリジナルより効果が少ない。）
　3つの聖なる名，アルブロト，アブラカダブラ，イェホヴァの名によって，我は汝を招霊す，おお剣の中の剣よ。魔術を行なう際は常に我が要塞であれ，可視なるもの不可視なるもの全ての敵を防げ。偉大なる力の聖なる名サダイによって，またその他の名，カドス，カドス，カドス，アドナイ，エロヒ，ゼナ，オト，オキマヌエルによって。最初にして最後の者よ，知恵，道，命，徳，長，口，言葉，光輝，光，太陽，泉，栄光，山，扉，葡萄の木，石，杖，僧侶，不死なるメシアよ。剣よ，汝は我が全ての事柄を統べたまえ。そして我を妨害する物事に打ち勝つのだ。
[出典：『真の魔術書』]

❧ 第3の印章の密儀における招霊

　神の下僕なる我（名前）は，すべての聖なる天使，大天使にかけて，聖なるミカエル，聖なるガブリエル，ラファエル，ウリエル，座天使，主天使，権天使，力天使，智天使，そして熾天使にかけて，汝テホルを望み招喚し招霊す。そして，絶えることなき声にて我は叫ぶ。聖なる，聖なる，聖なるはサバオトの神なり。また最も恐ろしき言葉にて我は叫ぶ。ソアブ，ソテル，エマヌエル，フドン，アマトン，マタイ，アドナイ，エエル，エリ，エロイ，ゾアグ，ディオス，アナト，タファ，ウアボ，YHWH，アグライ，ヨスア，ヨナス，カルピエ，カルファス。我（名前）の前に，温和な人間の姿で現われよ。そして我の望むことを為せ。
[出典：『モーセの第6，第7の書』p9]

❧ 望む人間の心に愛を呼び起こすための招霊法
　　　詩編137章と共に

　白ユリの油を水晶のゴブレットに注げ。杯ごしに詩編第137章を暗唱せよ。そして，金星の霊なる天使アナエル（ハミエル，ハニエル，オノエルという綴もある──編者注）の名を，さらに汝の愛する者の名を唱えて終えよ。次に，イトスギの枝に天使の名を書き，油に浸せ。そして，このイトスギの枝を汝の右腕に結びつけるのだ。それから，汝が愛する者の右手に触れる幸運な瞬間を待て。すると相手の心に愛が目覚めるであろう。これは，新月の次の金曜日の夜明けに行なわれると効果が上がるであろう。
[出典：クリスチャン『魔術の歴史と実践』Ⅱ，439-440]

❧ 魔法の絨毯の製作と使用のための魔法

　満月の時，そして太陽が磨羯宮にある時，昼間のうちに，処女に白い新しい羊毛で絨毯を織らせよ。邪魔が入らぬ田舎の人里離れた所に行け。絨毯を東と西に向けて広げろ。そしてそれを円で囲め。魔法の杖を振り上げ，東に向かってミカエルを，北に向かってラファエルを，西に向かってガブリエルを，南に向かってミニエルを呼べ。それから，東に向いてアグラの名を

呼べ。東に向かって，汝の左手に絨毯の東の端を持て。それから，北を向いて同じ事をせよ。南と西の方角で同じ事を繰り返し，四隅全てを持ち上げよ。それから再び東を向き恭しく唱えよ。

　アグラ，アグラ，アグラ，アグラ。おお全能の神よ，汝，宇宙の生命よ。汝の聖なる名の4文字の力と徳で広大な宇宙の四方を統べたもう者よ。聖なる4文字 Yod He Vau He。汝の名において，エリシャの手にあるエリヤのマントを汝が祝福するごとく，我が持つこの覆いを祝福せよ。汝の翼で覆われて何物も我を害することのできぬように。「神は翼の下に汝を隠した，神の羽毛の下で汝は信仰するあろう」と言われるごとく。

それから，レカブスティラ，カブスティラ，ブスティラ，ティラ，ラ，アーと唱えながら，絨毯を折りたため。汝が次にそれを必要とするまで大切にしまっておくのだ。満月か新月の夜を選べ。邪魔の入らぬ所に行き，鳩の羽で空色の処女羊皮紙の切れ端に次の文字を書け。

　　　　　　　　ラジエル

それから，火に香を投げ入れて，平伏し，左手に杖を，右手に羊皮紙を持ち唱えよ。

　ヴェガレ，ハミカタ，ウムサ，テラタ，イェ，ダ，マ，バクサソクサ，ウン，ホラ，ヒメセレ，おお神よ，汝，広大な者よ，我に汝の光の霊感を送り込め。そして我が汝に問うことが何であれ，もろもろの秘密の事柄を我に悟らせよ。汝の聖なる奉仕者ラジエル，ツァフニエル，マトモニエル，イオの助力によって，我にそれを発見させよ。

[出典：シャー『オカルティズム——その理論と実践』]

❦ 愛する人を確実に手に入れる魔法

　金曜日，金星（宵の明星）の時，太陽が昇る前，近くの川か池から生きた蛙を取ってきて，その後肢を持ち，それを炎であぶれ。蛙が真っ黒に焦げたなら，石の摺鉢でそれを非常に細かい粉末にし，処女羊皮紙で包め。その袋をミサが捧げられる祭壇の下に3日間放置せねばならぬ。3日過ぎたなら，金星の時，それを開き，花に振りかけよ。その匂いを嗅いだ全ての女性あるいは少女が汝を愛するようになるであろう。

　もう一つの方法
　あらかじめミカエル，ガブリエル，ラファエルの名を書いておいた処女羊皮紙の切れ端を，少女か女性のベッドの頭の側，できるだけ女性の頭の近くに貼り付けよ。ここで最愛の人の名を唱え，彼女が汝と等しく汝への愛を抱くように，この3人の天使の名を唱えよ。その女性はまず汝のことを考えてから眠るようになり，まもなく彼女の心に愛が生じるであろう。

[出典：クリスチャン『魔術の歴史と実践』Ⅱ，412]

❧ 神から与えられた力を備えた霊の招喚

　我は汝を呼び，招き，命ず。おお汝，霊（ここに招喚したい霊の名を挿入）よ，我の眼前に現われ，歪みもねじれもなき美しき姿で，この円の前にその姿を見せよ。アダムがその名を耳にし口にしたイアとヴァウの名におき，またその名によって。またロトがその声を聞きて，家族と共に救われた神の名アグラによって。またヤコブが格闘せし天使により知ったイオトの名によって。彼は兄エサウの手より救われた。またアアロンが声を聞きて話し教えられたアナファクセトンの名によって。そしてザバオトの名によって。モーセがこの名を呼ぶと，全ての川は血に変わった。そしてアシェル・エイェ・オリストンの名によって。モーセがこの名を呼ぶと，全ての川が蛙を産んだ。蛙は家に這い上がり，あらゆる物を滅ぼした。またエリオンの名によって。モーセがこの名を呼ぶと，かつてなかったようなひどい雹が降った。またアドナイの名にかけて。モーセがこの名を呼ぶと，蝗が現われた。蝗は大地の至る所に生じ，雹が残した全てのものをむさぼった。またシェマ・アマティアの名によって。イオシュアがこの名を呼び出すと，太陽が途中で止まった。またアルファとオメガの名によって。ダニエルがこの名を呼び，ベルを滅ぼし竜(ドラゴン)を殺した。そしてエマヌエルの名において，3人の子供，シャドラク，メシャク，アベド=ネゴが燃え立つ炎の真ん中でこの名を歌い救われた。（略）我，汝を招霊し命じる。玉座の御前にいる，前後に目をもつ4頭の獣にかけて。神の聖なる天使にかけて。（略）我は強力に汝を招霊す。汝，ここに現われ，我に良かれと思われるあらゆる事に関する我が願いを成し遂げよ。ゆえに，汝，いま遅るることなく，温和に愛想よく姿を見せよ。我の望む姿で，澄んだ完璧な声で語り，我が理解しうるように現われるのだ。
［出典：ウェイト訳『レメゲトン』］

❧ 蛇の招霊

　我（名前）は汝を招霊す。我は，霊（名前）よ，在らせられる神にかけて，無より天と地と海と万物を創造され，全てを統べたもう聖なる神にかけて，最も聖なる聖餐式にかけて，そしてイエス・キリストの名において，我らと我らの罪の贖いのため磔にされ葬られたこの全能の神の息子のお力にかけて。彼は3日目に再び蘇り，いまでは世界の創造主の右に座しておられる。そこから彼は生者と死者の審判にやってくるであろう。また聖霊の尊き愛に，完全なる三位一体にかけて。我は汝をこの円へと招霊す。汝の判断により，神を誘惑せんとした呪われたる汝を。我は汝を払い清める，蛇よ。我は，汝に，直ちに魂と肉体をもつ麗しき美貌の人間の姿で現われんことを命ず。そして我がいかなる命令をも，偽りなく，いかなる精神的制約もなく成し遂げんことを命ず。万神の神，万主の主の偉大なる名にかけて。アドナイ，YHWH，イェホヴァ，オテオスよ［ここでさらに神の名を10数個以上呼ぶ］。我は汝を招霊す，悪魔と呪われた蛇（名前）よ，音もなく，美しき姿で，文句も言わずに，我が意と希望のままに，この場所に，この円の前に現われよ。言うに言われぬ神の名，すなわち我は口にするも恐れ多きゴグとマゴグにかけて，汝を招霊す。ここへ出でよ。ここへ出でよ。ここへ出でよ。嘘偽りなく我が意と望みを成し遂げよ。さもなくば，目に見えざる大天使聖ミカエルが，直ちに地獄の奥底で汝を破滅させるであろう。出でよ。そして（名前）我が意を叶えよ。
［出典：『ホノリウスの黒魔術書』］

❧ 「堕天した」天使たちを拘束し支配するための祈禱

　我は汝に求めん。おお主イエス・キリストよ，汝がその徳と力を，人類を欺いたがため天か

ら堕とされし汝のあらゆる天使を支配する徳と力を与えよ。彼らを我に引き寄せ，彼らを縛り拘束し，そしてまた彼らを解放し，彼らのできる事全てを成すよう命じるために。また決して彼らが我の口から発するいかなる声も言葉も軽蔑することのなきようにと。彼らが我と我が言葉に従い，我を恐れるようにと。我は，汝の博愛，慈悲，愛にかけて懇願す。我は汝に求めん，アドナイ，アマイ，ホルタ，ヴェゴドラ，ミタイ，ヘル，スラナト，イシオン，イセシイよ。そして汝のあらゆる聖なる名にかけて，また汝のあらゆる気高き聖人と聖女にかけて，あらゆる汝の天使，大天使，能天使，主天使，力天使にかけて，そしてソロモンが悪魔を拘束し，沈黙させた名，エルラク，エバネル，アグレ，ゴト，イオト，オティエ，ヴェノク，ナブラトにかけて，そしてこの書物に書かれた全ての聖なる名にかけて，それら全てのお力にかけて，汝が我に天から堕とされた汝の霊をすべて集めさせたまわんことを。彼らが，我が全ての求めに真の答えを与えんことを。彼らが，我が肉体も魂も我があらゆる持ち物もそこなうことなく，我が願いを全て満たさんことを。汝と共に，聖霊と一体となり，一なる神として終りなき世に在らせ君臨する汝の息子なる我らが主イエス・キリストを通して願う。
[出典：レジナルド・スコット『妖術の発見』]

❀ 悪魔祓い

血の契約が悪魔と結ばれたところで――後に悔い改めた罪人によって

　我は汝を払い清める。おお不敬なるサタンよ。汝，この行為を虚しくも誇れ。神が罪人を受け入れし時，汝はもはや罪人の魂を支配する力なきことの証拠として，全世界の前にこれを戻さんことを，我は汝に求めん。我は汝に異端放棄を誓う。汝の砦から汝を排除し，汝が信頼する武器を奪い，汝の戦利品を分配せし神にかけて。ゆえにこの契約書を戻せ。この契約書のために，神のこの被造物は愚かにも汝への奉仕に縛られている。汝を支配した神の名において，我は言う，これを戻せ。汝の力が無になったとき，もはやこの無用の契約書を持ちつづけることはない。すでに神のこの被造物は，汝の軛をはねのけ，汝の攻撃に対する防御を神の慈悲の中に望み，懺悔により自分を真の主に帰したのだ。

　編者ウェイトは述べている。「この方法が，罪となる契約書の返還を保証するはずであったのか，あるいはそれを取り消すと考えられていたのかは，明らかではないが，たいした問題でもない。このような契約の撤回に関して，魔術師の巧妙さやら，教会の助力やらあって，地獄のものたち（すなわち悪魔）にはほとんど勝ち目がなかった。」そして，ウェイトはド・プランシー『地獄の辞典』から次の言葉を引用している。「大地に3度唾を吐け，そうすれば悪魔は汝を支配できなくなるであろう。」この場合「黒魔術とは，その恐ろしい演出法でもって，罰を受けずに堕天使たちを利用する技術である」とウェイトは付け加えている。
[出典：A.E.ウェイト『黒魔術と契約の書』]

参考文献

この目録に収載した文献はすべて，いろいろな図書館や個人のコレクションで著者が検索したものである。文献に関するデータはできるかぎり完全な内容といえる。刊行年，刊行者，その他が記載されていない文献は，不注意による脱落ではなく，原典における情報の不完全さによる。さらに，同一のあるいは同様の著作における題名や綴の明らかな不一致や矛盾は，刊行者が用いた綴の相違による。

＊原語書名のアルファベット順に並べた。
＊項目初めの──は同じ著者，あるいは同じ文献を表わす。
＊⇨印は日本語版。
＊→印は，別項目参照を意味する。
＊日本聖書学研究所編『聖書外典偽典』（教文館，1975-1989）は『外典偽典』と略。

【 A 】

アバノ，ピーター・デ Abano, Peter de『ヘプタメロン』*The Heptameron.* In vol. 3 of the 10-vol. *Das Kloster.* Stuttgart and Leipzig : J. Scheible, 1846. Originally published as *Heptameron, seu Elementa Magica*（Magical Elements）: Paris, 1567.

エイブルスン，J. Abelson, J.『ユダヤ神秘主義』*Jewish Mysticism.* London : G. Bell, 1913.

『アボダ・ザラ』*Abodah Zarah.* A Talmudic tract contained in the 18-vol. Soncino *Talmud.* London, 1935-1952.

アブラハム・ベン・イサク（グラナダの）Abraham ben Isaac of Granada『ベリト・メヌカ』*Berith Menucha.* Amsterdam : Judah Mordecai and Samuel b. Moses ha-Levi, 1648.

アブラハムス，イスラエル編 Abrahams, Israel (ed.)『喜びの書』*The Book of Delight.* Philadelphia : The Jewish Publication Society of America, 1912.

──『ヘブライ書物の世界』*By-Patks in Hebraic Bookland.* Philadelphia : The Jewish Publication Society of America, 1920.

アブラフィア，アブラハム Abulafra, Abraham →バーガー，アブラハム Berger, Abraham

アブラフィア，R. ドロス・ベン・ヨセフ Abulafia, R. Todros ben Joseph『喜びの書』*Otsar ha-Kavod*（Treasury of Glory）. Nowy Dwor (Poland) : J. A. Krieger, 1879. An earlier edition published in 1808.

『ヨハネ行伝』*Acts of John.* In James, *The Apocryphal New Testament.*
⇨『ヨハネ行伝』（『外典偽典』7巻収録）大貫隆訳，1976年
『パウロ行伝』*Acts of Paul.* In James, *The Apocryphal New Testament.*
⇨『パウロ行伝』（『外典偽典』7巻収録）青野太潮訳，1976年
『パウロ行伝』*Acts of Paul.* Tr. from the Coptic by Carl Schmidt. Leipzig : Hinrichs, 1904.
『ペトロ行伝』*Acts of Peter.* In C. Schmidt. *Koptisch-Gnostische Schiften.*
『ペトロ行伝』*Acts of Peter.* In the Akhmim Codex, papyrus, Egyptian Museum, Berlin.
⇨『ペトロ行伝』（『外典偽典』7巻収録）小河陽訳，1976年
『フィリピ行伝』*Acts of Philip.* In James, *The Apocryphal New Testament.*
『フィリピ行伝』*Acts of Philip.* In vol. 8, *Ante-Nicene Fathers.* New York : Scribner. → Till, Walter C.
『ピラト行伝』*Acts of Pilate.* In James, *The Apocryphal New Testament.* Also called the *Gospel of Nicodemus.*
⇨『ニコデモ福音書』（『外典偽典』6巻収録）田川建三訳
『トマス行伝』*Acts of Thomas, The.* Vol. V of Supplements to *Novum Testamentum.* Intro., text, and commentary by A. F. J. Klijn. Leiden : E. J. Brill, 1962.
⇨『トマス行伝』（『外典偽典』7巻収録）荒井献・柴田有訳
アダムス，ハザード Adams, Hazard『ブレイクとイェイツ』*Blake and Yeats : The Contrary*

Vision. Ithaca: Cornell U. P., 1955.

―― 『悔悛した女の驚嘆すべき憑依と改宗の物語』 *Admirable History of the Possession and Conversion of a Penitent Woman.* →ミカエリス，セバスチャン Michaelis, Sébastien

エイ・イー（ジョージ・ウィリアム・ラッセル） AE (George William Russell) 『幻視の蠟燭』 *The Candle of Vision.* New Hyde Park, New York: University Books, 1965.

アグリッパ，コルネリウス Agrippa, Cornelius 『オカルト哲学』 *Three Books of Occult Philosophy.* (ed.) Willis F. Whitehead. Inwood, N. Y.: E. Loomis & Co. [1897]. Original English edition published in London, 1651.

―― 『自然魔術の哲学』 *The Philosophy of Natural Magic* (first of Agrippa's Three Books of Occult Philosophy). (ed.) L. W. de Laurence, Chicago: de Laurence, Scott & Co., 1913.

アキバ，ラビ Akiba, Rabbi 『ラビ・アキバのアルファベット』 *Alphabet of Rabbi Akiba* (Habdalah shel R. Akiba). Incl. in MS. Maggs No. 419 (1413 C. E.). New York: Library of Jewish Theological Seminary.

アルバート，トマス Albert, Thomas 『キリスト教のマニュファクチュア』 *Manufacture of Christianity.* Philadelphia: Dorrance, 1946.

アルベルトゥス・マグヌス Albertus Magnus 『アルベルト大王の驚くべき秘密』 *Les Admirables Secrets d'Albert le Grand.* Lyon: les Héritiers de Béringos Fratres, 1752.

⇨ 『大アルベルトゥスの秘法』 立木鷹志編訳，河出書房新社，1992年

―― 「アルベルト大王」 *Albert the Great.* Adrian English and Philip Hereford. London: Burns [1933].

アルボ，ヨセフ Albo, Joseph 『原理の書』 *Sefer ha-'Ikkarim* (Book of Principles). 5 vols. (tr.) Isaac Husik. Philadelphia: The Jewish Publication Society of America, 1929-1930. Originally published in Venice, 1618.

アレグロ，ジョン Allegro, John M. 『死海文書』 *The Dead Sea Scrolls.* Harmondsworth, Middlesex, England: Penguin, 1957.

⇨ 『死海文書――テキストの翻訳と解説――』 日本聖書学研究所編，山本書店，1963年

『ソロモンのアルマデル』 *Almadel of Solomon.* →『レメゲトン』 *Lemegeton, The.*

『ベン・シラのアルファベット』 *Alphabet of Ben Sira.* In Hebrew. (ed.) M. Steinschneider. Berlin: A. Friedlander, 1858. A 10th-century work containing earliest mention of Lilith.

『ラビ・アキバのアルファベット』 *Alphabet of Rabbi Akiba.* →アキバ，ラビ Akiba, Rabbi

アルフォンソ（スペインの） Alphonsus de Spina 『信仰論』 *Fortalitium fidei.* Nuremberg: Anton Koberger [1485].

アンブラン，ロベール Ambelain, Robert 『実践カバラ』 *La Kabbale Pratique.* Paris: Editions Niclaus, 1951.

―― 『マルティニク』 *Le Martinique.* Paris: Editions Niclaus, 1946.

アンブロウズ，アイザック Ambrose, Isaac 「天使との交感」 "Ministrations and Communion with Angels." In *Compleat Works.* London, 1701.

『魔除けと護符』 *Amulets and Talismans.* →バッジ，E. A. ウォリス Budge, E. A. Wallis

『古代魔術書』 *Ancient's Book of Magic, The.* →デ・クレアモント，ルイス de Claremont, Lewis

『ラクタンティウスによる天使とデーモン』 *Angels and Demons According to Lactantius.* →シュネヴァイス，エミール Schneweis, Emil

『天使』 *Anges.* →レガメイ，R. P. Régamey, R. P.

アンゴフ，チャールズ Angoff, Charles 『天の冒険』 *Adventures in Heaven.* New York: Bernard Ackerman, 1945.

『リーズ大学東洋学会年報 第4巻』 *Annual of Leeds University Oriental Society,* vol. IV. Leiden: E. J. Brill, 1964.

『ニカイア公会議以前の教父たち』（クリーヴランド・コックス編） *Ante-Nicene Fathers, The.* American reprint of Edinburgh edition. 10 vols. (ed.) A. Cleveland Coxe. New York:

Scribner, 1917-1925.

『ニカイア公会議以前の教父たち』（アレクサンダー・ロバーツ＆ジェイムズ・ドナルドスン編）*Ante-Nicene Fathers, The.* (ed.) Alexander Roberts and James Donaldson. Buffalo : Christian Literature Pub. Co. 1886-1896.

『ペルシア文献集成』*Anthologie Persane* (Persian Anthology). →マッセ，アンリ Massé, Henri

『アブラハムの黙示録』*Apocalypse of Abraham, The.* →ボックス，Box, G. H.

『バルク黙示録』（シリア語『バルク黙示録』あるいは『バルク黙示録Ⅱ』）*Apocalypse of Baruch, The* (The *Syriac Apocalypse* or *Baruch II*). →チャールズ Charles, R. H.

⇨ 『シリア語バルク黙示録』（『外典偽典』5巻収録）村岡崇夫訳

ギリシア語『バルク黙示録』*The Greek Apocalypse of Baruch (3 Baruch).* →ヒューズ，H. モールドウィン Hughes, H. Maldwyn

『エリヤの黙示録』*Apocalypse of Elias (Die Hebräische Elias-Apokalypse).* →ブッテンヴァイザー，モーゼス Buttenweiser, Moses；シュタインドルフ，ゲオルゲ Steindorff, George

『モーセの黙示録』（『アダムとエヴァの生涯』，『アダムの書』）*Apocalypse of Moses.* (*The History of the Life of Adam and Eve, The Book of Adam*). ティッシェンドルフ編『外典黙示録』に収録 (ed.) Tischendorf, *Apocalypses Apocryphae.* Leipzig, 1866. →コニベア，フレデリック・G. Conybeare, Frederick G.

⇨ 『モーセの黙示録』（『外典偽典』別巻1収録）小林稔・土岐健司訳，1979年

『パウロの黙示録』*Apocalypse of Paul. A Coptic text.* →バッジ，E. A. ウォリス Budge, E. A. Wallis；ジェイムズ James, M. R.

⇨ 『パウロの黙示録』（『外典偽典』6巻収録）佐竹明訳，1976年

『ペトロの黙示録』*Apocalypse of Peter.* →ジェイムズ James『新約聖書外典』*The Apocryphal New Testament* に抄録。

⇨ 『ペトロの黙示録』（『外典偽典』別巻2収録）村岡崇夫訳，1982年

『ペトロの黙示録』*Apocalypse of Peter. Part 2 in Vision of Theophilus.* Cambridge, 1931.

『サラティエルの黙示録』*Apocalypse of Salathiel.* → 『第4エズラ書』*Fourth Ezra*（別項あり）として収録。

⇨ 『第4エズラ書』（『外典偽典』5巻収録）八木誠一・八木綾子訳，1976年

『ゼファニアの黙示録』*Apocalypse of Sophonias* (Zephaniah). A lost pseudepigraphic book of Jewish origin, 断片をシュタインドルフ Steindorff『エリヤの黙示録』*Apokalypse des Elias* のコプト語写本 (Leipzig, 1899) に収録。アレクサンドリアのクレメンス Clement of Alexandria は韻文を引用。ジェイムズ James, M. R.『新約聖書外典』*The Apocryphal New Testament* にも引用あり。〔参照：『世界ユダヤ大辞典』*Universal Jewish Encyclopedia*, vol. 10, "Zephaniah"〕

『聖書外典』*Apocrypha, The.* Reprint of Nonesuch Press edition, 1924. New Hyde Park, N. Y. : University Books, 1962.

『聖書外典』エドガー・J. グッドスピード訳．*An American tr. by Edgar J. Goodspeed.* Chicago : U. of Chicago Press, 1938.

『聖書外典』マニュエル・コムロフ編．(ed.) Manuel Komroff. New York : Tudor, 1936.

『聖書外典序説』*Introduction to the Apocrypha.* ブルース・M. メッツガー Bruce M. Metzger. New York : Oxford U. P., 1957.

『オックスフォード聖書外典注釈』*Oxford Annotated Apocrypha.* ブルース・M. メッツガー編 (ed.) B. M. Metzger. New York : Oxford U. P., 1965.

『新約聖書外典』*Apocryphal New Testament, The.* New York : Peter Eckler Pub. Co., 1927

『新約聖書外典』*Apocryphal New Testament, The.* M. R. ジェイムズ編．(ed.) M. R. James. Oxford : Clarendon, 1955.

『ヨハネのアポクリフォン』（『マリアの福音書』，『ヨハネの秘密の書』）*Apocryphon of John.* (*The Gospel of Mary,* and *The Secret Book of John*) P. ラビーブ編『カイロ博物館のコプト

・グノーシス・パピルス』(ed.) P. Labib in the *Coptic Gnostic Papyri in the Coptic Museum at Old Cairo*. Cairo, 1956. と、カール・シュミット『コプト・グノーシス主義文献』C. Schmidt, *Koptisch-Gnostische Schriften*. Leipzig, 1905. に収録。
⇨『ヨハネのアポクリフォン』(荒井献ほか訳『ナグ・ハマディ文書』I 収録) 岩波書店、1997年
アポロニウス (テュアナの) Apollonius of Tyana『ヌクテメロン』*The Nuctemeron*. レヴィ Levi『高等魔術』*Transcendental Magic*. に収録。Philadelphia: McKay, 1923.
⇨『高等魔術の教理と祭儀』エリファス・レヴィ著、生田耕作訳、人文書院、1992年
『テュアナのアポロニウスの生涯』*The Life of Apollonius of Tyana*. フィロストラトゥス Philostratus 著、F. C. コニベア訳 (tr.) F. C. Conybeare. New York, 1927.
『テュアナのアポロニウスの生涯』*The Life of Apollonius of Tyana*. G. R. S. ミード G. R. S. Mead 著、New Hyde Park, N. Y.: University Books [1966].
『使徒憲章』*Apostolic Constitutions and Cognate Documents* (Liturgy of the Mass called Clementina, etc.). デ・レイシー・オリアリー編 (ed.) De Lacy O'Leary. London: Society for Promoting Christian Knowledge, 1906. An edition published in New York by Scribner, 1925.
アクィナス、聖トマス Aquinas, St. Thomas『基本文献』*Basic Writings*(『神学大全』*Summa Theologica*,『対異教徒大全』*Summa Contra Gentiles* を含む)). 2 vols. アントン・C. ペギース編 (ed.) Anton C. Pegis. New York: Random, 1941.
⇨『神学大全』高田三郎ほか訳、創文社、1960
⇨『異教徒に與ふる大要 第1巻』(『対異教徒大全』の一部) 酒井瞭吉訳、中央出版社、1949年
『アラビア語英語辞典』*Arabic-English Lexicon*. ⇨レイン
『アラビア語幼き救世主の福音書』*Arabic Gospel of the Infancy of the Saviour*.『ニカイア公会議以前の教父たち』第8巻 vol. 8 of *The Anti-Nicene Fathers* に収録。New York: Scribner, 1925.
アラディ、ゾルト Aradi, Zsolt『奇跡の書』*The Book of Miracles*. New York: Farrar, 1956.
『ニプールのアラム語呪文原典』*Aramaic Incantation Texts from Nippur*. →モンゴメリー Montgomery
『魔術のアルバテル』*Arbatel of Magic* (*De Magia Veterum*). Basle, 1575; Frankfurt, 1686. →シャイブレ Scheible 編『クロスター』*Das Kloster* に収録。
『アリステアスとフィロクラテスの書簡』*Aristeas to Philocrates* (Letter to Aristeas). モーゼス・ハダス編訳 (ed., tr.) Moses Hadas. New York: Harper; Philadelphia: Dropsie College, 1951.
⇨『アリステアスの手紙』(『外典偽典』第3巻)
『アリストテレス基本文献』Aristotle. *Basic Works*. R. マッケーン編 (ed.) R. McKeon. New York: Random, 1941.
『大天使』あるいは『予言者モーセの大天使の書』*Arkhangelike or Book of the Archangels by Moses the Prophet*. ライツェンシュタイン Reitzenstein『ポイマンドロス』*Poimandres*. に収録。Leipzig: G. B. Teubner, 1904.
アルノビウス Arnobius『異端論駁』*The Case Against the Pagans* (*Adversus Nationes*). ジョージ・E. マクラッケン訳 (tr.) George E. McCracken. Westminster, Md.: Newman Press, 1949.
アーノルド、エドウィン Arnold, Edwin『アジアの光』*The Light of Asia*. New York: A. L. Burt [1879].
⇨『亜細亜の光』エドウィン・アーノルド著、山本晃紹訳、目黒書店、1944年
アーノルド、ヒュー&セイント、ローレンス B. Arnold, Hugh and Saint, Lawrence B.『中世英仏のステンドグラス』*Stained Glass of the Middle Ages in England and France*. London: A. & C. Black, 1925.
『イザヤの昇天』*Ascension of Isaiah, The*. →ボックス Box；チャールズ Charles

アシュモール，イライアス編 Ashmole, Elias (ed.)『英国の化学の劇場』*Theatrum chemicum britannicum*. A collection of articles by divers hands on hermetic mysteries. London : N. Brooke, 1652.

——訳『天の叡智体』(トリテミウス作) *Heavenly Intelligences*, by Trithemius.

『モーセの昇天』(『モーセの誓約』) *Assumption of Moses, The* (or *The Testament of Moses*). →ファーラー Ferrar

オード，サピア訳 Aude. Sapere (tr.)『ゾロアスター教のカルデア神託』*Chaldean Oracles of Zoroaster*. New York : Occult Research Press, n. d.

アウグスティヌス Augustine『神の国』*De Civitate Dei* (City of God). マーカス・ドッズ編『アウグスティヌス著作集』収録 In the *Works of Aurelius Augustine*. (ed.) Marcus Dods. Edinburgh, 1888.

⇨『神の国』(『アウグスティヌス著作集』第11-15巻収録，赤木善光ほか訳，教文館，1980-1983年）

アウグスティヌスの抄録 Extracts,『ラテン教父集』(ミーニュ版) 収録 in Migne, *Patrologiae Latinae Completus*. Paris, 1844, 1864.

オーセイブル，ネイサン編 Ausable, Nathan (ed.)『ユダヤ伝承宝典』*A Treasury of Jewish Folklore*. New York : Crown Publishers, 1960.

アヴィガド，ナーマン＆ヤディン，ヘダエル訳 Avigad, Nahman and Yadin, Yidael (tr.)『創世記のアポクリフォン』*A Genesis Apocryphon*. Jerusalem : The Magnes Press, 1956.

詩集『アズラエル』*Azrael and Other Poems*. →ウェルシュ Welsh

【 B 】

バック，マーカス Bach, Marcus『奇妙なセクトとおかしなカルト』*Strange Sects and Curious Cults*. New York : Dodd, 1961.

バンバーガー，バーナード・J. Bamberger, Bernard J.『堕天使』*Fallen Angels*. Philadelphia : The Jewish Publication Society of America, 1952

『10人の処女の饗宴』*Banquet of the Ten Virgins*. →クラーク Clark

『バライタ・デ・マセケト・ゲヒノム』*Baraita de Massechet Gehinnom*, イェリネク『ベト・ハ＝ミドラシュ』に収録 In Jellinek, *Beth ha-Midrasch*.

バル＝コナイ，テオドール Bar-Khonai, Theodore『注釈書』*The Book of Scholia* (*Liber Scholiorum*). ウェルター『マンダ教碑文』に抄録あり Extracts in *Inscriptions Mandaïtes des Coupes de Khouabir*. Paris : H. Welter, 1898. An edition in German published in Berlin, 1905 ; an edition in Syriac, published in Paris, 1910.

バーネット訳 Barnett, R. D. (tr.) →デュポン＝ソメール Dupont-Sommer

バーンハート，クラレンス・L.編 Barnhart, Clarence L. (ed.)『ニュー・センチュリー英文学ハンドブック』*The New Century Handbook of English Literature*. New York : Appleton [1956].

バレット，フランシス Barrett, Francis『魔術師』*The Magus*. London : Lackington, Allen & Co., 1801.

『バルトロメオ』(『キリスト復活の書』) *Bartholomew the Apostle* (Book of the Resurrection of Christ). ジェイムズ『新約聖書外典』に収録 In James, *The Apocryphal New Testament*.

バートン，ジョージ Barton, George「天使の名の由来」『聖書文学ジャーナル』"Origin of the Names of Angels." *Journal of Biblical Literature*. December 1912.

『バルク書Ⅲ』(『バルク黙示録』) *Baruch III* (『バルク黙示録』*Baruch Apocalypse*). →ヒューズ Hughes

⇨『ギリシア語バルク黙示録』(『外典偽典』別巻1収録）土岐健司訳

バシレイオス (聖) Basil, St.『聖バシレイオスの苦行』*The Ascetic Works of St. Basil*. クラーク訳 (tr.) W. K. L. Clarke (→クラーク W. K. L. Clarke).

——『書簡・著作選集』*Letters and Select Works*. Nicene and Post-Nicene Fathers. New York : Christian Literature Co., 1887-1895.

ベイト，H. N. Bate, H. N.『シビュラの託宣』*The Sibylline Oracles.* Books 3-4. London : Society for Promoting Christian Knowledge, 1937.

バクスター，シルヴェスター Baxter, Sylvester『聖杯』*The Holy Grail.* Boston : Curtis & Cameron, 1904.

ボーモント，ジョン Beaumont, John『古代選集』*Gleanings of Antiquities.* London : W. Taylor, 1724.

―――『霊に関する歴史的・生理学的・神学的論文』*An Historical, Physiological and Theological Treatise of Spirits.* London : Browne, Taylor, Smith, Coggan & Browne, 1705.

ベックフォード，ウィリアム Beckford, William『カリフ・バテクの歴史』*The History of the Caliph Vathek.* New York : J. Pott & Co., 1900.

⇨『ヴァテック』私市保彦訳，国書刊行会，1990年

ビア，J. B. Beer, J. B.『幻視者コウルリッジ』*Coleridge the Visionary.* London : Chatto, 1959.

ベグビー，ハロルド Begbie, Harold『天使の側で』*On the Side of the Angels.* London : Hodder, 1915.

ベン・ホリン，マイア Ben Horin, Meir「言い表わせぬ者」『季刊ユダヤ評論』"The Ineffable." *Jewish Quarterly Review,* April 1956. Philadelphia : Dropsie College.

ベントウィック，ノーマン Bentwich, Norman『イスラエルと隣国』*Israel and her Neighbors.* London : Rider & Co., 1955.

―――『アレクサンドリアのユダヤ人フィロン』*Philo-Judaeus of Alexandria.* Philadelphia : The Jewish Publication Society of America, 1910.

ベンジガー，ジェイムズ Benziger, James『永遠のイメージ』*Images of Eternity.* Carbondale : Southern Illinois U. P., 1962.

『ベレシト・ラバ』*Bereshith Rabba.*『ミドラシュ・ラバ』(→別項) 2巻に収録 2 vols. in the 10-vol. *Midrash Rabba.*

バーガー，エイブラハム Berger, Abraham「アブラハム・アブラフィアの救世主としての自意識」"The Messianic Self-Consciousness of Abraham Abulafia."『ユダヤ人の生活と思想に関するエッセイ』*Essays on Jewish Life and Thought.* New York : Columbia U. P., 1959.

『ベリト・メヌカ』*Berith Menucha.* →アブラハム・ベン・イサク Abraham ben Isaac of Granada.

ベルナルドゥス（クレルヴォーの）Bernard of Clairvaux.『思惟について』*de consideratione.* In Migne, *Patrologia Latina.* Vols. 182-185. Paris, 1854-55.

『文献辞典』*Bet Eked Sepharim* (a bibliographical lexicon). B. フリートベルク編 Compiled by Chaim. B. Friedberg. Tel-Aviv, 1954.

ベヴァン編訳，Bevan, A. A. (tr., ed.)『魂の讃歌』*The Hymn of the Soul.*『シリア語トマス行伝』に収録。Contained in the *Syriac Acts of Thomas.* Cambridge, 1897.

『バガヴァッド・ギーター』*Bhagavad Gita.* チャールズ・ジョンストン訳 (tr.) Charles Johnston. London : John M. Watkins, 1965.

⇨『バガヴァッド・ギーター』上杉勝彦訳，岩波書店，1992年

『聖書』*Bible, The.* ジェイムズ・モファット訳 (tr.) James Moffatt. New York : Harper, 1935.

―――『欽定訳聖書』*The Authorized or King James Version,* with Apocrypha. London : Nonesuch Press, 1963.

―――『新英訳聖書』*The New English Bible.* Oxford and Cambridge, 1961.

―――『新世界訳ヘブライ語聖書』*New World Translation of the Hebrew Scriptures.* Brooklyn, N.Y. : Watch Tower Bible and Tract Society (Jehovah's Witnesses), 1953.

―――『新アメリカ・カトリック版旧約聖書』*New American Catholic Edition.* Old Testament, Douay Version. New York : Benziger Bros. [1952].

―――『聖書』*The Holy Bible* (placed by The Gideons International). Chicago, 1958.

―――『通訳者の聖書』*The Interpreter's Bible.* 12 vols. New York-Abingdon-Cokesbury, 1951.

―――『現代文学としての聖書』*Designed to Be Read as Living Literature.* ベイツ E. S. Bates.

New York: Simon and Schuster, 1936.

『バイブル・ハンドブック』*Bible Handbook, The.* フート＆ボール編 (ed.) G. W. Foote and W. P. Ball. London: Pioneer Press, 1953.

『聖書古代誌』*Biblical Antiquities of Philo, The.* → ジェイムズ James. ビショフ, エーリヒ Bischoff, Erich 『カバラ入門』*Die Elemente der Kabbalah.* 2 vols. Berlin: H. Barsdorf, 1913-1920.

『司教の妻』*Bishop's Wife, The.* → ネイサン Nathan

ビッセル, エドウィン・C. Bissell, Edwin C. 『モーセ五書』*The Pentateuch.* New York: Scribner, 1885.

『黒鶏』*Black Pullet, The.* A ritual of black magic. Paris, 1740. → ウェイト Waite 『儀礼魔術の書』*The Book of Ceremonial Magic.*

『黒鴉』*Black Raven, The.* A Faustian manual. Lyons, 1469. → ウェイト Waite 『儀礼魔術の書』*The Book of Ceremonial Magic.*

ブレイク, ウィリアム Blake, William 『すべての宗教は一なり』*All Religions Are One.* A collection of maxims. Engraved. London, 1788頃.

―― 『全集』*Complete Writings.* ジェフリー・ケインズ編 (ed.) Geoffrey Keynes. London: Nonesuch Press, 1957.

⇨ 『ブレイク全著作』梅津済美訳, 名古屋大学出版会, 1989年

―― 『エルサレム』*Jerusalem.* 『全集』に収録 In *Complete Writings.*

―― 『ブレイク, ウィリアムの詩と散文』*The Poetry and Prose of William Blake.* デイヴィッド・V.アードマン編 (ed.) David V. Erdman. Garden City, N. Y.: Doubleday, 1965.

『4つのゾア』*Vala* (The Four Zoas). マーゴウリウス編 (ed.) H. M. Margouliouth. Oxford: Clarendon, 1956.

―― 『アルビオンの娘たちの幻想』*Visions of the Daughters of Albion.* London: Printed by William Blake, 1793.

ブラヴァツキー, H. P. Blavatsky, H. P. 『秘密の教義』*The Secret Doctrine.* 2 vols. Pasadina, Calif.: Theosophical U. P. [1952].

⇨ 『シークレット・ドクトリン　宇宙発生論上』田中・クラーク訳, 神智学協会ニッポンロッジ, 1989年

ブロック, ジョシュア Bloch, Joshua 『エズラ黙示録にギリシア語訳はあったか』"Was There a Greek Version of the Apocalypse of Ezra?" Philadelphia: *Jewish Quarterly Review,* April, 1956.

ブルーム, ハロルド Bloom, Harold 『ブレイクの黙示録』*Blake's Apocalypse.* Garden City, N. Y.: Doubleday, 1963.

―― 『シェリーの神話創作』*Shelley's Mythmaking.* New Haven: Yale U. P., 1959.

ボクサー, ベン・シオン Bokser, Ben Zion 『カバラの世界から』*From the World of the Cabbalah.* New York: Philosophical Library, 1954.

―― 『タルムードの知恵』*Wisdotn of the Talmud.* New York: Philosophical Library, 1951.

ボナー, キャンベル Bonner, Campbell 『魔除けの研究』*Studies in Magical Amulets.* Ann Arbor, Mich.: U. of Michigan Press. Also, London: Oxford U. P., 1950.

ボンシルヴァン, ジョゼフ訳 Bonsirven, Joseph (tr.) 『聖書外典』*La Bible Apocryphe.* Introd. by Daniel-Rops. Paris, 1953.

『アダムとエヴァの書』(『アダムとエヴァの生涯の歴史』, 『アダムとエヴァのサタンとの戦い』) *Book of Adam and Eve, The.* Also known as *The History of the Life of Adam* and Eve and as *The Conflict of Adam and Eve with Satan.* → コニビアー Conybeare; マラン Malan.

―― 『アダムとエヴァの書』L. S. A. ウェルズ訳 (tr.) L. S. A. Wells チャールズ『旧約聖書外典偽典』に収録 in Charles, *Apocrypha and Pseudepigrapha of the Old Testament.* London: Oxford U. P., 1913.

―― 『アダムとエヴァの書』S. C. マラン訳 (tr.) S. C. Malan. London: Williams and Norgate,

1882.『聖書の失われた書』にも収録 Also in *Lost Books of the Bible*. New York : Lewis Copeland, 1930.

『天使ラジエルの書』*The Book of the Angel Raziel* (*Sepher Raziel*; also titled *Raziel ha-Malach*). ヴォルムスのエレアザール監修 Credited to Eleazer of Worms. In Hebrew: Warsaw, 1881. In English : MS. No. 3826, Sloane Coll., British Museum. An edition published in Amsterdam, 1701.

『信仰と自説の書』サアディア・ガオン *Book of Beliefs and Opinions*, by Saadia Gaon. →ローゼンブラット Rosenblatt

『黒魔術と契約の書』*Book of Black Magic and of Pacts, The*. →ウェイト Waite

『儀礼魔術の書』*Book of Ceremonial Magic, The*. →ウェイト Waite

『隠された神秘の書』*Book of Concealed Mystery*. Part of *The Zohar*, メイザーズ『ヴェールを脱いだカバラ』に収録 contained in Mathers, *Kabbalah Denudata*.

『エノク書』*The Book of Enoch*. →チャールズ Charles

『天地生成の書』*Book of Formation*. → *Sefer Yetzirah*.

『神秘による偉大なロゴスの書』*Book of the Great Logos According to the Mystery*. A gnostic MS. 『ピスティス・ソフィア』にミードによるグノーシス写本の要約あり in *Pistis Sophia*, summarized by Mead. →『ブルース写本』the Bruce Codex, Bodleian Library, Oxford.

『ヤコブの書』*Book of James, or Protovangelium*. ジェイムズ『新約聖書外典』(⇨『外典偽典』6巻に収録)に収録 In M. R. James, *The Apocryphal New Testament*. Oxford U. P., 1955. ライトフット『新約聖書外典・偽典』にも Also in Lightfoot, *Excluded Books of the New Testament*.

⇨『ヤコブ原福音書』(『外典偽典』6巻収録) 八木誠一・伊吹雄訳, 1976年

『ヨブ記』*Book of Job*. →ジャストロウ Jastrow; レイモンド Raymond

⇨『ヨブの誓約』(『外典偽典』別巻1に収録) 土岐健治訳, 1979年

『洗礼者ヨハネの書』*Book of John the Baptist*. A Mandaean scripture titled *Sidra D'Yahya*.

⇨『ヨハネ行伝』(『外典偽典』7巻収録) 大貫隆訳, 1976年

『福音書記者ヨハネの書』*Book of John the Evangelist*. ジェイムズ『新約聖書外典』に収録 In James, *The Apocryphal New Testament*. New York : Oxford U. P., 1955.

『ヨベル書』*Book of Jubilees, The* (or *The Little Genesis*). R. H. チャールズ訳 (tr.) R. H. Charles. London : Society for Promoting Christian Knowledge, 1917.

⇨『ヨベル書』(『外典偽典』4巻収録)

『クザリ書』*Book of Kuzari*. →ユダ・ハ・レヴィ Judah ha Levi.

『マリアの書』*Book of Mary*. →ギナン Guinan

『モルモン経』*Book of Mormon, The*. ジョゼフ・スミス訳 (tr.) Joseph Smith. Salt Lake City : The Church of Jesus Christ of Latter-day Saints, 1950.

⇨『モルモン経』佐藤竜猪訳, 末日聖徒イエス・キリスト教会, 1963年

『旧約聖書解説』*Book of Old Testament lllustrations*. シドニー・C. コッカレル Sydney C. Cockerell. Introd. M. R. James. New York : Cambridge U. P., 1927.

『力の書』*Book of Power, The*. Subtitled "Cabbalistic Secrets of the Master Aptolcater, Mage of Adrianople." Tr. into English from Greek by J. D. A., 1724. シャー『魔術の秘伝』に収録 Sections in Shah, *The Secret Lore of Magic*.

『守護の書』*Book of Protection, The*. →ゴランツ Gollancz

『キリストの復活の書』*Book of the Resurrection of Christ*. →バルトロメオ Bartholomew

『術者アブラ=メリンの聖なる魔術書』*Book of the Sacred Magic of Abra-Melin, the Mage, The*. →メイザーズ Mathers

『注釈書』*Book of Scholia, The*. →バル=コナイ Bar-Khonai

『霊の書』*Book of Spirits, The*. →クリヨ Grillot

『トビト記』*Book of Tobit, The*. →ノイバウアー (訳); ジンマーマン (tr.) Neubauer; Zimmermann.

『知恵の書』 *Book of Wisdom, The.* →リーダー Reider
『マカバイ記』 *Books of the Maccabees.* シドニー・テデスケ訳（1・2巻），モーゼス・ハデス訳（3・4巻）*Books 1 and 2* (tr.) Sidney Tedesche. *Books 3 and 4* (tr.) Moses Hadas. Philadelphia : Dropsie College/New York : Harper, 1954.
⇨『第一マカベア書』『第二マカベア書』（『外典偽典』1巻収録），『第三マカベア書』（『外典偽典』別巻収録）
── 『マカバイ記』4巻 *Book 4.* R. B. タウンシェンド訳（tr.）R. B. Townshend. チャールズ『旧約聖書の外典と偽典』に収録 In Charles, *Apocrypha and Pseudepigrapha of the Old Testament.*
── 『マカバイ記』In East and West Library. London, 1949.
『救世主の書』 *Books of the Saviour.*『ピスティス・ソフィア』に抄録 Extracts appended in *Pistis Sophia.*
ボズウェル，R. B. Boswell, R. B.「キリスト教神学の天使とデーモンの進化」"The Evolution of Angels and Demons in Christian Theology." Open Court, vol. 14, No. 8, August 1900.
ボタレル，モーゼス Botarel, Moses『マヤン・ハホクマ』*Mayan Hahochmah.*『天地生成の書』に収録 In *Sefer Yetzirah*, edition published in Mantua, 1562; Grodno, 1806, 1820; and Warsaw, 1884.
ブイソン，モーリス Bouisson, Maurice『魔術──その歴史と儀式』*Magic, Its History and Principal Rites.* G. アルメイラク訳（tr.）G. Almayrac. New York : Dutton, 1961.
ボックス，G. H. 編訳 Box, G. H. (ed., tr.)『アブラハムの黙示録』*The Apocalypse of Abraham* (with J. I. Landsman). London : Society for Promoting Christian Knowledge, 1918.
── 『イザヤの昇天』*The Ascension of Isaiah.* Introd. London : Society for Promoting Christian Knowledge, 1917.
── 『ヨベル書』*The Book of Jubilees.* London : Society for Promoting Christian Knowledge [1927].
── 『エズラ黙示録』*The Ezra-Apocalypse.* London : Pitman, 1912; and Society for Promoting Christian Knowledge, 1917.
── 『アブラハムの誓約』*Testament of Abraham.* London : Society for Promoting Christian Knowledge, 1927.
ブラント，A. J. H. W. Brandt, A. J. H. W.『マンダ教』*Mandaische Religion.* Leipzig : Hinrichs, 1912.
ブロード，ウィリアム・G. 編訳 Braude, William G. (ed. tr.)『ミドラシュ・テヒリム』*Midrash Tehillim* (Commentary on Psalms). 2 vols. New Haven : Yale U. P., 1959. An edition ed. by Buber, pub. in Wilna, 1892.
ブリューワー，E. コバム Brewer, E. Cobham『奇跡の事典』*A Dictionary of Miracles.* Philadelphia : Lippincott, 1884.
── 『ブリューワー寓話辞典』*Brewer's Dictionary of Phrase and Fable.* Philadelphia : Lippincott, 1930.
⇨『ブルーワー英語故事成語大事典』加島祥造主幹，大修館書店，1994年
ブロデリック，ロバート・C. 編 Broderick, Robert C. (ed.)『カトリック・コンサイス百科事典』*The Catholic Concise Encyclopedia.* New York : Simon and Schuster, 1956.
ブルックス，E. W. Brooks, E. W.『ヨセフとアセナテ』*Joseph and Asenath.* London : Society for Promoting Christian Knowledge, 1918.
ブルックス，マリア・ガウエン Brooks, Maria Gowen (Maria Del Occidente)『ゾフィエル，あるいは7人の花嫁』*Zophiel; or The Bride of Seven.* Boston : Lee & Shepard, 1879.
ブロッツ，ハワド Brotz, Howard『ハーレムの黒人ユダヤ教徒』*The Black Jews of Harlem.* New York : The Free Press, 1964.
ブラウニング，ロバート Browning, Robert『ブラウニング全集』*Complete Poetic and Dramatic Works.* Cambridge, Mass. : Houghton, 1895.

ブラウンリー，W. H. Brownlee, W. H.「死海文書の規律」"The Dead Sea Manual of Discipline." In *Bulletin of the American Schools of Oriental Research* (Basor). No. 10-12. Suppl. Studies. New Haven: Yale U. P., 1951.

『ブルース写本』*Bruce Codex*. British Museum.

『ブルース・パピルス』*Bruce Papyrus*. Bodleian Library, Oxford.

ブルース，F. F. Bruce, F. F.『死海文書再考』*Second Thoughts on the Dead Sea Scrolls*. Grand Rapids: Eerdmans, 1961.

ブーバー，マルティン Buber, Martin『天使，デーモンについての物語』*Erzählungen von engeln, gesistern und dämonem*. Berlin: Schocken, 1934. デイヴィッド・アンティン＆ジェローム・ローデンバーグ訳 Tr. as *Tales of Angels, Spirits and Demons*, by David Antin and Jerome Rothenberg. New York: Hawks Well Press, 1938.

──『ユダヤ神秘主義とバアルシェムの伝説』*Jewish Mysticism and the Legend of Baalshem*. London: Dent, 1931.

──編 (ed.)『ミドラシュ・レカ・トヴ』*Midrash Lekah Tov*. →『レカ・ゲネシス』*Lekah Genesis*.

──編 (ed.)『ミドラシュ・タンフマ』*Midrash Tanhuma*. Wilna, 1885. Earlier editions of the text published in Warsaw, 1873, by N. D. Zisbert; and in Venice 1545.

──『ハシディームの物語』*Tales of the Hasidim: The Early Masters and The Later Masters*. 2 vols. (tr.) Olga Marx. New York: Schocken [1961].

ブキャナン，E. S. 訳 Buchanan, E. S. (tr.)『ヨハネの福音』*Gospel of John* (an apocryphon). London: C. F. Roworth, 1918.

バッジ，E. A. ウォーリス Budge, E. A. Wallis『魔除けと護符』*Amulets and Talismans*. New Hyde Park, N. Y.: University Books, 1961.

──『死者の書』*Book of the Dead*. London: Kegan Paul, 1898.

⇨『エジプト死者の書』今村光一編訳，たま出版，1982年

──『文集』(『パウロの黙示録』『バルトロメオの書』を含む) *Miscellaneous Texts* (containing *Apocalypse of Paul, Book of Bartholomew*, etc.). London: British Museum, 1913-15.

──『オシリス，復活のエジプト宗教』*Osiris*. Subtitled *The Egyptian Religion of Resurrection*. New Hyde Park, N. Y.: University Books [1961].

ブルフィンチ，トマス Bulfinch, Thomas.『寓話の時代と神話の美』*The Age of Fable or The Beauties of Mythology*. New York: Heritage Press, 1942.

ブリー，マーガレット Bulley, Margaret『偉大なる聖画』*Great Bible Pictures*. London: Batsford, 1957.

バニヤン，ジョン Bunyan, John『バニヤン全集』*Complete Works*. Philadelphia: Bradley, Garretson & Co., 1872.

バロウズ，ミラー Burrows, Millar『死海文書』*The Dead Sea Scrolls*. New York: Viking, 1956.

バトラー，E. M. Butler, E. M.『儀式魔術』*Ritual Magic*. New York: The Noonday Press, 1959.

ブッテンヴァイザー，モーゼス編 Buttenweiser, Moses (ed.)『エリヤの黙示録』*Apocalypse of Elias* (*Die Hebräische Elias-Apokalypse*). Leipzig: E. Pfeiffer, 1897. An edition edited by Georg Steindorf and published by Hinrichs in Leipzig, 1899.

【 C 】

キャベル，ジェイムズ・ブランチ Cabell, James Branch『悪魔の息子』*The Devil's Own Dear Son*. New York: Farrar, 1949.

──『ジャーゲン』*Jurgen*. New York: McBride, 1922.

⇨『ジャーゲン』寺沢芳隆訳，六興出版社，1952年

──『銀の雄馬』*The Silver Stallion*. New York: McBride, 1928.

キャドベリー，ヘンリー・J. Cadbury, Henry J.『イエスとは何者か』*Jesus: What Manner of*

Man. New York : Macmillan, 1948.

ケアード，G. B. Caird, G. B.『権天使と能天使』*Principalities and Powers.* Oxford : Clarendon, 1956.

カムフィールド，ベンジャミン Camfield, Benjamin『天使についての神学的論説』*A Theological Discourse of Angels.* London : H. Brome, 1678.

『カナンの神話と伝説』*Canaanite Myths and Legends.* →ドライヴァー

『マンダ教の正典祈祷書』*Canonical Prayerbook of the Mandaeans, The.* E. S. ロワー訳 (tr.) E. S. Drower. Leiden : E. J. Brill, 1959.

『ラバの歌』*Canticles Rabba.* → 『ミドラシュ・ラバ』*Midrash Rabba.*

カーペンター，エドワード Carpenter, Edward『異教徒とキリスト教徒の教義』*Pagan and Christian Creeds.* New York : Blue Ribbon Books, 1920.

ケーラス，ポール Carus, Paul『悪魔の歴史』*The History of the Devil.* Chicago : The Open Court Co., 1900.
⇨『悪魔の歴史』船木裕訳，青土社，1994年

ケイシー，R. P. 訳 Casey, R. P. (tr.)『テオドトス抜粋』*Excerpts from Theodotus* (The *Excerpta ex Theodoto* of Clement of Alexandria). London : Christophers [1934].

『カトリック大辞典』「グノーシス主義」の項 *Catholic Encyclopedia.* "Gnosticism."

ツェーラム，Ceram, C. W.『ヒッタイト人の秘密』*The Secrets of The Hittites.* (tr.) Richard and Clara Winston. New York : Knopf, 1956.
⇨『狭い谷 黒い山——ヒッタイト帝国の秘密』新潮社，1975年

『カルデアの魔術——その起源と発展』*Chaldean Magic : Its Origin and Development.* →ルノルマン Lenormant

『ゾロアスター教のカルデア神託』*Chaldean Oracles of Zoroaster.* →オード Aude

チャンドラー，ウォルター・M. Chandler, Walter M.『イエスの試練』*The Trial of Jesus.* 2 vols. New York : The Federal Book Co., 1925.

チャールズ，R. H. 編訳 Charles, R. H. (ed., tr.)『シリア語バルク黙示録』(『バルク書Ⅱ』) *The Syriac Apocalypse of Baruch*（*Baruch II*）. London : Society for Promoting Christian Knowledge, 1918.

——『旧約聖書の外典と偽典』*The Apocrypha and Pseudepigrapha of the Old Testament.* 2 vols. Oxford : Clarendon, 1913.

——『イザヤの昇天』(『イザヤの殉教』『イザヤの幻視』『ヒゼキヤの誓約』の一部を含む) *The Ascension of Isaiah.* London : A. & C. Black, 1900. Includes portions of *Martyrdom of Isaiah* and *The Vision of Isaiah*, as well as the *Testament of Hezekiah*. The Society for Promoting Christian Knowledge published an edition in 1919.

——『エノク書』(『エノク書Ⅰ』) *The Book of Enoch* or *Enoch I.* Oxford : Clarendon, 1912.
⇨『エチオピア語エノク書』(『外典偽典』4巻)

——『ヨベル書』*The Book of Jubilees.* London : Society for Promoting Christian Knowledge, 1927. Originally published in *Jewish Quarterly Review*, 1893-1894.
⇨『ヨベル書』(『外典偽典』4巻)

——『エノクの秘密の書』(『エノク書Ⅱ』『スラヴ語エノク書』) *The Book of the Secrets of Enoch*（*Enoch II* or *The Slavonic Enoch*）. Oxford : Clarendon, 1896.
⇨『スラヴ語エノク書』(『外典偽典』3巻)

——『ヨハネ黙示録注解』*Critical Commentary of the Revelation of St. John.* A volume in the 10-vol. American edition of *The Ante-Nicene Fathers*, ed. by A. Cleveland Coxe. New York : Scribner, 1917-1925.

——『サドカイ派文書諸断片』*Fragments of a Zadokite Work.*『旧約聖書の外典と偽典』に収録。Contained in *The Apocrypha and Pseudepigrapha of the Old Testament*.

——『十二族長の誓約』*Testament of the Twelve Patriarchs.* Oxford : Clarendon, 1913.

チェイス，フレデリック・H. ジュニア訳 Chase, Frederic H. Jr. (tr.)『ダマスコのヨアンネス

の著作』 *Writings of John of Damascus*. New York : Fathers of the Church, 1958.

シャトーブリアン, フランソワ Chateaubriand, François. 『キリスト教精髄』 *Génie du Christianisme* (Genius of Christianity). Lyon : Ballanche Père, 1809.

⇨ 『キリスト教精髄』全2冊, 田辺貞之助訳, 創元社, 1949-50年

シヴァース, トマス・ホーリー Chivers, Thomas Holley. 『乙女たち』 *Virginalia*. Philadelphia : Lippincott, 1853.

『聖書のキリスト教的主旨』 *Christian Content of the Bible, The*. →ギルバート Gilbert

クリスチャン, ポール Christian, Paul 『魔術の歴史と実践』 *The History and Practice of Magic*. ロス・ニコルス編 (ed.) Ross Nichols. 2 vols. New York : Citadel, 1963.

エレミヤ年代記 *Chronicles of Jerahmeel*. →ガスター Gaster, M.

チャーチル, R. C. Churchill, R. C. 『シェイクスピアと先人たち』 *Shakespeare and His Betters*. Bloomington, Ind. : Indiana U. P. [1959].

チャーギン, ピンコス編 Churgin, Pinkhos (ed.). 『タルグム・ケトゥビム』 *Targum Ketubim*. New York : Horev, 1945.

── 『タルグム・ヨナタン』 *Targum Jonathan to the Prophets*. New Haven : Yale U. P. [1927].

クラーク, W. R. 訳 Clark, W. R. (tr.) 『10人の処女の饗宴』 *Banquet of the Ten Virgins* of Methodius of Philippi. Buffalo : *Select Library of the Nicene and Post-Nicene Fathers of the Christian Church*, 1886-1890.

『ソロモンの鍵』 *Clavicula Salomonis* (Key of Solomon). →ゴランツ Gollancz

クレイトン, ジョージ Clayton, George 『天使学』 *Angelology*. New York : H. Kermot, 1851.

クレメンス (アレクサンドリアの) Clement of Alexandria 『予言の牧歌, 訓戒, 解釈, 雑文』 *Prophetic Eclogues, Homilies, Recognitions*, and *Stromata*. 『ニカイア公会議以前の教父たち』収録 In *Anti-Nicene Fathers*. Vols. 2 and 8. New York : Scribner, 1925.

⇨ 『ストロマティス』久山宗彦訳, 『キリスト教教父著作集』4巻収録, 教文館

── 『コリント人への第1書簡, 第2書簡』 *The First Epistle and Second Epistle to the Corinthians*. 『新約聖書外典』収録 In *The Apocryphal New Testament* (pub. by Eckler).

クレメント, クララ・アースキン Clement, Clara Erskine 『美術の中の天使』 *Angels in Art*. Boston : L. C. Page & Co., 1898.

クレメント, ロバート・J. Clement, Robert J. 「禁書とキリスト教の再統合」 "Forbidden Books and Christian Reunion." New York : *Columbia University Forum*, Summer 1963.

クルー, ジェイムズ訳 Cleugh, James (tr.) 『アダムを求めて』 *In Search of Adam*. →ウェント Wendt.

コッカレル, シドニー・C. Cockerell, Sydney C. → 『旧約聖書解説』 *Book of Old Testament Illustrations*.

コーエン, チャップマン Cohen, Chapman 『宗教の基盤』 *Foundations of Religion*. London : Pioneer Press, 1930.

── 『神と宇宙』 *God and the Universe*. London : Pioneer Press, 1946.

── 『自由思想の原理』 *A Grammar of Freethought*. London : Pioneer Press, 1921.

── 『近代思想における原始の残存』 *Primitive Survivals in Modern Thought*. London : Pioneer Press, 1935.

コレット, ジョン Colet, John 『ディオニシオスの位階についての2つの論文』 *Two Treatises on the Hierarchies of Dionysius*. J. H. ラプトン訳 (tr.) J. H. Lupton. London : G. Bell & Sons, 1869.

『ケルン聖書』 *Cologne Bible, The*. Cologne, 1478-1480.

『幸福の書』 *Complete Book of Fortune*. 筆者不明 Anonymous. London : P. R. Gawthorn, Ltd. n. d.

コンダー, C. R. Conder, C. R. 『聖書と東方』 *The Bible and the East*. Edinburgh : Blackwood, 1896.

『ケルソス反駁』 *Contra Celsum* →オリゲネス Origen

コニベア，フレデリック・G. Conybeare, Frederick G. 「モーセの黙示録」"The Apocalypse of Moses"（ギリシア写本は「アダムとエヴァの生涯」，アルメニア写本は「アダムの書」titled in Greek MSS. *The History of the Life of Adam and Eve* and in Armenian MSS. as *The Book of Adam*). London : *Jewish Quarterly Review*, vol. 7, 1894.
—— 「新約聖書における悪魔学」"The Demonology of the New Testament." London : *Jewish Quarterly Review*, July 1896, pp. 576-608.
—— 『テュアナのアポロニウスの生涯』*Life of Apollonius of Tyana*. 2 vols. London : Heinemann, 1912.
—— 『神話，魔術，訓戒』*Myth, Magic, and Morals*. London : Watts & Co.,1909. 『キリスト教の起源』として再刊。Reissued as *Origins of Christianity*. New Hyde Park, N. Y. : University Books, 1958.
—— 編『フィロン——観想生活について』(ed.). *Philo About the Contemplative Life of the Fourth Book of the Treatise Concerning the Virtues*. Oxford, 1895.
—— 編訳「ソロモンの誓約」(tr., ed.). "The Testament of Solomon." London : *Jewish Quarterly Review*, vol. 11, pp. 1-45, 1898.
クーマラスワミ，アーナンダ Coomaraswamy, Ananda 『ブッダと仏教の福音』*Buddha and the Gospel of Buddhism*. New Hyde Park, N. Y. : University Books, 1964.
コーコス，ジョゼフ訳 Corcos, Josef (tr.) 『スキウル・コマ』*Schiur Komah*. Livorno (Leghorn) : J. Tubiano (1825 ?).
コードヴェロ，モーゼス Cordovero, Moses 『デボラの棕櫚の木』*The Palm Tree of Deborah*. ルイス・ジェイコブズ訳 (tr.) Louis Jacobs. London : Vallentine, Mitchell, 1960.
—— 『ザクロの園』*Pardes Rimmonim* (Orchard of Pomegranates). Cracow, 1592.
コルト，ニコラ Corte, Nicolas 『悪魔とは何か？』*Who Is the Devil ?* D. K. プライス訳（フランス語から）(tr. from the French) D. K. Pryce. New York : Hawthorn, 1959.
コットレル，レオナード Cottrell, Leonard 『文明の鉄床』*The Anvil of Civilization*. New York : New American Library, 1957.
「共同体の契約」"Covenant of the Community" (Manual of Discipline). デュポン=ソメール『死海文書』解説 Comments in Dupont-Sommer, *The Dead Sea Scrolls*. Oxford : Black well, 1954.
クラショー，リチャード Crashaw, Richard 『神殿への道』*Steps to the Temple. Sacred Poems*. London : Humphrey Moseley, 1646.
クレイヴン，トマス編 Craven, Thomas (ed.) 『美術名作宝典』*A Treasury of Art Masterpieces*. New York : Simon and Schuster, 1939.
クルーデン，アレクサンダー Cruden, Alexander 『聖書コンコーダンス』*A Complete Concordance to the Holy Scriptures*. Hartford, Conn. : The S. S. Scranton Co. n. d.
キュモン，フランツ Cumont, Franz 『異教の天使』*Les Anges du paganisme*. Paris : "Revue de l'histoire des religions," tome 72, 1915.
—— 『ミトラの密儀』*The Mysteries of Mithra*. T. J. マコーマック訳 (tr.) T. J. McCormack. London : Kegan Paul, 1903 ; Chicago : Open Court Pub. Co., 1910.
⇨ 『ミトラの密儀』小川英雄訳，平凡社，1993年
カリー，ウォルター・クライド Curry, Walter Clyde 『ミルトンの存在論，宇宙論，自然論』*Milton's Ontology, Cosmogony and Physics*. Lexington, Ky. : U. of Kentucky Press, 1966.

【D】

『ダビスタン』*Dabistan, The*. デイヴィッド・シェイ＆アンソニー・トロイヤー訳 (tr.) David Shea and Anthony Troyer. New York : Tudor Pub. Co., 1937.
ダンビイ，ハーバート訳 Danby, Rev. Herbert (tr.) 『ミシュナ』*The Mishnah*. Oxford : Clarendon, 1933.
ダニエルー，ジャン Danielou, Jean 『天使とその使命』*The Angels and Their Mission*. デイヴ

ィッド・ハイマン訳 (tr.) David Heimann. Westminster, Md.: The Newman Press, 1957.
ダニエルズ，ジョナサン Daniels, Jonathan『天使の対立』Clash of Angels. New York: Brewer and Warren, 1930.
ダンテ・アリギエリ Dante Alighieri『神曲』La Divina Commedia. エウゲニオ・カメリーニ編 (ed.) Eugenio Camerini. Milan: Casa Editrice Sonzogno, 1930.
⇨『神曲』山川丙三訳，岩波書店，1952-1958年
――『神曲』The Divine Comedy. ローレンス・グラント・ホワイト訳 (tr.) Lawrence Grant White. New York: Pantheon Books, 1958.
ダルメステテル，J. 訳 Darmesteter, J. (tr.)『ヴェンディダッド』（マンダ教典）Vendidad (a Mazdean scripture).『東方の聖なる書』収録 Included in The Sacred Books of the East.
『バヒルの書』Das buch Bahir. →ショーレム Scholem
『ベリアルの書』Das Buch Belial. →デ・テラモ de Teramo
ダヴェンポート，バジル Davenport, Basil『悪魔との契約』Deals with the Devil. New York: Dodd, 1958.
デイヴィッド=ニール，アレクサンドラ David-Neel, Alexandra『チベットにおける魔術と神秘』Magic and Mystery in Tibet. New Hyde Park, N. Y.: University Books, 1965.
⇨『チベット魔法の書』林陽訳，徳間書店，1997年
デイヴィッドスン，グスタフ「天使の外観」Davidson, Gustav. "The Guise of Angels." Tomorrow (Eng.), Summer 1963.
――「御前の天使メタトロン」"Metatron-Angel of the Divine Face." New Dimensions (Eng.), August 1964.
――「聖書に名前を挙げられた天使」"The Named Angels in Scripture." In press.
――「ポウのイスラフェル」"Poe's Israfel." In press.
――「詩人と天使」"The Poets and the Angels." The Literary Review, Autumn 1965.
デイヴィーズ，A. パウエル Davies, A. Powell『死海文書の意味』The Meaning of the Dead Sea Scrolls. New York: New American Library, 1956.
『死海文書』Dead Sea Scrolls, The. →アレグロ Allegro，ブルース Bruce，バロウズ Burrows，デイヴィーズ Davies，デュポン=ソメール Dupont-Sommer, Th. ガスター Th. Gaster，マンソア Mansoor，ウィルソン Wilson.
デ・ブレス，アーサー de Bles, Arthur『美術における聖人の見分け方』How to Distinguish the Saints in Art. New York: Art Culture Publications, 1925.
デ・クレアモント，ルイス de Claremont, Lewis『古代魔術書』The Ancient's Book of Magic. New York: Dorene Pub. Co. [1936].
ディフェラーリ，ロイ・J. Deferrari, Roy J. →エウセビオス Eusebius
デ・ジョング，M. 編 de Jonge, M. (ed.)『十二族長の誓約』Testament of the Twelve Patriarchs. Leiden: E. J. Brill, 1964.
デ・ローレンス，L. W. 編 de Laurence, L. W. (ed.)『ソロモンの小さな鍵』『ゴエティア』『悪霊の書』The Lesser Key of Solomon/Goetia/The Book of Evil Spirits. New York: Wehman Bros. [1916].
⇨『ゲーティア ソロモンの小さき鍵』A. クローリー編，松田アフラ訳，魔女の家 BOOKS，1991年
デル・オクシデンテ，マリア Del Occidente, Maria →ブルックス，マリア Brooks, Maria
デ・ミルヴィル，オード侯 De Mirville, Marquis Eudc『聖霊論』Pneumatologie. Paris: H. Vrayet de Surcy, 1854.
「新約聖書における悪魔学」"Demonology of the New Testament." →コニベア Conybeare.
デ・プランシー，コラン De Plancy, Collin『地獄の辞典』Dictionnaire Infernal. 4 vols. Paris: Librairie Universelle, 1825-1826. One-vol. ed., 1863, pub. in Paris by Plon.
⇨『地獄の辞典』床鍋剛彦訳，講談社，1990年
――『悪魔の自画像』Le Diable Peint par Lui-Meme. Paris: P. Mongie Aine, Libraire, 1819.

『オカルト哲学』 *Des Sciences Occultes.* →サルヴェルト Salverte.
デ・テラモ，ヤコブス de Teramo, Jacobus 『ベリアルの書』 *Das buch Belial.* Augsberg, 1473.
『聖グレゴリウス1世対話集』 *Dialogues of St. Gregory the Great.* ヘンリー・T. コウルリッジ編 (ed.) Henry T. Coleridge. London : Burns, 1874.
『プラトン対話編』 *Dialogues of Plato.* B. ジョウェット訳 (tr.) B. Jowett. 2 vols. New York : Random, 1937.
『聖書辞典』 *Dictionary of the Bible, A.* →ヘイスティングズ Hastings；シャフ Schaff
『聖書辞典』 *Dictionary of the Holy Bible, A.* New York : American Tract Society, 1859.
『イスラム辞典』 *Dictionary of Islam, A.* →ヒューズ Hughes
『奇跡の事典』 *Dictionary of Miracles, A.* →ブリューワー Brewer
『神秘主義辞典』 *Dictionary of Mysticism.* →ゲイナー Gaynor
『神話・民間伝承・象徴辞典』 *Dictionary of Mythology Folklore and Symbols.* →ジョウブズ Jobes
『コーランの天使学と悪魔学』 *Die Angelologie und Dämonologie des Korans.* →アイクマン Eickmann
『カバラ入門』 *Die Elemente der Kabbalah.* →ビショフ Bischoff
ディオニュシオス・アレオパギテス Dionysius the Areopagite 『神秘神学と天上位階論』 *The Mystical Theologie and The Celestiel Hierarchies.* シュライン・オヴ・ウィズダム編集者訳 (tr.) Editors of The Shrine of Wisdom. Surrey (Eng.) : The Shrine of Wisdom, 1949.
⇨ 『天上位階論』『神秘神学』大森正樹訳『中世思想原典集成3』に収録，平凡社，1994年
―― 『神名論』 *The Divine Names.* シュライン・オヴ・ウィズダム編集者訳 (tr.) Editors of The Shrine of Wisdom. Surrey (Eng.) : The Shrine of Wisdom, 1957.
⇨ 「キリスト教神秘主義」『ギリシア教父の神秘主義』に収録，教文館，1992年
『ユダヤの砂漠での発見』 *Discovery in the Judean Desert* (The Dead Sea scrolls and their meaning). →ヴェルメシュ Vermes
『ポイマンドロス』 *Divine Pymander, The.* →ヘルメス・トリスメギトゥス Hermes Trismegistus ドビンズ，ダンスタン Dobbins, Dunstan 『フランチェスコの神秘』 *Franciscan Mysticism.* New York : J. W. Wagner, Inc., 1927.
ドッズ，E. R. 編 Dodds, E. R. (ed.) 『神学綱要』 *The Elements of Theology* of Proclus. Oxford : Clarendon, 1963.
ドゥーリトル，ヒルダ Doolittle, Hilda ("H. D.") 『天使への賛辞』 *Tribute to the Angels.* New York and Oxford : Oxford U. P., 1945.
ドレッセ，ジャン Doresse, Jean 『エジプト・グノーシス主義の秘密の書』 *The Secret Books of the Egyptian Gnostics.* フィリップ・メレ訳 (tr. from the French) Philip Mairet. New York : Viking [1960].
『ドゥース・アポカリプス』 *Douce Apocalypse, The.* Introd. by A. G. and W. O. Hassall. New York : Thomas Yoseloff [1961].
ドライヴァー，G. R. Driver, G. R 『カナンの神話と伝説』 *Canaanite Myths and Legends.* Edinburgh : T. & T. Clark, 1956.
―― 『エリコと死海近郊からのヘブライ文書』 *The Hebrew Scrolls from the Neighborhood of Jericho and the Dead Sea.* London : Oxford U. P., 1951.
ドロワー，E. S. 編 Drower, E. S. (ed.) 『マンダ教の正典祈祷書』 *The Canonical Prayerbook of the Mandaeans.* Leiden : E. J. Brill, 1959.
――編 (ed.) 『シスラム王の戴冠』 *The Coronation of the Great Sislam.* Leiden : E. J. Brill, 1962.
――『イランとイラクのマンダ教徒』 *The Mandaeans of Iraq and Iran.* Leiden : E. J. Brill, 1962.
ドラモンド，ウィリアム（ホーソーンデンの）Drummond, William (of Hawthornden) 『シオンの花』 *Flowres of Sion.* Edinburgh : Andro Hart, 1630.
ドライデン，ジョン Dryden, John 『無垢の時』 *The State of Innocence.* モンタギュー・サマーズ編『ドライデン作品集』に収録 In *The Dramatic Works of John Dryden.* (ed.) Montague

Summers. 6 vols. London : The Nonesuch Press, 1931-1932.

ダフ，アーチボルド Duff, Archibald 『第 1，第 2 エスドラス書』 *The First and Second Books of Esdras.* London : Dent, 1903.

ダンラップ，ナイト Dunlap, Knight 『宗教――人間の生活におけるその機能』 *Religion, Its Functions in Human Life.* New York : McGraw, 1946.

デュポン=ソメール，A. Dupont-Sommer, A. 『死海文書』 *The Dead Sea Scrolls.* マーガレット・ローリー訳 (tr. from the French) Margaret Rowley. Oxford : Basil Blackwell, 1954.

―― 『クムラン教団とエッセネ派』 *The Jewish Sect of Qumran and the Essenes.* R. D. バーネット訳 (tr. from the French) R. D. Barnett. New York : Macmillan, 1956.

デュラント，ウィル Durant, Will 『哲学の物語』 *The Story of Philosophy.* New York : Simon and Schuster, 1926, 1952.

【 E 】

アイクマン，ウォルター Eickmann, Walther 『コーランの天使学と悪魔学』 *Die Angelologie und Dämonologie des Korans.* New York and Leipzig : Paul Eger, 1908.

アイゼンメンガー，ヨハン・アンドレアス Eisenmenger, Johann Andreas 『ユダヤ人の伝統』 *Tradition of the Jews* (*Entdecktes Judenthum*). 2vols. (ジョン・ピーター・ストレヘリン訳) (tr.) John Peter Strehelin. London : G. Smith, 1742-43.

エレアザール (ヴォルムスの) Eleazar of Worms 『ヒルコト・メタトロン』 *Hilkot Metatron.* British Museum MS. Add. 27199, fol. 114a.

―― 『天使ラジエルの書』 *Sepher Raziel* (*Book of the Angel Raziel*). In Hebrew : Warsaw, 1881 ; in English : Ms. No. 3826, Sloane Coll., British Museum. An edition published in Amsterdam, 1701.

エメット，C. W. 編訳 Emmet, C. W. (ed., tr.) 『第 3，第 4 マカバイ記』 *Third and Fourth Books of Maccabees.* London : Society for Promoting Christian Knowledge, 1917.

エンプスン，ウィリアム Empson, William 『ミルトンの神』 *Milton's God.* Norfolk, Conn. : New Directions, 1961.

『教皇レオ 3 世便覧』 *Enchiridion of Pope Leo the Third.* A collection of religious charms. Rome, 1660.

『ブリタニカ百科事典』「天使」の項 *Encyclopaedia Britannica,* "Angel" in 14th ed., vol. I, pp. 920-921. London-New York [1929].

『ユダヤ百科事典』 *Encyclopaedia Judaica.* vols. A-L (no others published). ヤーコプ・クラツキン Jakob Klatzkin. In German. Berlin : Verlag Eschkol [1928-　].

『オカルティズムの事典』 *Encyclopaedia of Occultism, An.* →スペンス Spence

『宗教と倫理の事典』 *Encyclopaedia of Religion and Ethics.* →ヘイスティングズ Hastings.

『妖術と悪魔学の事典』 *Encyclopedia of Witchcraft and Demonology, The.* →ロビンズ Robbins.

エネロウ，H. G. 編 Enelow, H. G. (ed.) 『ラビ・エリエゼルのミシュナ』 *Mishnah of Rabbi Eliezer.* New York : Bloch, 1933.

『エノク書 I』 *Enoch I.* →チャールズ，*The Book of Enoch* or *I Enoch.*

『エノク書 II』 *Enoch II.* →チャールズ，*The Book of the Secrets of Enoch.*

『第 3 エノク書』 (『ヘブライ語エノク書』) *3 Enoch,* or *The Hebrew Book of Enoch.* ヒューゴ・オデバーグ編訳 (ed., tr.) Hugo Odeberg. New York : Cambridge U. P., 1928.

エピファニオス Epiphanius 『ペナリオン』 *Penarion* (a work in Greek against heresy). German tr. in 5 vols. Leipzig : G. Dindorf, 1859-1863.

『聖クレメンスの書簡』 *Epistle of St. Clement and Second Epistle of St. Clement.* ライトフット訳 『新約聖書外典』 に収録 In *Excluded Books of the New Testament.* (tr.) J. B. Lightfoot (et al.). London : Nash and Grayson, 1927.

『トラレスの信者への手紙』 *Epistle* (or *Letter*) *to the Trallians.* →イグナティオス (アンティオケイアの) Ignatius (Martyr) of Antioch.

⇨ 『使徒教父文書を読む3』斉藤政俊訳, 聖公会出版

アードマン, デイヴィッド・V. Erdman, David V.『ブレイク——帝国に反する予言者』*Blake/Prophet Against Empire*. Princeton, N. J. : Princeton U. P., 1954.

『悪魔学の本質』*Essentials of Demonology*. →ラングトン Langton

エセリッジ, J. W. 編 Etheridge, J. W. (ed.).『オンケロスとヨナタンのタルグム』*Targum of Onkelos and Jonathan* →『オンケロスとヨナタンのタルグム』Targum of Onkelos and Jonathan

エウセビオス, パンフィリ Eusebius, Pamphili『教会史』*Ecclesiastical History*. E. シュヴァルツ編 (ed.) E. Schwartz. 2 vols. Leipzig, 1905, 1909. ロイ・J. ディフェラーリ訳 (tr.) Roy J. Deferrari. 2 vols. New York : Fathers of the Church, 1953-1955.

——『神の顕現について』*On the Theophania, or Divine Manifestation of Our Lord*. サミュエル・リー編 A Syriac version ed. by Samuel Lee. 2 vols. London : Society for the Publication of Oriental Texts, 1842.

「天使と悪魔の進化」 "The Evolution of Angels and Demons." →ボズウェル Boswell

『テオドトゥス抜粋』*Excerpts of Theodotus*. →ケイシー Casey. アレクサンドリアのクレメンス『雑録』に抄録あり The Excerpts or Extracts are appended to *The Miscellanies* of Clement of Alexandria.

『新約聖書外典・偽典』*Excluded Books of the New Testament*. →ライトフット Lightfoot

【 F 】

ファブリキウス, J. A. Fabricius, J. A.『新約聖書外典写本』*Codex Apocryphus Novi Testamenti*. 3 parts. Hamburg : B. Schiller, 1703-1719.

『ファラシャ文献集成』*Falasha Anthology*. ヴォルフ・レスラウ訳 (tr.) Wolf Leslau. New Haven : Yale U. P., 1951.

『教父たち』*Fathers of the Church, The*. A New Translation. ルドヴィヒ・ショップ他訳 (ed.) Ludwig Schopp and others. New York : Cima Pub. Co. ; Washington, D. C. : Catholic University of America Press ; and New York : Fathers of the Church, Inc., 1947-1965.

『ファウスト』*Faust*. →カウフマン Kaufmann

ファーガソン, フランシス Fergusson, Francis『ダンテ』*Dante*. New York : Macmillan, 1966.

ファーム, ヴァージリアス編 Ferm, Vergilius (ed.)『古代宗教』*Ancient Religions*. New York : Philosophical Library, 1950.

ファーラー, ウィリアム・ジョン訳 Ferrar, William John (tr.)『モーセの昇天』*The Assumption of Moses*. London : Society for Promoting Christian Knowledge, 1918.

——編 (ed.)『正典外のユダヤ文献』*The Uncanonical Jewish Books*. London : Society for Promoting Christian Knowledge, 1918.

フィンケルスタイン, ルイス Finkelstein, Louis『パリサイ人』*The Pharisees*. Vol. 1. Philadelphia : Jewish Publication Society of America, 1938.

『マカバイ記一』*First Book of Maccabees, The*. →テデスケ Tedesche

⇨ 『第1マカベア書』(『外典偽典』1に収録) 土岐健治訳

フロイド, ウィリアム Floyd, William『キリスト教反駁』*Christianity Cross-Examined*. New York : Arbitrator Press, 1941.

フラッド, ロバート Fludd, Robert『薔薇の十字団に対する簡単な弁明』*The Compendious Apology*. Leyden, 1616.

——『大宇宙誌』*Cosmology of the Macrocoswos*. Frankfort, 1617, 1629.

——『モーセの哲学』*Mosaicall Philosophy*. London, 1659.

——『両宇宙誌』*Utriusque cosmi majoris et minoris historia*. 2 vols. Oppenheim, 1619.

フラッサー, D. Flusser, D.『イザヤの昇天に関する外典と死海分派』*The Apocryphal Book of the Ascension of Isaiah and the Dead Sea Sect*. Jerusalem : *Israel Exploration Journal*, Ⅲ, 1953.

フォドー，ナンドー Fodor, Nandor『精神科学百科辞典』*Encyclopaedia of Psychic Science*. New Hyde Park, N.Y.: University Books [1966].

フォランズビー，エリナー Follansbee, Eleanor『天の歴史』*Heavenly History*. Chicago : Covici, 1927.

『キリスト教に先行するものと対抗するもの』*Forerunners and Rivals of Christianity*. →レッジ Legge.

フォーロング，J.G.R. Forlong, J.G.R.『宗教百科辞典』*Encyclopedia of Religions*. 3 vols. New Hyde Park, N.Y.: University Books, 1964.

フォスディック，ハリー・エマスン Fosdick, Harry Emerson『ナザレから来た男』*The Man from Nazareth*. New York : Harper, 1949.

── 『現代の聖書使用』*The Modern Use of the Bible*. New York : Macmillan, 1936.

『第4エズラ書』(『エズラ黙示録』) *Fourth Book of Ezra* (*Ezra IV* or the *Apocalypse of Ezra*). Cambridge : R. L. Bensly, 1895.

⇨『旧約聖書外典（下）』関根・新見訳，講談社文芸文庫，1999年

『忘れられた信仰の諸断片』*Fragments of a Faith Forgotten*. →ミード Mead

フランス，アナトール France, Anatole『天使の反逆』*The Revolt of the Angels*. ウィルフレッド・ジャクスン訳 (tr.) Mrs. Wilfred Jackson. London : Lane, 1925.

⇨『天使の反逆』川口篤訳，白水社，1951年

フランク，アドルフ Frank, Adolphe『カバラあるいはヘブライの宗教学』*La Kabbale ou La Philosophie Religieuse des Hébreux*. Paris : Hachette et Cie., 1892. Eng. tr. by I. Sossnitz. New York : The Kabbalah Pub. Co., 1926.

フレイザー，サー・ジェイムズ・ジョージ Frazer, Sir James George『金枝篇』*The Golden Bough*. 1 vol. New York : Macmillan, 1951.

⇨『金枝篇』永橋卓介訳，岩波書店，1951年

フリーマントル，アン編 Fremantle, Ann (ed.)『初期キリスト教宝典』*A Treasury of Early Christianity*. New York : The New American Library [1960].

フリードランダー，ジェラルド訳 Friedlander, Gerald (tr.)『ピルケ・デ・ラビ・エリエゼル』*Pirke de Rabbi Eliezer*. New York : Herman Press, 1965.

フリードマン，H. & サイモン，M. 編訳 Friedman, H. and Simon, M. (ed., tr.)『ミドラシュ・ラバ』*Midrash Rabba*. 10 vols. London : Soncino Press, 1961.

フリードマン，メイア編 Friedmann, Meir (ed.)『ペシクタ・ラバティ』*Pesikta Rabbati*. Vienna : pvt. printed, 1880.

フラー，J.F.C. Fuller, J.F.C.『カバラの秘密の知恵』*The Secret Wisdom of the Qabalah*. London : The Occult Book Society, n. d.

【G】

ガファレル，ジャック Gaffarel, Jacques『ペルシアの魔除け彫刻の不思議』*Unheard-of Curiosities concerning the Talismanic Sculpture of the Persians*. チルミード訳 (tr.) Edm. Chilmead. London, 1650.

ゲイルズ，R.L. Gales, R.L.「キリスト教の天使伝承」"The Christian Lore of Angels." *National Review* (England), September, 1910, pp. 107-115.

ガリネ，ジュール Garinet, Jules『フランスの魔術の歴史』*Histoire de la Magie en France* (History of Magic in France). Paris : Foulon & Cie., 1818.

ガスター，モーゼス編訳 Gaster, Moses (ed., tr.)『アサティル』*The Asatir*. London : Royal Asiatic Society, 1927.

── 『イェラメエルの年代記』*The Chronicles of Jerahmeel*. London : Oriental Translation Fund, 1899.

── 「ロゴス・エブライコスとエノク書」"The Logos Ebraikos in the Magical Papyrus of Paris, and the Book of Enoch." London : *Journal of the Royal Asiatic Society*, 1901.

―― 『マアセ文献』 *Ma'aseh Book*. 2 vols. Philadelphia : The Jewish Publication Society of America, 1934.
―― 『スキウル・コマ』 *Schiur Komah*. In *Monatsschrift für Geschichte und Wissenschaft des Judenthums*; and in *Studies and Texts in Folklore*. London : Maggs Bros., 1925-1928.
―― 『モーセの剣』 *The Sword of Moses*. London : D. Nutt, 1896；『民間伝承の研究とテキスト』にも収録 also in *Studies and Texts in Folklore*.
―― 『カルデア人の知恵』 *Wisdom of the Chaldeans*. Proceedings of the Society of Biblical Archaeology, 1900；『民間伝承の研究とテキスト』 also in *Studies and Texts in Folklore*.
ガスター, シオドア・H. Gaster, Theodor H. 『死海文書』 *The Dead Sea Scriptures*. Garden City, N. Y. : Doubleday, 1956.
―― 『聖なるものと俗なるもの』 *The Holy and the Profane*. New York : William Sloane Associates, 1955.
ゲイナー, フランク Gaynor, Frank 『神秘主義辞典』 *Dictionary of Mysticism*. New York : Philosophical Library [1953].
ゲフケン, J. 編 Geffcken, J. (ed.) 『シビュラの託宣』 *Sibylline Oracles*. Leipzig, 1902.
『創世記のアポクリフォン』 *Genesis Apocryphon, A*. →アヴィガド＆ヤディン Avigad and Yadin.
ギブ, H. A. R. Gibb, H. A. R. and クレイマーズ, J. H. 編 Kramers, J. H. (ed.) 『イスラム小辞典』 *A Shorter Encyclopaedia of Islam*. Leiden : E. J. Brill, 1961.
ギカティラ, ジョゼフ・ベン・アブラハム Gikatilla, Joseph Ben Abraham 『堅実の園』 *The Nut Garden* (*Ginnath Egoz*). Hanau : Eliezer b. Chayyim and Elijah b. Seligman Ulmo, 1614.
―― 『光の門』 *Gate of Light* (*Shaare Orah*). Offenbach : Printed by Seligman Reis, 1715.
ギルバーティ, ジョージ・ホリー Gilberti, George Holley 『聖書のキリスト教的主旨』 *The Christian Content of the Bible*. New York : Macmillan, 1930.
ギンスバーグ, クリスチャン・D. Ginsburg, Christian D. 『エッセネ派とカバラ』 *The Essenes/The Kaballah*. Two Essays. London : Routledge & Kegan Paul Ltd., 1956.
―― 『カバラ――その教義, 発展, 文献』 *The Kabbalah : Its Doctrines, Development, and Literature*. London : G. Routledge & Sons, 1920.
ギンズバーグ, ルイス Ginzberg, Louis 『ユダヤ人の伝説』 *The Legends of the Jews*. 7 vols. Philadelphia : The Jewish Publication Society of America, 1954.
ギラルディウス Girardius 『隠れた驚くべき自然に関する小書』 *Parvi Lucii libellus de Mirabilibus naturae arcanis*, 1730. MS. in Bibliothèque de l'Arsenal, Paris. →グリヨ Grillot 『妖術, 魔術, 錬金術図鑑』 *Picture Museum of Sorcery, Magic and Alchemy*.
グレイザー, アブラム Glaser, Abram 『我らのこの世界』 *This World of Ours*. New York : Philosophical Library, 1955.
グラッソン, T. フランシス Glasson, T. Francis 『ユダヤ教の終末論におけるギリシアの影響』 *Greek Influence in Jewish Eschatology*. London : Society for Promoting Christian Knowledge, 1961.
グリードゥ, ルパート Gleadow, Rupert 『魔術と占い』 *Magic and Divination*. London : Faber [1941].
「グノーシス主義」 "Gnosticism" 『カトリック大辞典』 収録 in *Catholic Encyclopedia*.
『グノーシス主義と初期キリスト教』 *Gnosticism and Early Christianity*. →グラント Grant.
ゴダード, ジョン Goddard, John 「ユダヤ教, キリスト教, 新教会の天使たち」 "The Angels of the Jews, of the Christians, and of the New Church." Boston : *New Church Review*, vol. 13, 1906.
ゴドルフィン, F. R. B. 編 Godolphin, F. R. B. (ed.). 『偉大なる古典神話』 *Great Classical Myths*. New York : Random (The Modern Library) [1964].
『世界の神々の辞典』 *Gods/A Dictionary of the Deities of All Lands*. →レッドフィード Redfield.

参考文献

ゲーテ『ファウスト』Goethe's *Faust*. →カウフマン Kaufmann.
『ゴエティア』(『ソロモンの小さな鍵』『レメゲトン』) *Goetia* (*The Lesser Key of Solomon/Lemegeton*). →デ・ローレンス de Laurence
『黄金伝説』*Golden Legend, The*. ヤコブス・デ・ウォラギネ Jacobus de Voragine. Dresden, 1846. Originally published circa 1275.
⇨ 『黄金伝説』前田敬作・今村考訳,人文書院,1979年
── 『黄金伝説』ヘンリー・ウォズワース・ロングフェローによる詩。By Henry Wadsworth Longfellow. A poem. Boston : Ticknor, Reed & Fields, 1851.
ゴールディン,ジュダ編訳 Goldin, Judah (ed., tr.)『ラビ・ナタンによる教父たち』*The Fathers According to Rabbi Nathan*. New Haven : Yale U. P., 1955.
── 『生きつづけるタルムード』*The Living Talmud*. New York : New American Library, 1957.
ゴランツ,ハーマン編訳 Gollancz, Hermann (ed., tr.)『ソロモンの鍵の書』*Book of the Key of Solomon* (*Sepher Maphteah Shelomo*). London : Oxford U. P., 1914.
── 『守護の書』*The Book of Protection*. London : Oxford U. P., 1912.
── 『ソロモンの鍵』*Clavicula Salomonis* (Key of Solomon). Frankfurt : J. Kauffmann, 1903.
── 『10人のユダヤ人殉教者のミドラシュ』*Midrash of the Ten Jewish Martyrs* (in English). London : Luzac, 1908.
グッドスピード,エドガー・J. Goodspeed, Edgar J.『現代のアポクリフォン』*Modern Apocrypha*. Boston : The Beacon Press [1956].
ゴーディス,ロバト Gordis, Robert『コヘレト──人間と世界』*Koheleth-The Man and His World*. New York : Jewish Theological Seminary of America, 1951.
── 『コヘレトの知恵』*The Wisdom of Koheleth*. London : East and West Library, 1950.
『バルナバ福音書』*Gospel of Barnabas*. →ラッグ Ragg
『バルトロメオ福音書』*Gospel of Bartholomew, The*. →ジェイムズ James
『幼き救世主の福音書』*Gospel of the Infancy of the Saviour*. Tr. from the Arabic. 『ニカイア公会議以前の教父たち』に収録 In *The Ante-Nicene Fathers*. Vol. 8. New York : Scribner, 1917-1925.
『マリアの福音書』*Gospel of Mary*.『聖書の失われた書』の中の『ヨハネのアポクリフォン』Known as *The Apocryphon of John*. In *Lost Books of the Bible*. また「アクミム写本,パピルス」Also contained in the Akhmim Codex, papyrus, Egyptian Museum, Berlin, と,シュミット『コプト・グノーシス主義文献』and in Schmidt. *Koptisch-Gnostische Schriften*. に収録。
⇨ 『マリヤによる福音書』(『ナグ・ハマディ文書 II』)小林稔訳,岩波書店
『ニコデモ福音書』(『ピラト行伝』) *Gospel of Nicodemus*. Also called *Acts of Pilate*.『聖書の失われた書』と『新約聖書外典・偽典』にも収録 In *Lost Books of the Bible* and in *Excluded Books of the New Testament*.
『ペトロ福音書』*Gospel of Peter*. →ハリス Harris
⇨ 『ペトロ福音書』(『外典偽典』6巻)小林稔訳
『ペトロ福音書と黙示録』*Gospel of Peter and the Revelation of Peter*. →ロビンソン & ジェイムズ;ライトフット Robinson and James ; also Lightfoot
『フィリピ福音書』*Gospel of Philip* →ティル Till
⇨ 『フィリポによる福音書』(『ナグ・ハマディ文書 II』)大貫隆訳,岩波書店
『偽ヤコブあるいは原福音書』*Gospel of Pseudo-James or the Protevangelium*. →ポステル Postel
『偽マタイ福音書』*Gospel of Pseudo-Matthew*. →ジェイムズ James
『トマス福音書』*Gospel of Thomas*.『ニカイア公会議以前の教父たち』,またジェイムズ『新約聖書外典』に収録 In vol. 8, *The Ante-Nicene Fathers*. New York : Scribner, 1925. Also in James, *The Apocryphal New Testament*.
⇨ 『トマスによる福音書』(『ナグ・ハマディ文書 II』)荒井献訳

341

――『トマス福音書』ドレッセ『エジプト・グノーシス主義の秘密の書』の補遺『イエスの秘密の言葉について』 *On the Secret Words of Jesus.* Appendix to Doresse, *The Secret Books of the Egyptian Gnostics.*

――『トマス福音書』A. ギヨーモン訳（tr. from the Coptic）A. Guillaumont, et al. Leiden：E. J. Brill, 1959.

――『トマス福音書』ウィリアム・R. ショーデル訳（tr.）William R. Schoedel.『イエスの秘密の言葉について』に収録 In the *Secret Sayings of Jesus.* Garden City, N. Y.：Doubleday, 1960.

『真理の書』 *Gospel of Truth*（*Evangelium Veritatis*）. A Coptic MS. M. マリニーネ, H. C. ペーク ＆ ジル・キスペル編訳（ed., tr.）M. Malinine, H. C. Puech, and Gilles Quispel. Zurich：Rascher, 1956. MS. in Jung Codex XIII, Chenoboskion Library.

――『真理の書』as *Das Evangelium der Wahrheit.* ウォルター・C. ティル編（ed.）Walter C. Till.『ナイルの砂漠からの福音書』に収録 Incl. in *Evangelien aus dem Nilsand.* Frankfurt-am-Main：H. Sheffler［1960］.

⇨『真理の福音』（『ナグ・ハマディ文書Ⅱ』）荒井献訳

『十二使徒の福音』 *Gospel of the Twelve Apostles*（or the *Teaching of the Apostles*）. →ハリス Harris

グレーツ, H. H. Graetz, H. H.『グノーシス主義とユダヤ人』 *Gnosticismus und Judenthum.* Breslau, 1846.

――『ユダヤ人の歴史』 *History of the Jews.* 6 vols. Philadelphia：Jewish Publication Society of America［1891-1898］.

『大魔術書』 *Grand Grimoire, The.* ウェイト『黒魔術と契約の書』に抄録 Excerpts in Waite, *The Book of Black Magic and of Pacts.*

グラント, フレデリック・C. 改訂 Grant, Frederick C.（ed. with H. H. Rowley）ヘイスティングズ『聖書百科辞典』Hastings, *Dictionary of the Bible.*

グラント, R. M. Grant, R. M.『グノーシス主義と初期キリスト教』 *Gnosticism and Early Christianity.* New York：Columbia U. P., 1959.

グレイヴズ, カーシー Graves, Kersey『十字架に架けられた16人の救世主』 *The World's Sixteen Crucified Saviors.* New York：The Truth Seeker Co.［1948］.

グレイヴズ, ロバート Graves, Robert『ギリシア神話』 *The Greek Myths.* 2 vols. Baltimore：Penguin, 1955.

⇨『ギリシア神話』高杉一郎訳, 紀伊国屋書店, 1962年

――『ヘブライ神話』 *Hebrew Myths*（with Raphael Patai）. Garden City, N. Y.：Doubleday, 1964.

――『白い女神たち』 *The White Goddess.* Garden City, N. Y.：Doubleday, 1958.

グレイ, ジョン Gray, John『ラス・シャムラ文献のKrtテキスト』 *The Krt Text in the Literature of Ras Shamra.* Leiden：E. J. Brill, 1964.

『西洋世界の偉大な文献』「天使」の項 *Great Books of the Western World.* "Angels," vol. 1. Chicago：*Encyclopaedia Britannica*, 1952.

『イディッシュ語大辞典』 *Great Dictionary of the Yiddish Language.* ジュダ・A. ジョフ＆イェフデル・マーク編 Judah A. Joffe and Yehudel Mark. New York：Yiddish Dictionary Committee, 1961.

『偉大なるヘハロト』 *Greater Hechaloth.* →ヘハロト伝承 Hechaloth Lore.

『ユダヤ教の終末論におけるギリシアの影響』 *Greek Influence on Jewish Eschatology.* →グラッソン Glasson

グリーン, H. C. 訳 Greene, H. C.（tr.）『幼きイエスの福音』 *Gospel of the Childhood of Jesus.* In Latin and English. New York：Scott & Thaw, 1904.

大グレゴリウス Gregory the Great.『モラリア』『モミリア』 *Moralia* and *Momilia.* ミーニュ版『ギリシア教父集』に収録 In Migne, *Patrologiae Latina.*

――『モラリア』 *Moralia.* Eng. tr., *Morals on the Book of Job*, 1844-1850.

グレゴリウス，タウマトゥルゴス Gregory Thaumaturgus.「オリゲネスへの謝辞」"Panegyric Addressed to Origen." フリーマントル『初期キリスト宝典』In Fremantle, *A Treasury of Early Christianity.*
グリヨ，エミール・ド・ジヴリ Grillot, Emile De Givry『妖術，魔術，錬金術』*Witchcraft, Magic and Alchemy.* J. コートネイ・ロック訳 (tr.) J. Courtenay Locke. Boston : Houghton, 1931. Printed in Great Britain.
——同上。『妖術，魔術，錬金術図説』の書名で。Under title *A Pictorial Anthology of Witchcraft, Magic and Alchemy,* New Hyde Park, N. Y. : University Books, 1958 ; and as *Picture Museum of Sorcery, Magic and Alchemy* in 1963 by same publisher.
⇨『妖術師・秘術師・錬金術師の博物館』林瑞枝訳，法政大学出版局，1986年
『ホノリウスの魔術書』*Grimoire of Honorius.* Attributed to Pope Honorius Ⅲ. Rome 1760.
⇨『法王ホノリウスの教憲』魔女の家 BOOKS
『真の魔術書』*Grimorium Verum.* "The True Clavicule of Solomon." Originally tr. from the Hebrew in 1517 by M. Plaingiere, in Memphis. ウェイト『黒魔術と契約の書』に抄録あり Excerpts in Waite, *The Book of Black Magic and of Pacts.*
グロスマヌス，C. A. O. Grossmannus, C. A. O. →フィロン Philo.
『イラン史』*Grundriss der iranischen Philologie.* W. ガイガー & E. クーン W. Geiger and E. Kuhn. 4 vols. Strassburg : K. J. Trübner [1895-1904].
ギーンベール，チャールズ Guignebert, Charles『キリスト教の古代，中世，現代』*Ancient, Medieval and Modern Christianity.* New Hyde Park, N. Y. : University Books [1961].
——『イエス』*Jesus.* S. H. フック訳 (tr.) S. H. Hooke. New Hyde Park, N. Y. : University Books [1956]. Edition in French, 1933.
——『イエスの時代のユダヤ教世界』*The Jewish World in the Time of Jesus.* Introd. Charles Francis Potter. New Hyde Park. N. Y. : University Books [1959]. Edition in French, 1935.
ギレット，シーファス Guillet, Cephas『忘れられた福音』*The Forgotten Gospel.* Dobbs Ferry, N. Y. : The Clermont Press, 1940.
ギナン，アラステア訳 Guinan, Alastair (tr.)『マリアの書』*The Book of Mary.* New York : Hawthorn, 1960.
グルジェフ，ゲオルギー Gurdjieff, G.『ベエルゼブブの孫への物語』*All and Everything/ Beelzebub's Tales to His Grandson.* New York : Dutton, 1964.
⇨『ベルゼバブの孫への話』浅井雅志訳，平河出版社，1990年
ガーニー，O. R. Gurney, O. R.『ヒッタイト』*The Hittites.* London : Penguin [1952].

【 H 】

『ラビ・アキバのアルファベット』*Habdalah shel Rabbi Akiba.* →アキバ Akiba.
ハダス，モーゼス訳 Hadas, Moses (tr.)『第3，第4マカバイ記』*Third and Fourth Books of Maccabees.* New York : Harper, 1953.
『偉大なる法』*Halachoth Gedoloth* (the Great Laws). R. シメオン・カイヤラ R. Simeon Kayyara. A Geniza fragment of the 9th century. Venice, 1548. Edition published by Bernhard Levy in Bonn, 1937.
ハルパー，B. Halper, B.『聖書以後のヘブライ文献』*Post-Biblical Hebrew Literature.* Philadelphia : The Jewish Publication Society of America, 1921.
ハミルトン，イーディス Hamilton, Edith『ギリシアのこだま』*The Echo of Greece.* New York：Norton, 1957].
——『ギリシアの道』*The Greek Way.* New York : Norton [1942].
——『神話』*Mythology.* New York : New American Library, 1956.
ハモンド，ジョージ Hammond, George『天使の会話』*A Discourse of Angels.* London, 1701.
ハモイ，アブラハム Hamoy, Abraham『審判の家の書』*Sefer Beth Din* (Book of the House of Judgment). Leghorn, 1858.

ハナウアー，ジェイムズ・エドワード Hanauer, James Edward『聖地の民間信仰』*Folk-Lore of the Holy Land*. London: Duckworth, 1907.

ハーディング，デイヴィス・P. Harding, Davis P.『ヘラクレスの棍棒』*The Club of Hercules*. Urbana, Ill.: U. of Illinois Press, 1962.

ハーナック，アドルフ Harnack, Adolph『教理史』*History of Dogma*. ニール・ブキャナン訳 (tr.) Neil Buchanan. 7 vols.(bound as 4). New York: Dover, 1961.

ハーパー，サミュエル・A. Harper, Samuel A.『天の冒険』*Man's High Adventure*. Chicago: Ralph Fletcher Seymour, 1955.

ハリス，J. レンデル編訳 Harris, J. Rendel (ed., tr.)『ペトロ福音書』*Gospel of Peter*, New York: J. Pott & Co., 1893.

―――編訳『十二使徒の福音書』(『使徒の教え』) *Gospel of the Twelve Apostles* (or the *Teaching of the Apostles*). Baltimore: Johns Hopkins Press; also Cambridge: University Press, 1900.

―――『ソロモンの頌歌と詩編』*The Odes and Psalms of Solomon*. New York: Cambridge U. P., 1909 and 1911.

ハリスン，ジェイン・エレン Harrison, Jane Ellen『ギリシア宗教論考』*Epilegomena to the Study of Greek Religion*. New Hyde Park, New York: Universiry Books, 1962.

ハルトマン，フランツ Hartmann, Franz『白魔術と黒魔術』*Magic, White and Black*. Chicago: Theosophical Pub., 1910.

ハサル，A. G. & W. O. 序論 Hassall, A. G. and W. O. (introd.)『ドゥース・アポカリプス』*Douce Apocalypse*.

ヘイスティングズ，ジェイムズ Hastings, James『聖書辞典』*Dictionary of the Bible*. F. C. グラントと H. H. ローリーによる改訂版 Revised by F. C. Grant and H. H. Rowley. New York: Scribner, 1963.

―――『宗教・倫理事典』*Encyclopaedia of Religion and Ethics*. Vol. IV. New York: Scribner, 1955.

ホークス，ジャケッタ編 Hawkes, Jacquetta (ed.)『古代文明史』*World of the Past*. 2 vols. New York: Knopf, 1963.

ホーキンズ，エドワード編 Hawkins, Edward (ed.)『ミルトン詩集』*Poetical Works of John Milton*. 4 vols. London: Oxford U. P., 1824.

ヘイリイ，ウィリアム編 Hayley, William (ed.)『ミルトン詩集』*The Poetical Works of John Milton*. 3 vols. London: Boydell and Nicol, 1794.

ハザズ，ハイム Hazaz, Hayim「セラフ」"The Seraph." *The Literary Review*, Spring 1958.

『天の歴史』*Heavenly History*. →フォランズビー Follansbee

『ヘブライ文献』*Hebraic Literature*. Tr. from Talmud, Midrashim, Kabbala. New York: Tudor, 1936.

『ヘブライの魔除け』*Hebrew Amulets*. →シュライアー Schrire.

『エノクのヘブライ書』*Hebrew Book of Enoch, The*. →第3エノク書 *3 Enoch*.

『ヘブライ神話』*Hebrew Myths*. →グレイヴズ Graves.

<ヘハロト伝承> Hechaloth Lore:

『ヘハロト書』*Book of Hechaloth* (*Sefer Hechaloth*). A. イェリネク訳 (tr.) A. Jellinek. Issued 1928 by Odeberg as *3 Enoch*. An incomplete MS. in Hebrew in Dropsie College Library, Philadelphia.

―――『大いなるヘハロト』*Greater Hechaloth* (*Hechaloth Rabbati*). イェリネク訳 (tr.) Jellinek.『ベト・ハ＝ミドラシュ』に収録 Contained in *Beth ha-Midrasch* (1855)；また『ピルケ・ヘハロト』としてウェルトハイマー『ミドラシュ集』に収録 also, as *Pirke Hechaloth*, incl. by Wertheimer in 2-vol. *Bate Midrashot* (Jerusalem, 1950).

―――『ヘハコト・ゾテラティ』*Hechakoth Zoterathi*. Bodleian MS. Mich. 9, fol. 66a seqq.

―――『小さきヘハロト』*Lesser Hechaloth*. MS. in Hebrew, Bodleian Library, Oxford. Fol.

38a-46a. There is also an unpublished edition by Dr. Morton Smith.
—— 『ピルケ・ヘハロト』 *Pirke Hechaloth*. アブラハム・B. ソロモン・アクラ編 (ed.) Abraham b. Solomon Akra. 『レバノンの杉』に収録 Contained in *Arzei Levanon* (Cedars of Lebanon). Venice : Giovanni di Cara, 1601.

ハーフォード, R. トラヴァース編 Herford, R. Travers (ed.) 『ピルケ・アボト』 *Pirke Aboth*. チャールズ『旧約聖書の黙示録と偽典』に収録 Included in Charles, *Apocrypha and Pseudepigrapha of the Old Testament*.

『ヘルマスの幻視』 *Hermas Visions*. →ヘルマスの牧者 *Shepherd of Hermas*.
▷ 『ヘルマスの牧者』荒井献訳（『使徒教父文書』に収録）講談社文芸文庫, 1998年

ヘルメス・トリスメギストゥス Hermes Trismegistus 『ポイマンドロス』 *The Divine Pymander*. シュライン・オヴ・ウィズダム編集者訳 (ed.) Editors of the Shrine of Wisdom. Surrey (Eng.) : The Shrine of Wisdom, 1955.
▷ （『ヘルメス文書』に収録）荒井・柴田訳, 朝日出版社, 1980年

ヘレーラ, E. アブラハム・コヘン Herrera, E. Abraham Cohen 『ベト・エロヒム（神の家）』 *Beth Elohim* (House of God). New York : Columbia University Library. Entry title, *Puerta del Cielo*, X86-H 42Q. An edition published in Amsterdam by Immanuel Benveniste, 1655.

ハーツ, ジョセフ・H. 訳 Hertz, Joseph H. (tr.) 『ピルケ・アボト』 *Pirke Aboth*. New York : Behrman, 1945.

エルヴィュー, ジャック編 Hervieux, Jacques (ed.) 『新約聖書外典』 *The New Testament Apocrypha*. Tr. from the French by W. Hibberd. New York : Hawthorn, 1960.

ヘッセルグレイヴ, チャールズ・エヴァレット Hesselgrave, Charles Everett 『ヘブライの知恵の人格化』 *The Hebrew Personification of Wisdom*. New York : G. E. Stechert & Co., 1910.

ヘイウッド, トマス Heywood, Thomas 『聖なる天使の階級』 *The Hierarchy of the Blessèd Angels*. London : Adam Islip, 1635.

ヒガー, マイクル編 Higger, Michael (ed.) 『マセクトト・ゼイロト』 *Masekhtot Zeirot*. 『マセケト・デレク・エレツ』に収録 Contains *Masekheth Derekh Erets*. New York : Bloch Publishing Co., 1929.

『ヒルコト・メタトロン』 *Hilkot Metatron*. →エレアザール（ヴォルムスの） Eleazer of Worms.

ヒントン, リチャード・W. Hinton, Richard W. (pseud.) 『懐疑論』 *Arsenal for Skeptics*. New York : A. S. Barnes, 1961.

ヒッポリュトス（聖）Hippolytus, Saint 『哲学的思想あるいは全異端反駁論』 *Philosophumena, or Refutation of All Heresies*. (Formerly attributed to Origen.) 2 vols. New York : Macmillan, 1921.
▷ 『全異端反論』（『キリスト教教父著作集』19巻に収録）荒井献訳, 教文館
▷ 『バシリデースの教説——ヒッポリュトス「全異端反駁」（Ⅶ, 20・1-27, 13）（『ナグ・ハマディ文書1』に収録）小林稔訳, 岩波書店, 1997年

ハーシュフィールド, ハートウィグ編 Hirschfeld, Hartwig (ed.) ジュダ・ハ・レヴィ『クザリの書』 *The Book of Kuzari*, by Judah ha Levi

『ユダヤ神秘主義の歴史』 *History of Jewish Mysticism*. →ミュラー Müller.
『アダムとエヴァの生涯』 *History of the Life of Adam and Eve*. →『モーセの黙示録』と『アダムとエヴァの書』 *Apocalypse of Moses* and *Book of Adam and Eve*.
『魔術の歴史』 *History of Magic, The*. →レヴィ Levi.
『魔術の歴史と実験科学』 *History of Magic and Experimental Science, The*. →ソーンダイク Thorndike.
『魔術の歴史と実践』 *History and Practice of Magic, The*. →クリスチャン Christian.
『10人の殉教者の生涯』 *History of Ten Martyrs*. イェリネク『ベト・ハ=ミドラシュ』と『ミドラシュ・コネン』に収録 In Jellinek's *Beth ha-Midrasch*. Contained also in *Midrash Konen*.
『妖術と悪魔学の歴史』 *History of Witchcraft and Demonology, The*. →サマーズ Summers.

『ホルバインの死の舞踏』 *Holbein's Dance of Death.* Contains 90 of Holbein's wood engravings illustrating the Bible. London: George Bell & Sons, 1878.

『ファウスト博士の地獄の苦しみ』 *Höllenzwang of Dr. Faust.* シャイブル『クロスター』第2，5巻と『ファウスト博士の地獄の苦しみ』に収録されたファウストものの総称 A general title of Faustian tracts to be found in Scheible's *Das Kloster* (vols. 2 and 5) and in his *Doctor Faust's Bücherschatz.*

ヒューズ，H. モールドウィン編 Hughes, H. Maldwyn (ed.) 『ギリシア語バルク黙示録』 *The Greek Apocalypse of Baruch (3 Baruch).* チャールズ『旧約聖書の外典と偽典』に収録 In Charles, *Apocrypha and Pseudepigrapha of the Old Testament.*

ヒューズ，トマス・パトリック Hughes, Thomas Patrick 『イスラム辞典』 *A Dictionary of Islam.* London: W. H. Allen & Co., 1885.

ユゴー，ヴィクトル Hugo, Victor 『海に働く人々』 *The Toilers of the Sea.* New York: Harper, 1866.

⇨『海に働く人々』山口・篠原訳，潮出版社，1978年

フシク，イサク Husik, Isaac 『中世ユダヤ哲学史』 *A History of Mediaeval Jewish Philosophy.* New York: Meridian Books/and Philadelphia: Jewish Publication Society, 1958.

——訳『原理の書』(tr.). *Sefer ha-'Ikkarim* of Joseph Albo.

ハクスリー，オルダス Huxley, Aldous 『ルーダンの悪魔』 *The Devils of Loudon.* London: Chatto, 1952.

⇨『ルーダンの悪魔』中山・丸山訳，人文書院，1989年

ハイド，ダグラス Hyde, Douglas 『アイルランド文学史』 *A Literary History of Ireland.* London: T. F. Unwin, 1901.

ハイド，トマス Hyde, Thomas 『古代ペルシア宗教史』 *Historia Religionis Veterum Persarum.* Oxford, 1700.

『魂の讃歌』 *Hymn of the Soul.* →ベヴァン Bevan

『イエス讃歌』 *Hymn of Jesus, The.* →ミード Mead

『監督教会賛美歌』 *Hymnal of the Protestant Episcopal Church.* New York: Nelson, 1920．

『アルコンの本質』 *Hypostasis of the Archons* (the Book of Norea). Coptic MS. apocryphon in the Chenoboskion Library. →ドレッセ『エジプト・グノーシス主義の秘密の書』の解説 comment in Doresse, *The Secret Books of the Egyptian Gnostics* (1960).

【 I 】

イアンブリコス Iamblichus 『エジプト・カルデア・アッシリアの秘儀について』 *On the Mysteries of the Egyptians, Chaldeans, and Assyrians.* →テイラー，トマス Taylor, Thomas.

『イドラ・ラバ』 *Idra Rabba.* 『ヴェールを脱いだカバラ』に収録 Incl. in *Kabbalah Denudata.*

『イドラ・ズタ』 *Idra Zuta.* 『ヴェールを脱いだカバラ』に収録 Incl. in *Kabbalah Denudata.*

イグナティオス（殉教者）（アンティオケイアの）Ignatius (Martyr) of Antioch, テオフォロスとも呼ばれる also called Theophorus 『トラレスの信者への手紙』 *Letter to the Trallians.* Buffalo: Christian Literature Pub. Co. *The Ante-Nicene Fathers,* 1885-1896. また『聖書の失われた書』にも収録 Also contained in *Lost Books of the Bible.*

『アダムを求めて』 *In Search of Adam.* →ウェント Wendt.

『解釈者の聖書』 *Interpreter's Bible, The.* Commentary. (gen. ed.) ジョージ・アーサー・バトリック編 George Arthur Buttrick. New York: Abingdon-Cokesbury Press [1951].

『聖書解釈辞典』「天使」の項 *Interpreter's Dictionary of the Bible, The.* "Angels." 4 vols. ジョージ・アーサー・パトリック編(ed.) George Arthur Buttrick. New York: Abingdon Press [1962].

エイレナイオス（聖）Irenaeus, Saint 『異端論駁』 *Contra haereses.* モンゴメリー・ヒッチコック訳 Tr. of principal passages by F. R. Montgomery Hitchcock. London: Society for Promoting Christian Knowledge, 1916.

⇨『異端論駁』(『キリスト教教父著作集』3巻) 小林稔訳, 教文館, 1997年
―― 『ギリシア教父集』ミーニュ版 In vol. 7, Migne, *Patrologiae Graecae Cursus Completus*. Paris, 1857-1880.
イサク・ハ゠コヘン (ソリアの) Isaac ha-Cohen of Soria. 「神の左側からの流出」"Emanations of the Left Side." A tract tr. from the Hebrew by Gershom Scholem in *Mada'e ha Yahadut* (vol. 2, pp. 164ff.), a periodical formerly published in Jerusalem.
イシャウッド, クリストファー Isherwood, Christopher『ラマクリシュナと弟子たち』*Ramakrishna and His Disciples*. New York : Simon and Schuster, 1965.
イシドルス (セビーリャの) Isidore of Seville『語源考』*Etymologiarum*. In Migne, *Patrologiae Latinae Completus*. Paris : 1844-1864.
イスラエルスタム, J. & スロトゥキー, J. J. 訳 Israelstam, J. and Slotki, J. J. (tr.)『ミドラシュ・ラバ・レヴィティクス』*Midrash Rabba Leviticus*, vol. 4. London : Sonci no, 1961. An earlier edition pub. in 1939.

【 J 】

ヤコブス, ヨセフ Jacobs, Joseph『ユダヤの文明への貢献』*Jewish Contributions to Civilization*. Philadelphia : Jewish Publication Society, 1919.
ジェイムズ, M. R. 編訳 James, M. R. (ed., tr.)『パウロ行伝』『フィリピ行伝』『パウロ黙示録 (パウロの幻想)』『偽マタイ福音書』*Acts of Paul, Acts of Philip, Apocalypse of Paul* (Vision of Paul), *Gospel of Pseudo-Matthew*. 『新約聖書外典』に収録 In *The Apocryphal New Testament*. Oxford : Clarendon, 1955.
―― 『秘密の外典』*Apocrypha Anecdota*. New York : Cambridge U. P., 1893.
―― 『聖書古代誌』*Biblical Antiquities of Philo, The*. London : Society for Promoting Christian Knowledge, 1917.
―― 『バルトロメオ福音書』*Gospel of Bartholomew, The*. ジェイムズ『新約聖書外典』に収録 In M. R. James, *The Apocryphal New Testament*. Oxford : Clarendon [1955].
―― 『幼きイエス福音書』*Gospel of the Infancy of Jesus Christ*. New York : Cambridge U. P., 1927.
―― 『旧約聖書の失われた外典』*Lost Apocrypha of the Old Testament*. London : Society for Promoting Christian Knowledge, 1918.
―― 「ペトロのアポクリフォン再生」"Recovery of the Apocryphon of Peter." *Church Quarterly Review*, vol. 80. London, 1915.
―― 『ソロモンの詩編と頌歌』;『パリサイ人の頌歌』一般に『ソロモンの詩編』と呼ばれている。H. E. ライルと共著 *Psalms and Odes of Solomon ; Psalms of the Pharisees*, commonly called *Psalms of Solomon*. With H. E. Ryle. New York : Cambridge U. P., 1891.
―― 『アブラハムの誓約』*The Testament of Abraham*. New York : Cambridge U. P., 1892.
ジェイムズ, ウィリアム James, William『宗教的経験の諸相』*The Varieties of Religious Experience*. New Hyde Park, N. Y. : University Books, 1963.
⇨『宗教的経験の諸相』桝田啓三郎訳, 岩波書店, 1969年
ジェイムスン, アンナ・ブロウネル Jameson, Anna Brownell『聖母の伝説』*Legends of the Madonna*. London : Unit Library, 1903.
ジャストロウ, マーカス Jastrow, Marcus『タルグム, タルムード, ミドラシュ文献辞典』*A Dictionary of the Targumin, the Talmud Babli and Yerushalmi, and the Midrashim Literature*. 2 vols. New York : Title Pub.Co., 1943.
ジャストロウ・ジュニア, モリス Jastrow, Morris, Jr.『ヨブ記』*The Book of Job*. Philadelphia : Lippincott, 1920.
―― 『ヘブライとバビロニアの伝統』*Hebrew and Babylonian Traditions*. New York : Scribner, 1914.
ジェイン, ウォルター・アディソン Jayne, Walter Addison『古代文明の癒しの神々』The

Healing Gods of Ancient Civilizations. New Hyde Park, New York : University Books, 1962.

イェリネク，アドルフ編 Jellinek, Adolph (ed.)『ベト・ハ＝ミドラシュ』──『第３エノク書』の一部，『ラビ・アキバのアルファベット』『10人の殉教者の生涯』『ミドラシュ・ペティラト・モシェ』などを収録 *Beth ha-Midrasch.* A collection of Midrashim, incl. parts of *3 Enoch, Alphabet of Rabbi Akiba, History of the Ten Martyrs, Midrash Petirat Mosheh*, etc. 7 vols. Jerusalem : Bamberger & Wehrmann, 1938. Earlier editions : Leipzig, 1853-1859 ; Vienna, 1873-1877.

──編(ed.)『ミドラシュ・エレ・エゼラ』 *Midrash Eleh Ezherah.* Leipzig, 1853.

『ユダヤ魔術と迷信』 *Jewish Magic and Superstition.* →トラクテンバーグ Trachtenberg.

『イエスの時代のユダヤ教世界』*Jewish World in the Time of Jesus, The.* →ギーンベール Guignebert

ジョウブズ，ガートルード Jobes, Gertrude『神話・民間伝承・象徴辞典』*Dictionary of Mythology Folklore and Symbols.* 2 vols. New York : The Scarecrow Press, 1961.

ジョフ，ジュダ・A.＆イェフデル，マーク Joffe, Judah A. and Mark, Yehudel →『イディッシュ語大辞典』 *Great Dictionary of the Yiddish Language.*

ヨアンネス（ダマスコの）John of Damascus『ダマスコのヨアンネス著作集』*Exposition of the Orthodox Faith* (*De Fide Orthodoxa*). ミーニュ『ギリシア教父集』第94巻と『ニカイアとニカイア以後の教父文献選集』再版に収録 In Migne, *Patrologiae Graecae*, vol. 94, and *A Select Library of Nicene and Post-Nicene Fathers*, 2nd series.

──『ダマスコのヨアンネス著作集』*Writings of John of Damascus.* フレデリック・H．チェイス・ジュニア訳 (tr.) Frederic H. Chase, Jr.

ジョンスン，ベン Jonson, Ben.『悪魔は馬鹿』*The Devil Is an Ass.* New York : Holt, 1905. Orig. pub. 1616.

『ヨセフとアセナテ』*Joseph and Asenath.* E．W．ブルックス翻訳 Tr. from the Batiffol text by E. W. Brooks. London : Society for Promoting Christian Knowledge, 1918.

ヨセフス，フラウィウス Josephus, Flavius『フラウィウス・ヨセフス著作集』*The Works of Flavius Josephus.* ウィリアム・ホイストン訳 Tr. from the Greek by William Whiston. Philadelphia : Lippincott, 1852.

ジュダ・ハ・レヴィ Judah ha Levi『クザリ書』*The Book of Kuzari.* ハートウィグ・ハーシュフェルド訳 Tr. from the Arabic by Hartwig Hirschfeld. New York : Pardes Pub. House, 1946. Earlier edition published in London, 1905.

ユング，レオ Jung, Leo『ユダヤ教，キリスト教，イスラム教文学における堕天使』*Fallen Angels in Jewish, Christian and Mohammedan Literature.* Philadelphia : Dropsie College, 1926.

ユスティノス（殉教者）Justin Martyr『弁証論』*Apology for the Christians.* M．ドッズ訳『殉教者ユスティノスとアテナゴラス著作集』に収録 In the *Writings of Justin Martyr and Athenagoras.* Tr. by M. Dods. London, 1857.

⇨『第一，第二弁明』(『キリスト教教父著作集』1巻) 柴田有三・小田敏雄訳，教文館，1992年

──『トリュフォンとの対話』 *The Dialogue with Trypho.* (tr.) A. L. Wiiliams. New York : Macmillan, 1930. Also published by Christian Heritage : New York, 1909.

⇨『ユダヤ人トリュフォンとの対話』(『キリスト教教父著作集』1巻) 柴田有三・小田敏雄訳，教文館，1992年

──『殉教者ユスティノスの神学』*The Theology of Justin Martyr.* E．R．グッドイナフ E. R. Goodenough. ニカイア公会議以前の教父たち』収録 In *Ante-Nicene Fathers.* New York : Scribner, 1917-1925.

【　K　】

『ヴェールを脱いだカバラ』*Kabbalah Denudata* (*Kabbalah Unveiled*). Incorporates the *Idra*

Rabba and Idra Zuta. →メイザーズ Mathers

カプラン，M. M. Kaplan, M. M. →ルッツァット Luzzatto

『カライーム派ユダヤ教アンソロジー』*Karaite Anthology.* →ネモイ Nemoy

カウフマン，ウォルター訳 Kaufmann, Walter (tr.).『ファウスト』*Faust.* Garden City, N. Y. : Doubleday, 1961.

⇨『ファウスト』池内紀訳，集英社，1999年

カウツキー，カール Kautsky, Karl『キリスト教の起源』*Foundations of Christianity.* ヘンリー・F. ミンズ訳（tr.）Henry F. Mins. New York : S. A. Russell, 1953.

カズウィニ，ザカリヤ・イブン・ムハンマド Kazwini, Zakariya ibn Muhammed『宇宙構造論』*Kosmographie.* 2 vols. フェルディナント・ヴュステンフェルト編（ed.）Ferdinand Wüstenfeld. In Arabic. Göttingen : Verlag der Dieterichschen Buchhandlung, 1849.

『セム族の宗教と美術におけるケルビム』*Kerubim in Semitic Religion and Art.* →リンゼイ Lindsay.

『ファウストの地獄の三重苦への鍵』*Key to Faust's Threefold Harrowing of Hell.*『黒鴉への鍵』としても知られる Otherwise known as *Key to the Black Raven.*『クロスター』に収録 In *Das Kloster.* Stuttgart : J. Scheible, 1846.

『ソロモンの鍵』（『ソロモンの大きな鍵』）*Key of Solomon.* Usually titled *The Greater Key of Solomon.* →ゴランツ Gollancz；メイザーズ Mathers

キング，チャールズ・ウィリアム King, Charles William『グノーシス主義とその遺産』*The Gnostics and Their Remains.* London : D. Nutt, 1887. An earlier edition published in London, 1864.

キング，L. ウィリアム King, L. William『バビロニアの魔術と妖術』*Babylonian Magic and Sorcery.* London : Luzac & Co., 1896.

キルヒャー，アタナシウス Kircher, Athanasius『エジプトのオイディプス』*Oedipus Aegyptiacus.* 4 vols. Rome, 1652-1654.

──『喜悦の旅』*Voyage Ecstatique（Itinerarium Exstaticum）.* Rome : Vitalis Mascardi, 1656.

『神学小辞典』*Kleins Theologisches Wörterbuch.* カルル・ラーナー＆ヘルベルト・フォルグリムラー編(ed.) Karl Rahner and Herbert Vorgrimler. Freiburg : Herder-Bucherei, 1963.

『クロスター』*Kloster, Das.* →シャイブル Scheible

クロップシュトック，フリードリヒ・ゴットリーブ Klopstock, Friedrich Gottlieb『メシア』*Der Messias.* Leipzig : G. J. Goschen, 1844.

──『メシア』*The Messiah.* ジョゼフ，コリヤー英訳（tr. in English）Joseph Collyer. New York : Duyckinck & Co., 1795. A translation by F. T. London was published in London by Longman, 1826.

ナイト，チャールズ編 Knight, Charles (ed.)『シェイクスピア作品集』*The Works of Shakespere.* 2 vols. London : Virtue & Co.[1870]

ナイト，マーガレット Knight, Margaret『宗教なしの道徳』*Morals without Religion & Other Essays.* London : Dennis Dobson, 1954.

コーラー，カウフマン Kohler, Kaufmann「タルムード以前のハガタ」"Pre-Talmudic Haggadah." *Jewish Quarterly Review*, pp. 399-419. Philadelphia : Dropsie College, 1895.

コフト，アレクサンダー Kohut, Alexander「パリ派によるユダヤ天使学・悪魔学」"Über die jüdische Angelologie und Dämonologie in ihrer Abhängigkeit von Parismus." Deutsche Morgenländische Gesellschaft Abhandl. Bd. 4, No. 3, pp. 1-105. Leipzig, 1886.

『コーラン』*Koran, The.* →ピックソール Pickthall；セイル Sale

『宇宙構造論』*Kosmographie.* →カズウィニ Kazwini

クレイマー，サムエル・ノア Kramer, Samuel Noah『シュメールの碑より』*From the Tablets of Sumer.* Colorado : The Falcon's Wing Press, 1956.

クリツェック，ジェイムズ編 Kritzeck, James (ed.)『イスラム文学アンソロジー』*Anthology of Islamic Literature.* New York : Holt, 1964.

クローナー，リヒャルト Kroner, Richard『創造力の宗教的機能』*The Religious Function of Imagination.* New Haven : Yale U. P., 1941.
『ラス・シャムラ文献の KRT テクスト』*Text in the Literature of Ras Shamra, The.* ジョン・グレイ編 (ed.) John Gray. 2nd ed. Leiden : E. J. Brill, 1964.
クルト，ウィリー編 Kurth, Willi (ed.)『アルブレヒト・デューラー木版画全集』*The Complete Woodcuts of Albrecht Dürer.* New York : Dover, 1963.
『クザリ書』*Kuzari* (Book of). →ジュダ・ハ・レヴィ Judah ha Levi

【 L 】

ラバルム，コンスタンティン Labarum, Constantine『虚飾，カトリック教徒，略奪』*Pageantry, Popery, Pillage.* London : Charles J. Thynne, 1911.
ラムサ，ジョージ・M. Lamsa, George M.『我が隣人イエス』*My Neighbor Jesus.* New York : Harper. 1932.
ランチェスター，H. C. O. 編 Lanchester, H. C. O. (ed.)『シビュラの託宣』*Sibylline Oracles.* チャールズ『旧約聖書の外典と偽典』に収録 In Charles, *Apocrypha and Pseudepigrapha of the Old Testament.*
レイン，エドワード・ウィリアム編 Lane, Edward William (ed.)『アラビア=英語辞典』*Arabic-English Lexicon.* London : Williams & Norgate, 1867.
ラングトン，エドワード Langton, Edward『悪魔学の本質』*Essentials of Demonology.* London : The Epworth Press, 1949.
――『善霊と悪霊』*Good and Evil Spirits.* London : Society for Promoting Christian Knowledge, 1942.
――『サタンの肖像』*Satan, a Portrait.* London : Skeffington, 1945.
『ラルース　ビザンティン＆中世美術辞典』*Larousse Encyclopedia of Byzantine & Medieval Art.* ルネ・ユイグ編 (gen. ed.) René Huyghe. New York : Prometheus Press, 1963.
『ラルース　神話辞典』*Encyclopedia of Mythology.* (int.) Robert Graves. New York : Prometheus Press, 1959.
ローターバック，ジェイコブ・Z. 訳 Lauterbach, Jacob Z. (tr.)『メキルタ・デ=ラビ・イシュマエル』*Mekilta de-Rabbi Ishmael.* 3 vols. Philadelphia : The Jewish Publication Society of America, 1949.
ローソン，ジョン・カスバート Lawson, John Cuthbert『現代ギリシアの伝承と古代ギリシアの宗教』*Modern Greek Folklore and Ancient Greek Religion.* New Hyde Park, N. Y. : University Books, 1964.
リー，ヘンリー・チャールズ Lea, Henry Charles『魔術の歴史を探る資料』*Materials Toward a History of Witchcraft.* 3 vols. New York : Yoseleff [1957].
リードビーター，C. W. Leadbeater, C. W.『アストラル界』*The Astral Plane.* India : The Theosophical Pub. House, 1963
⇨『アストラル界』田中恵美子訳，神智学協会ニッポンロッジ，1989年
『聖書の伝説』*Legends of the Bible.* →ギンズバーグ Ginzberg
『ユダヤ人の伝説』*Legends of the Jews, The.* →ギンズバーグ Ginzberg
レッジ，フランシス Legge, Francis「魔術文書におけるデーモンの名前」"The Names of Demons in the Magic Papyri." *Proceedings of the Society of Biblical Archaeology,* vol. 22, 1900.
――『キリスト教に先行するものと対抗するもの』*Forerunners and Rivals of Christianity.* New Hyde Park, N. Y. : University Books, 1964.
レールマン，S. M. 訳 Lehrman, S. M. (tr.)『ミドラシュ・ラバ・エクソドゥス』*Midrash Rabba Exodus.*『ミドラシュ・ラバ』に収録 Included in *Midrash Rabba.*
『レカ・ゲネシス』*Lekah Genesis.* トビア・b. エリエゼル Tobiah b. Eliezer. マルティン・ブーバー編『ミドラシュ・レカ・トヴ』の第 1 巻 vol. 1 of the 5-vol. *Midrash Lekah Tov.* (ed.)

Martin Buber. Wilna：Widow Bros. & Romm, 1880.

リーランド，チャールズ・ゴドフリイ Leland, Charles Godfrey『ジプシーの魔術と占い』 *Gypsy Sorcery and Fortune Telling*. New Hyde Park, N. Y.：University Books, 1962.
⇨『ジプシーの魔術と占い』木内信敬訳，国文社，1986年
――『エトルリア魔術とオカルト療法』*Etruscan Magic and Occult Remedies*. New Hyde Park, N.Y.：University Books, 1963.

『レメゲトン』(『ソロモンの小さな鍵』) 副題「ゴエティア，悪霊の書」*Lemegeton, The*（*The Lesser Key of Solomon*). Subtitled "Goetia, the Book of Evil Spirits." Includes *The Almadel* and *The Pauline Art*. Brit. Mus. Sloane Coll. Ms. No. 3648. L. W. デ・ローレンス編 (ed.) L. W. de Laurence. New York：Wehman Bros.［1916］.
⇨『ゲーティア　ソロモンの小さき鍵』A. クローリー編，松田アフラ訳，魔女の家 BOOKS, 1991年

ルノルマン，フランソワ Lenormant, François『カルデア魔術――その起源と発達』*Chaldean Magic：Its Origin and Development*. Tr. from the French. London：Samuel Bagster & Sons ［1877］.

ル・サージュ，アラン・ルネ Le Sage, Alain René『2 本の杖の上の悪魔』*The Devil on Two Sticks*. New York：Paul Elder & Co. n. d. Originally published in 1707.

『小さきヘハロト』*Lesser Hechaloth*. Unpublished MS. in Jewish Theological Seminary, New York. Oxford Ms. N0. 1531, fol. 42b. Oxford University.

『ソロモンの小さな鍵』*Lesser Key of Solomon, The*. →『レメゲトン』*The Lemegeton*.

レヴィ，エリファス Levi, Eliphas (pseud. for Alphonse Louis Constant)『魔術の歴史』*The History of Magic*. (tr.) A. E. Waite. London：Rider & Co., 1963.
⇨『魔術の歴史』鈴木啓司訳，人文書院，1998年
――『黄金の書』*Le Livre d'Or*. Paris：Lavigne, 1842.
――『オカルト哲学』*Philosophie Occulte*. Paris：G. Balliere, 1862-1865.
――『高等魔術』*Transcendental Magic*. (tr.) A. E. Waite. Philadelphia：McKay, 1923.
⇨『高等魔術の教理と祭儀』生田耕作訳，人文書院，1992年

ルイス，C. S. Lewis, C. S.『悪魔の手紙』*The Screwtape Letters*. New York：Macmillan, 1959.
⇨『悪魔の手紙』蜂谷昭雄・森安綾訳，新教出版社，1960年

レヴィー，イマヌエル Lewy, Immanuel『聖書の誕生』*The Birth of the Bible*. New York：Bloch Pub. Co., 1950.
――『モーセ五書の発展』*The Growth of the Pentateuch*. New York：Bookman Associates, 1955.

レルミット，ジャン Lhermitte, Jean『真実と虚偽の憑依』*True and False possession*. P. J.・ヘップバーン=スコット訳 (tr.) P. J. Hepburne-Scott. New York：Hawthorn Books, 1963.

ライバー，モーリス Liber, Maurice『ラシ』*Rashi*. Tr. from the French by Adele Szold. Philadelphia：Jewish Publication Sociery, 1906.

『聖書学，神学文献双書』*Library of Biblical and Theological Literature*. ジョージ・R. クルックス＆ジョン・F. ハースト編(ed.) George R. Crooks and John F. Hurst. 9 vols. New York：Eaton & Mains, 1890.

『イエスの生涯』*Life of Jesus, The*. →ルナン Renan

『アジアの光』*Light of Asia, The*. →アーノルド Arnold

ライトフット，J. B. Lightfoot, J. B. (tr., with M. R. James, H. B. Swete, et al.)『新約聖書外典』*Excluded Books of the New Testament*.『ヤコブの書』『ニコデモ福音書』（1，2）『ペトロの福音書と黙示録』『ヘルマスの牧者』を収録 Contains *Book of James*；*Gospel of Nicodemus* (1 and 2)；*Gospel of Peter and the Revelation of Peter*；*Shepherd of Hermas*, etc. London：E. Nash and Grayson［1927 ?］.

リンゼイ，フレデリック・ナイ Lindsay, Frederic Nye.『セム族の宗教と美術におけるケルビム』*Kerubim in Semitic Religion and Art*. New York, 1912. Thesis (Ph. D.), Columbia

University.
リング，トレヴァー Ling, Trevor『新約聖書悪魔学におけるサタンの意義』*The Significance of Satan in New Testament Demonology.* London: Society for Promoting Christian Knowledge, 1961.
ロイジー，アルフレッド・ファーミン Loisy, Alfred Firmin『キリスト教の誕生』『新約聖書の起源』*Birth of the Christian Religion* (and) *Origins of the New Testament.* L. P. ジャック訳 Tr. from the French by L. P. Jacks. New Hyde Park, N. Y.: University Books, 1962.
ロングフェロウ，ヘンリー・ウォズワース Longfellow, Henry Wadsworth『詩集』*Poetical Works.* 6 vols. Boston: Houghton [1904].
『聖書の失われた書とエデンの忘れられた書』*Lost Books of the Bible and the Forgotten Books of Eden.* Intro. by Frank Crane. New York: Lewis Copeland Co., 1930.
『天使の愛』*Loves of the Angels, The.* →ムーア，トマス Moore, Thomas.
ルッツァット，M. H. Luzzatto, M. H.『メシラト・イェシャリム』*Mesillat Yesharim* (The Path of the Upright). M. M. カプラン訳 (tr.) M. M. Kaplan. Philadelphia: Jewish Publication Society of America, 1936.

【 M 】

マッケイ，パーシー MacKaye, Percy『詩集ウリエル』*Uriel and Other Poems.* Boston: Houghton, 1912.
マッケンジー，ドナルド・A. Mackenzie, Donald A.『エジプト神話と伝説』*Egyptian Myth and Legend.* London: The Gresham Pub. Co. n. d.
──『バビロニアとアッシリアの神話』*Myths of Babylonia and Assyria.* London: The Gresham Pub. Co. n. d.
──『クレタ島とヘレニズム以前のヨーロッパの神話』*Myths of Crete & Pre-Hellenic Europe.* London: The Gresham Pub. Co. n. d.
マクヴェイ，ロジャーズ＆コステイン MacVeagh, Rogers, & Costain『ヨシュア』*Joshua.* Garden City, N. Y.: Doubleday, 1943.
マダーチェ，イムレ Madách, Imre『人間の悲劇』*The Tragedy of Man.* J. C. W. ホーン訳 Tr. from the Hungarian by J. C. W. Horne. Budapest: Corvina Press (1963).
『マダエ・ハ・ヤハドゥト』*Mada'e ha Yahadut.* Vols. 1 and 2. A periodical published during 1926-1927 in Jerusalem at the Hebrew University.
『自然魔術と非自然魔術』*Magia Naturalis et Innaturalis* (a Faustian magic tract). Stuttgart: J. Scheible, 1849. Originally published in Passau, 1505.
マイモニデス，モーセ Maimonides, Moses『迷える者の手引き書』*The Guide for the Perplexed.* M. フリードランダー訳 (tr.) M. Friedlander (from the Arabic). New York: Dover [1956].
『ミシュナ・トーラ（掟の反復）』*Mishna Thora.* →マイモニデス Maimonides
──『ミシュナ・トーラ，ヤド・ハ＝ハザカ』*Mishna Thora. Yad ha-Hazakah.* サイモン・グレイザー英訳 (tr.in English) Simon Glazer. New York: Maimonides Pub. Co., 1922.
『天上の天使』*Malache Elyon.* →マーゴリアト (編者) Margouliath (compiler)
マラン，ソロモン・シーザー Malan, Solomon Caesar『アダムとエヴァの書』，『アダムとエヴァのサタンとの闘い』としても知られる *The Book of Adam and Eve,* also called *The Conflict of Adam and Eve with Satan.* Tr. from the Ethiopic. London: Williams & Norgate, 1882.
マルクス，マリウス Malchus, Marius『トゥリエルの秘密の魔術書』*The Secret Grimoire of Turiel.* London: Aquarian Press, 1960.
『魔女の鉄槌』*Malleus Maleficarum* (The Hammer of Witches). H. クレイマー＆ J. スプレンガー Fr. H. Kramer and Fr. J. Sprenger. (tr.) Montague Summers. London: John Rodker, 1928. First published in Cologne, 1489.

『イラクとイランのマンダ教徒』 *Mandaeans of Iraq and Iran, The.* →ドロワー Drower
マンスン，T. W. 編 Manson, T. W. (ed.)『聖書の友』*A Companion to the Bible.* Edinburgh : T. & T. Clark［1956］.
マンソア，メナヘム Mansoor, Menahem『死海文書』*The Dead Sea Scrolls.* Grand Rapids : Eerdmans, 1964.
――訳『感謝の讃歌』(tr.) *The Thanksgiving Hymns.* Grand Rapids : Eerdmans, 1961.
『死海文書の規律』*Manual of Discipline, The.* →ブラウンリー，ワーンベルク＝ミュラー Brownlee, Wernberg-Møller.
マーゴリアト，リューベン Margouliath, Reuben『天上の天使』*Malache Elyon*（Angels on High). In Hebrew, Jerusalem : Mossad ha-Rav Kook, 1945.
マリタン，ジャック Maritain, Jacques『理性の範囲』*The Range of Reason.* New York : Scribner, 1952.
マーロウ，クリストファー Marlowe, Christopher『フォースタス博士の悲劇』*The Tragical History of Doctor Faustus.* London : T. White, 1830. First published in London, 1604.
⇨『フォースタス博士の悲劇』平井正穂訳，筑摩世界文学体系18, 筑摩書房，1975年
『イザヤの殉教』*Martyrdom of Isaiah.*『イザヤの昇天』に収録 Incl. in *The Ascension of Isaiah.*
『マセケト・アジルト』*Maseket Azilut.* →ナジル Nazir；ウィルドマン Wildman
『マセケト・デレク・エレツ』*Maseket Derekh Erets.* マイクル・ヒガー『マセクトト・ゼイロト』に収録 In *Masekhtot Zeirot* by Michael Higger (別項あり). This work mentions 390 heavens.
『マセケト・ガン・エデン＆ゲヒノム』*Maseket Gan Eden and Gehinnom.* イェリネク『ベト・ハ＝ミドラシュ』に収録 In Jellinek's *Beth ha-Midrasch.*
マセ，アンリ Massé, Henri『ペルシア・アンソロジー』*Anthologie Persane*（Persian Anthology). Paris : Payot, 1950.
マシニョン，ルイ Massignon, Louis「シンジャル山のヤズィード派」"The Yezidis of Mount Sindjar." In *Satan* (New York : Sheed & Ward, 1952).
マスターズ，R. E. L. Masters, R. E. L.『エロスと悪』*Eros and Evil.* New York : Julian Press, 1962.
『イザヤの殉教』*Martyrdom of Isaiah.* → R. H. チャールズ R. H. Charles
メイザーズ，S. L.・マグレガー編 Mathers, S. L. MacGregor (ed.)『ソロモンのアルマデル』（『レメゲトン』あるいは『ソロモンの小さな鍵』の第4巻）*The Almadel of Solomon* (part IV of *The Lemegeton* or *Lesser Key of Solomon*). London, 1889.
――『術者アブラ＝メリンの聖なる魔術』*The Book of the Sacred Magic of Abra-Melin the Mage.* Chicago : de Laurence Co., 1939.
⇨『アブラメリンの魔術』松田・太宰訳，魔女の家 BOOKS, 1990年
――『ソロモンの大きな鍵』*The Greater Key of Solomon.* London, 1889 ; Chicago : de Laurencc, 1914
⇨『ソロモンの大いなる鍵』松田・太宰訳，魔女の家 BOOKS, 1990年
――『ヴェールを脱いだカバラ』*The Kabbalah Unveiled* (*Kabbalah Denudata*). Incorporates the *Idra Rabba* and *Idra Zuta.* London : George Redway, 1887.
⇨『ヴェールを脱いだカバラ』判田格訳，国書刊行会，2000年
マッケイブ，ジョゼフ McCabe, Joseph『教皇と教会』*The Popes and Their Church.* New York : Freethought Press Association, 1953.
マッカウン，チェスター編 McCown, Chester (ed.).『ソロモンの誓約』*The Testament of Solomon.* Leipzig : J. C. Hinrichs, 1922.
ミード，G. R. S. Mead, G. R. S.『忘れられた信仰の諸断片』*Fragments of a Faith Forgotten.* Intro. by Kenneth Rexroth. New Hyde Park, New York : University Books (1960).
――訳(tr.)『イエス讃歌』*The Hymn of Jesus* (a mystery-ritual). London : John M. Watkins,

1963.
──訳(tr.)『ピスティス・ソフィア』*Pistis Sophia*. London: John M. Watkins, 1921.
──訳(tr.)『3倍に偉大なヘルメス』*Thrice-Greatest Hermes*. 3 vols. London: John M. Watkins, 1964.
『栄光のコーランの意味』*Meaning of the Glorious Koran*. モハメッド・M. ピックサル訳 (tr.) Mohammed M. Pickthall. New York: New American Library, 1954.
メトディオス（フィリピの，あるいはオリュムポスの）Methodius of Philippi (or of Olympus)『10人の処女の饗宴，復活論』*Banquet of the Ten Virgins, Convivia, Discourse on the Resurrection*. 『10人の処女の饗宴』の翻訳については For a translation of the *Banquet of the Ten Virgins* →クラーク Clark
ミカエリス，セバスチャン Michaelis, Sébastien『悔悛した女の驚嘆すべき憑依と改宗の物語』*Admirable History of the Possession and Conversion of a Penitent Woman*. London: William Aspley, 1613.
──『聖霊論』*Pneumenologie ou discours des esprits*. Paris, 1582; Douay, 1613.
『ミケランジェロの彫刻』*Michelangelo, the Sculptures of*. Foreword by Ludwig Goldscheider. Phaidon Edition. New York: Oxford U. P., 1940.
ミシュレ，ジュール Michelet, Jules『悪魔主義と魔術』*Satanism and Witchcraft*. New York: Citadel, 1939.
⇨『魔女』（上・下）篠田浩一郎訳，岩波書店，1983年
『ミドラシュ・アブキル』*Midrash Abkir*. イェリネク『十戒のミドラシュ』，またブーバー『ハ＝シャハル』に収録 In Jellinek, *Midrash of the Ten Commandments*; also in Buber, *ha-Shahar* (Vienna, 1883).
『ミドラシュ・アガダ・エクソドゥス』*Midrash Aggada Exodus*.
『ミドラシュ・エレ・エズケラ』*Midrash Eleh Ezkerah*. →イェリネク Jellinek
『ミドラシュ・ハガドル』*Midrash Haggadol*. モーデカイ・マーグリース編，モーセ五書の注釈書 Commentary on the Pentateuch. (ed.) Mordecai Margulies. In Hebrew. Jerusalem: Kook Pub., 1947.
『ミドラシュ・コネン』*Midrash Konen*.『アルゼイ・レヴァノン（レバノンの杉）』に収録 In *Arzei Levanon* (Cedars of Lebanon). Venice, 1601. An edition published in Wilna, 1836. また『オザル・ミドラシム』にも収録 Also contained in *Ozar Midrashim* I.
『ミドラシュ・ペティラト・モシェ』*Midrash Petirat Mosheh*. イェリネク『ベト・ハ＝ミドラシュ』に収録 In Jellinek's *Beth ha-Midrasch*.
『ミドラシュ・ラバ・エクソドゥス』*Midrash Rabba Exodus*. →レールマン Lehrman
『ミドラシュ・ラバ・レヴィティクス』*Midrash Rabba Leviticus*. →イスラエルスタム ＆ スロトキー Israelstam and Slotki
『ミドラシュ・ラバ』*Midrash Rabbah*. →フリードマン＆サイモン Friedman and Simon
『ミドラシュ・タンフマ』*Midrash Tanhuma*. →ブーバー Buber
『ミドラシュ・テヒリム』*Midrash Tehillim* (Commentary of Psalms). →ブロード Braude
『十戒のミドラシュ』*Midrash of the Ten Commandments*. →イェリネク Jellinek
『10人のユダヤ人殉教者のミドラシュ』*Midrash of the Ten Jewish Martyrs*. →ゴランツ Gollancz
ミールジナー，M. Mielziner, M.『タルムード入門』*Introduction to the Talmud*. New York: Funk and Wagnalls, 1903.
ミーニュ，J. P. Migne, J. P.『ラテン教父集』*Patrologiae Latinae Completus*. 221 vols. Paris, 1844-1864.
──『ギリシア教父集』*Patrologiae Graecae Cursus Completus*. 161 vols. Paris, 1857-1880.
ミルズ，ローレンス・ヘイワース Mills, Lawrence Heyworth「フィロンのデュナメイスとアムシャ・スプンタ」"Philo's $\delta\upsilon\nu\acute{\alpha}\mu\varepsilon\iota\varsigma$ [Dunameis] and the Amesha Spenta." London: *Royal Asiatic Society Journal*, pp. 553-568, 1901.

ミルトン，ジョン Milton, John『ミルトン英詩全集』*Complete English Poetry.* (ed.) John T. Shawcross. Garden City, N. Y. : Doubleday, 1963.

――『ミルトン詩集・散文選集』*Complete Poetry and Selected Prose.* Intro. Cleanth Brooks. New York : Random, 1950.

――『失楽園』*Paradise Lost. A Poem in Twelve Books.* London : Richard Bently, 1688.

⇨『失楽園』平井正穂訳，岩波書店，1981年

――『ミルトン詩集』*Poetical Works.* ウィリアム・ヘイリー編（ed.）William Hayley. 3 vols. London : Boydell and Nicol, 1794.

――『ミルトン詩集』*Poetical Works.* エドワード・ホーキンズ編（ed.）Edward Hawkins. 4 vols. London : Oxford U. P., 1824.

⇨『ミルトン詩集』才野重雄訳，篠崎書店，1976年

――「教会統治の理由」"The Reason of Church Government Urged against Prelaty."『ミルトン著作集』に収録 In *Works of John Milton.* 3 vols. New York : Columbia U. P., 1931.

『ミシュナ』*Mishnah, The.* →ダンビー Danby

モンテフィオレ，C. C. & ローウェ，H. 編 Montefiore, C. C. and Loewe, H.（ed.）『ラビ文献集成』*A Rabbinic Anthology.* Philadelphia : Jewish Publication Society of America, 1960.

モンゴメリー，J. A. Montgomery, J. A.『ニプールのアラム語呪文原典』*Aramaic Incantation Texts from Nippur.* Philadelphia : U. of Pennsylvania Press, 1913.

ムーア，ジョージ Moore, George『ケリテ川』*The Brook Kerith.* New York : Macmillan, 1926.

ムーア，トマス Moore, Thomas『天使の愛』*The Loves of the Angels.* London : Longman, 1823.

モーゲンスターン，J. Morgenstern, J.「詩編82章の神話的背景」"The Mythological Background of Psalm 82." Philadelphia : Hebrew Union College Annual, XIV, 29-126.

モリス，ハリー Morris, Harry「英文学における天使の図像」"Some Uses of Angel Iconography in English Literature." *Comparative Literature*, vol. X, no. 1, Winter, 1958.

モーセ（ブルゴスの）Moses of Burgos『左手の柱』*The Left-hand Pillar.* →ゲルショム・ショーレム「マダエ・ハ・ヤハドゥト」Gershom Scholem in *Mada'e ha Yahadut.* vol. II, 1927；と『タルビズ』and in *Tarbiz.* vol. II-V, 1931-1934.

ミュラー，エルンスト Müller, Ernst『ユダヤ神秘主義の歴史』*History of Jewish Mysticism.* Oxford : East and West Library [1946].

――『ゾハルとその教え』*Der Sohar und seine Lehre.* Vienna : R. Löwit Verlag, 1920.

マイヤー，アイザック Myer, Isaac『カバラ』*The Qabbalah.* Philadelphia : printed by the author, 1888.

『カバラの神秘』*Mysteries of the Quabalah.* 2 vols. Written down by Seven Pupils of E. G. Chicago : The Yogi Publishing Society, 1922.

【N】

『ゾシムスの物語』*Narrative of Zosimus.* W. A. クレイギー訳『アブラハムの誓約』に収録 In *The Testament of Abraham.* (tr.) W. A. Craigie. Buffalo : Christian Literature Pub. Co., *The Ante-Nicene Fathers*, 1885-1896.

ナッシュ，トマス Nash, Thomas『文無しピアスの悪魔への嘆願書』*Pierce Penilesse, His Supplication to the Divill.* London : Lane, 1924. Originally published in 1592.

⇨『文なしピアスが悪魔への嘆願書』北川・多田訳，北星堂，1970年

ネイサン，ロバート Nathan, Robert『司教の妻』*The Bishop's Wife.* London : Victor Gollancz Ltd., 1928.

ナジル，ジェイコブ Nazir, Jacob『マセケト・アジルト』*Maseket Azilut.*『オザル・ミドラシム I』に収録 In *Ozar Midrashim* I.

ネモイ，レオン編訳 Nemoy, Leon (ed., tr.)『カライーム派ユダヤ教文献集成』*Karaite Anthology.* New Haven : Yale U. P., 1952.

ノイバウアー，アドルフ編 Neubauer, Adolf (ed.)『トビト記』*The Book of Tobit*. Oxford: Clarendon, 1878.

ノイマン，ヘンリー Neumann, Henry『死海文書』*The Dead Sea Scrolls*. New York: New York Society for Ethical Culture, 1956.

ノイスナー，ヤコフ Neusner, Jacob『バビロニアのユダヤ人の歴史』*A History of the Jews in Babylonia*. Leiden: E. J. Brill, 1965.

──『ラバン・ヨハナン・ベン・ザカイの生涯』*A Life of Rabban Yohanan Ben Zakkai*. Leiden: E. J. Brill, 1962.

ニューボウルド，W. R. Newbold, W. R.「ソロモンの頌歌におけるキリストの降下」"The Descent of Christ in the Odes of Solomon." *Journal of Biblical Literature*, December 1912.

『ニュー・センチャリー英文学ハンドブック』*New Century Handbook of English Literature, The*. クラレンス・L. バーンハート編 (ed.) Clarence L. Barnhart. New York: Appleton (1956).

『新ユダヤ大辞典』*New Jewish Encyclopedia*. デイヴィッド・ブリジャー（＋サミュエル・ウォーク）編 (ed.) David Bridger (with Samuel Wolk). 1 vol. New York: Behrman House, 1962.

ニューマン，ルイス・I.（＋S. スピッツ）編 Newman, Louis I. (ed. with S. Spitz)『ハシディズム・アンソロジー』*The Hasidic Anthology*. New York: Schocken, 1963.

──（＋S. スピッツ）編 (ed. with S. Spitz)『タルムード文献集成』*The Talmudic Anthology*. New York: Behrman House, 1947.

『新シャフ＝ハーツォグ宗教学辞典』*New Schaff-Herzog Encyclopedia of Religious Knowledge, The*. サミュエル・マコーリー・ジャクスン編 (ed.) Samuel Macauley Jackson, et al. 12 vols. New York: Funk and Wagnalls, 1908-1912.

『新約聖書アポクリファ』*New Testament Apocrypha, The*. →エルビュー Hervieux；ジェイムズ James

ニケタス（レメシアナ）Nicetas of Remesiana「我らの救世主の名前と称号」"The Names and Titles of our Savior." フリーマントル『初期キリスト教宝典』に収録 Included in Fremantle, *A Treasury of Early Christianity*.

──『著作集』*Writings*. ジェラルド・G. ウォルシュ編 (tr.) Gerald G. Walsh. New York: Fathers of the Church, 1949.

ニコルス，ロス編 Nichols, Ross (ed.) ポール・クリスチャンの『魔術の歴史と実践』Paul Christian's *The History and Practice of Magic*（別項あり）.

ニコルスン，レイノルド・アレイン Nicholson, Reynold Alleyne「アブ・ヤジド・アル＝ビスタミの〈ミーラージュ〉の初期アラビア語版」"An Early Arabic Version of the *Mir'aj* of Abu Yazid al-Bistami" in *Islamica* II, pp. 402-415. Leipzig: Braunlich. 1926.

ニッグ，ウォルター Nigg, Walter『異端』*The Heretics*. New York: Knopf, 1962.

ノヴェック，サイモン編 Noveck, Simon (ed.)『古代と中世の偉大なユダヤ人』*Great Jewish Personalities in Ancient and Mediaeval Times*. New York: Farrar, 1959.

『ヌクテメロン』*Nuctemeron, The*（テュアナのアポロニウスの of Apollonius of Tyana）．→アポロニウス Apollonius

ヌルニ，マルティン・K. Nurni, Martin K.「ブレイクの天国と地獄の結婚」"Blake's Marriage of Heaven and Hell." In *Kent State University Bulletin* (Kent, Ohio), April, 1957.

【 O 】

『オカルティズム』*Occultism*. →シャー Shah

オデバーグ，ヒューゴ編訳 Odeberg, Hugo (ed., tr.)『第3エノク書』あるいは『ヘブライ語エノク書』*3 Enoch or The Hebrew Book of Enoch*. New York: Cambridge U.P. 1928. A version of the Hechaloth.

『ソロモンの頌歌』*Odes and Psalms of Solomon*. →ハリス Harris『聖書の失われた書』に収録

Included in *Lost Books of the Bible*.
「ソロモンの頌歌とピスティス・ソフィア」"Odes of Solomon and the Pistis Sophia, The." → ウォレル Worrell

エスタリー，W. O. E. Oesterley, W. O. E. 『アポクリファ入門』*An Introduction to the Apocrypha*. London: Society for Promoting Christian Knowledge, 1935.

── 「天使とデーモンへの信仰」"Belief in Angels and Demons." Vol. 1, *Judaism and Christianity*. London: Sheldon Press, 1937.

──『観想についてのユダヤ主義』*The Jewish Doctrine of Mediation*. London: Skeffington, 1910.

──『ラビ文献と中世ユダヤ教文献概説』*A Short Survey of the Literature of Rabbinical and Medieval Judaism*（with G. H. Box）. London: Society for Promoting Christian Knowledge, 1920.

──『ベン・シラの知恵』（集会の書）*The Wisdom of Ben-Sira*（Ecclesiasticus）. London: Society for Promoting Christian Knowledge, 1916.

──編（ed.）『ソロモンの知恵』（『知恵の書』）*The Wisdom of Solomon*（*Book of Wisdom*）. London: Society for Promoting Christian Knowledge; New York: Macmillan, 1918.

──『ソロモンの知恵』（『知恵の書』）*The Wisdom of Solomon*（*The Book of Wisdom*）. London: Society for Promoting Christian Knowledge, 1917.

エスターライヒ，トラウゴット・コンスタンティン Oesterreich, Traugott Konstantin 『オカルティズムと現代科学』*Occultism and Modern Science*. London: Methuen, 1923.

エスターライヒャー，ジョン・M. 編 Oesterreicher, John M.（ed.）『橋──ユダヤ＝キリスト教研究年鑑 *The Bridge; A Yearbook of Judaeo-Christian Studies*. New York: Pantheon [1955].

オリゲネス Origen 『ケルソス反駁』*Contra Celsum*. H. チャドウィック訳（tr.）H. Chadwick. Cambridge (Eng.): University Press, 1953.
▷『ケルソス駁論』（『キリスト教教父著作集』8，9巻収録）出村みや子訳，教文館，1987年
──『諸原理について』『雑録』*de Principiis* and *Stromata*. ミーニュ『キリスト教教父』に収録 In Migne, *Patrologiae Graeca*.
▷『諸原理について』（キリスト教古典叢書）上智大学神学部編，小高毅訳，創文社，1978年
──『グレゴリウス・タウマトゥルゴスへの書簡』*Letter to Gregory Thaumaturgus*. フリーマントル『初期キリスト教の宝庫』収録 In Fremantle, *A Treasury of Early Christianity*.

オーリンスキー，ハリー・M. Orlinsky, Harry M. 『古代エスラエル』*Ancient Israel*. Ithaca: Cornell U. P., 1954.

──「プロト＝セプトゥアギンタ〔原七十人訳聖書〕研究の現況について」"On the Present State of Proto-Septuagint Studies." Baltimore: *Journal of the American Oriental Society*, June 1941.

──『セプトゥアギンタ』*The Septuagint*. Cincinnati: Union of American Hebrew Congregation, 1949.

──『イザヤ書53章の苦しむ僕について』*The So-Called "Suffering Servant" in Isaiah 53*. Cincinnati: Hebrew Union College Press, 1964.

ウスペンスキー，P. D. Ouspensky, P. D. 『奇跡を求めて』*In Search of the Miraculous*. New York: Harcourt, 1949.
▷『奇跡を求めて』浅井雅志訳，平河出版社，1981年
──『宇宙の新たな体系』*A New Model of the Universe*. New York: Knopf, 1948.
▷『新しい宇宙像』上・下，高橋弘泰訳，星雲社，2002年

『オクスフォード・サイクロペディック・コンコーダンス』*Oxford Cyclopedic Concordance, The*. New York and London: Oxford U. P., 1947.

『オザル・ミドラシム』*Ozar Midrashim*. J. D. エイゼンシュテイン編（ed.）J. D. Eisenstein. 2 vols. New York: Grossman's Hebrew Book Store, 1956.

【 P 】

パピーニ，ジョヴァンニ Papini, Giovanni『デヴィル』*The Devil.* (tr.) Adrienne Foulke. New York : Dutton, 1954.

―――『キリストの生涯』*Life of Christ.* (tr.) Dorothy Canfield Fisher. New York : Dell Publishing Co., 1951.

⇨『キリストの生涯』大木惇夫訳，金園社，1971年

パピュ（ジェラール・アンコースの筆名）Papus (pseud. for Gerard Encausse)『隠秘学への絶対的な鍵』*Absolute Key to Occult Science.* A. P. モートン訳 (tr.) A. P. Morton. London : Chapman & Hall, 1892.

―――『隠秘学の基礎』*Traité Élémentaire de Science Occulte.* Paris : P. Ollendorff. 1903.

―――訳(tr.)『セフェル・イェツィラ』（天地生成の書）*Sepher Yetzirah.* Paris, 1887.

パラケルスス Paracelsus『4 論文』*Four Treatises.* Tr. from the German by various hands. Baltimore : Johns Hopkins Press, 1941.

―――『パラケルススの予言』*The Prophecies of Paracelsus.* J. K. ロンドン訳 (tr.) J. K. London : Rider, 1915.

『ヨブの釈義』*Paraphrase of Job.*

『シェムの釈義』*Paraphrase of Shem*（『セトの釈義』とも呼ばれる also called the *Paraphrase of Seth*）. A Coptic Ms. In the Chenoboskion Library, Cairo.

パレンテ，パスカル・P. Parente, Pascal P.『天使』*The Angels.* St. Meinrod, Ind. : Grail Publications [1957].

パークス，ジェイムズ Parkes, James『ユダヤ教とキリスト教』*Judaism and Christianity.* Chicago : U. of Chicago Press, 1948.

パトリデス，C. A. Patrides, C. A.「ルネサンスから見た天使」"Renaissance Views of Angels." New York : *Journal of the History of Ideas.* April-June, 1962.

『パウロ魔術』*Pauline Art, The.*『レメゲトン』の一部 Part of *The Lemegeton.*

ペイン，ロバート Payne, Robert『聖火』*The Holy Fire.* New York : Harper, 1957.

ペギース，アントン・C. Pegis, Anton C. → アクイナス Aquinas.

『ペルシア・アンソロジー』*Persian Anthology.* → マセ Massé『ペルシア詞華集』*Anthologie Persane.*

『ペシクタ・ラバティ』*Pesikta Rabbati.* → フリードマン Friedmann『モーセの黙示録』を収録する改訂版 A recension, published in 777, contains the *Revelation of Moses.*

ピーター，ジョン Peter, John『失楽園批評』*A Critique of Paradise Lost.* New York : Columbia U. P., 1960.

ペテルソン，エーリク Peterson, Erik『天使の書』*Das Buch von den Engeln.* Munich : Kösel-Verlag [1955].

フィロン Philo『出エジプト記のケルビムについて』*De Cherubinis ad Exod.* 25. C. A. O. グロスマヌス編 (ed.) C. A. O. Grossmannus, Leipzig, 1856.

『アレクサンドリアのユダヤ人フィロン』*Philo-Judaeus of Alexandria.* → ベントウィッチ Bentwich.

―――「フィロンのデュナミスとアムシャ・スプンタ」"Philo's $\delta\upsilon\nu\acute{\alpha}\mu\varepsilon\iota\varsigma$ and the Amesha Spenta." → ミルズ Mills.

―――『ユダヤ人フィロン――観想生活について』*On the Contemplative Life.* → ティルデン Tilden.

『フィロン辞典』*Philo-Lexikon/Handbuch des Judischen Wissens.* Berlin : Philo Verlag, 1936.

ピックソール，モハメッド・マーマデューク訳 Pickthall, Mohammed Marmaduke (tr.)『コーラン』*The Koran.* New York : New American Library, 1954.

⇨『コーラン』全3冊，井筒俊彦訳，岩波書店，1964年

『中世聖書の挿絵』*Pictures from a Medieval Bible.* → ストラハン Strachan

『ピルケ・アボト』 *Pirke Aboth* (Sayings of the Fathers). →ハーフォード Herford；ハーツ Hertz；テイラー Taylor

『ピルケ・デ・ラビ・エリエゼル』 *Pirke de Rabbi Eliezer.* →フリードランダー Friedlander

『ピルケ・ヘハロト』 *Pirke Hechaloth.* →ヘハロト伝承 Hechaloth Lore.

『ピスティス・ソフィア』 *Pistis Sophia.* A gnostic gospel, containing extracts from *Books of the Saviour.* →ミード Mead, →アスキュー写本 also the Askew Codex, British Museum.

ポウ，エドガー・アラン Poe, Edgar Allan 『エドガー・アラン・ポウ作品集』 *The Works of Edgar Allan Poe.* 10 vols. New York and Pittsburg: The Colonial Co., 1903.

ポニョン，アンリ Pognon, Henri 『マンダ教碑文』 *Inscriptions Mandaïtes des Coupes de Khouabir.* Paris: H. Welter, 1898.

―― 『エドガー・アラン・ポウ評伝』 *A Critical Biography.* →クイン Quinn

『携帯版ギリシア語読本』 *Portable Greek Reader.* W. H. オーデン編 (ed.) W. H. Auden. New York: Viking, 1955.

『聖書以後のヘブライ文献』 *Post-Biblical Hebrew Literature.* →ハルパー Halper

ポステル，ギヨーム訳 Postel, William (tr.) 『偽ヤコブ福音書あるいは原福音書』 *The Gospel of Pseudo-James or the Protovangelium.* In Latin. Basle: Bibliander, 1532.

―― 『世界の創造から隠されつづけているものへの鍵』 *Key of Things Kept Secret from the Foundation of the World.* Originally published 1547 as *Absconditorum Clavis.* Tr. into French, 1899.

――訳(tr.) 『セフェル・イェツィラ』 *Sepher Yetzirah.* Paris: J. Ruelle, 1552.

ポッター，チャールズ・F. Potter, Rev. Charles F. 『イエスはこの書を書いたのか』 *Did Jesus Write This Book?* New Hyde Park, New York: University Books, 1965.

―― 『イエスの晩年』 *The Last Years of Jesus Revealed.* New York: Fawcett. 1958.

『ヨセフの祈り』 *Prayer of Joseph.* オリゲネスとエウセビオスの作品で言及されたユダヤのアポクリフォン A Jewish apocryphon cited in the works of Origen and Eusebius. ギンズバーグ『ユダヤ人の伝説』に引用されている Quoted in part of Ginzberg, *The Legends of the Jews.*

プライゼンダンツ，K.編 Preisendanz, K. (ed.) 『ギリシア魔術パピルス写本』 *Papyri Graecae Magic ae.* 2 vols. Leipzig: B. G. Teubner, 1928-1931.

『闇の王』 *Prince of Darkness: A Witchcraft Anthology.* London: John Westhouse, Ltd., 1946.

プロクロス Proclus, Diadochus 『神学綱要』 *The Elements of Theology.* →ドッズ Dodds

⇨ 『神学綱要』（『世界の名著　プロティノス，ポルピュリオス，プロクロス』収録）田中頭安彦ほか訳，中央公論社，1976年

『原福音書』 *Protevangelium.* The Birth of Christ and the Perpetual Virgin Mary. By James the Lesser. 『旧約聖書の失われた書』を参照 [*Lost Books of the Bible.*]

『ヤコブの原福音書』 *Protevangelium of James.* 『ニカイア公会議以前の教父たち』第8巻に収録 In vol. 8, *Ante-Nicene Fathers.* New York: Scribner, 1925.

『パリサイ人の詩編』 *Psalms of the Pharisees.* → 『ソロモンの詩編』 *Psalms of Solomon.*

『ソロモンの詩編』 *Psalms of Solomon.* G. ブキャナン・グレイ編 (ed.) G. Buchanan Gray. チャールズ『旧約聖書外典と偽典』に収録 In Charles, *Apocrypha and Pseudepigrapha of the Old Testament.* この書はまた『パリサイ人の詩編』として知られ，ライルやジェイムズによりこの書名で訳されている also known as *Psalms of the Pharisees* and under this title was translated by H. E. Ryle and M. R. James and published in Cambridge at the University Press, 1891.

⇨ 『ソロモンの詩編』（『外典偽典』5巻）後藤光一郎訳

プセルス，ミシェル Psellus, Michael 『デーモンの活動』 *Operations of Demons* (*Dialogus de energia seu operatione Daemonum*). Paris: G. Chaudiere. 1577. A later edition published in Paris in 1623.

『偽ディオニュシオス・アレオパギテスの天上位階論』 *Pseudo-Dionysii Areopagitae de Caeles-*

ti Hierarchia. Vol. 25 of *Textus Minores*. In Greek. Leiden: E. J. Brill, 1959.
⇨『天上位階論』(『中世思想原典集成』3) 今義博訳
偽ディオニュシオス Pseudo-Dionysius →ディオニュシオス・アレオパギテス Dionysius the Areopagite.
『偽君主論』*Pseudo-Monarchia*. →ヴィエルス Wierus

【 Q 】

Qabbalah, The. →マイヤー Myer
クイン，アーサー・ホブスン Quinn, Arthur Hobson『エドガー・アラン・ポウ評伝』*Edgar Allan Poe, A Critical Biography*. New York: Appleton, 1941.

【 R 】

『ラビ文献集成』*Rabbinic Anthology, A*. →モンテフィオレ & ローウェ Montefiore and Loewe.
ラディン，マックス Radin, Max『ギリシア人，ローマ人の間のユダヤ人』*The Jews Among the Greeks and Romans*. Philadelphia: The Jewish Publication Sociery of America, 1915.
——『聖書時代のユダヤ人の生活』*The Life of the Jewish People in Biblical Times*. Philadelphia: The Jewish Publication Society of America, 1929.
ラッグ，ロンズデイル & ローラ編訳 Ragg, Lonsdale and Laura (ed., tr.)『バルナバ福音書』*Gospel of Barnabas*. Oxford: Clarendon, 1907.『ニカイア公会議以前の教父たち』第8巻にも収録 Also in vol. 8, *Ante-Nicene Fathers*. New York: Scribner, 1925.
ラスキン，ソール Raskin, Saul『カバラ，創造の書，ゾハル』*Kabbalah, Book of Creation, The Zohar*. New York, 1952.
レイモンド，ロシター・W. 編 Raymond, Rossiter W. (ed.)『ヨブ記』*The Book of Job*. New York: Appleton, 1878.
リード，ウィンウッド Reade, Winwood『殉教』*The Martyrdom of Man*. Intro. by F. Legge. London: Kegan Paul, Trench, Trubner & Co. n. d.
『クレメンスの解釈』*Recognitions of Clement*. →クレメンス（アレクサンドリアの）Clement of Alexandria.
レッドフィールド，B. G. 編 Redfield, B. G. (ed.)『世界の神々の辞典』*Gods/A Dictionary of the Deities of All Lands*. New York: Putnam, 1951.
レガメイ，R. P. Régamey, R. P.『天使』*Anges*. Paris: Éditions Pierre Tisné [1946].
——『天使とは何か』*What Is an Angel?* ドン・マーク・ポンティフェクス訳 (tr.) Dom Mark Pontifex. New York: Hawthorn, 1960.
ライダー，ジョゼフ Reider, Joseph『聖書，申命記』*The Holy Scriptures, Deuteronomy*. Philadelphia: The Jewish Publication Society of America, 1937.
——編訳 (ed., tr.)『知恵の書』*The Book of Wisdom*. New York: Harper, 1957.
⇨『ソロモンの知恵』(『外典偽典』2巻収録)
ライツェンシュタイン，リヒャルト Reitzenstein, Richard『ポイマンドロス』*Poimandres*. Leipzig: B. G. Teubner, 1904.『預言者モーセによる大天使の書』を収録 Contains the *Book of the Archangels by Moses the Prophet*.
——『古代イランとギリシアの融合の研究』*Studien zum antiken Synkretismus aus Iran und Greichenland*. Leipzig: B. G. Teubner, 1926.
ルナン，エルネスト Renan, Ernest『イエスの生涯』*The Life of Jesus*. London: Watts [1947].
⇨『イエスの生涯』忽那・上村訳，人文書院，2000年
『息子セトへのアダムの黙示録』*Revelation of Adam to His Son Seth*. A Coptic MS. in the Chenoboskion Library. ドレッセ『エジプト・グノーシス主義の秘密の書』に抜粋あり Extracts quoted by Doresse in *Secret Books of the Egyptian Gnostics*.
『エズラ記』『ヨハネの黙示録』『モーセの黙示録』『パウロの黙示録』*Revelation of Esdras, Revelation of John, Revelation of Moses, Revelation of Paul*.『ニカイア公会議以前の教父た

ち』第8巻に収録 All in vol. 8, *Ante-Nicene Fathers.* New York : Scribner, 1925. 『モーセの黙示録』は『ヤルクト・レウベニ』と『ペシクタ・ラバティ』にも収録 *Revelation of Moses* appears also in *Yalkut Reubeni, Pesikta Rabbati,* またイェリネク『ベト・ハ＝ミドラシュ』にも『ゲドゥラト・モシェ』として収録 and, as *Gedulath Mosheh,* in Jellinek's *Beth ha-Midrasch.*

『モーセの黙示録』*Revelation of Moses.* M. ガスター『民間伝承に関する研究と文献』と『ニカイア公会議以前の教父たち』第8巻に収録 In M. Gaster, *Studies and Texts in Folklore* ; also in *The Ante-Nicene Fathers,* Vol. 8. New York : Scribner, 1925. A recension containcd in *Pesikta Rabbati,* pub. in 777.

『ペトロの黙示録』*Revelation of Peter.* →『ペトロ福音書』*Gospel of Peter.*

『ラビ・ベン・レヴィの黙示録』*Revelation of Rabbi ben Levi, The.* イェリネク『ベト・ハ＝ミドラシュ』に収録 In Jellinek, *Beth ha-Midrasch.*

『ステパノの黙示録』*Revelation of Stephen.* ジェイムズ『新約聖書外典』に抜粋あり Extracts in James, *The Apocryphal New Testament.*

『ゾストリアヌスの黙示録』(『真理の福音書』) *Revelations of Zostrian* (*Evangelium Veritatis*——Gospel of Truth). M. マリニーネ編 (ed.) M. Malinine. Jung Codex. Published by Puech and Quispel. Zurich : Rascher, 1956–1957.

⇨『真理の福音書』(『ナグ・ハマディ文書Ⅱ』) 岩波書店

リュー，E. V. 訳 Rieu, E. V. (tr.) 『四福音書』*The Four Gospels.* Baltimore : Penguin, 1953.

ロビンズ，ロッセル・ホウプ Robbins, Rossell Hope『妖術と悪魔学の大辞典』*The Encyclopedia of Witchcraft and Demonology.* New York : Crown [1959].

⇨『悪魔学大全』松田和也訳，青土社，1997年

ロビンスン，J. A. & ジェイムズ，M. R. 編 Robinson, J. A. and James, M. R. (ed.) 『ペトロ福音書』『ペトロの黙示録』*Gospel of Peter* and the *Revelation of Peter.* London : Clay, 1892.

ローゼンブラット，サムュエル訳 Rosenblatt, Samuel (tr.) サアディア・ガオン『信仰と自説の書』*The Book of Beliefs and Opinions* (by Saadiah Gaon). New Haven : Yale U. P., 1948.

ローゼンロート，クノール・フォン Rosenroth, Knorr Von『ヴェールを脱いだカバラ』*Kabbala Denudata.* W. ウィン・ウェストコットによりラテン語から翻訳。S.L. メイザーズの翻訳も Tr. from Latin by W. Wynn Westcott. A translation by S. L. Mathers was published in London, 1887, by George Redway. Early version appeared in 1677.

ルーセク，ジョゼフ・S. 編 Roucek, Joseph S. (ed.) 『スラヴォニア大辞典』*Slavonic Encyclopedia.* New York : Philosophical Library, 1949.

ロウリー，H. H. Rowley, H. H. (ed. with Grant)『ヘイスティングズ聖書辞典』*Hastings' Dictionary of the Bible.* New York : Harper [1955].

——『黙示の今日性』*The Relevance of Apocalyptic.* London, 1944.

——編 (ed.) 『サドカイ派文書諸断片と死海文書』*The Zadokite Fragments and the Dead Sea Scrolls.* Oxford : Blackwell, 1955.

ロウリー，マーガレット訳 Rowley, Margaret (tr.) →デュポン＝ソメール Dupont-Sommer

ルーンズ，ダゴバート・D. 訳 Runes, Dagobert D. 『カバラの知恵』*The Wisdom of the Kabbalah.* New York : Philosophical Library (1957).

【 S 】

サアディア・ベン・ヨセフ (ガオン) Saadiah b. Joseph (Gaon)『信仰と自説の書』*Book of Beliefs and Opinions.* (tr.) Samuel Rosenblatt. New Haven : Yale U. P., 1948.

『東洋の聖書』*Sacred Books of the East.* マックス・ミューラー編 (ed.) Max Müller. 50 vols. Oxford : Clarendon, 1879–1910.

『不可視の偉大なる霊の書』*Sacred Book of the Invisible Great Spirit.* ドレッセ『エジプト・グノーシス主義の秘密の書』に収録 In Doresse, *Trois livres gnostiques inédits.* Virgiliae Christianae, 1948.

『術者アブラ=メリンの聖なる魔術』 *Sacred Magic of Abra-Melin the Mage, The.* S. L. マグレガー・メイザーズ訳 (tr.) S. L. MacGregor Mathers. Chicago: de Laurence Co., 1939.
⇨ 『アブラメリンの魔術』松田・太宰訳，魔女の家 BOOKS, 1990年
セイル，ジョージ 訳編 Sale, George (tr., ed.) 『コーラン』 *The Koran.* Incl. "Preliminary Discourse." 5th ed. Philadelphia: Lippincott, 1860. Originally published in England, 1734.
サルケルド，ジョン Salkeld, John 『天使の物語』 *A Treatise of Angels.* London: Nathaniel Butter, 1613.
サルタス，エドガー Saltus, Edgar 『魔界の王たち』 *The Lords of the Ghostland.* New York: Kennerley, 1907.
サルヴェルト，ユーセブ Salverte, Eusèbe 『隠秘学』 *Des Sciences Occultes.* 2 vols. Paris: Sedillot, 1829.
サージェント，エリザベス Sargent, Elizabeth 『愛の詩』 *Love Poems.* New York: New American Library [1966].
『サタン』(随筆集) *Satan.* A collection of essays. ブルーノ・ド・ジーザス=マリー編 (ed.) Bruno de Jesus-Marie. New York: Sheed & Ward, 1952.
シャフ，フィリップ編 Schaff, Philip (ed.) 『聖書辞典』 *A Dictionary of the Bible.* Philadelphia: American Sunday School Union, 1880.
――編 (ed.) 『ニカイアとニカイア以後の教父文献選集』 *A Select Library of Nicene and Post-Nicene Fathers of the Christian Church.* 14 vols. New York: The Christian Literature Co., 1886-1890. 2nd series (with Henry Wace). 14 vols. New York: The Christian Literature Co., 1890-1900.
シェヒター，S. 訳 Schechter, S. (tr.) 『アボト・デ・ラビ・ナタン』 *Aboth de Rabbi Nathan.* Vienna: M. Knöpflmacher, 1887.
―― 『ユダヤ教分派の文書』 *Documents of Jewish Sectaries.* Vol. 1, *Fragments of a Zadokite Work.* Cambridge: Cambridge U. P., 1910.
シャイブル，J. 編 Scheible, J. (ed.) 『クロスター』 *Das Kloster.* 12 vols. Stuttgart and Leipzig, 1846.
―― 『ファウスト博士の蔵書』 *Dr. Faust's Bücherschatz.* Stuttgart, 1851.
――編 (ed.) 『モーセの第6，第7の書』 *The Sixth and Seventh Books of Moses.* Originally published in Stuttgart, 1849 under title *Das Sechste und Siebente buch Mosis*, vol. 6 in *Bibliothek der zauber geheimniss-und offenbarungs-bücher.* American edition published in Carbondale, Ill.: Egyptian Pub. Co. n. d.
『スキウル・コマ』 *Schiur Komah.* →コーコス Corcos; M. ガスター M. Gaster; 『オザル・ミドラシム』 also *Ozar Midrashim.*
シュライエルマッヒャー，F. E. D. Schleiermacher, F. E. D. 『キリスト教信仰』 *Der Christliche Glaube.* Tr. as *The Christian Faith.* H. R. マッキントッシュ & J. S. ステュワート 編 (ed.) H. R. MacIntosh and J. S. Stewart. Edinburgh: T. & T. Clark, 1960.
⇨ 『信仰論序説』(『キリスト教信仰』序文のみ) 三枝義夫訳，長崎書店，1941年
シュミット，カルル 編 Schmidt, Carl (ed.) 『コプト・グノーシス主義文献』 *Koptisch-gnostische Schriften.* 2 vols. 『ヨハネのアポクリフォン』『イエス・キリストの知恵』『ペトロ行伝』『マリアの福音書』を含む Contains *Apocryphon of John, Wisdom of Jesus Christ, Acts of Peter, Gospel of Mary.* Leipzig, 1905. Another edition published in Berlin: Akademie-Verlag, 1954.
シュミット，ナサニエル Schmidt, Nathaniel 『ノアの黙示録とエノクの寓話』 *The Apocalypse of Noah and the Parable of Enoch.* Baltimore: Oriental Studies, 1926. An edition published in Leipzig, 1926. A copy is in the Jewish Theological Seminary, New York.
シュネヴァイス，エミール Schneweis, Emil 『ラクタンティウスによる天使とデーモン』 *Angels and Demons According to Lactantius.* Washington, D. C.: Catholic University of America Press, 1944.

ショーレム，ゲルショム訳 Scholem, Gershom (tr.)『バヒル書』*Das Buch Bahir.* Leipzig: W. Drugulin, 1923.
―― 『ユダヤのグノーシス主義，メルカバ神秘主義，タルムードの伝統』*Jewish Gnosticism, Merkabah Mysticism, and Talmudic Tradition.* New York: The Jewish Theological Seminary, 1960.
―― 『ユダヤ神秘主義の主潮流』*Major Trends in Jewish Mysticism.* New York: Schocken, 1941.
⇨ 『ユダヤ神秘主義――その主潮流』山下肇ほか訳，法政大学出版局，1985年
―― 『カバラとその象徴について』*On the Kabbalah and its Symbolism.* ラルフ・マンハイム訳 (tr.) Ralph Manheim. New York: Schocken [1965].
⇨ 『カバラとその象徴的表現』小岸昭・岡部仁訳，法政大学出版局，1985年
シェーンブルム，サムエル Schönblum, Samuel『ピルケ・ラベヌ・ハ=カドシュ』*Pirke Rabbenu ha-Kadosh.* Lemberg, 1877.
ショーラー，マーク Schorer, Mark『ウィリアム・ブレイク――幻視のポリティクス』*William Blake, the Politics of Vision.* New York: Holt, 1946.
シュライアー，T. Schrire, T.『ヘブライの魔除け』*Hebrew Amulets.* London: Routledge & Kegan Paul, 1966.
シュワーブ，モイーズ Schwab, Moïse『天使学用語辞典』*Vocabulaire de l'Angélologie.* Paris: Academie des Inscriptions et Belles Lettres, 1897.
シュヴァルツ，E. 編 Schwartz, E. (ed.) エウセビオスの『教会史』*Ecclesiastical History* by Eusebius. →エウセビオス Eusebius
シュヴァイツァー，アルベルト Schweitzer, Albert『史的イエスの探索』*The Quest of the Historical Jesus.* London: A. & C. Black, 1964. Originally published 1906.
スコット，レジナルド Scot, Reginald『妖術の暴露』*Discoverie of Witchcraft.* London: A. Clarke, 1665. Repr., intro. Hugh Ross Williamson. Carbondale, Ill.: Southern Illinois [1964].
スコット，サー・ウォルター Scott, Sir Walter『悪魔学と妖術に関する書簡』*Letters on Demonology and Witchcraft.* London: John Murray, 1831.
『悪魔の手紙』*Screwtape Letters, The.* →ルイス Lewis
『エジプト・グノーシス主義の秘密の書』*Secret Books of the Egyptian Gnostics, The.* →ドレッセ Doresse
『秘密の教義』*Secret Doctrine, The.* →ブラヴァツキー Blavatsky
『トゥリエルの秘密の魔術書』*Secret Grimoire of Turiel, The.* →マルクス Malchus
『魔術の秘伝』*Secret Lore of Magic, The.* →シャー Shah
『イエスの秘密の言葉』*Secret Sayings of Jesus* (The Gnostic Gospel of Thomas). ロバート・M. グラント & デイヴィッド・ノエル・フリードマン Robert M. Grant and David Noel Freedman. Eng. tr. William R. Schoedel. Garden City, N. Y.: Doubleday, 1960.
『セフェル・ハ=ヘシェク』(『希望の書』) *Sefer ha-Heshek (Book of Desire).* I. M. エプスタイン編 (ed.) I. M. Epstein. Lemberg, 1865.
『セフェル・ラジエル』*Sefer Raziel.* →『天使ラジエルの書』*The Book of the Angel Raziel.*
『セフェル・イェツィラ』(『天地生成の書』) *Sefer Yetzirah (Book of Formation).* ギョーム・ポステル訳 (tr.) William Postel. Paris: J. Ruelle, 1552. Editions published by Stenring; Waite; Westcott.
『ニカイアとニカイア以後の教父文献選集』*Select Library of Nicene and Post-Nicene Fathers of the Christian Church.* フィリップ・シャフ編 (ed.) Philip Schaf. 14 vols. New York: The Christian Literature Co., 1886-1890. 2nd series, 14 vols. (ed.) Philip Schaff and Henry Wace. New York: The Christian Literature Co., 1890-1900.
セリグマン，カート Seligmann, Kurt『魔術の歴史』*The History of Magic.* New York: Pantheon, 1948.
⇨ 『魔法』平田寛訳，平凡社，1961年

『セム族の魔術』Semitic Magic. →トンプスン Thompson
『シャアル・ハ＝ヘシェク』Sha'ar ha-Heshek. ヨハン・アレマノ Johann Alemanno. Leghorn, 1790.
シャー，シルダル・イクバル・アリ編 Shah, Sirdar Ikbal Ali (ed.)『東洋の文書』Book of Oriental Literature. New York : Garden City Pub. Co., 1938.
────『オカルティズム──その理論と実践』Occultism, Its Theory and Practice. New York : Castle Books, n. d.
────『魔術の秘伝』The Secret Lore of Magic. New York : Citadel 1958.
『シェイクスピアと先人たち』Shakespeare and His Betters. →チャーチル Churchill, R. C.
ショー，ジョージ・バーナード Shaw, George Bernard『メトセラへ還れ』Back to Methuselah. New York : Brentano, 1921.
⇨『思想の達しえる限り』相良徳三訳，岩波書店，1931年
『ヘルマスの牧者』Shepherd of Hermas. A 2nd-century apocryphon. Contains the Visions, Commands, and Similitudes.『聖書の失われた書』に収録 In the Lost Books of the Bible.
────C. テイラー編 (ed.) C. Taylor. 2 vols. London : Society for Promoting Christian Knowledge, 1903.
────ライトフットほか編 (ed.) Lightfoot, et al.『新約聖書外典・偽典』に収録 In Excluded Books of the New Testament.
⇨『ヘルマスの牧者』(『使徒教父文書』に収録) 荒井献訳, 講談社, 1998年
『神話小辞典』Short Dictionary of Mythology. →ウッドコック Woodcock
『イスラム小辞典』Shorter Encyclopaedia of Islam. →ギブ & クレイマーズ Gibb and Kramers
ズィビンガ，ヨースト・スミット Sibinga, Joost Smit『殉教者ユスティノスの旧約聖書引用』The Old Testament Text of Justin Martyr (the Pentateuch). Leiden : E. J. Brill, 1963.
『シビュラの託宣』Sibylline Oracles. →ベイト Bate；ゲフケン Geffcken；ランチェスター Lanchester
シルヴァー，アバ・ヒレル Silver, Abba Hillel『イスラエルにおけるメシア思想の歴史』A History of Messianic Speculation in Israel. Boston : Beacon Press, 1959.
シンガー，アイザック・バシェヴィス Singer, Isaac Bashevis『ゴライのサタン』Satan in Goray. New York : Noonday Press, 1955.
────『短い金曜日』Short Friday. New York : Farrar, 1964.
シニストラーリ，ルドヴィコ・マリア Sinistrari, Fr. Ludovico Maria『夢魔』Demoniality ; or Incubi and Succubi. Latin-English texts. Paris : Isidore Liseux, 1879.
シンカー，ロバート訳 Sinker, Robert (tr.)『十二族長の誓約』Testament of the Twelve Patriarchs. Edinburgh : T. and T. Clark, 1871.
⇨『十二族長の誓約』(『外典偽典』第5巻) 笈川博一・土岐健治訳, 教文館, 1976年
『モーセの第6, 第7の書』Sixth and Seventh Books of Moses, The. →シャイブル Scheible
『スラヴォニア大辞典』Slavonic Encyclopedia. →ルーセク Roucek
スミス，ジョージ・D. Smith, George D.『カトリック教会の教え』The Teaching of the Catholic Church. 2 vols. New York : Macmillan, 1964.
スミス，ホウマー・W. Smith, Homer W.『人間と神々』Man and His Gods. Boston : Little, Brown, 1952.
スミス，ジョゼフ訳 Smith, Joseph (tr.)『モルモン経』The Book of Mormon. Salt Lake City : Church of Jesus Christ of Latter-Day Saints, 1950.
スネル，ジョイ Snell, Joy『天使の職務』The Ministry of Angels, Here and Beyond. New York : Citadel, 1959.
『ソデ・ラザ』Sode Raza. →エレアザール（ヴォルムスの）Eleazer of Worms
ソスニッツ，I. 訳 Sossnitz, I. (tr.)『カバラあるいはヘブライ宗教哲学』La kabbale ou La Philosophe Religieuse Hébrew. →フランク Franck.
スペンス，ルイス Spence, Lewis『オカルティズムの辞典』An Encyclopaedia of Occultism.

New York : Strathmore Press, 1959.
スペンサー,エドマンド Spenser, Edmund「天上の美の讃歌」「天上の愛の讃歌」"An Hymne of Heavenly Beautie" and "Hymne of Heavenly Love." In *The Complete Poetical Works of Edmund Spenser*. Boston and New York : Houghton, 1908.
── 「天使の生まれについて」(『アモレッティ』から) "Of the Brood of Angels" from the *Amoretti*. Madison, N. J. : The Golden Hind Press, 1939.
ステイス,ウォルター・T. Stace, Walter T.『神秘主義者の教え』*The Teachings of the Mystics*. New York : New American Library, 1960.
シュタインドルフ,ゲオルク Steindorff, Georg『エリヤの黙示録』*Apocalypse of Elias*(*Die Apokalypse des Elias*). Leipzig : J. C. Hinrichs, 1899. →ブッテンヴァイザー Buttenweiser.
シュタイナー,ルドルフ Steiner, Rudolf『歴史の中のカルマ的関連』*Karmic Relationships*. ゲオルク・アダムス・カウフマン訳 (tr.) Georg Adams Kaufmann. London : Anthroposophical Pub. Co., 1929.
⇨『歴史の中のカルマ的関連』西川隆範訳,イザラ書房,1994年
── 『大天使ミカエルの使命』*The Mission of the Archangel Michael*. リサ・D. モンジュ訳 (tr.) Lisa D. Monges. New York : Anthroposophic Press, 1961.
── 『人間の星気体の中の天使の作用』*The Work of the Angels in Man's Astral Body*. London : Anthroposophical Pub. Co., 1960.
シュタインシュナイダー,M. 編 Steinschneider, M. (ed.)『ベン・シラのアルファベット』*Alphabet of Ben Sira*. Berlin : A. Friedlander, 1858.
ステンリング,クヌート訳 Stenring, Knut (tr.)『セフェル・イェツィラ (生成の書)』*Sefer Yetzirah* (*The Book of Formation*). Philadelphia : McKay [1923].
スティーヴンスン,ロバート・ルイス Stevenson, Robert Louis『青年男女のために』*Virginibus Puerisque*. New York : Scribner, 1897.
『哲学の物語』*Story of Philosophy, The*. →デュラント Durant
ストラハン,ジェイムズ Strachan, James『中世聖書の挿絵』*Pictures from a Mediaeval Bible*. Boston : Beacon Press [1961].
サマーズ,モンタギュー Summers, Montague『妖術と悪魔学の歴史』*The History of Witchcraft and Demonology*. New Hyde Park, N. Y. : University Books [1956].
── 『ヨーロッパの吸血鬼』*The Vampire in Europe*. New Hyde Park, N. Y. : University Books [1961].
サンドバーグ,アルバート・C. ジュニア Sundberg, Albert C., Jr.『初期教会の旧約聖書』*The Old Testament of the Early Church*. Cambridge, Mass. : Harvard U. P., 1964.
スヴォボダ,カレル Svoboda, Karel『ミカエル・セロスの悪魔学』*La demonologie de Michael Psellos*. Berne : Philosophical Faculty, 1927.
スウェーデンボルグ,エマヌエル Swedenborg, Emanuel『天とその驚異および地獄』*Heaven and its Wonders and Hell*. New York : Swedenborg Foundation, 1956.
⇨『スウェーデンボルグ 天界と地獄』高橋和夫訳,春秋社,1997年
『モーセの剣』*Sword of Moses, The*. →ガスター,M. Gaster, M.

【 T 】

『タルムード』*Talmud The*. English text. 18 vols. London : The Soncino Press, 1961
⇨『タルムード』三好廸監修,三貫,1995年
『エルサレムのタルムード』*Talmud of Jerusalem*. Preface by Dagobert D. Runes. New York : The Wisdom Library, 1956.
『タルムード集成』*Talmudic Anthology, The*. →ニューマン Newman
『タルグム・ヨナタン』と『タルグム・ケトゥビム』*Targum Jonathan to the Prophets* and *Targum Ketubim*. →チャージン Churgin.
『モーセの五書に関するオンケロスとヨナタン・b. ウジエルのタルグム』*Targum of Onkelos*

and Jonathan b. Uzziel on the Pentateuch. With fragments of the Jerusalem Targum. J. W. エセリッジ訳 Tr. from the Chaldee by J. W. Etheridge. 2 vols. London: Longman. 1862-1865.

テイラー，C, 訳 Taylor, C. (tr.)『ピルケ・アボト』Pirke Aboth. New York: Cambridge U. P., 1877 and 1897.

テイラー，C. Taylor, Rev. C.『ヘルマスの牧者』Shepherd of Hermas. 2 vols. London: Society for Promoting Christian Knowledge, 1903.

テイラー，トマス訳 Taylor, Thomas (tr.)『イアンブリコスのエジプト，カルデア，アッシリアの秘儀ついて』Iamblichus on the Mysteries of the Egyptians, Chaldeans, and Assyrians. Chiswick: C. Whittingham, 1821. An edition published in Lyons, 1577.

『カトリック教会の教え』Teaching of the Catholic Church, The. → G. D. スミス G. D. Smith.

テデスケ，シドニー訳 Tedesche, Sidney (tr.)『マカバイ記一』The First Book of Maccabees. New York: Harper [1950].

⇨『第1マカベア書』(『外典偽典』第1巻収録) 土岐健治訳，1975年

——『マカバイ記二』The Second Book of Maccabees. (ed.) Solomon Zeitlin. New York: Harper [1954].

テルトゥリアヌス，Q. S. F. Tertullian, Q. S. F.『マルキオン反駁』『女性の装いに関して』Adversus Marcionem and De Habitu Mulieb (on women's apparel). In Ante-Nicene Christian Fathers Library. Edinburgh, 1869.

『アブラハムの誓約』Testament of Abraham, The. →ボックス Box；クレイギー Craigie，ジェイムズ James

『アセルの誓約』Testament of Asher.『十二族長の誓約』に収録 In the Testament of the Twelve Patriarchs.

『ヨブの誓約』Testament of Job. ジェイムズ『秘密の外典』に収録 In James, Apocrypha Anecdota.

⇨『ヨブの遺訓』(『外典偽典』別巻1収録) 土岐健治訳，1979年

——K. コーラー訳 (ed.) K. Kohler.

『ユダの誓約』Testament of Judah.『十二族長の誓約』に収録 In the Testament of the Twelve Patriarchs.

『レビの誓約』Testament of Levi.『十二族長の誓約』に収録 In the Testament of the Twelve Patriarchs.

『モーセの誓約』Testament of Moses. →『モーセの昇天』The Assumption of Moses.

『ナフタリの誓約』Testament of Naphtali.『十二族長の誓約』に収録 In the Testament of Twelve Patriarchs.

『ソロモンの誓約』Testament of Solomon, The. →コニベア Conybeare；マッカウン McCown

『十二族長の誓約』Testament of the Twelve Patriarchs. R. H. チャールズ編 (ed.) R. H. Charles；デ・ジョング編 de Jonge；シンカー編 Sinker. An edition also issued by the Society for Promoting Christian Knowledge: London, 1917.

『救世主の書』Texts of the Saviour (also called the Books of the Saviour). Related to, and contained in, the Pistis Sophia texts.

『感謝の讃歌』The Thanksgiving Hymns. →マンソア Mansoor

テオドトゥス Theodotus. テオドトゥス文献からの抜粋 Excerpts from Theodotus' writings.『ニカイア公会議以前の教父たち』第8巻に収録 In vol. 8 of Ante-Nicene Fathers. New York: Scribner, 1925.

『第3，第4マカバイ書』Third and Fourth Books of Maccabees. →エメット Emmet；ハダス Hadas

トンプスン，R. キャンベル Thompson, R. Campbell『セム族の魔術』Semitic Magic. London: Luzac & Co., 1908.

ソーンダイク，リン Thorndike, Lynn『魔術の歴史と実験科学』The History of Magic and

Experimental Science. 3 vols. New York: Macmillan [1922-1934]. Vol. 3 has imprint of Columbia University Press.

『第3エノク書』(『ヘブライ語エノク書』) *Three Enoch* (*3 Enoch* or the *Hebrew Book of Enoch*) →オデバーグ Odeberg

『3人のユダヤ人哲学者』(フィロン，サアディア・ガオン，イェフダ・ハレヴィ) *Three Jewish Philosophers* (Philo, Saadya Gaon, Jehuda Halevi). Lewy, Altmann, Heinemann. Philadelphia: Jewish Publication Society of America, 1960.

『3倍に偉大なヘルメス』 *Thrice Greatest Hermes.* →ミード Mead

ティルデン，フランク・ウィリアム訳 Tilden, Frank William (tr.)『ユダヤ人フィロン──観想生活について』*Philo Judaeus, on the Contemplative Life.* Bloomington: Indiana University Studies, vol. IX [1922].

ティル，ウォルター・C.編 Till, Walter C. (ed.)『フィリピ福音書』*Gospel of Philip.* Incl. in *Koptisch-Gnostische Schriften.* Berlin: Akademie-Verlag, 1954.

ティッシェンドルフ，L. T. C. Tischendorfp L. T. C.『外典黙示録』*Apocalypses Apocryphae.* Contains *Acts of Pilate, Apocalypse of Moses, Apocalypse of Paul, Assumption of the Virgin, Gospel of Thomas,* etc. Leipzig, 1866.

トプレイディ，オーガスタス訳 Toplady, Augustus (tr.)『絶対的宿命論の教義』*The Doctrine of Absolute Predestination.* From the Latin of Jerom Zanchius (or Zanchy). New York: Samuel Loudon, 1773. Earlier edition 1769.

『トーラー』(モーセの五書) *Torah, The* (Five Books of Moses). Tr. according to the Masoretic text. Philadelphia: Jewish Publication Society of America, 1962.

トーレイ，C. C. Torrey, C. C.『外典文書』*The Apocryphal Literature.* New Haven: Yale U. P., 1945.

トーレイ，R. A. Torrey, R. A.『聖書における困難』*Difficulties in the Bible.* New York: Revell, 1907.

トラクテンバーグ，ジョシュア Trachtenberg, Joshua『ユダヤ魔術と迷信』*Jewish Magic and Superstition.* New York: Behrman's Jewish Book House, 1939.

『高等魔術』 *Transcendental Magic.* →レヴィ Levi

トラットナー，アーネスト・R. Trattner, Ernest R.『神の自伝』*The Autobiography of God.* New York: Scribner, 1930.

―― 『タルムード概説』*Understanding the Talmud.* New York: Nelson, 1955.

―― 『書物の中の書物の解明』*Unravelling the Book of Books.* New York: Scribner, 1929.

『美術名作宝典』 *Treasury of Art Masterpieces, A.* →クレイヴン Craven

『初期キリスト教宝典』 *Treasury of Early Christianity, A.* →フリーマントル Fremantle

『ユダヤ伝承宝典』 *Treasury of Jewish Folklore.* →オーセイブル Ausable

『ヘハロトの物語』(マセケト・ヘカロト) *Treatise of the Hechaloth* (Massekheth Hekhaloth). Reprinted by A. Jellinek. Ger. tr. by August Wunsche in *Aus Israels Lehrhallen.* Leipzig: E. Pfeiffer, 1907.

トリテミウス，ヨハネス Trithemius, Johannes『秘事の書』*Book of Secret Things.* バレット『魔術師』に抜粋あり Excerpts in Barrett, *The Magus.*

―― 『天の叡智体』*Of the Heavenly Intelligences.* イライアス・アシュモール訳 (tr.) Elias Ashmole. ウィリアム・リリー『世界の破滅』に収録 Included in William Lilly, *The World's Catastrophe.* London, 1647.

―― 『トリテミウスのステガノグラフィア〔秘事の書〕』*Steganographia of Trithemius.* ジョン・E. ベイリー訳 By John E. Bailey. London [1879].

【 U 】

『正典外のユダヤ文献』 *Uncanonical Jewish Books.* →ファーラー Ferrar

アンダーヒル，イーヴリン Underhill, Evelyn『神秘主義』*Mysticism.* New York: Dutton,

1912.

⇨イーヴリン・アンダーヒル『神秘主義』門脇由紀子訳, ジャブラン出版, 1990年
『世界ユダヤ大辞典』*Universal Jewish Encyclopedia.*

【 V 】

ヴァレンティヌス, バシリウス Valentinus, Basilius『アンティモンの凱旋戦車』*The Triumphal Chariot of Antimony.* London : Vincent Stuart, 1962.
ヴァン・デル・ロース, E. Van der Loos, E.『イエスの奇跡』*The Miracles of Jesus.* Leiden : E. J. Brill, 1965.
ヴァン・ノッペン, レオナルド・C. Van Noppen, Leonard C. →フォンデル『ルキフェル』*Vondel*'s Lucifer.
ヴァルガ, マルギット Varga, Margit『クリスマスの物語』*The Christmas Story.* New York : Dodd, 1946.
『ヴェンディダッド文書断片』*Vendidad Fragment, The.* →ダルメステッテル Darmesteter
ヴェルメシュ, ゲザ Vermes, Geza『ユダヤの砂漠での発見』*Discovery in the Judean Desert.* New York : Desclee Co., 1956.
『真のキリストの書』*Verus Jesuitarum Libellus.* シャイブル『ファウスト博士の蔵書』に収録 In Scheible, *Dr. Faust's Bücherschatz.* Stuttgart, 1845.
―― 『真のキリストの書』メジャー・ハーバート・アーウィンによる英訳 Eng. tr. (still in MS.) by Major Herbert Irwin [1875].
『乙女たち』*Virginalia.* →シヴァース Chivers
『エゼキエルの幻視』*Visions of Ezekiel, The.* A hechaloth text recovered from the Cairo Geniza. In Hebrew : *Reiyot Yehezkel.* →ヴェルトハイマー Wertheimer
『イザヤの幻視』*Vision of Isaiah.* →チャールズ Charles
『パウロの幻視』(『パウロの黙示録』) *Vision of Paul* (or *Apocalypse of Paul*). ジェイムズ『新約聖書外典』に収録 In James, *The Apocryphal New Testament.*
ヴォルテール, M. ド Voltaire, M. De『中国の要理, 対話, 哲学的批評』*Chinese Catechism, Dialogues and Philosophic Criticisms.* 論文「天使, 守護霊, 悪魔について」を含む Contains article "Of Angels, Genii, and Devils." New York : Peter Eckler, n. d.
『フォンデルのルキフェル』*Vondel's* Lucifer. レオナード・C. ヴァン・ノッペン訳 (tr.) Leonard C. Van Noppen. Greensboro, N. C. : Charles L. Van Noppen, 1898.

【 W 】

ウェイト, アーサー・エドワード Waite, Arthur Edward『黒魔術と契約の書』*The Book of Black Magic and of Pacts.* London, 1898 ; Chicago : de Laurence Co., 1940. Subsequently issued as *The Book of Ceremonial Magic.*
―― 『儀礼魔術の書』*The Book of Ceremonial Magic.* New Hyde Park, N. Y. : University Books, 1961. Earlier edition published 1929.『ソロモンのアルマデル』の抜粋を含む Contains extracts of *The Almadel of Solomon.*
――訳(tr.)『天地生成の書』(『セフェル・イェツィラ』) *The Book of Formation* (*Sefer Yetzirah*). London : Rider, 1923.
―― 『聖なるカバラ』*The Holy Kabbalah.* Intro. Kenneth Rexroth. New Hyde Park, N. Y. : University Books. n. d.
――訳(tr.)『レメゲトン, またはソロモンの小さな鍵』*The Lemegeton,* or *The Lesser Key of Solomon.* New York : Wehman Bros., 1916.
―― 『イスラエルの秘密の教義』*The Secret Doctrine in Israel.* New York : Occult Research Press, n. d.
――訳(tr.)エリファス・レヴィ『高等魔術』*Transcendental Magic* of Eliphas Levi.
―― 『隠秘学』*The Occult Sciences.* New York : Dutton, 1923.

ウォール，J. チャールズ Wall, J. Charles『悪魔』*Devils*. London: Methuen, 1904.
ウォルシュ，ジェラルド・G. Walsh, Gerald G. →ニケタス（レメシアナの）Nicetas of Remesiana
『光の子らと闇の子らの戦い』*War Between the Sons of Light and the Sons of Darkness*. →ヤディン Yadin.
ワット，W. モンゴメリー Watt, W. Montgomery『アル＝ガザリの信仰と実践』*The Faith and Practice of Al-Ghazali*. London: Allen & Unwin, 1953.
ウェルシュ，ロバート・ギルバート Welsh, Robert Gilbert『詩集アズラエル』*Azrael and Other Poems*. New York and London: Appleton, 1925.
ウェント，ヘルベルト Wendt, Herbert『アダムを求めて』*In Search of Adam*. Tr. from the German by James Cleugh. Boston: Houghton, 1956.
ワーブロウスキー，ラファエル Werblowsky, Raphael『ジョゼフ・カロ，法律家そして神秘主義者』*Joseph Caro, Lawyer and Mystic*. London: Oxford U. P., 1962.
ヴェルンベルク＝メラー，P. 訳 Wernberg-Møller, P. (tr.)『死海文書の規律』*The Manual of Discipline*. Grand Rapids: Eerdmans, 1957.
ウェルトハイマー，ソロモン・A. Wertheimer, Solomon A.『ミドラシュ集』*Bate Midrashot*. 2 vols. 第1巻に『ビルケ・ヘハロト・ラバティ』（大ヘハロト），第2巻に『エゼキエルの幻視』を収録 Includes (in vol. 1) *Pirke Hechaloth Rabbati* (Greater Hechaloth) and (in vol. 2) *Reiyot Yehezkel* (Visions of Ezekiel). Jerusalem: Mosad ha-Rav Kook [1950, 1953].
ウェズリー，ジョン Wesley, John『日誌』*The Journal*. (ed.) N. Ratcliff: London: T. Nelson & Sons, 1940.
⇨『標準ウェスレイ日記』全8巻，山口徳夫訳，伝道社，1959-1961年
ウェスト，ロバート・H. West, Robert H.『ミルトンと天使』*Milton and the Angels*. Athens, Ga.: U. of Georgia Press, 1955.
──『ミルトンの天使の名前』"The Names of Milton's Angels." In *Studies in Philology*, XLVII, 2, April, 1950.
ウェストコット，W. W. 訳 Westcott, W. W. (tr.)『天地生成の書（セフェル・イェツィラ）』*Book of Formation* (*Sefer Yetzirah*). London: J. M. Watkins, 1911. Book originally published in Basle, 1547.
──編 (ed.)『ヘルメス文書集成』*Collectanea Hermetica*. 9 vols. London: Theosophical Pub. Soc., 1893-1896.
──編 (ed.)『ヴェールを脱いだカバラ』*Kabbala Denudata*. New York: Occult Research Press. n. d.
──『カバラ研究入門』*An Introduction to the Study of the Kabalah*. London: J. M. Watkins [1926].
『ウェストミンスター聖書歴史図解書』*Westminster Historical Atlas to the Bible*. ジョージ・アーネスト・ライト&フロイド・ヴィヴィアン・フィルスン編 (ed.) George Ernest Wright and Floyd Vivian Filson. Intro. William F. Albright. Philadelphia: Westminster, 1945.
ウェレス，ジョゼフ Wheless, Joseph『それは神の言葉か？』*Is It God's Word?* Moscow, Idaho: published by "Psychiana," 1926.
ホワイト，アンドリュー・ディクスン White, Andrew Dickson『キリスト教国における科学と神学の対立の歴史』*A History of the Warfare of Science with Theology in Christendom*. 2 vols. New York: Dover, 1960. The same, in paperback, published by The Free Press, 1965.
ヴィエルス，ヨハン Wierus (or Wier), Jean (or Joannes)『悪魔のペテンに関する5冊の書物』*Cinque livres de l'imposture et tromperie des diables*. Paris, 1569.
──『悪魔祓い』*De Praestigiis daemonum*. Basle: Officina Oporiniana, 1563.
──『偽君主論』*Pseudo-Monarchia*. In *Opera Omnia*. Amsterdam, 1660.
ワイルドマン，I. I. Wildman, I. I.『マセケト・アジルト』*Maseket Azilut*. Johannesburg, 1864. A cabalistic tract on the divine emanations (as the title denotes). An edition published in

Jerusalem, 1932. A reprint in *Ozar Midrashim.* →ナジル Nazir

ギヨーム（オーヴェルニュの） William of Auvergne (Bishop of Paris)『宇宙論』 *De Universo.* Contained in his *Opera.* Paris and Orleans, 1674.

ウィリアムズ, チャールズ Williams, Charles『天の戦い』 *War in Heaven.* New York: Pellegrini & Cudahy, 1950.

——『妖術』 *Witchcraft.* New York: Meridian Books, 1959.

ウィルスン, エドマンド Wilson, Edmund『死海からの文書』 *The Scrolls from the Dead Sea.* New York: Oxford U. P., 1955.

ウィルスン, ジョン Wilson, John『ベルフェゴル, あるいは悪魔の結婚』 *Belpheqor, or the Marriage of the Devil.* London, 1691.

『ベン・シラの知恵』 *Wisdom of Ben-Sira (Ecclesiasticus).* →エスタリー Oesterley

『カルデア人の知恵』 *Wisdom of the Chaldeans.* → M. ガスター M. Gaster

『カバラの知恵』 *Wisdom of the Kabbalah, The.* →ルーンズ Runes

『ソロモンの知恵』（『知恵の書』） *Wisdom of Solomon (The Book of Wisdom)* →エスタリー Oesterley

ウッド, チャールズ・アースキン・スコット Wood, Charles Erskine Scott『天の話』 *Heavenly Discourse.* New York: Vanguard, 1942.

ウッドコック, P.G. Woodcock. P. G.『神話小辞典』 *Short Dictionary of Mythology.* New York: Philosophical Library [1953].

ウーリー, レオナード Woolley, Leonard『忘れられた王国』 *A Forgotten Kingdom.* Baltimore: Penguin, 1953.

『古代文明史』 *World of the Past, The.* →ホークス Hawkes

ウォレル, W.H. Worrell, W. H.「ソロモンの頌歌とピスティス・ソフィア」 "The Odes of Solomon and the Pistis Sophia." *The Journal of Theological Studies,* vol. 13. Oxford: Clarendon, 1912.

ヴュステンフェルト, フェルディナント編 Wustenfeld, Ferdinand. (ed.) カズウィニ『宇宙構造論』 Kazwini, *Kosmographie.*

【 Y 】

ヤディン, イーガエル編 Yadin, Yigael (ed.)『光の子らと闇の子らの戦い』 *War between the Sons of Light and the Sons of Darkness.* Jerusalem: The Bialik Institute, 1956.

『ヤルクト・ハダシュ』 *Yalkut Hadash.* イスラエル・ベン・ベンジャミン編 (ed.) Israel ben Benjamin. Radziwilow (Poland): Jos. ben Mordecai, 1814.

『ヤルクト・レウベニ』 *Yalkut Reubeni* (Hoshke). In Hebrew.『モーセの黙示録』を含むContains the *Revelation of Moses.* Prague, 1660. Other editions published by Immanuel ben Joseph Athias in Amsterdam, 1700; in Warsaw, 1892, by Lewin-Epstein.

『ヤルクト・シモニ』 *Yalkut Shimoni.* ベザレル・ランダウ編 (ed.) Bezalel Landau. Jerusalem, 1960. A 2-vol. edition published in Warsaw, 1876-1877.

イェイツ, W.B. Yeats, W. B.『幻視』 *A Vision.* New York: Macmillan, 1961.

⇨『幻想録』島津彬郎訳, プレジデント社, 1978年

「シンジャー山のヤズィード派」 "The Yezidis of Mount Sindjar." →マシニョン Massignon.

ヤング, マーガリート Young, Marguerite『森の天使』 *Angel in the Forest.* New York: Reynal & Hitchcock [1945].

【 Z 】

『サドカイ派文書諸断片と死海文書』 *Zadokite Fragments and the Dead Sea Scrolls, The.* →ロウリー Rowley；チャールズ Charles；シェクター Schechter

——『サドカイ派文書諸断片と死海文書』ソロモン・ツァイトリン編 (ed.) Solomon Zeitlin. Philadelphia: Dropsie College, 1952.

ザンキウス，ヒエロニムス Zanchy, Jerome (Hieronymus)『絶対絶命的宿命論の教義』*The Doctrine of Absolute Predestination*. →オーガスタス・トプレイディ Augustus Toplady. Earlier edition 1769.
―――『神学全集』*Opera Omnia Theologica*. 8 vols. Geneva, 1619.
ツァイトリン，ソロモン Zeitlin, Solomon 「ヘブライ語聖書聖典化に関する歴史研究」"An Historical Study of the Canonization of the Hebrew Scriptures." Philadelphia : American Academy for Jewish Research. Proceedings for 1932.
―――『誰がイエスを十字架に架けたのか？』*Who Crucified Jesus ?* New York : Harper, 1942.
ジンマーマン，フランク訳 Zimmermann, Frank (tr.)『トビト記』*The Book of Tobit*. New York : Harper, 1958.
『ゾハル』*Zohar, The*. ハリー・スパーリング＆モーリス・サイモン訳(tr.) Harry Sperling and Maurice Simon. 5 vols. London : The Soncino Press, 1956.
―――『ゾハル』ゲルショム・ショーレム編 (ed.) Gershom Scholem. 1 vol. New York : Schocken [1949].
『ゾフィエル――あるいは7人の花嫁』*Zophiel ; or, The Bride of Seven*. A book-length poem in 6 cantos. →ブルックス，マリア・ガウエン Brooks, Maria Gowen

あとがき

　本書を読まれて，天使と魔物の境界線があいまいなことに驚かれた読者が多かったかと思う。あるいは，天使というと翼の生えた太った幼児を連想されていた読者は，ここに収められた奇怪な天使の姿に当惑されたのではなかろうか。天使はいつも善というわけでもなく，また愛くるしい姿でもない。そうなると，天使とは何なのか，実は本書を読んで一番わからないのはこの点かもしれない。

　キリスト教を離れて考えてみれば，天使のように，現実世界を超えながらも同時に身近な存在はいろいろな宗教にある。たとえば日本の神々にも，狐狸の類から始まって，守護霊，背後霊，屋敷神，氏神，守り本尊，地蔵，天狗など小さな神々はそこらじゅうにいる。ただし，それらを普通は天使とは呼ばない。通常「天使」と呼ばれるものは，ゾロアスター教から始まり，ユダヤ教，キリスト教，イスラム教という，西アジアで発生した一神教的な（もしくはゾロアスター教の場合は二元論的な）世界宗教に登場する，神と人との間の中間的存在ということになる。しかし，多神教の神々と一神教の世界とはまったく関係ないわけではなく，天使の中には，元来は他の多神教から生まれたものも多い。そもそもケルビムが元来はアッシリアの寺院や宮殿の門に置かれた翼の生えた怪獣に由来するなどがそうである。

　一神教からすれば人間はなぜ一つの神で満足できないか，あるいは多神教からすると逆になぜ一つの神にこだわろうとするのか。同じ問題でも二つの面から考えてみると面白い。人間の欲求からすれば，一神教に天使論が発達する理由もわからなくはない。つまり，天使は神ほど道徳的に厳格な存在ではない。神の前では言いだすのもためらわれる身勝手な願望でも，天使には告白できる。人間はモーセの十戒だけで生きることができるほど単純なものではない。泥棒でも守護してくれる聖人や天使が欲しいわけである。おそらく人間の欲望と悩みの数だけ天使はどこかに隠れているのだろう。しかし，願望の一つ一つに願いを叶えてくれる霊的な存在がいるとすれば，逆にそれだけ機嫌をとらなければならないということになる。そういう世界は一見生命に溢れているが，調子が悪くなると呪いのネットワークになってしまう可能性もある。そうなると，あらゆる呪いを解消してくれる一神教の方が魅力的となる。人間の側の事情もかなり矛盾したものではある。

　天使は善悪や人格の有無など，わからない事は多いが，その存在も「濃い」のか「薄い」のかよくわからない。天使が霊的存在とすれば，希薄な姿をイメージする人も多いだろう。ところが，旧約聖書の「創世記」18章，19章に出てくる御使いは，アブラハムの差し出す食事を飲み食いし，妻サラに子供が出来ることを預言し，ソドムの住人によって襲われそうになる（ちなみにこの天使は男性らしい）。これはあまりに現実的，日常的な存在であるが，この事情は現代に至ってもたいして変わってはいないようである。

　現代，天使の出没する主な場所は二つある。一つはサイコセラピーの場である。心の奥にあるというハイヤーセルフと呼ばれる大いなる自己が天使の姿をとって出現すると言われ，これを治療に活用するセラピーもある。これをスピリチュアルな天使像とすれば，もう一つは旧約聖書の「御使い」のように，物質的，具体的な天使像と言えようか。その出現する場所は砂漠あるいはロードサイド。つまり20世紀半ばからアメリカを中心に出現している宇宙人たちである。アダムスキーが会ったという金星人オーソンをはじめ，リアルこの上ない姿の宇宙人が天の彼方よりアメリカの砂漠に飛来し，出会った者の中には天上の極楽へと案内された者もいた。翼の生えた幼児像がキリスト教自身のものではなく，ローマ神話のキューピッドからの借用であったように，オーソンもSFや宇宙科学から借用した新たな天使像なのだろう（その伝統の古さを示すが如く，実際いくつかの円盤コンタクティー伝説には，ウリエルとかエロヒムといった天使の名前が登場している）。

　もちろん明るい面ばかりでなく，いずれの場合にも陰鬱な伝説がつきまとっている。サイコ

セラピーでは無意識から守護天使が出てくる場合もあれば，悪魔主義者に虐待された記憶や悪霊が出てくることもある。あるいは，UFO事件の場合には悪魔役として，メン・イン・ブラックという3人組の不気味な黒服の男たちが円盤目撃者の周辺に出没することになっている。これにとりつかれると陰謀論の関係妄想に落ち込んでしまうこともある。黒いヘリコプターという妄想が日米のサブカルチャーで流行したのはほんの10年ほど前の話であったが，これも現代版の影の天使なのではなかろうか（その淵源はもちろん「地獄の黙示録」だろうが）。奇しくも出版における「天使論」のブームと前後していた。原著者も序論で述べているように，天使の半面には暗くおそろしい部分がある。それは今も変わらない。むしろ，天使が黒なのか白なのか，その訳のわからなさこそが，この辞典のメッセージだろう。

　私事にわたるが，監訳者が読んだ最初の天使論はたぶん，笠井叡『天使論』であったかと思う。高校生か大学生の頃だったか。次にP.L.バーガーの『天使のうわさ』を読んだはずであるが，クレー描くところの「忘れっぽい天使」が私の守護天使であるようで，一切記憶にない。つまりグルジェフとキリスト教社会学者が私の天使論経験のすべてで，洋服を着た天狗や銀色の天空人の話を時折り読むことはあったが，お洒落なものは苦手なせいか，いわゆる天使に興味を引かれたことはなかった。もちろん本書は便利な辞書として利用させてもらっていたが，まさか監訳をお引き受けすることになるとは思わなかった。ただ，仕事を終えてみると，天使も天狗とそう異なるものでもないかとも思う。

　本書は類書と比べても情報量は抜群に多い。しかもイロニーとウィットに富む原文で，そういうひねった面白みもある。そのせいか翻訳作業は簡単なものではなかった。訳者の皆さんから頂いた訳文を監訳者が点検，修正するという形の作業であったが，原文と対照して悩むことも多々あった。訳文や説明文には不正確，不十分な箇所もあるかと思う。また原文のユーモラスな調子を日本語に移すには監訳者は力量不足であった。お詫びしていけばきりがないが，時間的に非常に制約された中での作業であったので，余裕がなかったというのが正直なところである。以上は弁解の辞である。とはいえ，訳文の最終責任は監訳者にある。不足，不明の箇所については，今後折りをみて訂正，拡充できればと思う。なお訳注と「本書の読者のために」については，長谷川琢哉氏（京大大学院）に資料面でお世話になった。記して感謝したい。

吉永進一

「大天使ミカエル」　グイド・レーニ作。

〈著者〉
グスタフ・デイヴィッドスン（Gustav Davidson）
劇作家、伝記作家、詩人、そして天使学著述家・編者。アメリカ合衆国国会図書館書誌学研究者、英国ロクストン・カレッジ・フェロウ。デイ・カスタニョーラ賞をはじめ種々の賞を受賞した。1971年没。

〈監訳者〉
吉永進一（よしなが・しんいち）
1957年生。京都大学文学部大学院（宗教学専攻）修了。専門、近代秘教思想史、近代仏教史。元舞鶴工業高等専門学校教授。2022年没。
編著・共著：碧海寿広、嵩満也、吉永進一編『日本仏教と西洋世界』（法蔵館、2020）、栗田英彦、塚田穂高、吉永進一編『近現代日本の民間精神療法』（国書刊行会、2019）、大谷栄一、近藤俊太郎、吉永進一編『近代仏教スタディーズ』（法蔵館、2016）、中西直樹、吉永進一共著『仏教国際ネットワークの源流』（三人社、2015）、末木文美士、林淳、大谷栄一、吉永進一編『ブッダの変貌』（法蔵館、2014）。

〈翻訳協力〉（順不同）
山口和彦 1971年生。上智大学大学院修士課程修了。ペンシルヴァニア州立大学大学院修士課程修了。アメリカ文学、比較文学専攻。現在、上智大学准教授。
櫻内理恵 1958年生。東海大学大学院博士課程満期退学。西洋古典学専攻。現在、東海大学、玉川大学等非常勤講師。
櫻内正美 1958年生。東海大学大学院博士課程満期退学。西洋中世思想・教父学専攻。現在、東海大学付属相模高等学校非常勤講師。
坂脇優子 1958年生。東海大学大学院博士課程単位取得退学。西洋古典学専攻。現在、東海大学付属望星高校非常勤講師

天使辞典
てんしじてん

2004年11月20日　第1版第1刷発行
2023年11月20日　第1版第7刷発行

著　者…………グスタフ・デイヴィッドスン
監訳者…………吉　永　進　一
発行者…………矢　部　敬　一
発行所…………
株式会社 創 元 社
〈ホームページ〉https://www.sogensha.co.jp/
〈本社〉〒541-0047 大阪市中央区淡路町4-3-6
Tel.06-6231-9010 (代)
〈東京支店〉〒101-0051 東京都千代田区神田神保町1-2 田辺ビル
Tel.03-6811-0662 (代)
印刷所…………
株式会社 太洋社

©2004 Printed in Japan
ISBN978-4-422-20229-7 C1097

本書を無断で複写・複製することを禁じます。
乱丁・落丁本はお取り替えいたします。
定価はカバーに表示してあります。

[JCOPY] 〈出版者著作権管理機構 委託出版物〉
本書の無断複製は著作権法上での例外を除き禁じられています。
複製される場合は、そのつど事前に、出版者著作権管理機構
（電話 03-5244-5088、FAX 03-5244-5089、e-mail: info@jcopy.or.jp）
の許諾を得てください。

本書の感想をお寄せください
投稿フォームはこちらから ▶▶▶

好評既刊

地図と絵画で読む **聖書大百科【普及版】**
バリー・J・バイツェル監修／船本弘毅監修／山崎正浩訳者代表
　　　　　　　　　　　　　　　　　　B5判変型上製・352頁・4200円

図説 **聖書人物記**──絵画と家系図で描く100人の物語
R・P・ネッテルホルスト著／山崎正浩訳　　B5判変型上製・192頁・3600円

レクラム版 **聖書人名小辞典**
ハンス・シュモルト著／高島市子訳　　　　　B6判上製・320頁・2400円

100の傑作で読む **新約聖書ものがたり**　名画と彫刻でたどる
マルグリット・フォンタ著／遠藤ゆかり訳　　四六判変型並製・216頁・2000円

100の傑作で読む **ギリシア神話の世界**　名画と彫刻でたどる
マルグリット・フォンタ著／遠藤ゆかり訳　　四六判変型並製・216頁・2000円

ルルドの奇跡──聖母の出現と病気の治癒　〈「知の再発見」双書〉
エリザベート・クラヴリ著／船本弘毅監修／遠藤ゆかり訳
　　　　　　　　　　　　　　　　　　B6判変型並製・144頁・1600円

錬金術──秘密の「知」の実験室　〈アルケミスト双書〉
ガイ・オグルヴィ著／藤岡啓介訳　　　　　　B6判変型上製・68頁・1200円

ルーン文字──古代ヨーロッパの魔術文字　〈アルケミスト双書〉
ポール・ジョンソン著／藤田優里子訳　　　　B6判変型上製・66頁・1200円

ストーンヘンジ──巨石文明の謎を解く　〈アルケミスト双書〉
ロビン・ヒース著／桃山まや訳　　　　　　　B6判変型上製・64頁・1200円

【図説】**紋章学事典**
スティーヴン・スレイター著／朝治啓三監訳　B5判変型上製・256頁・4800円

※価格には消費税は含まれていません。